SUMMA CUM LAUDE

KB064313

숨마쿰라우데 ®

[수학 기본서]

미적분

이룸이앤비
Education&Books

SUMMA CUM LAUDE-MATHEMATICS

COPYRIGHT

숨마쿰라우데® [미적분]

숨마쿰라우데 수학 시리즈 집필진

권종원 서울대 수학교육과
하승우 서울대 수리과학부
김영준 서울대 의학과
박종민 서울대 수리과학부
이정준 서울대 통계학과
정양하 서울대 수리과학부
홍성민 중앙대 통계학과

박경석 서울대 의학과
권오재 한양대 화공생명공학부
김우섭 서울대 대학원 수리과학부
박창희 서울대 의학과
이호민 서울대 수리과학부
조태흠 서울대 수리과학부

정진하 성균관대 수학교육과
김 신 서울대 화학생물공학부
노희준 고려대 컴퓨터학과
여지환 서울대 전기컴퓨터학과
이효빈 서울대 수학교육과
차석빈 서울대 수리과학부

1판 4쇄 발행일 : 2023년 8월 7일

펴낸이 : 이동준, 정재현
기획 및 편집 : 박영아, 김재열, 남궁경숙, 강성희, 박문서
디자인 : 굿윌디자인

펴낸곳 : (주)이룸이앤비
출판신고번호 : 제2009-000168호
주소 : 경기도 성남시 수정구 위례광장로 21-9 kcc 웰츠타워 2층 2018호
대표전화 : 02-424-2410
팩스 : 070-4275-5512
홈페이지 : www.erumenb.com
ISBN : 978-89-5990-489-1

[이 책을 펴내면서]

새로운 교육과정에 맞추어 [숨마쿰라우데 미적분]이 출간되었습니다.
미적분은 고등학교 수학에서 이과 학생들이 마지막에 배우는 과목이므로
그 자체만으로도 부담을 느끼는 학생들이 많습니다.
여기에 수능 고난도 문제에 단골로 출제되다 보니 존재감도 큰 과목입니다.
수능 고득점을 위해 결코 놓칠 수 없는 미적분,
어떻게 공부해야 할까요?
이 고민에 대한 노력의 산물이 바로 [숨마쿰라우데 미적분]입니다.

[숨마쿰라우데 미적분]은 스토리텔링 기법에 기반한 내용 구성을 통해
개념과 원리를 쉽게 이해할 수 있도록 구성하였습니다.
스토리텔링 기법은 개념이 등장하게 된 계기와 개념의 전개,
그리고 그 결과를 도출하기까지 모든 과정을
논리적으로 보여주기 때문에 기본부터 차근차근 학습하려는
학생들에게 더할 나위 없이 좋은 도구입니다.

[숨마쿰라우데 미적분]은 묘수(妙手)보다는 정수(精髓)를 보여 드립니다.
개념에 대한 근본적인 학습 → 자주 출제되는 유형 숙지 → 다양한 난이도의 문제 풀이
를 통해 얄팍하지 않은, 그러면서 흔들리지 않는
수학 실력을 갖출 수 있도록 도와드립니다.
탄탄한 실력이 있기에 [숨마쿰라우데 미적분]은
어떤 형태의 시험도 두렵지 않습니다.

여러분이 이 책을 통해 미적분에 대해 흥미를 갖고
실력을 높이는 것이 저희들에게는 가장 큰 보람입니다.
[숨마쿰라우데 미적분]을 통해 여러분이 각자의 꿈에
한 걸음 더 가까이 다가갈 수 있기를 바랍니다.

– 저자 일동 –

숨마큼라우데® [미적분]

처음부터 겁먹지 말자.
막상 가보면 아무것도 아닌 게 세상엔 참으로 많다.
첫걸음을 떼기 전에 앞으로 나갈 수 없고
뛰기 전엔 이길 수 없다.
너무 많이 뒤돌아보는 자는 크게 이루지 못한다.

– 요한 폰 쉴러

THINK MORE ABOUT YOUR FUTURE

STRUCTURE

[이 책의 구성과 특징]

01

개념 학습

수학 학습의 기본은 개념에 대한 완벽한 이해입니다. 단원을 개념의 기본이 되는 소단원으로 분류하여, 기본 개념을 확실하게 이해할 수 있도록 설명하였습니다. 〈공식의 정리〉와 함께 〈공식이 만들어진 원리〉, 학습 선배인 〈필자들의 팁〉, 문제 풀이시 〈범하기 쉬운 오류〉 등을 설명하여 확실한 개념 정립이 가능하도록 하였습니다.

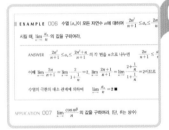

02

EXAMPLE & APPLICATION

소단원에서 공부한 개념을 적용할 수 있도록 가장 적절한 〈EXAMPLE〉을 제시하였습니다. 다양한 접근 방법이나 추가 설명을 통해 개념을 확실하게 이해하고 넘어가도록 하였습니다. EXAMPLE에서 익힌 방법을 적용하거나 응용해 봄으로써 개념을 탄탄하게 다질 수 있도록 APPLICATION을 제시하였습니다.

03

기본예제 & 발전예제

탄탄한 개념이 정리된 상태에서 <u>본격적인 수학 단원별 유형을 익힐 수 있습니다.</u> 대표적인 유형 문제를 〈기본예제〉와 〈발전예제〉로 구분해 풀이 GUIDE와 함께 그 해법을 보여 주고, 같은 유형의 〈유제〉문제를 제시하여 해당 유형을 완벽하게 연습할 수 있습니다. 또, 〈Summa's Advice〉에 보충설명을 제시하여 실수하기 쉬운 사항, 중요한 추가적인 설명을 덧붙여 해당 문항 유형에 철저하게 대비할 수 있도록 하였습니다.

SUMMA CUM LAUDE-MATHEMATICS

STRUCTURE

숨마쿰라우데® [미적분]

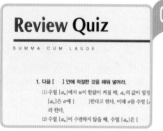

04 중단원별 Review Quiz

소단원으로 나누어 공부했던 중요한 개념들을 중단원별로 모아 괄호 넣기 문제, 참·거짓 문제, 간단한 설명 문제 등을 제시하였습니다. 이는 중단원별로 중요한 개념을 다시 한번 정리하여 전체를 보는 안목을 유지할 수 있도록 해 줍니다.

05 중단원별, 대단원별 EXERCISES

이미 학습한 개념과 유형문제들을 중단원과 대단원별로 테스트하도록 하였습니다. 〈난이도별〉로 A, B단계로 문항을 배치하였으며, 내신은 물론 수능 시험 등에서 출제가 가능한 문제들로 구성하여 정확한 자신의 실력을 측정할 수 있습니다. EXERCISES를 통해 부족한 부분을 스스로 체크하여 개념 학습으로 피드백하면 핵심 개념을 보다 완벽히 정리할 수 있습니다.

06 Advanced Lecture (심화, 연계 학습)

본문보다 더욱 심화된 내용과 앞으로 학습할 상위 단계와 연계된 내용을 제시하고 있습니다. 특히, 학생들이 충분히 이해할 수 있는 수준으로 설명하여 깊이 있는 학습으로 수학 실력이 보다 향상될 수 있도록 하였습니다.

THINK MORE ABOUT YOUR FUTURE

STRUCTURE

[이 책의 구성과 특징]

07 MATH for ESSAY

고2 수준에서 연계하여 공부할 수 있는 수리 논술, 구술에 관련된 학습 사항을 제시하였습니다. 앞의 심화, 연계 학습과 더불어 좀 더 수준 있는 수학을 접하고자 하는 학생들을 위해 깊이 있는 수학 원리 학습은 물론 앞으로 입시에서 강조되는 〈수리 논술, 구술〉에도 대비할 수 있도록 하였습니다.

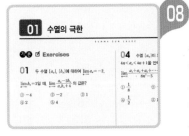

08 내신 · 모의고사 대비 TEST

수학 공부에서 많은 문제를 접하여 적응력을 키우는 것은 원리를 이해하는 것과 함께 중요한 수학 공부법 중 하나입니다. 이를 위해 별도로 단원별 우수 문제를 〈내신 · 모의고사 대비 TEST〉를 통해 추가로 제공하고 있습니다. 단원별로 자신의 실력을 측정하거나, 중간 · 기말 시험 및 각종 모의고사에 대비하여 실전 감각을 기를 수 있습니다.

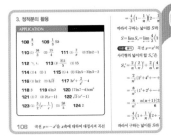

09 SUB NOTE – 정답 및 해설

각 문제에 대한 좋은 해설은 문제풀이 만큼 실력 향상을 위해 필요한 요소입니다. 해당 문제에 대해 가장 적절하고 쉬운 풀이 방법을 제시하였으며, 알아두면 도움이 되는 추가적인 풀이 방법 역시 제시하여 자학자습을 위한 교재로 손색이 없도록 하였습니다.

——— SUMMA CUM LAUDE-MATHEMATICS ———

CONTENTS

숨마큼라우데® [미적분]

THINK MORE ABOUT YOUR FUTURE

CONTENTS

[이 책의 차례]

CHAPTER II. 미분법

SUMMA CUM LAUDE-MATHEMATICS
CONTENTS

숨마쿰라우데® [미적분]

CHAPTER Ⅲ. 적분법

THINK MORE ABOUT YOUR FUTURE

CONTENTS

[이 책의 차례]

숨마쿰라우데® [미적분]

'노(NO)'를 거꾸로 쓰면 전진을 의미하는 '온(ON)'이 된다.
모든 문제에는 반드시 문제를 푸는 열쇠가 있다.
끊임없이 생각하고 찾아내어라.

– 노먼 빈센트 필

[수학 학습 시스템]

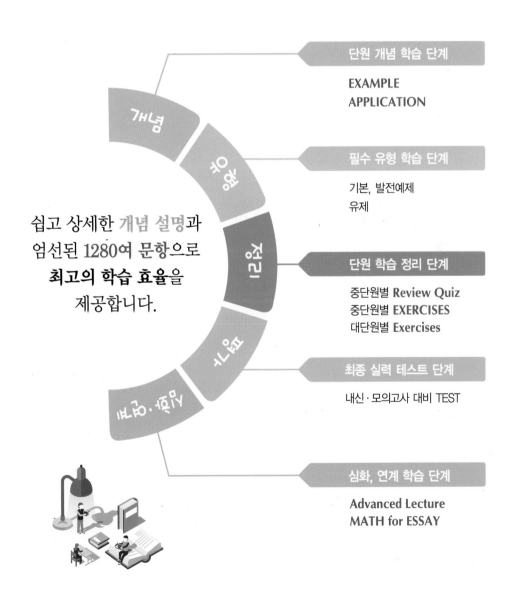

개념

응용

정리

평가

심화·연계

쉽고 상세한 개념 설명과
엄선된 1280여 문항으로
최고의 학습 효율을
제공합니다.

단원 개념 학습 단계

EXAMPLE
APPLICATION

필수 유형 학습 단계

기본, 발전예제
유제

단원 학습 정리 단계

중단원별 Review Quiz
중단원별 EXERCISES
대단원별 Exercises

최종 실력 테스트 단계

내신·모의고사 대비 TEST

심화, 연계 학습 단계

Advanced Lecture
MATH for ESSAY

상위 1%가 되기 위한
효율적 학습법

수학 공부법
특강

www.erumenb.com

「미적분」은 이과 학생들만이 공부하는 과목으로 과목명에서 유추할 수 있듯이 핵심이 되는 학습 내용은 함수의 미분과 적분이다.

「수학Ⅱ」에서는 미분과 적분을 다항함수에 국한지어 다룬 반면 「미적분」에서는 지수함수와 로그함수, 삼각함수 등 다소 복잡한 함수들의 미분과 적분을 다루고, 이를 바탕으로 여러 가지 새로운 내용을 공부하게 된다.

「미적분」에서는 다루는 함수의 폭이 넓어졌기 때문에 「수학Ⅱ」에 비해 훨씬 다양하고 복잡한 형태의 문제를 공부하게 될 것이다. 그렇다고 해서 「미적분」에 대해 지나치게 어려움을 느낄 필요는 없다. 왜냐하면 새로 배우게 될 함수의 정의 및 특성만 완벽히 익힌다면, 나머지 내용은 「수학Ⅱ」에서 배웠던 미분과 적분의 정의를 통해 모두 유도될 수 있기 때문이다.

또한 「수학Ⅱ」에서 배운 공식이나 개념이 생각나지 않더라도 크게 걱정할 필요는 없다. 「미적분」에서 다루는 미분과 적분의 개념이 「수학Ⅱ」에서 배운 미분과 적분의 개념과 같으므로 나름 복습한다는 자세로 학습해도 된다. 더욱이 본 교재에서는 제시된 모든 공식에 대해 그 증명 과정 역시 친절히 제시하고 있으므로 각 증명 과정을 따라 공부하다 보면 쉽게 개념을 떠올릴 수 있을 것이다.

「미적분」은 수열의 극한, 미분법, 적분법의 3개의 단원으로 구성되어 있다. 각 단원에서 중요하게 생각하고 있는 부분 혹은 공부하는 방향에 대해 간략하게 살펴보도록 하자.

I. 수열의 극한	① 미분과 적분을 배우기 위한 기초 단계에 해당하는 내용으로 나오는 문제들의 유형이 많지 않으니 각각의 접근법을 숙지하고, 유형별로 충분한 문제 연습을 통해 문제를 해결하는 방법에 익숙해져야 한다. ② 극한의 의미는 「수학Ⅱ」에서 익혀 결코 새롭다거나 어려운 내용이 아니므로 편하게 받아들여질 것이다. 무엇보다 가장 중요한 것이 무한대(∞)와 수렴에 대한 이해이므로 개념을 충분히 익히도록 하자.
Ⅱ. 미분법	① 지수함수와 로그함수, 삼각함수의 미분에서 다뤄지는 공식은 반드시 유도할 수 있어야 하고 암기해야 한다. ② 여러 가지 함수의 미분에 대한 내용을 완벽하게 숙지하도록 한다. ③ 미분을 이용하여 그래프의 개형을 그리는 방법에 익숙해져야 한다. 특히 방정식이나 부등식 등의 문제를 해결함에 있어 그래프의 개형을 이용하면 복잡한 문제를 조금 더 간단하게 접근할 수 있다.
Ⅲ. 적분법	① 여러 가지 함수의 적분법에 대한 내용을 완벽하게 숙지하도록 한다. ② 적분의 의미는 「수학Ⅱ」에서 충분히 익혔겠지만 본 단원에서 도형의 넓이나 부피 등을 구하는 방법을 배우면서 더 직관적으로 이해할 수 있도록 하자.

「미적분」에 대한 핵심 내용과 더불어 미분과 적분을 학습하는 독자들이 가졌으면 하는 마음 가짐 몇 가지를 조언하는 바이다.

1 미적분학, 미리 겁먹지 말자!

흔히 미적분학은 고등학교 수학의 최종 관문 중 하나로 인식되는 경우가 많다. 많은 학생들이 미분과 적분이라는 단어에 기가 눌려 무턱대고 어려운 과목으로 인식하곤 한다. 그러나 미적분학은 생각하는 것처럼 어려운 과목이 아님을 우선 밝혀 둔다. 미적분학은 본래 고대 그리스 시대에서부터 여러 가지 계산 및 세상에 대한 이해를 위해 자연스럽게 발전해 온 학문이다. 이천 년 전의 사람들이 할 수 있는 것이라면, 물론 우리들도 할 수 있을 것이다.

따라서 기본적인 정의를 먼저 이해하고 차근차근 공부하다 보면 어느새 미적분학은 수학의 편리한 도구가 되어 있을 것이다. 단순히 지레짐작으로 어려울거라 생각하여 섣불리 '수포자'가 되는 실수를 범하지 않도록 하자.

2 극한, 완벽하게 이해하자!

미적분학은 극한의 개념이 없다면 성립할 수 없는 학문이다. 이미 「수학Ⅱ」에서 기본적인 개념을 공부하였겠지만, 미분계수와 정적분 등의 미적분학 기본 용어들은 극한의 바탕 위에 정의되어 있다. 이를 올바르게 이해하며 공부하기 위해서는 극한의 개념에 대한 정확한 이해와 올바른 사고방식이 필요하다. 아직 극한에 대한 이해가 충분하다고 생각되지 않는 학생이라면 「미적분」을 공부하기 전에 「수학Ⅱ」의 함수의 극한을 간단하게나마 다시 한 번 살펴보는 것을 권한다.

3 기본 개념의 이해는 필수!

다른 어떤 수학 분야도 마찬가지겠지만 미적분학을 공부할 때에는 기본 개념을 매우 중요하게 여기고 반드시 기억해야 한다. 그러나 많은 학생들이 기본 개념을 등한시하고 공식만을 기억하여 계산 중심의 수학을 공부하곤 한다. 물론 미적분학이 여러 가지 계산에 중요하게 쓰이기도 하지만, 이 과정에서 자신이 계산하는 대상의 정확한 뜻을 모르면 계산의 진정한 의미를 이해할 수 없다. 예를 들어 「수학Ⅱ」에서 배운 '정적분으로 나타내어진 함수의 극한'에 대한 식

$$\lim_{x \to a} \frac{1}{x-a} \int_a^x f(t)\, dt = f(a)$$

를 다시 한 번 생각해 보자. 이 식은 미분계수의 정의와 정적분의 정의에 기반을 둔 것으로 미분계수의 정의와 정적분의 정의를 알면 당연한 것이지만, 이를 모르고 식을 암기하면 간단한 문제는 계산하더라도 까다로운 문제를 보면 문제 풀이의 갈피를 잡지 못해 당황하여 풀지 못하기 일쑤이다. 기본 개념을 알지 못하면 미적분학에서 다루는 대부분의 식의 의미를 파악할 수 없다. 따라서 미적분학은 수학의 그 어떤 분야에서보다도 기본 개념의 이해가 무척 중요하다.

4 식이 품고 있는 의미를 이해하라.

미적분학을 뜻하는 영어 단어 'calculus'는 계산하다는 뜻의 영어 단어 'calculate'와 그 생김새가 비슷하다. 미적분학은 사실은 계산하는 과목, 즉 산수의 일종이라고 말하는 듯하다. 실제로 미적분학을 산수처럼 생각하는 수준에 이르면 미분이나 적분이 쓰이는 문제를 자유롭게 다루고 해결할 수 있다.

미분과 적분은 모두 일상생활에서 흔히 볼 수 있는 현상을 해석하기 위해 발전한 학문이다. 그러다 보니 미분과 적분의 기본 개념 및 공식들은 모두 그것이 품고 있는 의미를 이해한다면, 모두 '상식적으로 당연한' 것이다. 물론 공부를 처음 시작할 때에는 개념 하나하나가 상당히 어렵고 까다로울 것이다. 먼저 기본 개념을 정확히 이해하고, 공부하면서 만나는 여러 식들이 어떤 의미를 담고 있는지를 생각해 보라.

예를 들어 미분계수는 '접선의 기울기', 정적분은 '넓이' 등으로 생각하는 것이다. 본 교재는 본문에 등장하는 각종 공식의 의미를 이해하기 쉽게 설명해 두었다. 이 과정을 거치며 공부하다 보면

$$\frac{d}{dx}\int_a^x f(t)dt = f(x)$$

와 같은 식이 무엇을 더 설명해야 할지 모를 정도로 당연한 식으로 보이기 시작할 것이다. 이와 같이 등장하는 개념을 그 의미까지 포함하여 완전히 내 것으로 만들도록 노력하자. 그럼으로써 비로소 미적분학을 자유롭게 다룰 수 있게 될 것이다. 기본 개념 및 정의를 철저하게 이해하여 암기하고, 각종 공식의 의미까지 잘 이해하고 있다면 어떤 미적분학 문제를 만나더라도 무섭지 않을 것이다.

5 문제를 단순화 시켜라.

대부분의 학생들은 복잡해 보이는 문장제 문제가 등장하면 읽기부터 포기하는 경우가 많다. 복잡해 보이는 문제는 반드시 어려운 문제일 것이라는 선입견을 버리자. 문장만 길 뿐 단순한 원리로 풀어지는 문제도 많기 때문이다.

모의고사, 대학수학능력시험 등에서는 결코 교과 과정 이외의 내용이 출제되지 않는다. 이런 이유로 간단한 식으로 표현될 수 있는 내용을 여러 정보와 섞거나 혹은 긴 문장으로 식을 숨기는 형식으로 문제가 출제되는 것이다. 이러한 문제에 익숙하지 않거나 두려움을 느낀다면 가장 먼저

문제에 주어진 정보를 모두 따로 떼어 적어 놓고 시작하는 것이 좋다.

출제자는 정보를 찾지 못할 정도로 문제를 복잡하게 만들지는 않는다. 여러분은 충분히 정보를 뽑을 수 있다. 일단 정보를 빼내고 나면 문제의 길이에 비하여 쉬운 문제일 수도 있으므로 문제가 길다고 해서 두려움을 가질 필요는 전혀 없다!

SUMMA CUM LAUDE
MATHEMATICS

나는 계속 나를 배우면서
나를 갖추어 나간다.
언젠가는 나에게도 기회가 찾아올 것이다.

– 링컨

숨마쿰라우데®

[미적분]

CHAPTER I
수열의 극한

INTRO to Chapter I
수열의 극한

SUMMA CUM LAUDE

본 단원의 구성에 대하여...

끝없이 뻗어 나가는 길의 모습에서 극한의 개념을 떠올릴 수 있다. 이 길의 끝은 어디일까? 수열의 끝은 어디일까? 수열이 무한히 진행되었을 때, 그 수열의 끝이 어떻게 되는가에 대해 알아보는 것이 바로 '수열의 극한'이다.

둘레의 길이가 무한하다?

수열의 극한 단원은 의외로 재미있는 구석이 많다. 코흐의 눈송이에 대해 들어본 적이 있는가? 코흐의 눈송이는 수열의 극한을 배울 때 자주 등장하는 흥미로운 내용이다.

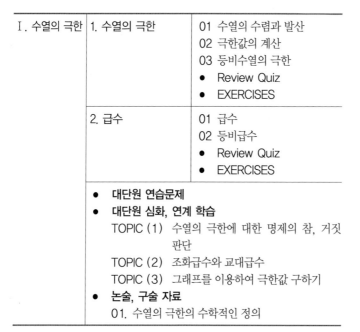

Figure_ 코흐의 눈송이(Koch Snowflake)

코흐의 눈송이는 정삼각형에서 각 변을 삼등분하여 작은 정삼각형을 한없이 계속 그릴 때 만들어지는 도형이다. 수학자 코흐(1870~1924)는 논문에 넓이는 유한하지만 그 둘레의 길이는 무한한 도형이 있다고 소개하였는데 이 도형을 그의 이름을 붙여 코흐의 눈송이라고 한다. 처음 정삼각형의 한 변의 길이가 1일 때 n단계의 코흐의 눈송이의 둘레의 길이는 $3 \times \left(\dfrac{4}{3}\right)^n$이 된다. 따라서 n이 한없이 커지면 둘레의 길이는 무한히 커짐을 알 수 있다.

무한하다는 말을 일상에서도 자주 사용하지만 사실 초월적인 개념인 무한을 받아들인다는 것은 결코 쉽지 않다. 함수의 극한에서도 그랬듯이 수열의 극한에서도 극한의 개념은 미분과 적분을 배우는 데 필요한 기초 지식 정도로만 다루고 넘어간다.

수열의 극한과 함수의 극한

다음 두 수열을 계속 나열하면 어떤 수에 접근할까?

$$\{a_n\} : 1,\ 2,\ 3,\ 4,\ \cdots \qquad \{b_n\} : 1,\ \dfrac{1}{2},\ \dfrac{1}{3},\ \dfrac{1}{4},\ \cdots$$

함수의 극한을 이미 배운 우리는 사실 수열 $\{a_n\}$의 항은 무한히 커지고, 수열 $\{b_n\}$의 항은 0에 접근할 것을 직관적으로도 알 수 있다.

함수의 극한이 $x \to a$, $x \to \infty$, $x \to -\infty$ 등 다양한 함숫값에 대한 극한을 다루었다면 수열의 극한은 $n \to \infty$일 때의 a_n의 극한, 즉 $\lim\limits_{n \to \infty} a_n$을 다룬다.

이러한 점 때문에 수열의 극한을 함수의 극한의 일부분으로 생각할 수도 있다.

하지만 수열의 극한에서는 함수의 극한에서 생각할 수 없는 합의 극한, 즉

$$a_1 + a_2 + a_3 + \cdots + a_n + \cdots$$

도 생각할 수 있다. 예를 들어 다음 그림과 같은 도형 S_n에서 n이 한없이 커질 때, S_n에서 색칠된 부분의 넓이의 합은 과연 얼마가 될지 이 단원을 공부하면 알 수 있게 된다.

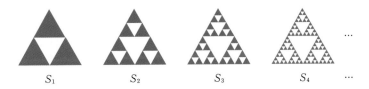

$S_1 \qquad\qquad S_2 \qquad\qquad S_3 \qquad\qquad S_4 \qquad \cdots$

함수의 극한에서와 같이 수열의 극한 역시 수렴하는 경우도 있고 발산하는 경우도 있다. 같은 내용을 반복하는 경우도 있어 학습하는 데 수월할 것이라 생각한다. 이번 기회에 더욱 꼼꼼히 공부하여 극한에 대해 통달하도록 하자.

01 수열의 수렴과 발산

SUMMA CUM LAUDE

ESSENTIAL LECTURE

1 수열의 수렴

수열 $\{a_n\}$에서 n이 한없이 커질 때, a_n의 값이 일정한 값 α에 한없이 가까워지면 수열 $\{a_n\}$은 α에 수렴한다고 한다.

이때 α를 수열 $\{a_n\}$의 극한값 또는 극한이라 하며, 이것을 기호로

$$\lim_{n \to \infty} a_n = \alpha \text{ 또는 } n \to \infty \text{일 때 } a_n \to \alpha$$

와 같이 나타낸다.

2 수열의 발산

수열 $\{a_n\}$이 수렴하지 않을 때, 수열 $\{a_n\}$은 발산한다고 한다. 수열 $\{a_n\}$이 발산하는 경우는 다음과 같이 3가지로 나눌 수 있다.

(1) 양의 무한대로 발산

수열 $\{a_n\}$에서 n이 한없이 커질 때, a_n의 값도 한없이 커지면 수열 $\{a_n\}$은 양의 무한대로 발산한다고 하며, 이것을 기호로

$$\lim_{n \to \infty} a_n = \infty \text{ 또는 } n \to \infty \text{일 때 } a_n \to \infty$$

와 같이 나타낸다.

(2) 음의 무한대로 발산

수열 $\{a_n\}$에서 n이 한없이 커질 때, a_n의 값이 음수이면서 그 절댓값이 한없이 커지면 수열 $\{a_n\}$은 음의 무한대로 발산한다고 하며, 이것을 기호로

$$\lim_{n \to \infty} a_n = -\infty \text{ 또는 } n \to \infty \text{일 때 } a_n \to -\infty$$

와 같이 나타낸다.

(3) 진동

수열 $\{a_n\}$이 수렴하지도 않고, 양의 무한대나 음의 무한대로 발산하지도 않으면 수열 $\{a_n\}$은 진동한다고 한다.

수학 Ⅰ에서 배운 수열을 떠올려 보자.

수열 단원에서는 수열 $\{a_n\}$의 '제10항' 또는 '첫째항부터 제10항까지의 합'과 같은 수열의 유한한 일부분에 집중하여 공부하였다.

이 단원에서는 유한에서 무한으로 영역을 확장하여 수열 $\{a_n\}$에서 n이 한없이 커질 때, a_n의 값이 어떻게 되는지에 대해 알아볼 것이다.

본격적으로 수열의 극한을 학습하기 전에 복습 차원에서 수열의 정의를 살펴보고 넘어가자.

> **수열의 정의**
>
> 수열은 자연수 전체의 집합 N에서 실수 전체의 집합 R로의 함수 $f : N \longrightarrow R$이다.
> 함수 $f : N \longrightarrow R$에서 함숫값을 차례로 나열한
>
> $$f(1), f(2), f(3), f(4), \cdots, f(n), \cdots$$
>
> 을 수열이라 하고, 함수적 표현 $f(n)$을 a_n으로 나타낸다.

1 수열의 수렴

일반항이 $a_n = \dfrac{n}{n+1}$, $b_n = \left(-\dfrac{1}{2} \right)^{n-1}$인 두 수열 $\{a_n\}$, $\{b_n\}$에서 n이 한없이 커질 때, a_n, b_n의 값이 어떻게 변하는지 그래프로 살펴보자.

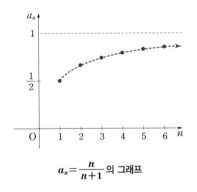

$a_n = \dfrac{n}{n+1}$의 그래프

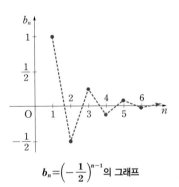

$b_n = \left(-\dfrac{1}{2} \right)^{n-1}$의 그래프

위의 두 그래프를 보면 일반항이 $a_n = \dfrac{n}{n+1}$인 수열 $\{a_n\}$은 n이 한없이 커질 때, a_n의 값이 1에 한없이 가까워지고, 일반항이 $b_n = \left(-\dfrac{1}{2} \right)^{n-1}$인 수열 $\{b_n\}$은 n이 한없이 커질 때, b_n의 값이 0에 한없이 가까워짐을 알 수 있다.

일반적으로 수열 $\{a_n\}$에서 n이 한없이 커질 때, a_n의 값이 일정한 값 α에 한없이 가까워지면 수열 $\{a_n\}$은 α에 **수렴**(convergence)한다고 한다.

이때 a를 수열 $\{a_n\}$의 극한값(limit value) 또는 극한(limit)이라 하며, 이것을 기호로

$$\lim_{n \to \infty} a_n = a \ \text{또는} \ n \to \infty \text{일 때} \ a_n \to a \ [1]$$

와 같이 나타낸다.

앞에서 n이 한없이 커질 때, a_n, b_n의 값이 각각 1과 0에 한없이 가까워지므로 두 수열 $\{a_n\}$과 $\{b_n\}$은 수렴하고, 그 극한값은 각각 1과 0이다. 즉,

$$\lim_{n \to \infty} \frac{n}{n+1} = 1, \ \lim_{n \to \infty} \left(-\frac{1}{2}\right)^{n-1} = 0 \ [2]$$

한편 수열 $\{a_n\}$에서 일반항이 $a_n = a$ (a는 상수)인 경우에도 수열 $\{a_n\}$은 'a에 수렴한다'고 하며, $\lim\limits_{n \to \infty} a_n = \lim\limits_{n \to \infty} a = a$와 같이 나타낸다.

다음 그래프를 통해 수렴하는 또 다른 수열들을 살펴보자.

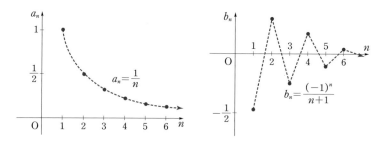

위의 그래프를 보면 알 수 있듯이 n이 한없이 커질 때, 일반항 $a_n = \dfrac{1}{n}$의 값은 0에 한없이 가까워지고, 일반항 $b_n = \dfrac{(-1)^n}{n+1}$의 값은 음의 부호, 양의 부호가 교대로 나타나면서 그 값이 0에 한없이 가까워짐을 알 수 있다. 따라서 두 수열 $\{a_n\}$과 $\{b_n\}$은 수렴하고, 그 극한값은 0이다. 즉,

$$\lim_{n \to \infty} \frac{1}{n} = 0, \ \lim_{n \to \infty} \frac{(-1)^n}{n+1} = 0$$

위 두 수열의 일반항을 보면 $\dfrac{(상수)}{\infty}$ 꼴이므로 사실 그래프를 보지 않아도 0에 수렴한다는 것을 바로 알 수 있을 것이다. [3]

---

[1] 수열 $\{a_n\}$이 a에 수렴한다는 것은 $n \to \infty$일 때 $|a_n - a|$가 0에 한없이 가까워짐을 뜻한다. 즉,
$\lim\limits_{n \to \infty} a_n = a \iff \lim\limits_{n \to \infty} |a_n - a| = 0$
또한 $\lim\limits_{n \to \infty} a_n = a$ (a는 실수)이면 $\lim\limits_{n \to \infty} a_{n-1} = \lim\limits_{n \to \infty} a_{n+1} = \lim\limits_{n \to \infty} a_{2n} = a$이다.

[2] 엄밀히 말하자면 0이 아니라 무한소(infinitesimal)라 해야 한다. 무한소란 '0에 한없이 가까워지는 상태'를 나타내는 말이다. 0과 무한소는 구분 없이 0으로 표기한다.

[3] (분자의 차수)<(분모의 차수)일 때 극한이 0이 되는 경우로 생각해도 무방하다.

■ **EXAMPLE** 001 다음 수열의 극한값을 구하여라.

(1) $\left\{3+\dfrac{7}{n}\right\}$
(2) $\left\{\dfrac{2}{n}-5\right\}$

(3) $\left\{\left(-\dfrac{3}{5}\right)^n\right\}$
(4) $\left\{(-1)^{2n}\right\}$

ANSWER $n=1, 2, 3, 4, \cdots$일 때, 각 항의 값의 변화를 그래프로 나타내어 알아본다.

(1) 수열 $\left\{3+\dfrac{7}{n}\right\}$은 $10, \dfrac{13}{2}, \dfrac{16}{3}, \dfrac{19}{4}, \dfrac{22}{5}, \cdots$이므로

그래프를 살펴보면 $\displaystyle\lim_{n\to\infty}\left(3+\dfrac{7}{n}\right)=3$

따라서 수열 $\left\{3+\dfrac{7}{n}\right\}$의 극한값은 **3**이다. ■

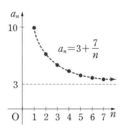

(2) 수열 $\left\{\dfrac{2}{n}-5\right\}$는 $-3, -4, -\dfrac{13}{3}, -\dfrac{9}{2}, \cdots$이므로

그래프를 살펴보면 $\displaystyle\lim_{n\to\infty}\left(\dfrac{2}{n}-5\right)=-5$

따라서 수열 $\left\{\dfrac{2}{n}-5\right\}$의 극한값은 **−5**이다. ■

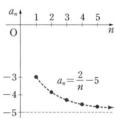

(3) 수열 $\left\{\left(-\dfrac{3}{5}\right)^n\right\}$은 $-\dfrac{3}{5}, \dfrac{9}{25}, -\dfrac{27}{125}, \dfrac{81}{625}, \cdots$이므로

그래프를 살펴보면 $\displaystyle\lim_{n\to\infty}\left(-\dfrac{3}{5}\right)^n=0$

따라서 수열 $\left\{\left(-\dfrac{3}{5}\right)^n\right\}$의 극한값은 **0**이다. ■

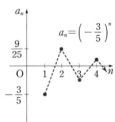

(4) 수열 $\{(-1)^{2n}\}$은 $1, 1, 1, 1, \cdots$이므로
그래프를 살펴보면 $\displaystyle\lim_{n\to\infty}(-1)^{2n}=1$
따라서 수열 $\{(-1)^{2n}\}$의 극한값은 **1**이다. ■

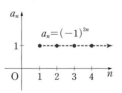

APPLICATION 001 다음 수열의 극한값을 구하여라.

Sub Note 002쪽

(단, $[x]$는 x보다 크지 않은 최대의 정수이다.)

(1) $\left\{1+\dfrac{(-1)^n}{n}\right\}$
(2) $\left\{\dfrac{2n}{n!}\right\}$
(3) $\left\{\dfrac{[n]}{n}\right\}$
(4) $\left\{\dfrac{(-1)^n}{2n}\right\}$

❷ 수열의 발산

수열에서 n이 한없이 커질 때, 일반항이 일정한 값에 수렴하지 않는 경우를 알아보자.

일반항이 $a_n = n^3$, $b_n = -n^2$인 두 수열 $\{a_n\}$, $\{b_n\}$은 다음 그래프를 보면 n이 한없이 커질 때, a_n, b_n의 값이 일정한 값에 수렴하지 않는다.

이와 같이 수열이 수렴하지 않을 때, 그 수열은 발산(divergence)한다고 한다.

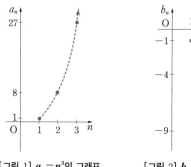

[그림 1] $a_n = n^3$의 그래프   [그림 2] $b_n = -n^2$의 그래프

[그림 1]을 보면 n이 한없이 커질 때, a_n의 값도 한없이 커진다.

이러한 경우 수열 $\{a_n\}$이 양의 무한대로 발산한다고 하며, 이것을 기호로

$$\lim_{n \to \infty} a_n = \infty^{❹} \ \text{또는} \ n \to \infty \text{일 때} \ a_n \to \infty$$

와 같이 나타낸다.

이때 $\lim\limits_{n \to \infty} a_n = \infty$에서 $n \to \infty$가 의미하는 것은 n이 한없이 증가하고 있다는 것이고, 우변의 ∞가 의미하는 것은 n이 한없이 증가함에 따라 a_n의 값도 한없이 증가하고 있다는 것이다. 즉, a_n의 값이 **한없이 커지는** 상태에 있음을 뜻하는 것이지, a_n의 값이 ∞라는 수에 가까워짐을 뜻하는 것이 아니다.❺

무한대로 발산하는 것은 같지만 발산하는 방향이 다른 경우가 있다.

[그림 2]를 보면 n이 한없이 커질 때, b_n의 값이 음수이면서 그 절댓값이 한없이 커진다.

이러한 경우 수열 $\{b_n\}$이 음의 무한대로 발산한다고 하며, 이것을 기호로

$$\lim_{n \to \infty} b_n = -\infty \ \text{또는} \ n \to \infty \text{일 때} \ b_n \to -\infty$$

와 같이 나타낸다.

---

❹ 일반적으로 $+\infty$를 ∞로 나타낸다.
❺ 즉, '수열 $\{a_n\}$은 ∞에 수렴한다'고 표현하면 안 된다.
  또 기호 ∞는 n이 한없이 커질 때 a_n의 값이 얼마나 빠르게 증가하는지 등 '어떻게' 증가하는지에 대한 단서는 없다는 사실을 유념해 두기 바란다.

한편 일반항이 $c_n=(-1)^{n-1}$, $d_n=(-2)^{n-1}$인 두 수열 $\{c_n\}$, $\{d_n\}$은 다음 그래프를 보면 n 이 한없이 커질 때, c_n, d_n의 값이 일정한 값으로 수렴하지도 않고, 양의 무한대나 음의 무한 대로 발산하지도 않는다.

이러한 경우 수열 $\{c_n\}$과 $\{d_n\}$은 **진동한다**고 한다.

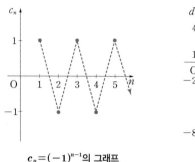 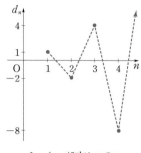

$c_n=(-1)^{n-1}$의 그래프 $d_n=(-2)^{n-1}$의 그래프

일반적으로 진동하는 경우를 포함하여 수렴하지 않는 수열은 모두 발산한다고 한다.

EXAMPLE 002 일반항 a_n이 다음과 같은 수열 $\{a_n\}$이 양의 무한대로 발산하는지, 음 의 무한대로 발산하는지, 진동하는지 알아보아라.

(1) $a_n=n^2-n-1$

(2) $a_n=(-1)^n+1$

(3) $a_n=n\sin\dfrac{n\pi}{2}$

(4) $a_n=-3^n+7$

ANSWER $n=1, 2, 3, 4, \cdots$일 때, 각 항의 값의 변화를 그래프로 나타내어 알아본다.

(1) 수열 $\{a_n\}$은 $-1, 1, 5, 11, \cdots$이므로 그래프를 살펴보면 $\displaystyle\lim_{n\to\infty}a_n=\infty$

(2) 수열 $\{a_n\}$은 $0, 2, 0, 2, \cdots$이므로 그래프로 나타내면 다음 그림과 같다.

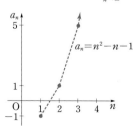 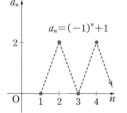

따라서 수열 $\{a_n\}$은 **양의 무한대로 발산** 한다. ■

따라서 수열 $\{a_n\}$은 **진동한다**. ■

(3) 수열 $\{a_n\}$은 1, 0, -3, 0, 5, $\cdots$이므로
그래프로 나타내면 다음 그림과 같다.

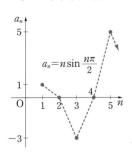

$$a_n = n\sin\frac{n\pi}{2}$$

따라서 수열 $\{a_n\}$은 **진동**한다. ■

(4) 수열 $\{a_n\}$은 4, -2, -20, -74, $\cdots$이므로
그래프를 살펴보면 $\displaystyle\lim_{n\to\infty}a_n=-\infty$

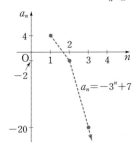

$$a_n = -3^n + 7$$

따라서 수열 $\{a_n\}$은 **음의 무한대로 발산**한다. ■

Sub Note 003쪽

APPLICATION 002 일반항 a_n이 다음과 같은 수열 $\{a_n\}$의 수렴, 발산을 조사하고, 수렴하면
그 극한값을 구하여라. (단, $[x]$는 x보다 크지 않은 최대의 정수이다.)

(1) $a_n = \dfrac{n+1}{n^2}$

(2) $a_n = \left[\dfrac{n}{2}\right]$

(3) $a_n = \log(-1)^{2n}$

(4) $a_n = (-1)^{2n} + (-1)^n$

수열의 수렴과 발산에 대하여 정리하면 다음과 같다.

> **수열 $\{a_n\}$의 수렴과 발산**
>
> (1) 수렴하는 경우
> $\displaystyle\lim_{n\to\infty}a_n=\alpha$ (단, α는 상수) ← 극한값은 α이다.
>
> (2) 발산하는 경우 ← 극한값은 없다.
> ① 양의 무한대로 발산 : $\displaystyle\lim_{n\to\infty}a_n=\infty$
> ② 음의 무한대로 발산 : $\displaystyle\lim_{n\to\infty}a_n=-\infty$
> ③ 진동

▓ 수학 공부법에 대한 저자들의 충고 – 진동과 수렴의 구별

27쪽과 23쪽에서 제시한 일반항이

$$c_n = (-1)^{n-1} \quad\cdots\cdots\text{㉠},\quad d_n = (-2)^{n-1} \quad\cdots\cdots\text{㉡},\quad b_n = \left(-\frac{1}{2}\right)^{n-1} \quad\cdots\cdots\text{㉢}$$

인 세 수열의 그래프를 비교해 보자. ㉢의 경우, 진동하는 수열 ㉠, ㉡과 마찬가지로 그래프의 개형은 진
동하는 것처럼 보이지만 n이 커질수록 진폭이 점점 줄어들어 일정한 값에 수렴하고 있다.
따라서 어떤 수열이 진동하는지의 여부는 몇 개의 항만으로 나타낸 그래프의 개형이나 항의 전개 양상만
으로 단순하게 판단하지 않도록 주의하자.

수열의 극한에서는 $n \to \infty$, $a_n \to \infty$, $\lim\limits_{n \to \infty} a_n = \infty$와 같이 무한대($\infty$)가 많이 사용된다. 다음 이야기를 통해 무한대를 좀 더 이해해 보자.

수학자 힐베르트는 무한대가 갖고 있는 기묘한 성질을 잘 보여주는 하나의 예제를 만들어 냈다. '힐베르트의 호텔'이라고 불리는 이 유명한 예제는 힐베르트가 종업원으로 일하고 있는 가상의 호텔에서 시작된다. 이 호텔에는 무한히 많은 객실이 있다.

어느 날 한 손님이 호텔로 찾아 왔는데, 객실이 무한히 많음에도 불구하고 모든 객실에 투숙객들이 있었으므로 빈 객실을 내줄 수가 없었다. 그런데 호텔 종업원인 힐베르트는 잠시 생각하던 끝에 새로 온 손님에게 빈 객실을 마련할 수 있노라고 호언장담을 했다. 그는 안내방송을 통해 투숙객들에게 정중하게 부탁을 했다. "죄송하지만 손님들께서는 옆 객실로 한 칸씩만 이동해 주시기 바랍니다." 이해심 많은 투숙객들은 힐베르트의 성가신 부탁을 잘 들어주었다. 1호실 투숙객은 2호실로, 2호실 투숙객은 3호실로, … 모두 이동을 마쳤다. 기존의 투숙객들은 모두 옆 객실로 옮겨갔으며, 자기 객실을 못 찾아 헤매는 투숙객도 없었다. 그리고 새로 온 손님은 비어 있는 1호실로 여유 있게 들어갔다. 이것은 무한대에 1을 더해도 여전히 무한대임을 말해 주는 예이다. ($\infty + 1 = \infty$)

다음 날 밤, 호텔에는 더욱 곤란한 문제가 발생했다. 투숙객들이 객실을 모두 점거하고 있는 상태에서 무한히 긴 기차를 타고 온 무한히 많은 손님들이 새로 도착한 것이다.
그런데 힐베르트는 당황하기는커녕, 무한히 많은 숙박료를 더 받을 수 있다며 혼자서 쾌재를 불렀다. 그는 곧 객실에 안내방송을 내보냈다. "투숙객 여러분, 죄송하지만 현재 묵고 계신 객실 번호에 2를 곱해서서, 그 번호에 해당되는 객실로 모두 옮겨 주시기 바랍니다. 감사합니다!" 이리하여 1호실 투숙객은 2호실로, 2호실 투숙객은 4호실로, … 모두 이동을 마쳤다. 자기 객실을 빼앗긴 투숙객이 한 명도 없는데, 어느새 호텔에는 무한히 많은 빈 객실이 생긴 것이다. 힐베르트의 재치 덕분에 새로 도착한 무한히 많은 손님들은 홀수 번호가 붙어 있는 무한히 많은 객실로 모두 배정되어 편히 쉴 수 있었다.
이것은 무한대에 2를 곱해도 여전히 무한대임을 말해 주는 예이다. ($\infty \times 2 = \infty$)

'힐베르트의 호텔' 예제에 따르면 모든 종류의 무한대들은 마치 고무줄처럼 늘이거나 줄여서 모두 똑같은 크기의 무한대로 만들 수 있는 것처럼 보인다. 무한히 많은 짝수의 집단은 이들을 모두 포함하는 무한히 많은 자연수의 집단과 서로 크기가 같다. 그러나 집단의 크기가 서로 다른 무한대도 있을 수 있다. 예를 들어 무한히 많은 유리수와 무한히 많은 무리수를 서로 하나씩 짝을 지어주다 보면 무리수가 남는다. 실제로 무리수의 개수가 유리수의 개수보다 많다는 것은 수학적 논리이고 증명할 수 있다. 수학자들은 여러 가지 다양한 크기의 무한대에 일일이 이름을 붙여 구별하고 있으며, 무한대의 개념을 정량적으로 구분하여 계산에 응용하는 일은 오늘날에도 가장 관심을 끄는 수학 문제로 남아 있다.

001 다음 보기에서 옳은 것만을 있는 대로 골라라.

> 보기
> ㄱ. $\lim\limits_{n \to \infty} a_n = \infty$이면 $\lim\limits_{n \to \infty} (a_n + 1) = \infty$이다.
>
> ㄴ. $\lim\limits_{n \to \infty} a_n = \alpha$이면 $\lim\limits_{n \to \infty} a_{n+1} = \alpha$이다. (단, α는 상수)
>
> ㄷ. $\lim\limits_{n \to \infty} a_n = \infty$, $\lim\limits_{n \to \infty} b_n = \infty$이면 $\lim\limits_{n \to \infty} (a_n - b_n) = 0$이다.

GUIDE (i) $\lim\limits_{n \to \infty} a_n = \alpha$ (α는 상수) ➡ 수열 $\{a_n\}$은 수렴하고, 그 극한값은 α이다.

(ii) $\lim\limits_{n \to \infty} a_n = \infty$ ➡ 수열 $\{a_n\}$은 양의 무한대로 발산한다.

SOLUTION

ㄱ. 수열 $\{a_n + 1\}$은 수열 $\{a_n\}$의 각 항에 1을 더한 수열이므로 수열 $\{a_n\}$이 양의 무한대로 발산하면 수열 $\{a_n + 1\}$도 양의 무한대로 발산한다.

즉, $\lim\limits_{n \to \infty} (a_n + 1) = \infty$ (참)

ㄴ. n이 한없이 커질 때, a_n과 a_{n+1}의 값의 차는 0에 한없이 가까워지므로 수열 $\{a_n\}$의 극한값과 수열 $\{a_{n+1}\}$의 극한값은 같다고 할 수 있다.

이때 수열 $\{a_n\}$의 극한값이 α이므로 수열 $\{a_{n+1}\}$의 극한값도 α이다.

즉, $\lim\limits_{n \to \infty} a_{n+1} = \alpha$ (참)

ㄷ. (반례) $a_n = n$, $b_n = n - 1$이면 $\lim\limits_{n \to \infty} a_n = \infty$, $\lim\limits_{n \to \infty} b_n = \infty$이지만

$$\lim_{n \to \infty} (a_n - b_n) = \lim_{n \to \infty} (n - n + 1) = 1 \text{ (거짓)}$$

따라서 옳은 것은 ㄱ, ㄴ이다. ■

유제
001-❶ 다음 보기에서 옳은 것만을 있는 대로 골라라.

Sub Note 052쪽

> 보기
> ㄱ. 수열 $\left\{ \dfrac{\cos n\pi}{n} \right\}$는 수렴한다.
>
> ㄴ. $\lim\limits_{n \to \infty} (-1)^n k = \pm k$이다. (단, k는 실수)
>
> ㄷ. 수열 $\{|a_n|\}$이 수렴하면 수열 $\{a_n\}$도 수렴한다.

02 극한값의 계산

SUMMA CUM LAUDE

ESSENTIAL LECTURE

1 수열의 극한에 대한 기본 성질

두 수열 $\{a_n\}$, $\{b_n\}$이 수렴하고 $\lim_{n \to \infty} a_n = \alpha$, $\lim_{n \to \infty} b_n = \beta$ (α, β는 실수)일 때

(1) $\lim_{n \to \infty} c a_n = c \lim_{n \to \infty} a_n = c\alpha$ (단, c는 상수)

(2) $\lim_{n \to \infty} (a_n \pm b_n) = \lim_{n \to \infty} a_n \pm \lim_{n \to \infty} b_n = \alpha \pm \beta$ (복부호 동순)

(3) $\lim_{n \to \infty} a_n b_n = \lim_{n \to \infty} a_n \cdot \lim_{n \to \infty} b_n = \alpha\beta$

(4) $\lim_{n \to \infty} \dfrac{a_n}{b_n} = \dfrac{\lim\limits_{n \to \infty} a_n}{\lim\limits_{n \to \infty} b_n} = \dfrac{\alpha}{\beta}$ (단, $b_n \neq 0$, $\beta \neq 0$)

2 극한값의 계산

(1) $\dfrac{\infty}{\infty}$ 꼴의 극한

분모의 최고차항으로 분모, 분자를 각각 나눈다.

(2) $\infty - \infty$ 꼴의 극한

① 다항식인 경우 ➡ 최고차항으로 묶는다.

② 근호가 있는 식인 경우 ➡ 근호가 있는 쪽을 유리화한다.

3 수열의 극한의 대소 관계

두 수열 $\{a_n\}$, $\{b_n\}$이 수렴하고 $\lim_{n \to \infty} a_n = \alpha$, $\lim_{n \to \infty} b_n = \beta$ (α, β는 실수)일 때

(1) 모든 자연수 n에 대하여 $a_n \leq b_n$이면 $\alpha \leq \beta$이다.

[참고] 모든 자연수 n에 대하여 $a_n < b_n$일 때 $\alpha = \beta$인 경우도 있다.

(2) 수열 $\{c_n\}$이 모든 자연수 n에 대하여 $a_n \leq c_n \leq b_n$이고 $\alpha = \beta$이면 $\lim_{n \to \infty} c_n = \alpha$이다. (샌드위치 정리)

우리가 수열의 극한을 다루는 데 있어서 가장 관심을 두어야 할 부분은 해당 수열의 수렴 여부이다. 수열이 발산하는 경우에는 n이 한없이 커질 때, 수열의 전개 양상을 '상태'로만 기술할 수 있다. 즉, **무한대로의 발산**과 **진동**이라는 상태 외에는 더 이상 알 수 있는 정보가 없다. 하지만 수열이 수렴하는 경우에는 수열이 수렴하는 상태에 있다는 것 이외에도 '목표' 혹은 '종착점'의 역할을 하는 극한값을 알 수 있다.

따라서 우리는 주로 수렴하는 수열을 중점적으로 다루게 될 것이고, 수열이 어떤 값으로 수렴하는지에 가장 큰 관심을 두어야 한다.

☑ 수열의 극한에 대한 기본 성질

일반적으로 수렴하는 수열의 극한에 대하여 다음과 같은 성질이 성립한다.

> **수열의 극한에 대한 기본 성질**
>
> 두 수열 $\{a_n\}$, $\{b_n\}$이 수렴하고 $\lim\limits_{n \to \infty} a_n = \alpha$, $\lim\limits_{n \to \infty} b_n = \beta$ (α, β는 실수)일 때
>
> (1) $\lim\limits_{n \to \infty} c a_n = c \lim\limits_{n \to \infty} a_n = c\alpha$ (단, c는 상수)
>
> (2) $\lim\limits_{n \to \infty} (a_n \pm b_n) = \lim\limits_{n \to \infty} a_n \pm \lim\limits_{n \to \infty} b_n = \alpha \pm \beta$ (복부호 동순)
>
> (3) $\lim\limits_{n \to \infty} a_n b_n = \lim\limits_{n \to \infty} a_n \cdot \lim\limits_{n \to \infty} b_n = \alpha\beta$
>
> (4) $\lim\limits_{n \to \infty} \dfrac{a_n}{b_n} = \dfrac{\lim\limits_{n \to \infty} a_n}{\lim\limits_{n \to \infty} b_n} = \dfrac{\alpha}{\beta}$ (단, $b_n \neq 0$, $\beta \neq 0$)

이 성질들의 일반적인 증명은 고등학교 수준을 벗어나므로 증명 없이 적용하는 예만 간단히 확인하도록 하자.

예 (1) $\lim\limits_{n \to \infty} \left(2 + \dfrac{3}{n} \right) = \lim\limits_{n \to \infty} 2 + \lim\limits_{n \to \infty} \dfrac{3}{n} = 2 + 3 \lim\limits_{n \to \infty} \dfrac{1}{n} = 2 + 3 \cdot 0 = 2$

(2) $\lim\limits_{n \to \infty} \dfrac{1 - \dfrac{4}{n}}{\dfrac{2}{n} - 5} = \dfrac{\lim\limits_{n \to \infty} \left(1 - \dfrac{4}{n} \right)}{\lim\limits_{n \to \infty} \left(\dfrac{2}{n} - 5 \right)} = \dfrac{\lim\limits_{n \to \infty} 1 - 4 \lim\limits_{n \to \infty} \dfrac{1}{n}}{2 \lim\limits_{n \to \infty} \dfrac{1}{n} - \lim\limits_{n \to \infty} 5} = \dfrac{1 - 4 \cdot 0}{2 \cdot 0 - 5} = -\dfrac{1}{5}$

이때 수열의 극한에 대한 기본 성질은 두 수열이 모두 수렴하는 경우에만 성립한다는 사실에 주의하도록 하자.

EXAMPLE 003 두 수열 $\{a_n\}$, $\{b_n\}$에 대하여 $\lim\limits_{n \to \infty} a_n = 2$, $\lim\limits_{n \to \infty} b_n = -3$일 때, 다음 극한값을 구하여라.

(1) $\lim\limits_{n \to \infty} (a_n + 2b_n)$ 　　　　　　　(2) $\lim\limits_{n \to \infty} (2a_n - 3b_n)$

(3) $\lim\limits_{n \to \infty} 4a_n b_n$ 　　　　　　　　　(4) $\lim\limits_{n \to \infty} \dfrac{5b_n + 3}{a_n^2}$

ANSWER (1) $\lim\limits_{n \to \infty} (a_n + 2b_n) = \lim\limits_{n \to \infty} a_n + 2 \lim\limits_{n \to \infty} b_n = 2 + 2 \cdot (-3) = \mathbf{-4}$ ■

(2) $\lim\limits_{n \to \infty} (2a_n - 3b_n) = 2 \lim\limits_{n \to \infty} a_n - 3 \lim\limits_{n \to \infty} b_n = 2 \cdot 2 - 3 \cdot (-3) = \mathbf{13}$ ■

(3) $\lim\limits_{n \to \infty} 4a_n b_n = 4 \lim\limits_{n \to \infty} a_n \cdot \lim\limits_{n \to \infty} b_n = 4 \cdot 2 \cdot (-3) = \mathbf{-24}$ ■

(4) $\lim\limits_{n \to \infty} \dfrac{5b_n + 3}{a_n^2} = \dfrac{\lim\limits_{n \to \infty} (5b_n + 3)}{\lim\limits_{n \to \infty} a_n^2} = \dfrac{5 \lim\limits_{n \to \infty} b_n + \lim\limits_{n \to \infty} 3}{\lim\limits_{n \to \infty} a_n \cdot \lim\limits_{n \to \infty} a_n} = \dfrac{5 \cdot (-3) + 3}{2 \cdot 2} = \mathbf{-3}$ ■

APPLICATION 003 두 수열 $\{a_n\}$, $\{b_n\}$에 대하여 $\lim\limits_{n\to\infty} a_n = -1$, $\lim\limits_{n\to\infty} b_n = 5$일 때, 다음 극한값을 구하여라.

(1) $\lim\limits_{n\to\infty} \dfrac{a_n b_n - 1}{2a_n + b_n}$

(2) $\lim\limits_{n\to\infty} (a_n - 2)(2b_n + 3)$

APPLICATION 004 두 수열 $\{a_n\}$, $\{b_n\}$에 대하여 $\lim\limits_{n\to\infty} (a_n + b_n) = 2$, $\lim\limits_{n\to\infty} a_n b_n = -8$일 때, $\lim\limits_{n\to\infty} (a_n^2 + b_n^2)$의 값을 구하여라.

2 극한값의 계산 (수능 고빈도 출제)

극한값을 구하는데 있어서 가장 기본적인 도구는 앞에서 제시한 '수열의 극한에 대한 기본 성질'이다. 그런데 이 성질들은 수렴하는 수열에 대해서만 성립하므로 발산하는 수열이 포함된 $\dfrac{\infty}{\infty}$, $\infty - \infty$ 꼴의 극한은 곧바로 이 성질들을 이용하여 구하기는 어렵다.

다행히도 우리는 수학Ⅱ의 '함수의 극한'에서 함수의 극한에 대한 성질을 이용하여 $\dfrac{\infty}{\infty}$, $\infty - \infty$ 꼴의 극한을 구하는 방법을 이미 배웠다.

함수의 극한에서는 $x \to \infty$일 때 극한을 구하는 것이고, 수열의 극한에서는 $n \to \infty$일 때 극한을 구하는 것이므로 문자만 다를 뿐 실질적으로 구하는 방법에는 차이가 없다.

그럼 $\dfrac{\infty}{\infty}$, $\infty - \infty$ 꼴의 극한을 구하는 방법에 대해 알아보자.

(1) $\dfrac{\infty}{\infty}$ 꼴의 극한 : 분모의 최고차항으로 분모, 분자를 각각 나눈다.

예를 들어 $\lim\limits_{n\to\infty} \dfrac{2n^2 + n}{5n^2 - n}$ 의 값은 함수의 극한에서와 같은 방법으로 분모의 최고차항인 n^2으로 분모, 분자를 각각 나누어 다음과 같이 구할 수 있다.

$$\lim_{n\to\infty} \frac{2n^2 + n}{5n^2 - n} = \lim_{n\to\infty} \frac{2 + \dfrac{1}{n}}{5 - \dfrac{1}{n}} = \frac{\lim\limits_{n\to\infty}\left(2 + \dfrac{1}{n}\right)}{\lim\limits_{n\to\infty}\left(5 - \dfrac{1}{n}\right)} = \frac{2 + 0}{5 - 0} = \frac{2}{5}$$

이때 분모, 분자의 차수에 따라 극한의 유형은 다음과 같이 나누어진다.

① (분자의 차수)=(분모의 차수) ➡ 극한값은 $\dfrac{\text{(분자의 최고차항의 계수)}}{\text{(분모의 최고차항의 계수)}}$ 이다.

② (분자의 차수)<(분모의 차수) ➡ 극한값은 0이다.

③ (분자의 차수)>(분모의 차수) ➡ 발산한다. (극한값은 없다.)

■ **E X A M P L E** 004 다음 극한을 조사하고, 극한이 존재하면 그 극한값을 구하여라.

(1) $\displaystyle\lim_{n\to\infty}\dfrac{5n-4}{3n^2}$

(2) $\displaystyle\lim_{n\to\infty}\dfrac{3n^3+10n}{n^3-8n^2}$

(3) $\displaystyle\lim_{n\to\infty}\dfrac{2n}{\sqrt{n^2+1}+n}$

(4) $\displaystyle\lim_{n\to\infty}\dfrac{n^3+2}{n^2}$

(5) $\displaystyle\lim_{n\to\infty}\left(\log_4\sqrt{16n^2+n+1}-\log_4\sqrt{n^2-n+1}\right)$

ANSWER (1) $\displaystyle\lim_{n\to\infty}\dfrac{5n-4}{3n^2}=\lim_{n\to\infty}\dfrac{\dfrac{5}{n}-\dfrac{4}{n^2}}{3}=\dfrac{0-0}{3}=\mathbf{0}\,\textbf{(수렴)}\ \blacksquare$ ← (분자의 차수)<(분모의 차수)
이므로 극한값은 0

(2) $\displaystyle\lim_{n\to\infty}\dfrac{3n^3+10n}{n^3-8n^2}=\lim_{n\to\infty}\dfrac{3+\dfrac{10}{n^2}}{1-\dfrac{8}{n}}=\dfrac{3+0}{1-0}=\mathbf{3}\,\textbf{(수렴)}\ \blacksquare$ ← 최고차항의 계수의 비 : 3

(3) $\displaystyle\lim_{n\to\infty}\dfrac{2n}{\sqrt{n^2+1}+n}=\lim_{n\to\infty}\dfrac{2}{\sqrt{1+\dfrac{1}{n^2}}+1}=\dfrac{2}{1+1}=\mathbf{1}\,\textbf{(수렴)}\ \blacksquare$ ← 최고차항의 계수의 비 :
$\dfrac{2}{1+1}=1$

(4) $\displaystyle\lim_{n\to\infty}\dfrac{n^3+2}{n^2}=\lim_{n\to\infty}\dfrac{n+\dfrac{2}{n^2}}{1}=\infty$ ∴ **발산** ■ ← (분자의 차수)>(분모의 차수)
이므로 발산

(5) $\displaystyle\lim_{n\to\infty}\left(\log_4\sqrt{16n^2+n+1}-\log_4\sqrt{n^2-n+1}\right)$

$=\displaystyle\lim_{n\to\infty}\log_4\dfrac{\sqrt{16n^2+n+1}}{\sqrt{n^2-n+1}}=\log_4\lim_{n\to\infty}\dfrac{\sqrt{16+\dfrac{1}{n}+\dfrac{1}{n^2}}}{\sqrt{1-\dfrac{1}{n}+\dfrac{1}{n^2}}}=\log_4 4=\mathbf{1}\,\textbf{(수렴)}\ \blacksquare$

Sub Note 003쪽

APPLICATION 005 다음 극한을 조사하고, 극한이 존재하면 그 극한값을 구하여라.

(1) $\displaystyle\lim_{n\to\infty}\dfrac{2n}{n+1}$

(2) $\displaystyle\lim_{n\to\infty}\dfrac{n^2+2n-1}{2n^2+n+3}$

(3) $\displaystyle\lim_{n\to\infty}\dfrac{2n^2+n-1}{n^3+1}$

(4) $\displaystyle\lim_{n\to\infty}\dfrac{1+2+3+\cdots+n}{n^2}$

(5) $\displaystyle\lim_{n\to\infty}\dfrac{1^2+2^2+3^2+\cdots+n^2}{n^3}$

(6) $\displaystyle\lim_{n\to\infty}\dfrac{1^3+2^3+3^3+\cdots+n^3}{n^3}$

(2) ∞ − ∞ 꼴의 극한

① 다항식인 경우 : 최고차항으로 묶는다.

ㅔ $\lim\limits_{n \to \infty}(5n^2 - 3n) = \lim\limits_{n \to \infty}n^2\left(5 - \dfrac{3}{n}\right) = \infty$

② 근호가 있는 식인 경우 : 근호가 있는 쪽을 유리화하면 ∞ − ∞ 꼴이 제거되면서

$\dfrac{\infty}{\infty}$, $\dfrac{\infty}{(상수)}$, $\dfrac{(상수)}{\infty}$ 꼴 중의 하나로 바뀌므로 극한을 구할 수 있다.

EXAMPLE 005 다음 극한을 조사하고, 극한이 존재하면 그 극한값을 구하여라.

(1) $\lim\limits_{n \to \infty}(4 + 7n^2 - n^3)$

(2) $\lim\limits_{n \to \infty}(\sqrt{n+1} - \sqrt{n})$

(3) $\lim\limits_{n \to \infty}\dfrac{1}{\sqrt{n^2+3n}-n}$

(4) $\lim\limits_{n \to \infty}\{\sqrt{2+3+4+\cdots+(n+1)} - \sqrt{1+2+3+\cdots+n}\}$

ANSWER (1) $\lim\limits_{n \to \infty}(4+7n^2-n^3) = \lim\limits_{n \to \infty}n^3\left(\dfrac{4}{n^3}+\dfrac{7}{n}-1\right) = -\infty$ ∴ **발산** ∎

(2) $\lim\limits_{n \to \infty}(\sqrt{n+1}-\sqrt{n}) = \lim\limits_{n \to \infty}\dfrac{(\sqrt{n+1}-\sqrt{n})(\sqrt{n+1}+\sqrt{n})}{\sqrt{n+1}+\sqrt{n}}$

$= \lim\limits_{n \to \infty}\dfrac{1}{\sqrt{n+1}+\sqrt{n}} = \mathbf{0}$ **(수렴)** ∎

(3) $\lim\limits_{n \to \infty}\dfrac{1}{\sqrt{n^2+3n}-n} = \lim\limits_{n \to \infty}\dfrac{\sqrt{n^2+3n}+n}{(\sqrt{n^2+3n}-n)(\sqrt{n^2+3n}+n)} = \lim\limits_{n \to \infty}\dfrac{\sqrt{n^2+3n}+n}{3n}$

$= \lim\limits_{n \to \infty}\dfrac{\sqrt{1+\dfrac{3}{n}}+1}{3} = \dfrac{1+1}{3} = \dfrac{\mathbf{2}}{\mathbf{3}}$ **(수렴)** ∎

(4) $2+3+4+\cdots+(n+1) = \dfrac{n\{2+(n+1)\}}{2} = \dfrac{n(n+3)}{2}$ 이므로

$\lim\limits_{n \to \infty}\{\sqrt{2+3+4+\cdots+(n+1)} - \sqrt{1+2+3+\cdots+n}\}$

$= \lim\limits_{n \to \infty}\left\{\sqrt{\dfrac{n(n+3)}{2}} - \sqrt{\dfrac{n(n+1)}{2}}\right\} = \lim\limits_{n \to \infty}\dfrac{1}{\sqrt{2}}\{\sqrt{n(n+3)} - \sqrt{n(n+1)}\}$

$= \dfrac{1}{\sqrt{2}}\lim\limits_{n \to \infty}\dfrac{\{\sqrt{n(n+3)}-\sqrt{n(n+1)}\}\{\sqrt{n(n+3)}+\sqrt{n(n+1)}\}}{\sqrt{n(n+3)}+\sqrt{n(n+1)}}$

$= \dfrac{1}{\sqrt{2}}\lim\limits_{n \to \infty}\dfrac{2n}{\sqrt{n^2+3n}+\sqrt{n^2+n}} = \dfrac{1}{\sqrt{2}}\lim\limits_{n \to \infty}\dfrac{2}{\sqrt{1+\dfrac{3}{n}}+\sqrt{1+\dfrac{1}{n}}}$

$= \dfrac{1}{\sqrt{2}}\cdot\dfrac{2}{1+1} = \dfrac{\sqrt{2}}{\mathbf{2}}$ **(수렴)** ∎

APPLICATION **006**   다음 극한값을 구하여라.   Sub Note 004쪽

(1) $\lim\limits_{n \to \infty} (\sqrt{n^2+2n-1}-n)$

(2) $\lim\limits_{n \to \infty} \sqrt{n}\,(\sqrt{n+1}-\sqrt{n-1})$

(3) $\lim\limits_{n \to \infty} \dfrac{1}{\sqrt{n^2+n}-n}$

(4) $\lim\limits_{n \to \infty} \dfrac{\sqrt{n+3}-\sqrt{n}}{\sqrt{n+1}-\sqrt{n}}$

■ **수학 공부법에 대한 저자들의 충고 – 수열의 극한에 대한 기본 성질을 적용할 수 있는 조건**

수열의 극한에 대한 기본 성질은 수렴하는 수열에 대해서만 성립함을 반드시 기억하기 바란다.
다음 극한값을 구하는 과정을 보고, 이를 확인해 보자.

$$\lim_{n \to \infty}\left\{\frac{(n+1)^2}{n}-\frac{n^2}{n+1}\right\}=\lim_{n \to \infty}\frac{(n+1)^2}{n}-\lim_{n \to \infty}\frac{n^2}{n+1}$$

$$=\lim_{n \to \infty}(n+1)\cdot\lim_{n \to \infty}\frac{n+1}{n}-\lim_{n \to \infty}n\cdot\lim_{n \to \infty}\frac{n}{n+1}$$

$$=\lim_{n \to \infty}(n+1)-\lim_{n \to \infty}n=\lim_{n \to \infty}(n+1-n)=\lim_{n \to \infty}1=1$$

이것은 $\lim\limits_{n \to \infty}\dfrac{(n+1)^2}{n}=\infty$, $\lim\limits_{n \to \infty}\dfrac{n^2}{n+1}=\infty$, $\lim\limits_{n \to \infty}(n+1)=\infty$, $\lim\limits_{n \to \infty}n=\infty$임에도 불구하고 수열의

극한에 대한 기본 성질을 적용했기 때문에 잘못된 계산이다.
다음과 같이 통분하여 풀어야 올바른 계산이다.

$$\lim_{n \to \infty}\left\{\frac{(n+1)^2}{n}-\frac{n^2}{n+1}\right\}=\lim_{n \to \infty}\frac{(n+1)^3-n^3}{n(n+1)}$$

$$=\lim_{n \to \infty}\frac{3n^2+3n+1}{n^2+n}=3$$

또 다음 문제의 풀이 과정을 살펴보자.

$\lim\limits_{n \to \infty}\dfrac{2a_n+1}{a_n+5}=\dfrac{1}{2}$ 일 때, $\lim\limits_{n \to \infty}a_n$의 값을 구하여라.

$$\lim_{n \to \infty}\frac{2a_n+1}{a_n+5}=\frac{\lim\limits_{n \to \infty}(2a_n+1)}{\lim\limits_{n \to \infty}(a_n+5)}=\frac{2\lim\limits_{n \to \infty}a_n+1}{\lim\limits_{n \to \infty}a_n+5}=\frac{1}{2}$$

$$4\lim_{n \to \infty}a_n+2=\lim_{n \to \infty}a_n+5 \qquad \therefore \ \lim_{n \to \infty}a_n=1$$

위의 풀이는 답은 맞지만 수열 $\{a_n\}$이 수렴한다는 조건도 없이 수열의 극한에 대한 기본 성질을 적용했기 때문에 잘못된 풀이이다.
그러므로 다음과 같이 풀어야 한다.

$\dfrac{2a_n+1}{a_n+5}=b_n$이라 하면 $a_n=\dfrac{1-5b_n}{b_n-2}$이고, $\lim\limits_{n \to \infty}b_n=\dfrac{1}{2}$이므로

$$\lim_{n \to \infty}a_n=\lim_{n \to \infty}\frac{1-5b_n}{b_n-2}=\frac{\lim\limits_{n \to \infty}(1-5b_n)}{\lim\limits_{n \to \infty}(b_n-2)}=\frac{1-5\lim\limits_{n \to \infty}b_n}{\lim\limits_{n \to \infty}b_n-2}=\frac{1-5\cdot\dfrac{1}{2}}{\dfrac{1}{2}-2}=1$$

❸ 수열의 극한의 대소 관계

일반적으로 수렴하는 수열에 대하여 '항의 대소 관계'와 '극한값의 대소 관계' 사이에는 두 가지 성질이 성립한다. 그 첫 번째 성질은 다음과 같다.

수열의 극한의 대소 관계(1)

두 수열 $\{a_n\}$, $\{b_n\}$이 수렴하고 $\lim\limits_{n\to\infty} a_n = \alpha$, $\lim\limits_{n\to\infty} b_n = \beta$ (α, β는 실수)일 때

모든 자연수 n에 대하여 $a_n \leq b_n$이면 $\alpha \leq \beta$이다.

[참고] 모든 자연수 n에 대하여 $a_n < b_n$일 때 $\alpha = \beta$인 경우도 있다.

고등학교 수준에서 증명하기에는 무리가 있지만 직관적으로

'모든 자연수 n에 대하여 $a_n \leq b_n$이고, $\lim\limits_{n\to\infty} a_n = \alpha$, $\lim\limits_{n\to\infty} b_n = \beta$이면 $\alpha \leq \beta$이다.'

는 이해할 수 있을 것이다. 주목해야 할 것은 $\underline{a_n < b_n$인 경우에도 그 극한값은 같을 수 있다는}$

것이다. 예를 들면 $a_n = \dfrac{1}{n}$, $b_n = \dfrac{2}{n}$일 때, 모든 자연수 n에 대하여 $a_n < b_n$이지만 그 극한

값은 0으로 동일하다. 이는 두 수열 $\{a_n\}$과 $\{b_n\}$의 대소는

$$a_1 < b_1,\ a_2 < b_2,\ a_3 < b_3,\ \cdots$$

과 같이 동일한 n에 대한 비교인 반면, 두 수열의 극한값은 n이 같은지의 여부와는 상관없이

오직 a_n의 값과 b_n의 값이 각각 어디로 접근하느냐

에 의하여 결정되기 때문이다. 즉, 접근하는 속도(일반항)는 다르더라도 목적지(극한)는 같을 수 있다는 것이다.

두 번째 성질은 세 수열의 대소 관계로 확장한 샌드위치 정리이다.

수열의 극한의 대소 관계(2) - 샌드위치 정리

두 수열 $\{a_n\}$, $\{b_n\}$이 수렴하고 $\lim\limits_{n\to\infty} a_n = \alpha$, $\lim\limits_{n\to\infty} b_n = \beta$ (α, β는 실수)일 때

수열 $\{c_n\}$이 모든 자연수 n에 대하여 $a_n \leq c_n \leq b_n$이고 $\alpha = \beta$이면 $\lim\limits_{n\to\infty} c_n = \alpha$이다.

[참고] 모든 자연수 n에 대하여 $a_n < c_n < b_n$이지만 $\lim\limits_{n\to\infty} a_n = \lim\limits_{n\to\infty} b_n = \alpha$이면 $\lim\limits_{n\to\infty} c_n = \alpha$인 경우도 있다

모든 자연수 n에 대하여 $a_n \leq b_n$인 두 수열 $\{a_n\}$, $\{b_n\}$이 수렴하고 $\lim\limits_{n\to\infty} a_n = \alpha$, $\lim\limits_{n\to\infty} b_n = \beta$ 일 때, $a_n \leq c_n \leq b_n$을 만족시키는 새로운 수열 $\{c_n\}$이 존재한다면 수열 $\{c_n\}$이 수렴할지, 발산(이 경우에는 진동만 가능하다.)할지는 알 수 없지만 적어도 n이 한없이 커질 때, $\alpha \leq c_n \leq \beta$일 것임은 분명하다.

이때 $\alpha = \beta$가 되는 경우를 생각해 보면 $\alpha \leq c_n \leq \beta$는 $\alpha \leq c_n \leq \alpha$로 표현할 수 있으며, 수열 $\{c_n\}$이 극한값으로 취할 수 있는 것은 오직 $\alpha(=\beta)$뿐이다. 따라서 $\alpha = \beta$인 경우 수열 $\{c_n\}$은 반드시 수렴하며, 그 극한값은 $\alpha(=\beta)$이다.

이를 다음 그림을 통해 좀 더 직관적으로 살펴보자.

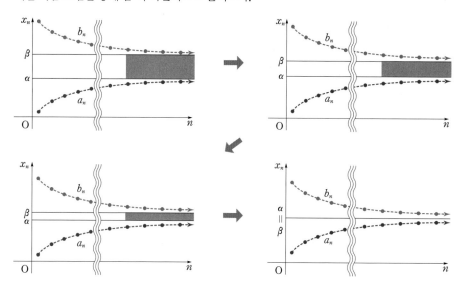

위 그림에서 어두운 부분이 나타내는 것은 n이 한없이 커질 때, c_n이 취할 수 있는 값의 범위이다. α, β의 차가 작을수록 이 범위는 점점 작아진다. 그러다가 $\alpha=\beta$인 경우 수열 $\{c_n\}$의 극한값은 오직 α만 취하게 되므로 $\lim\limits_{n\to\infty} c_n = \alpha$로 표현할 수 있다.

■ **EXAMPLE 006** 수열 $\{a_n\}$이 모든 자연수 n에 대하여 $\dfrac{2n^2}{n+1} \leq a_n \leq \dfrac{2n^2+n}{n+1}$ 을 만족시킬 때, $\lim\limits_{n\to\infty} \dfrac{a_n}{n}$의 값을 구하여라.

ANSWER $\dfrac{2n^2}{n+1} \leq a_n \leq \dfrac{2n^2+n}{n+1}$ 의 각 변을 n으로 나누면 $\dfrac{2n}{n+1} \leq \dfrac{a_n}{n} \leq \dfrac{2n+1}{n+1}$

이때 $\lim\limits_{n\to\infty} \dfrac{2n}{n+1} = \lim\limits_{n\to\infty} \dfrac{2}{1+\dfrac{1}{n}} = 2$, $\lim\limits_{n\to\infty} \dfrac{2n+1}{n+1} = \lim\limits_{n\to\infty} \dfrac{2+\dfrac{1}{n}}{1+\dfrac{1}{n}} = 2$이므로

수열의 극한의 대소 관계에 의하여 $\lim\limits_{n\to\infty} \dfrac{a_n}{n} = 2$ ■

APPLICATION 007 $\lim\limits_{n\to\infty} \dfrac{\cos n\theta}{n}$ 의 값을 구하여라. (단, θ는 상수) Sub Note 005쪽

Sub Note 005쪽

APPLICATION 008 수열 $\{a_n\}$이 모든 자연수 n에 대하여 $\dfrac{3n-1}{n^2+2} < a_n < \dfrac{3n+1}{n^2}$ 을 만족시킬 때, $\lim\limits_{n\to\infty} na_n$의 값을 구하여라.

002 두 수열 $\{a_n\}$, $\{b_n\}$의 극한에 대한 보기의 설명 중 옳은 것만을 있는 대로 골라라.

> 보기 ㄱ. $\lim_{n\to\infty} a_n = \alpha$, $\lim_{n\to\infty} b_n = -\alpha$이면 $\lim_{n\to\infty} a_n{}^2 = \lim_{n\to\infty} b_n{}^2$이다. (단, α는 상수)
>
> ㄴ. $\lim_{n\to\infty}(a_n - b_n) = 0$이면 $\lim_{n\to\infty}\dfrac{b_n}{a_n} = 1$이다. (단, $a_n \neq 0$)
>
> ㄷ. 두 수열 $\{a_n - b_n{}^2\}$과 $\{b_n\}$이 수렴하면 수열 $\{a_n\}$도 수렴한다.

GUIDE 두 수열 $\{a_n\}$, $\{b_n\}$이 수렴하고 $\lim_{n\to\infty} a_n = \alpha$, $\lim_{n\to\infty} b_n = \beta$ (α, β는 실수)일 때

(i) $\lim_{n\to\infty} a_n b_n = \alpha\beta$ (ii) $\lim_{n\to\infty}(a_n \pm b_n) = \alpha \pm \beta$ (복부호 동순)

SOLUTION

ㄱ. $\lim_{n\to\infty} a_n{}^2 = \lim_{n\to\infty} a_n \cdot \lim_{n\to\infty} a_n = \alpha \cdot \alpha = \alpha^2$

$\lim_{n\to\infty} b_n{}^2 = \lim_{n\to\infty} b_n \cdot \lim_{n\to\infty} b_n = (-\alpha) \cdot (-\alpha) = \alpha^2$

$\therefore \lim_{n\to\infty} a_n{}^2 = \lim_{n\to\infty} b_n{}^2$ (참)

ㄴ. (반례) $a_n = \dfrac{1}{n^2}$, $b_n = \dfrac{1}{n}$이면 $\lim_{n\to\infty}(a_n - b_n) = \lim_{n\to\infty}\left(\dfrac{1}{n^2} - \dfrac{1}{n}\right) = 0$이지만

$\lim_{n\to\infty}\dfrac{b_n}{a_n} = \lim_{n\to\infty}\dfrac{\dfrac{1}{n}}{\dfrac{1}{n^2}} = \lim_{n\to\infty} n = \infty$ (거짓)

ㄷ. $\lim_{n\to\infty}(a_n - b_n{}^2) = p$, $\lim_{n\to\infty} b_n = q$ (p, q는 상수)라 하면

$\lim_{n\to\infty} b_n{}^2 = \lim_{n\to\infty} b_n \cdot \lim_{n\to\infty} b_n = q \cdot q = q^2$

$\therefore \lim_{n\to\infty} a_n = \lim_{n\to\infty}\{(a_n - b_n{}^2) + b_n{}^2\} = \lim_{n\to\infty}(a_n - b_n{}^2) + \lim_{n\to\infty} b_n{}^2 = p + q^2$ (참)

따라서 옳은 것은 ㄱ, ㄷ이다. ■

유제
002-❶ 두 수열 $\{a_n\}$, $\{b_n\}$의 극한에 대한 보기의 설명 중 옳은 것만을 있는 대로 골라라.   Sub Note 052쪽

> 보기 ㄱ. $\lim_{n\to\infty} a_n b_n = \alpha$이면 두 수열 $\{a_n\}$, $\{b_n\}$은 모두 수렴한다. (단, α는 상수)
>
> ㄴ. $\lim_{n\to\infty} a_n = \infty$이고 $\lim_{n\to\infty}(b_n - a_n) = \alpha$이면 $\lim_{n\to\infty}\dfrac{b_n}{a_n} = 1$이다. (단, α는 상수)
>
> ㄷ. $\lim_{n\to\infty} a_n = \infty$이고 $\lim_{n\to\infty} b_n = 0$이면 $\lim_{n\to\infty} a_n b_n = 0$이다.

$\dfrac{\infty}{\infty}$ 꼴의 극한

003
두 수열 $\{a_n\}$, $\{b_n\}$에 대하여

$$a_n=\left(1-\frac{1}{2}\right)\times\left(1-\frac{1}{3}\right)\times\left(1-\frac{1}{4}\right)\times\cdots\times\left(1-\frac{1}{n}\right)\,(n\geq2),$$

$$b_n=1+3+5+\cdots+(2n-1)$$

일 때, $\displaystyle\lim_{n\to\infty}a_n{}^2(2b_n-n)$의 값을 구하여라.

GUIDE (i) 두 수열 $\{a_n\}$, $\{b_n\}$의 일반항을 간단히 한다.

(ii) (i)에서 구한 일반항을 $\displaystyle\lim_{n\to\infty}a_n{}^2(2b_n-n)$에 대입한 후 분모의 최고차항으로 분모, 분자를 각각 나누어 극한값을 구한다.

SOLUTION

두 수열 $\{a_n\}$, $\{b_n\}$의 일반항을 간단히 하면

$$a_n=\left(1-\frac{1}{2}\right)\times\left(1-\frac{1}{3}\right)\times\left(1-\frac{1}{4}\right)\times\cdots\times\left(1-\frac{1}{n}\right)$$

$$=\frac{1}{2}\times\frac{2}{3}\times\frac{3}{4}\times\cdots\times\frac{n-1}{n}=\frac{1}{n}$$

$$b_n=1+3+5+\cdots+(2n-1)=\sum_{k=1}^{n}(2k-1)$$

$$=2\cdot\frac{n(n+1)}{2}-n=n^2$$

$$\therefore \lim_{n\to\infty}a_n{}^2(2b_n-n)=\lim_{n\to\infty}\left(\frac{1}{n}\right)^2(2n^2-n)=\lim_{n\to\infty}\frac{2n^2-n}{n^2}$$

$$=\lim_{n\to\infty}\frac{2-\dfrac{1}{n}}{1}=2\;\blacksquare$$

Sub Note 052쪽

유제
003-1 수열 $\{a_n\}$이 $\displaystyle\lim_{n\to\infty}(3n^2+4n+1)a_n=1$을 만족시킬 때, $\displaystyle\lim_{n\to\infty}2n^2a_n$의 값을 구하여라.

유제
003-2 $\displaystyle\lim_{n\to\infty}\frac{an^2+bn+2}{4n-3}=-2$일 때, 상수 a, b에 대하여 $a+b$의 값을 구하여라. Sub Note 052쪽

004

수열 $\{a_n\}$의 일반항이 $a_n = 2n-1$일 때,

$$\lim_{n \to \infty} (\sqrt{a_2 + a_4 + \cdots + a_{2n}} - \sqrt{a_1 + a_3 + \cdots + a_{2n-1}})$$

의 값을 구하여라.

GUIDE (i) $a_2 + a_4 + \cdots + a_{2n}$, $a_1 + a_3 + \cdots + a_{2n-1}$을 각각 n에 대한 식으로 나타낸다.

(ii) (i)에서 구한 식을 $\lim\limits_{n \to \infty} (\sqrt{a_2 + a_4 + \cdots + a_{2n}} - \sqrt{a_1 + a_3 + \cdots + a_{2n-1}})$에 대입한 후 유리화를 이용하여 극한값을 구한다.

SOLUTION ──────────────────────────

$a_n = 2n-1$에서 $a_{2n} = 2 \cdot 2n - 1 = 4n - 1$이므로

$$a_2 + a_4 + \cdots + a_{2n} = \sum_{k=1}^{n} a_{2k} = \sum_{k=1}^{n} (4k-1)$$

$$= 4 \cdot \frac{n(n+1)}{2} - n = 2n(n+1) - n = 2n^2 + n$$

또 $a_n = 2n-1$에서 $a_{2n-1} = 2(2n-1) - 1 = 4n - 3$이므로

$$a_1 + a_3 + \cdots + a_{2n-1} = \sum_{k=1}^{n} a_{2k-1} = \sum_{k=1}^{n} (4k-3)$$

$$= 4 \cdot \frac{n(n+1)}{2} - 3n = 2n(n+1) - 3n = 2n^2 - n$$

$$\therefore \lim_{n \to \infty} (\sqrt{a_2 + a_4 + \cdots + a_{2n}} - \sqrt{a_1 + a_3 + \cdots + a_{2n-1}})$$

$$= \lim_{n \to \infty} (\sqrt{2n^2 + n} - \sqrt{2n^2 - n})$$

$$= \lim_{n \to \infty} \frac{(\sqrt{2n^2 + n} - \sqrt{2n^2 - n})(\sqrt{2n^2 + n} + \sqrt{2n^2 - n})}{\sqrt{2n^2 + n} + \sqrt{2n^2 - n}}$$

$$= \lim_{n \to \infty} \frac{2n}{\sqrt{2n^2 + n} + \sqrt{2n^2 - n}} = \lim_{n \to \infty} \frac{2}{\sqrt{2 + \dfrac{1}{n}} + \sqrt{2 - \dfrac{1}{n}}}$$

$$= \frac{2}{2\sqrt{2}} = \frac{\sqrt{2}}{2} \blacksquare$$

유제
004-1 $\lim\limits_{n \to \infty} \dfrac{2^{\sqrt{1+2+3+\cdots+(n+1)}}}{2^{\sqrt{1+2+3+\cdots+n}}}$ 의 값을 구하여라.   Sub Note 052쪽

유제
004-2 $\lim\limits_{n \to \infty} (\sqrt{n^2 - an + 1} - n) = -2$일 때, 상수 a의 값을 구하여라.   Sub Note 053쪽

수열의 극한의 대소 관계

005

수열 $\{a_n\}$이 모든 자연수 n에 대하여 $a_n > 0$이고 $(n+1)a_{n+1} \leq na_n$을 만족시킬 때,

$\lim\limits_{n \to \infty} \dfrac{2+3a_n}{3+2a_n}$의 값을 구하여라.

GUIDE $(n+1)a_{n+1} \leq na_n$의 n에 $1, 2, 3, \cdots, n-1$을 차례로 대입한 후 변끼리 곱한 다음 수열의 극한의 대소 관계를 이용하여 $\lim\limits_{n \to \infty} a_n$의 값을 구한다.

SOLUTION

$(n+1)a_{n+1} \leq na_n$의 n에 $1, 2, 3, \cdots, n-1$을 차례로 대입한 후 변끼리 곱하면

$$2a_2 \leq a_1$$
$$3a_3 \leq 2a_2$$
$$4a_4 \leq 3a_3$$
$$\vdots$$
$$\times\ )\ na_n \leq (n-1)a_{n-1}$$
$$na_n \leq a_1$$

즉, $a_n \leq \dfrac{a_1}{n}$이므로 $0 < a_n \leq \dfrac{a_1}{n}$ $(\because a_n > 0)$

이때 $\lim\limits_{n \to \infty} 0 = 0$, $\lim\limits_{n \to \infty} \dfrac{a_1}{n} = 0$이므로 수열의 극한의 대소 관계에 의하여

$$\lim\limits_{n \to \infty} a_n = 0$$

$$\therefore \lim\limits_{n \to \infty} \dfrac{2+3a_n}{3+2a_n} = \dfrac{2+0}{3+0} = \dfrac{2}{3} \ \blacksquare$$

Sub Note 053쪽

유제

005- 1 수열 $\{a_n\}$이 모든 자연수 n에 대하여 $|a_n - 3n| < 1$을 만족시킬 때, $\lim\limits_{n \to \infty} \dfrac{a_n + 2n}{a_n - 2n}$의 값을 구하여라.

귀납적으로 정의된 수열의 극한

006

함수 $f(x) = \dfrac{x}{x+1}$ 에 대하여 $x_1 = 10$, $x_2 = f(x_1)$, $x_3 = f(x_2)$, $\cdots$, $x_{n+1} = f(x_n)$이라 할 때,

$\lim\limits_{n \to \infty} n x_n$의 값을 구하여라. (단, n은 자연수)

GUIDE 주어진 조건에서 x_{n+1}과 x_n 사이의 관계식을 찾아 수열 $\{x_n\}$의 일반항을 구한다.

SOLUTION

함수 $f(x) = \dfrac{x}{x+1}$ 에 대하여 $x_{n+1} = f(x_n)$이므로

$$x_{n+1} = \frac{x_n}{x_n + 1}, \quad \frac{1}{x_{n+1}} = \frac{x_n + 1}{x_n}$$

$$\therefore \ \frac{1}{x_{n+1}} = \frac{1}{x_n} + 1$$

따라서 수열 $\left\{ \dfrac{1}{x_n} \right\}$은 첫째항이 $\dfrac{1}{x_1}$ 이고 공차가 1인 등차수열이므로

$$\frac{1}{x_n} = \frac{1}{x_1} + (n-1) \cdot 1 = \frac{1}{10} + (n-1) = \frac{10n - 9}{10}$$

$$\therefore \ x_n = \frac{10}{10n - 9}$$

$$\therefore \ \lim_{n \to \infty} n x_n = \lim_{n \to \infty} \frac{10n}{10n - 9} = \lim_{n \to \infty} \frac{10}{10 - \dfrac{9}{n}} = 1 \ \blacksquare$$

Summa's Advice

유리함수 $f(x) = \dfrac{x}{x+1} = 1 - \dfrac{1}{x+1}$ 의 그래프를 이용하면 $x_{n+1} = \dfrac{x_n}{x_n + 1}$ 을 만족시키는 수열 $\{x_n\}$

의 극한값을 구할 수 있다. 자세한 내용은 104~105쪽의 **Advanced Lecture**를 참고하길 바란다.

Sub Note 053쪽

유제
006-1 $a_1 = 3$, $a_{n+1} = \dfrac{5a_n + 2}{2a_n + 5}$ $(n = 1, 2, 3, \cdots)$로 정의된 수열 $\{a_n\}$에 대하여 수열 $\{b_n\}$이

$b_n = \dfrac{a_n - 1}{a_n + 1}$ 을 만족시킨다. $\lim\limits_{n \to \infty} a_n = \alpha$, $\lim\limits_{n \to \infty} b_n = \beta$일 때, $\alpha + \beta$의 값을 구하여라.

(단, α, β는 실수)

03 등비수열의 극한

SUMMA CUM LAUDE

ESSENTIAL LECTURE

1 등비수열의 수렴과 발산

등비수열 $\{r^n\}$은 다음과 같이 공비 r의 값의 범위에 따라 수렴 또는 발산한다.

(1) $r > 1$일 때, $\lim\limits_{n \to \infty} r^n = \infty$ (발산)

(2) $r = 1$일 때, $\lim\limits_{n \to \infty} r^n = 1$ (수렴)

(3) $-1 < r < 1$일 때, $\lim\limits_{n \to \infty} r^n = 0$ (수렴)

(4) $r \leq -1$일 때, 수열 $\{r^n\}$은 진동한다. (발산)

2 등비수열의 수렴 조건

(1) 등비수열 $\{r^n\}$이 수렴하기 위한 조건은 $-1 < r \leq 1$

(2) 등비수열 $\{ar^{n-1}\}$이 수렴하기 위한 조건은 $a = 0$ 또는 $-1 < r \leq 1$

   [참고] 등비수열 $\{ar^{n-1}\}$은 $a = 0$이면 모든 항이 0이므로 r의 값에 관계없이 0에 수렴한다.

3 r^n을 포함한 수열의 극한

r^n을 포함한 수열의 극한은 r의 값의 범위에 따라 수렴 또는 발산하므로 r의 값의 범위를

   $|r| < 1$, $r = 1$, $|r| > 1$, $r = -1$

인 경우로 나누어 구한다.

1 등비수열의 수렴과 발산   (수능 고빈도 출제)

등비수열 $\{r^n\}$의 수렴, 발산을 공비 r의 값의 범위에 따라 알아보자.

(1) $r > 1$일 때

   $r = 1 + h$ $(h > 0)$로 놓으면

   $r^n = (1 + h)^n \geq 1 + nh$[6]

가 성립한다.

   이때 $h > 0$이므로 $\lim\limits_{n \to \infty} (1 + nh) = \infty$ $\therefore \lim\limits_{n \to \infty} r^n = \infty$ (발산)

---

[6] $h > 0$일 때, 모든 자연수 n에 대하여 $(1+h)^n \geq 1 + nh$가 성립함을 수학적 귀납법으로 보일 수 있다.

(2) $r=1$일 때

수열 $\{r^n\}$은 모든 항이 1이므로

$$\lim_{n \to \infty} r^n = \lim_{n \to \infty} 1 = 1 \ (\text{수렴})$$

(3) $-1 < r < 1$일 때

(i) $r=0$이면 수열 $\{r^n\}$의 모든 항이 0이므로

$$\lim_{n \to \infty} r^n = \lim_{n \to \infty} 0 = 0 \ (\text{수렴})$$

(ii) $r \neq 0$이면 $\dfrac{1}{|r|} > 1$이므로 (1)에 의하여

$$\lim_{n \to \infty} \frac{1}{|r^n|} = \lim_{n \to \infty} \left(\frac{1}{|r|} \right)^n = \infty$$

따라서 $\lim_{n \to \infty} |r^n| = 0$이므로 $\qquad \lim_{n \to \infty} r^n = 0 \ (\text{수렴})$

(4) $r \leq -1$일 때

(i) $r=-1$이면 수열 $\{r^n\}$은 $-1, \ 1, \ -1, \ 1, \ \cdots$이므로 진동한다. (발산)

(ii) $r < -1$이면 $|r| > 1$이므로 (1)에 의하여

$$\lim_{n \to \infty} |r^n| = \lim_{n \to \infty} |r|^n = \infty$$

이고, 수열 $\{r^n\}$의 각 항의 부호가 교대로 바뀌므로 수열 $\{r^n\}$은 진동한다. (발산)

이상을 정리하면 다음과 같다.

등비수열의 수렴과 발산

등비수열 $\{r^n\}$은

(1) $r > 1$일 때, $\qquad \lim_{n \to \infty} r^n = \infty \ (\text{발산})$

(2) $r = 1$일 때, $\qquad \lim_{n \to \infty} r^n = 1 \ (\text{수렴})$

(3) $-1 < r < 1$일 때, $\qquad \lim_{n \to \infty} r^n = 0 \ (\text{수렴})$

(4) $r \leq -1$일 때, 수열 $\{r^n\}$은 진동한다. (발산)

예 (1) 수열 $\{(\sqrt{3})^n\}$의 공비는 $\sqrt{3}$이고, $\sqrt{3} > 1$이므로 $\qquad \lim_{n \to \infty} (\sqrt{3})^n = \infty \ (\text{발산})$

(2) 수열 $\left\{ \left(-\dfrac{2}{3} \right)^n \right\}$의 공비는 $-\dfrac{2}{3}$이고, $-1 < -\dfrac{2}{3} < 1$이므로

$$\lim_{n \to \infty} \left(-\frac{2}{3} \right)^n = 0 \ (\text{수렴})$$

(3) 수열 $\{(-2)^n\}$의 공비는 -2이고, $-2 < -1$이므로 수열 $\{(-2)^n\}$은 진동한다. (발산)

한편 밑이 다른 거듭제곱을 포함한 $\dfrac{\infty}{\infty}$, $\infty-\infty$ 꼴의 극한은 밑의 절댓값이 가장 큰 거듭제곱으로 나누거나 묶어서 구하면 된다.

(1) $\dfrac{\infty}{\infty}$ 꼴의 극한 : 분모에서 밑의 절댓값이 가장 큰 거듭제곱으로 분모, 분자를 각각 나눈 후 $-1<r<1$일 때, $\displaystyle\lim_{n\to\infty}r^n=0$임을 이용한다.

$$\text{예 } \lim_{n\to\infty}\frac{3^n+5^n}{7^n}=\lim_{n\to\infty}\frac{\left(\dfrac{3}{7}\right)^n+\left(\dfrac{5}{7}\right)^n}{1}=\frac{0+0}{1}=0$$

(2) $\infty-\infty$ 꼴의 극한 : 밑의 절댓값이 가장 큰 거듭제곱으로 묶은 후 $-1<r<1$일 때, $\displaystyle\lim_{n\to\infty}r^n=0$임을 이용한다.

$$\text{예 } \lim_{n\to\infty}(6^n-5^n)=\lim_{n\to\infty}6^n\left\{1-\left(\frac{5}{6}\right)^n\right\}=\infty\times(1-0)=\infty$$

EXAMPLE 007 다음 극한을 조사하고, 극한이 존재하면 그 극한값을 구하여라.

(1) $\displaystyle\lim_{n\to\infty}\dfrac{2^n+3^n}{5^n}$

(2) $\displaystyle\lim_{n\to\infty}\dfrac{4\cdot3^n-2^n}{5\cdot3^n}$

(3) $\displaystyle\lim_{n\to\infty}\dfrac{2^n+9^n}{2^n-3^{2n+1}}$

(4) $\displaystyle\lim_{n\to\infty}(5\cdot4^n-2^n)$

ANSWER (1) $\displaystyle\lim_{n\to\infty}\dfrac{2^n+3^n}{5^n}=\lim_{n\to\infty}\dfrac{\left(\dfrac{2}{5}\right)^n+\left(\dfrac{3}{5}\right)^n}{1}=\mathbf{0}$ **(수렴)** ■

(2) $\displaystyle\lim_{n\to\infty}\dfrac{4\cdot3^n-2^n}{5\cdot3^n}=\lim_{n\to\infty}\dfrac{4-\left(\dfrac{2}{3}\right)^n}{5}=\dfrac{\mathbf{4}}{\mathbf{5}}$ **(수렴)** ■

(3) $\displaystyle\lim_{n\to\infty}\dfrac{2^n+9^n}{2^n-3^{2n+1}}=\lim_{n\to\infty}\dfrac{2^n+9^n}{2^n-3\cdot9^n}=\lim_{n\to\infty}\dfrac{\left(\dfrac{2}{9}\right)^n+1}{\left(\dfrac{2}{9}\right)^n-3}=-\dfrac{\mathbf{1}}{\mathbf{3}}$ **(수렴)** ■

(4) $\displaystyle\lim_{n\to\infty}(5\cdot4^n-2^n)=\lim_{n\to\infty}4^n\left\{5-\left(\dfrac{1}{2}\right)^n\right\}=\infty$ ∴ **발산** ■

APPLICATION 009　다음 극한값을 구하여라.

Sub Note 005쪽

(1) $\displaystyle\lim_{n\to\infty}\dfrac{3^{1-n}+2^n}{3^n}$

(2) $\displaystyle\lim_{n\to\infty}\dfrac{(\sqrt{7})^n-3^{n-2}}{3^n-2^{n+1}}$

(3) $\displaystyle\lim_{n\to\infty}\dfrac{2^{2n+2}+3^{n+1}}{2^{2n}+3^n}$

(4) $\displaystyle\lim_{n\to\infty}\dfrac{-5\cdot9^{n+1}+2^{3n+2}}{2^{3n}-3^{2n}}$

❷ 등비수열의 수렴 조건

앞에서 배운 등비수열 $\{r^n\}$의 수렴과 발산에서 등비수열 $\{r^n\}$이 수렴하려면 $-1 < r \leq 1$이어야 함을 알 수 있다.

그러면 등비수열 $\{ar^{n-1}\}$의 수렴 조건은 어떻게 될까?

등비수열 $\{r^n\}$의 수렴 조건과 마찬가지로 $-1 < r \leq 1$이어야 한다고 생각할 수 있다.

하지만 여기서 한 가지 경우를 더 생각해야 한다. 그것은 바로 $a=0$일 때[❼]이다.

등비수열 $\{ar^{n-1}\}$은 $a=0$이면 모든 항이 0이므로 r의 값에 관계없이 0에 수렴한다.

이상을 정리하면 다음과 같다.

등비수열의 수렴 조건

(1) 등비수열 $\{r^n\}$이 수렴하기 위한 조건은　　$-1 < r \leq 1$

(2) 등비수열 $\{ar^{n-1}\}$이 수렴하기 위한 조건은　　$a=0$ 또는 $-1 < r \leq 1$

EXAMPLE 008 다음 등비수열이 수렴하도록 하는 실수 x의 값의 범위를 구하여라.

(1) $\left\{ \left(\dfrac{x-2}{3} \right)^n \right\}$　　　　　　　　(2) $\{(x+1)(x-3)^n\}$

ANSWER (1) 등비수열 $\left\{ \left(\dfrac{x-2}{3} \right)^n \right\}$은 첫째항과 공비가 모두 $\dfrac{x-2}{3}$이므로 이 수열이 수렴하려면

$$-1 < \frac{x-2}{3} \leq 1, \ -3 < x-2 \leq 3$$

$$\therefore \ -1 < x \leq 5 \ \blacksquare$$

(2) 등비수열 $\{(x+1)(x-3)^n\}$은 첫째항이 $(x+1)(x-3)$, 공비가 $x-3$이므로 이 수열이 수렴하려면

$$(x+1)(x-3) = 0 \ \text{또는} \ -1 < x-3 \leq 1$$

$$x = -1 \ \text{또는} \ x = 3 \ \text{또는} \ 2 < x \leq 4$$

$$\therefore \ x = -1 \ \text{또는} \ 2 < x \leq 4 \ \blacksquare$$

---

❼ 등비수열 $\{r^n\}$의 수렴 조건에만 익숙해져 있어서 $a=0$일 때 등비수열 $\{ar^{n-1}\}$이 수렴한다는 사실을 생각하지 못할 수도 있다. 이는 마치 방정식 $ax^2+bx+c=0$의 근을 $x = \dfrac{-b \pm \sqrt{b^2-4ac}}{2a}$ 라고 섣불리 대답하는 것과 마찬가지이다. 이차방정식이라는 언급이 없으므로 $a=0$일 때 $bx+c=0$의 근도 구해야 한다.

APPLICATION **010** 다음 등비수열이 수렴하도록 하는 실수 x의 값의 범위를 구하여라.

(1) $\left\{ \left(\dfrac{x^2-10x+8}{8} \right)^n \right\}$ (2) $\{(x-1)(x-2)^{n-1}\}$

3 r^n을 포함한 수열의 극한

이제 등비수열 $\{r^n\}$의 수렴과 발산을 이용하여 r^n을 포함한 수열의 극한을 구해 보도록 하자. 등비수열 $\{r^n\}$은 r의 값의 범위에 따라 수렴 또는 발산하므로 r^n을 포함한 수열의 극한은 r의 값의 범위를 나누어 생각해야 한다.

일반적으로 r^n을 포함한 수열의 극한은 r의 값의 범위를

$$|r|<1,\ r=1,\ |r|>1,\ r=-1$$

인 경우로 나누어 구한다.

다음 예제를 통해 이를 확인해 보자.

■ **E X A M P L E 009** 수열 $\left\{ \dfrac{1-r^n}{1+r^n} \right\}$의 극한값을 구하여라. (단, $r \neq -1$)

ANSWER (i) $|r|<1$일 때, $\lim\limits_{n\to\infty} r^n=0$이므로

$$\lim_{n\to\infty} \frac{1-r^n}{1+r^n} = \frac{1-0}{1+0} = 1$$

(ii) $r=1$일 때, $\lim\limits_{n\to\infty} r^n=1$이므로

$$\lim_{n\to\infty} \frac{1-r^n}{1+r^n} = \frac{1-1}{1+1} = 0$$

(iii) $|r|>1$일 때, $\lim\limits_{n\to\infty} |r^n|=\infty$이므로

$$\lim_{n\to\infty} \frac{1-r^n}{1+r^n} = \lim_{n\to\infty} \frac{\dfrac{1}{r^n}-1}{\dfrac{1}{r^n}+1} = -1 \blacksquare$$

APPLICATION **011** 수열 $\left\{ \dfrac{2r^{2n}-1}{r^{2n}+3} \right\}$의 극한값을 구하여라.

007 (1) 수렴하는 수열 $\{a_n\}$에 대하여 $\displaystyle\lim_{n\to\infty}\frac{4^{n+1}\cdot a_n-3^{n+2}}{3^n\cdot a_n+2^{2n}}=20$일 때, $\displaystyle\lim_{n\to\infty}a_n$의 값을 구하여라.

(2) 수열 $\{a_n\}$의 첫째항부터 제n항까지의 합 S_n이 $S_n=3^n+4^n$일 때, $\displaystyle\lim_{n\to\infty}\frac{a_n}{S_n}$의 값을 구하여라.

GUIDE (1) 수열 $\{a_n\}$이 수렴하므로 $\displaystyle\lim_{n\to\infty}a_n=\alpha$ (α는 상수)로 놓고, 등비수열의 극한을 이용한다.

(2) $n\geq2$일 때, a_n을 구한 후 등비수열의 극한을 이용한다.

SOLUTION ─────────────────────────────

(1) $\displaystyle\lim_{n\to\infty}a_n=\alpha$ (α는 상수)라 하고, 분모, 분자를 각각 4^n으로 나누면

$$\lim_{n\to\infty}\frac{4^{n+1}\cdot a_n-3^{n+2}}{3^n\cdot a_n+2^{2n}}=\lim_{n\to\infty}\frac{4\cdot4^n\cdot a_n-9\cdot3^n}{3^n\cdot a_n+4^n}$$

$$=\lim_{n\to\infty}\frac{4a_n-9\cdot\left(\frac{3}{4}\right)^n}{\left(\frac{3}{4}\right)^n\cdot a_n+1}=\frac{4\alpha-0}{0+1}=4\alpha$$

따라서 $4\alpha=20$이므로 $\alpha=\mathbf{5}$ ∎

(2) $n\geq2$일 때,

$$a_n=S_n-S_{n-1}$$

$$=(3^n+4^n)-(3^{n-1}+4^{n-1})=\frac{2}{3}\cdot3^n+\frac{3}{4}\cdot4^n$$

$$\therefore \lim_{n\to\infty}\frac{a_n}{S_n}=\lim_{n\to\infty}\frac{\frac{2}{3}\cdot3^n+\frac{3}{4}\cdot4^n}{3^n+4^n}$$

$$=\lim_{n\to\infty}\frac{\frac{2}{3}\cdot\left(\frac{3}{4}\right)^n+\frac{3}{4}}{\left(\frac{3}{4}\right)^n+1}=\mathbf{\frac{3}{4}}$$ ∎

Sub Note 053쪽

유제
007- 1 이차방정식 $x^2+4x+1=0$의 두 근을 α, β라 할 때, $\displaystyle\lim_{n\to\infty}\frac{\alpha^{n+1}+\beta^{n+1}}{\alpha^n+\beta^n}$의 값을 구하여라.

008 양의 실수 전체의 집합을 정의역으로 하는 함수

$$f(r) = \lim_{n \to \infty} \frac{r^{n-1} - 3^{n+1}}{r^n + 3^{n-1}}$$

에 대한 보기의 설명 중 옳은 것만을 있는 대로 골라라. (단, n은 자연수)

보기　ㄱ. $f(3) = -2$

ㄴ. $r > 3$일 때, $f(r) = \dfrac{3}{r}$이다.

ㄷ. $0 < r < 3$일 때, $f(r) = -9$이다.

GUIDE　r의 값의 범위에 따라 주어진 분수식의 분모, 분자를 각각 적절한 수의 n제곱으로 나누어 극한을 조사해 본다.

SOLUTION

ㄱ. $f(3) = \lim_{n \to \infty} \dfrac{3^{n-1} - 3^{n+1}}{3^n + 3^{n-1}} = \lim_{n \to \infty} \dfrac{\dfrac{1}{3} - 3}{1 + \dfrac{1}{3}} = -2$ (참)

ㄴ. $r > 3$이면 $0 < \dfrac{3}{r} < 1$이므로　$\lim_{n \to \infty} \left(\dfrac{3}{r} \right)^n = 0$

$\therefore f(r) = \lim_{n \to \infty} \dfrac{r^{n-1} - 3^{n+1}}{r^n + 3^{n-1}} = \lim_{n \to \infty} \dfrac{\dfrac{1}{r} - 3 \cdot \left(\dfrac{3}{r} \right)^n}{1 + \dfrac{1}{3} \cdot \left(\dfrac{3}{r} \right)^n} = \dfrac{1}{r}$ (거짓)

ㄷ. $0 < r < 3$이면 $0 < \dfrac{r}{3} < 1$이므로　$\lim_{n \to \infty} \left(\dfrac{r}{3} \right)^n = 0$

$\therefore f(r) = \lim_{n \to \infty} \dfrac{r^{n-1} - 3^{n+1}}{r^n + 3^{n-1}} = \lim_{n \to \infty} \dfrac{\dfrac{1}{r} \cdot \left(\dfrac{r}{3} \right)^n - 3}{\left(\dfrac{r}{3} \right)^n + \dfrac{1}{3}} = -9$ (참)

따라서 옳은 것은 ㄱ, ㄷ이다. ■

Sub Note 053쪽

유제
008-1 함수 $f(x) = \lim_{n \to \infty} \dfrac{x^{2n+1} + 3x - 2}{x^{2n} + 3}$에 대하여 $f(-1) + f\left(-\dfrac{1}{3} \right) + f(2)$의 값을 구하여라.

(단, n은 자연수)

귀납적으로 정의된 등비수열의 극한과 그 활용

009 양의 실수 k에 대하여

$$a_1=1, \quad -a_{n+1}a_n=a_{n+1}-ka_n \ (n=1, 2, 3, \cdots)$$

으로 정의된 수열 $\{a_n\}$에 대한 보기의 설명 중 옳은 것만을 있는 대로 골라라. (단, $a_n \neq 0$)

보기
ㄱ. $k=1$이면 $\lim\limits_{n \to \infty} a_n=0$이다.

ㄴ. $k>1$이면 $\lim\limits_{n \to \infty} a_n=0$이다.

ㄷ. $0<k<1$이면 $\lim\limits_{n \to \infty} a_n=0$이다.

GUIDE 주어진 식의 양변을 $a_n a_{n+1}$로 나눈 다음 ㄱ, ㄴ, ㄷ을 확인해 본다.

이때 ㄴ에서 나타나는 $a_{n+1}=pa_n+q \,(p \neq 1)$ 꼴의 점화식은 $a_{n+1}-\alpha=p(a_n-\alpha)\left(\alpha=\dfrac{q}{1-p}\right)$ 꼴
로 변형하여 수열 $\{a_n-\alpha\}$가 공비가 p인 등비수열임을 이용한다.
특히 $-1<p<1$이면 수열 $\{a_n\}$은 α로 수렴한다.

SOLUTION

$-a_{n+1}a_n=a_{n+1}-ka_n$의 양변을 $a_n a_{n+1}$로 나누면

$$-1=\frac{1}{a_n}-\frac{k}{a_{n+1}} \qquad \therefore \ \frac{k}{a_{n+1}}-\frac{1}{a_n}=1 \qquad \cdots\cdots \ \bigcirc$$

ㄱ. $k=1$이면 $\qquad \dfrac{1}{a_{n+1}}-\dfrac{1}{a_n}=1$

즉, 수열 $\left\{\dfrac{1}{a_n}\right\}$은 첫째항이 $\dfrac{1}{a_1}=1$, 공차가 1인 등차수열이므로

$$\frac{1}{a_n}=1+(n-1)\cdot 1=n \qquad \therefore \ a_n=\frac{1}{n}$$

$$\therefore \ \lim_{n \to \infty} a_n=\lim_{n \to \infty} \frac{1}{n}=0 \ (참)$$

ㄴ. $k>1$인 경우

$\bigcirc$에서 $b_n=\dfrac{1}{a_n}$이라 하면 $b_1=1$이고, $kb_{n+1}-b_n=1$

$$\therefore \ b_{n+1}=\frac{1}{k}\cdot b_n+\frac{1}{k} \qquad\qquad \cdots\cdots \ \bigcirc\!\bigcirc$$

$\bigcirc\!\bigcirc$을 $b_{n+1}-\alpha=\dfrac{1}{k}(b_n-\alpha)$로 놓으면 $\qquad b_{n+1}=\dfrac{1}{k}\cdot b_n+\alpha-\dfrac{\alpha}{k}$

이때 $\dfrac{1}{k}=\alpha-\dfrac{\alpha}{k}$ 이므로 $1=k\alpha-\alpha$ $\therefore \alpha=\dfrac{1}{k-1}$

$$\therefore b_{n+1}-\dfrac{1}{k-1}=\dfrac{1}{k}\left(b_n-\dfrac{1}{k-1}\right)$$

즉, 수열 $\left\{b_n-\dfrac{1}{k-1}\right\}$은 첫째항이 $b_1-\dfrac{1}{k-1}=1-\dfrac{1}{k-1}=\dfrac{k-2}{k-1}$, 공비가

$\dfrac{1}{k}$인 등비수열이므로

$$b_n-\dfrac{1}{k-1}=\dfrac{k-2}{k-1}\cdot\left(\dfrac{1}{k}\right)^{n-1}$$

$$b_n=\dfrac{k-2}{k-1}\cdot\left(\dfrac{1}{k}\right)^{n-1}+\dfrac{1}{k-1}=\dfrac{1}{k-1}\left\{(k-2)\left(\dfrac{1}{k}\right)^{n-1}+1\right\}$$

$$\therefore a_n=\dfrac{1}{b_n}=\dfrac{k-1}{(k-2)\left(\dfrac{1}{k}\right)^{n-1}+1} \qquad \cdots\cdots \text{ⓒ}$$

$$\therefore \lim_{n\to\infty}a_n=\lim_{n\to\infty}\dfrac{k-1}{(k-2)\left(\dfrac{1}{k}\right)^{n-1}+1}=k-1\left(\because \lim_{n\to\infty}\left(\dfrac{1}{k}\right)^{n-1}=0\right)$$

이때 $k>1$이므로 $\lim\limits_{n\to\infty}a_n=0$이 될 수 없다. (거짓)

ㄷ. $0<k<1$인 경우

ⓒ에 의하여

$$\lim_{n\to\infty}a_n=\lim_{n\to\infty}\dfrac{k-1}{(k-2)\left(\dfrac{1}{k}\right)^{n-1}+1}=0\left(\because \lim_{n\to\infty}\left(\dfrac{1}{k}\right)^{n-1}=\infty\right) \text{(참)}$$

따라서 옳은 것은 ㄱ, ㄷ이다. ■

유제
009-■ $a_1=1$, $a_{n+1}=3a_n+1$ $(n=1, 2, 3, \cdots)$로 정의된 수열 $\{a_n\}$에 대하여 $\lim\limits_{n\to\infty}\dfrac{a_n}{3^n}$의 값을 구하여라.

Sub Note 054쪽

유제
009-② 어떤 풀은 일주일 동안 항상 6 cm씩 자란다고 한다. 매주 일요일 일정한 시각에 이 풀의 길이를 측정한 다음, 그 길이의 $\dfrac{2}{3}$를 잘라낸다고 한다. 이와 같은 과정을 한없이 반복할 때, 매주 일요일에 측정한 풀의 길이는 a cm에 한없이 가까워진다. 이때 a의 값을 구하여라.

등비수열과 도형

010

오른쪽 그림과 같이 x축, y축에 모두 접하면서 $\overline{\mathrm{OA_1}}=2$를 지름의 길이로 하는 원 C_1을 그려 점 $\mathrm{A_1}$을 지나면서 y축과 평행한 직선이 원과 접하는 점을 $\mathrm{B_1}$이라 하고, $\overline{\mathrm{A_1A_2}}=1$을 지름의 길이로 하면서 x축에 접하는 원 C_2를 그려 점 $\mathrm{A_2}$를 지나면서 y축과 평행한 직선이 원과 접하는 점을 $\mathrm{B_2}$, $\overline{\mathrm{A_2A_3}}=\dfrac{1}{2}$을 지름의 길이로 하면서 x축에 접하는 원 C_3을 그려 점 $\mathrm{A_3}$을 지나면서 y축과 평행한 직선이 원과 접하는 점을 $\mathrm{B_3}$이라 하자. 이때 n번째에 만들어지는 두 점 $\mathrm{A_n}$, $\mathrm{B_n}$에 대하여 $\lim\limits_{n\to\infty}\left(1+2^n\cdot\dfrac{\overline{\mathrm{A_nB_n}}}{\overline{\mathrm{OA_n}}}\right)$의 값을 구하여라.

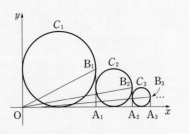

GUIDE n번째에 만들어지는 직각삼각형 $\mathrm{B_nOA_n}$에서

$$\frac{\overline{\mathrm{A_nB_n}}}{\overline{\mathrm{OA_n}}}=\frac{(n\text{번째에 만들어지는 원 } C_n\text{의 반지름의 길이})}{(n\text{번째까지 만들어지는 원들의 지름의 길이의 합})}$$

이므로 $\overline{\mathrm{A_nB_n}}$, $\overline{\mathrm{OA_n}}$의 길이를 각각 n에 대한 식으로 나타내어 $\lim\limits_{n\to\infty}\left(1+2^n\cdot\dfrac{\overline{\mathrm{A_nB_n}}}{\overline{\mathrm{OA_n}}}\right)$의 값을 구한다.

SOLUTION

$\triangle\mathrm{B_1OA_1}$에서 $\overline{\mathrm{OA_1}}$, $\overline{\mathrm{A_1B_1}}$은 각각 원 C_1의 지름과 반지름의 길이이므로

$$\frac{\overline{\mathrm{A_1B_1}}}{\overline{\mathrm{OA_1}}}=\frac{1}{2}$$

$\triangle\mathrm{B_2OA_2}$에서 $\overline{\mathrm{OA_2}}$는 두 원 C_1, C_2의 지름의 길이의 합이고, $\overline{\mathrm{A_2B_2}}$는 원 C_2의 반지름의 길이이므로

$$\frac{\overline{\mathrm{A_2B_2}}}{\overline{\mathrm{OA_2}}}=\frac{\dfrac{1}{2}}{2+1}$$

$\triangle\mathrm{B_3OA_3}$에서 $\overline{\mathrm{OA_3}}$은 세 원 C_1, C_2, C_3의 지름의 길이의 합이고, $\overline{\mathrm{A_3B_3}}$은 원 C_3의 반지름의 길이이므로

$$\frac{\overline{\mathrm{A_3B_3}}}{\overline{\mathrm{OA_3}}}=\frac{\dfrac{1}{4}}{2+1+\dfrac{1}{2}}$$

$$\vdots$$

이렇게 n번째에 만들어지는 두 점 $\mathrm{A_n}$, $\mathrm{B_n}$에 대하여 $\dfrac{\overline{\mathrm{A_nB_n}}}{\overline{\mathrm{OA_n}}}$을 n에 대한 식으로 나타내 보자.

(ⅰ) $\overline{A_1B_1}$, $\overline{A_2B_2}$, $\overline{A_3B_3}$, …의 길이를 차례로 나열하면

1, $\dfrac{1}{2}$, $\dfrac{1}{4}$, …이므로 $\overline{A_nB_n}$의 길이는 첫째항이 1, 공비가 $\dfrac{1}{2}$인 등비수열의 제

n항과 같다.

$$\therefore \overline{A_nB_n}=\left(\dfrac{1}{2}\right)^{n-1}$$

(ⅱ) $\overline{OA_1}$, $\overline{OA_2}$, $\overline{OA_3}$, …의 길이를 차례로 나열하면

2, $2+1$, $2+1+\dfrac{1}{2}$, …이므로 $\overline{OA_n}$의 길이는 첫째항이 2, 공비가 $\dfrac{1}{2}$인 등비

수열의 첫째항부터 제n항까지의 합과 같다.

$$\therefore \overline{OA_n}=\dfrac{2\left\{1-\left(\dfrac{1}{2}\right)^n\right\}}{1-\dfrac{1}{2}}=4\left\{1-\left(\dfrac{1}{2}\right)^n\right\}$$

(ⅰ), (ⅱ)에 의하여 $\qquad \dfrac{\overline{A_nB_n}}{\overline{OA_n}}=\dfrac{\left(\dfrac{1}{2}\right)^{n-1}}{4\left\{1-\left(\dfrac{1}{2}\right)^n\right\}}$

$$\therefore \lim_{n\to\infty}\left(1+2^n\cdot\dfrac{\overline{A_nB_n}}{\overline{OA_n}}\right)=1+\lim_{n\to\infty}\dfrac{2^n\cdot\left(\dfrac{1}{2}\right)^{n-1}}{4\left\{1-\left(\dfrac{1}{2}\right)^n\right\}}=1+\dfrac{2}{4}=\mathbf{\dfrac{3}{2}} \ \blacksquare$$

― Summa's Advice ―

수열의 극한에 있어서 등비수열과 도형은 변별력 문제로 출제될 수 있으니 반드시 그 접근법을 익혀
두도록 하자.

유제

010- ❶ 오른쪽 그림과 같이 한 변의 길이가 1인 정사각형 ABCD가 있

Sub Note 055쪽

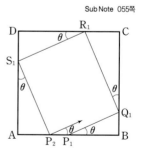

다. 선분 AB 위의 한 점 P_1에서 선분 AB와 이루는 각의 크기
가 θ인 반직선을 그어 선분 BC와 만나는 점을 Q_1이라 하고,
점 Q_1에서 선분 BC와 이루는 각의 크기가 θ인 반직선을 그어
선분 CD와 만나는 점을 R_1이라 한다. 점 R_1에서 선분 CD와
이루는 각의 크기가 θ인 반직선을 그어 선분 DA와 만나는 점
을 S_1이라 하고, 다시 점 S_1에서 선분 DA와 이루는 각의 크기
가 θ인 반직선을 그어 선분 AB와 만나는 점을 P_2라 한다.

$\tan\theta=\dfrac{1}{2}$일 때, 이와 같은 과정을 한없이 계속하여 만들어지는 점 P_3, P_4, P_5, …에 대하여

$\displaystyle\lim_{n\to\infty}\overline{AP_n}$의 값을 구하여라.

Review Quiz

SUMMA CUM LAUDE

Sub Note 098쪽

1. 다음 [   ] 안에 적절한 것을 채워 넣어라.

(1) 수열 $\{a_n\}$에서 n이 한없이 커질 때, a_n의 값이 일정한 값 α에 한없이 가까워지면 수열 $\{a_n\}$은 α에 [   ]한다고 한다. 이때 α를 수열 $\{a_n\}$의 [   ] 또는 [   ]이라 한다.

(2) 수열 $\{a_n\}$이 수렴하지 않을 때, 수열 $\{a_n\}$은 [   ]한다고 한다. 이러한 경우는 n이 한없이 커질 때 a_n의 값이 한없이 커지는 경우, n이 한없이 커질 때 a_n의 값이 음수이면서 그 절댓값이 한없이 커지는 경우, 수열 $\{a_n\}$이 [   ]하는 경우로 나눌 수 있다.

(3) 두 수열 $\{a_n\}$, $\{b_n\}$이 수렴하고 $\lim\limits_{n\to\infty}a_n=\alpha$, $\lim\limits_{n\to\infty}b_n=\beta$ (α, β는 실수)일 때, 수열 $\{c_n\}$이 모든 자연수 n에 대하여 $a_n\leq c_n\leq b_n$이고 [   ]이면 $\lim\limits_{n\to\infty}c_n=\alpha$이다.

(4) 등비수열 $\{r^n\}$에서

① $r>1$일 때,　　　$\lim\limits_{n\to\infty}r^n=$[   ] (발산)

② $r=1$일 때,　　　$\lim\limits_{n\to\infty}r^n=$[   ] (수렴)

③ $-1<r<1$일 때,　　$\lim\limits_{n\to\infty}r^n=$[   ] (수렴)

④ $r\leq-1$일 때, 수열 $\{r^n\}$은 [   ]한다. (발산)

2. 다음 문장이 참(true) 또는 거짓(false)인지 결정하고, 그 이유를 설명하거나 적절한 반례를 제시하여라.

(1) 두 수열 $\{a_n\}$, $\{b_n\}$에 대하여 $\lim\limits_{n\to\infty}a_nb_n=\lim\limits_{n\to\infty}a_n\cdot\lim\limits_{n\to\infty}b_n$이다.

(2) 두 수열 $\{a_n+b_n\}$, $\{a_n\}$이 모두 수렴하면 수열 $\{b_n\}$도 수렴한다.

(3) $-1<r\leq1$이 아닐 때, 등비수열 $\{ar^{n-1}\}$은 극한값을 가질 수 없다.

3. 다음 물음에 대한 답을 간단히 서술하여라.

(1) $\dfrac{\infty}{\infty}$ 꼴, $\infty-\infty$ 꼴의 극한을 구하는 방법을 설명하여라.

(2) r^n을 포함한 수열의 극한을 구하는 방법을 설명하여라.

수열의 수렴과 발산 **01** 다음 보기의 수열 중에서 발산하는 것만을 있는 대로 고른 것은?

> 보기
>
> ㄱ. $\{-6n+10\}$　　　　　　　ㄴ. $\left\{\dfrac{1}{\sqrt{n}}\right\}$
>
> ㄷ. $\{\cos 2n\pi\}$　　　　　　　ㄹ. $\left\{\dfrac{(-1)^n}{n}\right\}$

① ㄱ　　　　　　② ㄹ　　　　　　③ ㄱ, ㄴ
④ ㄱ, ㄷ, ㄹ　　　　⑤ ㄴ, ㄷ, ㄹ

수열의 극한에 대한 기본 성질 **02** 수렴하는 두 수열 $\{a_n\}$, $\{b_n\}$에 대하여 $\displaystyle\lim_{n\to\infty}(3a_n+b_n)=30$, $\displaystyle\lim_{n\to\infty}(2a_n-3b_n)=9$일

때, $\displaystyle\lim_{n\to\infty}\dfrac{a_n}{b_n}$ 의 값을 구하여라.

$\dfrac{\infty}{\infty}$ 꼴의 극한 **03** 수열 $\{a_n\}$의 첫째항부터 제n항까지의 합 S_n이 $S_n=n^2-n+1$일 때, $\displaystyle\lim_{n\to\infty}\dfrac{a_n}{n+1}$의

값은?

① -3　　　② -2　　　③ -1　　　④ 1　　　⑤ 2

$\infty-\infty$ 꼴의 극한 **04** $\displaystyle\lim_{n\to\infty}(\sqrt{an^2+bn}-3n)=1$일 때, 상수 a, b에 대하여 $a+b$의 값을 구하여라.

서술형

a_n을 포함한 수열의 극한 **05** 수열 $\{a_n\}$에 대하여 $\displaystyle\lim_{n\to\infty}\dfrac{2a_n+1}{3a_n-5}=5$일 때, $\displaystyle\lim_{n\to\infty}a_n$의 값을 구하여라.

수열의 극한의
대소 관계 **06** 수열 $\{a_n\}$이 모든 자연수 n에 대하여 $3n^4-1<2n^4a_n<3n^4+2$를 만족시킬 때,

$\lim\limits_{n\to\infty} a_n$의 값은?

① $\dfrac{1}{2}$ ② $\dfrac{2}{3}$ ③ 1 ④ $\dfrac{3}{2}$ ⑤ 2

등비수열의 극한 **07** $\lim\limits_{n\to\infty} \dfrac{2^{n+1}-3^{n-2}}{\sqrt{9^{n+1}+5^{n+2}}}$ 의 값은?

① $-\dfrac{2}{5}$ ② $-\dfrac{1}{9}$ ③ $-\dfrac{1}{27}$ ④ $\dfrac{1}{9}$ ⑤ $\dfrac{3}{5}$

등비수열의
수렴 조건 **08** 등비수열 $\{(\log_2 k-3)^n\}$이 수렴하도록 하는 자연수 k의 개수를 구하여라.

r^n을 포함한
수열의 극한 **09** $r>0$일 때, $\lim\limits_{n\to\infty} \dfrac{r^{n+1}+r+2}{r^n+1}=\dfrac{7}{3}$ 을 만족시키는 모든 r의 값의 합을 구하여라.

r^n을 포함한
수열의 극한 **10** 함수 $f(x)=\lim\limits_{n\to\infty} \dfrac{x^{2n-1}+3}{2+x^{2n}}$ 에 대한 보기의 설명 중 옳은 것만을 있는 대로 고른 것은? (단, n은 자연수)

> **보기**
> ㄱ. $f(1)=2f(-1)$이다.
>
> ㄴ. $|x|<1$일 때, $f(x)=\dfrac{3}{2}$이다.
>
> ㄷ. $|x|>1$일 때, $f(x)=\dfrac{1}{x}$이다.

① ㄱ   ② ㄴ   ③ ㄱ, ㄴ

④ ㄴ, ㄷ   ⑤ ㄱ, ㄴ, ㄷ

01 공차가 0이 아닌 두 등차수열 $\{a_n\}$, $\{b_n\}$의 첫째항부터 제n항까지의 합을 각각 S_n, T_n이라 하면 $\lim\limits_{n\to\infty}\dfrac{S_n}{T_n}=\dfrac{3}{5}$이다. 이때 $10\lim\limits_{n\to\infty}\dfrac{a_n}{b_n}$의 값을 구하여라.

02 2 이상의 자연수 n에 대하여 다음 조건을 모두 만족시키는 실수 x의 값의 합을 a_n이라 할 때, $\lim\limits_{n\to\infty}\dfrac{2a_n}{n}$의 값을 구하여라. (단, $[x]$는 x보다 크지 않은 최대의 정수이다.)

> (가) $n[x]^2-n[x]+[x]-1=0$　　　(나) $\dfrac{1}{n^2}\leq x-[x]\leq\dfrac{1}{n}$
>
> (다) $[n^2x]=n^2x$

03 두 수열 $\{a_n\}$, $\{b_n\}$에 대하여 $\lim\limits_{n\to\infty}a_n=\infty$, $\lim\limits_{n\to\infty}(a_n-b_n)=3$일 때,

$\lim\limits_{n\to\infty}\dfrac{a_n+2b_n}{a_n-2b_n}$의 값을 구하여라.

04 오른쪽 그림과 같이 좌표평면 위의 점 $A(2,\,0)$과 직선 $y=2$ 위를 움직이는 점 $P(t,\,2)$에 대하여 선분 AP와 직선 $y=\dfrac{1}{2}x$가 만나는 점을 Q라 하자.

$\triangle QOA$의 넓이가 $\triangle POA$의 넓이의 $\dfrac{1}{3}$일 때의 t의 값을 t_1, $\dfrac{1}{2}$일 때의 t의 값을 t_2, $\cdots$, $\dfrac{n}{n+2}$일 때의 t의 값을 t_n이라 할 때, $\lim\limits_{n\to\infty}t_n$의 값을 구하여라. (단, O는 원점)

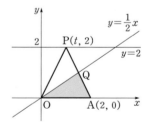

05 수열 $\{a_n\}$이 모든 자연수 n에 대하여 $\dfrac{1}{\sqrt{n}+\sqrt{n+1}}\leq a_n\leq\dfrac{1}{\sqrt{n-1}+\sqrt{n}}$ 을 만족시킬 때, $\lim\limits_{n\to\infty}\dfrac{\sum\limits_{k=1}^{n}a_k}{\sqrt{2n+2}}$의 값은?

① 0　　　② $\dfrac{\sqrt{2}}{3}$　　　③ $\dfrac{\sqrt{3}}{3}$　　　④ $\dfrac{\sqrt{2}}{2}$　　　⑤ $\dfrac{\sqrt{3}}{2}$

06 자연수 n에 대하여 6^{n-1}의 양의 약수의 합을 $f(n)$이라 할 때, $\lim\limits_{n \to \infty} \dfrac{f(n)}{6^n}$의 값을 구하여라.

07 수열 $\left\{ \dfrac{r^n - 5^n}{r^n + 5^n} \right\}$의 극한값이 -1이 되도록 하는 정수 r의 개수를 구하여라.

서술형

(단, $r \neq -5$)

08 두 함수 $f(x) = \lim\limits_{n \to \infty} \dfrac{x^{2n+1}}{1 + x^{2n}}$, $g(x) = 2x^2 - a$에 대하여 $y = f(x)$, $y = g(x)$의 그래프가 서로 다른 네 점에서 만나도록 하는 실수 a의 값을 구하여라. (단, n은 자연수)

09 충분히 큰 두 개의 통 A, B에 각각 1L, 2L의 물이 들어 있다. A통에 들어 있는 물의 $\dfrac{1}{4}$을 B통으로 옮기고 난 후, B통에 들어 있는 물의 $\dfrac{1}{2}$을 A통으로 옮기는 시행을 1회의 시행이라 하자. 이와 같은 시행을 한없이 계속하면 A통에 들어 있는 물의 양이 일정한 양에 한없이 가까워진다고 할 때, 그 양을 구하여라.

(단, 증발 등으로 줄어드는 물은 없다고 가정한다.)

10 함수 $f(x) = \begin{cases} x+2 & (x \leq 0) \\ -\dfrac{1}{2}x & (x > 0) \end{cases}$의 그래프가 그림과

같다. 수열 $\{a_n\}$은 $a_1 = 1$이고
$a_{n+1} = f(f(a_n)) \ (n \geq 1)$을 만족시킬 때, $\lim\limits_{n \to \infty} a_n$
의 값은?

[평가원 기출]

① $\dfrac{1}{3}$　　② $\dfrac{2}{3}$　　③ 1　　④ $\dfrac{4}{3}$　　⑤ $\dfrac{5}{3}$

내신 · 모의고사 대비 TEST ▷ 440쪽

01 급수

SUMMA CUM LAUDE

ESSENTIAL LECTURE

1 급수의 수렴과 발산

(1) 급수 : 수열 $\{a_n\}$의 각 항을 차례로 덧셈 기호 $+$로 연결한 식 $a_1+a_2+a_3+\cdots+a_n+\cdots$을 급수라 하고, 이것을 기호 $\sum$를 사용하여 $\sum\limits_{n=1}^{\infty}a_n$과 같이 나타낸다. 즉,

$$a_1+a_2+a_3+\cdots+a_n+\cdots=\sum_{n=1}^{\infty}a_n$$

(2) 부분합 : 급수 $\sum\limits_{n=1}^{\infty}a_n$에서 첫째항부터 제$n$항까지의 합 S_n, 즉

$$S_n=a_1+a_2+a_3+\cdots+a_n=\sum_{k=1}^{n}a_k$$

를 이 급수의 제n항까지의 부분합이라 한다.

(3) 급수의 수렴 : 급수 $\sum\limits_{n=1}^{\infty}a_n$의 부분합으로 이루어진 수열 $\{S_n\}$이 일정한 값 S에 수렴할 때, 즉

$$\lim_{n\to\infty}S_n=\lim_{n\to\infty}\sum_{k=1}^{n}a_k=S$$

일 때, 이 급수는 S에 수렴한다고 한다. 이때 S를 급수의 합이라 하고, 이것을 기호로

$$a_1+a_2+a_3+\cdots+a_n+\cdots=S \text{ 또는 } \sum_{k=1}^{\infty}a_n=S$$

와 같이 나타낸다.

(4) 급수의 발산 : 급수 $\sum\limits_{n=1}^{\infty}a_n$의 부분합으로 이루어진 수열 $\{S_n\}$이 발산할 때, 이 급수는 발산한다고 한다.

2 급수와 수열의 극한 사이의 관계

급수 $\sum\limits_{n=1}^{\infty}a_n$의 수렴, 발산과 수열 $\{a_n\}$의 극한 $\lim\limits_{n\to\infty}a_n$ 사이에는 다음과 같은 관계가 성립한다.

(1) 급수 $\sum\limits_{n=1}^{\infty}a_n$이 수렴하면 $\lim\limits_{n\to\infty}a_n=0$이다.

(2) $\lim\limits_{n\to\infty}a_n\neq0$이면 급수 $\sum\limits_{n=1}^{\infty}a_n$은 발산한다. ← (1)의 대우이다.

3 급수의 성질

두 급수 $\sum\limits_{n=1}^{\infty}a_n,\ \sum\limits_{n=1}^{\infty}b_n$이 수렴하고 그 합을 각각 $S,\ S'$이라 할 때

(1) $\sum\limits_{n=1}^{\infty}ca_n=c\sum\limits_{n=1}^{\infty}a_n=cS$ (단, c는 상수)

(2) $\sum\limits_{n=1}^{\infty}(a_n\pm b_n)=\sum\limits_{n=1}^{\infty}a_n\pm\sum\limits_{n=1}^{\infty}b_n=S\pm S'$ (복부호 동순)

지금까지 수열의 극한에 대한 기본 성질을 이해하고, 수열의 극한값을 구하였다. 이번 단원에서는 수열의 각 항을 차례로 덧셈 기호 +로 연결한 식에 대하여 알아보자.

1 급수의 수렴과 발산

수열 $\{a_n\}$의 각 항을 차례로 덧셈 기호 +로 연결한 식

$$a_1+a_2+a_3+\cdots+a_n+\cdots$$

을 **급수**(series)라 하고, 이것을 기호 $\sum$를 사용하여 $\sum\limits_{n=1}^{\infty} a_n$[1]과 같이 나타낸다.

또 급수 $\sum\limits_{n=1}^{\infty} a_n$에서 첫째항부터 제 n항까지의 합 S_n, 즉

$$S_n=a_1+a_2+a_3+\cdots+a_n=\sum_{k=1}^{n} a_k$$

를 이 급수의 제 n항까지의 **부분합**(partial sum)이라 한다.

급수와 부분합

(1) $a_1+a_2+a_3+\cdots+a_n+\cdots=\sum\limits_{n=1}^{\infty} a_n$ ← 급수

(2) $S_n=a_1+a_2+a_3+\cdots+a_n=\sum\limits_{k=1}^{n} a_k$ ← 부분합

급수 $\sum\limits_{n=1}^{\infty} a_n$의 부분합으로 이루어진 수열 $\{S_n\}$이 일정한 값 S에 수렴할 때, 즉

$$\lim_{n\to\infty} S_n = \lim_{n\to\infty} \sum_{k=1}^{n} a_k = S$$

일 때, 이 급수는 S에 수렴한다고 한다.

이때 S를 **급수의 합**이라 하고, 이것을 기호로

$$a_1+a_2+a_3+\cdots+a_n+\cdots=S \text{ 또는 } \sum_{n=1}^{\infty} a_n=S$$

와 같이 나타낸다.

한편 급수 $\sum\limits_{n=1}^{\infty} a_n$의 부분합으로 이루어진 수열 $\{S_n\}$이 발산할 때, 이 급수는 발산한다고 한다.

발산하는 급수에 대해서는 그 합을 생각하지 않는다.

---

[1] $\sum\limits_{n=1}^{\infty} a_n$, $\sum\limits_{k=1}^{\infty} a_k$, $\sum\limits_{i=1}^{\infty} a_i$, $\cdots$는 모두 급수 $a_1+a_2+a_3+\cdots+a_n+\cdots$을 나타내는 것으로 같은 표현이다.

일반적으로 급수 $\sum\limits_{n=1}^{\infty} a_n$의 수렴, 발산을 조사할 때에는 우선 제$n$항까지의 부분합 $S_n = \sum\limits_{k=1}^{n} a_k$를 구한 다음 부분합으로 이루어진 수열 $\{S_n\}$의 수렴, 발산을 확인하면 된다. 즉, $\lim\limits_{n \to \infty} S_n$을 확인하면 된다.

급수의 수렴과 발산을 정리하면 다음과 같다.

급수의 수렴과 발산

급수 $\sum\limits_{n=1}^{\infty} a_n$의 제$n$항까지의 부분합을 S_n이라 할 때

(1) 수열 $\{S_n\}$이 수렴하면 급수 $\sum\limits_{n=1}^{\infty} a_n$은 수렴한다.

(2) 수열 $\{S_n\}$이 발산하면 급수 $\sum\limits_{n=1}^{\infty} a_n$은 발산한다.

EXAMPLE 010 다음 급수의 수렴, 발산을 조사하고, 수렴하면 그 합을 구하여라.

(1) $\dfrac{1}{1 \cdot 2} + \dfrac{1}{2 \cdot 3} + \dfrac{1}{3 \cdot 4} + \cdots + \dfrac{1}{n(n+1)} + \cdots$

(2) $\dfrac{1}{\sqrt{2}+\sqrt{1}} + \dfrac{1}{\sqrt{3}+\sqrt{2}} + \dfrac{1}{\sqrt{4}+\sqrt{3}} + \cdots + \dfrac{1}{\sqrt{n+1}+\sqrt{n}} + \cdots$

ANSWER (1) 주어진 급수의 제n항을 a_n, 제n항까지의 부분합을 S_n이라 하면

$a_n = \dfrac{1}{n(n+1)} = \dfrac{1}{n} - \dfrac{1}{n+1}$ 이므로

$$S_n = \sum_{k=1}^{n} a_k = \sum_{k=1}^{n} \left(\frac{1}{k} - \frac{1}{k+1} \right)$$

$$= \left(\frac{1}{1} - \frac{1}{2} \right) + \left(\frac{1}{2} - \frac{1}{3} \right) + \left(\frac{1}{3} - \frac{1}{4} \right) + \cdots + \left(\frac{1}{n} - \frac{1}{n+1} \right)$$

$$= 1 - \frac{1}{n+1}$$

이때 $\lim\limits_{n \to \infty} S_n = \lim\limits_{n \to \infty} \left(1 - \dfrac{1}{n+1} \right) = 1$이므로 주어진 급수는 **수렴**하고, 그 합은 **1**이다. ■

(2) 주어진 급수의 제n항을 a_n, 제n항까지의 부분합을 S_n이라 하면

$a_n = \dfrac{1}{\sqrt{n+1}+\sqrt{n}} = \dfrac{\sqrt{n+1}-\sqrt{n}}{(\sqrt{n+1}+\sqrt{n})(\sqrt{n+1}-\sqrt{n})} = \sqrt{n+1}-\sqrt{n}$ 이므로

$$S_n = \sum_{k=1}^{n} a_k = \sum_{k=1}^{n} (\sqrt{k+1}-\sqrt{k})$$

$$= (\sqrt{2}-\sqrt{1}) + (\sqrt{3}-\sqrt{2}) + (\sqrt{4}-\sqrt{3}) + \cdots + (\sqrt{n+1}-\sqrt{n})$$

$$= \sqrt{n+1}-1$$

이때 $\lim\limits_{n \to \infty} S_n = \lim\limits_{n \to \infty} (\sqrt{n+1}-1) = \infty$이므로 주어진 급수는 **발산**한다. ■

APPLICATION **012**　다음 급수의 수렴, 발산을 조사하고, 수렴하면 그 합을 구하여라.

(1) $\sum\limits_{n=1}^{\infty}\log\dfrac{n+1}{n}$

(2) $\sum\limits_{n=1}^{\infty}\dfrac{1}{(3n-1)(3n+2)}$

❷ 급수와 수열의 극한 사이의 관계

급수의 수렴과 발산은 부분합으로 이루어진 수열 $\{S_n\}$의 수렴과 발산을 조사하여 판정할 수 있다. 예컨대 $S_n=\dfrac{n}{n+1}$이면 $\lim\limits_{n\to\infty}S_n=1$(수렴)이고, $S_n=n^2$이면 $\lim\limits_{n\to\infty}S_n=\infty$ (발산)임을 쉽게 알 수 있다. 그런데 급수 $\sum\limits_{n=1}^{\infty}a_n$에서 일반항 a_n은 알지만 부분합 S_n은 알 수 없는 경우가 많다. 이러한 경우 부분합으로 이루어진 수열 $\{S_n\}$의 수렴과 발산을 조사하여 급수의 수렴과 발산을 판단할 수 없다.

한편 급수 $\sum\limits_{n=1}^{\infty}a_n$과 $\lim\limits_{n\to\infty}a_n$ 사이에는 다음과 같은 특별한 관계가 있다.

급수 $\sum\limits_{n=1}^{\infty}a_n$이 수렴하면 $\lim\limits_{n\to\infty}a_n=0$이다.

지금부터 이에 대해 알아보자.

우선 '수열의 합 S_n과 일반항 a_n 사이의 관계'를 떠올려 보자.

$a_n=S_n-S_{n-1}$ (단, $n=2,\ 3,\ 4,\ \cdots$)

또 급수 $\sum\limits_{n=1}^{\infty}a_n$의 부분합으로 이루어진 수열 $\{S_n\}$이 수렴한다면

$\lim\limits_{n\to\infty}S_n=\lim\limits_{n\to\infty}S_{n-1}=\alpha$ (단, α는 상수)

임을 떠올리자.

이제, 이 둘을 이용하여 부분합으로 이루어진 수열 $\{S_n\}$이 수렴할 때, 수열 $\{a_n\}$의 극한을 구해 보면
$\sum\limits_{n=1}^{\infty}a_n$이 수렴

$\lim\limits_{n\to\infty}a_n=\lim\limits_{n\to\infty}(S_n-S_{n-1})=\lim\limits_{n\to\infty}S_n-\lim\limits_{n\to\infty}S_{n-1}=\alpha-\alpha=0$

따라서 **급수 $\sum\limits_{n=1}^{\infty}a_n$이 수렴하면 $\lim\limits_{n\to\infty}a_n=0$**임을 알 수 있다.

그러나 여기서 주의할 것이 있다!

위의 결론이 $\lim\limits_{n\to\infty}a_n=0$이면 급수 $\sum\limits_{n=1}^{\infty}a_n$이 수렴함을 뜻하지는 않는다는 것이다. 즉, 위의 명제의 역 '$\lim\limits_{n\to\infty}a_n=0$이면 급수 $\sum\limits_{n=1}^{\infty}a_n$은 수렴한다.'는 성립하지 않는다. 반례를 하나 들어 보도록 하자.

[반례] $a_n = \dfrac{1}{\sqrt{n} + \sqrt{n-1}}$ 이라 하면 $\lim\limits_{n \to \infty} a_n = 0$ 이지만 부분합 S_n이

$$S_n = \sum_{k=1}^{n} \frac{1}{\sqrt{k} + \sqrt{k-1}} = \sum_{k=1}^{n} \frac{\sqrt{k} - \sqrt{k-1}}{(\sqrt{k} + \sqrt{k-1})(\sqrt{k} - \sqrt{k-1})}$$

$$= \sum_{k=1}^{n} (\sqrt{k} - \sqrt{k-1})$$

$$= (\sqrt{1} - 0) + (\sqrt{2} - \sqrt{1}) + (\sqrt{3} - \sqrt{2}) + \cdots + (\sqrt{n} - \sqrt{n-1}) = \sqrt{n}$$

이므로 $\qquad \displaystyle\sum_{n=1}^{\infty} a_n = \lim_{n \to \infty} S_n = \lim \sqrt{n} = \infty$ (발산) ■

따라서 $\lim\limits_{n \to \infty} a_n = 0$ 이라고 해서 급수 $\displaystyle\sum_{n=1}^{\infty} a_n$ 이 반드시 수렴하는 것은 아니다.

그렇다면 명제 '급수 $\displaystyle\sum_{n=1}^{\infty} a_n$ 이 수렴하면 $\lim\limits_{n \to \infty} a_n = 0$ 이다.'를 어떻게 이용하여야 급수의 수렴과 발산을 판정하는 데 도움이 될까?

명제가 참일 때, 반드시 참인 명제의 대우

'$\lim\limits_{n \to \infty} a_n \neq 0$ 이면 급수 $\displaystyle\sum_{n=1}^{\infty} a_n$ 은 발산한다.'

가 떠오를 것이다. 이것은 급수의 발산을 판정하는 데 중요한 단서가 된다.

예를 들어 급수 $\displaystyle\sum_{n=1}^{\infty} \frac{5n^2 - 8n}{4n^2 + 1}$ 에서 $\lim\limits_{n \to \infty} \dfrac{5n^2 - 8n}{4n^2 + 1} = \dfrac{5}{4} \neq 0$ 이므로 이 급수는 발산함을 알 수 있다. 다시 한 번 말하지만, $\lim\limits_{n \to \infty} a_n$ 의 값을 통해 급수 $\displaystyle\sum_{n=1}^{\infty} a_n$ 이 수렴함을 확인할 수는 없다.

이상을 정리하면 다음과 같다.

급수와 수열의 극한 사이의 관계

(1) 급수 $\displaystyle\sum_{n=1}^{\infty} a_n$ 이 수렴하면 $\lim\limits_{n \to \infty} a_n = 0$ 이다.

(2) $\lim\limits_{n \to \infty} a_n \neq 0$ 이면 급수 $\displaystyle\sum_{n=1}^{\infty} a_n$ 은 발산한다. ← (1)의 대우

E X A M P L E 011 다음 급수가 발산함을 보여라.

(1) $1 + 2 + 2^2 + 2^3 + 2^4 + \cdots$

(2) $1 + \dfrac{2}{3} + \dfrac{3}{5} + \dfrac{4}{7} + \dfrac{5}{9} + \cdots$

(3) $\log 2 + \log 3 + 2\log 2 + \log 5 + \log 6 + \cdots$

ANSWER 주어진 급수의 제 n 항을 a_n이라 하자.

(1) $a_n = 2^{n-1}$이므로 $\quad \lim\limits_{n \to \infty} a_n = \lim\limits_{n \to \infty} 2^{n-1} = \infty$

따라서 $\lim\limits_{n \to \infty} a_n \neq 0$이므로 주어진 급수는 발산한다. ■

(2) $a_n = \dfrac{n}{2n-1}$이므로 $\quad \lim\limits_{n \to \infty} a_n = \lim\limits_{n \to \infty} \dfrac{n}{2n-1} = \dfrac{1}{2}$

따라서 $\lim\limits_{n \to \infty} a_n \neq 0$이므로 주어진 급수는 발산한다. ■

(3) $a_n = \log(n+1)$이므로 $\quad \lim\limits_{n \to \infty} a_n = \lim\limits_{n \to \infty} \log(n+1) = \infty$

따라서 $\lim\limits_{n \to \infty} a_n \neq 0$이므로 주어진 급수는 발산한다. ■

APPLICATION **013** 다음 급수가 발산함을 보여라. Sub Note 007쪽

(1) $\dfrac{3}{4} + \dfrac{6}{7} + \dfrac{9}{10} + \dfrac{12}{13} + \dfrac{15}{16} + \cdots$

(2) $\dfrac{3}{x} + \dfrac{5}{x^2} + \dfrac{9}{x^3} + \dfrac{17}{x^4} + \cdots$ (단, $0 < x < 1$)

EXAMPLE 012 수열 $\{a_n\}$에 대하여 $\sum\limits_{n=1}^{\infty} \left(\dfrac{n^2+n+1}{2n^2-n} - a_n \right) = 4$일 때, $\lim\limits_{n \to \infty} a_n$의 값을 구하여라.

ANSWER $\sum\limits_{n=1}^{\infty} \left(\dfrac{n^2+n+1}{2n^2-n} - a_n \right)$이 4에 수렴하므로

$$\lim\limits_{n \to \infty} \left(\dfrac{n^2+n+1}{2n^2-n} - a_n \right) = 0$$

이때 $\dfrac{n^2+n+1}{2n^2-n} - a_n = b_n$으로 놓으면 $\lim\limits_{n \to \infty} b_n = 0$이고 $a_n = \dfrac{n^2+n+1}{2n^2-n} - b_n$이므로

$$\lim\limits_{n \to \infty} a_n = \lim\limits_{n \to \infty} \left(\dfrac{n^2+n+1}{2n^2-n} - b_n \right)$$

$$= \lim\limits_{n \to \infty} \dfrac{n^2+n+1}{2n^2-n} - \lim\limits_{n \to \infty} b_n$$

$$= \dfrac{1}{2} - 0 = \boldsymbol{\dfrac{1}{2}} \ ■$$

Sub Note 007쪽

APPLICATION **014** 수열 $\{a_n\}$에 대하여 $\sum\limits_{n=1}^{\infty} \left(\dfrac{a_n+2}{a_n} - 3 \right) = 5$일 때, $\lim\limits_{n \to \infty} a_n$의 값을 구하여라.

3 급수의 성질

앞서 배운 '수열의 극한에 대한 기본 성질'을 이용하면 몇 가지 '급수의 성질'을 확인할 수 있다. '수열의 극한에 대한 기본 성질'과 '급수의 성질'의 차이점을 확인하면서 살펴보도록 하자.

> **수열의 극한에 대한 기본 성질**
>
> 두 수열 $\{a_n\}$, $\{b_n\}$이 수렴하고 $\lim\limits_{n\to\infty} a_n = \alpha$, $\lim\limits_{n\to\infty} b_n = \beta$ (α, β는 실수)일 때
>
> (1) $\lim\limits_{n\to\infty} ca_n = c \lim\limits_{n\to\infty} a_n = c\alpha$ (단, c는 상수)
>
> (2) $\lim\limits_{n\to\infty} (a_n \pm b_n) = \lim\limits_{n\to\infty} a_n \pm \lim\limits_{n\to\infty} b_n = \alpha \pm \beta$ (복부호 동순)
>
> (3) $\lim\limits_{n\to\infty} a_n b_n = \lim\limits_{n\to\infty} a_n \cdot \lim\limits_{n\to\infty} b_n = \alpha\beta$
>
> (4) $\lim\limits_{n\to\infty} \dfrac{a_n}{b_n} = \dfrac{\lim\limits_{n\to\infty} a_n}{\lim\limits_{n\to\infty} b_n} = \dfrac{\alpha}{\beta}$ (단, $b_n \neq 0$, $\beta \neq 0$)

급수의 부분합으로 이루어진 수열도 수열이므로 위의 각 성질을 급수에 적용해 보자.

두 급수 $\sum\limits_{n=1}^{\infty} a_n$, $\sum\limits_{n=1}^{\infty} b_n$에 대하여 각각의 부분합으로 이루어진 수열 $\{S_n\}$, $\{S'_n\}$이 수렴하고

$\sum\limits_{n=1}^{\infty} a_n = S$, $\sum\limits_{n=1}^{\infty} b_n = S'$일 때

(1) $\sum\limits_{n=1}^{\infty} ca_n = \lim\limits_{n\to\infty} \sum\limits_{k=1}^{n} ca_k = \lim\limits_{n\to\infty} c \sum\limits_{k=1}^{n} a_k = \lim\limits_{n\to\infty} cS_n = c \lim\limits_{n\to\infty} S_n = c \sum\limits_{n=1}^{\infty} a_n = cS$ (단, c는 상수)

(2) $\sum\limits_{n=1}^{\infty} (a_n \pm b_n) = \lim\limits_{n\to\infty} \sum\limits_{k=1}^{n} (a_k \pm b_k) = \lim\limits_{n\to\infty} \left(\sum\limits_{k=1}^{n} a_k \pm \sum\limits_{k=1}^{n} b_k \right) = \lim\limits_{n\to\infty} (S_n \pm S'_n)$

$\qquad = \lim\limits_{n\to\infty} S_n \pm \lim\limits_{n\to\infty} S'_n = \sum\limits_{n=1}^{\infty} a_n \pm \sum\limits_{n=1}^{\infty} b_n = S \pm S'$ (복부호 동순)

(3) 급수의 경우 $\sum\limits_{n=1}^{\infty} a_n b_n = \sum\limits_{n=1}^{\infty} a_n \cdot \sum\limits_{n=1}^{\infty} b_n = SS'$은 성립하지 않는다. 왜냐하면

$\qquad$ (좌변) $= \sum\limits_{n=1}^{\infty} a_n b_n = a_1 b_1 + a_2 b_2 + a_3 b_3 + \cdots$

$\qquad$ (우변) $= \sum\limits_{n=1}^{\infty} a_n \cdot \sum\limits_{n=1}^{\infty} b_n$

$\qquad\qquad = (a_1 + a_2 + a_3 + \cdots)(b_1 + b_2 + b_3 + \cdots)$

$\qquad\qquad = (a_1 b_1 + a_1 b_2 + a_1 b_3 + \cdots) + (a_2 b_1 + a_2 b_2 + a_2 b_3 + \cdots)$

$\qquad\qquad\qquad + (a_3 b_1 + a_3 b_2 + a_3 b_3 + \cdots) + \cdots$

$\qquad$ 이 되기 때문이다. 따라서 $\sum\limits_{n=1}^{\infty} a_n b_n \neq \sum\limits_{n=1}^{\infty} a_n \cdot \sum\limits_{n=1}^{\infty} b_n$이다.

(4) 급수의 경우 $\sum\limits_{n=1}^{\infty} \dfrac{a_n}{b_n} = \dfrac{\sum\limits_{n=1}^{\infty} a_n}{\sum\limits_{n=1}^{\infty} b_n} = \dfrac{S}{S'}$ ($S' \neq 0$)는 성립하지 않는다. 왜냐하면

$$(\text{좌변}) = \sum_{n=1}^{\infty} \frac{a_n}{b_n} = \frac{a_1}{b_1} + \frac{a_2}{b_2} + \frac{a_3}{b_3} + \frac{a_4}{b_4} + \cdots$$

$$(\text{우변}) = \frac{\displaystyle\sum_{n=1}^{\infty} a_n}{\displaystyle\sum_{n=1}^{\infty} b_n} = \frac{a_1 + a_2 + a_3 + a_4 + \cdots}{b_1 + b_2 + b_3 + b_4 + \cdots}$$

가 되기 때문이다. 따라서 $\displaystyle\sum_{n=1}^{\infty} \frac{a_n}{b_n} \neq \frac{\displaystyle\sum_{n=1}^{\infty} a_n}{\displaystyle\sum_{n=1}^{\infty} b_n}$ 이다.

이상을 정리하면 다음과 같다.

급수의 성질

두 급수 $\displaystyle\sum_{n=1}^{\infty} a_n$, $\displaystyle\sum_{n=1}^{\infty} b_n$이 수렴하고 그 합을 각각 S, S'이라 할 때

(1) $\displaystyle\sum_{n=1}^{\infty} ca_n = c \sum_{n=1}^{\infty} a_n = cS$ (단, c는 상수)

(2) $\displaystyle\sum_{n=1}^{\infty} (a_n \pm b_n) = \sum_{n=1}^{\infty} a_n \pm \sum_{n=1}^{\infty} b_n = S \pm S'$ (복부호 동순)

한편 수열의 극한에 대한 기본 성질과 마찬가지로 수렴하지 않는 급수에 대해서는 위의 급수의 성질이 성립하지 않음을 기억하자.

EXAMPLE 013 $\displaystyle\sum_{n=1}^{\infty} a_n = -2$, $\displaystyle\sum_{n=1}^{\infty} b_n = 3$일 때, 다음 급수의 합을 구하여라.

(1) $\displaystyle\sum_{n=1}^{\infty} (3a_n + 4b_n)$ (2) $\displaystyle\sum_{n=1}^{\infty} (5a_n - 2b_n)$

ANSWER (1) $\displaystyle\sum_{n=1}^{\infty} (3a_n + 4b_n) = 3 \sum_{n=1}^{\infty} a_n + 4 \sum_{n=1}^{\infty} b_n$

$= 3 \cdot (-2) + 4 \cdot 3 = \mathbf{6}$ ■

(2) $\displaystyle\sum_{n=1}^{\infty} (5a_n - 2b_n) = 5 \sum_{n=1}^{\infty} a_n - 2 \sum_{n=1}^{\infty} b_n$

$= 5 \cdot (-2) - 2 \cdot 3 = \mathbf{-16}$ ■

APPLICATION 015 $\displaystyle\sum_{n=1}^{\infty} a_n^2 = 4$, $\displaystyle\sum_{n=1}^{\infty} a_n b_n = -1$일 때, 급수 $\displaystyle\sum_{n=1}^{\infty} a_n(2a_n + b_n)$의 합을 구하여라.

Sub Note 007쪽

APPLICATION 016 수렴하는 두 급수 $\displaystyle\sum_{n=1}^{\infty} a_n$, $\displaystyle\sum_{n=1}^{\infty} b_n$에 대하여

$\displaystyle\sum_{n=1}^{\infty} (a_n + 3b_n) = -4$, $\displaystyle\sum_{n=1}^{\infty} (2a_n - b_n) = 13$일 때, 급수 $\displaystyle\sum_{n=1}^{\infty} (3a_n + 4b_n)$의 합을 구하여라.

급수의 합

011 급수 $\log\dfrac{2^2}{2^2-1}+\log\dfrac{3^2}{3^2-1}+\log\dfrac{4^2}{4^2-1}+\cdots$의 합을 구하여라.

GUIDE (i) 주어진 급수의 제n항을 a_n, 제n항까지의 부분합을 S_n으로 놓는다.
(ii) a_n을 구한 후 이를 이용하여 S_n을 구한다.
(iii) $\lim\limits_{n\to\infty}S_n$의 값을 구한다.

SOLUTION

주어진 급수의 제n항을 a_n, 제n항까지의 부분합을 S_n이라 하면

$$a_n=\log\frac{(n+1)^2}{(n+1)^2-1}=\log\frac{(n+1)^2}{n(n+2)}=\log\Big(\frac{n+1}{n}\cdot\frac{n+1}{n+2}\Big)$$이므로

$$S_n=\sum_{k=1}^{n}\log\Big(\frac{k+1}{k}\cdot\frac{k+1}{k+2}\Big)$$

$$=\log\Big(\frac{2}{1}\cdot\frac{2}{3}\Big)+\log\Big(\frac{3}{2}\cdot\frac{3}{4}\Big)+\log\Big(\frac{4}{3}\cdot\frac{4}{5}\Big)$$

$$+\cdots+\log\Big(\frac{n+1}{n}\cdot\frac{n+1}{n+2}\Big)$$

$$=\log\Big\{\Big(2\cdot\frac{2}{3}\Big)\times\Big(\frac{3}{2}\cdot\frac{3}{4}\Big)\times\Big(\frac{4}{3}\cdot\frac{4}{5}\Big)\times\cdots\times\Big(\frac{n+1}{n}\cdot\frac{n+1}{n+2}\Big)\Big\}$$

$$=\log\frac{2(n+1)}{n+2}$$

$$\therefore \lim_{n\to\infty}S_n=\lim_{n\to\infty}\log\frac{2(n+1)}{n+2}=\mathbf{\log 2} \ \blacksquare$$

유제
011-❶ 급수 $\dfrac{3}{1^2}+\dfrac{5}{1^2+2^2}+\dfrac{7}{1^2+2^2+3^2}+\cdots$의 합을 구하여라.   Sub Note 056쪽

유제
011-❷ 수열 $\{a_n\}$에 대하여 $\sum\limits_{k=1}^{n}a_k=n^2+2n$일 때, 급수 $\sum\limits_{n=1}^{\infty}\dfrac{2}{a_na_{n+1}}$의 합을 구하여라.   Sub Note 056쪽

012

다음 급수의 수렴, 발산을 조사하여라.

$$\frac{1}{1} + \frac{1}{2} + \frac{1}{3} + \frac{1}{4} + \cdots + \frac{1}{n} + \cdots$$

GUIDE 이 문제와 같이 급수의 제 n 항까지의 부분합을 직접 구하기 어려운 경우에는 급수의 모양을 변형시켜서 수렴, 발산 여부를 확인할 수 있는 급수와의 대소 비교를 통해 급수의 수렴, 발산을 조사한다.

SOLUTION ──────────────────

급수의 항을 다음과 같이 나누어 생각해 보자.

$$\frac{1}{1} + \frac{1}{2} > \frac{1}{2}$$

$$\frac{1}{3} + \frac{1}{4} > \frac{1}{4} + \frac{1}{4} = \frac{1}{2}$$

$$\frac{1}{5} + \frac{1}{6} + \frac{1}{7} + \frac{1}{8} > \frac{1}{8} + \frac{1}{8} + \frac{1}{8} + \frac{1}{8} = \frac{1}{2}$$

$$\frac{1}{9} + \frac{1}{10} + \cdots + \frac{1}{15} + \frac{1}{16} > \frac{1}{16} + \frac{1}{16} + \cdots + \frac{1}{16} + \frac{1}{16} = \frac{1}{2}$$

$$\vdots$$

위 식들의 양변을 각각 더하면

$$\frac{1}{1} + \frac{1}{2} + \frac{1}{3} + \frac{1}{4} + \cdots > \frac{1}{2} + \frac{1}{2} + \frac{1}{2} + \frac{1}{2} + \cdots$$

이때 우변에서 $\sum\limits_{n=1}^{\infty} \frac{1}{2} = \infty$ 이므로 주어진 급수는 **발산**한다. ■

[참고] 위와 같은 형태의 급수를 **조화급수**라 한다. 조화급수에 대한 자세한 내용은 102~103쪽의 **Advanced Lecture**를 참고하기 바란다.

유제

012-❶

다음 급수의 수렴, 발산을 조사하여라.

Sub Note 056쪽

$$\frac{1}{\sqrt{1}} + \frac{1}{\sqrt{2}} + \frac{1}{\sqrt{3}} + \frac{1}{\sqrt{4}} + \cdots + \frac{1}{\sqrt{n}} + \cdots$$

급수와 수열의 극한 사이의 관계

013 일반항이 보기와 같은 수열 $\{a_n\}$에 대하여 급수 $\sum\limits_{n=1}^{\infty} na_n$이 수렴하는 것만을 있는 대로 골라라.

보기

ㄱ. $a_n = \dfrac{1}{3n+1}$ ㄴ. $a_n = \dfrac{1}{n(n+1)(n+3)}$ ㄷ. $a_n = \sqrt{1+\dfrac{1}{n}} - 1$

GUIDE (i) $\lim\limits_{n\to\infty} a_n \neq 0$이면 급수 $\sum\limits_{n=1}^{\infty} a_n$은 발산한다.

(ii) $\lim\limits_{n\to\infty} a_n = 0$이면 급수 $\sum\limits_{n=1}^{\infty} a_n$의 수렴, 발산은 제 n항까지의 부분합 S_n을 이용하여 조사한다.

SOLUTION

ㄱ. $\lim\limits_{n\to\infty} na_n = \lim\limits_{n\to\infty} \dfrac{n}{3n+1} = \dfrac{1}{3} \neq 0$이므로 급수 $\sum\limits_{n=1}^{\infty} na_n$은 발산한다.

ㄴ. $na_n = \dfrac{1}{(n+1)(n+3)} = \dfrac{1}{2}\left(\dfrac{1}{n+1} - \dfrac{1}{n+3}\right)$이므로 급수 $\sum\limits_{n=1}^{\infty} na_n$의 제 n항

까지의 부분합을 S_n이라 하면

$$S_n = \sum_{k=1}^{n} \dfrac{1}{2}\left(\dfrac{1}{k+1} - \dfrac{1}{k+3}\right) \qquad \to \dfrac{1}{2}\left\{\left(\dfrac{1}{2} - \dfrac{1}{4}\right) + \left(\dfrac{1}{3} - \dfrac{1}{5}\right) + \left(\dfrac{1}{4} - \dfrac{1}{6}\right)\right.$$

$$= \dfrac{1}{2}\left(\dfrac{1}{2} + \dfrac{1}{3} - \dfrac{1}{n+2} - \dfrac{1}{n+3}\right) \qquad \left. + \cdots + \left(\dfrac{1}{n} - \dfrac{1}{n+2}\right) + \left(\dfrac{1}{n+1} - \dfrac{1}{n+3}\right)\right\}$$

이때 $\lim\limits_{n\to\infty} S_n = \lim\limits_{n\to\infty} \dfrac{1}{2}\left(\dfrac{1}{2} + \dfrac{1}{3} - \dfrac{1}{n+2} - \dfrac{1}{n+3}\right) = \dfrac{1}{2} \cdot \dfrac{5}{6} = \dfrac{5}{12}$이므로

급수 $\sum\limits_{n=1}^{\infty} na_n$은 $\dfrac{5}{12}$에 수렴한다.

ㄷ. $na_n = n\left(\sqrt{1+\dfrac{1}{n}} - 1\right) = \dfrac{n(\sqrt{n+1} - \sqrt{n})}{\sqrt{n}} = \dfrac{\sqrt{n}}{\sqrt{n+1} + \sqrt{n}}$

이때 $\lim\limits_{n\to\infty} na_n = \lim\limits_{n\to\infty} \dfrac{\sqrt{n}}{\sqrt{n+1} + \sqrt{n}} = \dfrac{1}{2} \neq 0$이므로 급수 $\sum\limits_{n=1}^{\infty} na_n$은 발산한다.

따라서 급수 $\sum\limits_{n=1}^{\infty} na_n$이 수렴하는 것은 ㄴ뿐이다. ∎

Sub Note 056쪽

유제

013-1 수열 $\{a_n\}$에 대하여 급수 $(a_1 - 4) + \left(\dfrac{a_2}{2} - 4\right) + \left(\dfrac{a_3}{3} - 4\right) + \left(\dfrac{a_4}{4} - 4\right) + \cdots$가 수렴할 때,

$\lim\limits_{n\to\infty} \dfrac{5a_n + 6n}{3a_n + n}$의 값을 구하여라.

014

좌표평면 위의 두 점 A$(0, 0)$, B$(5, 0)$과 1보다 큰 자연수 n에 대하여 $\overline{\mathrm{AP}} : \overline{\mathrm{PB}} = 1 : n$을 만족시키는 점 P$(x, y)$들의 집합을 T_n이라 하자. 집합 T_n의 임의의 두 원소 $\mathrm{P_1}$, $\mathrm{P_2}$에 대하여 $\overline{\mathrm{P_1 P_2}}$의 최댓값을 $M(n)$이라 할 때, 급수 $\displaystyle\sum_{n=2}^{\infty} \frac{10M(n)}{n}$의 합을 구하여라.

GUIDE 먼저 $\overline{\mathrm{AP}} : \overline{\mathrm{PB}} = 1 : n$임을 이용하여 T_n을 구해 본다.

SOLUTION ─────────────────────────

두 점 A$(0, 0)$, B$(5, 0)$과 점 P(x, y) 사이의 거리는 각각
$$\overline{\mathrm{AP}} = \sqrt{x^2 + y^2}, \quad \overline{\mathrm{BP}} = \sqrt{(x-5)^2 + y^2}$$
이때 $\overline{\mathrm{AP}} : \overline{\mathrm{PB}} = 1 : n$에서 $\sqrt{x^2 + y^2} : \sqrt{(x-5)^2 + y^2} = 1 : n$이므로
$$\sqrt{(x-5)^2 + y^2} = n\sqrt{x^2 + y^2}, \quad (x-5)^2 + y^2 = n^2 x^2 + n^2 y^2$$
$$(n^2 - 1)x^2 + 10x + (n^2 - 1)y^2 - 25 = 0$$
$$(n^2 - 1)\left(x + \frac{5}{n^2 - 1}\right)^2 + (n^2 - 1)y^2 - \frac{25}{n^2 - 1} - 25 = 0$$
$$\therefore \left(x + \frac{5}{n^2 - 1}\right)^2 + y^2 = \left(\frac{5n}{n^2 - 1}\right)^2 \quad (단, n = 2, 3, 4, \cdots) \quad \cdots\cdots \text{㉠}$$

한편 T_n의 임의의 두 원소 $\mathrm{P_1}$, $\mathrm{P_2}$에 대하여 $\overline{\mathrm{P_1 P_2}}$의 최댓값 $M(n)$은 ㉠에 의하여

원의 지름의 길이와 같으므로 $\quad M(n) = 2 \cdot \dfrac{5n}{n^2 - 1} = \dfrac{10n}{n^2 - 1}$

$$\therefore \sum_{n=2}^{\infty} \frac{10M(n)}{n} = \lim_{n \to \infty} \sum_{k=2}^{n} \frac{100}{(k-1)(k+1)} = \lim_{n \to \infty} \sum_{k=2}^{n} 50\left(\frac{1}{k-1} - \frac{1}{k+1}\right)$$
$$= \lim_{n \to \infty} 50\left\{\left(\frac{1}{1} - \frac{1}{3}\right) + \left(\frac{1}{2} - \frac{1}{4}\right) + \left(\frac{1}{3} - \frac{1}{5}\right) + \cdots\right.$$
$$\left. + \left(\frac{1}{n-2} - \frac{1}{n}\right) + \left(\frac{1}{n-1} - \frac{1}{n+1}\right)\right\}$$
$$= \lim_{n \to \infty} 50\left(1 + \frac{1}{2} - \frac{1}{n} - \frac{1}{n+1}\right) = 50 \cdot \frac{3}{2} = \mathbf{75} \ \blacksquare$$

유제

014-1 오른쪽 그림과 같이 자연수 n에 대하여 두 직선 $x = n$, $x = n+1$이 곡선 $y = \dfrac{1}{x+1}$과 만나는 점을 각각 $\mathrm{P_n}$, $\mathrm{P_{n+1}}$이라 하자. 점 $\mathrm{P_n}$에서 x축, y축에 수선을 내려 만든 직사각형과 점 $\mathrm{P_{n+1}}$에서 x축, y축에 수선을 내려 만든 직사각형의 넓이의 차를 S_n이라 할 때, 급수 $\displaystyle\sum_{n=1}^{\infty} S_n$의 합을 구하여라.

Sub Note 057쪽

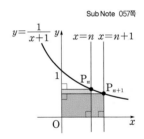

02 등비급수

SUMMA CUM LAUDE

ESSENTIAL LECTURE

1 등비급수의 수렴과 발산

(1) 등비급수 : 첫째항이 a이고 공비가 r인 등비수열 $\{ar^{n-1}\}$에서 얻은 급수

$$\sum_{n=1}^{\infty} ar^{n-1}=a+ar+ar^2+\cdots+ar^{n-1}+\cdots$$ 을 첫째항이 a이고 공비가 r인 등비급수라 한다.

(2) 등비급수 $\sum_{n=1}^{\infty} ar^{n-1}\ (a\neq 0)$은 다음과 같이 공비 r의 값의 범위에 따라 수렴 또는 발산한다.

① $|r|<1$일 때, 수렴하고 그 합은 $\dfrac{a}{1-r}$이다.

② $|r|\geq 1$일 때, 발산한다.

(3) 등비급수의 수렴 조건 : 등비급수 $\sum_{n=1}^{\infty} ar^{n-1}$이 수렴하기 위한 조건은

$a=0$ 또는 $-1<r<1$

2 등비급수의 활용

(1) 순환소수에의 활용 : 등비급수를 이용하여 순환소수를 분수로 나타내는 문제는 다음과 같은 순서로 해결한다.

① 순환소수를 등비급수로 나타낸다.

② 첫째항 a와 공비 $r(|r|<1)$를 구한다.

③ 등비급수의 합이 $\dfrac{a}{1-r}$임을 이용한다.

(2) 도형에의 활용 : 주어진 규칙에 맞게 처음 주어진 도형과 닮음인 도형을 한없이 만들어 나갈 때, 모든 도형의 넓이의 합이나 길이의 합 등을 구하는 문제는 등비급수를 이용하여 다음과 같은 순서로 해결한다.

① 도형에서 일정하게 변하는 규칙을 찾는다.

② 첫째항 a와 공비 $r(|r|<1)$를 구한다.

③ 등비급수의 합이 $\dfrac{a}{1-r}$임을 이용한다.

1 등비급수의 수렴과 발산

급수 중에서 첫째항이 a이고 공비가 r인 등비수열 $\{ar^{n-1}\}$에서 얻은 급수

$$\sum_{n=1}^{\infty} ar^{n-1}=a+ar+ar^2+\cdots+ar^{n-1}+\cdots$$

을 첫째항이 a이고 공비가 r인 등비급수(geometric series)라 한다.

072   I. 수열의 극한

등비급수도 급수이므로 등비급수의 수렴, 발산 여부는 제 n 항까지의 부분합으로 이루어진 수열 $\{S_n\}$의 극한이나 급수와 수열의 극한 사이의 관계를 이용하면 알 수 있다.

그럼, 이제 등비급수 $\sum\limits_{n=1}^{\infty} ar^{n-1}$ $(a \neq 0)$의 수렴과 발산에 대하여 알아보자.

등비급수 $\sum\limits_{n=1}^{\infty} ar^{n-1}$의 제 n 항까지의 부분합을 S_n이라 하면

$\quad$ (i) $r \neq 1$일 때, $\qquad S_n = \dfrac{a(1-r^n)}{1-r}$

$\quad$ (ii) $r = 1$일 때, $\qquad S_n = na$

이므로 등비급수 $\sum\limits_{n=1}^{\infty} ar^{n-1}$의 수렴, 발산은 공비 r의 값의 범위에 따라 다음과 같다.

① $|r| < 1$일 때, $\lim\limits_{n \to \infty} r^n = 0$이므로

$$\sum_{n=1}^{\infty} ar^{n-1} = \lim_{n \to \infty} S_n = \lim_{n \to \infty} \frac{a(1-r^n)}{1-r} = \frac{a}{1-r}$$

$\quad$ 따라서 등비급수 $\sum\limits_{n=1}^{\infty} ar^{n-1}$은 수렴하고, 그 합은 $\dfrac{a}{1-r}$ 이다.

② $|r| \geq 1$일 때, $\lim\limits_{n \to \infty} ar^{n-1} \neq 0$이므로 등비급수 $\sum\limits_{n=1}^{\infty} ar^{n-1}$은 발산한다.❷

이상을 정리하면 다음과 같다.

등비급수의 수렴과 발산

등비급수 $\sum\limits_{n=1}^{\infty} ar^{n-1}$ $(a \neq 0)$은

① $|r| < 1$일 때, 수렴하고 그 합은 $\dfrac{a}{1-r}$ 이다.

② $|r| \geq 1$일 때, 발산한다.

한편 위로부터 $a \neq 0$일 때, 등비급수 $\sum\limits_{n=1}^{\infty} ar^{n-1}$이 수렴하려면 $|r| < 1$, 즉 $-1 < r < 1$이어야 함을 알 수 있다.

또 $a = 0$일 때, 등비급수 $\sum\limits_{n=1}^{\infty} ar^{n-1}$은 모든 항이 0이므로 0에 수렴한다.

따라서 등비급수 $\sum\limits_{n=1}^{\infty} ar^{n-1}$이 수렴하기 위한 조건은

$\quad a = 0$ 또는 $-1 < r < 1$

이다.

---

❷ 이해가 되지 않는다면 64쪽의 급수와 수열의 극한 사이의 관계를 확인하도록 하자.

이 조건은 앞에서 배웠던 등비수열의 수렴 조건과 헷갈릴 수 있으므로 두 수렴 조건의 차이를 확실히 숙지하도록 하자.

등비수열 $\{ar^{n-1}\}$의 수렴 조건	등비급수 $\sum\limits_{n=1}^{\infty} ar^{n-1}$의 수렴 조건
$a=0$ 또는 $-1<r\leq1$	$a=0$ 또는 $-1<r<1$

■ **E X A M P L E 014** 다음 급수의 합을 구하여라.

(1) $\sum\limits_{n=1}^{\infty} (-3)^n\left(\dfrac{1}{4}\right)^n$ 　　　　　　　　　　(2) $\sum\limits_{n=1}^{\infty} \dfrac{3^n+4^n}{5^n}$

ANSWER (1) $\sum\limits_{n=1}^{\infty} (-3)^n\left(\dfrac{1}{4}\right)^n = \sum\limits_{n=1}^{\infty} \left(-\dfrac{3}{4}\right)^n$ ← 첫째항과 공비가 모두 $-\dfrac{3}{4}$이다.

$$= \dfrac{-\dfrac{3}{4}}{1-\left(-\dfrac{3}{4}\right)} = -\dfrac{3}{7} \blacksquare$$

(2) $\sum\limits_{n=1}^{\infty} \dfrac{3^n+4^n}{5^n} = \sum\limits_{n=1}^{\infty} \left(\dfrac{3}{5}\right)^n + \sum\limits_{n=1}^{\infty} \left(\dfrac{4}{5}\right)^n$ ← $\sum\limits_{n=1}^{\infty} \left(\dfrac{3}{5}\right)^n$, $\sum\limits_{n=1}^{\infty} \left(\dfrac{4}{5}\right)^n$이 모두 수렴하므로 급수의 성질에 의하여

$$= \dfrac{\dfrac{3}{5}}{1-\dfrac{3}{5}} + \dfrac{\dfrac{4}{5}}{1-\dfrac{4}{5}} = \dfrac{3}{2}+4 = \dfrac{11}{2} \blacksquare$$

APPLICATION 017 다음 급수의 합을 구하여라.　　　　　　　　　　　　Sub Note 007쪽

(1) $\sum\limits_{n=1}^{\infty} \left(\dfrac{1}{4}\right)^n \sin^n \dfrac{\pi}{6}$ 　　　　　　　　(2) $\sum\limits_{n=1}^{\infty} \left(9\cdot10^{-2n} - \dfrac{18}{11}\cdot10^{-n}\right)$

APPLICATION 018 급수 $\sum\limits_{n=1}^{\infty} \dfrac{1+2+2^2+\cdots+2^{n-1}}{6^n}$ 의 합을 구하여라.　　　　　Sub Note 008쪽

■ **E X A M P L E 015** 다음 등비급수가 수렴하도록 하는 실수 x의 값의 범위를 구하여라.

(1) $\sum\limits_{n=1}^{\infty} \left(\dfrac{x-2}{7}\right)^n$ 　　　　　　　　　(2) $x+x(x+1)+x(x+1)^2+\cdots$

ANSWER (1) 주어진 등비급수의 첫째항과 공비가 모두 $\dfrac{x-2}{7}$ 이므로 이 등비급수가 수렴하

려면

$$-1<\dfrac{x-2}{7}<1, \ -7<x-2<7 \quad \therefore \ -5<x<9 \blacksquare$$

(2) 주어진 등비급수의 첫째항이 x, 공비가 $x+1$이므로 이 등비급수가 수렴하려면

$$x=0 \text{ 또는 } -1<x+1<1, \ x=0 \text{ 또는 } -2<x<0 \quad \therefore \ \boldsymbol{-2<x\leq0} \ \blacksquare$$

Sub Note 008쪽

APPLICATION **019** 두 등비급수 $\displaystyle\sum_{n=1}^{\infty}\left(\dfrac{1-x}{6}\right)^{n}$, $\displaystyle\sum_{n=1}^{\infty}\left(\dfrac{4}{x}\right)^{n}$이 모두 수렴하도록 하는 실수 x의 값의 범위를 구하여라.

② 등비급수의 활용

(1) 순환소수에의 활용

등비급수를 이용하여 풀 수 있는 문제의 대표적인 예가 '순환소수를 분수로 바꾸는 문제'이다. 순환소수는 등비급수의 꼴로 나타내어지므로 등비급수의 합을 이용하여 분수로 나타낼 수 있다. 예를 들어

$$0.\dot{3}\dot{2}=0.323232\cdots=0.32+0.0032+0.000032+\cdots=\dfrac{32}{100}+\dfrac{32}{100^2}+\dfrac{32}{100^3}+\cdots$$

이므로 $0.\dot{3}\dot{2}$는 첫째항이 $\dfrac{32}{100}$이고 공비가 $\dfrac{1}{100}$인 등비급수의 합과 같다. 즉,

$$0.\dot{3}\dot{2}=\dfrac{\dfrac{32}{100}}{1-\dfrac{1}{100}}=\dfrac{32}{99}$$

이다. 또 $4.2\dot{9}$와 같은 경우에는

$$4.2\dot{9}=4.2999\cdots=4.2+(0.09+0.009+0.0009+\cdots)$$

$$=4.2+\left(\dfrac{9}{10^2}+\dfrac{9}{10^3}+\dfrac{9}{10^4}+\cdots\right)=4.2+\dfrac{\dfrac{9}{100}}{1-\dfrac{1}{10}}=\dfrac{42}{10}+\dfrac{1}{10}=\dfrac{43}{10}$$

이다. 일반화하여 순환소수를 분수로 나타내면

$$0.\dot{a_1}a_2a_3\cdots\dot{a_n}=0.a_1a_2a_3\cdots a_na_1a_2a_3\cdots a_na_1a_2a_3\cdots a_n\cdots$$

$$=0.a_1a_2a_3\cdots a_n+0.\underbrace{000\cdots}_{n개}0a_1a_2a_3\cdots a_n+0.\underbrace{000\cdots}_{2n개}0a_1a_2a_3\cdots a_n+\cdots$$

$$=\dfrac{a_1a_2a_3\cdots a_n}{10^n}+\dfrac{a_1a_2a_3\cdots a_n}{10^{2n}}+\dfrac{a_1a_2a_3\cdots a_n}{10^{3n}}+\cdots$$

$$=\dfrac{\dfrac{a_1a_2a_3\cdots a_n}{10^n}}{1-\dfrac{1}{10^n}}=\dfrac{a_1a_2a_3\cdots a_n}{\underbrace{999\cdots9}_{n개}}$$

이다. 또 $0.b_1 b_2 \cdots b_m \dot{a}_1 a_2 \cdots \dot{a}_n$의 경우를 앞과 같은 방법을 사용하여 분수로 나타내면

$$0.b_1 b_2 \cdots b_m \dot{a}_1 a_2 \cdots \dot{a}_n = \frac{b_1 b_2 \cdots b_m a_1 a_2 \cdots a_n - b_1 b_2 \cdots b_m}{\underbrace{999 \cdots 9}_{n \text{개}}\underbrace{000 \cdots 0}_{m \text{개}}}$$

이다. 앞에서 구한 일반식을 외워도 좋지만 이 식을 유도하는 방법은 반드시 알아두기 바란다.

일반적으로 등비급수를 이용하여 순환소수를 분수로 나타내는 문제는 다음과 같은 순서로 해결한다.

① 순환소수를 등비급수로 나타낸다.

② 첫째항 a와 공비 $r(|r|<1)$를 구한다.

③ 등비급수의 합이 $\dfrac{a}{1-r}$임을 이용한다.

그럼, 이와 같은 순서로 문제를 풀어보자.

■ EXAMPLE 016 등비급수를 이용하여 $0.\dot{1}\dot{4}$를 분수로 나타내어라.

ANSWER $0.\dot{1}\dot{4} = 0.141414\cdots = 0.14 + 0.0014 + 0.000014 + \cdots$

$$= \frac{14}{100} + \frac{14}{100^2} + \frac{14}{100^3} + \cdots$$

이므로 $0.\dot{1}\dot{4}$는 첫째항이 $\dfrac{14}{100}$이고 공비가 $\dfrac{1}{100}$인 등비급수의 합과 같다.

$$\therefore 0.\dot{1}\dot{4} = \frac{\dfrac{14}{100}}{1-\dfrac{1}{100}} = \mathbf{\frac{14}{99}} \ \blacksquare$$

APPLICATION 020 등비급수를 이용하여 $6.2\dot{6}$을 분수로 나타내어라.   Sub Note 008쪽

■ EXAMPLE 017 등비급수를 이용하여 $0.\dot{9}=1$임을 증명하여라.

ANSWER $0.\dot{9} = 0.999\cdots = 0.9 + 0.09 + 0.009 + \cdots = \dfrac{9}{10} + \dfrac{9}{10^2} + \dfrac{9}{10^3} + \cdots$

이므로 $0.\dot{9}$는 첫째항이 $\dfrac{9}{10}$이고 공비가 $\dfrac{1}{10}$인 등비급수의 합과 같다.

$$\therefore 0.\dot{9} = \frac{\dfrac{9}{10}}{1-\dfrac{1}{10}} = 1 \ \blacksquare$$

(2) 도형에의 활용   수능 고빈도 출제

'수열의 극한' 단원에서 가장 중요한 내용을 꼽으라고 하면 단연코 '등비급수를 활용한 도형 문제'라고 할 것이다.

왜냐하면 수열의 극한 내에서 출제되는 빈도가 높고, 많은 고등학생들이 어려워해 포기하는 부분이기 때문이다. 또한 문제의 길이가 긴 경우가 매우 많아서 문제를 이해하는 데도 상당한 시간이 걸리기 때문이다.

하지만 중학교 때와 고등학교 때 익혔던 도형에 대한 기초적인 지식과 더불어 등비급수에 대해 잘 알고 있으면 쉽게 풀 수 있는 문제들이니 너무 겁먹을 필요는 없다. 등비급수를 활용한 도형 문제가 잘 풀리지 않을 경우에는 '중 1에서 합동', '중 2에서 닮음, 피타고라스 정리', '중 3에서 삼각비, 원'에 대한 내용을 다시 한 번 정리해 보기를 권한다.

실제로 수능에서는 고등학교에서 배운 내용을 출제하는 것을 원칙으로 하고 있지만 초등학교나 중학교 때 배웠던 내용을 기본으로 하기 때문에 고등학교 때 배운 내용이 아니라고 해서 결코 무시해서는 안 된다.

도형 문제는 수없이 많은 유형들을 만들어 낼 수 있다.
따라서 도형 문제의 경우 많은 양의 질 좋은 문제들을 접하는 것이 가장 중요하다.

여기서도 등비급수를 활용한 도형 문제를 많이 접해서 문제 형태에 익숙해지도록 하자.

등비급수를 활용한 도형 문제는 대부분이 주어진 규칙에 맞게 처음 주어진 도형과 닮음인 도형을 한없이 만들어 나갈 때, 모든 도형의 넓이의 합이나 길이의 합 등을 구하는 형태이다.

일반적으로 등비급수를 활용한 도형 문제는 다음과 같은 순서로 해결한다.

① 도형에서 일정하게 변하는 규칙을 찾는다.

② 첫째항 a와 공비 $r(|r|<1)$를 구한다.

③ 등비급수의 합이 $\dfrac{a}{1-r}$임을 이용한다.

그럼, 이와 같은 순서로 문제를 풀어보자.

EXAMPLE 018 다음 그림과 같이 한 변의 길이가 1인 정삼각형의 각 변의 중점을 연결하여 가운데 정삼각형을 제거한 후 남은 부분의 넓이를 S_1, 다시 남아 있는 정삼각형들의 각 변의 중점을 연결하여 각각 가운데 정삼각형을 제거한 후 남은 부분의 넓이를 S_2라 하자. 이와 같은 과정을 계속하여 n번째 남은 부분의 넓이를 S_n이라 할 때, 급수 $\sum\limits_{n=1}^{\infty} S_n$의 합을 구하여라.

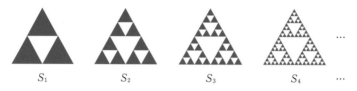

$$S_1 \qquad S_2 \qquad S_3 \qquad S_4 \qquad \cdots$$

ANSWER 한 변의 길이가 1인 정삼각형의 넓이는 $\dfrac{\sqrt{3}}{4} \cdot 1^2 = \dfrac{\sqrt{3}}{4}$ 이므로

$$S_1 = \frac{\sqrt{3}}{4} \cdot \frac{3}{4}$$

$$S_2 = \frac{\sqrt{3}}{4} \cdot \left(\frac{3}{4}\right)^2$$

$$S_3 = \frac{\sqrt{3}}{4} \cdot \left(\frac{3}{4}\right)^3$$

$$\vdots$$

$$S_n = \frac{\sqrt{3}}{4} \cdot \left(\frac{3}{4}\right)^n$$

따라서 $\sum\limits_{n=1}^{\infty} S_n$은 첫째항이 $\dfrac{\sqrt{3}}{4} \cdot \dfrac{3}{4} = \dfrac{3\sqrt{3}}{16}$ 이고 공비가 $\dfrac{3}{4}$ 인 등비급수의 합이므로

$$\sum_{n=1}^{\infty} S_n = \frac{\dfrac{3\sqrt{3}}{16}}{1 - \dfrac{3}{4}} = \boldsymbol{\frac{3\sqrt{3}}{4}} \blacksquare$$

[참고] 이와 같은 도형을 시어핀스키 삼각형(Sierpinski triangle)이라 한다. 이는 프랙털 도형의 일종으로써, 첫 번째 도형의 넓이를 S라 하면 두 번째 도형의 넓이는 $S \cdot \dfrac{3}{4}$, 세 번째 도형의 넓이는 $S \cdot \left(\dfrac{3}{4}\right)^2$, $\cdots$ 이므로 $\sum\limits_{n=1}^{\infty} S_n = \dfrac{S}{1 - \dfrac{3}{4}}$ 가 된다.

APPLICATION 022 다음 그림과 같이 반지름의 길이가 2인 원에 내접하는 정삼각형을 그려 원에서 정삼각형을 뺀 부분에 색칠하여 얻은 그림을 A_1이라 하자. 다시 A_1의 정삼각형 안에 내접하는 원을 그리고 그 원에 내접하는 정삼각형을 그린 다음, 원에서 정삼각형을 뺀 부분에 색칠하여 얻은 그림을 A_2라 하자. 이와 같은 과정을 계속하여 n번째 얻은 그림 A_n에 색칠되어 있는 모든 부분의 넓이의 합을 S_n이라 할 때, $\lim\limits_{n\to\infty} S_n = a\pi + b\sqrt{3}$이 성립한다. 이때 $3a+b$의 값을 구하여라. (단, a, b는 유리수)

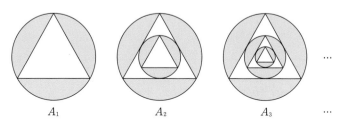

A_1 A_2 A_3 …

APPLICATION 023 다음 그림과 같이 길이가 1인 선분 2개로 만든 ∨ 모양의 도형을 S_1이라 하자. 도형 S_1의 위쪽에 있는 선분의 끝에 길이가 $\dfrac{1}{3}$인 선분 2개로 만든 ∨ 모양의 도형을 각각 붙여 도형 S_2를 만든다. 이와 같은 방법으로 도형 S_{n-1}의 가장 위쪽에 있는 각 선분의 끝에 길이가 $\left(\dfrac{1}{3}\right)^{n-1}$인 선분 2개로 만든 ∨ 모양의 도형을 각각 붙여 도형 S_n을 만들 때, 도형 S_n을 이루는 모든 선분의 길이의 합을 l_n이라 하자. 이때 $\lim\limits_{n\to\infty} l_n$의 값을 구하여라.

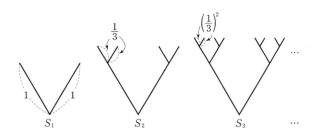

S_1 S_2 S_3 …

합이 주어진 등비급수

015 두 등비수열 $\{a_n\}$, $\{b_n\}$에 대하여 $a_1=10$, $b_1=20$이고 $\sum\limits_{n=1}^{\infty} a_n=30$, $\sum\limits_{n=1}^{\infty} b_n=40$일 때, 급수 $\sum\limits_{n=1}^{\infty} a_n b_n$의 합을 구하여라.

GUIDE 먼저 주어진 a_1, b_1, $\sum\limits_{n=1}^{\infty} a_n$, $\sum\limits_{n=1}^{\infty} b_n$의 값을 이용하여 두 등비수열 $\{a_n\}$, $\{b_n\}$의 공비를 구한다.

SOLUTION ─────────────────────

두 등비수열 $\{a_n\}$, $\{b_n\}$의 공비를 각각 r_a, r_b라 하면

$\sum\limits_{n=1}^{\infty} a_n = \dfrac{10}{1-r_a} = 30$이므로 $1-r_a = \dfrac{1}{3}$ $\therefore r_a = \dfrac{2}{3}$

$\sum\limits_{n=1}^{\infty} b_n = \dfrac{20}{1-r_b} = 40$이므로 $1-r_b = \dfrac{1}{2}$ $\therefore r_b = \dfrac{1}{2}$

즉, 두 등비수열 $\{a_n\}$, $\{b_n\}$의 일반항 a_n, b_n은

$$a_n = 10 \cdot \left(\dfrac{2}{3}\right)^{n-1},\ b_n = 20 \cdot \left(\dfrac{1}{2}\right)^{n-1}$$

따라서 $a_n b_n = 10 \cdot \left(\dfrac{2}{3}\right)^{n-1} \cdot 20 \cdot \left(\dfrac{1}{2}\right)^{n-1} = 200 \cdot \left(\dfrac{1}{3}\right)^{n-1}$이므로

$$\sum\limits_{n=1}^{\infty} a_n b_n = \sum\limits_{n=1}^{\infty} 200 \cdot \left(\dfrac{1}{3}\right)^{n-1} = \dfrac{200}{1-\dfrac{1}{3}} = \mathbf{300} \ \blacksquare$$

Summa's Advice ─────────────────

위의 문제에서 $\sum\limits_{n=1}^{\infty} a_n b_n = 300$이지만 $\sum\limits_{n=1}^{\infty} a_n \cdot \sum\limits_{n=1}^{\infty} b_n = 30 \cdot 40 = 1200$이다.

즉, $\sum\limits_{n=1}^{\infty} a_n b_n \neq \sum\limits_{n=1}^{\infty} a_n \cdot \sum\limits_{n=1}^{\infty} b_n$이다. 수열의 극한에 대한 기본 성질인 $\lim\limits_{n\to\infty} a_n b_n = \lim\limits_{n\to\infty} a_n \cdot \lim\limits_{n\to\infty} b_n$과 헷갈리는 경우가 많으므로 반드시 기억하도록 하자. 또 **유제 015- 1**을 통해 수열의 극한에 대한 기본 성질과 헷갈리기 쉬운 다른 예를 살펴보도록 하자.

Sub Note 057쪽

유제
015- 1 두 등비수열 $\{a_n\}$, $\{b_n\}$에 대하여 $a_1=1$, $b_1=3$이고 $\sum\limits_{n=1}^{\infty} a_n=3$, $\sum\limits_{n=1}^{\infty} b_n=4$일 때, 급수 $\sum\limits_{n=1}^{\infty} \dfrac{b_n}{a_n}$의 합을 구하여라.

016

두 함수 $f(x)=x^2+r$와 $g(x)=2\sqrt{a}x$의 그래프의 교점이 한 개이고, 등비수열 $\{a_n\}$에 대하여 $a_n=ar^{n-1}$, $\sum\limits_{n=1}^{\infty} a_n=1$일 때, $\dfrac{1}{a_3}$의 값을 구하여라. (단, a, r는 상수)

GUIDE 두 함수의 그래프의 교점이 한 개이므로 이차방정식 $f(x)-g(x)=0$이 중근을 가짐을 이용하자. 이와 같이 등비급수 외의 내용과 연계되어 출제되는 경우도 종종 있으니 당황하지 말고 차분하게 생각하여 풀도록 하자.

SOLUTION

두 함수 $f(x)=x^2+r$와 $g(x)=2\sqrt{a}x$의 그래프의 교점이 한 개이려면 방정식

$$f(x)=g(x) \iff x^2+r=2\sqrt{a}x \iff x^2-2\sqrt{a}x+r=0$$

이 중근을 가져야 한다.

이차방정식 $x^2-2\sqrt{a}x+r=0$의 판별식을 D라 하면

$$\frac{D}{4}=(-\sqrt{a})^2-r=0 \qquad \therefore a=r \qquad \cdots\cdots \, \bigcirc$$

한편 $\sum\limits_{n=1}^{\infty} a_n=\dfrac{a}{1-r}=\dfrac{a}{1-a}=1$이므로

$$a=1-a \qquad \therefore a=\frac{1}{2}$$

$a=\dfrac{1}{2}$을 $\bigcirc$에 대입하면 $\qquad r=\dfrac{1}{2}$

따라서 $a_n=\dfrac{1}{2}\cdot\left(\dfrac{1}{2}\right)^{n-1}=\left(\dfrac{1}{2}\right)^n$이므로

$$\frac{1}{a_3}=\frac{1}{\left(\frac{1}{2}\right)^3}=8 \, \blacksquare$$

Sub Note 057쪽

유제
016-1

두 함수 $f(x)=\dfrac{x^2}{1+x^2}+\dfrac{x^2}{(1+x^2)^2}+\dfrac{x^2}{(1+x^2)^3}+\cdots$, $g(x)=x^2$에 대하여 $f(x)=g(x)$를 만족시키는 x의 값을 모두 구하여라.

017 수열 $\{a_n\}$은 다음을 항상 만족시킨다고 한다.

> (개) a_1, a_2, a_3은 0에서 9까지의 정수 중 서로 다른 정수이다.
>
> (내) $a_n = a_{n+3}$ $(n=1, 2, 3, \cdots)$

이때 $m \times 0.a_1a_2a_3a_4a_5a_6 \cdots = 1$을 만족시키는 자연수 m의 최솟값을 구하여라.

GUIDE　등비급수를 이용하여 $0.a_1a_2a_3a_4a_5a_6 \cdots$을 분수로 나타낸 후 자연수 m의 값이 최소가 될 조건을 알아본다.

SOLUTION ─────────────────────────

조건 (내)에 의하여 $a_1 = a_4$, $a_2 = a_5$, $a_3 = a_6$, $\cdots$이므로

$$0.a_1a_2a_3a_4a_5a_6 \cdots = 0.a_1a_2a_3a_1a_2a_3 \cdots = 0.a_1a_2a_3 + 0.000a_1a_2a_3 + \cdots$$

$$= \frac{a_1a_2a_3}{1000} + \frac{a_1a_2a_3}{1000^2} + \cdots$$

즉, $0.a_1a_2a_3a_4a_5a_6 \cdots$은 첫째항이 $\dfrac{a_1a_2a_3}{1000}$이고 공비가 $\dfrac{1}{1000}$인 등비급수의 합과 같으므로

$$0.a_1a_2a_3a_4a_5a_6 \cdots = \frac{\dfrac{a_1a_2a_3}{1000}}{1 - \dfrac{1}{1000}} = \frac{a_1a_2a_3}{999}$$

한편 $999 = 3^3 \times 37$이고 조건 (개)에 의하여 a_1, a_2, a_3은 서로 다른 정수이므로 $a_1a_2a_3$은 111의 배수가 될 수 없다.

즉, $m \times \dfrac{a_1a_2a_3}{999} = 1$을 만족시키는 자연수 m의 값이 최소이려면 $a_1a_2a_3$은 111의 배수가 아니면서 999의 약수 중 가장 큰 수이어야 하므로

$$a_1 = 0, \ a_2 = 3, \ a_3 = 7 \qquad \therefore \ a_1a_2a_3 = 37$$

따라서 구하는 자연수 m의 최솟값은

$$m \times \frac{37}{999} = 1$$에서 $$m = 27 \ \blacksquare$$

유제
017-1 $\dfrac{19}{99}$를 순환소수로 나타낼 때, 소수점 아래 n째 자리의 숫자를 a_n이라 하자. 이때 급수 $\displaystyle\sum_{n=1}^{\infty} \frac{a_n}{5^n}$의 합을 구하여라.

Sub Note 058쪽

등비급수의 도형에의 활용

018

다음 그림과 같이 길이가 8인 선분 AB가 있다. 선분 AB의 삼등분점 A_1, B_1을 중심으로 하고 선분 A_1B_1을 반지름으로 하는 두 원이 서로 만나는 두 점을 각각 P_1, Q_1이라 하자. 또 선분 A_1B_1의 삼등분점 A_2, B_2를 중심으로 하고 선분 A_2B_2를 반지름으로 하는 두 원이 서로 만나는 두 점을 각각 P_2, Q_2라 하자. 이와 같은 과정을 계속하여 n번째 얻은 두 호 $P_nA_nQ_n$, $P_nB_nQ_n$의 길이의 합을 l_n이라 할 때, 급수 $\sum\limits_{n=1}^{\infty} l_n$의 합을 구하여라.

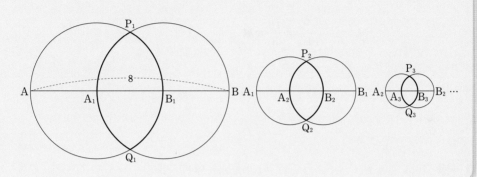

GUIDE (i) $\triangle A_1B_1P_1$이 어떤 삼각형인지 알아본 후 이를 이용하여 l_1을 구한다.

(ii) 도형의 닮음비를 이용하여 l_2, l_3, $\cdots$을 구한다.

(iii) 급수 $\sum\limits_{n=1}^{\infty} l_n$의 합을 구한다.

SOLUTION

오른쪽 그림에서 세 선분 A_1B_1, A_1P_1, B_1P_1의 길이는 모두 두 원의 반지름의 길이인 $\dfrac{8}{3}$이므로 $\triangle A_1B_1P_1$은 정삼각형이다.

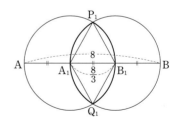

$$\therefore \angle P_1B_1A_1 = \frac{\pi}{3}$$

이때 호 $P_1A_1Q_1$은 반지름의 길이가 $\dfrac{8}{3}$이고, 중심각의 크기가 $\dfrac{2}{3}\pi$인 부채꼴의 호이므로 그 길이는

$$\frac{8}{3} \cdot \frac{2}{3}\pi = \frac{16}{9}\pi$$

따라서 두 호 $P_1A_1Q_1$, $P_1B_1Q_1$의 길이의 합 l_1은

$$l_1 = 2 \cdot \frac{16}{9}\pi = \frac{32}{9}\pi$$

한편 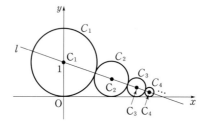 모양의 도형을 크기 순으로 나열하면 이들은 모두 닮음이고,

$\overline{AB} : \overline{A_1B_1}=3 : 1$이므로 닮음비는 $3 : 1$이다.

따라서 이와 같은 과정을 계속하여 얻은 두 호의 길이의 합을 나열하면

$$l_1=\frac{32}{9}\pi, \; l_2=\frac{1}{3}l_1=\frac{1}{3}\cdot\frac{32}{9}\pi, \; l_3=\frac{1}{3}l_2=\left(\frac{1}{3}\right)^2\cdot\frac{32}{9}\pi, \; \cdots$$

이므로 $\sum\limits_{n=1}^{\infty} l_n$은 첫째항이 $\frac{32}{9}\pi$이고 공비가 $\frac{1}{3}$인 등비급수의 합이다.

$$\therefore \sum_{n=1}^{\infty} l_n=\frac{\dfrac{32}{9}\pi}{1-\dfrac{1}{3}}=\frac{16}{3}\pi \; \blacksquare$$

유제

Sub Note 058쪽

018-❶ 다음 그림과 같이 원 $C_1 : x^2+(y-1)^2=1$의 중심을 지나고 기울기가 $-\frac{1}{3}$인 직선을 l, 중심이 직선 l 위에 있고 x축에 접하는 동시에 원 C_n과 외접하는 원을 원 $C_{n+1}\,(n=1, 2, 3, \cdots)$이라 하자. 원 C_n의 둘레의 길이를 c_n이라 할 때, 급수 $\sum\limits_{n=1}^{\infty} c_n$의 합을 구하여라.

(단, $n=2, 3, 4, \cdots$일 때, 원 C_n의 중심 C_n은 제1 사분면 위에 있다.)

유제

Sub Note 058쪽

018-❷ 다음 그림과 같이 반지름의 길이가 a인 반원 C_1에 내접하는 정사각형을 A_1이라 하자. 또 A_1의 한 변의 길이를 반지름의 길이로 하는 반원 C_2에 내접하는 정사각형을 A_2라 하고, A_2의 한 변의 길이를 반지름의 길이로 하는 반원 C_3에 내접하는 정사각형을 A_3이라 하자. 이와 같은 과정을 한없이 계속하여 정사각형을 만들 때, 이들 정사각형의 넓이의 합을 구하여라.

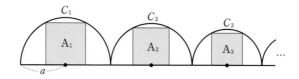

019 등비급수의 좌표에의 활용

자연수 n에 대하여 좌표평면 위의 세 점 $A_n(x_n, 0)$, $B_n(0, x_n)$, $C_n(x_n, x_n)$을 꼭짓점으로 하는 직각이등변삼각형 T_n을 다음 조건에 따라 그린다.

(가) $x_1=1$이다.

(나) 변 $A_{n+1}B_{n+1}$의 중점이 C_n이다. ($n=1, 2, 3, \cdots$)

삼각형 T_n의 넓이를 a_n, 삼각형 T_n의 세 변 위에 있는 점 중에서 x좌표와 y좌표가 모두 정수인 점의 개수를 b_n이라 할 때, 급수 $\displaystyle\sum_{n=1}^{\infty} \frac{b_n}{a_n}$의 합을 구하여라.

GUIDE 두 삼각형 T_n, T_{n-1}의 닮음비를 이용하여 a_n을 구하고, b_1, b_2, b_3, $\cdots$에서 규칙을 찾아 b_n을 구한다.

SOLUTION ─────────────────────

조건 (나)에 의하여 삼각형 T_n의 각 변의 길이는 삼각형 T_{n-1}의 대응하는 각 변의 길이의 2배이므로 삼각형 T_n의 넓이 a_n은 삼각형 T_{n-1}의 넓이 a_{n-1}의 4배이다.

이때 $a_1 = \frac{1}{2} \cdot 1^2 = \frac{1}{2}$이므로 $a_n = \frac{1}{2} \cdot 4^{n-1} = 2^{2n-3}$

$b_1 : (1, 0), (0, 1), (1, 1) \;\blacktriangleright\; 3$

$b_2 : (2, 0), (1, 1), (0, 2), (1, 2), (2, 2), (2, 1) \;\blacktriangleright\; 3\cdot2$

$b_3 : (4, 0), (3, 1), (2, 2), (1, 3), (0, 4), (1, 4)$
$\qquad (2, 4), (3, 4), (4, 4), (4, 3), (4, 2), (4, 1) \;\blacktriangleright\; 3\cdot2^2$

$\vdots$

따라서 $b_n = 3 \cdot 2^{n-1}$이므로 $\dfrac{b_n}{a_n} = \dfrac{3 \cdot 2^{n-1}}{2^{2n-3}} = 3 \cdot 2^{-n+2} = 12 \cdot \left(\dfrac{1}{2}\right)^n$

$\therefore \displaystyle\sum_{n=1}^{\infty} \frac{b_n}{a_n} = \sum_{n=1}^{\infty} 12 \cdot \left(\frac{1}{2}\right)^n = \frac{6}{1-\dfrac{1}{2}} = \mathbf{12} \;\blacksquare$

Sub Note 059쪽

유제 **019-1** 오른쪽 그림과 같이 좌표평면 위에 가로의 길이가 10, 세로의 길이가 5인 직사각형 D의 오른쪽 위의 꼭짓점을 A_1이라 하자. 직사각형 D의 각 변을 $\frac{2}{3}$로 축소한 직사각형의 밑변의 중점이 A_1에 오도록 한 후, 이 직사각형의 오른쪽 위의 꼭짓점을 A_2라 하자. 이와 같은 과정을 계속하여 A_3, A_4, $\cdots$를 한없이 정해갈 때, 점 A_n은 점 (a, b)에 한없이 가까워진다. 이때 $a+b$의 값을 구하여라.

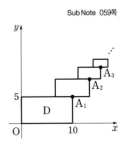

Review Quiz

I-2. 급수

SUMMA CUM LAUDE

1. 다음 [　] 안에 적절한 것을 채워 넣어라.

(1) 수열 $\{a_n\}$의 각 항을 차례로 덧셈 기호 $+$로 연결한 식 $a_1+a_2+a_3+\cdots+a_n+\cdots$ 을
[　　　]라 하고, 이것을 기호 $\sum$를 사용하여 [　　　]과 같이 나타낸다.

(2) 급수 $\sum\limits_{n=1}^{\infty} a_n$의 첫째항부터 제$n$항까지의 합인 $S_n=\sum\limits_{k=1}^{n} a_k$를 이 급수의 제$n$항까지의
[　　　]이라 하고, 수열 $\{S_n\}$이 일정한 값 S로 수렴할 때, S를 [　　　　]이라
한다.

(3) 급수 $\sum\limits_{n=1}^{\infty} a_n$이 수렴하면 $\lim\limits_{n\to\infty} a_n=[\quad]$이고, $\lim\limits_{n\to\infty} a_n \neq 0$이면 급수 $\sum\limits_{n=1}^{\infty} a_n$은 [　　　]
한다.

(4) 첫째항이 a이고 공비가 r인 등비수열 $\{ar^{n-1}\}$의 각 항을 차례로 덧셈 기호 $+$로 연결
한 급수 $\sum\limits_{n=1}^{\infty} ar^{n-1}=a+ar+ar^2+\cdots+ar^{n-1}+\cdots$ 을 첫째항이 a이고 공비가 r인
[　　　　]라 한다.

2. 다음 문장이 참(true) 또는 거짓(false)인지 결정하고, 그 이유를 설명하거나 적절한 반례를 제시하여라.

(1) $\lim\limits_{n\to\infty} a_n=0$이면 급수 $\sum\limits_{n=1}^{\infty} a_n$은 수렴한다.

(2) 등비급수 $\sum\limits_{n=1}^{\infty} ar^{n-1}$의 수렴 조건은 $a=0$ 또는 $-1<r\leq 1$이다.

3. 다음 물음에 대한 답을 간단히 서술하여라.

(1) 두 급수 $\sum\limits_{n=1}^{\infty} a_n$, $\sum\limits_{n=1}^{\infty} b_n$이 수렴할 때, $\sum\limits_{n=1}^{\infty} a_n b_n \neq \sum\limits_{n=1}^{\infty} a_n \cdot \sum\limits_{n=1}^{\infty} b_n$임을 설명하여라.

(2) 순환소수를 분수로 나타낼 때, 등비급수가 사용되는 원리를 설명하여라.

086　I. 수열의 극한

EXERCISES

Sub Note 107쪽

급수의 합 **01** 다음과 같이 규칙적으로 나열된 수가 있다.

1행	1				
2행	$\dfrac{1}{3}$	1			
3행	$\dfrac{1}{3^2}$	$\dfrac{1}{3}$	1		
4행	$\dfrac{1}{3^3}$	$\dfrac{1}{3^2}$	$\dfrac{1}{3}$	1	
$\vdots$			$\vdots$		
10행	$\dfrac{1}{3^9}$	$\dfrac{1}{3^8}$	$\dfrac{1}{3^7}$	$\cdots$	1
$\vdots$			$\vdots$		

이때 n행에 있는 수의 합을 S_n이라 할 때, $\lim\limits_{n\to\infty} S_n$의 값을 구하여라.

급수의 합 **02** 수열 $\left\{\dfrac{1}{a_n}\right\}$은 첫째항이 1, 공차가 2인 등차수열일 때, 급수 $\sum\limits_{n=1}^{\infty} a_n a_{n+1}$의 합을 구하여라.

급수와 수열의 극한 사이의 관계 **03** 수열 $\{a_n\}$에 대하여 $\sum\limits_{n=1}^{\infty}\left(3-\dfrac{a_n}{7^n}\right)=2$일 때, $\lim\limits_{n\to\infty}\dfrac{7^n}{2a_n-5}$의 값을 구하여라.

급수의 성질 **04** 두 급수 $\sum\limits_{n=1}^{\infty} a_n$, $\sum\limits_{n=1}^{\infty} b_n$에 대하여 $\sum\limits_{n=1}^{\infty} a_n=-3$이고 $\sum\limits_{n=1}^{\infty}(3a_n-2b_n)=-1$일 때, 급수 $\sum\limits_{n=1}^{\infty} b_n$의 합을 구하여라.

등비급수의 합 **05** 급수 $\dfrac{1+(-1)}{4}+\dfrac{1+(-1)^2}{4^2}+\dfrac{1+(-1)^3}{4^3}+\cdots$의 합을 구하여라.

등비급수의 합 **06**
서술형

등비수열 $\{a_n\}$에 대하여 $a_2=12$, $\displaystyle\sum_{n=1}^{\infty}a_n=-16$일 때, 급수 $\displaystyle\sum_{n=1}^{\infty}a_n^{\,2}$의 합을 구하여라.

등비급수의 수렴 조건 **07**

등비급수 $\displaystyle\sum_{n=1}^{\infty}r^n$이 수렴할 때, 다음 중 항상 수렴한다고 할 수 <u>없는</u> 것은?

① $\displaystyle\sum_{n=1}^{\infty}(-r)^n$
② $\displaystyle\sum_{n=1}^{\infty}\left(\frac{1}{3}\right)^n r^n$
③ $\displaystyle\sum_{n=1}^{\infty}\left(\frac{r-1}{2}\right)^n$

④ $\displaystyle\sum_{n=1}^{\infty}\left(\frac{r}{2}-1\right)^n$
⑤ $\displaystyle\sum_{n=1}^{\infty}r^{2n}$

등비급수의 활용 **08**

등비수열 $\{a_n\}$의 공비가 $0.\dot{6}$이고 $\displaystyle\sum_{n=1}^{\infty}a_n=0.\dot{5}\dot{4}$일 때, a_1의 값을 구하여라.

등비급수의 활용 **09**

오른쪽 그림과 같이 지름의 길이가 24인 반원의 지름을 $1:3$으로 내분하여 각각을 지름으로 하는 두 반원의 넓이의 합을 S_1, 새로 만들어진 두 반원 가운데 큰 반원의 지름을 $1:3$으로 내분하여 각각을 지름으로 하는 두 반원의 넓이의 합을 S_2라 하자. 이와 같은 과정을 한없이 계속할 때, $S_1+S_2+S_3+\cdots$의 값을 구하여라.

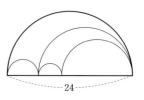

등비급수의 활용 **10**

오른쪽 그림에서 자연수 n에 대하여 점 P_n이

$$\overline{\mathrm{OP_1}}=1, \ \overline{\mathrm{P_1P_2}}=\frac{2}{3}\,\overline{\mathrm{OP_1}}, \ \overline{\mathrm{P_2P_3}}=\frac{2}{3}\,\overline{\mathrm{P_1P_2}}, \ \cdots,$$

$$\angle\mathrm{OP_1P_2}=\angle\mathrm{P_1P_2P_3}=\angle\mathrm{P_2P_3P_4}=\cdots=90°$$

를 만족시킬 때, 점 P_n이 한없이 가까워지는 점의 좌표를 구하여라. (단, O는 원점)

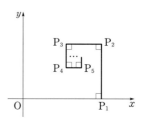

01 급수 $\displaystyle\sum_{n=1}^{\infty} \frac{3^{2^{n-1}}}{1-3^{2^n}}$ 의 합은?

① -2 ② $-\dfrac{2}{3}$ ③ $-\dfrac{1}{2}$ ④ 1 ⑤ $\dfrac{3}{2}$

02 함수 $f(x)=x^2$에 대하여 오른쪽 그림과 같이 구간 $[0,\ 1]$을 $2n$등분한 후 구간 $\left[\dfrac{k-1}{2n},\ \dfrac{k}{2n}\right]$를 가로로 하고 세로의 길이가 $f\left(\dfrac{k}{2n}\right)-f\left(\dfrac{k-1}{2n}\right)$인 직사각형의 넓이를 S_k라 하자.

$A(n)=\displaystyle\sum_{k=1}^{n}(S_{2k}-S_{2k-1})$로 정의할 때,

$\displaystyle\lim_{n \to \infty}n^2 A(n)$의 값을 구하여라.

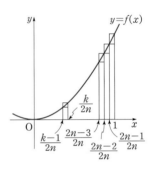

03 수열 $\{a_n\}$의 첫째항부터 제n항까지의 합을 S_n이라 하자. $\displaystyle\sum_{n=1}^{\infty}(a_n-2)=6$일 때,

서술형 $\displaystyle\lim_{n \to \infty}(3a_n+S_n-2n)$의 값을 구하여라.

04 두 수열 $\{a_n\}$, $\{b_n\}$이 모든 자연수 n에 대하여

$$1+2+2^2+\cdots+2^{n-1}<a_n<2^n, \quad \frac{3n-1}{n+1}<\sum_{k=1}^{n}b_k<\frac{3n+1}{n}$$

을 만족시킬 때, $\displaystyle\lim_{n \to \infty}\frac{8^n-1}{4^{n-1}a_n+8^{n+1}b_n}$의 값은?   [교육청 기출]

① 1 ② 2 ③ 4 ④ 8 ⑤ 16

05 등비급수 $S=a+a\cdot\dfrac{1}{\sqrt{2}}+a\cdot\left(\dfrac{1}{\sqrt{2}}\right)^2+\cdots$에 대하여 $a=\sqrt{10}-\sqrt{5}$일 때, 이 등비급수의 제n항까지의 부분합 S_n과 S의 차가 $\dfrac{1}{10^5}$보다 작아지도록 하는 자연수 n의 최솟값을 구하여라. (단, $\log 2=0.3010$으로 계산한다.)

06 자연수 n에 대하여 다음과 같이 정의된 네 수열 $\{a_n\}$, $\{b_n\}$, $\{c_n\}$, $\{d_n\}$이 있다.

$$a_{n+1}=a_1 a_n+c_1 b_n,\ b_{n+1}=b_1 a_n+d_1 b_n$$
$$c_{n+1}=a_1 c_n+c_1 d_n,\ d_{n+1}=b_1 c_n+d_1 d_n$$
$$\left(\text{단, } a_1=\frac{1}{3},\ b_1=\frac{1}{2},\ c_1=0,\ d_1=1\right)$$

보기에서 옳은 것만을 있는 대로 고른 것은?

보기

ㄱ. $\displaystyle\sum_{n=1}^{\infty} a_n=\frac{1}{2}$

ㄴ. $\displaystyle\lim_{n\to\infty} b_n=\frac{3}{2}\sum_{n=1}^{\infty} a_n$

ㄷ. $\displaystyle\lim_{n\to\infty}\left(\sum_{k=1}^{n} b_k-\frac{3}{4}\sum_{k=1}^{n} d_k\right)=\frac{3}{8}$

① ㄱ ② ㄱ, ㄴ ③ ㄱ, ㄷ
④ ㄴ, ㄷ ⑤ ㄱ, ㄴ, ㄷ

07 등비급수 $\displaystyle\sum_{n=1}^{\infty} r^n$이 수렴할 때, 다음 중 그 합이 될 수 <u>없는</u> 것은?

① -1 ② $-\dfrac{1}{3}$ ③ $\dfrac{1}{2}$ ④ 1 ⑤ $\dfrac{5}{4}$

08 순환소수로 이루어진 수열 $\{a_n\}$의 각 항이

$$a_1=0.\dot{1},\ a_2=0.\dot{1}\dot{0},\ a_3=0.\dot{1}0\dot{0},\ \cdots,\ a_n=0.\underbrace{\dot{1}000\cdots00\dot{0}}_{(n-1)\text{개}}$$

일 때, 급수 $\displaystyle\sum_{n=1}^{\infty}\left(\dfrac{1}{a_{n+1}}-\dfrac{1}{a_n}\right)$의 합을 구하여라.

09 오른쪽 그림과 같이 한 변의 길이가 1인 정삼각형에 내접하는 중심이 점 O_1인 원 O_1을 그린 후 원 O_1에 외접하고 동시에 정삼각형의 두 변에 접하는 3개의 원을 그린다. 그 다음 이 3개의 원 각각에 외접하고 동시에 정삼각형의 두 변에 접하는 3개의 원을 그린다. 이와 같은 과정을 한없이 계속하여 원을 그려 나갈 때, 모든 원의 넓이의 합을 구하여라.

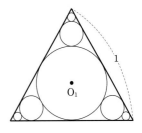

10 $\overline{A_1B_1}=2$, $\angle B_1=90°$, $\angle O=30°$인 직각삼각형 OA_1B_1의 두 변 OA_1, OB_1 위에 각각 점 A_{n+1}, $B_{n+1}(n=1,\ 2,\ 3,\ \cdots)$을 다음 두 조건을 만족시키도록 한없이 잡는다.

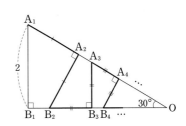

> (가) $\overline{A_{2n-1}A_{2n}}=\overline{A_{2n}B_{2n}}$, $\overline{B_{2n}B_{2n+1}}=\overline{B_{2n+1}A_{2n+1}}$
> (나) $\angle A_{2n-1}A_{2n}B_{2n}=\angle B_{2n}B_{2n+1}A_{2n+1}=90°$

이때 $\overline{A_1A_2}+\overline{A_2B_2}+\overline{B_2B_3}+\overline{B_3A_3}+\overline{A_3A_4}+\overline{A_4B_4}+\cdots$ 의 값은?

① $\sqrt{3}$ ② $1+\sqrt{3}$ ③ $2(\sqrt{3}-1)$

④ $2(2+\sqrt{3})$ ⑤ $4(1+\sqrt{3})$

내신 · 모의고사 대비 TEST   442쪽

Chapter I Exercises

SUMMA CUM LAUDE

난이도 ■ : 중 ■■ : 중상 ■■■ : 상

Sub Note 113쪽

01 ■□□ 수렴하는 수열 $\{a_n\}$이 다음과 같을 때, $\lim\limits_{n\to\infty} a_n$의 값을 구하여라.

$$\sqrt{1+\sqrt{2}},\ \sqrt{1+\sqrt{1+\sqrt{2}}},\ \sqrt{1+\sqrt{1+\sqrt{1+\sqrt{2}}}},\ \cdots$$

02 ■□□ $\lim\limits_{n\to\infty}\dfrac{\sqrt{16n^2-3n+5}}{an^2+12n-1}=b$일 때, $\lim\limits_{n\to\infty}\dfrac{an^2+2n-7}{\sqrt{bn^2-4n}}$의 값을 구하여라.

(단, a, b는 상수, $b\neq0$)

03 ■■□ 두 수열 $\{a_n\}$, $\{b_n\}$이 모든 자연수 n에 대하여 다음 세 조건을 만족시킨다.

> (가) $a_n+b_n=4n$ (나) $a_nb_n=3n-2$ (다) $a_n<b_n$

이때 $20\lim\limits_{n\to\infty} a_n$의 값을 구하여라.

04 ■■□ 오른쪽 그림과 같이 좌표평면 위에 세 점 O$(0, 0)$, A$(10, 0)$, B$(0, 5)$를 꼭짓점으로 하는 삼각형 OAB가 있다. 선분 AB 위에 $\triangle$OAP$_n$: $\triangle$OBP$_n=2n$: $(3n-1)$이 되도록 점 P$_n(\alpha_n, \beta_n)$을 잡을 때, $\lim\limits_{n\to\infty}\alpha_n\beta_n$의 값을 구하여라. (단, n은 자연수)

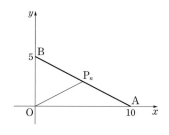

■□□
05 수열 $\{a_n\}$의 첫째항부터 제n항까지의 합 S_n이 $S_n=2^n+3^n$일 때, $\lim\limits_{n\to\infty}\dfrac{a_n}{S_n}$의 값은?

① $\dfrac{1}{6}$ ② $\dfrac{1}{3}$ ③ $\dfrac{1}{2}$ ④ $\dfrac{2}{3}$ ⑤ $\dfrac{5}{6}$

■■□
06 $a_1=\dfrac{1}{3}$, $a_{n+1}=\dfrac{a_n}{2-a_n}$ $(n=1,\ 2,\ 3,\ \cdots)$으로 정의된 수열 $\{a_n\}$에 대하여

$\lim\limits_{n\to\infty}\dfrac{a_{n+1}}{a_n}$의 값은?

① 0 ② $\dfrac{1}{2}$ ③ 1 ④ $\dfrac{3}{2}$ ⑤ 2

■■■
07 $a_1=3$, $a_{n+1}={a_n}^x$ $(n=1,\ 2,\ 3,\ \cdots,\ x$는 실수$)$으로 정의된 수열 $\{a_n\}$에 대하여 보기 중 옳은 것만을 있는 대로 고른 것은?

> 보기
>
> ㄱ. $x=\dfrac{1}{2}$일 때, 수열 $\{a_n\}$은 1에 수렴한다.
>
> ㄴ. $x=-\dfrac{1}{2}$일 때, 수열 $\{a_n\}$은 2에 수렴한다.
>
> ㄷ. $x\leq-1$ 또는 $x>1$일 때, 수열 $\{a_n\}$은 발산한다.

① ㄱ   ② ㄱ, ㄴ   ③ ㄱ, ㄷ

④ ㄴ, ㄷ   ⑤ ㄱ, ㄴ, ㄷ

08 오른쪽 그림과 같이 중심이 점 O이고 반지름의 길이가 1인 원 위에 $\angle A_1OB_1$의 크기가 직각이 되도록 두 점 A_1, B_1을 정한다. 점 A_1에서 시계 반대 방향으로 점 B_1에 이르는 호를 $2:3$으로 내분하는 점을 A_2, 점 B_1에서 시계 반대 방향으로 점 A_1에 이르는 호를 $2:3$으로 내분하는 점을 B_2라 하자. 이와 같은 방법으로 점 A_n에서 시계 반대 방향으로 점 B_n에 이르는 호를 $2:3$으로 내분하는 점을 A_{n+1}, 점 B_n에서 시계 반대 방향으로 점 A_n에 이르는 호를 $2:3$으로 내분하는 점을 B_{n+1}이라 하자. 점 A_n에서 시계 반대 방향으로 점 B_n에 이르는 호의 길이를 l_n이라 할 때, $\lim\limits_{n\to\infty} l_n$의 값을 구하여라.

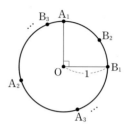

09 다음 보기의 급수 중 수렴하는 것만을 있는 대로 고른 것은?

> 보기   ㄱ. $1-1+1-1+1-1+\cdots$
>
> ㄴ. $1-(1-1)-(1-1)-(1-1)-\cdots$
>
> ㄷ. $1-\dfrac{1}{3}+\dfrac{1}{3}-\dfrac{1}{5}+\dfrac{1}{5}-\cdots$

① ㄱ   ② ㄱ, ㄴ   ③ ㄱ, ㄷ

④ ㄴ, ㄷ   ⑤ ㄱ, ㄴ, ㄷ

10 $a_1=\dfrac{1}{12}$, $\dfrac{1}{a_n}-\dfrac{1}{a_{n-1}}=6(n^2+n)$ $(n=2,\ 3,\ 4,\ \cdots)$으로 정의된 수열 $\{a_n\}$에 대하여 급수 $\sum\limits_{n=1}^{\infty} a_n$의 합을 구하여라.

11 수열 $\{a_n\}$에 대하여 $\sum\limits_{n=1}^{\infty}\left(na_n-\dfrac{n^2+1}{2n+1}\right)=3$일 때, $\lim\limits_{n\to\infty}(a_n^2+2a_n+2)$의 값은?

[수능 기출]

① $\dfrac{9}{4}$　　② $\dfrac{5}{2}$　　③ $\dfrac{11}{4}$　　④ 3　　⑤ $\dfrac{13}{4}$

12 빗변 BC의 길이가 1인 직각삼각형 ABC가 있다. 변 BC를 $(n+1)$등분 하는 점들을 점 B에서 가까운 것부터 차례로 P_1, P_2, P_3, $\cdots$, P_n이라 할 때, $\lim\limits_{n\to\infty}\dfrac{1}{n}\sum\limits_{k=1}^{n}\overline{AP_k}^2$ 의 값을 구하여라.

13 두 함수 $f(x)=\lim\limits_{n\to\infty}\dfrac{x^{n+1}-1}{x^{n-1}+2}$, $g(x)=\sum\limits_{n=1}^{\infty}x^n$에 대하여

$f\left(g\left(\dfrac{2}{3}\right)\right)+g\left(f\left(\dfrac{2}{3}\right)\right)=\dfrac{q}{p}$ 일 때, $p+q$의 값을 구하여라.

(단, p, q는 서로소인 자연수)

14 수열 $\{a_n\}$은 모든 자연수 n에 대하여 $a_1+2a_2+2^2a_3+\cdots+2^{n-1}a_n=10-5n$을 만족시킨다. 이때 급수 $\sum\limits_{n=1}^{\infty}a_n$의 합은?

① -4　　② -2　　③ $-\dfrac{1}{2}$　　④ $-\dfrac{1}{4}$　　⑤ 0

15 각 항이 0 또는 1인 수열 $\{a_n\}$에 대하여 $\sum\limits_{n=1}^{\infty} \dfrac{a_n}{2^n} = \dfrac{4}{7}$ 이다. $\sum\limits_{n=1}^{\infty} \dfrac{a_n}{3^n} = \dfrac{q}{p}$ 일 때,
$p+q$의 값을 구하여라. (단, p, q는 서로소인 자연수)

16 첫째항이 0이 아닌 두 등비수열 $\{a_n\}$, $\{b_n\}$에 대하여 보기 중 옳은 것만을 있는 대로
골라라.

> 보기
> ㄱ. 두 등비수열 $\{a_n\}$, $\{b_n\}$이 모두 수렴하면 수열 $\{a_n b_n\}$도 수렴한다.
>
> ㄴ. 급수 $\sum\limits_{n=1}^{\infty} a_n b_n$이 발산하면 두 등비수열 $\{a_n\}$, $\{b_n\}$ 중 적어도 하나는
> 발산한다.
>
> ㄷ. 두 등비급수 $\sum\limits_{n=1}^{\infty} a_n$, $\sum\limits_{n=1}^{\infty} b_n$이 모두 수렴하면 급수 $\sum\limits_{n=1}^{\infty} a_n b_n$도 수렴한다.

17 공비가 1이 아니고 모든 항이 양수인 두 등비수열 $\{a_n\}$, $\{b_n\}$이 모든 자연수 n에 대하
여 $a_n b_n - a_{n+1} b_{n+1} = 0$이 성립한다. 수열 $\{a_n\}$이 발산할 때, 다음 중 급수 $\sum\limits_{n=1}^{\infty} b_n$의 합
과 같은 것은?

① $\dfrac{a_1 b_1}{a_2 - a_1}$ ② $\dfrac{a_2 b_1}{a_2 - a_1}$ ③ $\dfrac{a_1 b_2}{a_2 - a_1}$

④ $\dfrac{a_1 b_1}{a_1 - a_2}$ ⑤ $\dfrac{a_1 b_2}{a_1 - a_2}$

18 첫째항이 1이고 수렴하는 두 등비급수 $\sum\limits_{n=1}^{\infty} a_n$, $\sum\limits_{n=1}^{\infty} b_n$이 있다. $\sum\limits_{n=1}^{\infty} (a_n + b_n) = \dfrac{8}{3}$ 이고

$\sum\limits_{n=1}^{\infty} a_n b_n = \dfrac{4}{5}$ 일 때, 급수 $\sum\limits_{n=1}^{\infty} (a_n + b_n)^2$의 합을 구하여라.

19 두 등비급수

$$p = 1 + x + x^2 + x^3 + \cdots, \quad y = 1 + \frac{1}{p} + \frac{1}{p^2} + \frac{1}{p^3} + \cdots$$

이 모두 수렴할 때, 점 (x, y)의 자취를 좌표평면 위에 바르게 나타낸 것은?

①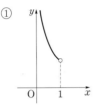

②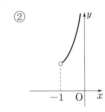

③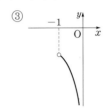

④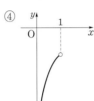

⑤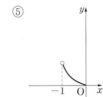

20 반지름의 길이가 1인 원 C_1의 내부에 이 원의 넓이를 4등분 하는 선분을 원의 중심을 지나도록 그린 다음 각 도형에 내접하는 원 C_2 4개를 [그림 1]과 같이 그린다.

또 [그림 1]에서 그린 4개의 원 C_2의 내부에 각 원의 넓이를 4등분 하는 선분을 각 원의 중심을 지나도록 그린 다음 각 도형에 내접하는 원 C_3 4^2개를 [그림 2]와 같이 그린다. 이와 같은 과정을 한없이 계속하여 원을 그려 나갈 때, 모든 원의 넓이의 합은?

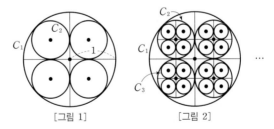

[그림 1]　　　[그림 2]

① $\dfrac{8\sqrt{2}+10}{7}\pi$

② $\dfrac{8\sqrt{2}+11}{7}\pi$

③ $\dfrac{8\sqrt{2}+12}{7}\pi$

④ $\dfrac{8\sqrt{2}+13}{7}\pi$

⑤ $\dfrac{8\sqrt{2}+14}{7}\pi$

내신·모의고사 대비 TEST 　 460쪽

Chapter I | Advanced Lecture

SUMMA CUM LAUDE

TOPIC (1) 수열의 극한에 대한 명제의 참, 거짓 판단

수열의 극한에 대한 명제의 참, 거짓 판단은 간단한 증명을 통해 그 참, 거짓을 쉽게 판단할 수 있는 보통의 명제의 참, 거짓 판단과는 다른 점이 많다. 왜냐하면 고등학교 교육과정에서 배우는 수열의 극한의 정의와 성질은 수학적인 증명을 생략한 채 '~일 때, ~이다'로 일단 신뢰하자는 식으로 소개되어 있고, 그래서 수열의 극한값의 계산 역시 실제로는 신뢰하기로 약속한 몇 가지 확실한 성질을 이용하여 그 값을 예측하는 것일 뿐, 그 값이 실제로 정말 극한값이 맞는지를 증명하기는 어렵기 때문이다.

이렇듯 수열의 극한에 대한 명제의 참, 거짓을 수학적으로 증명하기란 거의 불가능하기 때문에 고등학교 수준에서 참, 거짓을 밝히는 방법이라고는

주어진 명제를 (신뢰할 수 있는) 수열의 극한의 성질을 이용할 수 있도록 변형하거나

거짓임을 보일 수 있는 반례를 제시하는 정도이다.

따라서 수열의 극한값의 계산에서와 마찬가지로 다소 애매한 감이 없지 않은 무한대와 수렴, 발산의 개념을 직관적으로 잘 이해하고 그것을 바탕으로 참, 거짓을 판단하는 능력을 키우도록 하자.

수열의 극한에서 가장 중요한 것은 무한대(∞)와 수렴에 대한 이해

수열이 (양의 또는 음의) 무한대로 발산하는 경우를 생각해 보자.

유한확정값(상수) c에 대하여

$\infty \pm c = \infty$ 무한대로 발산하는 수열에 유한확정값을 더하거나 빼더라도 그대로 무한대로 발산한다.

$\infty + \infty = \infty$ 무한대로 발산하는 수열끼리의 합은 무한대로 발산한다.

$\infty \times \infty = \infty$ 무한대로 발산하는 수열끼리의 곱은 무한대로 발산한다.

$\infty \times c = \infty$ (단, $c>0$) 무한대로 발산하는 수열에 유한확정값을 곱하더라도 그대로 무한대로 발산한다.

$\dfrac{\infty}{c} = \infty$ (단, $c>0$) 무한대로 발산하는 수열을 유한확정값으로 나누더라도 그대로 무한대로 발산한다.

$\dfrac{c}{\infty} = 0$ 유한확정값을 무한대로 발산하는 수열로 나누면 0으로 수렴한다.

기호 ∞는 한없이 커지는 상태를 나타내는 것이므로 앞에서 비록 '∞+∞=∞'와 같은 표현을 썼더라도 그것을 수의 연산과 같은 것으로 여겨서는 안 된다. ∞가 포함된 식에서는 언제나 ∞를 본래의 의미인 '상태'로 해석해야 한다. 또 무한대로 발산하는 수열은 어떤 상수보다도 어마어마하게 커지는 상태이므로 유한확정값과의 연산에서는 무한대를 기준으로 하면 이해에 어려움이 없을 것이다.

수렴하는 수열과 무한대로 발산하는 수열 사이의 연산의 결과 역시 이와 크게 다르지 않다.

두 수열 $\{a_n\}$, $\{b_n\}$과 유한확정값 a에 대하여

$\lim\limits_{n\to\infty} a_n = a$, $\lim\limits_{n\to\infty} b_n = \infty$이면 $\lim\limits_{n\to\infty}(a_n + b_n) = \infty$

$\lim\limits_{n\to\infty} a_n = a$, $\lim\limits_{n\to\infty} b_n = \infty$이면 $\lim\limits_{n\to\infty}(a_n - b_n) = -\infty$

$\lim\limits_{n\to\infty} a_n = a$, $\lim\limits_{n\to\infty} b_n = \infty$이면 $\lim\limits_{n\to\infty}(b_n - a_n) = \infty$

$\lim\limits_{n\to\infty} a_n = a$, $\lim\limits_{n\to\infty} b_n = \infty$이면 $\lim\limits_{n\to\infty} a_n b_n = \infty$ (단, $a > 0$)

$\lim\limits_{n\to\infty} a_n = a$, $\lim\limits_{n\to\infty} b_n = -\infty$이면 $\lim\limits_{n\to\infty} a_n b_n = -\infty$ (단, $a > 0$)

$\lim\limits_{n\to\infty} a_n = a$, $\lim\limits_{n\to\infty} b_n = \infty$이면 $\lim\limits_{n\to\infty} \dfrac{a_n}{b_n} = 0$ (단, $b_n \neq 0$)

$\lim\limits_{n\to\infty} a_n = a$, $\lim\limits_{n\to\infty} b_n = \infty$이면 $\lim\limits_{n\to\infty} \dfrac{b_n}{a_n} = \infty$ (단, $a_n \neq 0$, $a > 0$)

어떤 수열의 극한값은 수열이 향하는 목적지라는 점에서 두 수열의 연산의 극한값은 두 수열 각각의 목적지를 가지고 판단할 수 있다. 따라서 **수렴하는 수열과 발산하는 수열의 연산의 극한값은 결국 유한확정값과 발산하는 수열의 연산과 같다.** 이때 수열이 0으로 수렴하는 경우에는 주의해야 한다. 0으로 수렴하는 경우에는 실제 0을 취하는 경우와 그렇지 않은 경우가 있다. 실제 0을 취하며 수렴하는 경우에는 무한대로 발산하는 수열과의 곱이 0이 된다. 즉, 무한대가 아무리 크더라도 0과 곱해지면 0일 뿐이다. 그러나 0으로 수렴하되 0을 취하지 않는 경우에는 곱해지는 수열이 어떤 수열이냐에 따라 수렴할 수도, 발산할 수도 있다.

예를 들어 $a_n = \left(\dfrac{1}{2}\right)^n$일 때를 생각해 보면 $b_n = 2n$일 때 $\lim\limits_{n\to\infty} a_n b_n = 0$이지만 $b_n = 2^n$일 때는 $\lim\limits_{n\to\infty} a_n b_n = 1$이며 $b_n = 3^n$일 때는 $\lim\limits_{n\to\infty} a_n b_n = \infty$이다. $a_n = \left(\dfrac{1}{2}\right)^n$과 같이 0이 아니면서 0에 한없이 가까워지는 상태를 무한소라 하는데 무한소와 무한대의 곱은 일률적인 결과가 나오는 것이 아니라 각각이 '어떻게' 커지고 '어떻게' 작아지는지에 따라 결과가 달라질 수 있다.

이상에서 살펴본 것들이 고등학교 수학에서 직관적으로 이해하여 신뢰, 이용할 수 있는 수열의 극한의 성질이다. 여기에 '두 수열 $\{a_n\}$, $\{b_n\}$이 각각 수렴하고 $a_n < b_n$이면 $\lim\limits_{n \to \infty} a_n \leq \lim\limits_{n \to \infty} b_n$' 이라는 사실과 샌드위치 정리, '급수 $\sum\limits_{n=1}^{\infty} a_n$이 수렴하면 $\lim\limits_{n \to \infty} a_n = 0$'이라는 사실과 그 대우까지 합하면 수열의 극한에 대한 명제의 참, 거짓을 판단할 때, 판단의 근거로 이용할 수 있는 성질의 모든 것이라 할 수 있다.

그럼, 이제부터 위에서 말한 내용을 토대로 몇 가지 명제들의 참, 거짓을 판단해 보자.

[명제 1] $\lim\limits_{n \to \infty} a_n = \infty$, $\lim\limits_{n \to \infty} b_n = \infty$이면 $\lim\limits_{n \to \infty} (a_n - b_n) = 0$이다. (×)

무한대의 의미를 살려 그대로 해석해 보면 '양의 무한대로 발산하는 수열끼리의 차는 0 으로 수렴한다.'이다. 두 수열이 양의 무한대로 발산하더라도 어떻게 발산하느냐에 따라 결과는 다르다. 예를 들어 $a_n = n^2$, $b_n = n$이면 $\lim\limits_{n \to \infty} a_n = \infty$, $\lim\limits_{n \to \infty} b_n = \infty$이지만 $\lim\limits_{n \to \infty} (a_n - b_n) = \infty$이다. 따라서 거짓이다.

[명제 2] $\lim\limits_{n \to \infty} a_n = \infty$, $\lim\limits_{n \to \infty} b_n = -\infty$이면 $\lim\limits_{n \to \infty} (a_n - b_n) = \infty$이다. (○)

'양의 무한대로 발산하는 수열에서 음의 무한대로 발산하는 수열을 빼면 양의 무한대로 발산한다.'이다. 직관적으로 이해가 되었다면 좋고 그렇지 않다면 이렇게 생각해 보자. $\lim\limits_{n \to \infty} b_n = -\infty$이므로 b_n의 모든 항에 -1을 곱해 주면 $\lim\limits_{n \to \infty} (-b_n) = \infty$이다. 따라서 $\lim\limits_{n \to \infty} \{a_n + (-b_n)\} = \infty$이므로 참이다.

[명제 3] $\lim\limits_{n \to \infty} (a_n - b_n) = 0$, $\lim\limits_{n \to \infty} a_n = \alpha$이면 $\lim\limits_{n \to \infty} b_n = \alpha$이다. (단, α는 상수) (○)

참이라고 판단하는 근거를 '$\lim\limits_{n \to \infty} a_n = \lim\limits_{n \to \infty} b_n = \alpha$이면 $\lim\limits_{n \to \infty} (a_n - b_n) = 0$'으로부터 찾는 경우가 많지만 좀 더 엄밀하게 생각해 보자. 만약 수열 $\{b_n\}$이 발산한다면 절대로 $\lim\limits_{n \to \infty} (a_n - b_n) = 0$일 수 없다.

즉, 수열 $\{b_n\}$이 수렴하는 것은 분명하다. $\lim\limits_{n \to \infty} b_n = \beta$(단, β는 상수)로 놓으면 $\lim\limits_{n \to \infty} (a_n - b_n) = \alpha - \beta$인데 이것이 0이므로 $\beta = \alpha$, 즉 $\lim\limits_{n \to \infty} b_n = \alpha$임을 알 수 있다.

따라서 참이다. 더 확실한 방법은 $a_n - b_n = c_n$으로 놓으면 $b_n = a_n - c_n$이므로 $\lim\limits_{n \to \infty} b_n = \alpha$ 임을 수열의 극한의 성질로 밝힐 수 있다.

[명제 4] $\lim\limits_{n \to \infty}(a_n - b_n) = 0$이면 두 수열 $\{a_n\}$, $\{b_n\}$은 같은 값으로 수렴한다. (✕)

참인 명제 같지만 두 수열 $\{a_n\}$, $\{b_n\}$이 똑같이 발산해도 $\lim\limits_{n \to \infty}(a_n - b_n) = 0$일 수 있다. 예를 들어 $a_n = b_n = n$이면 $\lim\limits_{n \to \infty}(a_n - b_n) = 0$이지만 두 수열 $\{a_n\}$, $\{b_n\}$은 모두 발산한다. 따라서 거짓이다.

[명제 5] 수렴하는 두 수열 $\{a_n\}$, $\{b_n\}$에 대하여 $a_n \neq b_n$이면 $\lim\limits_{n \to \infty}a_n \neq \lim\limits_{n \to \infty}b_n$이다. (✕)

이미 우리는 아주 훌륭한 반례를 알고 있다. '수렴하는 두 수열 $\{a_n\}$, $\{b_n\}$에 대하여 $a_n < b_n$이면 $\lim\limits_{n \to \infty}a_n \leq \lim\limits_{n \to \infty}b_n$이다.', 즉 두 수열이 다르더라도 목적지는 같을 수 있다. 예를 들어 $a_n = \dfrac{1}{n}$, $b_n = \dfrac{2}{n}$이면 $a_n \neq b_n$이지만 $\lim\limits_{n \to \infty}a_n = \lim\limits_{n \to \infty}b_n = 0$이다. 따라서 거짓이다.

[명제 6] 두 수열 $\{a_n\}$, $\{b_n\}$이 발산하면 수열 $\{a_n b_n\}$도 발산한다. (✕)

무의식 중에 발산을 '무한대로의 발산'으로 착각하고 있다면 맞다고 생각할 수도 있지만 무한대로 발산하지 않는 발산인 '진동'을 잊지 말자.

$\{a_n\}$: 1, 0, 1, 0, $\cdots$, $\{b_n\}$: 0, 1, 0, 1, $\cdots$이면 두 수열 $\{a_n\}$, $\{b_n\}$은 발산하지만 수열 $\{a_n b_n\}$은 0으로 수렴한다. 따라서 거짓이다.

[명제 7] $\sum\limits_{n=1}^{\infty} a_n$이 수렴하면 $\sum\limits_{n=1}^{\infty} \dfrac{1}{a_n}$은 발산한다. (단, $a_n \neq 0$) (○)

$\sum\limits_{n=1}^{\infty} a_n$이 수렴하므로 $\lim\limits_{n \to \infty}a_n = 0$이고 가정에서 $a_n \neq 0$이므로 $\lim\limits_{n \to \infty}\dfrac{1}{a_n} = \pm\infty$이다. 즉,

$\sum\limits_{n=1}^{\infty} \dfrac{1}{a_n}$은 발산한다. 따라서 참이다.

이상에서 살펴본 몇 가지 예에서 주어진 명제가 거짓임을 보이려면 반례의 제시가 필수임을 알 수 있다. 즉, 수열의 극한의 성질을 잘 이해하고 있더라도 그것만으로 명제의 참, 거짓을 판단하기가 쉽지 않은 경우들이 많다. 따라서 많은 문제를 풀어 반례를 찾는 연습을 해 둘 필요가 있다. 또 대표적인 반례들을 기억해 두는 것도 도움이 될 수 있다.

TOPIC (2) 조화급수와 교대급수

1. 조화급수

조화급수(Harmonic Series)란, $\sum\limits_{n=1}^{\infty} a_n$에서 수열 $\{a_n\}$이 조화수열❶인 급수를 말한다. 조화

급수 중에서 가장 간단한 급수는 자연수의 역수의 합으로 이루어진

$$\sum_{n=1}^{\infty} \frac{1}{n} = 1 + \frac{1}{2} + \frac{1}{3} + \cdots + \frac{1}{n} + \cdots ❷$$

로 이 급수는

각 항은 점차 작아져서 0에 한없이 가까워지지만 그 합은 무한대가 된다.

또한 이를 통해 짝수의 역수의 합으로 이루어진 급수와 홀수의 역수의 합으로 이루어진 급수
도 합이 무한대가 됨을 알 수 있다.

(1) $\sum\limits_{n=1}^{\infty} \dfrac{1}{n} = 1 + \dfrac{1}{2} + \dfrac{1}{3} + \dfrac{1}{4} + \cdots = \infty$

(2) $\sum\limits_{n=1}^{\infty} \dfrac{1}{2n} = \dfrac{1}{2} + \dfrac{1}{4} + \dfrac{1}{6} + \dfrac{1}{8} + \cdots = \infty$

(3) $\sum\limits_{n=1}^{\infty} \dfrac{1}{2n-1} = 1 + \dfrac{1}{3} + \dfrac{1}{5} + \dfrac{1}{7} + \cdots = \infty$

[증명] (1) $\sum\limits_{n=1}^{\infty} \dfrac{1}{n} = 1 + \dfrac{1}{2} + \dfrac{1}{3} + \dfrac{1}{4} + \dfrac{1}{5} + \dfrac{1}{6} + \dfrac{1}{7} + \dfrac{1}{8} + \cdots$

$$> 1 + \frac{1}{2} + \frac{1}{4} + \frac{1}{4} + \frac{1}{8} + \frac{1}{8} + \frac{1}{8} + \frac{1}{8} + \cdots$$

$$= 1 + \frac{1}{2} + 2 \cdot \frac{1}{4} + 4 \cdot \frac{1}{8} + \cdots$$

$$= 1 + \frac{1}{2} + \frac{1}{2} + \frac{1}{2} + \cdots$$

$$= \infty \ ■$$

---

❶ 조화수열은 각 항의 역수(逆數)가 등차수열을 이루는 수열이다.
❷ 이 급수는 수열의 항의 극한값이 0임에도 급수의 합은 수렴하지 않는 예로 자주 등장한다. 최초 10^{43}개의 항을 모
   두 더해도 100을 넘지 않을 정도로 발산하는 속도가 매우 느리지만 급수는 여전히 ∞로 발산한다. 이때 그 합은
   $\log n$과 같이 천천히 증가한다.

(2) $H_n=\sum_{k=1}^{n}\dfrac{1}{k}$, $E_n=\sum_{k=1}^{n}\dfrac{1}{2k}$ 이라 하면

$$E_n=\dfrac{1}{2}+\dfrac{1}{4}+\dfrac{1}{6}+\cdots+\dfrac{1}{2n}=\dfrac{1}{2}\left(1+\dfrac{1}{2}+\dfrac{1}{3}+\cdots+\dfrac{1}{n}\right)=\dfrac{1}{2}H_n$$

$$\therefore \lim_{n\to\infty}E_n=\lim_{n\to\infty}\dfrac{1}{2}H_n=\infty \ \blacksquare$$

(3) $O_n=\sum_{k=1}^{n}\dfrac{1}{2k-1}$, $H_n=\sum_{k=1}^{n}\dfrac{1}{k}$, $E_n=\sum_{k=1}^{n}\dfrac{1}{2k}$ 이라 하면

$$O_n=1+\dfrac{1}{3}+\dfrac{1}{5}+\cdots+\dfrac{1}{2n-1}=H_{2n}-E_n=H_{2n}-\dfrac{1}{2}H_n$$

그런데 $O_n=H_{2n}-\dfrac{1}{2}H_n>\dfrac{1}{2}H_n$ 이므로

$$\lim_{n\to\infty}O_n=\lim_{n\to\infty}\left(H_{2n}-\dfrac{1}{2}H_n\right)\geq\lim_{n\to\infty}\dfrac{1}{2}H_n$$

이때 $\lim_{n\to\infty}\dfrac{1}{2}H_n=\infty$ 이므로 $\qquad \lim_{n\to\infty}O_n=\infty$[3] $\blacksquare$

2. 교대급수

교대급수(Alternating Series)란, $\sum_{n=1}^{\infty}a_n$ 에서 수열 $\{a_n\}$이 각 항의 부호가 교대로 바뀌는 수열인 급수를 말한다. 다음은 자주 등장하는 교대급수의 한 예이다.

$$\sum_{n=1}^{\infty}(-1)^{n-1}\dfrac{1}{n}=1-\dfrac{1}{2}+\dfrac{1}{3}-\dfrac{1}{4}+\dfrac{1}{5}-\dfrac{1}{6}+\cdots$$

교대급수 $\sum_{n=1}^{\infty}a_n$이 수렴하기 위해서는 다음 2가지 조건을 반드시 만족시켜야 한다.

(1) $|a_{n+1}|\leq|a_n|$ (2) $\lim_{n\to\infty}|a_n|=0$

---

[3] "$\lim_{n\to\infty}\dfrac{1}{2}H_n$이 발산하면 $\lim_{n\to\infty}O_n$도 발산한다."라는 명제는 '비교판정법'에 의해 성립한다.

[비교판정법] $0\leq a_n\leq b_n$일 때

(1) $\sum_{n=1}^{\infty}b_n$이 수렴하면 $\sum_{n=1}^{\infty}a_n$도 수렴한다.

(2) $\sum_{n=1}^{\infty}a_n$이 발산하면 $\sum_{n=1}^{\infty}b_n$도 발산한다.

교대급수 $\sum\limits_{n=1}^{\infty} a_n$이 수렴할 때, 그 교대급수의 합은

$$\lim_{n\to\infty} S_{2n-1} = \lim_{n\to\infty} S_{2n} = \alpha \left(\text{단, } S_n = \sum_{k=1}^{n} a_k,\ \alpha \text{는 상수}\right)$$

일 때의 극한값 α가 된다.

이는 짝수 번째 항까지의 급수의 합[4]과 홀수 번째 항까지의 급수의 합이 같은 값으로 수렴해야 원래의 급수도 수렴하게 된다는 것이다. 이때 부분합 S_{2n} 또는 S_{2n-1}의 극한값 α가 급수의 수렴값이다.

한편 교대급수 $A_n = \lim\limits_{n\to\infty} \sum\limits_{k=1}^{n} (-1)^{k-1} \dfrac{1}{k}$ 과 조화급수 $H_n = \lim\limits_{n\to\infty} \sum\limits_{k=1}^{n} \dfrac{1}{k}$ 사이에는

$$H_{2n} - H_n = A_{2n} \quad \text{[5]}$$

의 관계가 성립한다. 위의 식이 성립함은 다음과 같이 $\dfrac{1}{2} H_n$을 이용하면 쉽게 알 수 있다.

$$H_{2n} - \frac{1}{2} H_n = 1 + \frac{1}{3} + \frac{1}{5} + \frac{1}{7} + \frac{1}{9} + \cdots$$
$$-\underline{) \qquad \frac{1}{2} H_n = \frac{1}{2} + \frac{1}{4} + \frac{1}{6} + \frac{1}{8} + \cdots}$$
$$H_{2n} - H_n \quad = 1 - \frac{1}{2} + \frac{1}{3} - \frac{1}{4} + \frac{1}{5} - \frac{1}{6} + \cdots = A_{2n}$$

TOPIC (3) 그래프를 이용하여 극한값 구하기

$a_{n+1} = \sqrt{2 + a_n}$, $a_1 = 1$을 만족시키는 수열 $\{a_n\}$에 대하여 극한값 $\lim\limits_{n\to\infty} a_n$은 어떻게 구할까?

앞에서 다룬 수열의 극한값을 구하는 방법으로는 풀 수 없는 문제 중 하나이다. 하지만 그렇다고 해서 극한값을 구하지 못하는 것은 아니다. 그래프를 이용하면 극한값을 쉽게 구할 수 있다. 구체적으로 어떻게 그래프를 이용하여 수열의 극한값을 구하는지 살펴보기로 하자.

우선 $a_{n+1} = \sqrt{2 + a_n}$에서 a_n을 x에, a_{n+1}을 y에 대응시킨 함수 $y = \sqrt{2 + x}$와 보조함수인 $y = x$의 그래프를 생각해 보자.

---

[4] 짝수 번째 항들의 합이 아니라 짝수 번째 항까지의 합이라는 데 유의하자.
[5] 이 명제가 성립함을 보이는 것이 2009학년도 입시 울산대학교 의과대학 수시면접 문제였다.

x축 위의 점 $(a_1,\,0)$을 시작으로 하여 x축에 수직인 직선 $x=a_1$을 그리면 곡선과의 교점의 y좌표는 a_2가 된다. 이때 y축에 수직인 직선 $y=a_2$를 그어 직선 $y=x$와 만나는 점의 x좌표를 구하면 a_2가 된다. 같은 방법으로 직선 $x=a_2$를 그리면 곡선과의 교점의 y좌표는 a_3이 되고, 직선 $y=a_3$과 직선 $y=x$의 교점의 x좌표는 a_3이 된다.

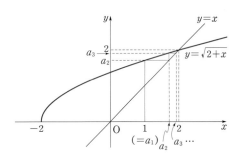

이러한 방법으로 $a_4,\ a_5,\ a_6,\ \cdots$을 구해 보면 위의 그림에서와 같이 a_n은 점차 곡선 $y=\sqrt{2+x}$와 직선 $y=x$의 교점의 x좌표인 2에 한없이 가까워짐을 알 수 있다. 즉, $\displaystyle\lim_{n\to\infty}a_n=2$가 된다.

이와 같이 그래프를 이용하는 방법은 프랑스의 수학자 피카르(charles Emile Picard : 1856~1941)가 생각해 낸 것으로, 수열이 분수식이나 무리식의 점화식으로 주어져서 그 일반항을 쉽게 구할 수 없을 때, 일반항을 구하지 않고 그 극한값을 바로 구할 수 있는 방법이다.

기억나는가? 우리는 수열 $\{a_n\}$이 수렴한다는 조건만 있으면

$$\lim_{n\to\infty}a_{n+1}=\lim_{n\to\infty}a_n=\alpha \text{ (단, } \alpha\text{는 상수)}$$

로 두고서 α에 대한 방정식을 풀어 극한값을 구할 수 있다는 것을 배웠다. 이에 대해 '왜 그럴까?' 궁금해 했던 학생이었다면 위의 그래프를 본 순간 '아하!'하고 이해되었으리라 본다. 점화식으로 주어진 수열 $\{a_n\}$의 극한값이 존재한다면 그 점화식을 통해 생긴 함수의 그래프와 직선 $y=x$의 교점의 x좌표가 바로 극한값이라는 것이다. 이때 그 교점은 직선 $y=x$ 위의 점이므로 곧바로 $\displaystyle\lim_{n\to\infty}a_{n+1}=\lim_{n\to\infty}a_n=\alpha$로 치환한 방정식으로 해결한 것이다.

Sub Note 121쪽

APPLICATION 01 수열 $\{a_n\}$이 다음 조건을 만족시킬 때, 수열 $\{a_n\}$의 수렴, 발산을 조사하고, 수렴하면 그 극한값을 구하여라.

(1) $a_{n+1}=2a_n+1,\ a_1=1$

(2) $a_{n+1}=\dfrac{1}{2}a_n+1,\ a_1=1$

(3) $a_{n+1}=\dfrac{2a_n}{a_n+1},\ a_1=3$

(4) $a_{n+1}=\sqrt{3+2a_n},\ a_1=2$

(5) $a_{n+1}=3-\dfrac{10}{a_n+4},\ a_1=a$ (단, $a\geq-2$)

01. 수열의 극한의 수학적인 정의

수열의 극한값을 구하는 방법을 배운 학생이라면 $\lim_{n \to \infty} \dfrac{1}{n} = 0$임을 쉽게 알 수 있을 것이다. 하지만 누군가가 정말로 $\lim_{n \to \infty} \dfrac{1}{n} = 0$인지를 증명해 보라고 한다면 우리는 어떻게 대답할 수 있을까?

우리가 지금까지 배운 범위 내에서라면

(1) $n=1$, $n=2$, $n=3$, $\cdots$ 을 차례로 대입해 보면 $\dfrac{1}{n}$이 점점 0에 가까워진다.

(2) 함수 $y = \dfrac{1}{x}$의 그래프를 그려 보면 $x \to \infty$로 갈 때 y의 값이 점점 0으로 가까워진다.

는 식으로 주장해 볼 수 있을 것이다.

하지만 엄밀히 따져 보면 이러한 방법들은 어디까지나 **수열이 0으로 수렴할 것을** '예측'하는 것이지 그것을 '증명'한 것은 아니다. 즉, 우리가 알고 있는 수열의 극한값의 계산이라는 것은 사실 '수렴할 것으로 예상되는 값'을 구하는 것이지 직접 수렴하는 값을 구하는 것은 아니라는 것이다.

이것이 지금까지 우리가 다뤄왔던 다른 단원들과 극한 단원 사이의 가장 큰 차이점이다. 방정식을 풀든 부등식을 풀든 그 어떤 식을 풀든 간에 다른 단원에서는 언제나 수학적으로 논리적인 증명을 통하여 답을 구해낸다. 그런데 수열의 수렴과 발산의 정의, 극한에 대한 기본 성질, 극한값을 구하는 방법, 극한의 대소 관계 그리고 샌드위치 정리까지 수열의 극한 단원에서 배우는 내용은 하나같이 그 증명과정은 생략하고 단지 내용들을 직관적으로 이해하여 활용하고 있을 뿐이다. 수열의 극한을 공부해 본 학생이라면 누구나 좀 더 엄밀한 수열의 극한의 정의는 무엇인지, 당연해 보이는 수열의 극한에 대한 성질을 어떻게 증명해야 할지 궁금증을 가져봤을 것이다.

$$\Phi = \frac{1}{3} \cdot \left[h_{\mathrm{I}} (r_{\mathrm{I}_2}^3 - r_{\mathrm{I}_1}^3) + h_{\mathrm{II}} (r_{\mathrm{II}_2}^3 - r_{\mathrm{II}_1}^3) + h_{\mathrm{III}} (r_{\mathrm{III}_2}^3 - r_{\mathrm{III}_1}^3) \right]$$

결론부터 이야기하자면 수열의 극한을 수학적으로 엄밀하게 정의하는 방법은 있다.
바로 아래 내용이 수열의 극한을 수학적으로 정의한 것이다.

> **수열의 극한의 정의**
>
> 수열 $\{a_n\}$이 α에 수렴한다. 즉, $\lim\limits_{n \to \infty} a_n = \alpha$
>
> $\iff$ 임의의 ε[1]>0에 대하여 ε에 따라 결정되는 적당한 자연수 N이 존재하여, $n \geq N$인 모든 n에 대하여 $|a_n - \alpha| < \varepsilon$이 성립한다.

[1] ε은 그리스 문자의 5번째 글자로 엡실론이라 부른다.

이것을 한 번 읽고 이해할 수 있다면 좋겠지만 아마 대부분의 학생들의 경우 '뭐라는 거지?' 이럴 것이 분명하다. 사실 대학생들도 쉽게 이해하기 어려운 내용이니 자괴감에 빠질 필요는 없다. 이 정의를 이용하면 우리가 의문을 갖고 있던 내용들, 예컨대 수렴하는 두 수열의 각각의 극한값의 합이 두 수열의 합의 극한값과 같다는 수열의 극한에 대한 성질을 증명할 수 있다.

여기에서 수열의 극한의 수학적인 정의를 소개하는 까닭은 이 정의를 이해해 보자는 것도 아니고 정의를 이용하여 수열의 극한의 성질을 증명해 보자는 것도 아니다.

바로 수열의 극한 단원에서 학생들이 갖는 불확실한 느낌을 버릴 수 있도록 도와주기 위함이다.

우리는 위의 정의를 이용하여 어떤 값이 주어진 수열의 극한값임을 증명할 수는 있어도 임의의 수열의 극한값을 구할 수는 없다. 즉, 위의 정의는

> 어떤 수열의 극한값을 먼저 예상한 다음 그것이 극한값임을 증명할 수 있도록 도울 뿐, 극한값의 계산에 대한 어떤 단서도 제공하지 않는다.

대학교 수준의 수학에서도 수열의 극한값의 계산이 직관에 근거한 예측이라는 점에서는 고등학교 수준과 다를 바가 없다는 것이다. 다만, 그 값이 수학적으로 확실한 극한값임을 증명할 수 있다는 점만 다를 뿐이다.

따라서 고등학교 수준의 수열의 극한에서는 직관에 의존할 수밖에 없으니 이 부분에 대해서 불완전하다는 느낌, 무언가 확실치 않다는 느낌이 생기더라도 그것을 당연하게 받아들이도록 하자.

SUMMA CUM LAUDE

위대한 사람은 단번에 그와 같이
높은 곳에 뛰어오른 것이 아니다.
동반자들이 밤에 단잠을 잘 때, 그는 일어나서
괴로움을 이기고 일에 몰두했던 것이다.
인생은 자고 쉬는 데 있는 것이 아니라
한 걸음 한 걸음 걸어 나아가는 데 있다.

- 브라우닝

CHAPTER II
미분법

숨마쿰라우데®
[미적분]

INTRO to Chapter II
미분법

미분은 변화하는 양을 살펴보는 수학적 도구이다. 물체의 운동을 연구하는 물리학과 천문학의 도구가 되는 것은 물론이고, 기후의 변화, 인구의 증감, 전염병의 전파, 가격의 변화 등 여러 가지 변화하는 양에 대하여 살펴보고 가까운 미래를 예측하는 데에 미분법만한 도구는 아직 없다.

본 단원의 구성에 대하여...

다양한 함수의 도함수를 구한다.

미분은 수학의 꽃이라고 불리는 만큼 수학에서 중요시 하는 개념이다. 수학적으로 볼 때 미분은 함수의 변화율을 연구하는 도구이다. 그런데 이 변화율은 비단 수학뿐만 아니라 다양한 현상에 적용되는 개념이어서 미분은 자연과학은 물론 사회과학이나 경제학 등 모든 분야의 연구에 절대적으로 필요하다. 이런 이유로 장차 어느 학과를 택하든 미분의 개념을 잘 배워두는 것은 참으로 중요하다고 볼 수 있다.

수학Ⅱ에서는 다항함수를 바탕으로 미분에 접근하였다면 이제는 지수함수, 로그함수, 삼각함수, 합성함수, 역함수 등 다양한 함수에 대해 미분을 적용시켜 볼 것이다.
일상생활의 현상들이 다항함수로만 표현되지 않고 여러 가지 형태의 함수로 표현되는 만큼 그 변화를 예측하기 위해서는 위 함수들의 미분에 관심을 가질 필요가 있다. 그래서 이 단원에서는 여러 가지 함수의 미분법에 대해 자세히 공부할 것이다.
어떤 함수에 대해 그 도함수를 구할 때에는 일차적으로 기본적인 정의에 의해 유도하여 제대로 파악하는 것이 무엇보다도 중요하다. 단순히 공식처럼 도함수를 암기하는 것은 학습에 아무 도움이 되지 못한다. 간단한 정리라 하더라도 되도록 자기 손으로 하나하나 유도해 보는 노력이 필요하다.

수학Ⅱ에서 미분과 적분에 대해 이미 배웠기에 이 단원에서 배운 미분을 함수의 연속이나 적분과 충분히 연계하여 학습할 수 있지만 여러 가지 함수의 적분에 대해서는 다음 단원에서 학습하게 되므로 이 단원에서는 함수의 연속과 연계한 문제들에 한하여 다루게 될 것이다. 집을 지을 때 기초를 탄탄히 쌓아야 된다고 했던가? 함수의 극한과 연속 그리고 미분과 적분은 앞으로 여러분들이 배워나갈 수학의 기초가 될 것이다. 하나씩 하나씩 기초를 다져나가 앞으로 주어질 난제들에 대비하도록 하자!

이 단원은 무엇을 공부할까?

이 단원은 지수함수와 로그함수의 미분, 삼각함수의 미분, 여러 가지 미분법, 도함수의 활용으로 구성되어 있다.
지수함수와 로그함수, 삼각함수의 미분을 배운 후 이를 바탕으로 여러 가지 미분법에서는 여러 함수들의 도함수를 구하는 방법을 배우게 되는데 이때 도함수를 유도하는 과정을 반드시 스스로 증명해 보기를 다시 한 번 강조한다. 한 예로 역함수의 정의를 통해 도함수를 도출해 보지 않은 사람은 복잡한 문제가 주어졌을 때 미분계수를 구하는 과정에서 f^{-1}의 x자리에 어떤 수를 넣어야 할지 고민되는 순간을 맞이할 것이다. 따라서 모든 공식의 유도 과정을 자세히 살펴보길 바란다.

함수의 몫의 미분법을 배우게 되면 분수함수 및 $\sin x$, $\cos x$를 제외한 삼각함수들의 미분을 할 수 있게 되며, 합성함수의 미분법을 배우게 되면 $a^{f(x)}$, $\ln|f(x)|$ 꼴의 지수함수와 로그함수의 미분도 할 수 있게 된다. 아울러 로그미분법이라는 강력한 미분 방법도 접하게 된다. 또한 용어가 조금 생소하겠지만 매개변수로 나타낸 함수의 미분법을 배우게 되면 $x=\dfrac{t}{t+2}$, $y=\dfrac{1}{t-1}$에서 매개변수 t를 소거하지 않고 미분할 수 있게 되고, 음함수의 미분법을 배우게 되면 방정식 $x^2-xy+y^2-y-10=0$의 꼴도 미분할 수 있게 된다.

도함수를 한 번 더 미분하여 얻은 이계도함수로 보다 정확한 그래프의 개형을 추정할 수 있게 되는데 그래프의 개형을 그릴 수 있게 되면 이를 바탕으로 대부분의 미적분의 활용 문제를 해결할 수 있기 때문에 그리기 연습을 꾸준히 할 필요가 있다.

간단한 도식으로 앞으로 어떤 것을 배우게 되는지 다시 한 번 눈여겨 보자.

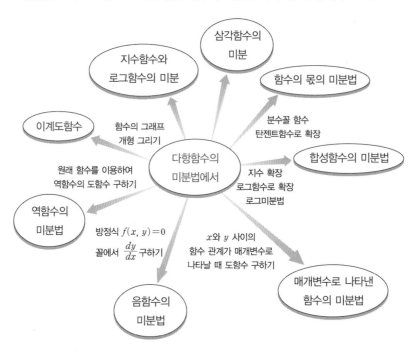

미적분에서는 수학Ⅱ와는 달리 더욱 복잡한 함수들(삼각함수, 지수함수, 로그함수 등)을 다루기 때문에 더 어렵다고 느껴질 수 있다. 하지만 미분법에 대한 확실한 이해만 있다면 모든 것은 수학Ⅱ와 크게 다르지 않으므로 함수의 모양만 보고 당황할 필요는 없다. 여러분은 이 단원에서 새로운 것을 배우는 것이 아니라 같은 것에 더욱 익숙해지게 될 것이다.

01 지수함수와 로그함수의 극한

S U M M A   C U M   L A U D E

ESSENTIAL LECTURE

1 지수함수와 로그함수의 극한

(1) 지수함수 $y=a^x(a>0,\ a\neq1)$의 극한

① $\lim\limits_{x\to r} a^x = a^r$

② $a>1$일 때 $\lim\limits_{x\to\infty} a^x = \infty$, $\lim\limits_{x\to-\infty} a^x = 0$

③ $0<a<1$일 때 $\lim\limits_{x\to\infty} a^x = 0$, $\lim\limits_{x\to-\infty} a^x = \infty$

(2) 로그함수 $y=\log_a x\,(a>0,\ a\neq1)$의 극한

① $\lim\limits_{x\to r}\log_a x = \log_a r$ (단, $r>0$)

② $a>1$일 때 $\lim\limits_{x\to\infty}\log_a x = \infty$, $\lim\limits_{x\to0+}\log_a x = -\infty$

③ $0<a<1$일 때 $\lim\limits_{x\to\infty}\log_a x = -\infty$, $\lim\limits_{x\to0+}\log_a x = \infty$

2 무리수 e와 자연로그

(1) 무리수 e : $\lim\limits_{x\to0}(1+x)^{\frac{1}{x}} = e$, $\lim\limits_{x\to\infty}\left(1+\dfrac{1}{x}\right)^x = e$

(2) 자연로그 : 무리수 e를 밑으로 하는 로그 $\log_e x$를 x의 자연로그라 하고 이것을 간단히 $\ln x$와 같이 나타낸다.

(3) 무리수 e를 이용한 지수함수와 로그함수의 극한

$a>0$, $a\neq1$일 때, 다음이 성립한다.

① $\lim\limits_{x\to0}\dfrac{\ln(1+x)}{x} = 1$ ② $\lim\limits_{x\to0}\dfrac{e^x-1}{x} = 1$

③ $\lim\limits_{x\to0}\dfrac{\log_a(1+x)}{x} = \dfrac{1}{\ln a}$ ④ $\lim\limits_{x\to0}\dfrac{a^x-1}{x} = \ln a$

1 지수함수와 로그함수의 극한

지수함수와 로그함수의 미분을 공부하기에 앞서 극한에 대하여 알아보도록 하자.

기본적인 지수함수와 로그함수의 극한은 수학 II 에서 배운 함수의 극한에 대한 성질과 수학 I 에서 배운 지수함수와 로그함수의 그래프를 이용하여 쉽게 구할 수 있다.

(1) 지수함수 $y=a^x (a>0, \ a \neq 1)$의 극한

다음 지수함수의 그래프를 살펴보자.

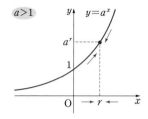 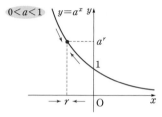

위 그래프로부터 지수함수 $y=a^x (a>0, \ a \neq 1)$은 모든 실수에서 연속임을 알 수 있다. 즉 모든 실수에 대하여 극한값이 함숫값과 같으므로 임의의 실수 r에 대하여

$$\lim_{x \to r} a^x = a^r$$

임을 알 수 있다.

한편 $x \to \infty$ 또는 $x \to -\infty$일 때 지수함수 $y=a^x (a>0, \ a \neq 1)$의 극한은 a의 값의 범위에 따라 달라지는데, 이를 지수함수의 그래프를 통해 확인할 수 있다.

(ⅰ) $a>1$일 때

    $x \to \infty$이면 a^x의 값은 한없이 커진다.

➡ $\displaystyle\lim_{x \to \infty} a^x = \infty$

    $x \to -\infty$이면 a^x의 값은 0에 한없이 가까워진다.

➡ $\displaystyle\lim_{x \to -\infty} a^x = 0$

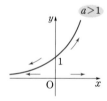

(ⅱ) $0<a<1$일 때

    $x \to \infty$이면 a^x의 값은 0에 한없이 가까워진다.

➡ $\displaystyle\lim_{x \to \infty} a^x = 0$

    $x \to -\infty$이면 a^x의 값은 한없이 커진다.

➡ $\displaystyle\lim_{x \to -\infty} a^x = \infty$

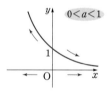

이와 같이 a의 값의 범위에 따라 그래프의 모양이 바뀌어 $x \to \infty$ 또는 $x \to -\infty$일 때의 극한이 달라지므로 이에 유의하여야 한다.

지수함수 $y=a^x (a>0, \ a \neq 1)$의 극한

(1) $\displaystyle\lim_{x \to r} a^x = a^r$

(2) $a>1$일 때 $\displaystyle\lim_{x \to \infty} a^x = \infty$, $\displaystyle\lim_{x \to -\infty} a^x = 0$

(3) $0<a<1$일 때 $\displaystyle\lim_{x \to \infty} a^x = 0$, $\displaystyle\lim_{x \to -\infty} a^x = \infty$

다음 극한을 조사하여라.　　　　　　　　　　　　　Sub Note 009쪽

(1) $\lim\limits_{x \to 0}\left(\dfrac{3}{5}\right)^x$　　　　(2) $\lim\limits_{x \to -1} 4^x$　　　　(3) $\lim\limits_{x \to \infty}\left(\dfrac{3}{2}\right)^x$　　　　(4) $\lim\limits_{x \to -\infty}\left(\dfrac{7}{8}\right)^x$

(2) 로그함수 $y = \log_a x\,(a > 0,\ a \neq 1)$의 극한

다음 로그함수의 그래프를 살펴보자.

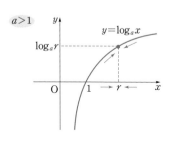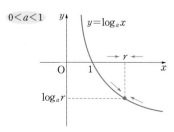

위 그래프로부터 로그함수 $y = \log_a x\,(a > 0,\ a \neq 1)$는 모든 양의 실수에서 연속임을 알 수 있다. 즉 모든 양의 실수에 대하여 극한값이 함숫값과 같으므로 임의의 양의 실수 r에 대하여

$$\lim_{x \to r} \log_a x = \log_a r$$

임을 알 수 있다.

한편 $x \to \infty$ 또는 $x \to 0+$일 때 로그함수 $y = \log_a x\,(a > 0,\ a \neq 1)$의 극한은 a의 값의 범위에 따라 달라지는데, 이를 로그함수의 그래프를 통해 확인할 수 있다.

(i) $a > 1$일 때

$x \to \infty$이면 $\log_a x$의 값은 한없이 커진다.

➡ $\lim\limits_{x \to \infty} \log_a x = \infty$

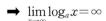

$x \to 0+$ [1]이면 $\log_a x$의 값은 한없이 작아진다.

➡ $\lim\limits_{x \to 0+} \log_a x = -\infty$

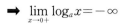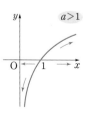

(ii) $0 < a < 1$일 때

$x \to \infty$이면 $\log_a x$의 값은 한없이 작아진다.

➡ $\lim\limits_{x \to \infty} \log_a x = -\infty$

$x \to 0+$이면 $\log_a x$의 값은 한없이 커진다.

➡ $\lim\limits_{x \to 0+} \log_a x = \infty$

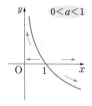

---

❶ 로그함수 $y = \log_a x\,(a > 0,\ a \neq 1)$의 정의역은 $\{x \mid x > 0\}$이므로 $x \to 0+$일 때의 극한만을 생각한다.

로그함수 역시 a의 값의 범위에 따라 그래프의 모양이 바뀌어 $x \longrightarrow \infty$ 또는 $x \longrightarrow 0+$ 일 때의 극한이 달라지므로 이에 유의하여야 한다.

로그함수 $y=\log_a x\,(a>0,\ a \ne 1)$의 극한

(1) $\displaystyle\lim_{x \to r} \log_a x = \log_a r$ (단, $r>0$)

(2) $a>1$일 때 $\qquad \displaystyle\lim_{x \to \infty} \log_a x = \infty,\ \lim_{x \to 0+} \log_a x = -\infty$

(3) $0<a<1$일 때 $\qquad \displaystyle\lim_{x \to \infty} \log_a x = -\infty,\ \lim_{x \to 0+} \log_a x = \infty$

APPLICATION 025 다음 극한을 조사하여라. Sub Note 009쪽

(1) $\displaystyle\lim_{x \to 9} \log_3 x$　　　(2) $\displaystyle\lim_{x \to 16} \log_{\frac{1}{2}} x$　　　(3) $\displaystyle\lim_{x \to \infty} \log_2 x$　　　(4) $\displaystyle\lim_{x \to 0+} \log_{\frac{1}{2}} x$

한편 함수 $f(x)$에 대하여 $f(x)>0$일 때 (단, $a>0$, $a \ne 1$이고 r는 실수)

$\displaystyle\lim_{x \to \infty} f(x)$가 존재하고 $\displaystyle\lim_{x \to \infty} f(x)>0$이면 $\qquad \displaystyle\lim_{x \to \infty} \log_a f(x) = \log_a \lim_{x \to \infty} f(x)$

$\displaystyle\lim_{x \to r} f(x)$가 존재하고 $\displaystyle\lim_{x \to r} f(x)>0$이면 $\qquad \displaystyle\lim_{x \to r} \log_a f(x) = \log_a \lim_{x \to r} f(x)$

가 성립함이 알려져 있다. 따라서 이를 이용하여 로그함수의 극한값을 구할 수 있다.

EXAMPLE 019 다음 극한값을 구하여라.

(1) $\displaystyle\lim_{x \to \infty} \frac{3^x - 2^x}{3^x + 2^x}$　　　　　　(2) $\displaystyle\lim_{x \to \infty} (3^x + 2^x)^{\frac{1}{x}}$

(3) $\displaystyle\lim_{x \to \infty} \left\{ \log_2 4x + \log_{\frac{1}{2}} (2x+3) \right\}$　　(4) $\displaystyle\lim_{x \to \infty} \left\{ \log_2 5^x - \log_2 (5^x + 3) \right\}$

ANSWER (1) 3^x으로 분모와 분자를 각각 나누면

$$\lim_{x \to \infty} \frac{3^x - 2^x}{3^x + 2^x} = \lim_{x \to \infty} \frac{1 - \dfrac{2^x}{3^x}}{1 + \dfrac{2^x}{3^x}} = \lim_{x \to \infty} \frac{1 - \left(\dfrac{2}{3}\right)^x}{1 + \left(\dfrac{2}{3}\right)^x} = \frac{1-0}{1+0} = 1 \ \blacksquare$$

(2) 3^x으로 묶으면

$$\lim_{x \to \infty} (3^x + 2^x)^{\frac{1}{x}} = \lim_{x \to \infty} \left[3^x \left\{ 1 + \left(\frac{2}{3}\right)^x \right\} \right]^{\frac{1}{x}} = \lim_{x \to \infty} 3 \left\{ 1 + \left(\frac{2}{3}\right)^x \right\}^{\frac{1}{x}} = 3 \cdot (1+0)^0 = 3 \ \blacksquare$$

(3) $\displaystyle\lim_{x \to \infty} \left\{ \log_2 4x + \log_{\frac{1}{2}} (2x+3) \right\} = \lim_{x \to \infty} \left\{ \log_2 4x - \log_2 (2x+3) \right\} = \lim_{x \to \infty} \log_2 \frac{4x}{2x+3}$

$$= \log_2 \lim_{x \to \infty} \frac{4x}{2x+3} = \log_2 \lim_{x \to \infty} \frac{4}{2 + \dfrac{3}{x}}$$

$$= \log_2 2 = 1 \ \blacksquare$$

$$(4) \lim_{x \to \infty} \{\log_2 5^x - \log_2 (5^x + 3)\} = \lim_{x \to \infty} \log_2 \frac{5^x}{5^x + 3} = \log_2 \lim_{x \to \infty} \frac{1}{1 + \frac{3}{5^x}}$$

$$= \log_2 1 = 0 \ \blacksquare$$

APPLICATION 026   다음 극한값을 구하여라.

Sub Note 010쪽

(1) $\lim_{x \to \infty} \dfrac{2^x + 1}{3^x - 1}$

(2) $\lim_{x \to \infty} \dfrac{3^x}{1 - 3^{x+1}}$

(3) $\lim_{x \to 1} \{\log_2 |x^2 - 1| - \log_2 |x^3 - 1|\}$

(4) $\lim_{x \to \infty} \log_2 (x - \sqrt{x^2 - 2x})$

② 무리수 e와 자연로그

(1) 무리수 e

$(1+x)^{\frac{1}{x}}$에 $x = \pm 0.1, \ \pm 0.01, \ \pm 0.001, \ \pm 0.0001,$ $\cdots$을 대입하여 계산하면 오른쪽 표와 같다.

이때 x의 값이 0에 한없이 가까워지면 $(1+x)^{\frac{1}{x}}$의 값은 어떤 일정한 값에 가까워짐을 알 수 있다.

실제로 $\lim_{x \to 0} (1+x)^{\frac{1}{x}}$은 일정한 값에 수렴한다는 것이 알려져 있고, 이 값을 e로 나타내기로 약속하였다. 즉

$$\lim_{x \to 0} (1+x)^{\frac{1}{x}} = e$$

이다. 이때 e는 무리수이고, 그 값은

$$e = 2.71828182845904\cdots$$

임이 알려져 있다.

x	$(1+x)^{\frac{1}{x}}$
0.1	$2.59374\cdots$
0.01	$2.70481\cdots$
0.001	$2.71692\cdots$
0.0001	$2.71814\cdots$
$\vdots$	$\vdots$
-0.0001	$2.71841\cdots$
-0.001	$2.71964\cdots$
-0.01	$2.73199\cdots$
-0.1	$2.86797\cdots$

한편 $\lim_{x \to 0} (1+x)^{\frac{1}{x}} = e$에서 $\dfrac{1}{x} = t$로 놓으면 $x \to 0+$일 때 $t \to \infty$이므로

$$\lim_{t \to \infty} \left(1 + \frac{1}{t}\right)^t = e, \ 즉 \ \lim_{x \to \infty} \left(1 + \frac{1}{x}\right)^x = e$$

와 같이 나타낼 수도 있다.

무리수 e

(1) $\lim_{x \to 0} (1+x)^{\frac{1}{x}} = e$

(2) $\lim_{x \to \infty} \left(1 + \frac{1}{x}\right)^x = e$

$\lim_{x \to \infty} (1+x)^{\frac{1}{x}} \neq e$

$\lim_{x \to 0} \left(1 + \frac{1}{x}\right)^x \neq e$

Ⅱ-1. 지수함수와 로그함수의 미분   **117**

또한 다음과 같은 다양한 식의 극한도 e가 됨을 충분히 생각할 수 있을 것이다. (간단히 역수 관계이면 된다.)

$$\lim_{x \to 0}(1+ax)^{\frac{1}{ax}}=e \qquad \lim_{x \to \infty}\left(1+\frac{1}{ax}\right)^{ax}=e \qquad \lim_{x \to \infty}\left(1+\frac{a}{x}\right)^{\frac{x}{a}}=e$$

(각 식 위: 역수)

이는 치환을 통해 쉽게 확인할 수 있다. 다음 **EXAMPLE** 020을 통해 무리수 e를 이용하여 극한을 구해 보자.

■ **E X A M P L E** 020 다음 극한값을 구하여라.

(1) $\displaystyle\lim_{x \to 0}(1+3x)^{\frac{1}{x}}$

(2) $\displaystyle\lim_{x \to \infty}\left(1+\frac{2}{x}\right)^{x}$

ANSWER (1) $\displaystyle\lim_{x \to 0}(1+3x)^{\frac{1}{x}}=\lim_{x \to 0}\{(1+3x)^{\frac{1}{3x}}\}^{3}=e^{3}$ ■

(2) $\displaystyle\lim_{x \to \infty}\left(1+\frac{2}{x}\right)^{x}=\lim_{x \to \infty}\left\{\left(1+\frac{2}{x}\right)^{\frac{x}{2}}\right\}^{2}=e^{2}$ ■

APPLICATION 027 다음 극한값을 구하여라. Sub Note 010쪽

(1) $\displaystyle\lim_{x \to 0}\left(1+\frac{x}{2}\right)^{\frac{3}{x}}$

(2) $\displaystyle\lim_{x \to \infty}\left(\frac{x+1}{x}\right)^{\frac{x}{2}}$

(3) $\displaystyle\lim_{x \to -\infty}\left(1-\frac{1}{2x}\right)^{3x}$

(4) $\displaystyle\lim_{x \to 1} x^{\frac{3}{x-1}}$

---

(2) 자연로그

로그 중에서 무리수 e를 밑으로 하는 로그 $\log_e x$를 x의 **자연로그**[2]라 하고 이것을 간단히 $\ln x$와 같이 나타낸다.

$\ln x=\log_e x$이므로 로그의 성질에 의하여

$$\ln e=\log_e e=1, \quad \ln 1=\log_e 1=0$$

이 성립한다.

한편 함수 $y=\ln x=\log_e x$의 역함수는 지수함수 $y=e^x$이 되고 그래프는 오른쪽 그림과 같다.

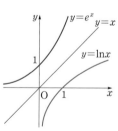

---

❷ 자연로그는 로그의 특수한 경우이므로 로그의 성질이 모두 성립한다.

다음 네 가지 식은 무리수 e와 함께 극한을 구할 때 자주 등장하므로 잘 기억해 두도록 하자.

무리수 e를 이용한 지수함수와 로그함수의 극한

$a>0$, $a\neq1$일 때 다음이 성립한다.

(1) $\displaystyle\lim_{x\to0}\frac{\ln(1+x)}{x}=1$ (2) $\displaystyle\lim_{x\to0}\frac{e^x-1}{x}=1$

(3) $\displaystyle\lim_{x\to0}\frac{\log_a(1+x)}{x}=\frac{1}{\ln a}$ (4) $\displaystyle\lim_{x\to0}\frac{a^x-1}{x}=\ln a$

무리수 e와 로그의 정의를 이용하여 위의 식을 증명하면 다음과 같다.

[증명] (1) $\displaystyle\lim_{x\to0}\frac{\ln(1+x)}{x}=\lim_{x\to0}\frac{1}{x}\ln(1+x)=\lim_{x\to0}\ln(1+x)^{\frac{1}{x}}$

$$=\ln e=1$$

(2) $e^x-1=t$로 놓으면

$$e^x=1+t \qquad \therefore\ x=\ln(1+t)$$

이때 $x\to0$일 때 $t\to0$이므로

$$\lim_{x\to0}\frac{e^x-1}{x}=\lim_{t\to0}\frac{t}{\ln(1+t)}=\lim_{t\to0}\frac{1}{\dfrac{\ln(1+t)}{t}}=1$$

(3) $\displaystyle\lim_{x\to0}\frac{\log_a(1+x)}{x}=\lim_{x\to0}\frac{1}{x}\log_a(1+x)$

$$=\lim_{x\to0}\log_a(1+x)^{\frac{1}{x}}=\log_a e$$

$$=\frac{1}{\ln a}$$

$$\boxed{\lim_{\bullet\to0}\frac{\log_a(1+\bullet)}{\bullet}=\frac{1}{\ln a}}$$

(4) $a^x-1=t$로 놓으면

$$a^x=1+t \qquad \therefore\ x=\log_a(1+t)$$

이때 $x\to0$일 때 $t\to0$이므로

$$\boxed{\lim_{\blacksquare\to0}\frac{a^{\blacksquare}-1}{\blacksquare}=\ln a}$$

$$\lim_{x\to0}\frac{a^x-1}{x}=\lim_{t\to0}\frac{t}{\log_a(1+t)}=\lim_{t\to0}\frac{1}{\dfrac{\log_a(1+t)}{t}}$$

$$=\ln a$$

EXAMPLE 021 다음 극한값을 구하여라.

(1) $\displaystyle\lim_{x\to0}\frac{\ln(1+ax)}{x}$ (2) $\displaystyle\lim_{x\to0}\frac{e^{ax}-1}{x}$

ANSWER (1) $ax=t$로 놓으면 $x=\dfrac{t}{a}$이고, $x \to 0$일 때 $t \to 0$이므로

$$\lim_{x \to 0} \frac{\ln(1+ax)}{x} = \lim_{t \to 0} \frac{\ln(1+t)}{t} \cdot a$$

$$= 1 \cdot a = \boldsymbol{a} \ \blacksquare$$

(2) $e^{ax}-1=t$로 놓으면 $\quad e^{ax}=1+t$

양변에 밑이 e인 로그를 취하면

$$ax=\ln(1+t) \qquad \therefore \ x=\frac{1}{a}\ln(1+t)$$

이때 $x \to 0$일 때 $t \to 0$이므로

$$\lim_{x \to 0} \frac{e^{ax}-1}{x} = \lim_{t \to 0} \frac{t}{\ln(1+t)} \cdot a$$

$$= \lim_{t \to 0} \frac{1}{\dfrac{\ln(1+t)}{t}} \cdot a$$

$$= 1 \cdot a = \boldsymbol{a} \ \blacksquare$$

EXAMPLE 021에 나온 풀이는 서술형 답안이나 쉽게 풀리지 않는 어려운 문제가 나왔을 때 더욱 적합한 풀이 방법이다. 서술형 답안을 쓰는 것이 아니라면 자주 등장하는 식의 형태를 공식처럼 외워서 푸는 것이 시간을 단축시킬 수 있다.

위의 제시된 풀이 과정을 제대로 이해했다면 이제는 아래의 식들을 암기해 두고 문제에 나왔을 때 바로바로 사용할 수 있도록 하자.

$$\lim_{x \to 0} \frac{e^{ax}-1}{bx} = \frac{a}{b} \qquad \lim_{x \to 0} \frac{\ln(1+ax)}{bx} = \frac{a}{b} \qquad \lim_{x \to 0} \frac{\ln(1+ax)}{\ln(1+bx)} = \frac{a}{b}$$

APPLICATION 028 다음 극한값을 구하여라. Sub Note 010쪽

(1) $\displaystyle\lim_{x \to 0} \frac{e^{2x}-1}{8x}$

(2) $\displaystyle\lim_{x \to 0} \frac{6x}{\ln(1+3x)}$

(3) $\displaystyle\lim_{x \to 0} \frac{\log_3(1+5x)}{2x}$

(4) $\displaystyle\lim_{x \to 0} \frac{2 \cdot 3^{2x}-2}{x}$

020 다음 극한값을 구하여라.

(1) $\lim\limits_{x \to 0-} \dfrac{x}{1+e^{\frac{1}{x}}}$ (2) $\lim\limits_{x \to 0+} \dfrac{1-e^{\frac{1}{x}}}{1+e^{\frac{1}{x}}}$ (3) $\lim\limits_{x \to 0+} \dfrac{e^{\frac{1}{x}}}{e^{\frac{1}{x}}-e^{-\frac{1}{x}}}$

GUIDE $\lim\limits_{x \to 0+} \dfrac{1}{x}$, $\lim\limits_{x \to 0-} \dfrac{1}{x}$의 극한을 먼저 알아본 후 지수함수의 극한을 따져 보자.

SOLUTION ──────────────────────────

$$\lim_{x \to 0+} \frac{1}{x} = \infty \text{이므로} \qquad \lim_{x \to 0+} e^{\frac{1}{x}} = \infty, \ \lim_{x \to 0+} e^{-\frac{1}{x}} = 0$$

$$\lim_{x \to 0-} \frac{1}{x} = -\infty \text{이므로} \qquad \lim_{x \to 0-} e^{\frac{1}{x}} = 0, \ \lim_{x \to 0-} e^{-\frac{1}{x}} = \infty$$

(1) $\lim\limits_{x \to 0-} \dfrac{x}{1+e^{\frac{1}{x}}} = \dfrac{0}{1+0} = \mathbf{0} \ \blacksquare$

(2) $\lim\limits_{x \to 0+} \dfrac{1-e^{\frac{1}{x}}}{1+e^{\frac{1}{x}}} = \lim\limits_{x \to 0+} \dfrac{e^{-\frac{1}{x}}\left(1-e^{\frac{1}{x}}\right)}{e^{-\frac{1}{x}}\left(1+e^{\frac{1}{x}}\right)}$

$$= \lim_{x \to 0+} \frac{e^{-\frac{1}{x}}-1}{e^{-\frac{1}{x}}+1} = \frac{0-1}{0+1} = \mathbf{-1} \ \blacksquare$$

(3) $\lim\limits_{x \to 0+} \dfrac{e^{\frac{1}{x}}}{e^{\frac{1}{x}}-e^{-\frac{1}{x}}} = \lim\limits_{x \to 0+} \dfrac{e^{-\frac{1}{x}} \cdot e^{\frac{1}{x}}}{e^{-\frac{1}{x}}\left(e^{\frac{1}{x}}-e^{-\frac{1}{x}}\right)}$

$$= \lim_{x \to 0+} \frac{1}{1-e^{-\frac{2}{x}}} = \frac{1}{1-0} = \mathbf{1} \ \blacksquare$$

유제
020-❶ 다음 보기에서 극한값이 존재하는 것만을 있는 대로 골라라.

Sub Note 059쪽

보기   ㄱ. $\lim\limits_{x \to \infty} \log_{\frac{1}{4}} x$ ㄴ. $\lim\limits_{x \to \infty} \log_4 \dfrac{1}{x^2+1}$ ㄷ. $\lim\limits_{x \to \infty} \log_4 \dfrac{2x^2-5x}{x^2+5}$

지수함수와 로그함수의 극한(2)

021 다음 등식을 만족시키는 상수 a, b에 대하여 $a+b$의 값을 구하여라.

(1) $\lim\limits_{x \to 0} \dfrac{\sqrt{ax+b}-3}{e^x-1} = \dfrac{2}{3}$ (2) $\lim\limits_{x \to 0} \dfrac{\ln(1+5x)}{e^{ax+b}-1} = 1$

GUIDE 두 함수 $f(x)$, $g(x)$에 대하여

① $\lim\limits_{x \to a} \dfrac{f(x)}{g(x)} = \alpha$ (α는 실수)이고 $\lim\limits_{x \to a} g(x) = 0$이면 $\lim\limits_{x \to a} f(x) = 0$이다.

② $\lim\limits_{x \to a} \dfrac{f(x)}{g(x)} = \alpha$ (α는 0이 아닌 실수)이고 $\lim\limits_{x \to a} f(x) = 0$이면 $\lim\limits_{x \to a} g(x) = 0$이다.

SOLUTION ───────────────────────

(1) $x \to 0$일 때 (분모) $\to 0$이고 극한값이 존재하므로 (분자) $\to 0$이다.

즉 $\lim\limits_{x \to 0}(\sqrt{ax+b}-3) = 0$이므로 $\sqrt{b}-3 = 0$ ∴ $b=9$

$b=9$를 주어진 식에 대입하면

$$\lim_{x \to 0} \frac{\sqrt{ax+9}-3}{e^x-1} = \lim_{x \to 0} \frac{(\sqrt{ax+9}-3)(\sqrt{ax+9}+3)}{(e^x-1)(\sqrt{ax+9}+3)}$$

$$= \lim_{x \to 0} \frac{ax}{(e^x-1)(\sqrt{ax+9}+3)}$$

$$= \lim_{x \to 0} \frac{x}{e^x-1} \cdot \frac{a}{\sqrt{ax+9}+3} = 1 \cdot \frac{a}{3+3} = \frac{a}{6}$$

따라서 $\dfrac{a}{6} = \dfrac{2}{3}$이므로 $a=4$ ∴ $a+b = 4+9 = \mathbf{13}$ ∎

(2) $x \to 0$일 때 (분자) $\to 0$이고 0이 아닌 극한값이 존재하므로 (분모) $\to 0$이다.

즉 $\lim\limits_{x \to 0}(e^{ax+b}-1) = 0$이므로 $e^b-1 = 0$ ∴ $b=0$

$b=0$을 주어진 식에 대입하면

$$\lim_{x \to 0} \frac{\ln(1+5x)}{e^{ax}-1} = \lim_{x \to 0} \frac{\ln(1+5x)}{5x} \cdot \frac{ax}{e^{ax}-1} \cdot \frac{5}{a} = 1 \cdot 1 \cdot \frac{5}{a} = \frac{5}{a}$$

따라서 $\dfrac{5}{a} = 1$이므로 $a=5$ ∴ $a+b = 5+0 = \mathbf{5}$ ∎

유제
021-❶ 다음 등식을 만족시키는 상수 a, b의 곱 ab의 값을 구하여라. Sub Note 059쪽

(1) $\lim\limits_{x \to 1} \dfrac{ax+b}{e^{x-1}-1} = 3$ (2) $\lim\limits_{x \to 0} \dfrac{a^x+b}{\ln(x+1)} = \ln 3$

무리수 e를 이용한 극한

022 다음 보기에서 옳은 것만을 있는 대로 골라라.

보기

ㄱ. $\displaystyle\lim_{x\to\infty}\left(1+\frac{1}{x}\right)^x < \lim_{x\to\infty}\left(1+\frac{2}{x}\right)^x$　　ㄴ. $\displaystyle\lim_{x\to1}x^{\frac{1}{x-1}}=\lim_{x\to-1}(x+2)^{\frac{1}{x+1}}$

ㄷ. $\displaystyle\lim_{x\to0}\frac{2x}{e^x-1} < \lim_{x\to0}\frac{e^{2x}-1}{x}$　　ㄹ. $\displaystyle\lim_{x\to0}\frac{\ln(1+2x)}{3x} > \lim_{x\to\infty}x\ln\frac{1+x}{x}$

GUIDE 주어진 식을 $\displaystyle\lim_{\bullet\to0}(1+\bullet)^{\frac{1}{\bullet}}$ 또는 $\displaystyle\lim_{\blacksquare\to\infty}\left(1+\frac{1}{\blacksquare}\right)^{\blacksquare}$ 꼴로 변형하여 극한값을 구해 보자.

SOLUTION

ㄱ. $\displaystyle\lim_{x\to\infty}\left(1+\frac{1}{x}\right)^x=e$, 　$\displaystyle\lim_{x\to\infty}\left(1+\frac{2}{x}\right)^x=\lim_{x\to\infty}\left\{\left(1+\frac{2}{x}\right)^{\frac{x}{2}}\right\}^2=e^2$

이때 $e>2$이므로　$e<e^2$ (참)

ㄴ. $x-1=t$로 놓으면 $x\to1$일 때 $t\to0$이므로

$$\lim_{x\to1}x^{\frac{1}{x-1}}=\lim_{t\to0}(1+t)^{\frac{1}{t}}=e$$

또 $x+1=t$로 놓으면 $x\to-1$일 때 $t\to0$이므로

$$\lim_{x\to-1}(x+2)^{\frac{1}{x+1}}=\lim_{t\to0}(1+t)^{\frac{1}{t}}=e$$

$$\therefore \lim_{x\to1}x^{\frac{1}{x-1}}=\lim_{x\to-1}(x+2)^{\frac{1}{x+1}}\text{ (참)}$$

ㄷ. $\displaystyle\lim_{x\to0}\frac{2x}{e^x-1}=\lim_{x\to0}2\cdot\frac{x}{e^x-1}=2$, 　$\displaystyle\lim_{x\to0}\frac{e^{2x}-1}{x}=\lim_{x\to0}\frac{e^{2x}-1}{2x}\cdot2=2$

$$\therefore \lim_{x\to0}\frac{2x}{e^x-1}=\lim_{x\to0}\frac{e^{2x}-1}{x}\text{ (거짓)}$$

ㄹ. $\displaystyle\lim_{x\to0}\frac{\ln(1+2x)}{3x}=\lim_{x\to0}\frac{\ln(1+2x)}{2x}\cdot\frac{2}{3}=\frac{2}{3}$

$$\lim_{x\to\infty}x\ln\frac{1+x}{x}=\lim_{x\to\infty}\ln\left(1+\frac{1}{x}\right)^x=\ln e=1$$

$$\therefore \lim_{x\to0}\frac{\ln(1+2x)}{3x}<\lim_{x\to\infty}x\ln\frac{1+x}{x}\text{ (거짓)}$$

따라서 옳은 것은 ㄱ, ㄴ이다. ■

유제

022- 1 함수 $f(x)$가 $\displaystyle\lim_{x\to0}f(x)\ln(1+4x)=12$를 만족시킬 때, $\displaystyle\lim_{x\to0}xf(x)$의 값을 구하여라.

Sub Note 060쪽

02 지수함수와 로그함수의 도함수

S U M M A   C U M   L A U D E

ESSENTIAL LECTURE

1 지수함수의 도함수

(1) $y=e^x$이면 $y'=e^x$

(2) $y=a^x$이면 $y'=a^x\ln a$ (단, $a>0$, $a\neq1$)

2 로그함수의 도함수

(1) $y=\ln x$이면 $y'=\dfrac{1}{x}$

(2) $y=\log_a x$이면 $y'=\dfrac{1}{x\ln a}$ (단, $a>0$, $a\neq1$)

1 지수함수의 도함수

(1) $\displaystyle\lim_{x\to0}\dfrac{e^x-1}{x}=1$임과 도함수의 정의를 이용하여 지수함수 $y=e^x$의 도함수를 구해 보자.

도함수의 정의에 의하여

$$y'=\lim_{h\to0}\dfrac{e^{x+h}-e^x}{h}=\lim_{h\to0}\dfrac{e^x(e^h-1)}{h}=e^x\lim_{h\to0}\dfrac{e^h-1}{h}=e^x\cdot1=e^x$$

따라서 $y=e^x$의 도함수는 $\boldsymbol{y'=e^x}$이다.

(2) $\displaystyle\lim_{x\to0}\dfrac{a^x-1}{x}=\ln a\,(a>0,\ a\neq1)$임과 도함수의 정의를 이용하여 지수함수

$y=a^x\,(a>0,\ a\neq1)$의 도함수를 구해 보자.

도함수의 정의에 의하여

$$y'=\lim_{h\to0}\dfrac{a^{x+h}-a^x}{h}=\lim_{h\to0}\dfrac{a^x(a^h-1)}{h}=a^x\lim_{h\to0}\dfrac{a^h-1}{h}=a^x\ln a$$

따라서 $y=a^x$의 도함수는 $\boldsymbol{y'=a^x\ln a}$이다.

지수함수의 도함수

(1) $y=e^x$이면 $\quad y'=e^x$

(2) $y=a^x$이면 $\quad y'=a^x \ln a$ (단, $a>0$, $a \neq 1$)

EXAMPLE 022 $f(x)=e^{ax}$일 때, $f'(1)$의 값을 구하여라.

ANSWER $f(x)=e^{ax}=(e^a)^x$ 이므로

$$f'(x)=(e^a)^x \ln e^a=ae^{ax} \qquad \therefore f'(1)=\boldsymbol{ae^a} \blacksquare$$

APPLICATION 029 $f(x)=2^{3x-1}$일 때, $f'(1)$의 값을 구하여라.

APPLICATION 029에서 다룬 문제에서처럼 $f(x)=a^{px+q}(a>0,\ a\neq 1)$ 꼴의 지수함수는 $f(x)=(a^p)^x \cdot a^q$으로 생각하면 공식을 적용하여 미분할 수 있다.[❸]

② 로그함수의 도함수

(1) $\displaystyle\lim_{x \to 0}(1+x)^{\frac{1}{x}}=e$임과 도함수의 정의를 이용하여 로그함수 $y=\ln x$의 도함수를 구해 보자.

도함수의 정의에 의하여

$$y'=\lim_{h \to 0}\frac{\ln(x+h)-\ln x}{h}=\lim_{h \to 0}\frac{1}{h}\ln\frac{x+h}{x}$$

$$=\lim_{h \to 0}\frac{1}{x}\cdot\frac{x}{h}\ln\left(1+\frac{h}{x}\right)=\frac{1}{x}\lim_{h \to 0}\ln\left(1+\frac{h}{x}\right)^{\frac{x}{h}}$$

여기서 $\dfrac{h}{x}=t$로 놓으면 $h \to 0$일 때 $t \to 0$이므로

$$\frac{1}{x}\lim_{h \to 0}\ln\left(1+\frac{h}{x}\right)^{\frac{x}{h}}=\frac{1}{x}\lim_{t \to 0}\ln(1+t)^{\frac{1}{t}}=\frac{1}{x}\ln e=\frac{1}{x}$$

따라서 $y=\ln x$의 도함수는 $\boldsymbol{y'=\dfrac{1}{x}}$이다.

---

❸ 사실 합성함수의 미분법을 배우면 굳이 식을 분리하여 미분하지 않아도 된다. 결과만 말하자면
$f(x)=a^{px+q}(a>0,\ a\neq 1)$의 도함수는 $f'(x)=(px+q)'a^{px+q}\ln a=pa^{px+q}\ln a$가 된다. 미리 알아두면 계산을 빨리 하는데 유용할 것이니 일단 결과를 알아두는 것도 좋을 법하다.

Ⅱ-1. 지수함수와 로그함수의 미분　**125**

(2) $\lim_{x \to 0}(1+x)^{\frac{1}{x}}=e$임과 도함수의 정의를 이용하여 로그함수 $y=\log_a x\,(a>0,\ a\neq1)$의 도함수를 구해 보자.

도함수의 정의에 의하여

$$y'=\lim_{h \to 0}\frac{\log_a(x+h)-\log_a x}{h}=\lim_{h \to 0}\frac{1}{h}\log_a\frac{x+h}{x}$$

$$=\lim_{h \to 0}\frac{1}{x}\cdot\frac{x}{h}\log_a\Big(1+\frac{h}{x}\Big)=\frac{1}{x}\lim_{h \to 0}\log_a\Big(1+\frac{h}{x}\Big)^{\frac{x}{h}}$$

여기서 $\dfrac{h}{x}=t$로 놓으면 $h \to 0$일 때 $t \to 0$이므로

$$\frac{1}{x}\lim_{h \to 0}\log_a\Big(1+\frac{h}{x}\Big)^{\frac{x}{h}}=\frac{1}{x}\lim_{t \to 0}\log_a(1+t)^{\frac{1}{t}}=\frac{1}{x}\log_a e=\frac{1}{x}\cdot\frac{1}{\ln a}=\frac{1}{x\ln a}$$

따라서 $y=\log_a x$의 도함수는 $\boldsymbol{y'=\dfrac{1}{x\ln a}}$이다.

로그함수 $y=\log_a x\,(a>0,\ a\neq1)$의 도함수는 로그의 밑의 변환 공식을 이용하여 구할 수도 있다.

$\log_a x=\dfrac{\ln x}{\ln a}$이므로 $\quad y'=\Big(\dfrac{\ln x}{\ln a}\Big)'=\dfrac{1}{\ln a}\cdot(\ln x)'=\dfrac{1}{\ln a}\cdot\dfrac{1}{x}=\dfrac{1}{x\ln a}$

로그함수의 도함수

(1) $y=\ln x$이면 $y'=\dfrac{1}{x}$

(2) $y=\log_a x$이면 $y'=\dfrac{1}{x\ln a}$ (단, $a>0,\ a\neq1$)

EXAMPLE 023 다음 함수를 미분하여라.

(1) $y=\ln 2x$ 　　　　　　　　　　　(2) $y=x\ln x-x$

ANSWER (1) $y=\ln 2x$에서 $y=\ln 2+\ln x$이므로 $\boldsymbol{y'=\dfrac{1}{x}}$ ■

(2) $\boldsymbol{y'}=\ln x+x\cdot\dfrac{1}{x}-1=\ln x+1-1=\boldsymbol{\ln x}$ ■

APPLICATION **030** 다음 함수를 미분하여라.　　　　　　　　　　　　　　Sub Note 011쪽

(1) $y=x\ln 3x$ 　　　　　　(2) $y=\log_3 9x$ 　　　　　　(3) $y=(\log_2 x)^2$

023 (1) 함수 $f(x)=2xe^x$에 대하여 $\displaystyle\lim_{h\to 0}\dfrac{f(1+3h)-f(1)}{h}$ 의 값을 구하여라.

(2) 함수 $f(x)=e^x\ln x$에 대하여 $\displaystyle\lim_{x\to 1}\dfrac{f(x^3)-f(1)}{x-1}$ 의 값을 구하여라.

GUIDE 극한값을 구하는 식을 $\displaystyle\lim_{h\to 0}\dfrac{f(a+\blacksquare)-f(a)}{\blacksquare}$ 또는 $\displaystyle\lim_{x\to a}\dfrac{f(x)-f(a)}{x-a}$ 꼴로 만드는 데 중점을 둔다.

SOLUTION

(1) $\displaystyle\lim_{h\to 0}\dfrac{f(1+3h)-f(1)}{h}=\lim_{h\to 0}\dfrac{f(1+3h)-f(1)}{3h}\cdot 3=3f'(1)$

$f(x)=2xe^x$에서

$\qquad f'(x)=2e^x+2xe^x=2e^x(1+x)$

이므로 $\quad f'(1)=2e(1+1)=4e$

$\qquad \therefore 3f'(1)=3\cdot 4e=\mathbf{12e}$ ■

(2) $\displaystyle\lim_{x\to 1}\dfrac{f(x^3)-f(1)}{x-1}=\lim_{x\to 1}\dfrac{f(x^3)-f(1)}{x^3-1}\cdot(x^2+x+1)=3f'(1)$

$f(x)=e^x\ln x$에서

$\qquad f'(x)=e^x\ln x+e^x\cdot\dfrac{1}{x}=e^x\left(\ln x+\dfrac{1}{x}\right)$

이므로 $\quad f'(1)=e(0+1)=e$

$\qquad \therefore 3f'(1)=3\cdot e=\mathbf{3e}$ ■

유제
023-❶ 함수 $f(x)=(x^2-1)4^x$에 대하여 $\displaystyle\lim_{h\to 0}\dfrac{f(1+h)-f(1)}{4h}$ 의 값을 구하여라. Sub Note 060쪽

유제
023-❷ 함수 $f(x)=3x\ln x+2x^2$에 대하여 $\displaystyle\lim_{h\to 0}\dfrac{f(1+h)-f(1-2h)}{h}$ 의 값을 구하여라. Sub Note 060쪽

024

함수 $f(x) = \begin{cases} \ln ax & (x>1) \\ bx^2+3 & (x\le 1) \end{cases}$ 이 $x=1$에서 미분가능하도록 하는 상수 a, b의 값을 구하여라.

GUIDE 함수 $f(x)$가 $x=1$에서 미분가능하면
(ⅰ) $x=1$에서 연속이다.
(ⅱ) $x=1$에서 미분계수가 존재한다.

SOLUTION

$f(x)$가 $x=1$에서 미분가능하면 $x=1$에서 연속이므로

$$\lim_{x\to 1+} \ln ax = f(1)$$

$$\therefore \ln a = b+3 \quad \cdots\cdots \text{㉠}$$

또 $f'(x) = \begin{cases} \dfrac{1}{x} & (x>1) \\ 2bx & (x<1) \end{cases}$ 에서 $f'(1)$이 존재하므로

$$\lim_{x\to 1+} \frac{1}{x} = \lim_{x\to 1-} 2bx, \ 1=2b$$

$$\therefore \boldsymbol{b = \frac{1}{2}}$$

$b = \dfrac{1}{2}$ 을 ㉠에 대입하면 $\ln a = \dfrac{1}{2} + 3 = \dfrac{7}{2}$

$$\therefore \boldsymbol{a = e^{\frac{7}{2}}} \ \blacksquare$$

Sub Note 060쪽

유제
024-❶ 함수 $f(x) = \begin{cases} ae^{x-2} & (x\ge 3) \\ bx^2-1 & (x<3) \end{cases}$ 이 $x=3$에서 미분가능하도록 하는 상수 a, b의 값을 구하여라.

Sub Note 060쪽

유제
024-❷ 함수 $f(x) = \begin{cases} ae^{x-1} & (x\ge 1) \\ \ln x + bx^3 & (x<1) \end{cases}$ 이 모든 실수 x에서 미분가능할 때, 상수 a, b에 대하여

$a+b$의 값을 구하여라.

1. 다음 [   ] 안에 적절한 것을 채워 넣어라.

(1) $\lim\limits_{x \to 0} (1+x)^{\frac{1}{x}} = [\quad]$, $\lim\limits_{x \to \infty} \left(1 + \dfrac{1}{x}\right)^{[\ ]} = e$

(2) 무리수 e를 밑으로 하는 로그 $\log_e x$를 x의 [   ]라 하고 이것을 간단히
[   ]와 같이 나타낸다.

(3) $a > 0$, $a \neq 1$일 때

$$\lim\limits_{x \to 0} \frac{\ln(1+x)}{x} = [\quad], \quad \lim\limits_{x \to 0} \frac{e^x - 1}{x} = [\quad]$$

$$\lim\limits_{x \to 0} \frac{\log_a(1+x)}{x} = [\quad\quad], \quad \lim\limits_{x \to 0} \frac{a^x - 1}{x} = [\quad\quad]$$

(4) $a > 0$, $a \neq 1$일 때

$$(e^x)' = [\quad\quad], \quad (a^x)' = [\quad\quad]$$

$$(\ln x)' = [\quad\quad], \quad (\log_a x)' = [\quad\quad]$$

2. 다음 문장이 참(true) 또는 거짓(false)인지 결정하고, 그 이유를 설명하거나 적절한 반례를 제시하여라.

(1) $a > 0$, $a \neq 1$일 때, 임의의 실수 r에 대하여 극한 $\lim\limits_{x \to r} a^x$이 반드시 존재한다.

(2) $\lim\limits_{x \to 0} (1+x)^{\frac{1}{x}}$이 수렴하는 수는 유리수이다.

(3) 로그함수 $y = \ln x$의 역함수는 지수함수 $y = e^x$이다.

3. 다음 물음에 대한 답을 간단히 서술하여라.

(1) $\lim\limits_{x \to 0} (1+x)^{\frac{1}{x}} = e$임을 이용하여 $\lim\limits_{x \to \infty} \left(1 + \dfrac{1}{x}\right)^x = e$임을 보여라.

(2) 임의의 실수 x에 대하여 $\lim\limits_{n \to \infty} \left(1 + \dfrac{x}{n}\right)^n = e^x$이 성립함을 보여라.

(3) 로그함수 $y = \ln x$의 도함수를 구하는 과정을 서술하여라.

지수함수와 로그함수의 극한 **01** 다음 극한값을 구하여라.

(1) $\lim_{x \to \infty} (4^x - 3^x)^{\frac{2}{x}}$

(2) $\lim_{x \to \infty} \{\log_2 (4 + 8x^2) - 2\log_2 x\}$

무리수 e를 이용한 극한 **02** $\lim_{n \to \infty} \left\{ \frac{1}{2} \left(1 + \frac{1}{n}\right)\left(1 + \frac{1}{n+1}\right)\left(1 + \frac{1}{n+2}\right) \cdots \left(1 + \frac{1}{2n}\right) \right\}^n$ 의 값은?

① $\dfrac{1}{e}$ ② $\sqrt{e}$ ③ e ④ $2e$ ⑤ e^2

무리수 e를 이용한 극한 **03** $\lim_{x \to 0} \left\{ \left(1 - \frac{x}{2}\right)(1 - 2x) \right\}^{\frac{3}{x}} = e^a$을 만족시키는 상수 a의 값은?

① $-\dfrac{15}{2}$ ② $-\dfrac{5}{3}$ ③ 0 ④ $\dfrac{5}{3}$ ⑤ $\dfrac{15}{2}$

무리수 e를 이용한 극한 **04** $\lim_{n \to \infty} n(\sqrt[n]{3} - 1)$의 값을 구하여라. (단, n은 $n \geq 2$인 자연수)

무리수 e를 이용한 극한 **05** $\lim_{x \to 0} \dfrac{f(x)}{e^x - 1} = 4$를 만족시키는 함수 $f(x)$에 대하여 $\lim_{x \to 0} \dfrac{f(x)}{\ln(1 + 4x)}$의 값을 구하여라.

무리수 e를
이용한 극한 **06** $x > -1$에서 정의된 함수 $f(x) = \begin{cases} \dfrac{a^x - 2^x}{\ln(x+1)} & (x \neq 0) \\ 2 & (x=0) \end{cases}$ 가 $x=0$에서 연속일 때, 양

수 a의 값은?

① e ② $3e$ ③ $4e$ ④ $2e^2$ ⑤ $3e^2$

무리수 e를
이용한 극한 **07**
서술형 $\displaystyle\lim_{x \to 0} \dfrac{x^2 + 3x}{\log_5(1+x) + a} = b$ 를 만족시키는 상수 a, b에 대하여 $b-a$의 값을 구하여라.

(단, $b \neq 0$)

지수함수의
도함수 **08** 함수 $f(x) = a^x + 3^x$에 대하여 $\displaystyle\lim_{x \to 1} \dfrac{f(x) - 5}{x - 1} = \ln b$일 때, 양수 a, b의 값을 구하여라.

로그함수의
도함수 **09** 함수 $f(x) = 3x^2 \ln x$에 대하여 $\displaystyle\lim_{h \to 0} \dfrac{f(e+h) - f(e-h)}{h}$ 의 값은?

① $15e$ ② $17e$ ③ $18e$ ④ $20e$ ⑤ $21e$

지수함수와
로그함수의
도함수 **10** 함수 $f(x) = \begin{cases} \ln ax & (x > 1) \\ be^{x-1} + 2 & (x \leq 1) \end{cases}$ 가 모든 실수 x에서 미분가능할 때, 상수 a, b에 대

하여 ab의 값을 구하여라.

Sub Note 126쪽

01 $\lim\limits_{x \to \infty} f(x) = \infty$, $\lim\limits_{x \to \infty} g(x) = \infty$일 때, 다음 중 옳은 것은?

① $\lim\limits_{x \to \infty} \dfrac{g(x)}{f(x)} = 0$이면 $\lim\limits_{x \to \infty} \dfrac{e^{g(x)}}{e^{f(x)}} = \infty$이다.

② $\lim\limits_{x \to \infty} \dfrac{g(x)}{f(x)} = 0$이면 $\lim\limits_{x \to \infty} \dfrac{e^{g(x)}}{e^{f(x)}} = 1$이다.

③ $\lim\limits_{x \to \infty} \dfrac{g(x)}{f(x)} = 1$이면 $\lim\limits_{x \to \infty} \dfrac{\ln g(x)}{\ln f(x)} = 0$이다.

④ $\lim\limits_{x \to \infty} \dfrac{g(x)}{f(x)} = 1$이면 $\lim\limits_{x \to \infty} \dfrac{\ln g(x)}{\ln f(x)} = 1$이다.

⑤ $\lim\limits_{x \to \infty} \dfrac{g(x)}{f(x)} = 1$이면 $\lim\limits_{x \to \infty} \dfrac{\ln g(x)}{\ln f(x)} = \dfrac{1}{2}$이다.

02 $\lim\limits_{x \to -1} \left\{ (2+x)^{\frac{3}{x+1}} + \dfrac{e^{4(x+1)} - 1}{x+1} \right\}$의 값은?

① $e^2 + 2$ ② $e^2 + 4$ ③ $e^3 + 2$

④ $e^3 + 4$ ⑤ $e^4 + 2$

03 자연수 n에 대하여 $S_n = \left(1 + \dfrac{1}{x}\right)\left(1 + \dfrac{2}{x}\right) \cdots \left(1 + \dfrac{n}{x}\right)$, $A_n = \lim\limits_{x \to \infty} x \ln S_n$이라 할 때,

$\sum\limits_{n=1}^{\infty} \dfrac{1}{A_n}$의 값은?

① $\dfrac{1}{4}$ ② $\dfrac{1}{2}$ ③ 1

④ $\dfrac{3}{2}$ ⑤ 2

04 함수 $f(x)$에 대하여 옳은 것만을 보기에서 있는 대로 고른 것은?

보기
ㄱ. $f(x)=x^3$이면 $\lim\limits_{x\to 0}\dfrac{e^{f(x)}-1}{\sqrt{x}}=0$이다.

ㄴ. $\lim\limits_{x\to 0}\dfrac{e^x-1}{f(x)}=1$이면 $\lim\limits_{x\to 0}\dfrac{(e^x)^2-1}{\{f(x)\}^2}=1$이다.

ㄷ. $\lim\limits_{x\to 0}f(x)=0$이면 $\lim\limits_{x\to 0}\dfrac{e^{f(x)}-1}{x}$이 존재한다.

① ㄱ   ② ㄷ   ③ ㄱ, ㄴ
④ ㄱ, ㄷ   ⑤ ㄴ, ㄷ

05 2 이상의 자연수 n에 대하여 함수 $f(n)=\lim\limits_{x\to 0}\dfrac{2}{x}(e^{\frac{x}{n^2-1}}-1)$일 때, 옳은 것만을 보기에서 있는 대로 고른 것은?

보기
ㄱ. $f(2)=\dfrac{1}{3}$ ㄴ. $\lim\limits_{n\to\infty}n^2 f(n)=2$ ㄷ. $\sum\limits_{n=2}^{\infty}f(n)=\dfrac{3}{2}$

① ㄱ   ② ㄴ   ③ ㄱ, ㄴ
④ ㄴ, ㄷ   ⑤ ㄱ, ㄴ, ㄷ

06 실수 전체의 집합에서 정의된 함수 $f(x)=e^{3x}$의 역함수를 $g(x)$라 할 때,
$\lim\limits_{x\to 0+}\dfrac{g(33x+1)-f(2x)+1}{f(g(5x))}$ 의 값은?

① 1   ② $\dfrac{3}{2}$ ③ 3
④ $\dfrac{10}{3}$ ⑤ 5

07 x축 위의 두 점 $A(t, 0)$, $B(2t, 0)$을 지나고 y축에 평행한 직선이 곡선 $y=\ln(x+1)$과 만나는 점을 각각 C, D라 하자. 원점을 O라 할 때, 삼각형 OAC의 넓이를 $S(t)$, 사다리꼴 ABDC의 넓이를 $T(t)$라 하면 $\lim\limits_{t\to 0} \dfrac{T(t)}{S(t)}$의 값은?

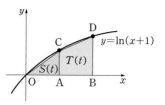

① 1　　　　　② $\dfrac{e}{2}$　　　　　③ 2

④ 3　　　　　⑤ $\dfrac{e^2}{2}$

08 세 양수 a, b, c에 대하여 $\lim\limits_{x\to\infty} x^a \ln\left(b+\dfrac{c}{x^2}\right)=2$일 때, $a+b+c$의 값은?

[평가원 기출]

① 5　　　　　② 6　　　　　③ 7
④ 8　　　　　⑤ 9

09 이차항의 계수가 1인 이차함수 $f(x)$와 함수 $g(x)=\begin{cases}\dfrac{1}{\ln(x+1)} & (x\neq 0)\\ 8 & (x=0)\end{cases}$에 대하여 함수 $f(x)g(x)$가 구간 $(-1, \infty)$에서 연속일 때, $f(3)$의 값은?　　[수능 기출]

① 6　　　　　② 9　　　　　③ 12
④ 15　　　　　⑤ 18

10 함수 $f(x)=e^{\frac{x}{2}}$에 대하여 $f(x)$를 n번 미분하여 얻은 함수를 $f^{(n)}(x)$로 나타낼 때, $\sum\limits_{k=1}^{10} f^{(k)}(0)$의 값을 구하여라.

[서술형]

내신 · 모의고사 대비 TEST　444쪽

01 삼각함수 $\csc\theta$, $\sec\theta$, $\cot\theta$

SUMMA CUM LAUDE

ESSENTIAL LECTURE

❶ 삼각함수 $\csc\theta$, $\sec\theta$, $\cot\theta$

오른쪽 그림과 같이 $\overline{\mathrm{OP}}=r$인 점 $\mathrm{P}(x,\ y)$에 대하여 동경 OP가
나타내는 일반각을 θ라 할 때

(1) $\csc\theta=\dfrac{r}{y}\ (y\ne 0)$

(2) $\sec\theta=\dfrac{r}{x}\ (x\ne 0)$

(3) $\cot\theta=\dfrac{x}{y}\ (y\ne 0)$

[참고] $\csc\theta=\dfrac{1}{\sin\theta}$, $\sec\theta=\dfrac{1}{\cos\theta}$, $\cot\theta=\dfrac{1}{\tan\theta}$

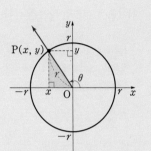

❷ 삼각함수 사이의 관계

삼각함수 사이에는 다음과 같은 관계가 성립한다.

(1) $1+\tan^2\theta=\sec^2\theta$

(2) $1+\cot^2\theta=\csc^2\theta$

❶ 삼각함수 $\csc\theta$, $\sec\theta$, $\cot\theta$

오른쪽 그림과 같이 원점을 중심으로 하고 반지름의 길이가 r
인 원 위의 임의의 점 $\mathrm{P}(x,\ y)$에 대하여 동경 OP가 나타내는
일반각을 θ라 할 때, $\dfrac{y}{r}$, $\dfrac{x}{r}$, $\dfrac{y}{x}\ (x\ne 0)$로 정의되는 함수를
차례로 θ에 대한 사인함수, 코사인함수, 탄젠트함수, 즉

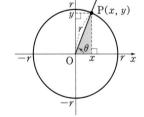

$$\sin\theta=\frac{y}{r},\ \cos\theta=\frac{x}{r},\ \tan\theta=\frac{y}{x}\ (x\ne 0)$$

임을 수학 I 에서 배웠다.

한편 위의 그림에서 $\dfrac{r}{y}\ (y\ne 0)$, $\dfrac{r}{x}\ (x\ne 0)$, $\dfrac{x}{y}\ (y\ne 0)$로 정의되는 함수를 차례로 θ에 대
한 **코시컨트함수, 시컨트함수, 코탄젠트함수**라 하고, 이것을 각각 기호로

$$\csc\theta=\frac{r}{y}\,(y\neq0),\ \sec\theta=\frac{r}{x}\,(x\neq0),\ \cot\theta=\frac{x}{y}\,(y\neq0)^{\textbf{❶}}$$

와 같이 나타낸다.

이때 $\csc\theta=\dfrac{1}{\sin\theta}$, $\sec\theta=\dfrac{1}{\cos\theta}$, $\cot\theta=\dfrac{1}{\tan\theta}$ 인 관계가 성립한다.

따라서 $\csc\theta$, $\sec\theta$, $\cot\theta$의 값을 구할 때에는 보다 친숙한 $\sin\theta$, $\cos\theta$, $\tan\theta$의 값을 구해 그 역수를 생각해도 좋다.

이상을 정리하면 다음과 같다

삼각함수 $\csc\theta$, $\sec\theta$, $\cot\theta$
오른쪽 그림과 같이 $\overline{\mathrm{OP}}=r$인 점 $\mathrm{P}(x,\ y)$에 대하여 동경 OP가
나타내는 일반각을 θ라 할 때

(1) $\csc\theta=\dfrac{r}{y}\,(y\neq0)$

(2) $\sec\theta=\dfrac{r}{x}\,(x\neq0)$

(3) $\cot\theta=\dfrac{x}{y}\,(y\neq0)$

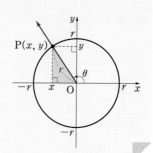

■ **E X A M P L E 024** 원점 O와 점 $\mathrm{P}(-5,\ 12)$를 지나는 동경 OP가 나타내는 각을 θ라 할 때, $12\csc\theta-10\sec\theta+24\cot\theta$의 값을 구하여라.

ANSWER 오른쪽 그림에서 $\overline{\mathrm{OP}}=\sqrt{5^2+12^2}=13$이므로

$$\csc\theta=\frac{13}{12},\ \sec\theta=-\frac{13}{5},\ \cot\theta=-\frac{5}{12}$$

$$\therefore 12\csc\theta-10\sec\theta+24\cot\theta$$

$$=12\cdot\frac{13}{12}-10\cdot\left(-\frac{13}{5}\right)+24\cdot\left(-\frac{5}{12}\right)$$

$$=13+26-10=\textbf{29}\ ■$$

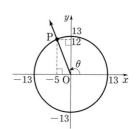

APPLICATION 031 θ가 제3사분면의 각이고 $\cos\theta=-\dfrac{3}{5}$일 때, $\csc\theta-\cot\theta$의 값을 구하여라.

---

❶ csc, sec, cot는 각각 cosecant, secant, cotangent의 약자이다.

2 삼각함수 사이의 관계

우리는 수학 I 에서 $\tan\theta = \dfrac{\sin\theta}{\cos\theta}$, $\sin^2\theta + \cos^2\theta = 1$임을 배웠다.

이를 이용하여 새로운 삼각함수 사이의 관계를 알아보도록 하자.

(1) $\sin^2\theta + \cos^2\theta = 1$의 양변을 $\cos^2\theta (\cos\theta \neq 0)$로 나누면

$$\frac{\sin^2\theta}{\cos^2\theta} + 1 = \frac{1}{\cos^2\theta} \qquad \therefore \ 1 + \tan^2\theta = \sec^2\theta$$

(2) $\sin^2\theta + \cos^2\theta = 1$의 양변을 $\sin^2\theta (\sin\theta \neq 0)$로 나누면

$$1 + \frac{\cos^2\theta}{\sin^2\theta} = \frac{1}{\sin^2\theta} \qquad \therefore \ 1 + \cot^2\theta = \csc^2\theta$$

이상을 정리하면 다음과 같다.

삼각함수 사이의 관계

(1) $1 + \tan^2\theta = \sec^2\theta$
(2) $1 + \cot^2\theta = \csc^2\theta$

■ **EXAMPLE 025** 다음을 간단히 하여라.

(1) $\dfrac{1}{\csc\theta + \cot\theta} + \dfrac{1}{\csc\theta - \cot\theta}$

(2) $(1 + \sec\theta)(1 - \csc\theta)(1 - \sec\theta)(1 + \csc\theta)$

> **ANSWER** '삼각함수 사이의 관계'를 이용하여 주어진 식을 변형해 본다.
>
> (1) $\dfrac{1}{\csc\theta + \cot\theta} + \dfrac{1}{\csc\theta - \cot\theta} = \dfrac{2\csc\theta}{\csc^2\theta - \cot^2\theta} = \dfrac{2\csc\theta}{(1 + \cot^2\theta) - \cot^2\theta} = \mathbf{2\csc\theta}$ ■
>
> (2) $(1 + \sec\theta)(1 - \csc\theta)(1 - \sec\theta)(1 + \csc\theta)$
> $= (1 + \sec\theta)(1 - \sec\theta)(1 - \csc\theta)(1 + \csc\theta)$
> $= (1 - \sec^2\theta)(1 - \csc^2\theta)$
> $= \{1 - (1 + \tan^2\theta)\}\{1 - (1 + \cot^2\theta)\}$
> $= (-\tan^2\theta) \cdot (-\cot^2\theta)$
> $= \tan^2\theta \cdot \dfrac{1}{\tan^2\theta} = \mathbf{1}$ ■

APPLICATION 032 $\quad \dfrac{\sin\theta}{\sec\theta - \tan\theta} + \dfrac{\sin\theta}{\sec\theta + \tan\theta}$ 를 간단히 하여라. Sub Note 012쪽

Sub Note 012쪽

APPLICATION 033 $\quad (\sin\theta - \csc\theta)^2 - (\cot\theta - \tan\theta)^2 + (\sec\theta - \cos\theta)^2$을 간단히 하여라.

025 (1) θ가 제1사분면의 각이고 $\sin\theta\cos\theta=\dfrac{1}{8}$일 때, $\sec\theta+\csc\theta$의 값을 구하여라.

(2) θ가 제4사분면의 각이고 $\dfrac{1-\tan\theta}{1+\tan\theta}=3+2\sqrt{2}$일 때, $\csc\theta$의 값을 구하여라.

GUIDE (1) $\sin^2\theta+\cos^2\theta=1$을 이용하여 $\sin\theta+\cos\theta$의 값을 구한다.

(2) $\dfrac{1-\tan\theta}{1+\tan\theta}=3+2\sqrt{2}$에서 $\tan\theta$의 값을 구한 후 $\csc^2\theta=1+\cot^2\theta$를 이용한다.

SOLUTION ─────────────────────────

(1) $(\sin\theta+\cos\theta)^2=\sin^2\theta+2\sin\theta\cos\theta+\cos^2\theta$

$$=1+2\sin\theta\cos\theta=1+2\cdot\dfrac{1}{8}=\dfrac{5}{4}$$

이때 θ가 제1사분면의 각이므로　$\sin\theta+\cos\theta>0$

$$\therefore\ \sin\theta+\cos\theta=\dfrac{\sqrt{5}}{2}$$

$$\therefore\ \sec\theta+\csc\theta=\dfrac{1}{\cos\theta}+\dfrac{1}{\sin\theta}=\dfrac{\sin\theta+\cos\theta}{\sin\theta\cos\theta}=\dfrac{\dfrac{\sqrt{5}}{2}}{\dfrac{1}{8}}=4\sqrt{5}\ \blacksquare$$

(2) $\dfrac{1-\tan\theta}{1+\tan\theta}=3+2\sqrt{2}$에서　$1-\tan\theta=3+2\sqrt{2}+(3+2\sqrt{2})\tan\theta$

$(4+2\sqrt{2})\tan\theta=-2-2\sqrt{2}$

$$\therefore\ \tan\theta=\dfrac{-2-2\sqrt{2}}{4+2\sqrt{2}}=\dfrac{(-2-2\sqrt{2})(4-2\sqrt{2})}{(4+2\sqrt{2})(4-2\sqrt{2})}=\dfrac{-4\sqrt{2}}{8}=-\dfrac{\sqrt{2}}{2}$$

즉, $\cot\theta=\dfrac{1}{\tan\theta}=-\dfrac{2}{\sqrt{2}}=-\sqrt{2}$이므로

$\csc^2\theta=1+\cot^2\theta=1+(-\sqrt{2})^2=3$

이때 θ가 제4사분면의 각이므로　$\csc\theta<0$

$$\therefore\ \csc\theta=-\sqrt{3}\ \blacksquare$$

Sub Note 061쪽

유제
025-❶ $\dfrac{\pi}{2}<\theta<\pi$이고 $\dfrac{1}{1-\sin\theta}+\dfrac{1}{1+\sin\theta}=10$일 때, $\tan\theta+\cot\theta$의 값을 구하여라.

02 삼각함수의 덧셈정리

SUMMA CUM LAUDE

ESSENTIAL LECTURE

1 삼각함수의 덧셈정리

두 각 α, β에 대하여 $\alpha+\beta$, $\alpha-\beta$의 삼각함수를 α, β의 삼각함수로 다음과 같이 나타낼 수 있고, 이것을 삼각함수의 덧셈정리라 한다.

(1) 사인함수와 코사인함수의 덧셈정리

① $\sin(\alpha+\beta)=\sin\alpha\cos\beta+\cos\alpha\sin\beta$

$\sin(\alpha-\beta)=\sin\alpha\cos\beta-\cos\alpha\sin\beta$

② $\cos(\alpha+\beta)=\cos\alpha\cos\beta-\sin\alpha\sin\beta$

$\cos(\alpha-\beta)=\cos\alpha\cos\beta+\sin\alpha\sin\beta$

(2) 탄젠트함수의 덧셈정리

$$\tan(\alpha+\beta)=\frac{\tan\alpha+\tan\beta}{1-\tan\alpha\tan\beta}$$

$$\tan(\alpha-\beta)=\frac{\tan\alpha-\tan\beta}{1+\tan\alpha\tan\beta}$$

우리는 수학 Ⅰ에서 아주 특수한 각에 대해서만 그 삼각함수의 값을 구하였다. 그도 그럴것이 일반각에 대한 삼각함수의 값을 구하는 것은 매우 어려우며, 대부분의 경우에는 그 값을 우리가 아는 수들을 적당히 써서 표현할 수도 없다.

그러나 우리가 이미 알고 있는 삼각비로부터 새로운 각에 대한 삼각함수의 값을 구할 수 있는 방법이 있다. 우리가 앞으로 배우게 될 삼각함수의 덧셈정리가 바로 이러한 과정을 가능하게 해준다.

또한 이 정리는 삼각함수의 미분과 적분에도 아주 강력한 힘을 발휘하며 기하적으로도 중요한 의미를 지닌다.

그러므로 삼각함수의 덧셈정리는 미적분에 발을 내디딘 여러분이 반드시 기억해 두어야 할 내용이라 할 수 있다.

삼각함수의 덧셈정리가 중요한 만큼 이를 증명하는 방법도 참으로 다양하다. 그중에서 일반성을 잃지 않으면서도 무난한 증명 방법을 소개한다.

1 삼각함수의 덧셈정리

(1) 사인함수와 코사인함수의 덧셈정리

오른쪽 그림과 같이 세 각 $\alpha+\beta$, α, $-\beta$를 나타내는 동경과 단위원 O의 교점을 각각 A, B, C라 하자.

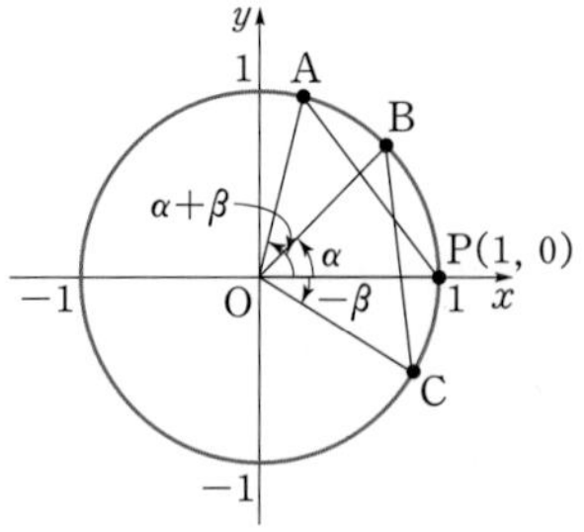

이때 점 $P(1,\ 0)$에 대하여 $\triangle AOP$와 $\triangle BOC$에서

$$\overline{OA}=\overline{OB}=1,\ \overline{OP}=\overline{OC}=1$$

이고

$$\angle AOP=\angle BOC=\alpha+\beta$$

이므로 $\triangle AOP$와 $\triangle BOC$는 서로 합동이다.

따라서 $\overline{AP}=\overline{BC}$이다. 이때

$$A(\cos(\alpha+\beta),\ \sin(\alpha+\beta)),$$
$$B(\cos\alpha,\ \sin\alpha),$$
$$C(\cos\beta,\ -\sin\beta)\ (\because \cos(-\beta)=\cos\beta,\ \sin(-\beta)=-\sin\beta)$$

이고

$$\overline{AP}^2=\{1-\cos(\alpha+\beta)\}^2+\{0-\sin(\alpha+\beta)\}^2=2-2\cos(\alpha+\beta),$$
$$\overline{BC}^2=(\cos\beta-\cos\alpha)^2+(-\sin\beta-\sin\alpha)^2=2-2\cos\alpha\cos\beta+2\sin\alpha\sin\beta$$

이므로 $\overline{AP}^2=\overline{BC}^2$에서

$$2-2\cos(\alpha+\beta)=2-2\cos\alpha\cos\beta+2\sin\alpha\sin\beta$$

이다. 이 식을 정리하면

$$\boldsymbol{\cos(\alpha+\beta)=\cos\alpha\cos\beta-\sin\alpha\sin\beta} \quad\quad \cdots\cdots \ ㉠$$

이다.

또 ㉠은 임의의 두 각 α, β에 대하여 성립하므로 ㉠에 β 대신 $-\beta$를 대입하면

$$\cos\{\alpha+(-\beta)\}=\cos\alpha\cos(-\beta)-\sin\alpha\sin(-\beta)$$

가 성립한다. 즉,

$$\boldsymbol{\cos(\alpha-\beta)=\cos\alpha\cos\beta+\sin\alpha\sin\beta}$$

이다.

한편 $\sin\theta=\cos\left(\dfrac{\pi}{2}-\theta\right)$이므로

$$\boldsymbol{\sin(\alpha+\beta)}=\cos\left\{\dfrac{\pi}{2}-(\alpha+\beta)\right\}=\cos\left\{\left(\dfrac{\pi}{2}-\alpha\right)-\beta\right\}$$

$$=\cos\left(\dfrac{\pi}{2}-\alpha\right)\cos\beta+\sin\left(\dfrac{\pi}{2}-\alpha\right)\sin\beta$$

$$=\boldsymbol{\sin\alpha\cos\beta+\cos\alpha\sin\beta} \quad\quad \cdots\cdots \ ㉡$$

이다.

마찬가지로 ⓒ은 임의의 두 각 α, β에 대하여 성립하므로 ⓒ에 β 대신 $-\beta$를 대입하면

$$\sin(\alpha-\beta)=\sin\alpha\cos(-\beta)+\cos\alpha\sin(-\beta)$$
$$=\sin\alpha\cos\beta-\cos\alpha\sin\beta$$

이다.

이상을 정리하면 다음과 같은 **사인함수와 코사인함수의 덧셈정리**를 얻는다.

사인함수와 코사인함수의 덧셈정리

① $\sin(\alpha+\beta)=\sin\alpha\cos\beta+\cos\alpha\sin\beta$

　$\sin(\alpha-\beta)=\sin\alpha\cos\beta-\cos\alpha\sin\beta$

② $\cos(\alpha+\beta)=\cos\alpha\cos\beta-\sin\alpha\sin\beta$

　$\cos(\alpha-\beta)=\cos\alpha\cos\beta+\sin\alpha\sin\beta$

사인함수와 코사인함수의 덧셈정리를 이용하면 $\sin75°$, $\cos75°$의 값을 다음과 같이 구할 수 있다.

$$\sin75°=\sin(45°+30°)=\sin45°\cos30°+\cos45°\sin30°$$
$$=\frac{\sqrt{2}}{2}\cdot\frac{\sqrt{3}}{2}+\frac{\sqrt{2}}{2}\cdot\frac{1}{2}=\frac{\sqrt{6}+\sqrt{2}}{4}$$

$$\cos75°=\cos(45°+30°)=\cos45°\cos30°-\sin45°\sin30°$$
$$=\frac{\sqrt{2}}{2}\cdot\frac{\sqrt{3}}{2}-\frac{\sqrt{2}}{2}\cdot\frac{1}{2}=\frac{\sqrt{6}-\sqrt{2}}{4}$$

EXAMPLE 026 $\sin\alpha=\dfrac{3}{5}$, $\sin\beta=\dfrac{12}{13}$일 때, 다음 삼각함수의 값을 구하여라.

$$\left(\text{단, } \frac{\pi}{2}<\alpha<\pi,\ 0<\beta<\frac{\pi}{2}\right)$$

(1) $\sin(\alpha-\beta)$　　　　　　　(2) $\cos(\alpha+\beta)$

ANSWER $\dfrac{\pi}{2}<\alpha<\pi$, $0<\beta<\dfrac{\pi}{2}$이므로　　$\cos\alpha<0$, $\cos\beta>0$

$$\therefore \cos\alpha=-\sqrt{1-\sin^2\alpha}=-\sqrt{1-\left(\frac{3}{5}\right)^2}=-\frac{4}{5},$$

$$\cos\beta=\sqrt{1-\sin^2\beta}=\sqrt{1-\left(\frac{12}{13}\right)^2}=\frac{5}{13}$$

(1) $\sin(\alpha-\beta)=\sin\alpha\cos\beta-\cos\alpha\sin\beta=\dfrac{3}{5}\cdot\dfrac{5}{13}-\left(-\dfrac{4}{5}\right)\cdot\dfrac{12}{13}=\dfrac{\mathbf{63}}{\mathbf{65}}$ ■

(2) $\cos(\alpha+\beta)=\cos\alpha\cos\beta-\sin\alpha\sin\beta=-\dfrac{4}{5}\cdot\dfrac{5}{13}-\dfrac{3}{5}\cdot\dfrac{12}{13}=-\dfrac{\mathbf{56}}{\mathbf{65}}$ ■

APPLICATION **034** $\sin\alpha=\dfrac{4}{5}$, $\cos\beta=-\dfrac{5}{13}$ 일 때, 다음 삼각함수의 값을 구하여라.

$$\left(\text{단, } 0<\alpha<\dfrac{\pi}{2}, \ \dfrac{\pi}{2}<\beta<\pi\right)$$

(1) $\sin(\alpha+\beta)$ (2) $\cos(\alpha-\beta)$

APPLICATION **035** $\cos80°\sin140°+\cos10°\sin50°$ 의 값을 구하여라.

(2) 탄젠트함수의 덧셈정리

사인함수와 코사인함수의 덧셈정리를 이용하여 탄젠트함수의 덧셈정리를 알아보자.

두 각 α, β에 대하여 $\cos\alpha\cos\beta\neq0$일 때,

$$\tan(\alpha+\beta)=\frac{\sin(\alpha+\beta)}{\cos(\alpha+\beta)}=\frac{\sin\alpha\cos\beta+\cos\alpha\sin\beta}{\cos\alpha\cos\beta-\sin\alpha\sin\beta}$$

$$=\frac{\tan\alpha+\tan\beta}{1-\tan\alpha\tan\beta}$$

$\dfrac{(분자)\div\cos\alpha\cos\beta}{(분모)\div\cos\alpha\cos\beta}$ …… ㉢

이다. 또 ㉢은 임의의 두 각 α, β에 대하여 성립하므로 ㉢에 β 대신 $-\beta$를 대입하면

$$\tan(\alpha-\beta)=\frac{\tan\alpha+\tan(-\beta)}{1-\tan\alpha\tan(-\beta)}=\frac{\tan\alpha-\tan\beta}{1+\tan\alpha\tan\beta}$$

이다.

이상을 정리하면 다음과 같은 **탄젠트함수의 덧셈정리**를 얻는다.

탄젠트함수의 덧셈정리

$$\tan(\alpha+\beta)=\frac{\tan\alpha+\tan\beta}{1-\tan\alpha\tan\beta}$$

$$\tan(\alpha-\beta)=\frac{\tan\alpha-\tan\beta}{1+\tan\alpha\tan\beta}$$

탄젠트함수의 덧셈정리를 이용하면 $\tan15°$의 값을 다음과 같이 구할 수 있다.

$$\tan15°=\tan(45°-30°)=\frac{\tan45°-\tan30°}{1+\tan45°\tan30°}$$

$$=\frac{1-\dfrac{1}{\sqrt{3}}}{1+1\cdot\dfrac{1}{\sqrt{3}}}=\frac{\sqrt{3}-1}{\sqrt{3}+1}=2-\sqrt{3}$$

앞에서도 말했지만 삼각함수의 덧셈정리를 증명하는 방법은 여러 가지가 있다.
282~283쪽의 **Advanced Lecture**에서는 도형을 이용하여 삼각함수의 덧셈정리를 증명해 보았으니 확인해 보기 바란다.

■ **E X A M P L E 027** α, β가 제1사분면의 각이고 $\tan\alpha = \dfrac{1}{2}$, $\tan\beta = \dfrac{1}{3}$일 때, 다음 삼각함수의 값을 구하여라.

(1) $\tan(\alpha+\beta)$ \qquad\qquad (2) $\tan(\alpha-\beta)$

ANSWER (1) $\tan(\alpha+\beta) = \dfrac{\tan\alpha + \tan\beta}{1 - \tan\alpha\tan\beta}$

$$= \dfrac{\dfrac{1}{2} + \dfrac{1}{3}}{1 - \dfrac{1}{2}\cdot\dfrac{1}{3}} = \dfrac{\dfrac{5}{6}}{\dfrac{5}{6}} = \mathbf{1} \ ■$$

(2) $\tan(\alpha-\beta) = \dfrac{\tan\alpha - \tan\beta}{1 + \tan\alpha\tan\beta}$

$$= \dfrac{\dfrac{1}{2} - \dfrac{1}{3}}{1 + \dfrac{1}{2}\cdot\dfrac{1}{3}} = \dfrac{\dfrac{1}{6}}{\dfrac{7}{6}} = \dfrac{\mathbf{1}}{\mathbf{7}} \ ■$$

APPLICATION 036 이차방정식 $2x^2 - 5x + 1 = 0$의 두 근을 $\tan\alpha$, $\tan\beta$라 할 때, $\tan(\alpha+\beta)$의 값을 구하여라.

Sub Note 012쪽

APPLICATION 037 $\alpha+\beta = \dfrac{\pi}{4}$일 때, $(1+\tan\alpha)(1+\tan\beta)$의 값을 구하여라.

Ⅱ-2. 삼각함수의 미분   **143**

026

(1) $\sin\alpha+\sin\beta+\sin\gamma=0$, $\cos\alpha+\cos\beta+\cos\gamma=0$일 때, $\cos(\alpha-\beta)$의 값을 구하여라.

(2) $\sin(\alpha+\beta)\sin(\alpha-\beta)=\sin^2\alpha-\sin^2\beta=\cos^2\beta-\cos^2\alpha$임을 증명하여라.

GUIDE (1) 변수가 α, β, γ의 3개인데 구하는 것은 $\cos(\alpha-\beta)$이므로 먼저 주어진 식에서 $\sin\gamma$, $\cos\gamma$를 소거할 수 있도록 식을 변형한다.

(2) 삼각함수의 덧셈정리를 이용하여 $\sin(\alpha+\beta)\sin(\alpha-\beta)$를 전개한 후 $\cos\alpha$, $\cos\beta$를 소거할 수 있도록 식을 변형한다.

SOLUTION

(1) $\sin\alpha+\sin\beta=-\sin\gamma$, $\cos\alpha+\cos\beta=-\cos\gamma$이므로 양변을 각각 제곱하여 변끼리 더하면

$$(\sin\alpha+\sin\beta)^2+(\cos\alpha+\cos\beta)^2=(-\sin\gamma)^2+(-\cos\gamma)^2$$

$$\sin^2\alpha+2\sin\alpha\sin\beta+\sin^2\beta+\cos^2\alpha+2\cos\alpha\cos\beta+\cos^2\beta$$
$$=\sin^2\gamma+\cos^2\gamma$$

$$2+2(\sin\alpha\sin\beta+\cos\alpha\cos\beta)=1$$

$$\sin\alpha\sin\beta+\cos\alpha\cos\beta=-\frac{1}{2}$$

$$\therefore\ \cos(\alpha-\beta)=\cos\alpha\cos\beta+\sin\alpha\sin\beta=-\frac{1}{2}\ \blacksquare$$

(2) $\sin(\alpha+\beta)\sin(\alpha-\beta)=(\sin\alpha\cos\beta+\cos\alpha\sin\beta)(\sin\alpha\cos\beta-\cos\alpha\sin\beta)$

$$=\sin^2\alpha\cos^2\beta-\cos^2\alpha\sin^2\beta$$

$$=\sin^2\alpha(1-\sin^2\beta)-(1-\sin^2\alpha)\sin^2\beta$$

$$=\sin^2\alpha-\sin^2\alpha\sin^2\beta-\sin^2\beta+\sin^2\alpha\sin^2\beta$$

$$=\sin^2\alpha-\sin^2\beta \quad\cdots\cdots\ \bigcirc$$

$$=(1-\cos^2\alpha)-(1-\cos^2\beta)$$

$$=\cos^2\beta-\cos^2\alpha \quad\cdots\cdots\ \bigcirc\!\!\!\!L$$

따라서 ㉠, ㉡으로부터

$$\sin(\alpha+\beta)\sin(\alpha-\beta)=\sin^2\alpha-\sin^2\beta=\cos^2\beta-\cos^2\alpha\ \blacksquare$$

유제   Sub Note 061쪽

026-❶ 세 각 A, B, C에 대하여 $A+B+C=\pi$일 때, $\tan A+\tan B+\tan C=\tan A\tan B\tan C$ 임을 증명하여라.

기 본 예 제   *삼각함수의 덧셈정리의 활용*

027
이차방정식 $x^2-7x-1=0$의 두 근을 $\tan\alpha$, $\tan\beta$라 할 때,

$$\cos^2(\alpha+\beta)+3\cos(\alpha+\beta)\sin(\alpha+\beta)+2\sin^2(\alpha+\beta)=\frac{q}{p}$$

이다. 이때 $p+q$의 값을 구하여라. (단, p, q는 서로소인 자연수)

GUIDE 이차방정식의 근과 계수의 관계, 삼각함수의 덧셈정리, 삼각함수 사이의 관계를 이용하여
$\tan(\alpha+\beta)$, $\cos^2(\alpha+\beta)$의 값을 먼저 구한 후 주어진 식을 변형한다.

SOLUTION

이차방정식 $x^2-7x-1=0$의 두 근이 $\tan\alpha$, $\tan\beta$이므로 이차방정식의 근과 계수
의 관계에 의하여

$$\tan\alpha+\tan\beta=7, \tan\alpha\tan\beta=-1$$

$$\therefore \tan(\alpha+\beta)=\frac{\tan\alpha+\tan\beta}{1-\tan\alpha\tan\beta}=\frac{7}{1-(-1)}=\frac{7}{2},$$

$$\cos^2(\alpha+\beta)=\frac{1}{\sec^2(\alpha+\beta)}=\frac{1}{1+\tan^2(\alpha+\beta)}=\frac{1}{1+\left(\frac{7}{2}\right)^2}=\frac{4}{53}$$

주어진 식을 $\tan(\alpha+\beta)$, $\cos^2(\alpha+\beta)$에 대한 식으로 변형하여 식의 값을 구하면

$$\cos^2(\alpha+\beta)+3\cos(\alpha+\beta)\sin(\alpha+\beta)+2\sin^2(\alpha+\beta)$$

$$=\cos^2(\alpha+\beta)\left\{1+3\cdot\frac{\sin(\alpha+\beta)}{\cos(\alpha+\beta)}+2\cdot\frac{\sin^2(\alpha+\beta)}{\cos^2(\alpha+\beta)}\right\}$$

$$=\cos^2(\alpha+\beta)\{1+3\tan(\alpha+\beta)+2\tan^2(\alpha+\beta)\}$$

$$=\frac{4}{53}\cdot\left\{1+3\cdot\frac{7}{2}+2\cdot\left(\frac{7}{2}\right)^2\right\}=\frac{4}{53}\cdot36=\frac{144}{53}$$

따라서 $p=53$, $q=144$이므로　　$p+q=\mathbf{197}$ ∎

Sub Note 062쪽

유제
027-❶ 오른쪽 그림과 같이 두 직선 $y=2x$와 $y=\frac{1}{2}x$가 이루는 예각
의 크기를 θ라 할 때, $\tan\theta$의 값을 구하여라.

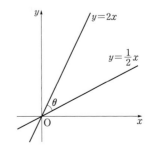

삼각함수의 덧셈정리를 이용한 점의 자취

028 $\sin x + \cos y = a$, $\cos x + \sin y = b$, $\sin(x+y) = \dfrac{1}{3}$ 이 성립할 때, 점 (a, b)의 자취의 길이를 구하여라.

GUIDE 주어진 두 식의 양변을 각각 제곱하여 더한 후 식을 간단히 한다.

SOLUTION

$\sin x + \cos y = a$와 $\cos x + \sin y = b$의 양변을 각각 제곱하여 변끼리 더하면

$$(\sin x + \cos y)^2 + (\cos x + \sin y)^2 = a^2 + b^2$$

$$\sin^2 x + 2\sin x\cos y + \cos^2 y + \cos^2 x + 2\cos x\sin y + \sin^2 y = a^2 + b^2$$

$$2 + 2(\sin x\cos y + \cos x\sin y) = a^2 + b^2$$

$$2 + 2\sin(x+y) = a^2 + b^2$$

$$2 + \frac{2}{3} = a^2 + b^2 \left(\because \sin(x+y) = \frac{1}{3}\right)$$

$$\therefore a^2 + b^2 = \frac{8}{3}$$

따라서 점 (a, b)의 자취는 원점을 중심으로 하고 반지름의 길이가 $\sqrt{\dfrac{8}{3}} = \dfrac{2\sqrt{6}}{3}$ 인 원이므로 자취의 길이는

$$2\pi \cdot \frac{2\sqrt{6}}{3} = \frac{4\sqrt{6}}{3}\pi \ \blacksquare$$

Summa's Advice

삼각함수로 나타내어진 점의 자취 문제에서 주어진 두 식에 $\sin x$, $\cos x$가 함께 있는 경우에는 두 식의 양변을 각각 제곱하여 더한 후 $\sin^2 x + \cos^2 x = 1$임을 이용하는 경우가 많다. 주어진 두 식을 더하거나 빼보는 것도 답에 한 발 더 접근하는 방법이 되기도 한다.

유제
028-❶ $x = 3\sin A + 4\cos B$, $y = -4\sin B + 3\cos A$, $\sin(A-B) = \dfrac{11}{24}$ 일 때, 점 (x, y)의 자취의 길이를 구하여라.

SUMMA CUM LAUDE

ESSENTIAL LECTURE

❶ 배각의 공식

삼각함수의 덧셈정리로부터 다음과 같은 배각의 공식을 얻을 수 있다.

① $\sin 2\alpha = 2\sin\alpha\cos\alpha$ ② $\cos 2\alpha = \cos^2\alpha - \sin^2\alpha = 2\cos^2\alpha - 1 = 1 - 2\sin^2\alpha$

③ $\tan 2\alpha = \dfrac{2\tan\alpha}{1-\tan^2\alpha}$

❷ 반각의 공식

배각의 공식으로부터 다음과 같은 반각의 공식을 얻을 수 있다.

① $\sin^2\dfrac{\alpha}{2} = \dfrac{1-\cos\alpha}{2}$ ② $\cos^2\dfrac{\alpha}{2} = \dfrac{1+\cos\alpha}{2}$ ③ $\tan^2\dfrac{\alpha}{2} = \dfrac{1-\cos\alpha}{1+\cos\alpha}$

삼각함수의 많은 공식들은 어디서 뚝 떨어진 것이 아니라 우리가 알고 있는 기본적인 공식에서 꼬리에 꼬리를 물고 나온 것들이다. 여기에서는 앞에서 신나게 외웠던 삼각함수의 덧셈정리를 이용하여 쉽게 유도되는 공식들에 대하여 알아보자.

❶ 배각의 공식

앞에서 배운 가장 기본적인 공식인 삼각함수의 덧셈정리에서 어떤 새로운 결과들을 얻어낼수 있을까? 아마 제일 먼저 떠오르는 것은 '각이 $\alpha = \beta$이면 식이 어떻게 될까?'일 것이다.

삼각함수의 덧셈정리에 β 대신 α를 대입하면 다음과 같은 배각의 공식을 얻을 수 있다.

$$\sin 2\alpha = \sin(\alpha+\alpha) = \sin\alpha\cos\alpha + \cos\alpha\sin\alpha = 2\sin\alpha\cos\alpha$$

$$\cos 2\alpha = \cos(\alpha+\alpha) = \cos\alpha\cos\alpha - \sin\alpha\sin\alpha = \cos^2\alpha - \sin^2\alpha$$

$$\tan 2\alpha = \tan(\alpha+\alpha) = \frac{\tan\alpha+\tan\alpha}{1-\tan\alpha\tan\alpha} = \frac{2\tan\alpha}{1-\tan^2\alpha}$$

또 $\cos 2\alpha = \cos^2\alpha - \sin^2\alpha$에 $\sin^2\alpha + \cos^2\alpha = 1$을 적용하면 다음과 같은 식을 얻을 수 있다.

$$\cos 2\alpha = \cos^2\alpha - \sin^2\alpha = \cos^2\alpha - (1-\cos^2\alpha) = 2\cos^2\alpha - 1$$
$$= 2(1-\sin^2\alpha) - 1 = 1 - 2\sin^2\alpha$$

차수는 다항식에서만 쓰이는 용어지만, 식의 형태만 놓고 보면 위의 식은 마치 차수를 변화시키는 등식처럼 보이므로 앞으로 삼각방정식뿐만 아니라 적분법에서도 유용하게 쓰인다.

이상을 정리하면 다음과 같은 배각의 공식을 얻는다.

배각의 공식

① $\sin 2\alpha = 2\sin\alpha\cos\alpha$ ② $\cos 2\alpha = \cos^2\alpha - \sin^2\alpha = 2\cos^2\alpha - 1 = 1 - 2\sin^2\alpha$

③ $\tan 2\alpha = \dfrac{2\tan\alpha}{1-\tan^2\alpha}$

한편 배각의 공식은 도형을 이용하여 유도하는 방법도 있다.

오른쪽 그림과 같은 단위원에서 호 BC에 대한 원주각인

$\angle BAC = \alpha$라 하면

    $\angle BOC = 2\alpha$, $\overline{BC} = 2\sin\alpha$, $\overline{AC} = 2\cos\alpha$

또 점 C는 단위원 위의 점이므로 삼각형 ODC에서

    $C(\cos 2\alpha,\ \sin 2\alpha)$

이때 두 삼각형 ACD와 ABC는 닮음이므로 다음이 성립한다.

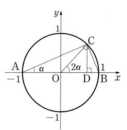

$$\dfrac{\overline{CD}}{\overline{AC}} = \dfrac{\overline{BC}}{\overline{AB}} \ \Longrightarrow\ \dfrac{\sin 2\alpha}{2\cos\alpha} = \dfrac{2\sin\alpha}{2} \qquad \therefore\ \sin 2\alpha = 2\sin\alpha\cos\alpha$$

$$\dfrac{\overline{AD}}{\overline{AC}} = \dfrac{\overline{AC}}{\overline{AB}} \ \Longrightarrow\ \dfrac{1+\cos 2\alpha}{2\cos\alpha} = \dfrac{2\cos\alpha}{2} \qquad \therefore\ \cos 2\alpha = 2\cos^2\alpha - 1$$

■ **EXAMPLE 028** $\sin\alpha = \dfrac{1}{3}$ 일 때, 다음 삼각함수의 값을 구하여라. $\left(\text{단, } \dfrac{\pi}{2} < \alpha < \pi\right)$

(1) $\sin 2\alpha$ (2) $\cos 2\alpha$ (3) $\tan 2\alpha$

ANSWER $\dfrac{\pi}{2} < \alpha < \pi$에서 $\cos\alpha < 0$이므로

$$\cos\alpha = -\sqrt{1-\sin^2\alpha} = -\sqrt{1-\left(\dfrac{1}{3}\right)^2} = -\dfrac{2\sqrt{2}}{3},\ \tan\alpha = \dfrac{\sin\alpha}{\cos\alpha} = -\dfrac{\sqrt{2}}{4}$$

(1) $\sin 2\alpha = 2\sin\alpha\cos\alpha = 2\cdot\dfrac{1}{3}\cdot\left(-\dfrac{2\sqrt{2}}{3}\right) = -\dfrac{4\sqrt{2}}{9}$ ■

(2) $\cos 2\alpha = \cos^2\alpha - \sin^2\alpha = \left(-\dfrac{2\sqrt{2}}{3}\right)^2 - \left(\dfrac{1}{3}\right)^2 = \dfrac{7}{9}$ ■

(3) $\tan 2\alpha = \dfrac{2\tan\alpha}{1-\tan^2\alpha} = \dfrac{2\cdot\left(-\dfrac{\sqrt{2}}{4}\right)}{1-\left(-\dfrac{\sqrt{2}}{4}\right)^2} = \dfrac{-\dfrac{\sqrt{2}}{2}}{\dfrac{7}{8}} = -\dfrac{4\sqrt{2}}{7}$ ■

APPLICATION **038** $\dfrac{\sin 2\theta}{1+\cos 2\theta} = \dfrac{1}{2}$ 일 때, $\tan 2\theta$의 값을 구하여라.   Sub Note 012쪽

보통 고등학교 범위에서는 2배각까지만 다루지만 사실 삼각함수의 배각 공식에는 3배각, 4배각, 5배각, $\cdots$, n배각 공식이 있다. 여기에서는 3배각과 4배각 공식으로 확장해 보도록 하자.

먼저, 3배각 공식을 정리하면 다음과 같다.

3배각 공식

① $\sin 3A = 3\sin A - 4\sin^3 A$　　　　② $\cos 3A = 4\cos^3 A - 3\cos A$

③ $\tan 3A = \dfrac{3\tan A - \tan^3 A}{1 - 3\tan^2 A}$

[증명] $3A$ 대신 $A + 2A$를 대입하면

$$\sin 3A = \sin(A + 2A) = \sin A \cos 2A + \cos A \sin 2A$$
$$= \sin A(1 - 2\sin^2 A) + \cos A \cdot 2\sin A \cos A = \sin A - 2\sin^3 A + 2\sin A \cos^2 A$$
$$= \sin A - 2\sin^3 A + 2\sin A(1 - \sin^2 A) = 3\sin A - 4\sin^3 A \ ■$$

$\cos 3A$, $\tan 3A$도 위와 같이 $3A = A + 2A$로 분리하면 3배각 공식을 유도할 수 있다.

이번에는 4배각 공식을 정리하면 다음과 같다.

4배각 공식

① $\sin 4A = 4\sin A \cos A - 8\sin^3 A \cos A$　　　② $\cos 4A = 8\cos^4 A - 8\cos^2 A + 1$

③ $\tan 4A = \dfrac{4\tan A - 4\tan^3 A}{1 - 6\tan^2 A + \tan^4 A}$

[증명] $4A$ 대신 $2A + 2A$를 대입하면

$$\sin 4A = \sin(2A + 2A) = 2\sin 2A \cos 2A$$
$$= 2 \cdot 2\sin A \cos A(1 - 2\sin^2 A) = 4\sin A \cos A - 8\sin^3 A \cos A \ ■$$

$\cos 4A$, $\tan 4A$도 위와 같이 $4A = 2A + 2A$로 분리하면 4배각 공식을 유도할 수 있다.

2 반각의 공식

이번에는 배각의 공식을 이용하여 반각의 공식을 유도해 보자.

$\cos 2\alpha = 1 - 2\sin^2 \alpha$에서　　$\sin^2 \alpha = \dfrac{1 - \cos 2\alpha}{2}$

위의 식에 α 대신 $\dfrac{\alpha}{2}$를 대입하면　　$\sin^2 \dfrac{\alpha}{2} = \dfrac{1 - \cos \alpha}{2}$

$\cos 2\alpha = 2\cos^2 \alpha - 1$에서　　$\cos^2 \alpha = \dfrac{1 + \cos 2\alpha}{2}$

위의 식에 α 대신 $\dfrac{\alpha}{2}$를 대입하면　　$\cos^2 \dfrac{\alpha}{2} = \dfrac{1 + \cos \alpha}{2}$

를 얻을 수 있다.

또 탄젠트 값은 코사인 값에 대한 사인 값의 비이므로

$$\tan^2\frac{\alpha}{2} = \frac{\sin^2\frac{\alpha}{2}}{\cos^2\frac{\alpha}{2}} = \frac{\dfrac{1-\cos\alpha}{2}}{\dfrac{1+\cos\alpha}{2}} = \frac{1-\cos\alpha}{1+\cos\alpha}$$

이다. 여기서 $\sin^2\dfrac{\alpha}{2}$, $\cos^2\dfrac{\alpha}{2}$, $\tan^2\dfrac{\alpha}{2}$ 가 모두 $\cos\alpha$로 표현되는 것에 주목하자.

즉, $\cos\alpha$의 값만 알면 $\sin^2\dfrac{\alpha}{2}$, $\cos^2\dfrac{\alpha}{2}$, $\tan^2\dfrac{\alpha}{2}$의 값을 알 수 있다는 뜻이다. 사실 앞의 식들은 배각의 공식의 연장선 상에서 생각할 수 있으므로 둘을 연계해서 익히는 것이 도움이 된다. 유도 과정을 눈여겨 봐두면 공식을 잊어버려도 공식을 쉽게 유도해낼 수 있다.

이상을 정리하면 다음과 같은 반각의 공식을 얻는다.

반각의 공식

① $\sin^2\dfrac{\alpha}{2} = \dfrac{1-\cos\alpha}{2}$　　② $\cos^2\dfrac{\alpha}{2} = \dfrac{1+\cos\alpha}{2}$　　③ $\tan^2\dfrac{\alpha}{2} = \dfrac{1-\cos\alpha}{1+\cos\alpha}$

EXAMPLE 029 $\sin\alpha = \dfrac{4}{5}$ 일 때, 다음 삼각함수의 값을 구하여라. $\left(\text{단, } \dfrac{\pi}{2} < \alpha < \pi\right)$

(1) $\sin\dfrac{\alpha}{2}$　　　　　　(2) $\cos\dfrac{\alpha}{2}$　　　　　　(3) $\tan\dfrac{\alpha}{2}$

ANSWER $\dfrac{\pi}{2} < \alpha < \pi$에서 $\cos\alpha < 0$이므로

$$\cos\alpha = -\sqrt{1-\sin^2\alpha} = -\sqrt{1-\left(\frac{4}{5}\right)^2} = -\frac{3}{5}$$

이때 $\dfrac{\pi}{2} < \alpha < \pi$에서 $\dfrac{\pi}{4} < \dfrac{\alpha}{2} < \dfrac{\pi}{2}$이므로　$\sin\dfrac{\alpha}{2} > 0$, $\cos\dfrac{\alpha}{2} > 0$, $\tan\dfrac{\alpha}{2} > 0$

(1) $\sin^2\dfrac{\alpha}{2} = \dfrac{1-\cos\alpha}{2} = \dfrac{1-\left(-\dfrac{3}{5}\right)}{2} = \dfrac{4}{5}$　　$\therefore \sin\dfrac{\alpha}{2} = \dfrac{2\sqrt{5}}{5}$ ■

(2) $\cos^2\dfrac{\alpha}{2} = \dfrac{1+\cos\alpha}{2} = \dfrac{1+\left(-\dfrac{3}{5}\right)}{2} = \dfrac{1}{5}$　　$\therefore \cos\dfrac{\alpha}{2} = \dfrac{\sqrt{5}}{5}$ ■

(3) $\tan^2\dfrac{\alpha}{2} = \dfrac{1-\cos\alpha}{1+\cos\alpha} = \dfrac{1-\left(-\dfrac{3}{5}\right)}{1+\left(-\dfrac{3}{5}\right)} = 4$　　$\therefore \tan\dfrac{\alpha}{2} = 2$ ■

APPLICATION **039** $\sin^2\dfrac{\theta}{2}=\dfrac{1}{5}$ 일 때, $\cos 2\theta$의 값을 구하여라. Sub Note 013쪽

한편 배각의 공식을 변형하여 삼각함수를 탄젠트의 반각으로 표현하는 방법이 있다.

$\tan\dfrac{\theta}{2}=t$로 치환할 때, 삼각함수를 t에 대한 식으로 나타내면 다음과 같다.

$$\cos\theta=2\cos^2\dfrac{\theta}{2}-1=\dfrac{2}{\sec^2\dfrac{\theta}{2}}-1=\dfrac{2}{1+\tan^2\dfrac{\theta}{2}}-1=\dfrac{2}{1+t^2}-1=\dfrac{1-t^2}{1+t^2}$$

$$\tan\theta=\dfrac{2\tan\dfrac{\theta}{2}}{1-\tan^2\dfrac{\theta}{2}}=\dfrac{2t}{1-t^2}$$

$$\sin\theta=\tan\theta\cos\theta=\dfrac{2t}{1-t^2}\cdot\dfrac{1-t^2}{1+t^2}=\dfrac{2t}{1+t^2}$$

이는 직각삼각형을 이용해서 구할 수도 있다.

$\tan\dfrac{\theta}{2}=t$이므로 세 변의 길이가 각각 1, t, $\sqrt{1+t^2}$인 직각삼각형

에 대하여 $\sin\dfrac{\theta}{2}=\dfrac{t}{\sqrt{1+t^2}}$, $\cos\dfrac{\theta}{2}=\dfrac{1}{\sqrt{1+t^2}}$이다.

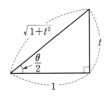

$$\therefore \sin\theta=2\sin\dfrac{\theta}{2}\cos\dfrac{\theta}{2}=\dfrac{2t}{1+t^2}$$

$$\cos\theta=\cos^2\dfrac{\theta}{2}-\sin^2\dfrac{\theta}{2}=\dfrac{1-t^2}{1+t^2}$$

$$\tan\theta=\dfrac{\sin\theta}{\cos\theta}=\dfrac{2t}{1-t^2}$$

Sub Note 013쪽

APPLICATION **040**   원점 O를 중심으로 하고 반지름의 길이가
1인 원 위의 두 점 A, B에 대하여 직선 AB의 기울기가 t이고
선분 BO가 x축의 양의 방향과 이루는 예각의 크기를 θ라 하자.
점 C가 선분 AB의 중점일 때, 다음 물음에 답하여라.

(1) $\overline{BC}$와 $\overline{OC}$의 길이를 각각 t에 대한 식으로 나타내어라.

(2) 점 B의 좌표를 t에 대한 식으로 나타내어라.

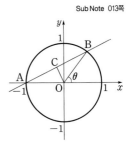

029

(1) $\sin\theta\cos\theta=\dfrac{\sqrt{2}}{6}$ 일 때, $\tan 2\theta$의 값을 구하여라. $\left(\text{단, } \dfrac{\pi}{4}<\theta<\dfrac{\pi}{2}\right)$

(2) $\tan\dfrac{\theta}{2}=\dfrac{\sqrt{2}}{2}$ 일 때, $\sin 2\theta$의 값을 구하여라. $\left(\text{단, } 0<\theta<\dfrac{\pi}{2}\right)$

GUIDE (1) 먼저 $\sin\theta\cos\theta=\dfrac{\sqrt{2}}{6}$ 를 이용하여 $\sin 2\theta$의 값을 구한다.

(2) 먼저 $\tan\dfrac{\theta}{2}=\dfrac{\sqrt{2}}{2}$ 를 이용하여 $\cos\theta$의 값을 구한다.

SOLUTION

(1) $\sin\theta\cos\theta=\dfrac{\sqrt{2}}{6}$ 이므로 $\sin 2\theta=2\sin\theta\cos\theta=2\cdot\dfrac{\sqrt{2}}{6}=\dfrac{\sqrt{2}}{3}$

이때 $\dfrac{\pi}{4}<\theta<\dfrac{\pi}{2}$에서 $\dfrac{\pi}{2}<2\theta<\pi$이므로 $\cos 2\theta<0$

즉, $\cos 2\theta=-\sqrt{1-\sin^2 2\theta}=-\sqrt{1-\left(\dfrac{\sqrt{2}}{3}\right)^2}=-\dfrac{\sqrt{7}}{3}$ 이므로

$$\tan 2\theta=\dfrac{\sin 2\theta}{\cos 2\theta}=\dfrac{\dfrac{\sqrt{2}}{3}}{-\dfrac{\sqrt{7}}{3}}=-\dfrac{\sqrt{14}}{7}\ \blacksquare$$

(2) $\tan^2\dfrac{\theta}{2}=\dfrac{1-\cos\theta}{1+\cos\theta}=\left(\dfrac{\sqrt{2}}{2}\right)^2$에서 $\dfrac{1-\cos\theta}{1+\cos\theta}=\dfrac{1}{2}$

$2-2\cos\theta=1+\cos\theta,\ 3\cos\theta=1$ $\therefore\ \cos\theta=\dfrac{1}{3}$

이때 $0<\theta<\dfrac{\pi}{2}$에서 $\sin\theta>0$이므로

$$\sin\theta=\sqrt{1-\cos^2\theta}=\sqrt{1-\left(\dfrac{1}{3}\right)^2}=\dfrac{2\sqrt{2}}{3}$$

$$\therefore\ \sin 2\theta=2\sin\theta\cos\theta=2\cdot\dfrac{2\sqrt{2}}{3}\cdot\dfrac{1}{3}=\dfrac{4\sqrt{2}}{9}\ \blacksquare$$

유제
029-❶ $\dfrac{1-\tan^2\theta}{\tan\theta}=\dfrac{24}{5}$ 일 때, $\cos 2\theta$의 값을 구하여라. $\left(\text{단, } 0<\theta<\dfrac{\pi}{3}\right)$ Sub Note 062쪽

유제
029-❷ $\cos\theta-\sin\theta=\dfrac{\sqrt{10}}{5}$ 일 때, $\tan^2\theta=\dfrac{q}{p}$ 이다. 이때 $p+q$의 값을 구하여라.   Sub Note 062쪽

$\left(\text{단, } 0<\theta<\dfrac{\pi}{4}\text{이고 } p,\ q\text{는 서로소인 자연수}\right)$

배각의 공식과 반각의 공식의 방정식에의 활용

030 이차방정식 $9x^2+5x-a=0$의 두 근이 $\sin\theta$, $\cos 2\theta$일 때, 상수 a의 값을 구하여라.

GUIDE 이차방정식의 근과 계수의 관계를 이용하여 식을 세운 다음, $\cos 2\theta$를 $\sin\theta$에 대한 식으로 나타낸다.

SOLUTION ───────────────────────

이차방정식 $9x^2+5x-a=0$의 두 근이 $\sin\theta$, $\cos 2\theta$이므로 이차방정식의 근과 계수의 관계에 의하여

$$\sin\theta+\cos 2\theta=-\frac{5}{9} \quad \cdots\cdots \text{㉠}$$

$$\sin\theta\cos 2\theta=-\frac{a}{9} \quad \cdots\cdots \text{㉡}$$

$\cos 2\theta=1-2\sin^2\theta$이므로 ㉠에서

$$\sin\theta+(1-2\sin^2\theta)=-\frac{5}{9}, \ 9\sin\theta+9-18\sin^2\theta=-5$$

$$18\sin^2\theta-9\sin\theta-14=0, \ (3\sin\theta+2)(6\sin\theta-7)=0$$

$$\therefore \ \sin\theta=-\frac{2}{3} \ \text{또는} \ \sin\theta=\frac{7}{6}$$

그런데 $-1\leq\sin\theta\leq 1$이므로 $\quad \sin\theta=-\frac{2}{3}$

$\sin\theta=-\frac{2}{3}$를 ㉠에 대입하면

$$-\frac{2}{3}+\cos 2\theta=-\frac{5}{9} \quad \therefore \ \cos 2\theta=\frac{1}{9}$$

$\sin\theta=-\frac{2}{3}$, $\cos 2\theta=\frac{1}{9}$ 을 ㉡에 대입하면

$$-\frac{2}{3}\cdot\frac{1}{9}=-\frac{a}{9} \quad \therefore \ a=\frac{2}{3} \ \blacksquare$$

Sub Note 063쪽

유제
030-❶ 이차방정식 $x^2-\left(a^2-\dfrac{3}{16}\right)x+a^2-1=0$의 두 근이 $\sin^2\dfrac{\theta}{2}$, $\cos^2\dfrac{\theta}{2}$일 때, $\sec^2\theta$의 값을 구하여라. (단, a는 상수)

04 삼각함수의 합성

SUMMA CUM LAUDE

ESSENTIAL LECTURE

1 삼각함수의 합성

두 삼각함수의 합 $a\sin\theta+b\cos\theta\,(a\neq0,\,b\neq0)$를 다음과 같이 하나의 삼각함수로 변형하는 것을 삼각함수의 합성이라 한다.

① $a\sin\theta+b\cos\theta=\sqrt{a^2+b^2}\sin(\theta+\alpha)$ $\left(\text{단, } \cos\alpha=\dfrac{a}{\sqrt{a^2+b^2}},\ \sin\alpha=\dfrac{b}{\sqrt{a^2+b^2}}\right)$

② $a\sin\theta+b\cos\theta=\sqrt{a^2+b^2}\cos(\theta-\beta)$ $\left(\text{단, } \cos\beta=\dfrac{b}{\sqrt{a^2+b^2}},\ \sin\beta=\dfrac{a}{\sqrt{a^2+b^2}}\right)$

2 삼각함수의 합성과 최대·최소

삼각함수 $y=a\sin\theta+b\cos\theta=\sqrt{a^2+b^2}\sin(\theta+\alpha)$에서 $-1\le\sin(\theta+\alpha)\le1$이므로

(최댓값)$=\sqrt{a^2+b^2}$, (최솟값)$=-\sqrt{a^2+b^2}$

1 삼각함수의 합성

사인함수와 코사인함수의 덧셈정리 중 $\sin(\alpha+\beta)$와 $\cos(\alpha-\beta)$에서 $\cos\alpha=A$, $\sin\alpha=B\,(A,\,B$는 상수)라 하면 다음 식이 성립한다.

$$\sin(\alpha+\beta)=A\sin\beta+B\cos\beta$$
$$\cos(\alpha-\beta)=A\cos\beta+B\sin\beta$$

위의 식에서 우리는 주기가 같은 사인함수와 코사인함수의 합을 하나의 사인함수나 코사인함수로 나타낼 수 있다는 결론을 얻을 수 있다. 이제 두 삼각함수의 합을 하나의 삼각함수로 변형하는 구체적인 방법에 대하여 알아보자.

오른쪽 그림과 같이 좌표평면 위의 점 $P(a,\,b)$를 잡고 $\overline{OP}$가 x축의 양의 방향과 이루는 각의 크기를 α라 하면

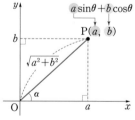

$\cos\alpha=\dfrac{a}{\sqrt{a^2+b^2}}$, $\sin\alpha=\dfrac{b}{\sqrt{a^2+b^2}}$이므로

$a\sin\theta+b\cos\theta$

$=\sqrt{a^2+b^2}\left(\dfrac{a}{\sqrt{a^2+b^2}}\sin\theta+\dfrac{b}{\sqrt{a^2+b^2}}\cos\theta\right)$

$=\sqrt{a^2+b^2}(\cos\alpha\sin\theta+\sin\alpha\cos\theta)=\sqrt{a^2+b^2}\sin(\theta+\alpha)$

같은 방법으로 오른쪽 그림과 같이 좌표평면 위의 점 $Q(b, a)$를 잡고 $\overline{OQ}$가 x축의 양의 방향과 이루는 각의 크기를 β라 하면

$$\cos\beta=\frac{b}{\sqrt{a^2+b^2}} , \ \sin\beta=\frac{a}{\sqrt{a^2+b^2}} \ \text{이므로}$$

$$a\sin\theta+b\cos\theta$$
$$=\sqrt{a^2+b^2}\left(\frac{a}{\sqrt{a^2+b^2}}\sin\theta+\frac{b}{\sqrt{a^2+b^2}}\cos\theta\right)$$
$$=\sqrt{a^2+b^2}(\sin\beta\sin\theta+\cos\beta\cos\theta)=\sqrt{a^2+b^2}\cos(\theta-\beta)^{❷}$$

이와 같이 두 삼각함수의 합 $a\sin\theta+b\cos\theta$ ($a\neq0$, $b\neq0$)를 하나의 삼각함수 $r\sin(\theta+\alpha)$ 또는 $r\cos(\theta-\beta)$의 꼴로 변형하는 것을 **삼각함수의 합성**이라 한다.

이상을 정리하면 다음과 같다.

삼각함수의 합성

① $a\sin\theta+b\cos\theta=\sqrt{a^2+b^2}\sin(\theta+\alpha)$ $\left(\text{단, } \cos\alpha=\frac{a}{\sqrt{a^2+b^2}} , \ \sin\alpha=\frac{b}{\sqrt{a^2+b^2}}\right)$

② $a\sin\theta+b\cos\theta=\sqrt{a^2+b^2}\cos(\theta-\beta)$ $\left(\text{단, } \cos\beta=\frac{b}{\sqrt{a^2+b^2}} , \ \sin\beta=\frac{a}{\sqrt{a^2+b^2}}\right)$

EXAMPLE 030 (1) $\sin\theta+\cos\theta$를 $r\sin(\theta+\alpha)$의 꼴로 나타내어라.

(단, $r>0$, $0\leq\alpha<2\pi$)

(2) $\sin\theta+3\cos\theta$를 $r\cos(\theta-\beta)$의 꼴로 나타내어라. (단, $r>0$, $0\leq\beta<2\pi$)

ANSWER (1) 오른쪽 그림과 같이 좌표평면 위에 $\sin\theta$, $\cos\theta$의 계수 1을 각각 x좌표, y좌표로 하는 점 $P(1, 1)$을 잡으면
$$\overline{OP}=\sqrt{1^2+1^2}=\sqrt{2}$$
$$\therefore \ \sin\theta+\cos\theta=\sqrt{2}\left(\frac{1}{\sqrt{2}}\sin\theta+\frac{1}{\sqrt{2}}\cos\theta\right)$$
$$=\sqrt{2}\left(\cos\frac{\pi}{4}\sin\theta+\sin\frac{\pi}{4}\cos\theta\right)$$
$$=\sqrt{2}\sin\left(\theta+\frac{\pi}{4}\right)\blacksquare$$

[참고] $\sin\theta+\cos\theta$를 다음과 같이 나타낼 수도 있다.
$$\sin\theta+\cos\theta=\sqrt{2}\left(\frac{1}{\sqrt{2}}\sin\theta+\frac{1}{\sqrt{2}}\cos\theta\right)$$
$$=\sqrt{2}\left(\sin\frac{\pi}{4}\sin\theta+\cos\frac{\pi}{4}\cos\theta\right)=\sqrt{2}\cos\left(\theta-\frac{\pi}{4}\right)$$

---

❷ $\alpha+\beta=\frac{\pi}{2}$ 이므로 $\alpha=\frac{\pi}{2}-\beta$를 $\sqrt{a^2+b^2}\sin(\theta+\alpha)$에 대입하여도 같은 결과를 얻을 수 있다.

Ⅱ-2. 삼각함수의 미분　**155**

(2) 오른쪽 그림과 같이 좌표평면 위에 $\cos\theta$의 계수 3을 x좌표, $\sin\theta$의 계수 1을 y좌표로 하는 점 $\mathrm{P}(3,\,1)$을 잡으면

$$\overline{\mathrm{OP}}=\sqrt{3^2+1^2}=\sqrt{10}$$

$$\therefore \sin\theta+3\cos\theta=\sqrt{10}\left(\frac{1}{\sqrt{10}}\sin\theta+\frac{3}{\sqrt{10}}\cos\theta\right)$$

$$=\sqrt{10}\,(\sin\beta\sin\theta+\cos\beta\cos\theta)$$

$$=\boldsymbol{\sqrt{10}\cos\,(\theta-\beta)}\left(\text{단, }\cos\beta=\frac{3}{\sqrt{10}},\ \sin\beta=\frac{1}{\sqrt{10}}\right)\blacksquare$$

[참고] (2)와 같이 $\overline{\mathrm{OP}}$와 x축의 양의 방향이 이루는 각의 크기가 특수각이 아닐 때는 임의의 각 β로 쓰되 β에 대한 sin과 cos의 값을 반드시 밝혀주어야 한다.

APPLICATION 041 $\sqrt{2}\sin\theta+\cos\theta$를 $r\sin\,(\theta+\alpha)$의 꼴로 나타내어라. Sub Note 013쪽
(단, $r>0,\ 0\le\alpha<2\pi$)

APPLICATION 042 $-\sin\theta+\sqrt{3}\cos\theta$를 $r\cos\,(\theta-\alpha)$의 꼴로 나타내어라. Sub Note 013쪽
(단, $r>0,\ 0\le\alpha<2\pi$)

② 삼각함수의 합성과 최대 · 최소

삼각함수 $\sin\theta$와 $\cos\theta$에서 $-1\le\sin\theta\le1$, $-1\le\cos\theta\le1$이므로 삼각함수의 합성을 하여 얻은 새로운 삼각함수의 최대 · 최소는 계수의 영향을 받는다. 즉, 삼각함수

$$y=a\sin\theta+b\cos\theta=\sqrt{a^2+b^2}\sin\,(\theta+\alpha)\left(\cos\alpha=\frac{a}{\sqrt{a^2+b^2}},\ \sin\alpha=\frac{b}{\sqrt{a^2+b^2}}\right)\text{에서}$$

$$-1\le\sin\,(\theta+\alpha)\le1 \iff -\sqrt{a^2+b^2}\le\sqrt{a^2+b^2}\sin\,(\theta+\alpha)\le\sqrt{a^2+b^2}$$

이므로 삼각함수 $\sin\,(\theta+\alpha)$의 계수인 $\sqrt{a^2+b^2}$에 의하여 이 삼각함수의 최대 · 최소가 결정되며, 이때의 최댓값은 $\sqrt{a^2+b^2}$, 최솟값은 $-\sqrt{a^2+b^2}$이다.

E X A M P L E 031 함수 $y=4\sin x+3\cos x$의 최댓값과 최솟값을 구하여라.

ANSWER $y=4\sin x+3\cos x=5\left(\dfrac{4}{5}\sin x+\dfrac{3}{5}\cos x\right)$

$$=5\,(\cos\alpha\sin x+\sin\alpha\cos x)=5\sin\,(x+\alpha)\left(\text{단, }\cos\alpha=\frac{4}{5},\ \sin\alpha=\frac{3}{5}\right)$$

이때 $-1\le\sin\,(x+\alpha)\le1$이므로 $-5\le5\sin\,(x+\alpha)\le5$
따라서 주어진 함수의 **최댓값은 5**이고 **최솟값은 -5**이다. $\blacksquare$

APPLICATION 043 함수 $y=\sin\theta+\sqrt{3}\cos\theta$의 최댓값과 최솟값을 구하여라. Sub Note 013쪽

Sub Note 014쪽

APPLICATION 044 함수 $y=2\sin\left(x+\dfrac{\pi}{3}\right)+\sin x$의 최댓값과 최솟값을 구하여라.

삼각함수의 합성

031

$\sqrt{3}\cos\theta-\sin\theta=\dfrac{1}{2}$ 일 때, $\sqrt{3}\sin\theta+\cos\theta$의 값을 구하여라. $\left(\text{단, } 0<\theta<\dfrac{\pi}{2}\right)$

GUIDE 먼저 삼각함수의 합성을 이용하여 $\sqrt{3}\cos\theta-\sin\theta$, $\sqrt{3}\sin\theta+\cos\theta$를 각각 하나의 삼각함수로 변형한다.

SOLUTION ─────────────

$$\sqrt{3}\cos\theta-\sin\theta=2\left(\frac{\sqrt{3}}{2}\cos\theta-\frac{1}{2}\sin\theta\right)$$

$$=2\left(\cos\frac{\pi}{6}\cos\theta-\sin\frac{\pi}{6}\sin\theta\right)=2\cos\left(\theta+\frac{\pi}{6}\right)=\frac{1}{2}$$

이므로 $\qquad \cos\left(\theta+\dfrac{\pi}{6}\right)=\dfrac{1}{4}$ $\qquad$ $\cdots\cdots$ ㉠

$$\sqrt{3}\sin\theta+\cos\theta=2\left(\frac{\sqrt{3}}{2}\sin\theta+\frac{1}{2}\cos\theta\right)$$

$$=2\left(\cos\frac{\pi}{6}\sin\theta+\sin\frac{\pi}{6}\cos\theta\right)$$

$$=2\sin\left(\theta+\frac{\pi}{6}\right) \qquad \cdots\cdots ㉡$$

이때 $0<\theta<\dfrac{\pi}{2}$에서 $\dfrac{\pi}{6}<\theta+\dfrac{\pi}{6}<\dfrac{2}{3}\pi$이므로 $\qquad \sin\left(\theta+\dfrac{\pi}{6}\right)>0$

㉠에서 $\cos\left(\theta+\dfrac{\pi}{6}\right)=\dfrac{1}{4}$이므로

$$\sin\left(\theta+\frac{\pi}{6}\right)=\sqrt{1-\cos^2\left(\theta+\frac{\pi}{6}\right)}=\sqrt{1-\left(\frac{1}{4}\right)^2}=\frac{\sqrt{15}}{4}$$

㉡에 의하여 구하는 식의 값은

$$2\sin\left(\theta+\frac{\pi}{6}\right)=2\cdot\frac{\sqrt{15}}{4}=\frac{\boldsymbol{\sqrt{15}}}{\boldsymbol{2}} \blacksquare$$

Sub Note 063쪽

유제
031-❶ 두 함수 $f(x)=\dfrac{1}{x+2}$, $g(x)=\sqrt{3}\sin x-\cos x$에 대하여 $0\le x\le\pi$에서 함수 $y=(f\circ g)(x)$

의 최댓값은? [평가원 기출]

① $\dfrac{1}{2}$ $\qquad$ ② 1 $\qquad$ ③ $\dfrac{3}{2}$ $\qquad$ ④ 2 $\qquad$ ⑤ $\dfrac{5}{2}$

032 오른쪽 그림과 같이 좌표평면 위에 두 개의 원 $x^2+y^2=1$, $x^2+y^2-y=0$이 있다. 큰 원 위의 동점 P, 작은 원 위의 동점 Q가 각각 점 $(1, 0)$, $(0, 0)$에서 출발하여 원 위를 일정한 속력으로 2π시간 동안 시계 반대 방향으로 한 바퀴 돈다고 한다. $\overline{PQ}$의 길이의 최댓값을 s라 할 때, s^2의 값을 구하여라.

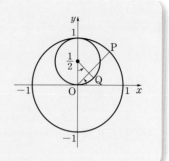

GUIDE 어떤 시각까지 두 점 P, Q가 움직인 각의 크기를 θ로 놓은 후 두 점 P, Q의 좌표를 θ에 대한 삼각함수로 나타낸다.

SOLUTION ─────────────────────

어떤 시각까지 두 점 P, Q가 움직인 각의 크기가 같으므로 | 점 Q의 y좌표를 y_1이라 하면

$\dfrac{1}{2}-y_1=\dfrac{1}{2}\cos\theta$

이것을 $\theta\,(0\le\theta\le 2\pi)$라 하면

$$P(\cos\theta, \sin\theta), Q\left(\frac{1}{2}\sin\theta, \frac{1}{2}-\frac{1}{2}\cos\theta\right)$$

$$\therefore \overline{PQ}^2=\left(\cos\theta-\frac{1}{2}\sin\theta\right)^2+\left(\sin\theta+\frac{1}{2}\cos\theta-\frac{1}{2}\right)^2$$

$$=\cos^2\theta-\sin\theta\cos\theta+\frac{1}{4}\sin^2\theta+\sin^2\theta+\frac{1}{4}\cos^2\theta+\frac{1}{4}$$

$$\qquad\qquad\qquad\qquad +\sin\theta\cos\theta-\frac{1}{2}\cos\theta-\sin\theta$$

$$=1+\frac{1}{4}+\frac{1}{4}-\sin\theta-\frac{1}{2}\cos\theta=\frac{1}{2}\{3-(2\sin\theta+\cos\theta)\}$$

$$=\frac{1}{2}\left\{3-\sqrt{5}\left(\frac{2}{\sqrt{5}}\sin\theta+\frac{1}{\sqrt{5}}\cos\theta\right)\right\}=\frac{1}{2}\{3-\sqrt{5}\,(\cos\alpha\sin\theta+\sin\alpha\cos\theta)\}$$

$$=\frac{1}{2}\{3-\sqrt{5}\sin(\theta+\alpha)\}\left(\text{단, }\cos\alpha=\frac{2}{\sqrt{5}},\ \sin\alpha=\frac{1}{\sqrt{5}}\right)$$

이때 $-1\le\sin(\theta+\alpha)\le 1$이므로 $\qquad -\sqrt{5}\le\sqrt{5}\sin(\theta+\alpha)\le\sqrt{5}$

따라서 $\overline{PQ}$의 길이의 최댓값 $s=\sqrt{\dfrac{3+\sqrt{5}}{2}}$ 이므로 $\qquad s^2=\dfrac{3+\sqrt{5}}{2}$ ■

유제

032-❶ 오른쪽 그림과 같이 지름의 길이가 10인 반원 모양의 구조물이 있다. 현우와 영주는 크리스마스를 기념하기 위해 이 구조물 위에서 $\sqrt{3}\,\overline{AP}+\overline{BP}$가 최대가 되도록 하는 지점 P에 크리스마스 전등을 달기로 하였다. 이때 지면으로부터 전등까지의 거리를 구하여라. (단, 전등의 크기는 무시한다.)

Sub Note 063쪽

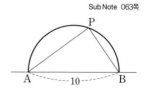

05 삼각함수의 극한

S U M M A   C U M   L A U D E

ESSENTIAL LECTURE

1 삼각함수의 극한

임의의 실수 a에 대하여 삼각함수 $y=\sin x$, $y=\cos x$, $y=\tan x$의 극한은 다음과 같다.

① $\displaystyle\lim_{x \to a} \sin x = \sin a$ ② $\displaystyle\lim_{x \to a} \cos x = \cos a$

③ $\displaystyle\lim_{x \to a} \tan x = \tan a$ $\left(단,\ a \neq n\pi + \dfrac{\pi}{2},\ n은\ 정수\right)$

2 함수 $\dfrac{\sin x}{x}$, $\dfrac{\tan x}{x}$의 극한

x의 단위가 라디안일 때, 다음이 성립한다.

① $\displaystyle\lim_{x \to 0} \dfrac{\sin x}{x} = 1$ ② $\displaystyle\lim_{x \to 0} \dfrac{\tan x}{x} = 1$

[참고] $\displaystyle\lim_{x \to 0} \dfrac{\cos x}{x}$ 는 발산한다.

1 삼각함수의 극한

삼각함수 $y=\sin x$, $y=\cos x$, $y=\tan x$의 그래프를 살펴보자.

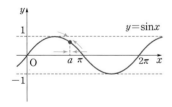 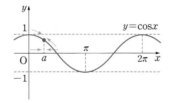 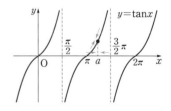

삼각함수 $y=\sin x$, $y=\cos x$의 그래프는 끊기는 점이 없이 매끄럽게 연결되어 있다.

수학Ⅱ에서 공부한 '함수의 연속성'의 개념에 따르면 삼각함수 $y=\sin x$, $y=\cos x$는 연속함수가 된다.

즉, 임의의 실수 a에 대하여 $x \to a$에서의 극한값은 $x=a$에서의 함숫값과 각각 같으므로

$$\lim_{x \to a} \sin x = \sin a,\ \lim_{x \to a} \cos x = \cos a$$

이다.

한편 삼각함수 $y=\tan x$의 그래프는 $x=\pm\dfrac{1}{2}\pi$, $\pm\dfrac{3}{2}\pi$, $\pm\dfrac{5}{2}\pi$, $\cdots$에서 끊어져 있고 (불연속), 이를 제외한 나머지에서는 연속이다.

즉, $a\neq n\pi+\dfrac{\pi}{2}$ (단, n은 정수)인 임의의 실수 a에 대하여 $x\longrightarrow a$일 때의 극한값이 존재하고, 그 값은 $x=a$에서의 함숫값과 같으므로

$$\lim_{x\to a}\tan x=\tan a$$

이다. 삼각함수 $y=\tan x$에서 $a=n\pi+\dfrac{\pi}{2}$ (단, n은 정수)인 임의의 실수 a에 대하여

$$\lim_{x\to a-}\tan x=\infty, \ \lim_{x\to a+}\tan x=-\infty$$

가 되어 극한값이 존재하지 않는 것은 그래프에서 쉽게 확인할 수 있다.

이상을 정리하면 다음과 같다.

> **삼각함수의 극한**
>
> 임의의 실수 a에 대하여
>
> ① $\displaystyle\lim_{x\to a}\sin x=\sin a$ ② $\displaystyle\lim_{x\to a}\cos x=\cos a$
>
> ③ $\displaystyle\lim_{x\to a}\tan x=\tan a$ $\left(\text{단, } a\neq n\pi+\dfrac{\pi}{2}, \ n\text{은 정수}\right)$

위에서 공부한 내용을 통해 몇 가지 극한값을 구해 보면 다음과 같다.

$$\lim_{x\to 0}\sin x=\sin 0=0, \ \lim_{x\to \frac{\pi}{2}}\sin x=\sin\frac{\pi}{2}=1, \ \lim_{x\to \frac{3}{2}\pi}\sin x=\sin\frac{3}{2}\pi=-1$$

$$\lim_{x\to 0}\cos x=\cos 0=1, \ \lim_{x\to \frac{\pi}{2}}\cos x=\cos\frac{\pi}{2}=0, \ \lim_{x\to \pi}\cos x=\cos\pi=-1$$

$$\lim_{x\to 0}\tan x=\tan 0=0, \ \lim_{x\to \frac{\pi}{4}}\tan x=\tan\frac{\pi}{4}=1, \ \lim_{x\to \frac{\pi}{3}}\tan x=\tan\frac{\pi}{3}=\sqrt{3}$$

한편 $x\longrightarrow\infty$일 때 $\sin x$, $\cos x$, $\tan x$의 극한값이 존재하지 않는 것은 그래프에서 쉽게 확인할 수 있다. $x\longrightarrow-\infty$일 때도 마찬가지이다.

APPLICATION 045   다음 극한값을 구하여라. Sub Note 014쪽

(1) $\displaystyle\lim_{x\to \frac{\pi}{2}}\frac{\sin 2x}{\cos x}$ (2) $\displaystyle\lim_{x\to \frac{\pi}{4}}\frac{1-\tan x}{\cos x-\sin x}$

(3) $\displaystyle\lim_{x\to 0}\frac{1-\cos x}{\sin^2 x}$ (4) $\displaystyle\lim_{x\to \frac{\pi}{4}}\frac{1-\tan^2 x}{\sin x-\cos x}$

❷ 함수 $\dfrac{\sin x}{x}$, $\dfrac{\tan x}{x}$ 의 극한 〔수능 고빈도 출제〕

(1) $\displaystyle\lim_{x\to 0}\dfrac{\sin x}{x}$ 의 값

함수의 극한의 대소 관계(샌드위치 정리)❸를 이용하여 $\displaystyle\lim_{x\to 0}\dfrac{\sin x}{x}$ 의 값을 구해 보자.

(i) $0<x<\dfrac{\pi}{2}$ 일 때

오른쪽 그림과 같이 중심각의 크기가 x이고 반지름의 길이가 1인 부채꼴 AOB 위의 점 A를 지나고 선분 OA에 수직인 직선과 선분 OB의 연장선의 교점을 T라 하면 다음 관계가 성립한다.

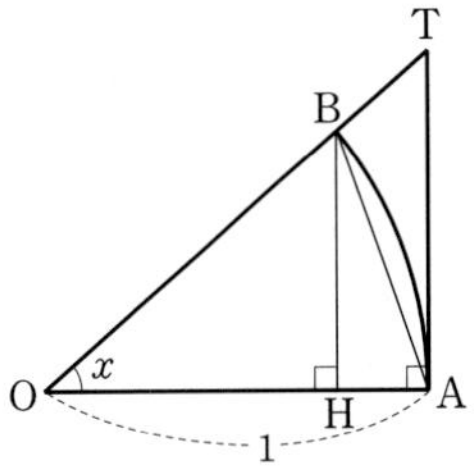

$$\triangle AOB < (\text{부채꼴 AOB의 넓이}) < \triangle AOT$$

이때 점 B에서 선분 OA에 내린 수선의 발을 H라 하면

삼각형 HOB에서 $\overline{BH}=\overline{OB}\sin x=\sin x$이므로 $\triangle AOB=\dfrac{1}{2}\sin x$이고

$(\text{부채꼴 AOB의 넓이})=\dfrac{1}{2}x$이다.

또 삼각형 AOT에서 $\overline{TA}=\overline{OA}\tan x=\tan x$이므로 $\triangle AOT=\dfrac{1}{2}\tan x$이다.

따라서 $\dfrac{1}{2}\sin x<\dfrac{1}{2}x<\dfrac{1}{2}\tan x$이므로 $\sin x<x<\tan x$이다.

$0<x<\dfrac{\pi}{2}$ 의 범위에서 $\sin x>0$이므로 위의 식의 각 항을 $\sin x$로 나누면

$1<\dfrac{x}{\sin x}<\dfrac{1}{\cos x}$, 즉 $\cos x<\dfrac{\sin x}{x}<1$이다.

이때 $\displaystyle\lim_{x\to 0+}\cos x=1$이므로 함수의 극한의 대소 관계에 의하여

$$\lim_{x\to 0+}\frac{\sin x}{x}=1 \quad\cdots\cdots\ \text{㉠}$$

이다.

(ii) $-\dfrac{\pi}{2}<x<0$일 때

$x=-t$로 놓으면 $0<t<\dfrac{\pi}{2}$이고 $x\to 0-$일 때, $t\to 0+$이므로

---

❸ 세 함수 $f(x)$, $g(x)$, $h(x)$에 대하여 $\displaystyle\lim_{x\to a}f(x)=\alpha$, $\displaystyle\lim_{x\to a}g(x)=\beta$ (α, β는 실수)일 때, a에 충분히 가까운 모든 실수 x에 대하여 $f(x)\le h(x)\le g(x)$이고 $\alpha=\beta$이면 $\displaystyle\lim_{x\to a}h(x)=\alpha$이다.

$$\lim_{x \to 0-} \frac{\sin x}{x} = \lim_{t \to 0+} \frac{\sin(-t)}{-t} = \lim_{t \to 0+} \frac{\sin t}{t} = 1 \, (\because \bigcirc)$$

이다.

(i), (ii)에 의하여 $\dfrac{\sin x}{x}$ 는 $x=0$에서의 우극한과 좌극한이 각각 존재하고 그 값이 1로 같으

므로 $\displaystyle\lim_{x \to 0} \dfrac{\sin x}{x} = 1$이다.

(2) $\displaystyle\lim_{x \to 0} \dfrac{\tan x}{x}$ 의 값

$\displaystyle\lim_{x \to 0} \dfrac{\sin x}{x} = 1$과 $\tan x = \dfrac{\sin x}{\cos x}$ 를 이용하여 $\displaystyle\lim_{x \to 0} \dfrac{\tan x}{x}$ 의 값을 구해 보면

$$\lim_{x \to 0} \frac{\tan x}{x} = \lim_{x \to 0} \frac{\sin x}{x \cos x} = \lim_{x \to 0} \left(\frac{\sin x}{x} \cdot \frac{1}{\cos x} \right)$$

$$= \lim_{x \to 0} \frac{\sin x}{x} \cdot \lim_{x \to 0} \frac{1}{\cos x} = 1 \cdot 1 = 1$$

이상을 정리하면 다음과 같다.

함수 $\dfrac{\sin x}{x}$, $\dfrac{\tan x}{x}$ 의 극한

x의 단위가 라디안일 때

① $\displaystyle\lim_{x \to 0} \dfrac{\sin x}{x} = 1$ ② $\displaystyle\lim_{x \to 0} \dfrac{\tan x}{x} = 1$

[참고] $\displaystyle\lim_{x \to 0} \dfrac{x}{\sin x} = \lim_{x \to 0} \dfrac{1}{\dfrac{\sin x}{x}} = 1,\ \lim_{x \to 0} \dfrac{x}{\tan x} = \lim_{x \to 0} \dfrac{1}{\dfrac{\tan x}{x}} = 1$

함수 $y = \dfrac{\sin x}{x}$ 와 $y = \dfrac{\tan x}{x}$ 의 그래프는 다음 그림과 같다. 그래프를 그리는 방법은 미분

법 단원에서 공부하게 되니 지금은 '그런가보다.' 하고 넘어가자.

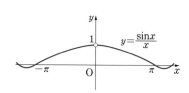
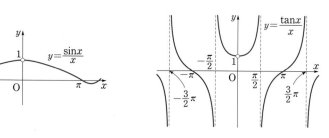

한편 $\lim\limits_{x\to 0}\dfrac{\cos x}{x}$ 의 값을 구해 보면

$\lim\limits_{x\to 0+}\cos x=1$, $\lim\limits_{x\to 0+}\dfrac{1}{x}=\infty$ 이므로 $\lim\limits_{x\to 0+}\dfrac{\cos x}{x}=\infty$ 이고

$\lim\limits_{x\to 0-}\cos x=1$, $\lim\limits_{x\to 0-}\dfrac{1}{x}=-\infty$ 이므로 $\lim\limits_{x\to 0-}\dfrac{\cos x}{x}=-\infty$ 이다.

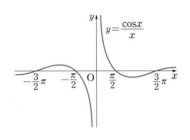

따라서 $\dfrac{\cos x}{x}$ 는 $x=0$에서의 우극한과 좌극한이 존재하지 않으

므로 $\lim\limits_{x\to 0}\dfrac{\cos x}{x}$ 의 값은 존재하지 않는다.

함수 $y=\dfrac{\cos x}{x}$ 의 그래프를 그리면 오른쪽 그림과 같다.

삼각함수의 여러 가지 공식과 앞의 두 가지 극한을 이용하여 다양한 삼각함수의 극한을 구할 수 있다. 이때 $x\to 0$이 아닐 때는 적절하게 치환하여 $t\to 0$으로 변형하여야 알고 있는 극한을 이용할 수 있다. 이에 주의하여 다음 문제를 풀어 보자.

EXAMPLE 032 다음 극한값을 구하여라.

(1) $\lim\limits_{x\to 0}\dfrac{\sin 3x}{\sin x}$

(2) $\lim\limits_{x\to 0}\dfrac{\sin 2x}{\tan 3x}$

(3) $\lim\limits_{x\to -\pi}\dfrac{1+\cos x}{(x+\pi)\sin x}$

(4) $\lim\limits_{x\to \pi}(x-\pi)\tan\dfrac{x}{2}$

ANSWER　(1) $\lim\limits_{x\to 0}\dfrac{\sin 3x}{\sin x}=\lim\limits_{x\to 0}\left(\dfrac{\sin 3x}{3x}\cdot\dfrac{x}{\sin x}\cdot 3\right)$

$\qquad\qquad\qquad\qquad =1\cdot 1\cdot 3=\mathbf{3}\ \blacksquare$

(2) $\lim\limits_{x\to 0}\dfrac{\sin 2x}{\tan 3x}=\lim\limits_{x\to 0}\left(\dfrac{\sin 2x}{2x}\cdot\dfrac{3x}{\tan 3x}\cdot\dfrac{2}{3}\right)$

$\qquad\qquad\qquad\quad =1\cdot 1\cdot\dfrac{2}{3}=\dfrac{\mathbf{2}}{\mathbf{3}}\ \blacksquare$

(3) $x+\pi=t$로 놓으면 $x\to -\pi$일 때 $t\to 0$이므로

$\qquad \lim\limits_{x\to -\pi}\dfrac{1+\cos x}{(x+\pi)\sin x}=\lim\limits_{t\to 0}\dfrac{1+\cos(t-\pi)}{t\sin(t-\pi)}=\lim\limits_{t\to 0}\dfrac{1-\cos t}{-t\sin t}$

$\qquad\qquad\qquad\quad =\lim\limits_{t\to 0}\dfrac{(1-\cos t)(1+\cos t)}{-t\sin t(1+\cos t)}=\lim\limits_{t\to 0}\dfrac{\sin^2 t}{-t\sin t(1+\cos t)}$

$\qquad\qquad\qquad\quad =\lim\limits_{t\to 0}\left(-1\cdot\dfrac{\sin t}{t}\cdot\dfrac{1}{1+\cos t}\right)$

$\qquad\qquad\qquad\quad =-1\cdot 1\cdot\dfrac{1}{2}=-\dfrac{\mathbf{1}}{\mathbf{2}}\ \blacksquare$

(4) $x-\pi=t$로 놓으면 $x \to \pi$일 때 $t \to 0$이므로

$$\lim_{x \to \pi}(x-\pi)\tan \frac{x}{2} = \lim_{t \to 0} t \tan\left(\frac{t}{2}+\frac{\pi}{2}\right) = \lim_{t \to 0}\left\{ t \cdot \left(-\frac{1}{\tan \dfrac{t}{2}}\right)\right\}$$

$$= \lim_{t \to 0}\left(-\frac{t}{\tan \dfrac{t}{2}}\right) = \lim_{t \to 0}\left(-1 \cdot \frac{\dfrac{t}{2}}{\tan \dfrac{t}{2}} \cdot 2\right)$$

$$= -1 \cdot 1 \cdot 2 = \mathbf{-2} \ \blacksquare$$

APPLICATION **046** 다음 극한값을 구하여라.

Sub Note 014쪽

(1) $\displaystyle\lim_{x \to 0} \frac{\sin(\tan x)}{2x}$

(2) $\displaystyle\lim_{x \to 0} \frac{x \sin 2x}{1-\cos 3x}$

(3) $\displaystyle\lim_{x \to \infty} \sin \frac{4}{x} \cot \frac{3}{x}$

(4) $\displaystyle\lim_{x \to \frac{\pi}{2}} (2x-\pi) \csc\left(\frac{x}{2}-\frac{\pi}{4}\right)$

한편 $\displaystyle\lim_{x \to 0} \frac{\sin x}{x}=1$, $\displaystyle\lim_{x \to 0} \frac{\tan x}{x}=1$을 이용하여 다음을 얻을 수 있다.

$$\lim_{x \to 0} \frac{\sin ax}{bx} = \lim_{x \to 0}\left(\frac{\sin ax}{ax} \cdot \frac{a}{b}\right) = 1 \cdot \frac{a}{b} = \frac{a}{b}$$

$$\lim_{x \to 0} \frac{\tan ax}{bx} = \lim_{x \to 0}\left(\frac{\tan ax}{ax} \cdot \frac{a}{b}\right) = 1 \cdot \frac{a}{b} = \frac{a}{b}$$

이 결과를 기억해 두면 문제를 빠르게 푸는 데 도움이 된다.

■ 수학 공부법에 대한 저자들의 충고 $-\ \displaystyle\lim_{x \to 0} \frac{\sin x}{x}$의 기하적 의미

$f(x)=\sin x$라 놓으면 $f(0)=0$이므로

$$\lim_{x \to 0} \frac{\sin x}{x} = \lim_{x \to 0} \frac{\sin x - 0}{x - 0} = \lim_{x \to 0} \frac{f(x)-f(0)}{x-0} = f'(0)$$

이다.

즉, $\displaystyle\lim_{x \to 0} \frac{\sin x}{x}$의 값은 곡선 $y=\sin x$ 위의 점 $(0, 0)$에서의 접선의 기울기임을 알 수 있다.

바로 뒤에서 배울 '삼각함수의 도함수'에서 $(\sin x)'=\cos x$이고 $\cos 0=1$이므로 $\displaystyle\lim_{x \to 0} \frac{\sin x}{x}=1$이 된다.

삼각함수를 포함한 함수의 극한

033

(1) $\displaystyle\lim_{x\to0}\frac{\sin^2 x}{\cos 3x-\cos x}$ 의 값을 구하여라.

(2) $\displaystyle\lim_{x\to0}\frac{\sin 2x}{\sqrt{ax+b}-2}=4$를 만족시키는 상수 a, b에 대하여 ab의 값을 구하여라.

GUIDE (1) $\cos 3x=\cos(x+2x)$로 생각한 후 삼각함수의 덧셈정리를 이용하여 식을 간단히 한다.

(2) $x\to0$일 때, (분자) $\to 0$이고 0이 아닌 극한값이 존재하므로 (분모) $\to 0$임을 이용한다.

SOLUTION

(1) $\cos 3x=\cos(x+2x)=\cos x\cos 2x-\sin x\sin 2x$이므로

$$\lim_{x\to0}\frac{\sin^2 x}{\cos 3x-\cos x}=\lim_{x\to0}\frac{\sin^2 x}{\cos x\cos 2x-\sin x\sin 2x-\cos x}$$

$$=\lim_{x\to0}\frac{\sin^2 x}{\cos x(\cos 2x-1)-\sin x\sin 2x}$$

$$=\lim_{x\to0}\frac{\sin^2 x}{\cos x\cdot(-2\sin^2 x)-\sin x\cdot 2\sin x\cos x}$$

$$=\lim_{x\to0}\frac{1}{-4\cos x}=-\frac{1}{4}\ \blacksquare$$

(2) $x\to0$일 때, (분자) $\to 0$이고 0이 아닌 극한값이 존재하므로 (분모) $\to 0$이다.

즉, $\displaystyle\lim_{x\to0}(\sqrt{ax+b}-2)=0$이므로 $\sqrt{b}-2=0$ $\therefore b=4$

$b=4$를 주어진 등식의 좌변에 대입하면

$$\lim_{x\to0}\frac{\sin 2x}{\sqrt{ax+b}-2}=\lim_{x\to0}\frac{\sin 2x}{\sqrt{ax+4}-2}=\lim_{x\to0}\frac{\sin 2x(\sqrt{ax+4}+2)}{(\sqrt{ax+4}-2)(\sqrt{ax+4}+2)}$$

$$=\lim_{x\to0}\frac{\sin 2x(\sqrt{ax+4}+2)}{ax}$$

$$=\lim_{x\to0}\left(\frac{\sin 2x}{2x}\cdot\frac{\sqrt{ax+4}+2}{a}\cdot2\right)=1\cdot\frac{4}{a}\cdot2=\frac{8}{a}$$

즉, $\dfrac{8}{a}=4$이므로 $a=2$

$$\therefore ab=2\cdot4=8\ \blacksquare$$

유제
033- ❶ 두 함수 $f(x)=\tan x$, $g(x)=\sin 3x$일 때, $\displaystyle\lim_{x\to0}\frac{f(g(x))}{f(x)}$의 값을 구하여라. Sub Note 063쪽

유제
033- ❷ $\displaystyle\lim_{x\to0}\frac{ax\sin x+b}{\cos x-1}=1$을 만족시키는 상수 a, b에 대하여 $a+b$의 값을 구하여라. Sub Note 064쪽

034 오른쪽 그림과 같은 삼각형 ABC에서 $\overline{AB}=4$, $\overline{AC}=6$이고 $\overline{AD}$는 $\angle A$의 이등분선이다. $\angle BAD=\theta$라 할 때, $\lim\limits_{\theta\to 0+}\overline{AD}$의 값을 구하여라.

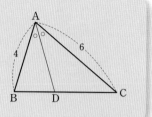

GUIDE $\triangle ABC=\triangle ABD+\triangle ADC$임을 이용하여 $\overline{AD}$의 길이를 θ에 대한 삼각함수로 나타낸다.

SOLUTION ──────────────

$\triangle ABC=\triangle ABD+\triangle ADC$이고, $\angle BAC=2\theta$이므로 $\overline{AD}=x$라 하면

$$\frac{1}{2}\cdot 4\cdot 6\cdot\sin 2\theta=\frac{1}{2}\cdot 4\cdot x\cdot\sin\theta+\frac{1}{2}\cdot 6\cdot x\cdot\sin\theta$$

$$12\sin 2\theta=5x\sin\theta \qquad \therefore x=\frac{12\sin 2\theta}{5\sin\theta}$$

$$\therefore \lim_{\theta\to 0+}\overline{AD}=\lim_{\theta\to 0+}x=\lim_{\theta\to 0+}\frac{12\sin 2\theta}{5\sin\theta}$$

$$=\lim_{\theta\to 0+}\left(\frac{\sin 2\theta}{2\theta}\cdot\frac{\theta}{\sin\theta}\cdot\frac{24}{5}\right)$$

$$=1\cdot 1\cdot\frac{24}{5}=\frac{\mathbf{24}}{\mathbf{5}}\ \blacksquare$$

유제

034-❶ 그림과 같이 지름의 길이가 2이고, 두 점 A, B를 지름의 양 끝점으로 하는 반원 위에 점 C가 있다. 삼각형 ABC의 내접원의 중심을 O, 중심 O에서 선분 AB와 선분 BC에 내린 수선의 발을 각각 D, E라 하자. $\angle ABC=\theta$이고, 호 AC의 길이를 l_1, 호 DE의 길이를 l_2라 할 때, $\lim\limits_{\theta\to 0+}\dfrac{l_1}{l_2}$의 값은? $\left(\text{단, } 0<\theta<\dfrac{\pi}{2}\right)$

Sub Note 064쪽

[평가원 기출]

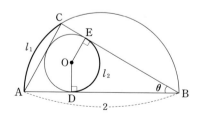

① 1 　　② $\dfrac{\pi}{4}$ 　　③ $\dfrac{\pi}{3}$ 　　④ $\dfrac{2}{\pi}$ 　　⑤ $\dfrac{3}{\pi}$

06 삼각함수의 도함수

SUMMA CUM LAUDE

ESSENTIAL LECTURE

1 삼각함수의 도함수

삼각함수 $y=\sin x$, $y=\cos x$의 도함수는 다음과 같다.

(1) $y=\sin x$이면 $y'=\cos x$

(2) $y=\cos x$이면 $y'=-\sin x$

[참고] 삼각함수 $y=\sin x$, $y=\cos x$는 실수 전체의 집합에서 미분가능하다.

이번 소절에서는 삼각함수 중 사인함수와 코사인함수의 도함수를 구하는 방법에 대하여 공부할 것이다. 사인함수와 코사인함수를 제외한 나머지 삼각함수의 도함수는 다음 단원인 미분법에서 공부하게 될 것이다.

1 삼각함수의 도함수

(1) 사인함수의 도함수

삼각함수의 덧셈정리와 삼각함수의 극한을 이용하여 삼각함수 $y=\sin x$의 도함수를 구해보자.

삼각함수 $y=\sin x$에서 도함수의 정의에 의하여

$$y'=\lim_{h \to 0}\frac{\sin(x+h)-\sin x}{h}$$

$$=\lim_{h \to 0}\frac{\sin x\cos h+\cos x\sin h-\sin x}{h}$$

$$=\lim_{h \to 0}\frac{\sin x(\cos h-1)+\cos x\sin h}{h}$$

$$=\lim_{h \to 0}\frac{\sin x(\cos h-1)}{h}+\lim_{h \to 0}\frac{\cos x\sin h}{h}$$

$$=\sin x\cdot\lim_{h \to 0}\frac{\cos h-1}{h}+\cos x\cdot\lim_{h \to 0}\frac{\sin h}{h} \quad\cdots\cdots\ \bigcirc$$

이다.

$$\lim_{h \to 0} \frac{\cos h - 1}{h} = \lim_{h \to 0} \frac{-(1-\cos h)(1+\cos h)}{h(1+\cos h)}$$

$$= \lim_{h \to 0} \frac{-\sin^2 h}{h(1+\cos h)}$$

$$= -\lim_{h \to 0} \left(\frac{\sin h}{h} \cdot \frac{\sin h}{1+\cos h} \right)$$

$$= -\left(1 \cdot \frac{0}{2} \right) = 0$$

이고 $\lim_{h \to 0} \dfrac{\sin h}{h} = 1$이므로 ㉠에서

$$y' = \sin x \cdot \lim_{h \to 0} \frac{\cos h - 1}{h} + \cos x \cdot \lim_{h \to 0} \frac{\sin h}{h}$$

$$= \sin x \cdot 0 + \cos x \cdot 1 = \cos x$$

이다.

즉, $y = \sin x$이면 $\boldsymbol{y' = \cos x}$이다.

(2) 코사인함수의 도함수

이번에는 삼각함수 $y = \sin x$의 도함수를 구할 때와 비슷한 방법으로 삼각함수 $y = \cos x$의 도함수를 구해 보자.

삼각함수 $y = \cos x$에서 도함수의 정의에 의하여

$$y' = \lim_{h \to 0} \frac{\cos(x+h) - \cos x}{h}$$

$$= \lim_{h \to 0} \frac{\cos x \cos h - \sin x \sin h - \cos x}{h}$$

$$= \lim_{h \to 0} \frac{\cos x(\cos h - 1)}{h} - \lim_{h \to 0} \frac{\sin x \sin h}{h}$$

$$= \cos x \cdot \lim_{h \to 0} \frac{\cos h - 1}{h} - \sin x \cdot \lim_{h \to 0} \frac{\sin h}{h} \qquad \cdots\cdots ㉠$$

앞서 삼각함수 $y = \sin x$의 도함수를 구할 때 살펴보았듯이 $\lim_{h \to 0} \dfrac{\cos h - 1}{h} = 0$이고

$\lim_{h \to 0} \dfrac{\sin h}{h} = 1$이므로 ㉠에서

$$y' = \cos x \cdot \lim_{h \to 0} \frac{\cos h - 1}{h} - \sin x \cdot \lim_{h \to 0} \frac{\sin h}{h}$$

$$= \cos x \cdot 0 - \sin x \cdot 1 = -\sin x$$

즉, $y = \cos x$이면 $\boldsymbol{y' = -\sin x}$이다.

이상을 정리하면 다음과 같다.

삼각함수의 도함수

(1) $y=\sin x$이면 $\quad y'=\cos x$

(2) $y=\cos x$이면 $\quad y'=-\sin x$

■ **E X A M P L E 033** 다음 함수를 미분하여라.

(1) $y=2x-3\sin x$ (2) $y=5\sin x-2\cos x$

(3) $y=\sin x\cos x$ (4) $y=\cos x+x\sin x$

ANSWER (1) $\boldsymbol{y'}=(2x)'-(3\sin x)'=\boldsymbol{2-3\cos x}$ ■

(2) $\boldsymbol{y'}=(5\sin x)'-(2\cos x)'=\boldsymbol{5\cos x+2\sin x}$ ■

(3) $\boldsymbol{y'}=(\sin x)'\cos x+\sin x(\cos x)'$
$\quad\quad=\cos x\cos x+\sin x(-\sin x)=\boldsymbol{\cos^2 x-\sin^2 x}$ ■

(4) $\boldsymbol{y'}=(\cos x)'+(x)'\sin x+x(\sin x)'$
$\quad\quad=-\sin x+\sin x+x\cos x=\boldsymbol{x\cos x}$ ■

APPLICATION 047 다음 함수를 미분하여라.   Sub Note 015쪽

(1) $y=\ln x-4\cos x$ (2) $y=(x^2+3)\sin x$

(3) $y=\sin^2 x-\cos^2 x$ (4) $y=\sin 2x$

■ **E X A M P L E 034** 함수 $f(x)=2\sin x-3x\cos x$에 대하여 $f'\left(\dfrac{\pi}{3}\right)$의 값을 구하여라.

ANSWER $f'(x)=(2\sin x)'-\{(3x)'\cos x+3x(\cos x)'\}$
$\quad\quad\quad\quad=2\cos x-\{3\cos x+3x(-\sin x)\}$
$\quad\quad\quad\quad=2\cos x-(3\cos x-3x\sin x)=3x\sin x-\cos x$

$\therefore f'\left(\dfrac{\pi}{3}\right)=3\cdot\dfrac{\pi}{3}\cdot\sin\dfrac{\pi}{3}-\cos\dfrac{\pi}{3}=\dfrac{\sqrt{3}\pi-1}{2}$ ■

APPLICATION 048 $f(x)=e^x\cos x$에 대하여 $f'(0)$의 값을 구하여라.   Sub Note 015쪽

Sub Note 015쪽

APPLICATION 049 $f(x)=x\cos x-\sin x\cos x$에 대하여 $f'(\pi)$의 값을 구하여라.

035 함수 $f(x)=-\sin^2 x+\cos x$에 대하여 구간 $(0,\ 2\pi)$에서 $f'(x)=0$을 만족시키는 모든 x의 값의 합을 구하여라.

GUIDE   삼각함수의 도함수를 이용하여 $f'(x)$를 구한 다음 삼각방정식 $f'(x)=0$을 푼다.

SOLUTION ──────────────────────

$$f'(x)=-\{(\sin x)'\sin x+\sin x(\sin x)'\}-\sin x$$
$$=-2\sin x\cos x-\sin x$$
$$=-\sin x(2\cos x+1)$$

이때 $f'(x)=0$에서

$$\sin x=0 \ \text{또는} \ \cos x=-\frac{1}{2} \qquad \cdots\cdots \text{㉠}$$

x의 값의 범위가 $0<x<2\pi$이므로 ㉠을 만족시키는 x의 값을 모두 구해 보면

(ⅰ) $\sin x=0$에서 $x=\pi$

(ⅱ) $\cos x=-\dfrac{1}{2}$에서 $x=\dfrac{2}{3}\pi$ 또는 $x=\dfrac{4}{3}\pi$

(ⅰ), (ⅱ)에 의하여 $f'(x)=0$을 만족시키는 모든 x의 값의 합은

$$\pi+\frac{2}{3}\pi+\frac{4}{3}\pi=\mathbf{3\pi} \ \blacksquare$$

유제
035-❶ 함수 $f(x)=x\cos x$에 대하여 $\displaystyle\lim_{h\to 0}\frac{f(\pi+h)-f(\pi-h)}{h}$의 값을 구하여라.   Sub Note 064쪽

유제   Sub Note 065쪽
035-❷ 함수 $f(x)=\sin x-\cos x+x$에 대하여 $f'(\alpha)=\sqrt{2}+1$을 만족시키는 α의 값을 구하여라.
                                                                    (단, $0\leq\alpha<2\pi$)

036 함수 $f(x)=\begin{cases} \cos x & (x \geq 0) \\ x^2+ax+b & (x<0) \end{cases}$ 가 $x=0$에서 미분가능할 때, 상수 a, b에 대하여 $a+b$의

값을 구하여라.

GUIDE 함수 $f(x)=\begin{cases} g(x) & (x \geq a) \\ h(x) & (x < a) \end{cases}$ 가 $x=a$에서 미분가능하면

(ⅰ) 함수 $f(x)$가 $x=a$에서 연속이다. ➡ $\lim\limits_{x \to a-} h(x) = g(a)$

(ⅱ) $f'(a)$가 존재한다. ➡ $\lim\limits_{x \to a+} g'(x) = \lim\limits_{x \to a-} h'(x)$

SOLUTION ───────────────────────────

함수 $f(x)$가 $x=0$에서 미분가능하면 $x=0$에서 연속이므로

$$\lim_{x \to 0-} (x^2+ax+b) = f(0) \qquad \therefore\ b=\cos 0 = 1$$

또 $f'(x)=\begin{cases} -\sin x & (x>0) \\ 2x+a & (x<0) \end{cases}$ 이고 $f'(0)$이 존재하므로

$$\lim_{x \to 0+} (-\sin x) = \lim_{x \to 0-} (2x+a) \qquad \therefore\ a=-\sin 0 = 0$$

$$\therefore\ a+b = 0+1 = \mathbf{1}\ \blacksquare$$

Sub Note 065쪽

유제
036-❶ 함수 $f(x)=\begin{cases} \sin x - \cos x & (0 \leq x < 1) \\ ax+b & (-1 < x < 0) \end{cases}$ 가 $x=0$에서 미분가능할 때, 상수 a, b에 대하여 ab

의 값을 구하여라.

Sub Note 065쪽

유제
036-❷ 함수 $f(x)=\begin{cases} \cos x + b & (x \geq 0) \\ e^x \sin x + ax & (x<0) \end{cases}$ 가 $x=0$에서 미분가능할 때, 상수 a, b에 대하여 $a+b$의

값을 구하여라.

1. 다음 [ ] 안에 적절한 것을 채워 넣어라.

(1) 삼각함수 사이에는 $1+\tan^2\theta=[\quad]$, $1+\cot^2\theta=[\quad]$가 성립한다.

(2) 두 각 α, β에 대하여 $\sin(\alpha+\beta)=\sin\alpha\cos\beta+[\quad]$,

$\cos(\alpha+\beta)=[\quad]-\sin\alpha\sin\beta$, $\tan(\alpha-\beta)=\dfrac{\tan\alpha-\tan\beta}{[\quad]}$가 성립한다.

(3) 두 삼각함수의 합 $a\sin\theta+b\cos\theta\,(a\neq0,\ b\neq0)$를 $[\quad]\sin(\theta+\alpha)$의 꼴로 변형하는 것을 삼각함수의 합성이라 한다. 이때 $\cos\alpha=[\quad]$, $\sin\alpha=[\quad]$이다.

(4) x의 단위가 라디안일 때, $\displaystyle\lim_{x\to0}\frac{\sin x}{x}=[\quad]$, $\displaystyle\lim_{x\to0}\frac{\tan x}{x}=[\quad]$이다.

2. 다음 문장이 참(true) 또는 거짓(false)인지 결정하고, 그 이유를 설명하거나 적절한 반례를 제시하여라.

(1) $\cos\theta$가 유리수이면 $\cos2\theta$도 유리수이다.

(2) $0<\theta<\dfrac{\pi}{2}$일 때, $\tan\theta$가 유리수이면 $\sin2\theta$도 유리수이다.

(3) 사인함수와 코사인함수의 각이 다른 경우에도 두 삼각함수의 합을 합성할 수 있다.

3. 다음 물음에 대한 답을 간단히 서술하여라.

(1) $\tan3A=\dfrac{3\tan A-\tan^3 A}{1-3\tan^2 A}$가 성립함을 증명하여라.

(2) 미분가능한 함수 $f(x)$에 대하여 도함수 $f'(x)$가 미분가능할 때, 그 도함수 $f''(x)$를 $f(x)$의 이계도함수라 한다. 마찬가지로 $f''(x)$가 미분가능할 때, 그 도함수 $f'''(x)$ (또는 $f^{(3)}(x)$로도 표기)를 $f(x)$의 삼계도함수라 한다. 이와 같이 계속하여 구해진 함수 $f(x)$의 n계도함수를 $f^{(n)}(x)$로 표기할 때, 두 함수 $f(x)=\sin x$와 $g(x)=\cos x$에 대하여 $f^{(n)}(x)$와 $g^{(n)}(x)$를 구하고 그 규칙성을 찾아보아라.

Sub Note 131쪽

삼각함수 **01** θ가 제4사분면의 각이고, $\sin\theta = -\dfrac{2}{\sqrt{5}}$일 때, $\sqrt{5}\sec\theta + 2\cot\theta$의 값을 구하여라.

삼각함수 사이의 관계 **02** θ가 제2사분면의 각일 때, $\sqrt{\cos^2\theta}\sqrt{1+\tan^2\theta} + \sqrt{1-\cos^2\theta}\sqrt{1+\cot^2\theta}$ 를 간단히 하면?

① -2　　　② -1　　　③ 0　　　④ 1　　　⑤ 2

삼각함수의 덧셈정리 **03** $\cos\left(\dfrac{\pi}{2} - \theta\right) = \dfrac{1}{3}$일 때, $\cos\left(\theta + \dfrac{\pi}{6}\right) + \sin\theta$의 값을 구하여라. $\left(\text{단, } 0 < \theta < \dfrac{\pi}{2}\right)$

삼각함수의 덧셈정리의 활용 **04** 다음 그림과 같이 A지점에서 원뿔 모양의 조형물의 꼭대기 P지점을 올려다본 각의 크기가 $15°$이다. $\overline{BC} = \overline{CP}$일 때, $\overline{AD}^2 : \overline{AB}^2$은?

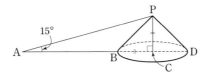

① $2:1$　　　　　② $9:4$　　　　　③ $3:1$
④ $7:2$　　　　　⑤ $4:1$

삼각함수의 덧셈정리의 활용 **05** 두 직선 $y = 2x - 2$, $y = \dfrac{1}{3}x + 1$이 이루는 예각의 크기를 구하여라.

삼각함수의
덧셈정리의 활용 **06** 그림과 같이 원 $x^2+y^2=1$ 위의 점 P_1에서의 접선이 x축과 만나는 점을 Q_1이라 할 때, 삼각형 P_1OQ_1의 넓이는 $\dfrac{1}{4}$이다. 점 P_1을 원점 O를 중심으로 $\dfrac{\pi}{4}$만큼 회전시킨 점을 P_2라 하고, 점 P_2에서의 접선이 x축과 만나는 점을 Q_2라 하자. 삼각형 P_2OQ_2의 넓이는? (단, 점 P_1은 제1사분면 위의 점이다.) [수능 기출]

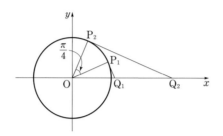

① 1   ② $\dfrac{5}{4}$ ③ $\dfrac{3}{2}$ ④ $\dfrac{7}{4}$ ⑤ 2

반각의 공식 **07** $\tan\theta=\sqrt{15}$일 때, $\cos\dfrac{\theta}{2}$의 값을 구하여라. $\left(\text{단, } \pi<\theta<\dfrac{3}{2}\pi\right)$

삼각함수의
합성 **08** 함수 $f(x)=\sqrt{3}\sin\dfrac{x}{2}+\cos\dfrac{x}{2}$에 대하여 보기에서 옳은 것만을 있는 대로 골라라.

> **보기**　ㄱ. 주기는 4π이다.
>
> 　　　　ㄴ. 최댓값과 최솟값의 곱은 -4이다.
>
> 　　　　ㄷ. 함수 $y=f\left(x-\dfrac{\pi}{3}\right)$의 그래프는 원점에 대하여 대칭이다.

삼각함수의
합성 **09** $0\le x\le\pi$일 때, 함수 $f(x)=\sin x+\cos x-2\sin x\cos x$의 최댓값과 최솟값의 합은?

① $-\dfrac{1}{2}$ ② $-\dfrac{1}{4}$ ③ 0   ④ $\dfrac{1}{4}$ ⑤ $\dfrac{1}{2}$

삼각함수의
극한 **10**

서술형

$\lim\limits_{x \to 0} \dfrac{e^{2x}-a}{\sin x}=b$를 만족시키는 상수 a, b에 대하여 $a+b$의 값을 구하여라.

삼각함수의
극한 **11**

$\sum\limits_{k=1}^{10} \lim\limits_{x \to 0} \dfrac{e^{kx}-e^{5x}}{\sin 5x}$ 의 값은?

① -2 ② -1 ③ 0 ④ 1 ⑤ 2

삼각함수의
극한 **12**

함수 $f(x) = \begin{cases} \dfrac{g(x)-1}{\sin x} & (x \ne 0) \\ 2 & (x=0) \end{cases}$ 가 $x=0$에서 연속일 때, 다음 중 $g(x)$가 될 수

있는 것은?

① $\ln x + \tan x$ ② $\log_2 x + \sin x$ ③ $\ln x + \cos x$
④ e^x ⑤ $e^x + \tan x$

삼각함수의
도함수 **13**

함수 $f(x) = \lim\limits_{h \to x} \dfrac{h \sin x - x \sin h}{h - x}$ 일 때, $f'(\pi)$의 값을 구하여라.

삼각함수의
도함수 **14**

함수 $f(x) = \cos^2 x - 2 \cos x$에 대하여 $f'(x) = k \sin^3 \dfrac{x}{2} \cos \dfrac{x}{2}$를 만족시키는 상수 k의 값을 구하여라.

삼각함수의
도함수 **15**

함수 $f(x) = \begin{cases} 3ae^x & (x \ge 0) \\ \sin x + b & (x < 0) \end{cases}$ 가 $x=0$에서 미분가능할 때, 상수 a, b에 대하여 $a-b$의 값을 구하여라.

Sub Note 135쪽

01 이차방정식 $x^2-2ax+a-2=0$의 두 근이 $\csc\theta$, $\sec\theta$일 때, 실수 a의 값은?

(단, $a\neq0$, $a\neq2$)

① -1 ② $-\dfrac{7}{8}$ ③ $-\dfrac{5}{6}$ ④ $-\dfrac{2}{3}$ ⑤ $-\dfrac{1}{2}$

02 오른쪽 그림과 같이 지면에 수직으로 서 있는 기둥에 지면으로부터 각각 10m, 20m 높이의 두 지점 A, B가 있다. 지면 위의 한 지점 P에서 줄로 A와 B를 각각 연결할 때, $\angle$APB의 크기가 최대가 되는 지점 P는 지점 H로부터 몇 m 떨어져 있는지 구하여라.

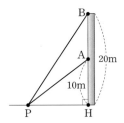

03 $0<x<\dfrac{\pi}{2}$에서 함수 $f(x)=\sin x$의 역함수가 $g(x)$일 때, $g\left(\dfrac{13}{14}\right)+g\left(\dfrac{11}{14}\right)$의 값을 구하여라.

04 원점 O를 지나고 기울기가 $\tan\theta$인 직선 l이 있다. 두 점 A$(0,\ 2)$, B$(2\sqrt{3},\ 0)$에서 직선 l에 내린 수선의 발을 각각 A$'$, B$'$이라 하자. 원점 O로부터 점 A$'$까지의 거리와 점 B$'$까지의 거리의 합 $\overline{OA'}+\overline{OB'}$이 최대가 되는 θ의 값은? $\left(단,\ 0<\theta<\dfrac{\pi}{2}\right)$

[수능 기출]

① $\dfrac{\pi}{12}$ ② $\dfrac{\pi}{6}$ ③ $\dfrac{\pi}{4}$ ④ $\dfrac{\pi}{3}$ ⑤ $\dfrac{5}{12}\pi$

05 세 집합 A, B, C가 다음과 같이 주어졌을 때, 집합 C가 나타내는 도형의 모양은?

$$A=\left\{(x,\,y)\,\middle|\,\pi\leq x\leq 2\pi,\,-\frac{\pi}{2}\leq y\leq\frac{\pi}{2}\right\}$$

$$B=\left\{(x,\,y)\,\middle|\,x-y=\frac{3}{2}\pi\right\}$$

$$C=\{(p,\,q)\,|\,p=\cos x-\cos y,\,q=\sin x-\sin y,\,(x,\,y)\in A\cap B\}$$

①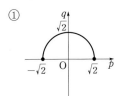
②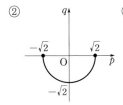
③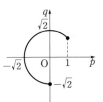

④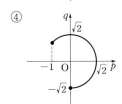
⑤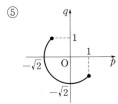

06 자연수 n에 대하여 $f(n)=\lim\limits_{x\to 0}\dfrac{2010x}{\sin x+\sin 2x+\sin 3x+\cdots+\sin nx}$ 일 때,

$\lim\limits_{n\to\infty}\dfrac{1}{5}\sum\limits_{k=1}^{n}f(k)$ 의 값을 구하여라.

07 함수 $f(x)=\dfrac{\sin x-\sqrt{3}\cos x}{3x-\pi}$ 일 때, $\lim\limits_{x\to\frac{\pi}{3}}f(x)$ 의 값을 구하여라.

08 그림과 같이 중심각의 크기가 θ이고 반지름의 길이가 r인 부채꼴 OAB가 있다. 부채꼴의 호 AB의 길이를 l_1, 삼각형 OAB에 내접하는 원의 둘레의 길이를 l_2라 할 때, $\lim\limits_{\theta \to 0+} \dfrac{l_2}{l_1}$ 의 값은? [평가원 기출]

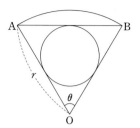

① $\dfrac{\pi}{4}$　　② $\dfrac{\pi}{2}$　　③ π

④ $\dfrac{3}{2}\pi$　　⑤ 2π

09 함수 $f(x)=e^x$의 그래프 위의 두 점 P$(0, f(0))$, Q$(a, f(a))$에 대하여 $\theta(a)$를 $\angle$POQ의 크기라 할 때, $\lim\limits_{a \to 0} \dfrac{\theta(a)}{\text{PQ}}$ 의 값은? (단, O는 원점)

① $\dfrac{1}{2}$　　② $\dfrac{\sqrt{3}}{3}$　　③ $\dfrac{\sqrt{2}}{2}$　　④ $\dfrac{e}{4}$　　⑤ $\dfrac{e}{3}$

10 함수 $f(x)=\sin^2 x - \sin x$에 대하여 $\lim\limits_{x \to 0} \dfrac{f(\tan 2x) - f(\sin 3x)}{x}$ 의 값은?

① -3　　② -2　　③ -1　　④ 1　　⑤ 3

내신 · 모의고사 대비 TEST ▷ 446쪽

01 함수의 몫의 미분법

II-3. 여러 가지 미분법

SUMMA CUM LAUDE

ESSENTIAL LECTURE

1 함수의 몫의 미분법

두 함수 $f(x)$, $g(x)(g(x) \neq 0)$가 미분가능할 때

(1) $\left\{ \dfrac{1}{g(x)} \right\}' = -\dfrac{g'(x)}{\{g(x)\}^2}$

(2) $\left\{ \dfrac{f(x)}{g(x)} \right\}' = \dfrac{f'(x)g(x) - f(x)g'(x)}{\{g(x)\}^2}$

2 함수 $y = x^n$ (n은 정수)의 도함수

n이 정수일 때, 함수 $y = x^n$의 도함수는 $y' = nx^{n-1}$이다.

3 삼각함수의 도함수

(1) $y = \sin x$이면 $\quad y' = \cos x$ (2) $y = \cos x$이면 $\quad y' = -\sin x$

(3) $y = \tan x$이면 $\quad y' = \sec^2 x$ (4) $y = \sec x$이면 $\quad y' = \sec x \tan x$

(5) $y = \csc x$이면 $\quad y' = -\csc x \cot x$ (6) $y = \cot x$이면 $\quad y' = -\csc^2 x$

앞단원에서 지수함수와 로그함수 그리고 일부 삼각함수의 미분법에 대해 배웠다. 이제 폭을 넓혀 복잡한 함수들의 미분법에 대해 공부해 보자. 먼저 분수꼴 함수를 미분하기 위해 함수의 몫의 미분법에 대해 알아보도록 하자.

1 함수의 몫의 미분법

함수 $g(x)$가 미분가능하고 $g(x) \neq 0$일 때, $y = \dfrac{1}{g(x)}$의 도함수를 구해 보자.

도함수의 정의를 이용하면

$$y' = \lim_{\Delta x \to 0} \frac{\Delta y}{\Delta x} = \lim_{\Delta x \to 0} \frac{\dfrac{1}{g(x+\Delta x)} - \dfrac{1}{g(x)}}{\Delta x}$$

$$= \lim_{\Delta x \to 0} \frac{-\dfrac{g(x+\Delta x) - g(x)}{g(x+\Delta x)g(x)}}{\Delta x}$$

II-3. 여러 가지 미분법　**179**

$$= -\lim_{\Delta x \to 0} \frac{g(x+\Delta x)-g(x)}{\Delta x} \cdot \frac{1}{g(x+\Delta x)g(x)}$$

$$= -\lim_{\Delta x \to 0} \frac{g(x+\Delta x)-g(x)}{\Delta x} \cdot \lim_{\Delta x \to 0} \frac{1}{g(x+\Delta x)g(x)}$$

$$= -g'(x) \cdot \frac{1}{\{g(x)\}^2} = -\frac{\boldsymbol{g'(x)}}{\{\boldsymbol{g(x)}\}^2}$$

함수의 몫의 미분법은 함수의 곱의 미분법을 이용하여 유도할 수도 있다.

$g(x)$와 $\dfrac{1}{g(x)}$ 이 모두 미분가능할 때, $g(x) \cdot \dfrac{1}{g(x)} = 1$의 양변을 x에 대하여 미분하면

$$g'(x) \cdot \frac{1}{g(x)} + g(x) \cdot \left\{ \frac{1}{g(x)} \right\}' = 0, \quad g(x) \cdot \left\{ \frac{1}{g(x)} \right\}' = -\frac{g'(x)}{g(x)}$$

$$\therefore \left\{ \frac{1}{g(x)} \right\}' = -\frac{g'(x)}{\{g(x)\}^2}$$

함수의 몫의 미분법(1)

함수 $g(x)$가 미분가능하고 $g(x) \neq 0$일 때

$$\left\{ \frac{1}{g(x)} \right\}' = -\frac{g'(x)}{\{g(x)\}^2}$$

■ **EXAMPLE 035** 다음 함수를 미분하여라.

(1) $y = \dfrac{1}{2x}$　　　　　　　　　　　　　　(2) $y = \dfrac{1}{x-1}$

　　　ANSWER　(1) $\boldsymbol{y'} = -\dfrac{(2x)'}{(2x)^2} = -\dfrac{2}{4x^2} = -\dfrac{1}{2x^2}$ ■

　　　　　　　(2) $\boldsymbol{y'} = -\dfrac{(x-1)'}{(x-1)^2} = -\dfrac{1}{(x-1)^2}$ ■

APPLICATION 050　다음 함수를 미분하여라.　　　　　　　　　　Sub Note 016쪽

(1) $y = \dfrac{1}{x^2-x}$　　　　　(2) $y = \dfrac{1}{e^x-3}$　　　　　(3) $y = \dfrac{1}{\sin x + 1}$

이제 두 함수 $f(x),\ g(x)\,(g(x) \neq 0)$가 미분가능할 때, $y = \dfrac{f(x)}{g(x)}$ 의 도함수를 구해 보자.

위와 마찬가지로 도함수의 정의를 이용하면

$$y' = \lim_{\Delta x \to 0} \frac{\Delta y}{\Delta x} = \lim_{\Delta x \to 0} \frac{\dfrac{f(x+\Delta x)}{g(x+\Delta x)} - \dfrac{f(x)}{g(x)}}{\Delta x}$$

$$= \lim_{\Delta x \to 0} \frac{\dfrac{f(x+\Delta x)g(x) - f(x)g(x+\Delta x)}{g(x+\Delta x)\,g(x)}}{\Delta x}$$

$$= \lim_{\Delta x \to 0} \frac{f(x+\Delta x)g(x) - f(x)g(x+\Delta x)}{\Delta x\, g(x+\Delta x)g(x)}$$

$$= \lim_{\Delta x \to 0} \frac{f(x+\Delta x)g(x) - f(x)g(x) - f(x)g(x+\Delta x) + f(x)g(x)}{\Delta x\, g(x+\Delta x)g(x)}$$

$$= \lim_{\Delta x \to 0} \frac{\dfrac{f(x+\Delta x)-f(x)}{\Delta x} \cdot g(x) - f(x) \cdot \dfrac{g(x+\Delta x)-g(x)}{\Delta x}}{g(x+\Delta x)g(x)}$$

$$= \frac{f'(x)g(x) - f(x)g'(x)}{\{\,g(x)\,\}^2}$$

이 결과 역시 앞에서 배운 $\left\{\dfrac{1}{g(x)}\right\}' = -\dfrac{g'(x)}{\{\,g(x)\,\}^2}$ 와 함수의 곱의 미분법을 이용하여 구할 수

도 있다. 즉 $\dfrac{f(x)}{g(x)} = f(x) \cdot \dfrac{1}{g(x)}$ 의 양변을 x에 대하여 미분하면

$$\left\{\frac{f(x)}{g(x)}\right\}' = f'(x) \cdot \frac{1}{g(x)} + f(x) \cdot \left\{\frac{1}{g(x)}\right\}'$$

$$= \frac{f'(x)}{g(x)} - f(x) \cdot \frac{g'(x)}{\{\,g(x)\,\}^2} = \frac{f'(x)g(x) - f(x)g'(x)}{\{\,g(x)\,\}^2}$$

함수의 몫의 미분법(2)

두 함수 $f(x),\ g(x)\ (g(x) \neq 0)$가 미분가능할 때

$$\left\{\frac{f(x)}{g(x)}\right\}' = \frac{f'(x)g(x) - f(x)g'(x)}{\{\,g(x)\,\}^2}$$

E X A M P L E 036 다음 함수를 미분하여라.

(1) $y = \dfrac{x+x^2}{2x+1}$　　　　　　　　(2) $y = \dfrac{x^2-1}{e^x}$

ANSWER　(1) $y' = \dfrac{(x+x^2)'(2x+1) - (x+x^2)(2x+1)'}{(2x+1)^2}$

$$= \frac{(1+2x)(2x+1) - (x+x^2)\cdot 2}{(2x+1)^2} = \frac{4x^2+4x+1-2x-2x^2}{(2x+1)^2}$$

$$= \frac{2x^2+2x+1}{(2x+1)^2} \ \blacksquare$$

$$(2)\; y' = \frac{(x^2-1)'e^x-(x^2-1)(e^x)'}{(e^x)^2} = \frac{2xe^x-(x^2-1)e^x}{e^{2x}} = \frac{-x^2+2x+1}{e^x}\;\blacksquare$$

APPLICATION 051 다음 함수를 미분하여라. Sub Note 016쪽

(1) $y = \dfrac{e^x+1}{e^x-1}$ 　　　　(2) $y = \dfrac{x}{\ln x}$ 　　　　(3) $y = \dfrac{\sin x}{1+\cos x}$

2 함수 $y=x^n$(n은 정수)의 도함수

n이 양의 정수, 즉 자연수일 때, 함수 $y=x^n$의 도함수는 $y'=nx^{n-1}$임을 수학 II에서 배웠다.
이제 n이 음의 정수 또는 0일 때, 함수 $y=x^n$의 도함수를 구해 보자.
n이 음의 정수일 때, $n=-m$(m은 양의 정수)으로 놓으면 함수의 몫의 미분법에 의하여

$$y' = (x^n)' = (x^{-m})' = \left(\frac{1}{x^m}\right)' = -\frac{(x^m)'}{(x^m)^2} = -\frac{mx^{m-1}}{x^{2m}} = -mx^{-m-1} = nx^{n-1}$$

한편 $n=0$일 때, $y=x^0=1$이고 $y'=0=0\times x^{0-1}$으로 나타낼 수 있으므로 이 경우에도
$y'=nx^{n-1}$이 성립한다.

함수 $y=x^n$(n은 정수)의 도함수

n이 정수일 때, 함수 $y=x^n$의 도함수는 $y'=nx^{n-1}$이다.❶

■ EXAMPLE 037 다음 함수를 미분하여라.

(1) $y = \dfrac{x^3+x+1}{x^2}$ 　　　　　　(2) $y = \dfrac{2x^2+x-1}{x^5}$

ANSWER (1) $y = \dfrac{x^3+x+1}{x^2} = x + \dfrac{1}{x} + \dfrac{1}{x^2} = x + x^{-1} + x^{-2}$이므로

$$y' = (x+x^{-1}+x^{-2})' = 1 - x^{-2} - 2x^{-3} = 1 - \frac{1}{x^2} - \frac{2}{x^3} = \frac{x^3-x-2}{x^3}\;\blacksquare$$

(2) $y = \dfrac{2x^2+x-1}{x^5} = \dfrac{2}{x^3} + \dfrac{1}{x^4} - \dfrac{1}{x^5} = 2x^{-3} + x^{-4} - x^{-5}$이므로

$$y' = (2x^{-3}+x^{-4}-x^{-5})' = -6x^{-4} - 4x^{-5} + 5x^{-6} = -\frac{6}{x^4} - \frac{4}{x^5} + \frac{5}{x^6}$$

$$= \frac{-6x^2-4x+5}{x^6}\;\blacksquare$$

---

❶ 차차 설명이 되겠지만 이 공식은 n이 정수일 때는 물론 유리수, 실수일 때에도 성립한다.

APPLICATION 052 다음 함수를 미분하여라. Sub Note 017쪽

(1) $y=\dfrac{x^3-x+8}{x^2}$ (2) $y=\dfrac{6x^2+2x-5}{x^6}$

③ 삼각함수의 도함수

삼각함수 $y=\sin x$, $y=\cos x$의 도함수는

$$(\sin x)'=\cos x,\ (\cos x)'=-\sin x$$

라는 것을 앞단원에서 배웠다. 여기서는 삼각함수 $y=\sin x$, $y=\cos x$의 도함수와 함수의 몫의 미분법을 이용하여 나머지 삼각함수의 도함수를 유도해 보도록 하자.

(1) 함수 $y=\tan x$의 도함수

$\tan x=\dfrac{\sin x}{\cos x}$이므로 함수의 몫의 미분법을 이용하면

$$\begin{aligned}(\tan x)'&=\left(\frac{\sin x}{\cos x}\right)'=\frac{(\sin x)'\cos x-\sin x(\cos x)'}{\cos^2 x}\\ &=\frac{\cos^2 x+\sin^2 x}{\cos^2 x}\quad \Leftarrow \cos^2 x+\sin^2 x=1\\ &=\frac{1}{\cos^2 x}=\sec^2 x\end{aligned}$$

(2) 함수 $y=\sec x$, $y=\csc x$, $y=\cot x$의 도함수

$\sec x=\dfrac{1}{\cos x}$, $\csc x=\dfrac{1}{\sin x}$, $\cot x=\dfrac{\cos x}{\sin x}$의 도함수는 그 형태에서 짐작할 수 있듯이 함수의 몫의 미분법을 이용하여 구할 수 있다.

$$\begin{aligned}(\sec x)'&=\left(\frac{1}{\cos x}\right)'=-\frac{(\cos x)'}{\cos^2 x}=\frac{\sin x}{\cos^2 x}=\frac{1}{\cos x}\cdot\frac{\sin x}{\cos x}=\sec x\tan x\\ (\csc x)'&=\left(\frac{1}{\sin x}\right)'=-\frac{(\sin x)'}{\sin^2 x}=-\frac{\cos x}{\sin^2 x}=-\frac{1}{\sin x}\cdot\frac{\cos x}{\sin x}\\ &=-\csc x\cot x\\ (\cot x)'&=\left(\frac{\cos x}{\sin x}\right)'=\frac{(\cos x)'\sin x-\cos x(\sin x)'}{\sin^2 x}\\ &=\frac{-\sin^2 x-\cos^2 x}{\sin^2 x}=-\frac{1}{\sin^2 x}=-\csc^2 x\end{aligned}$$

삼각함수의 도함수

(1) $y=\sin x$이면 $y'=\cos x$ (2) $y=\cos x$이면 $y'=-\sin x$
(3) $y=\tan x$이면 $y'=\sec^2 x$ (4) $y=\sec x$이면 $y'=\sec x\tan x$
(5) $y=\csc x$이면 $y'=-\csc x\cot x$ (6) $y=\cot x$이면 $y'=-\csc^2 x$

■ **E X A M P L E 038** 다음 함수를 미분하여라.

(1) $y = e^x \tan x$ (2) $y = \dfrac{1 + \sin x}{\cos x}$ (3) $y = \dfrac{1 - \cot x}{1 + \cot x}$

ANSWER (1) $\boldsymbol{y' = (e^x)' \tan x + e^x (\tan x)'}$

$= e^x \tan x + e^x \sec^2 x$

$\boldsymbol{= e^x (\tan x + \sec^2 x)} \blacksquare$

(2) $\boldsymbol{y' = \dfrac{(1 + \sin x)' \cos x - (1 + \sin x)(\cos x)'}{(\cos x)^2}}$

$= \dfrac{\cos x \cdot \cos x - (1 + \sin x)(-\sin x)}{\cos^2 x}$

$= \dfrac{\cos^2 x + \sin x + \sin^2 x}{\cos^2 x} = \dfrac{1 + \sin x}{1 - \sin^2 x}$

$= \dfrac{1 + \sin x}{(1 + \sin x)(1 - \sin x)} = \boldsymbol{\dfrac{1}{1 - \sin x}} \blacksquare$

[다른 풀이] $y = \dfrac{1}{\cos x} + \dfrac{\sin x}{\cos x} = \sec x + \tan x$이므로

$y' = \sec x \tan x + \sec^2 x = \dfrac{\sin x}{\cos^2 x} + \dfrac{1}{\cos^2 x}$

$= \dfrac{1 + \sin x}{\cos^2 x} = \dfrac{1 + \sin x}{1 - \sin^2 x}$

$= \dfrac{1 + \sin x}{(1 + \sin x)(1 - \sin x)} = \dfrac{1}{1 - \sin x}$

(3) $\boldsymbol{y' = \dfrac{(1 - \cot x)'(1 + \cot x) - (1 - \cot x)(1 + \cot x)'}{(1 + \cot x)^2}}$

$= \dfrac{\csc^2 x (1 + \cot x) - (1 - \cot x)(-\csc^2 x)}{(1 + \cot x)^2}$

$= \boldsymbol{\dfrac{2 \csc^2 x}{(1 + \cot x)^2}} \blacksquare$

Sub Note 017쪽

APPLICATION **053** 함수 $f(x) = \dfrac{1 - \sec x}{\tan x}$ 에 대하여 $f'\left(\dfrac{\pi}{4}\right)$의 값을 구하여라.

037 함수 $f(x)=\dfrac{x^2}{x-1}$ 에 대하여 $\displaystyle\lim_{h\to 0}\dfrac{f(4+3h)-f(4)}{h}$ 의 값을 구하여라.

GUIDE 먼저 주어진 식을 $f'(a)=\displaystyle\lim_{h\to 0}\dfrac{f(a+h)-f(a)}{h}$ 꼴로 만드는 데 중점을 둔다.

SOLUTION ───────────────────────────

주어진 식을 간단히 하면

$$\lim_{h\to 0}\frac{f(4+3h)-f(4)}{h}=\lim_{h\to 0}\frac{f(4+3h)-f(4)}{3h}\cdot 3=3f'(4)$$

$f(x)=\dfrac{x^2}{x-1}$ 에서

$$f'(x)=\frac{2x(x-1)-x^2\cdot 1}{(x-1)^2}=\frac{2x^2-2x-x^2}{(x-1)^2}=\frac{x^2-2x}{(x-1)^2}$$

이므로 $\quad f'(4)=\dfrac{4^2-2\cdot 4}{(4-1)^2}=\dfrac{8}{9}$

$$\therefore\ 3f'(4)=3\cdot\frac{8}{9}=\frac{8}{3}\ \blacksquare$$

┌─ **Summa's Advice** ──────────────────────

$\displaystyle\lim_{h\to 0}\dfrac{f(a+mh)-f(a+nh)}{h}=(m-n)f'(a)$ 임을 이용하여

$\displaystyle\lim_{h\to 0}\dfrac{f(4+3h)-f(4)}{h}=(3-0)f'(4)=3f'(4)$ 로 간단히 구할 수도 있다.

Sub Note 065쪽

유제
037-❶ 함수 $f(x)=\dfrac{x^2}{3x^2-x+1}$ 에 대하여 $\displaystyle\lim_{h\to 0}\dfrac{f(1+2h)-f(1-h)}{h}$ 의 값을 구하여라.

유제
037-❷ 함수 $f(x)=\dfrac{e^{x+2}-1}{x}$ 에 대하여 $\displaystyle\lim_{x\to -2}\dfrac{f(x)}{x+2}$ 의 값을 구하여라.   Sub Note 065쪽

함수의 몫의 미분법(2)

038

미분가능한 함수 $g(x)$에 대하여 함수 $f(x)=\dfrac{x}{1-g(x)}$이고 $f'(0)=\dfrac{1}{2}$일 때, $g(0)$의 값을 구하여라. (단, $g(x)\neq 1$)

GUIDE 먼저 함수의 몫의 미분법을 이용하여 $f'(x)$를 구한다.

SOLUTION ───────────────────────────

$$f(x)=\frac{x}{1-g(x)}\text{에서}$$

$$f'(x)=\frac{1-g(x)+xg'(x)}{\{1-g(x)\}^2}$$

이때 $f'(0)=\dfrac{1}{2}$이므로

$$f'(0)=\frac{1-g(0)}{\{1-g(0)\}^2}=\frac{1}{1-g(0)}\ (\because\ g(x)\neq 1)$$

$$=\frac{1}{2}$$

에서 $1-g(0)=2$

$$\therefore\ g(0)=-1\ \blacksquare$$

Sub Note 066쪽

유제
038-❶

미분가능한 함수 $f(x)$가 $f(0)=2$를 만족시킬 때, 함수 $g(x)=\dfrac{1}{1+xf(x)}$에 대하여 $g'(0)$의 값을 구하여라.

Sub Note 066쪽

유제
038-❷

미분가능한 함수 $f(x)$가 $f(0)=1$, $f'(0)=3$을 만족시킬 때, 함수 $g(x)=\dfrac{x-1}{f(x)}$에 대하여 $g'(0)$의 값을 구하여라.

039 함수 $f(x)=\dfrac{\sin x}{1+\tan x}$ 에 대하여 $\displaystyle\lim_{h\to 0}\dfrac{f(h)}{h}$ 의 값을 구하여라.

GUIDE　먼저 주어진 식을 미분계수의 정의를 이용하여 간단하게 표현한 다음, 함수의 몫의 미분법을 이용하여 미분계수를 구하면 된다.

SOLUTION

$$f(0)=\frac{\sin 0}{1+\tan 0}=0 \text{이므로}$$

$$\lim_{h\to 0}\frac{f(h)}{h}=\lim_{h\to 0}\frac{f(0+h)-f(0)}{h}=f'(0)$$

$$f(x)=\frac{\sin x}{1+\tan x} \text{에서}$$

$$f'(x)=\frac{\cos x(1+\tan x)-\sin x\sec^2 x}{(1+\tan x)^2}$$

$$\therefore f'(0)=\frac{\cos 0(1+\tan 0)-\sin 0\sec^2 0}{(1+\tan 0)^2}$$

$$=\frac{1\cdot(1+0)-0\cdot 1^2}{(1+0)^2}$$

$$=1 \blacksquare$$

유제
039-❶ 함수 $f(x)=x^2\sec x$에 대하여 $\displaystyle\lim_{h\to 0}\dfrac{f(\pi+h)-f(\pi-h)}{h}$ 의 값을 구하여라.　　Sub Note 066쪽

Sub Note 066쪽

유제
039-❷ 함수 $f(x)=\begin{cases}3e^x-ax+b & (x\geq 0) \\ \tan x & (x<0)\end{cases}$ 가 $x=0$에서 미분가능할 때, 상수 a, b에 대하여 $a-b$의 값을 구하여라.

02 합성함수의 미분법

SUMMA CUM LAUDE

ESSENTIAL LECTURE

1 합성함수의 미분법

두 함수 $y=f(u)$, $u=g(x)$가 미분가능할 때, 합성함수 $y=f(g(x))$의 도함수는

$$\frac{dy}{dx}=\frac{dy}{du}\cdot\frac{du}{dx} \text{ 또는 } y'=f'(g(x))g'(x)$$

2 로그함수의 도함수

(1) 로그함수의 도함수

$a>0$, $a\neq1$이고, 함수 $f(x)$가 미분가능하며 $f(x)\neq0$일 때

① $y=\ln|x|$이면　$y'=\dfrac{1}{x}$　　　　② $y=\log_a|x|$이면　$y'=\dfrac{1}{x\ln a}$

③ $y=\ln|f(x)|$이면　$y'=\dfrac{f'(x)}{f(x)}$　　④ $y=\log_a|f(x)|$이면　$y'=\dfrac{f'(x)}{f(x)\ln a}$

(2) 로그미분법

밑과 지수에 모두 변수가 포함된 함수나 복잡한 분수함수의 도함수는 다음과 같은 순서로 구한다.

① $y=f(x)$의 양변에 절댓값을 취한다.　⇨ $|y|=|f(x)|$

② ①의 양변에 자연로그를 취한다.　　⇨ $\ln|y|=\ln|f(x)|$

③ ②의 양변을 x에 대하여 미분한다.　⇨ $\dfrac{y'}{y}=\dfrac{f'(x)}{f(x)}$

④ ③을 y'에 대하여 정리한다.　　⇨ $y'=y\cdot\dfrac{f'(x)}{f(x)}$

이와 같이 자연로그를 취하여 도함수를 구하는 방법을 로그미분법이라 한다.

3 함수 $y=x^n$(n은 실수)의 도함수

n이 실수일 때, 함수 $y=x^n$의 도함수는 $y'=nx^{n-1}$이다.

1 합성함수의 미분법

우리가 접하는 함수들에는 기본적인 함수들보다는 여러 함수들의 합성으로 만들어진 새로운 함수들이 더 많다.

예를 들면 $y=(x+1)^3$의 경우 $y=x^3$과 $y=x+1$의 합성으로 볼 수 있고, $y=\sin(3x+2)$

의 경우도 $y=\sin x$와 $y=3x+2$의 합성으로 볼 수 있다. 이번에 배울 합성함수의 미분법을 이용하면 이러한 함수의 도함수를 조금 더 쉽게 구할 수 있다.

합성함수의 미분법을 공부하기 전에 미분 기호에 대해 잠시 생각해 보자.

우리가 자주 접하는 미분 기호에는 y'과 $\dfrac{dy}{dx}$가 있다. 여기서 y'은 뉴턴이 쓰던 기호이고, $\dfrac{dy}{dx}$는 라이프니츠가 쓰던 기호이다. 뉴턴의 기호에 비해 라이프니츠의 기호는 미분하는 변수를 알 수 있는 장점이 있다. 라이프니츠가 쓰던 미분 기호의 의미를 살펴보면

$\dfrac{dy}{dx}$: y를 x의 식으로 나타내어 x에 대하여 미분한다.

$\dfrac{du}{dx}$: u를 x의 식으로 나타내어 x에 대하여 미분한다.

$\dfrac{dy}{du}$: y를 u의 식으로 나타내어 u에 대하여 미분한다.

이를 토대로 두 함수 $y=f(u)$, $u=g(x)$가 미분가능할 때, 합성함수 $y=f(g(x))$의 도함수를 구해 보자.

$u=g(x)$에서 x의 증분 $\varDelta x$에 대한 u의 증분을 $\varDelta u$, $y=f(u)$에서 u의 증분 $\varDelta u$에 대한 y의 증분을 $\varDelta y$라 하면[2] 다음 식이 성립한다.

$$\frac{\varDelta y}{\varDelta x}=\frac{\varDelta y}{\varDelta u}\cdot\frac{\varDelta u}{\varDelta x}\ (\text{단},\ \varDelta u\neq0)$$

여기서 두 함수 $y=f(u)$, $u=g(x)$가 미분가능하므로

$$\lim_{\varDelta u\to0}\frac{\varDelta y}{\varDelta u}=\frac{dy}{du},\quad \lim_{\varDelta x\to0}\frac{\varDelta u}{\varDelta x}=\frac{du}{dx}$$

이때 $\varDelta u=g(x+\varDelta x)-g(x)$에서 $\varDelta x\to0$이면 $\varDelta u\to0$이므로

$$\frac{dy}{dx}=\lim_{\varDelta x\to0}\frac{\varDelta y}{\varDelta x}=\lim_{\varDelta x\to0}\frac{\varDelta y}{\varDelta u}\cdot\frac{\varDelta u}{\varDelta x}=\lim_{\varDelta x\to0}\frac{\varDelta y}{\varDelta u}\cdot\lim_{\varDelta x\to0}\frac{\varDelta u}{\varDelta x}$$

$$=\lim_{\varDelta u\to0}\frac{\varDelta y}{\varDelta u}\cdot\lim_{\varDelta x\to0}\frac{\varDelta u}{\varDelta x}=\frac{dy}{du}\cdot\frac{du}{dx}$$

여기서 $\dfrac{dy}{du}=\dfrac{d}{du}f(u)=f'(u)$, $\dfrac{du}{dx}=\dfrac{d}{dx}g(x)=g'(x)$이므로

$$\boldsymbol{\frac{dy}{dx}}=\frac{dy}{du}\cdot\frac{du}{dx}=f'(u)g'(x)=\boldsymbol{f'(g(x))g'(x)}$$

즉 f와 g의 합성함수 $y=f(g(x))$의 도함수는 $y'=f'(g(x))g'(x)$임을 알 수 있다.

---

[2] $\varDelta u=g(x+\varDelta x)-g(x)$, $\varDelta y=f(u+\varDelta u)-f(u)$

합성함수의 미분법[3]

두 함수 $y=f(u)$, $u=g(x)$가 미분가능할 때,
합성함수 $y=f(g(x))$의 도함수는

$$\frac{dy}{dx}=\frac{dy}{du}\cdot\frac{du}{dx} \text{ 또는 } y'=f'(g(x))g'(x)$$

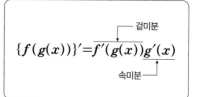

겉미분

$$\{f(g(x))\}'=\overline{f'(g(x))}g'(x)$$

속미분

수학Ⅱ에서 배운 함수 $y=\{f(x)\}^n$의 도함수를 합성함수의 미분법을 이용하여 구하면 아주 편리하다.

$y=\{f(x)\}^n$에서 $u=f(x)$로 놓으면 $y=u^n$이므로

$$\frac{dy}{du}=nu^{n-1}, \ \frac{du}{dx}=f'(x)$$

합성함수의 미분법을 이용하면

$$\boldsymbol{\frac{dy}{dx}}=\frac{dy}{du}\cdot\frac{du}{dx}=nu^{n-1}f'(x)=\boldsymbol{n\{f(x)\}^{n-1}f'(x)}$$

가 된다.

■ **EXAMPLE 039** 다음 함수를 미분하여라.

(1) $y=(2x^2-1)^3$
(2) $y=\dfrac{1}{(x^2-x+1)^2}$

ANSWER (1) $u=2x^2-1$로 놓으면 주어진 식은 $y=u^3$이므로

$$\frac{dy}{du}=3u^2, \ \frac{du}{dx}=4x$$

$$\therefore \ \boldsymbol{y'}=\frac{dy}{du}\cdot\frac{du}{dx}=3u^2\cdot4x=3(2x^2-1)^2\cdot4x=\boldsymbol{12x(2x^2-1)^2} \ ■$$

(2) $y=(x^2-x+1)^{-2}$에서 $u=x^2-x+1$로 놓으면 주어진 식은 $y=u^{-2}$이므로

$$\frac{dy}{du}=-2u^{-3}, \ \frac{du}{dx}=2x-1$$

$$\therefore \ \boldsymbol{y'}=\frac{dy}{du}\cdot\frac{du}{dx}=-2u^{-3}(2x-1)=\boldsymbol{-\frac{2(2x-1)}{(x^2-x+1)^3}} \ ■$$

APPLICATION **054** 다음 함수를 미분하여라.   Sub Note 017쪽

(1) $y=(2x^2+x+7)^6$
(2) $y=\dfrac{1}{(x^2+1)^5}$

---

[3] 여러 개의 함수로 이루어진 합성함수를 미분할 때, 마치 고리로 연결된 것처럼 연속적으로 작용한다는 의미에서 합성함수의 미분법을 연쇄법칙(Chain Rule)이라고도 한다.

■ **EXAMPLE 040** 다음 함수를 미분하여라.

(1) $y=\sin(3x+2)$　　　　(2) $y=e^{x^2+2x}$　　　　　(3) $y=\sec(3x-2)$

ANSWER　(1) $y'=\{\sin(3x+2)\}'=\cos(3x+2)\cdot(3x+2)'$

$\qquad\qquad =\boldsymbol{3\cos(3x+2)}$ ∎

(2) $\boldsymbol{y'}=(e^{x^2+2x})'=e^{x^2+2x}(x^2+2x)'=\boldsymbol{(2x+2)e^{x^2+2x}}$ ∎

(3) $\boldsymbol{y'}=\{\sec(3x-2)\}'=\sec(3x-2)\tan(3x-2)\cdot(3x-2)'$

$\qquad\qquad =\boldsymbol{3\sec(3x-2)\tan(3x-2)}$ ∎

APPLICATION **055**　다음 함수를 미분하여라.　　　　　　　　　　　Sub Note 017쪽

(1) $y=2^{5x+1}$　　　　　　(2) $y=\cos(\sin x)$　　　　(3) $y=\sin 2x\cos^2 x$

APPLICATION **056**　함수 $f(x)=\sin 4x\cos\left(x+\dfrac{\pi}{3}\right)$에 대하여 $f'\left(\dfrac{\pi}{6}\right)$의 값을 구하여라.

② 로그함수의 도함수

(1) 로그함수의 도함수

지금까지 우리가 다룬 로그함수는 로그의 정의에 의해 정의역이 양의 실수 전체의 집합인 경우에만 성립한다. 즉 x가 양수인 경우에만 로그함수의 미분을 하였던 것이다. 그러면 정의역을 확장한 로그함수 $y=\ln|x|$의 도함수는 어떻게 구할까?

이는 합성함수의 미분법을 이용하여 구할 수 있다.

우선 x의 값의 범위를 나누어 생각해 보자.

(ⅰ) $x>0$일 때, $y=\ln|x|=\ln x$이므로　　$y'=\dfrac{1}{x}$

(ⅱ) $x<0$일 때, $y=\ln|x|=\ln(-x)$이므로　　$y'=\dfrac{(-x)'}{-x}=\dfrac{-1}{-x}=\dfrac{1}{x}$

(ⅰ), (ⅱ)에 의하여 $\boldsymbol{(\ln|x|)'}=\dfrac{\boldsymbol{1}}{\boldsymbol{x}}$이 되는 것을 알 수 있다.

이 결과를 이용하여 $y=\log_a|x|\,(a>0,\ a\neq1)$의 도함수를 구해 보면 다음과 같다.

$$y'=(\log_a|x|)'=\left(\frac{\ln|x|}{\ln a}\right)'=\frac{(\ln|x|)'}{\ln a}=\frac{1}{x}\cdot\frac{1}{\ln a}=\frac{1}{x\ln a}$$

따라서 로그함수의 도함수를 구할 때에는 절댓값을 무시할 수 있다는 점!

Ⅱ-3. 여러 가지 미분법　　**191**

좀 더 확장하여 함수 $f(x)$가 미분가능하고 $f(x)\neq0$일 때, 로그함수 $y=\ln|f(x)|$의 도함수를 합성함수의 미분법을 이용하여 구해 보자.

로그가 정의되도록 $f(x)$의 값의 범위를 나누어 생각해 보면

(i) $f(x)>0$일 때, $|f(x)|=f(x)$이므로

$$y'=\{\ln|f(x)|\}'=\{\ln f(x)\}'=\frac{f'(x)}{f(x)}$$

(ii) $f(x)<0$일 때, $|f(x)|=-f(x)$이므로

$$y'=\{\ln|f(x)|\}'=[\ln\{-f(x)\}]'=\frac{-f'(x)}{-f(x)}=\frac{f'(x)}{f(x)}$$

(i), (ii)에 의하여 $\{\ln|f(x)|\}'=\dfrac{f'(x)}{f(x)}$가 되는 것을 알 수 있다.

이 결과를 이용하여 $y=\log_a|f(x)|\,(a>0,\,a\neq1)$의 도함수를 구해 보면 다음과 같다.

$$y'=\left(\log_a|f(x)|\right)'=\left(\frac{\ln|f(x)|}{\ln a}\right)'=\frac{(\ln|f(x)|)'}{\ln a}=\frac{f'(x)}{f(x)}\cdot\frac{1}{\ln a}=\frac{f'(x)}{f(x)\ln a}$$

로그함수의 도함수

함수 $f(x)$가 미분가능하며 $f(x)\neq0$일 때 (단, $a>0,\,a\neq1$)

(1) $y=\ln|x|$이면 $\quad y'=\dfrac{1}{x}$ $\qquad$ (2) $y=\log_a|x|$이면 $\quad y'=\dfrac{1}{x\ln a}$

(3) $y=\ln|f(x)|$이면 $\quad y'=\dfrac{f'(x)}{f(x)}$ $\qquad$ (4) $y=\log_a|f(x)|$이면 $\quad y'=\dfrac{f'(x)}{f(x)\ln a}$

EXAMPLE 041 다음 함수를 미분하여라.

(1) $y=\ln|x^2-3|$ $\qquad$ (2) $y=\log_2(3^x+1)$ $\qquad$ (3) $y=x\ln|2x-1|^4$

ANSWER (1) $y'=\dfrac{(x^2-3)'}{x^2-3}=\dfrac{2x}{x^2-3}$ ■

(2) $y'=\dfrac{(3^x+1)'}{(3^x+1)\ln2}=\dfrac{3^x\ln3}{(3^x+1)\ln2}$ ■

(3) $y=4x\ln|2x-1|$이므로

$$y'=(4x)'\ln|2x-1|+4x(\ln|2x-1|)'=4\ln|2x-1|+4x\cdot\frac{(2x-1)'}{2x-1}$$

$$=4\ln|2x-1|+\frac{4x\cdot2}{2x-1}=4\ln|2x-1|+\frac{8x}{2x-1}$$ ■

APPLICATION 057 다음 함수를 미분하여라. Sub Note 018쪽

(1) $y=\ln|\cos x|$ (2) $y=\log_3|e^{2x}-2|$ (3) $y=\ln|\cos^2 x-\sin^2 x|$

(2) 로그미분법

$y=x^x$이나 $y=\dfrac{x^5(x+2)^3}{(x+1)^2}$ 과 같이 밑과 지수에 모두 변수가 포함된 함수나 복잡한 분수함수는 앞에서 배웠던 여러 가지 미분법으로는 도함수를 구할 수 없거나 구하기에는 너무 복잡하다. 이와 같은 함수의 도함수는 다음과 같이 양변에 절댓값을 취하는 방법❹으로 구하는 것이 편리하다.

---

① $y=f(x)$의 양변에 절댓값을 취한다. $\Rightarrow$ $|y|=|f(x)|$

② ①의 양변에 자연로그를 취한다. $\Rightarrow$ $\ln|y|=\ln|f(x)|$

③ ②의 양변을 x에 대하여 미분한다. $\Rightarrow$ $\dfrac{y'}{y}=\dfrac{f'(x)}{f(x)}$

④ ③을 y'에 대하여 정리한다. $\Rightarrow$ $y'=y\cdot\dfrac{f'(x)}{f(x)}$

이와 같이 자연로그를 취하여 도함수를 구하는 방법을 **로그미분법**이라 한다.

EXAMPLE 042 다음 함수를 미분하여라.

(1) $y=x^{\sin x}\ (x>0)$ (2) $y=\sqrt{\dfrac{x-1}{x+1}}\ (x>1)$

ANSWER (1) $y=x^{\sin x}\ (x>0)$에서 항상 함숫값은 양수이므로 양변에 자연로그를 취하면

$$\ln y=\ln x^{\sin x}=\sin x\cdot\ln x$$

양변을 x에 대하여 미분하면

$$\frac{y'}{y}=(\sin x)'\ln x+\sin x(\ln x)'=\cos x\cdot\ln x+\sin x\cdot\frac{1}{x}$$

$$\therefore\ \boldsymbol{y'}=y\Big(\cos x\cdot\ln x+\sin x\cdot\frac{1}{x}\Big)$$

$$=x^{\sin x}\Big(\cos x\cdot\ln x+\frac{\sin x}{x}\Big)\ \blacksquare$$

---

❹ 로그의 진수가 양수이어야 하므로 먼저 식의 양변에 절댓값을 취한 다음 자연로그를 취해야 한다. 물론 양변이 양수일 때에는 절댓값을 취할 필요가 없다.

(2) 주어진 식의 양변의 절댓값에 자연로그를 취하면

$$\ln |y| = \ln \left| \sqrt{\frac{x-1}{x+1}} \right| = \frac{1}{2} (\ln |x-1| - \ln |x+1|)$$

양변을 x에 대하여 미분하면 $\quad \dfrac{y'}{y} = \dfrac{1}{2} \left(\dfrac{1}{x-1} - \dfrac{1}{x+1} \right)$

$$\therefore y' = \frac{y}{2} \cdot \frac{2}{(x-1)(x+1)} = \frac{1}{(x+1)\sqrt{x^2-1}} \quad \blacksquare$$

APPLICATION 058 다음 함수를 미분하여라. Sub Note 018쪽

(1) $y = (\ln x)^x \ (x > 1)$

(2) $y = \dfrac{(x-1)^3}{(x+1)(x+3)^2}$

❸ 함수 $y = x^n$ (n은 실수)의 도함수

앞에서 n이 정수일 때, $y = x^n$의 도함수는 $y' = nx^{n-1}$임을 배웠다.

이제 로그미분법을 이용하면 n의 조건을 정수에서 실수로 확장시킬 수 있다.

n이 실수일 때, 함수 $y = x^n$의 도함수를 구해 보자.

$y = x^n$의 양변의 절댓값에 자연로그를 취하면

$$\ln |y| = \ln |x^n|, \ \ \text{즉} \ \ln |y| = n \ln |x|$$

양변을 x에 대하여 미분하면

$$\frac{y'}{y} = n \cdot \frac{1}{x}$$

$$\therefore y' = y \cdot \frac{n}{x} = x^n \cdot \frac{n}{x} = nx^{n-1}$$

> **함수 $y = x^n$(n은 실수)의 도함수**
>
> n이 실수일 때, 함수 $y = x^n$의 도함수는 $y' = nx^{n-1}$이다.

이제 $y = x^{\sqrt{3}}$이면 $y' = \sqrt{3} x^{\sqrt{3}-1}$, $y = x^e$이면 $y' = ex^{e-1}$으로 $y = x^n$ 꼴의 도함수는 무조건 $y' = nx^{n-1}$으로 생각하면 된다. 아울러 $y = \{f(x)\}^n$(n는 실수) 꼴의 도함수 역시 $y' = n\{f(x)\}^{n-1} \cdot f'(x)$로 구하면 된다.

EXAMPLE 043 다음 함수를 미분하여라.

(1) $y = \sqrt{x^2 - x + 3}$

(2) $y = \dfrac{1}{\sqrt[3]{\sec x}}$

(3) $y = (\ln x)^e$

ANSWER (1) $y=\sqrt{x^2-x+3}=(x^2-x+3)^{\frac{1}{2}}$이므로

$$y'=\frac{1}{2}(x^2-x+3)^{-\frac{1}{2}}\cdot(x^2-x+3)'$$

$$=\frac{1}{2}(x^2-x+3)^{-\frac{1}{2}}\cdot(2x-1)$$

$$=\frac{2x-1}{2\sqrt{x^2-x+3}}\ \blacksquare$$

[참고] $y=\sqrt{f(x)}$의 도함수를 구할 때, 매번 $y=\{f(x)\}^{\frac{1}{2}}$과 같이 변형하여 미분하는 것보다는 $y'=\dfrac{f'(x)}{2\sqrt{f(x)}}$ 임을 암기하여 문제를 풀 때 쉽게 적용하도록 하자.

(2) $y=\dfrac{1}{\sqrt[3]{\sec x}}=(\sec x)^{-\frac{1}{3}}$이므로

$$y'=-\frac{1}{3}(\sec x)^{-\frac{4}{3}}\cdot(\sec x)'=-\frac{1}{3}(\sec x)^{-\frac{4}{3}}\cdot\sec x\tan x$$

$$=-\frac{1}{3\sec x\cdot\sqrt[3]{\sec x}}\cdot\sec x\tan x$$

$$=-\frac{\tan x}{3\sqrt[3]{\sec x}}\ \blacksquare$$

(3) $y'=e(\ln x)^{e-1}\cdot(\ln x)'=e(\ln x)^{e-1}\cdot\dfrac{1}{x}$

$$=\frac{e(\ln x)^{e-1}}{x}\ \blacksquare$$

APPLICATION **059** 다음 함수를 미분하여라.

Sub Note 018쪽

(1) $y=\dfrac{1}{5x\sqrt[3]{x}}$

(2) $y=\sin\sqrt{x^2+1}$

(3) $y=\log_3\sqrt{x^2+6}$

(4) $y=x^{2\pi}\cos x$

040

미분가능한 두 함수 $f(x)$, $g(x)$가 $\lim\limits_{x \to 1} \dfrac{f(x)-1}{x-1}=2$, $\lim\limits_{x \to 1} \dfrac{g(x)-2}{x-1}=3$을 만족시킬 때, 함수 $y=g(f(x))$의 $x=1$에서의 미분계수를 구하여라.

GUIDE 합성함수의 미분법의 경우 합성의 순서를 잘 파악해야 한다. $y=g(f(x))$를 미분할 때, 전체적으로는 g라는 함수에 대한 미분이라는 것을 잊지 말자.

SOLUTION

$\lim\limits_{x \to 1} \dfrac{f(x)-1}{x-1}=2$에서 $x \to 1$일 때, (분모) $\to 0$이므로 (분자) $\to 0$이다.

$\therefore f(1)=1$

즉 $\lim\limits_{x \to 1} \dfrac{f(x)-1}{x-1}=\lim\limits_{x \to 1} \dfrac{f(x)-f(1)}{x-1}=f'(1)=2$이다.

또한 $\lim\limits_{x \to 1} \dfrac{g(x)-2}{x-1}=3$에서 $x \to 1$일 때, (분모) $\to 0$이므로 (분자) $\to 0$이다.

$\therefore g(1)=2$

즉 $\lim\limits_{x \to 1} \dfrac{g(x)-2}{x-1}=\lim\limits_{x \to 1} \dfrac{g(x)-g(1)}{x-1}=g'(1)=3$이다.

따라서 함수 $y=g(f(x))$의 도함수가 $y'=g'(f(x))f'(x)$이므로 $x=1$에서의 미분계수는

$g'(f(1))f'(1)=g'(1) \cdot 2=3 \cdot 2=\mathbf{6}$ ■

Sub Note 066쪽

유제
040-❶

미분가능한 두 함수 $f(x)$, $g(x)$가 $f(1)=2$, $f'(1)=3$, $g(1)=1$, $g'(1)=4$를 만족시킬 때, $\lim\limits_{x \to 1} \dfrac{f(g(x))-2}{x-1}$의 값을 구하여라.

041 두 함수 $f(x)=\dfrac{1}{(x+2)^2}$, $g(x)=(x^2-8)^2$에 대하여 함수 $h(x)$가 $h(x)=f(g(x))$일 때, $h'(3)$의 값을 구하여라.

GUIDE 합성함수 $h(x)=f(g(x))$의 도함수는 $h'(x)=f'(g(x))g'(x)$이므로 $f'(x)$, $g'(x)$를 각각 구한 후 이를 이용하여 $h'(3)$의 값을 구한다.

SOLUTION —————————————————————

$$h(x)=f(g(x)) \text{에서} \qquad h'(x)=f'(g(x))g'(x)$$
$$f(x)=\frac{1}{(x+2)^2} \text{에서} \qquad f'(x)=\frac{-2(x+2)}{(x+2)^4}=-\frac{2}{(x+2)^3}$$
$$g(x)=(x^2-8)^2 \text{에서} \qquad g'(x)=2(x^2-8)\cdot 2x=4x(x^2-8)$$

이때 $g(3)=(3^2-8)^2=1$, $g'(3)=4\cdot3(3^2-8)=12$이므로

$$h'(3)=f'(g(3))g'(3)=12\,f'(1)$$
$$=12\cdot\left(-\frac{2}{27}\right)=-\frac{8}{9}\ \blacksquare$$

유제
041-❶ 함수 $f(x)=\dfrac{e^{4x}}{\sin 2x+1}$에 대하여 $\dfrac{f'(\pi)}{f(\pi)}$의 값을 구하여라.

Sub Note 066쪽

Sub Note 067쪽

유제
041-❷ 두 함수 $f(x)=e^x$, $g(x)=\cos x$에 대하여 $\displaystyle\lim_{x\to\frac{\pi}{3}}\dfrac{f(g(x))-\sqrt{e}}{x-\dfrac{\pi}{3}}$의 값을 구하여라.

로그함수의 도함수

042 함수 $f(x)=\ln\sqrt{\dfrac{1-\cos x}{1+\cos x}}$ 에 대하여 $x=\dfrac{\pi}{6}$ 에서의 미분계수를 구하여라.

GUIDE $y=\ln|f(x)|$ 꼴의 도함수는 합성함수의 미분법을 이용하여 구한다.

SOLUTION ───────────────────────────

$$f(x)=\ln\sqrt{\frac{1-\cos x}{1+\cos x}}=\frac{1}{2}\ln\frac{1-\cos x}{1+\cos x}$$

$$=\frac{1}{2}\{\ln(1-\cos x)-\ln(1+\cos x)\}$$

$$\therefore f'(x)=\frac{1}{2}\left(\frac{\sin x}{1-\cos x}-\frac{-\sin x}{1+\cos x}\right)$$

$$=\frac{\sin x(1+\cos x)+\sin x(1-\cos x)}{2(1-\cos^2 x)}$$

$$=\frac{2\sin x}{2\sin^2 x}$$

$$=\frac{1}{\sin x}$$

따라서 $x=\dfrac{\pi}{6}$ 에서의 미분계수는

$$f'\left(\frac{\pi}{6}\right)=\frac{1}{\sin\dfrac{\pi}{6}}=2\ \blacksquare$$

유제
042-❶ 함수 $y=(\sin x)^x$의 도함수를 구하여라. (단, $0<x<\pi$)   Sub Note 067쪽

유제
042-❷ 함수 $f(x)=\dfrac{x^4(x-1)^3}{(x-2)^2(x-3)}$ 에 대하여 $\displaystyle\lim_{x\to 4}\frac{f'(x)}{f(x)}$ 의 값을 구하여라.   Sub Note 067쪽

043 함수 $f(x)=\ln(x+\sqrt{1+x^2})$에 대하여 $f'(2)=a$, $\dfrac{1}{f'(-2)}=b$일 때, ab의 값을 구하여라.

GUIDE $y=\sqrt{f(x)}$ 꼴의 미분은 $y'=\dfrac{f'(x)}{2\sqrt{f(x)}}$ 임을 이용하여 주어진 함수의 도함수를 구한다.

SOLUTION ───────────────────────────────

$$f(x)=\ln(x+\sqrt{1+x^2})\text{ 에서}$$

$$f'(x)=\frac{(x+\sqrt{1+x^2}\,)'}{x+\sqrt{1+x^2}}=\frac{1+\dfrac{2x}{2\sqrt{1+x^2}}}{x+\sqrt{1+x^2}}$$

$$=\frac{1+\dfrac{x}{\sqrt{1+x^2}}}{x+\sqrt{1+x^2}}=\frac{\dfrac{\sqrt{1+x^2}+x}{\sqrt{1+x^2}}}{x+\sqrt{1+x^2}}$$

$$=\frac{1}{\sqrt{1+x^2}}$$

이때 $f'(2)=\dfrac{1}{\sqrt{1+2^2}}=\dfrac{1}{\sqrt{5}}$ 이므로 $a=\dfrac{1}{\sqrt{5}}$

$\dfrac{1}{f'(-2)}=\sqrt{1+(-2)^2}=\sqrt{5}$ 이므로 $b=\sqrt{5}$

$$\therefore\ ab=\frac{1}{\sqrt{5}}\cdot\sqrt{5}=\mathbf{1}\ \blacksquare$$

Sub Note 067쪽

유제
043-❶ 함수 $f(x)=\dfrac{1}{\sqrt{1+\tan 2x}}$ 에 대하여 함수 $g(x)$가 $f'(x)=f(x)g(x)$를 만족시킬 때, $g\left(\dfrac{\pi}{2}\right)$
의 값을 구하여라.

SUMMA CUM LAUDE

ESSENTIAL LECTURE

1 매개변수로 나타낸 함수의 미분법

(1) 매개변수로 나타낸 함수

두 변수 x, y 사이의 관계를 변수 t를 매개로 하여

$x=f(t)$, $y=g(t)$ ······ ㉠

꼴로 나타낼 때, 변수 t를 매개변수라 하고 ㉠을 매개변수로 나타낸 함수라 한다.

(2) 매개변수로 나타낸 함수의 미분법

두 함수 $x=f(t)$, $y=g(t)$에서 $f(t)$, $g(t)$가 각각 t에 대하여 미분가능하고 $f'(t) \neq 0$일 때

$$\frac{dy}{dx} = \frac{\dfrac{dy}{dt}}{\dfrac{dx}{dt}} = \frac{g'(t)}{f'(t)}$$

1 매개변수로 나타낸 함수의 미분법

두 변수 x, y 사이의 관계를 변수 t를 매개로 하여

$$x=f(t),\ y=g(t) \quad ······ ㉠$$

꼴로 나타낼 때, 변수 t를 매개변수(parameter)라 하고 ㉠을 매개변수로 나타낸 함수라 한다.

매개변수로 나타낸 함수 $x=f(t)$, $y=g(t)$의 도함수는 어떻게 구할 수 있을까?

우선 쉽게 떠올릴 수 있는 방법은 매개변수 t를 소거하여 $y=h(x)$ 꼴의 함수로 고친 다음 x에 대하여 미분하는 방법이다. 예를 들어 함수 $x=\dfrac{1}{4}t$, $y=t^2$의 도함수를 구하기 위해서는 매개변수 t를 소거하여 $y=16x^2$ 꼴의 함수로 고친 다음 x에 대하여 미분하면 된다. 하지만 함수 $x=\dfrac{3t}{1+t^2}$, $y=\dfrac{1-t^2}{1+t^2}$과 같이 매개변수 t를 소거하여 x와 y 사이의 관계식을 세우기가 힘든 경우도 있다.

이제 이러한 경우, 즉 함수 $x=f(t)$, $y=g(t)$에서 $f(t)$, $g(t)$가 t에 대하여 미분가능하고 $f'(t) \neq 0$일 때, 매개변수 t의 소거없이 도함수 $\dfrac{dy}{dx}$를 어떻게 구하는지 알아보도록 하자.

두 함수 $x=f(t)$, $y=g(t)$가 각각 t에 대하여 미분가능하고 $f'(t)\neq0$이면 $x=f(t)$의 역함수가 존재하고 t는 x에 대한 함수이므로 $y=g(t)$도 x에 대한 함수로 생각할 수 있다.

따라서 매개변수 t의 증분 Δt에 대한 x의 증분을 Δx, y의 증분을 Δy라 하면

$\Delta x \longrightarrow 0$일 때 $\Delta t \longrightarrow 0$이고, $\Delta x=f(t+\Delta t)-f(t)$, $\Delta y=g(t+\Delta t)-g(t)$

이므로

$$\frac{dy}{dx}=\lim_{\Delta x\to0}\frac{\Delta y}{\Delta x}=\lim_{\Delta t\to0}\frac{\dfrac{\Delta y}{\Delta t}}{\dfrac{\Delta x}{\Delta t}}=\frac{\displaystyle\lim_{\Delta t\to0}\frac{\Delta y}{\Delta t}}{\displaystyle\lim_{\Delta t\to0}\frac{\Delta x}{\Delta t}}$$

$$=\frac{\displaystyle\lim_{\Delta t\to0}\frac{g(t+\Delta t)-g(t)}{\Delta t}}{\displaystyle\lim_{\Delta t\to0}\frac{f(t+\Delta t)-f(t)}{\Delta t}}=\frac{\dfrac{dy}{dt}}{\dfrac{dx}{dt}}=\frac{g'(t)}{f'(t)}$$

이와 같이 매개변수 t를 소거하지 않고 x, y를 각각 t에 대하여 미분하여 도함수를 구하는 것을 <u>매개변수로 나타낸 함수의 미분법</u>이라 한다.

매개변수로 나타낸 함수의 미분법

두 함수 $x=f(t)$, $y=g(t)$에서 $f(t)$, $g(t)$가 각각 t에 대하여 미분가능하고 $f'(t)\neq0$일 때

$$\frac{dy}{dx}=\frac{\dfrac{dy}{dt}}{\dfrac{dx}{dt}}=\frac{g'(t)}{f'(t)}$$

일반적으로 매개변수로 나타낸 함수의 미분은 매개변수를 소거하지 않는 것이 훨씬 쉽게 미분할 수 있음을 알고 다음 문제들을 통해 확인해 보도록 하자.

■ **EXAMPLE 044** 매개변수로 나타낸 함수 $x=\dfrac{1+t}{1-t}$, $y=\dfrac{3t}{1+t}$에서 $\dfrac{dy}{dx}$를 구하여라.

ANSWER $\dfrac{dx}{dt}=\dfrac{1-t+(1+t)}{(1-t)^2}=\dfrac{2}{(1-t)^2}$, $\dfrac{dy}{dt}=\dfrac{3(1+t)-3t}{(1+t)^2}=\dfrac{3}{(1+t)^2}$

$\therefore \dfrac{dy}{dx}=\dfrac{\dfrac{dy}{dt}}{\dfrac{dx}{dt}}=\dfrac{\dfrac{3}{(1+t)^2}}{\dfrac{2}{(1-t)^2}}=\dfrac{3(1-t)^2}{2(1+t)^2}$ ■

Sub Note 019쪽

APPLICATION 060 매개변수로 나타낸 함수 $x=\cos t+t\sin t$, $y=\sin t-t\cos t$에서 $\dfrac{dy}{dx}$를 구하여라.

044

매개변수로 나타낸 함수 $x=t-\sin t$, $y=t+4\cos t$에 대하여 $y=f(x)$로 나타낼 때,

$\displaystyle\lim_{h\to 0}\dfrac{f(\pi+5h)-f(\pi)}{h}$ 의 값을 구하여라.

GUIDE $x=f(t)$, $y=g(t)$를 각각 t에 대하여 미분하여 $\dfrac{dx}{dt}$, $\dfrac{dy}{dt}$를 구한 후 $\dfrac{dy}{dx}$를 구한다.

SOLUTION ───────────────────────

$$\lim_{h\to 0}\frac{f(\pi+5h)-f(\pi)}{h}=\lim_{h\to 0}\frac{f(\pi+5h)-f(\pi)}{5h}\cdot 5=5f'(\pi)$$

이때 $x=t-\sin t$에서 $\dfrac{dx}{dt}=1-\cos t$

$y=t+4\cos t$에서 $\dfrac{dy}{dt}=1-4\sin t$

$$\therefore \frac{dy}{dx}=\frac{\dfrac{dy}{dt}}{\dfrac{dx}{dt}}=\frac{1-4\sin t}{1-\cos t}\ (\cos t\neq 1)$$

$x=t-\sin t=\pi$에서 $t=\pi$

$t=\pi$일 때, $\dfrac{dy}{dx}=\dfrac{1-4\sin\pi}{1-\cos\pi}=\dfrac{1}{2}$ 이므로

$$5f'(\pi)=5\cdot\frac{1}{2}=\frac{5}{2}\ ■$$

Sub Note 067쪽

유제
044-1 매개변수 t로 나타낸 함수 $x=\dfrac{1}{3+t}$, $y=\dfrac{1-t}{1+t}$ 에 대하여 $\displaystyle\lim_{t\to 0}\dfrac{dy}{dx}$의 값을 구하여라.

Sub Note 067쪽

유제
044-2 매개변수 t로 나타낸 곡선 $x=t^3$, $y=3t^2+at-5a^2$에서 $t=2$인 점에서의 접선의 기울기가 2일 때, 상수 a의 값을 구하여라.

04 음함수와 역함수의 미분법

S U M M A   C U M   L A U D E

ESSENTIAL LECTURE

1 음함수

x에 대한 함수 y가 $f(x, y)=0$의 꼴로 주어질 때, y를 x의 음함수 표현이라 한다.

2 음함수의 미분법

x에 대한 함수 y가 음함수 $f(x, y)=0$의 꼴로 주어질 때, y를 x에 대한 함수로 보고 각 항을 x에 대하여 미분하여 $\dfrac{dy}{dx}$를 구한다.

3 역함수의 미분법

미분가능한 함수 $f(x)$의 역함수 $f^{-1}(x)$가 존재하고 미분가능할 때, 함수 $y=f^{-1}(x)$의 도함수는

$$(f^{-1})'(x)=\frac{1}{f'(y)} \text{ 또는 } \frac{dy}{dx}=\frac{1}{\dfrac{dx}{dy}}\left(\text{단}, f'(y) \neq 0, \frac{dx}{dy} \neq 0\right)$$

1 음함수

지금까지 우리가 배운 대부분의 함수는 $y=2x^2$, $y=\sqrt{x}$ 등과 같이 x에 대한 함수 y가 $y=f(x)$의 꼴로 나타내어진 것이었다. 이렇게 하나의 변수 y가 다른 한 변수 x에 대한 식으로 직접적으로 제시될 때, y를 x의 **양함수**(explicit function) 표현이라 한다.

반면 $x^2+y^2-1=0$과 같이 x에 대한 함수 y가 두 변수 x, y의 항을 모두 좌변으로 이항한 $f(x, y)=0$의 꼴로 주어질 때, y를 x의 **음함수**(implicit function) 표현이라 한다.

$x^2+y^2-1=0$과 같은 음함수는 함수가 아니다. 왜냐하면 하나의 x의 값에 2개의 y의 값이 대응되어 함수의 정의에 어긋나기 때문이다. 하지만 x 또는 y의 값의 범위를 적당히 정하면 함수가 되므로 음함수도 함수처럼 취급한다.

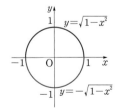

$x^2+y^2-1=0$에서 y의 값의 범위를 $y \geq 0$ 또는 $y \leq 0$으로 정하면

$y \geq 0$일 때, $y=\sqrt{1-x^2}$

$y \leq 0$일 때, $y=-\sqrt{1-x^2}$

으로 표현되며, 이들은 모두 닫힌구간 $[-1, 1]$에서 y는 x의 함수가 된다.

형태적인 면에서 볼 때 양함수는 항상 음함수로 바꿀 수 있다.

$$y=2x-1 \;\Rightarrow\; 2x-y-1=0$$

하지만 음함수의 경우, 양함수로 쉽게 바꾸어지는 것도 있지만 양함수로 바꾸는 과정이 아주 복잡하거나 아예 바꾸지 못하는 경우도 있다. 예를 들면 음함수 $x^2+2xy+y^3=0$의 경우는 양함수로 표현할 수가 없다. 이러한 음함수 표현은 주로 $y=f(x)$의 꼴로 나타내기 힘든 곡선의 방정식을 나타낼 때 자주 이용된다.

음함수

x에 대한 함수 y가 $f(x,\,y)=0$의 꼴로 주어질 때, y를 x의 음함수 표현이라 한다.

---

② 음함수의 미분법

$f(x,\,y)=0$의 꼴로 주어진 음함수는 어떻게 미분할 수 있을까?

음함수 $f(x,\,y)=0$을 양함수 $y=g(x)$ 꼴로 쉽게 고칠 수 있다면 당연히 $y=g(x)$ 꼴로 고친 다음 미분하여 도함수를 구하면 된다. 하지만 양함수 $y=g(x)$ 꼴로 쉽게 고쳐지지 않는다면 음함수 $f(x,\,y)=0$의 형태 그대로 놓고 미분하면 된다. 이때

변수 x와 y가 섞여 있으므로 x뿐만 아니라 y도 반드시 미분해 주어야 한다.

다시 말하자면 <u>y를 x에 대한 함수로 보고 합성함수의 미분법을 적용</u>하면 된다.

예를 들어 음함수 $x^2+y^2-1=0$에서 $\dfrac{dy}{dx}$를 구해 보자.

$x^2+y^2-1=0$의 각 항을 x에 대하여 미분하면

$$\frac{d}{dx}(x^2)+\frac{d}{dx}(y^2)-\frac{d}{dx}(1)=0$$

이때 $\dfrac{d}{dx}(x^2)=2x$, $\dfrac{d}{dx}(y^2)=\dfrac{d}{dy}(y^2)\cdot\dfrac{dy}{dx}=2y\dfrac{dy}{dx}$❺, $\dfrac{d}{dx}(1)=0$이므로

$$2x+2y\frac{dy}{dx}=0 \qquad \therefore \frac{dy}{dx}=-\frac{x}{y}\;(y\neq0)$$

이와 같이 음함수를 양함수의 형태로 고치지 않고, y를 x에 대한 함수로 보고 도함수 $\dfrac{dy}{dx}$를 구하는 것을 음함수의 미분법이라 한다.

---

❺ 우리는 합성함수의 미분법을 통해 $\dfrac{d}{dx}\{f(x)\}^n=n\{f(x)\}^{n-1}f'(x)$가 성립함을 알고 있다. 이 식에서 $f(x)$를 y로 보면 $\dfrac{d}{dx}y^n=ny^{n-1}y'=ny^{n-1}\dfrac{dy}{dx}$임을 이해할 수 있을 것이다.

여기서 잠시 음함수 $f(x, y)=0$을 양함수 $y=g(x)$ 꼴로 고쳐서 미분한 결과와 음함수의 미분법으로 미분한 결과가 같은지 확인해 보자.

음함수 $x^2+y^2-1=0$을 $y=g(x)$ 꼴로 고치면
(ⅰ) $y=\sqrt{1-x^2}$ ($-1\leq x\leq1$, $0\leq y\leq1$)
(ⅱ) $y=-\sqrt{1-x^2}$ ($-1\leq x\leq1$, $-1\leq y\leq0$)
이고 두 함수를 각각 x에 대하여 미분하면

(ⅰ) $\dfrac{dy}{dx}=\dfrac{d}{dx}(\sqrt{1-x^2})=\dfrac{-2x}{2\sqrt{1-x^2}}$ ($x\neq\pm1$) $=-\dfrac{x}{y}$ ($y\neq0$)

(ⅱ) $\dfrac{dy}{dx}=\dfrac{d}{dx}(-\sqrt{1-x^2})=-\dfrac{-2x}{2\sqrt{1-x^2}}$ ($x\neq\pm1$) $=-\dfrac{x}{y}$ ($y\neq0$)

(ⅰ), (ⅱ)에서　　$\dfrac{dy}{dx}=-\dfrac{x}{y}$ ($y\neq0$)

이와 같이 양함수로 고쳐서 미분한 결과와 음함수의 미분법으로 미분한 결과는 같다.
음함수의 미분법이 갖는 결정적인 매력 중 하나는 구간을 나누어 $y=g(x)$ 꼴로 고치지 않고도 쉽게 도함수를 구할 수 있다는 것이다.

음함수의 미분법

x에 대한 함수 y가 음함수 $f(x, y)=0$의 꼴로 주어질 때, y를 x에 대한 함수로 보고 각 항을 x에 대하여 미분하여 $\dfrac{dy}{dx}$를 구한다.

■ EXAMPLE 045 음함수 $x^2+y^2-4x-2y=0$에서 $\dfrac{dy}{dx}$를 구하여라.

ANSWER y를 x에 대한 함수로 보고, 각 항을 x에 대하여 미분하면

$$\dfrac{d}{dx}(x^2)+\dfrac{d}{dx}(y^2)-\dfrac{d}{dx}(4x)-\dfrac{d}{dx}(2y)=0$$

$$2x+2y\dfrac{dy}{dx}-4-2\dfrac{dy}{dx}=0, \ (2y-2)\dfrac{dy}{dx}=4-2x$$

$$\therefore \ \boldsymbol{\dfrac{dy}{dx}=\dfrac{2-x}{y-1}} \ (y\neq1) \ ■$$

APPLICATION 061 다음 음함수에서 $\dfrac{dy}{dx}$를 구하여라.　　　　　　Sub Note 019쪽

(1) $x^3y^2=16$ 　　　　(2) $x-\cos y=\dfrac{\pi}{4}$ 　　　　(3) $\sqrt{4+y^2}=x^2$

❸ 역함수의 미분법 수능 고빈도 출제

함수 $f(x)$에 대하여 그 역함수의 그래프는 함수 $y=f(x)$의 그래프를 직선 $y=x$에 대하여 대칭이동시킨 것이므로 $f(x)$가 미분가능한 함수이고, $f'(x) \neq 0$이라면 $f^{-1}(x)$ 역시 미분가능함을 쉽게 예측할 수 있다.

함수 $y=f(x)$의 그래프와 $y=f^{-1}(x)$의 그래프를 통해 역함수의 미분계수의 기하적 의미를 알아보도록 하자.

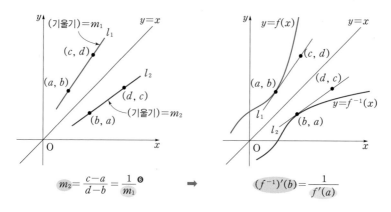

$$m_2 = \frac{c-a}{d-b} = \frac{1}{m_1} \text{❻} \qquad \Rightarrow \qquad (f^{-1})'(b) = \frac{1}{f'(a)}$$

위의 왼쪽 그림과 같이 두 직선 l_1과 l_2가 직선 $y=x$에 대하여 대칭을 이루고 있을 때, 오른쪽 그림과 같이 직선 l_1이 $x=a$에서의 곡선 $y=f(x)$의 접선이라면 직선 l_2는 $x=b$에서의 곡선 $y=f^{-1}(x)$의 접선이 된다.

즉 함수 $f(x)$의 역함수가 $f^{-1}(x)$이고 $f^{-1}(b)=a$일 때 $(f^{-1})'(b) = \dfrac{1}{f'(a)}$ 이 성립한다.

이를 일반적으로 함수 $f(x)$와 그 역함수 $f^{-1}(x)$에 대해 생각해 보면 다음 관계가 성립함을 알 수 있다.

$$(f^{-1})'(x) = \frac{1}{f'(y)} \text{ (단, } f'(y) \neq 0)$$

이때 함수 $y=f^{-1}(x)$를 x에 대하여 미분하면 $\dfrac{dy}{dx} = (f^{-1})'(x)$,

역함수 $x=f(y)$를 y에 대하여 미분하면 $\dfrac{dx}{dy} = f'(y)$

이므로 $(f^{-1})'(x) = \dfrac{1}{f'(y)}$ 은 라이프니츠의 기호법을 사용하여

---

❻ 두 직선 l_1과 l_2가 직선 $y=x$에 대하여 대칭을 이루고 있다면 직선 l_1의 기울기는 $\dfrac{d-b}{c-a}$ 이고, 직선 l_2의 기울기는 $\dfrac{c-a}{d-b}$ 이므로 직선 l_2의 기울기는 직선 l_1의 기울기의 역수임을 알 수 있다.

$$\frac{dy}{dx} = \frac{1}{\dfrac{dx}{dy}} \left(\text{단}, \ \frac{dx}{dy} \neq 0\right)$$

과 같이 나타낼 수 있다.

> **역함수의 미분법**
>
> 미분가능한 함수 $f(x)$의 역함수 $f^{-1}(x)$가 존재하고 미분가능할 때, 함수 $y=f^{-1}(x)$의 도함수는
>
> $$(f^{-1})'(x) = \frac{1}{f'(y)} \ \text{또는} \ \frac{dy}{dx} = \frac{1}{\dfrac{dx}{dy}} \left(\text{단}, f'(y) \neq 0, \frac{dx}{dy} \neq 0\right)$$

위의 식이 성립함은 <u>합성함수의 미분법</u>으로도 이해할 수 있다.

$f(x)$의 역함수를 $y=g(x)$라 하면 역함수의 정의에 의하여

$$(f \circ g)(x) = x \iff f(g(x)) = x$$

이다. 합성함수의 미분법을 이용하여 양변을 x에 대하여 미분하면

$$f'(g(x))g'(x) = 1$$

따라서 $\boldsymbol{g'(x) = \dfrac{1}{f'(g(x))} = \dfrac{1}{f'(y)}}$ **❼** $\boldsymbol{(\text{단}, \ f'(y) \neq 0)}$이다.

예를 들어 역함수의 미분법을 이용하여 함수 $y=\sqrt[3]{x+1}$을 미분해 보자.

$y=\sqrt[3]{x+1}$의 양변을 세제곱하여 x에 대하여 정리하면 $x=y^3-1$이므로

양변을 y에 대하여 미분하면 $\qquad \dfrac{dx}{dy} = 3y^2$

$$\therefore \frac{dy}{dx} = \frac{1}{\dfrac{dx}{dy}} = \frac{1}{3y^2} = \frac{1}{3\sqrt[3]{(x+1)^2}}$$

사실 위의 문제와 같은 경우는 합성함수의 미분법**❽**을 이용하는 것이 더 간편할 수 있다.

역함수의 미분법은 $\dfrac{dy}{dx}$보다 $\dfrac{dx}{dy}$가 더 쉽게 구해지거나 어떤 함수의 역함수만 이용하여

원함수의 도함수를 구해야 할 때 유용하게 사용된다.

다음 문제를 통해 이해해 보자.

---

❼ $g'(x) = \dfrac{1}{f'(y)} \iff (f^{-1})'(x) = \dfrac{1}{f'(y)} \iff (f^{-1})'(x) = \dfrac{1}{f'(f^{-1}(x))}$

❽ $y=\sqrt[3]{x+1}=(x+1)^{\frac{1}{3}}$이므로 $\qquad \dfrac{dy}{dx} = \dfrac{1}{3}(x+1)^{-\frac{2}{3}} = \dfrac{1}{3\sqrt[3]{(x+1)^2}}$

■ **EXAMPLE** 046 역함수의 미분법을 이용하여 다음 함수에서 $\dfrac{dy}{dx}$ 를 구하여라.

(1) $x=y^2-6y+6$　　　　　　　　　(2) $x=\sqrt{1-y^2}$

ANSWER (1) 양변을 y에 대하여 미분하면

$$\frac{dx}{dy}=2y-6 \qquad \therefore \frac{dy}{dx}=\frac{1}{\dfrac{dx}{dy}}=\frac{1}{2y-6}\ (y\neq3)\ ■$$

(2) 양변을 y에 대하여 미분하면

$$\frac{dx}{dy}=\frac{-2y}{2\sqrt{1-y^2}}=-\frac{y}{\sqrt{1-y^2}}$$

$$\therefore \frac{dy}{dx}=\frac{1}{\dfrac{dx}{dy}}=-\frac{\sqrt{1-y^2}}{y}\ (y\neq0)\ ■$$

Sub Note 019쪽

APPLICATION 062 역함수의 미분법을 이용하여 다음 함수에서 $\dfrac{dy}{dx}$ 를 구하여라.

(1) $x=\dfrac{y}{y^2-1}\ (-1<y<1)$　　　　　(2) $x=\sqrt{y^3+2y+1}$

Sub Note 019쪽

APPLICATION 063 함수 $x=\sin y\left(0<y<\dfrac{\pi}{2}\right)$에 대하여 $x=\dfrac{\sqrt{3}}{2}$ 일 때, $\dfrac{dy}{dx}$ 의 값을 구하여라.

045 곡선 $x^3+y^3+axy+b=0$ 위의 점 $(1, -1)$에서의 접선이 직선 $y=-\dfrac{1}{2}x$와 평행할 때, 상수 a, b에 대하여 $a+b$의 값을 구하여라.

GUIDE 아래 두 가지 조건을 이용하여 a, b에 대한 방정식으로 나타낼 수 있다.

(i) 점 $(1, -1)$에서의 접선의 기울기가 $-\dfrac{1}{2}$이다.

(ii) 점 $(1, -1)$이 곡선 위의 점이다.

SOLUTION

$x^3+y^3+axy+b=0$의 양변을 x에 대하여 미분하면

$$3x^2+3y^2\frac{dy}{dx}+ay+ax\frac{dy}{dx}=0, \ (3y^2+ax)\frac{dy}{dx}=-3x^2-ay$$

$$\therefore \frac{dy}{dx}=\frac{-3x^2-ay}{3y^2+ax}(3y^2+ax\neq0)$$

이때 점 $(1, -1)$에서의 접선의 기울기는 $\dfrac{-3+a}{3+a}$이다.

이 접선의 기울기가 직선 $y=-\dfrac{1}{2}x$의 기울기인 $-\dfrac{1}{2}$과 같으므로

$$\frac{-3+a}{3+a}=-\frac{1}{2}, \ 6-2a=3+a \quad \therefore a=1$$

또 점 $(1, -1)$이 곡선 $x^3+y^3+xy+b=0$ 위의 점이므로

$$1-1-1+b=0 \quad \therefore b=1$$

$$\therefore a+b=1+1=2 \ \blacksquare$$

유제
045-① 곡선 $x^2+ay^2-4xy+b=0$ 위의 점 $(0, -1)$에서의 접선의 기울기가 2일 때, 상수 a, b에 대하여 $a-b$의 값을 구하여라.　Sub Note 068쪽

유제
045-② 방정식 $x\cos y+y\cos x=\dfrac{\pi}{3}$에서 $x=\dfrac{\pi}{3}$, $y=\dfrac{\pi}{3}$일 때, $\dfrac{dy}{dx}$의 값을 구하여라.　Sub Note 068쪽

046 함수 $f(x)=x^3+x^2+x$의 역함수를 $g(x)$라 할 때, $g'(3)$의 값을 구하여라.

GUIDE 역함수의 미분법에 의하여 $g'(a)=\dfrac{1}{f'(g(a))}$임을 이용하자.

SOLUTION

$g(3)=a$, 즉 $f^{-1}(3)=a$라 하면 $f(a)=3$이므로
$$a^3+a^2+a=3,\ (a-1)(a^2+2a+3)=0$$
이때 임의의 a에 대하여 $a^2+2a+3>0$이므로 $a=1$
즉 $g(3)=1$이고, $f'(x)=3x^2+2x+1$에서 $f'(1)=3+2+1=6$이므로
$$g'(3)=\frac{1}{f'(1)}=\mathbf{\frac{1}{6}}\ \blacksquare$$

[참고] 함수 $y=x^3+x^2+x$의 역함수는 $x=y^3+y^2+y$로 표현된다.

양변을 y에 대하여 미분하면 $\dfrac{dx}{dy}=3y^2+2y+1$이므로

$$\frac{dy}{dx}=\frac{1}{\dfrac{dx}{dy}}=\frac{1}{3y^2+2y+1}$$

Summa's Advice

사실 이 문제 같은 경우는 역함수를 $y=f^{-1}(x)$로 표현하기 힘들다. 그러나 때로는 고등 수학(하)에서 배운 역함수를 구하는 방법을 통해 원래 함수의 역함수를 구하는 것이 쉽다면 역함수를 구한 뒤 도함수를 구하는 방법도 좋다. 로그함수나 지수함수의 도함수의 경우도 서로 역함수 관계에 있으므로 이를 기억하고 있다가 다른 문제에서 응용할 수 있도록 하자.

유제
046-❶ 미분가능한 함수 $f(x)$의 역함수 $g(x)$가 $\displaystyle\lim_{x\to 1}\frac{g(x)-2}{x-1}=3$을 만족할 때, $f'(2)$의 값을 구하여라.   [수능 기출]

Sub Note 068쪽

유제
046-❷ 함수 $f(x)=\dfrac{1}{3}(e^{-x}-e^{x})$의 역함수를 $g(x)$라 할 때, $g'(0)$의 값을 구하여라.   Sub Note 068쪽

SUMMA CUM LAUDE

ESSENTIAL LECTURE

1 이계도함수

함수 $y=f(x)$의 도함수 $f'(x)$가 미분가능할 때, 함수 $f'(x)$의 도함수

$$\lim_{\Delta x \to 0} \frac{f'(x+\Delta x)-f'(x)}{\Delta x}$$

를 함수 $f(x)$의 이계도함수라 하고, 이것을 기호로 $f''(x)$, y'', $\dfrac{d^2y}{dx^2}$, $\dfrac{d^2}{dx^2}f(x)$와 같이 나타낸다.

1 이계도함수

함수 $y=f(x)$의 도함수 $f'(x)$가 미분가능할 때, 함수 $f'(x)$의 도함수

$$\lim_{\Delta x \to 0} \frac{f'(x+\Delta x)-f'(x)}{\Delta x}$$

를 함수 $f(x)$의 **이계도함수**(second derivative)라 하고, 이것을 기호로

$$f''(x),\ y'',\ \frac{d^2y}{dx^2},\ \frac{d^2}{dx^2}f(x)$$

와 같이 나타낸다. 이때 기호 $\dfrac{d^2y}{dx^2}$은 $\dfrac{d}{dx}\left(\dfrac{d}{dx}y\right)$를 간결하게 표현한 것으로 이계도함수 $f''(x)$는 함수 $f(x)$를 두 번 미분한 함수이다.

함수 $y=f(x)$

↓ 미분

도함수 $y'=f'(x)$

↓ 미분

이계도함수 $y''=f''(x)$

예를 들어 함수 $f(x)=x^3-2x$의 이계도함수를 도함수의 정의에 의해 구해 보자.
$f'(x)=3x^2-2$이므로

$$\begin{aligned}
f''(x) &= \lim_{\Delta x \to 0} \frac{f'(x+\Delta x)-f'(x)}{\Delta x}\\
&= \lim_{\Delta x \to 0} \frac{3(x+\Delta x)^2-2-(3x^2-2)}{\Delta x}\\
&= \lim_{\Delta x \to 0} \frac{6x\Delta x+3(\Delta x)^2}{\Delta x} = \lim_{\Delta x \to 0}(6x+3\Delta x)=6x
\end{aligned}$$

가 된다. 이는 $f'(x)=3x^2-2$를 한 번 더 미분한 결과와 같음을 알 수 있다.

EXAMPLE 047 다음 함수의 이계도함수를 구하여라.

(1) $y = x^3 - 4x^2 + x - 5$ (2) $y = \sqrt{x^2 - 4}$

ANSWER (1) $y' = 3x^2 - 8x + 1$이므로 $\boldsymbol{y'' = 6x - 8}$ ■

(2) $y' = \dfrac{2x}{2\sqrt{x^2-4}} = \dfrac{x}{\sqrt{x^2-4}}$ 이므로

$$y'' = \frac{\sqrt{x^2-4} - x \cdot \dfrac{2x}{2\sqrt{x^2-4}}}{(\sqrt{x^2-4})^2} = \frac{\sqrt{x^2-4} - \dfrac{x^2}{\sqrt{x^2-4}}}{x^2-4}$$

$$= \frac{(x^2-4) - x^2}{(x^2-4)\sqrt{x^2-4}} = -\frac{4}{(x^2-4)\sqrt{x^2-4}} \ ■$$

APPLICATION 064 다음 함수의 이계도함수를 구하여라. Sub Note 020쪽

(1) $y = (x^3 + 2)^2$ (2) $y = \sin(x^2 + 2)$

(3) $y = e^{-2x} + e^{2x}$ (4) $y = x^4 \ln x$

이 소단원에서는 이계도함수를 구하는 방법에 대해서만 간단히 다루었다. 이계도함수의 필요
성에 대해서는 다음 단원인 도함수의 활용에서 심도 있게 다룰 예정이다. 복잡한 함수의 이계
도함수를 구하는 데 있어서 실수하지 않도록 꾸준히 연습해 두길 바란다.

■ **수학 공부법에 대한 저자들의 충고 – 규칙을 갖는 n계도함수**

자연수 n에 대하여 함수 $f(x)$가 n번 미분가능한 함수일 때, 일반적으로

$f(x)$의 도함수란 $f(x)$를 한 번 미분한 함수로 기호는 $f'(x)$ 또는 $\dfrac{d}{dx}f(x)$이고,

$f(x)$의 이계도함수란 $f(x)$를 두 번 미분한 함수로 기호는 $f''(x)$ 또는 $\dfrac{d^2}{dx^2}f(x)$,

$f(x)$의 삼계도함수란 $f(x)$를 세 번 미분한 함수로 기호는 $f'''(x)$ 또는 $\dfrac{d^3}{dx^3}f(x)$,

$\vdots$

$f(x)$의 n계도함수란 $f(x)$를 n번 미분한 함수로 기호는 $f^{(n)}(x)$ 또는 $\dfrac{d^n}{dx^n}f(x)$이다.

n계도함수가 규칙적으로 나타나는 함수가 있는데 대표적인 것이 지수함수와 삼각함수이다.

$$f(x) = e^x \implies f^{(n)}(x) = e^x \qquad f(x) = \sin x \implies f^{(n)}(x) = \sin\left(x + \frac{n\pi}{2}\right)$$

$$f(x) = \cos x \implies f^{(n)}(x) = \cos\left(x + \frac{n\pi}{2}\right)$$

이계도함수

047 함수 $f(x) = \dfrac{1}{x-2}$ 에 대하여 $\displaystyle\lim_{x \to 1} \dfrac{f'(x)+1}{x-1}$ 의 값을 구하여라.

GUIDE 먼저 주어진 함수의 도함수를 구한 후 극한식을 미분계수의 정의를 이용하여 간단하게 표현해 보자.

SOLUTION ──────────────────────

$f(x) = \dfrac{1}{x-2}$ 에서 $f'(x) = -\dfrac{1}{(x-2)^2}$ 이므로

$f'(1) = -1$

이를 주어진 식에 적용하면

$$\lim_{x \to 1} \frac{f'(x)+1}{x-1} = \lim_{x \to 1} \frac{f'(x)-f'(1)}{x-1}$$
$$= f''(1)$$

$f''(x) = \dfrac{2(x-2)}{(x-2)^4} = \dfrac{2}{(x-2)^3}$ 이므로

$f''(1) = -2$ ■

유제
047-❶ 함수 $f(x) = \{\ln(2x-1)\}^2$에 대하여 $\displaystyle\lim_{x \to 1} \dfrac{f'(x)}{x-1}$ 의 값을 구하여라.   Sub Note 068쪽

Sub Note 069쪽

유제
047-❷ 함수 $y = e^{-x}\cos x$가 등식 $y'' + ay' + by = 0$을 항상 만족시킬 때, 상수 a, b에 대하여 $a+b$의 값을 구하여라.

Review Quiz

II-3. 여러 가지 미분법

1. 다음 [   ] 안에 적절한 것을 채워 넣어라.

(1) 두 함수 $f(x)$, $g(x)$ $(g(x) \neq 0)$가 미분가능할 때

$$\left\{ \frac{f(x)}{g(x)} \right\}' = \left[\right]$$

(2) 두 함수 $y = f(u)$, $u = g(x)$가 미분가능할 때

$$\{ f(g(x)) \}' = \left[\right]$$

(3) 두 함수 $x = f(t)$, $y = g(t)$에서 $f(t)$, $g(t)$가 t에 대하여 미분가능하고 $f'(t) \neq 0$일 때

$$\frac{dy}{dx} = \frac{[]}{f'(t)}$$

(4) 미분가능한 함수 $f(x)$의 역함수 $y = f^{-1}(x)$가 존재하고 미분가능할 때, $f'(y) \neq 0$이면

$$(f^{-1})'(x) = \frac{1}{[]}$$

2. 다음 문장이 참(true) 또는 거짓(false)인지 결정하고, 그 이유를 설명하거나 적절한 반례를 제시하여라.

(1) 미분가능한 함수 $f(x)$에 대하여 $\dfrac{d}{dx} f(ax+b) = f'(ax+b)$이다. (단, a, b는 상수)

(2) 로그함수 $y = \ln x$의 이계도함수는 로그함수이다.

3. 다음 물음에 대한 답을 간단히 서술하여라.

(1) 양함수와 음함수의 개념을 예를 들어 설명하여라.

(2) 미분가능한 함수 $f(x)$에 대하여 $g(x)$가 $f(x)$의 역함수일 때, 곡선 $y = f(x)$ 위의 점 (a, b)에 대하여 $f'(a) = \dfrac{1}{g'(b)}$이 성립함을 설명하여라.

EXERCISES $\mathcal{A}$

Sub Note 140쪽

함수의 몫의
미분법 **01** 함수 $f(x)=\dfrac{2}{x^2-1}$에 대하여 $\displaystyle\lim_{h\to 0}\dfrac{f(2+2h)-f(2-7h)}{h}$의 값은?

① -8 ② -4 ③ 0 ④ 4 ⑤ 8

삼각함수의
도함수 **02** 함수 $f(x)=\dfrac{\sec x}{\tan x+1}$에 대하여 $y=f(x)$의 그래프 위의 점 $(\pi,\ -1)$에서의 접선
의 기울기를 구하여라.

합성함수의
미분법 **03** 미분가능한 함수 $f(x)$와 함수 $g(x)=x^3+1$에 대하여 합성함수 $(f\circ g)(x)=xe^x$일
때, $f'(28)$의 값은?

① $\dfrac{1}{7}e^3$ ② $\dfrac{4}{27}e^3$ ③ $\dfrac{5}{27}e^3$ ④ $\dfrac{1}{5}e^3$ ⑤ $\dfrac{1}{3}e^3$

로그함수의
도함수 **04** 함수 $f(x)=x^2(\ln x+1)$에 대하여 $\displaystyle\lim_{x\to 1}\dfrac{f(x)-1}{x^3-1}$의 값은?

① $\ln 2+1$ ② $\ln 2$ ③ 1 ④ 2 ⑤ $\ln 2+2$

로그미분법 **05** 함수 $f(x)=\dfrac{(x-1)^3}{x^2(x+1)}$에 대하여 $f'(3)$의 값은?

① $-\dfrac{11}{18}$ ② $-\dfrac{7}{36}$ ③ $\dfrac{7}{54}$ ④ $\dfrac{10}{27}$ ⑤ $\dfrac{7}{18}$

매개변수로 나타낸 함수의 미분법 06

x, y가 실수 t에 대하여

$$x=t^2+t^4+t^6+\cdots+t^{2n}, \quad y=t+t^2+t^3+\cdots+t^n$$

일 때, $\displaystyle\lim_{t\to 1}\frac{dy}{dx}$의 값을 구하여라. (단, n은 자연수)

음함수의 미분법 07

서술형

곡선 $x^3+axy-3y^2+b=0$ 위의 점 $(1,\ 1)$에서의 $\dfrac{dy}{dx}$의 값이 -2일 때, 상수 a, b에 대하여 $a-b$의 값을 구하여라.

역함수의 미분법 08

미분가능한 함수 $f(x)$와 $g(x)$가 서로 역함수 관계에 있고, $f\left(2g(x)-\dfrac{1}{x}\right)=x$를 만족시킬 때, $f'(3)$의 값은?

① -9 ② $-\dfrac{1}{9}$ ③ 0 ④ $\dfrac{1}{9}$ ⑤ 9

이계도함수 09

함수 $f(x)=xe^{ax+b}$에 대하여 $f'(0)=4$, $f''(0)=4$이다. 상수 a, b에 대하여 ab의 값은?

① $\ln\sqrt{2}$ ② $\ln\sqrt{3}$ ③ $\ln 2$ ④ $\ln 5$ ⑤ $\ln 6$

이계도함수 10

실수 전체의 집합에서 이계도함수를 갖는 함수 $f(x)$가 다음 조건을 만족시킨다.

(가) $f(1)=2$, $f'(1)=3$ (나) $\displaystyle\lim_{x\to 1}\frac{f'(f(x))-1}{x-1}=3$

이때 $f''(2)$의 값을 구하여라.

[교육청 기출]

EXERCISES

Sub Note 143쪽

01 $\displaystyle\lim_{x \to 0} \frac{1}{x} \ln \frac{e^x + e^{2x} + e^{3x} + \cdots + e^{nx}}{n}$ 을 n에 대한 식으로 나타내어라. (단, n은 자연수)

02 $0 < t < 41$인 실수 t에 대하여 곡선 $y = x^3 + 2x^2 - 15x + 5$와 직선 $y = t$가 만나는 세 점 중에서 x좌표가 가장 큰 점의 좌표를 $(f(t),\ t)$, x좌표가 가장 작은 점의 좌표를 $(g(t),\ t)$라 하자. $h(t) = t \times \{f(t) - g(t)\}$라 할 때, $h'(5)$의 값은? [수능 기출]

① $\dfrac{79}{12}$　　② $\dfrac{85}{12}$　　③ $\dfrac{91}{12}$　　④ $\dfrac{97}{12}$　　⑤ $\dfrac{103}{12}$

03 실수 전체의 집합에서 미분가능한 함수 $f(x) = \ln(e^{4x} + 1)$에 대하여

$\displaystyle\lim_{x \to 0} \frac{f(1 - \cos x) - f(0)}{x^2}$ 의 값은?

① -2　　② -1　　③ 1　　④ 2　　⑤ 3

04 물질 A에 대한 화학 반응에서 반응 시간 t초와 생성되는 양 xg 사이에

$$\frac{x}{4 - x} = e^{5(t-3)}$$

의 관계가 성립한다고 한다. 반응이 시작된 지 3초 후의 $\dfrac{dx}{dt}$ 의 값을 구하여라.

(단, $0 < x < 4$이고, 단위는 g/s이다.)

05 매개변수 t로 나타낸 함수 $x = \dfrac{t}{1+t}$, $y = \dfrac{t^2}{1+t}$에 대하여 $F(t) = \dfrac{dy}{dx}$라 하자.

이때 $\displaystyle\sum_{t=1}^{20} \frac{F(t)}{5t}$의 값을 구하여라.

06 미분가능한 함수 $f(x)$의 역함수 $g(x)$가 $\displaystyle\lim_{x \to 2}\frac{g(x^2)-2}{x^3-8}=2$를 만족시킬 때, $f'(2)$의 값을 구하여라.

07 함수 $f(x)=2x^3+x^2+7x-9$와 그 역함수 $g(x)$에 대하여 $h(x)=\dfrac{f(x)}{g(x)}$일 때, $h'(1)$의 값을 구하여라.

08 함수 $f(x)=e^{ax}\sin bx\,(b \neq 0)$가 모든 실수 x에 대하여 $f''(x)+f'(x)+f(x)=0$을 만족시킬 때, 상수 a, b에 대하여 a^2+b^2의 값을 구하여라.

09
서술형
미분가능한 함수 $f(x)$가 모든 실수 x, y에 대하여 $f(x+y)=e^y f(x)+e^x f(y)$를 만족시킬 때, $f''(2)-f'(2)$의 값을 구하여라. (단, $f'(0)=2$)

10 실수 전체의 집합에서 이계도함수를 갖는 함수 $f(x)$가
$$f(-1)=-1,\ f(0)=1,\ f(1)=0$$
을 만족시킬 때, 보기에서 항상 옳은 것을 모두 고른 것은? [평가원 기출]

> 보기
> ㄱ. $f(a)=\dfrac{1}{2}$인 실수 a가 구간 $(-1,1)$에 두 개 이상 존재한다.
> ㄴ. $f'(b)=-1$인 실수 b가 구간 $(-1,1)$에 적어도 한 개 존재한다.
> ㄷ. $f''(c)=0$인 실수 c가 구간 $(-1,1)$에 적어도 한 개 존재한다.

① ㄱ   ② ㄱ, ㄴ   ③ ㄱ, ㄷ
④ ㄴ, ㄷ   ⑤ ㄱ, ㄴ, ㄷ

내신·모의고사 대비 TEST   448쪽

01 접선의 방정식

S U M M A   C U M   L A U D E

ESSENTIAL LECTURE

1 접선의 방정식

(1) 곡선 $y=f(x)$ 위의 점 $(a, f(a))$에서의 접선의 방정식 구하기

곡선 $y=f(x)$ 위의 점 $(a, f(a))$에서의 접선의 기울기가 $f'(a)$이므로 이 점에서의

접선의 방정식은 $y-f(a)=f'(a)(x-a)$이다.

(2) 곡선 $y=f(x)$에 접하고 기울기가 m인 접선의 방정식 구하기

(ⅰ) $f'(x)$를 구한 후 $f'(a)=m$을 만족시키는 a의 값을 찾는다.

(ⅱ) 접점 $(a, f(a))$와 기울기 $f'(a)(=m)$를 이용하여 접선의 방정식을 구한다.

(3) 곡선 $y=f(x)$ 밖의 한 점 (x_1, y_1)에서 곡선에 그은 접선의 방정식 구하기

(ⅰ) $f'(x)$를 구한 후 접점의 좌표를 $(a, f(a))$로 놓으면 구하는 접선의 방정식은

$y-f(a)=f'(a)(x-a)$이다.

(ⅱ) 이 접선이 주어진 점 (x_1, y_1)을 지나므로 $y-f(a)=f'(a)(x-a)$에 $x=x_1$, $y=y_1$을 대입하여

a의 값을 찾는다.

(ⅲ) $y-f(a)=f'(a)(x-a)$에 a의 값을 대입하여 접선의 방정식을 구한다.

2 매개변수로 나타낸 곡선의 접선의 방정식

매개변수로 나타낸 곡선 $x=f(t)$, $y=g(t)$ 위의 점 $(f(a), g(a))$에서의 접선의 방정식 구하기

(ⅰ) 매개변수로 나타낸 함수의 미분법을 이용하여 $\dfrac{dy}{dx}=\dfrac{g'(t)}{f'(t)}$를 구한다.

(ⅱ) 곡선 위의 점 $(f(a), g(a))$와 접선의 기울기 $\dfrac{g'(a)}{f'(a)}$를 이용하여 접선의 방정식을 구한다.

3 음함수로 나타낸 곡선의 접선의 방정식

음함수 $f(x, y)=0$이 나타내는 곡선 위의 점 (a, b)에서의 접선의 방정식 구하기

(ⅰ) 음함수의 미분법을 이용하여 $\dfrac{dy}{dx}$를 구한다.

(ⅱ) 곡선 위의 점 (a, b)와 $\dfrac{dy}{dx}$에 $x=a$, $y=b$를 대입하여 구한 기울기를 이용하여 접선의 방정식을

구한다.

도함수의 활용 부분은 수학Ⅱ에서 배운 모든 내용을 바탕으로 하므로 익숙할 것이다. 다만 지
수함수나 로그함수, 삼각함수 등 여러 함수들과 여러 가지 미분법을 적용함에 따라 계산이 복

잡히거나 어려울 수 있다. 그러므로 각각의 함수에 대한 미분에 익숙해지도록 꾸준히 연습하도록 하자.

1 접선의 방정식 (수능 고빈도 출제)

함수 $f(x)$가 $x=a$에서 미분가능할 때 곡선 $y=f(x)$ 위의 점 $(a, f(a))$에서의 접선의 기울기는 $x=a$에서의 미분계수 $f'(a)$와 같으므로 다음과 같이 접선의 방정식을 구할 수 있다.

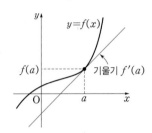

$$y-f(a)=f'(a)(x-a)$$

접선의 방정식은 주어진 조건을 다음과 같이 세 가지 경우로 나누어 생각할 수 있다.

> (1) 접점의 좌표가 주어진 경우

> (2) 접선의 기울기가 주어진 경우

> (3) 곡선 밖의 한 점의 좌표가 주어진 경우

어떤 조건이 주어져도 궁극적으로 접선의 방정식 $y-f(a)=f'(a)(x-a)$를 구하는 것임을 염두에 두고 문제를 해결하도록 하자.

(1) 접점의 좌표가 주어진 경우

곡선 $y=f(x)$ 위의 점 $(a, f(a))$가 주어진 경우에는 접선의 기울기만 구하면 된다.

$$y-f(a)=\boldsymbol{f'(a)}(x-a)$$

이때 접선의 기울기 $f'(a)$는 접점에서의 미분계수임을 이용하여 구하면 된다.

EXAMPLE 048 다음 곡선 위의 주어진 점에서의 접선의 방정식을 구하여라.

(1) $y=\sqrt{x}$ (4, 2)

(2) $y=e^{3(x-1)}$ (1, 1)

(3) $y=\log x$ (1, 0)

(4) $y=\dfrac{1}{2}\cos 2x$ $\left(\dfrac{\pi}{4},\ 0\right)$

ANSWER (1) $f(x)=\sqrt{x}$로 놓으면 $f'(x)=\dfrac{1}{2\sqrt{x}}$ 이므로

$$f'(4)=\frac{1}{2\sqrt{4}}=\frac{1}{4}$$

따라서 구하는 접선의 방정식은

$$y-2=\frac{1}{4}(x-4) \qquad \therefore y=\frac{1}{4}x+1 \blacksquare$$

(2) $f(x)=e^{3(x-1)}$으로 놓으면 $f'(x)=3e^{3(x-1)}$이므로 $\quad f'(1)=3$

따라서 구하는 접선의 방정식은

$$y-1=3(x-1) \qquad \therefore y=3x-2 \blacksquare$$

(3) $f(x)=\log x$로 놓으면 $f'(x)=\dfrac{1}{x\ln 10}$이므로 $\quad f'(1)=\dfrac{1}{\ln 10}$

따라서 구하는 접선의 방정식은

$$y=\frac{1}{\ln 10}(x-1) \qquad \therefore y=\frac{1}{\ln 10}x-\frac{1}{\ln 10} \blacksquare$$

(4) $f(x)=\dfrac{1}{2}\cos 2x$로 놓으면 $f'(x)=-\sin 2x$이므로 $\quad f'\left(\dfrac{\pi}{4}\right)=-1$

따라서 구하는 접선의 방정식은

$$y=-\left(x-\frac{\pi}{4}\right) \qquad \therefore y=-x+\frac{\pi}{4} \blacksquare$$

Sub Note 021쪽

APPLICATION **065** 다음 곡선 위의 주어진 점에서의 접선의 방정식을 구하여라.

(1) $y=\dfrac{x-1}{x+1}$ $(1, 0)$ 　　　　　　　　(2) $y=(x-1)e^{2x}$ $(2, e^4)$

(2) 접선의 기울기가 주어진 경우

곡선 $y=f(x)$의 접선의 기울기 m이 주어진 경우에는 접점의 좌표 $(a, f(a))$만 구하면 된다.

$$y-f(a)=m(x-a)$$

이때 $x=a$에서의 미분계수가 m임을 이용하여 <u>방정식 $f'(a)=m$을 만족시키는 a의 값</u>을 구하면 된다.

EXAMPLE 049 곡선 $y=e^x$에 접하고 기울기가 2인 직선의 방정식을 구하여라.❶

> **ANSWER** $f(x)=e^x$으로 놓으면 $\quad f'(x)=e^x$
> 접점의 좌표를 (a, e^a)이라 하면 접선의 기울기가 2이므로
> $\qquad f'(a)=e^a=2 \qquad \therefore a=\ln 2$

---

❶ 사실 이와 같이 기울기를 바로 주는 경우는 드물다. 보통은 x축과 이루는 각도라든지 어떠한 직선에 수직 혹은 평행, 두 점의 좌표를 주는 등의 정보가 주어지는데 이를 통해 기울기를 유추하여야 한다.

따라서 접점의 좌표가 $(\ln 2,\ 2)$이므로 구하는 접선의 방정식은
$$y-2=2(x-\ln 2)$$
$$\therefore\ \boldsymbol{y=2x-2\ln 2+2}\ \blacksquare$$

Sub Note 021쪽

APPLICATION 066 주어진 곡선에 접하고 기울기 m이 다음과 같은 직선의 방정식을 구하여라.

(1) $y=\sqrt{3x-2}$, $m=1$ (2) $y=\tan x\left(0<x<\dfrac{\pi}{2}\right)$, $m=2$

(3) 곡선 밖의 한 점의 좌표가 주어진 경우

곡선 $y=f(x)$ 밖의 한 점 $(x_1,\ y_1)$에서 곡선에 그은 접선의 방정식을 구하는 경우는 접점의 좌표와 기울기가 모두 주어지지 않은 경우이다. 일단 접점의 좌표를 $(a, f(a))$로 놓으면 접선의 기울기는 $f'(a)$가 되므로 다음과 같이 a에 관한 식이 된다.
$$y-\boldsymbol{f(a)=f'(a)(x-a)}$$
이 접선이 점 $(x_1,\ y_1)$을 지나므로 $x=x_1,\ y=y_1$을 대입하여 a의 값을 구하면 된다. 구한 a의 값을 위 식에 대입하면 접선의 방정식이 완성된다.

EXAMPLE 050 점 $(0,\ 1)$에서 곡선 $y=2\ln x$에 그은 접선의 방정식을 구하여라.

ANSWER $f(x)=2\ln x$로 놓으면 $f'(x)=\dfrac{2}{x}$

접점의 좌표를 $(a,\ 2\ln a)$라 하면 이 점에서의 접선의 기울기는 $f'(a)=\dfrac{2}{a}$이므로

접선의 방정식 $\quad y-2\ln a=\dfrac{2}{a}(x-a)\quad$ ······ ㉠

이 접선이 점 $(0,\ 1)$을 지나므로 $\quad 1-2\ln a=\dfrac{2}{a}(0-a)$

$2\ln a=3,\ \ln a=\dfrac{3}{2}\qquad \therefore\ a=e^{\frac{3}{2}}$

$a=e^{\frac{3}{2}}$을 ㉠에 대입하면 구하는 접선의 방정식은

$y-3=\dfrac{2}{e^{\frac{3}{2}}}(x-e^{\frac{3}{2}})\quad \therefore\ \boldsymbol{y=2e^{-\frac{3}{2}}x+1}\ \blacksquare$

Sub Note 021쪽

APPLICATION 067 다음 주어진 점에서 곡선에 그은 접선의 방정식을 구하여라.

(1) $y=\sqrt{x}+x$ $(0,\ 1)$ (2) $y=e^{3-x}$ $(3,\ 0)$

위와 더불어 두 곡선에 대하여 <u>공통인 접선의 방정식</u>에 대한 문제도 생각해 보자.

점 $P(a, b)$를 지나는 두 곡선 $y=f(x)$, $y=g(x)$가
점 $P(a, b)$에서 공통인 접선을 가지면
$$f(a)=g(a),\ f'(a)=g'(a)$$
임을 이용하여 문제를 해결한다.

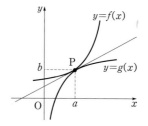

■ **E X A M P L E 051** 두 곡선 $y=ax^2+bx+1$, $y=\sin \pi x+3$이 $x=2$인 점에서 공통인
접선을 가질 때, 상수 a, b의 값을 구하여라.

ANSWER $f(x)=ax^2+bx+1$, $g(x)=\sin \pi x+3$으로 놓으면
$f'(x)=2ax+b$, $g'(x)=\pi \cos \pi x$
$x=2$인 점에서 공통인 접선을 가지므로
$f(2)=g(2)$에서 $4a+2b+1=3$ ······ ㉠
$f'(2)=g'(2)$에서 $4a+b=\pi$ ······ ㉡

㉠, ㉡을 연립하여 풀면 $a=\dfrac{\pi-1}{2}$, $b=2-\pi$ ■

Sub Note 022쪽

APPLICATION 068 두 곡선 $y=\ln x$와 $y=\dfrac{ax^2+b}{x}$가 있다. 이 두 곡선이 $x=e^2$인 점에서
공통인 접선을 가질 때, 상수 a, b에 대하여 $4ab$의 값을 구하여라.

② 매개변수로 나타낸 곡선의 접선의 방정식

매개변수로 나타낸 함수의 미분법을 이용하여 매개변수로 나타낸 곡선의 접선의 방정식을 구
할 수 있다. 즉 매개변수로 나타낸 함수 $x=f(t)$, $y=g(t)$가 $t=a$에서 미분가능하고
$f'(a) \neq 0$일 때,

$$\frac{dy}{dx}=\frac{g'(t)}{f'(t)}\text{이므로}\ t=a\text{에서의 접선의 기울기는}\ \frac{g'(a)}{f'(a)}\text{이다.}$$

따라서 곡선 위의 점 $(f(a), g(a))$에서의 접선의 방정식은

$$y-g(a)=\frac{g'(a)}{f'(a)}\{x-f(a)\}$$

■ **E X A M P L E 052** 매개변수 t로 나타낸 곡선 $x=2t+1$, $y=t^4+1$에 대하여 $t=1$에 대
응하는 점에서의 접선의 방정식을 구하여라.

ANSWER $\dfrac{dx}{dt}=2,\ \dfrac{dy}{dt}=4t^3$이므로 $\quad\dfrac{dy}{dx}=\dfrac{\dfrac{dy}{dt}}{\dfrac{dx}{dt}}=2t^3$

따라서 $t=1$일 때, 접선의 기울기는 2이고 곡선 위의 점의 좌표는 $(3,\ 2)$이므로

구하는 접선의 방정식은 $\quad y-2=2(x-3)\quad\therefore\ \boldsymbol{y=2x-4}\ \blacksquare$

Sub Note 022쪽

APPLICATION **069** 다음과 같이 매개변수 t로 나타낸 곡선에서 주어진 t의 값에 대응하는 점에서의 접선의 방정식을 구하여라.

(1) $x=t^2+1,\ y=2t^3-3t+1\ (t=1)$ 　　　(2) $x=\cos t,\ y=4\sin t\left(t=\dfrac{\pi}{6}\right)$

❸ 음함수로 나타낸 곡선의 접선의 방정식

미분가능한 함수 $f(x)$에 대하여 곡선 $y=f(x)$ 위의 점 $(a,\ f(a))$에서의 접선의 기울기는 $f'(x)$에 $x=a$를 대입한 값 $f'(a)$와 같다. 이와 마찬가지로 음함수 $f(x,\ y)=0$이 나타내는 곡선 위의 점 $(a,\ b)$에서의 접선의 기울기도 음함수의 미분법을 이용하여 구한 $\dfrac{dy}{dx}$에 $x=a,\ y=b$를 대입하여 구한 값과 같다.

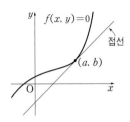

따라서 곡선 위의 점 $(a,\ b)$와 $\dfrac{dy}{dx}$에 $x=a,\ y=b$를 대입하여 구한 기울기를 이용하여 접선의 방정식을 구한다.

EXAMPLE 053 곡선 $x^2-2xy+y^2-y=1$ 위의 점 $(1,\ 0)$에서의 접선의 방정식을 구하여라.

ANSWER $x^2-2xy+y^2-y=1$의 양변을 x에 대하여 미분하면

$$2x-2y-2x\dfrac{dy}{dx}+2y\dfrac{dy}{dx}-\dfrac{dy}{dx}=0\quad\therefore\ \dfrac{dy}{dx}=\dfrac{2x-2y}{2x-2y+1}\ (2x-2y+1\neq0)$$

점 $(1,\ 0)$에서의 접선의 기울기는 $\quad\dfrac{dy}{dx}=\dfrac{2}{3}$

따라서 구하는 접선의 방정식은 $\quad y=\dfrac{2}{3}(x-1)\quad\therefore\ \boldsymbol{y=\dfrac{2}{3}x-\dfrac{2}{3}}\ \blacksquare$

APPLICATION **070** 다음 곡선 위의 주어진 점에서의 접선의 방정식을 구하여라. Sub Note 022쪽

(1) $y^2=\ln(x^2-3)+xy\ (2,\ 2)$ 　　　(2) $\dfrac{\pi}{4}x=y-\sin xy\left(2,\ \dfrac{\pi}{2}\right)$

048

곡선 $y=\cos 3x$ 위의 점 $A(a, \cos 3a)$에서의 접선에 수직이고, 점 A를 지나는 직선의 y절편을 $f(a)$라 할 때, $\lim\limits_{a \to 0} f(a)$의 값을 구하여라.

GUIDE   곡선 $y=f(x)$ 위의 점 $(a, f(a))$가 주어지면 먼저 이 점에서의 접선의 기울기를 구한 다음, $y-f(a)=f'(a)(x-a)$를 이용하여 접선의 방정식을 구한다.

SOLUTION

$f(x)=\cos 3x$로 놓으면 $f'(x)=-3\sin 3x$

점 $A(a, \cos 3a)$에서의 접선에 수직이고, 점 A를 지나는 직선의 방정식은

$$y-\cos 3a = \frac{1}{3\sin 3a}(x-a)$$

$$\therefore y = \frac{1}{3\sin 3a}x + \cos 3a - \frac{a}{3\sin 3a}$$

따라서 직선의 y절편은

$$f(a)=\cos 3a - \frac{a}{3\sin 3a}$$

$$\therefore \lim_{a \to 0} f(a) = \lim_{a \to 0}\left(\cos 3a - \frac{a}{3\sin 3a}\right)$$

$$= \lim_{a \to 0}\left(\cos 3a - \frac{1}{9}\cdot\frac{3a}{\sin 3a}\right)$$

$$= 1 - \frac{1}{9} = \frac{8}{9} \blacksquare$$

Sub Note 069쪽

유제
048-1 곡선 $y=\ln x + x$에 접하고 직선 $x+2y+4=0$에 수직인 직선의 방정식을 구하여라.

유제
048-2 점 $(1, 0)$에서 곡선 $y=2xe^x$에 그은 두 접선의 기울기의 곱을 구하여라.   Sub Note 070쪽

049 점 $(a, 0)$에서 곡선 $y=xe^x$에 서로 다른 두 개의 접선을 그을 수 있다고 할 때, a의 값의 범위를 구하여라.

GUIDE　먼저 주어진 곡선 위의 한 점을 $(t, f(t))$라 하고 곡선 위의 점에서 그은 접선의 방정식을 세운 다음, 이 곡선이 점 $(a, 0)$을 지남을 이용하여 a와 t에 대한 방정식을 만든다.

SOLUTION ────────────────────────────

$f(x)=xe^x$으로 놓으면　　$f'(x)=e^x+xe^x=e^x(1+x)$

접점의 좌표를 (t, te^t)이라 하면 이 점에서의 접선의 기울기는

$$f'(t)=e^t(1+t)$$

이므로 접선의 방정식은

$$y-te^t=e^t(1+t)(x-t)$$

이 직선이 점 $(a, 0)$을 지나므로

$$0=e^t(1+t)(a-t)+te^t, \ e^t(t^2-at-a)=0$$
$$\therefore t^2-at-a=0 \ (\because e^t>0) \quad \cdots\cdots \ \bigcirc$$

점 $(a, 0)$에서 곡선 $y=xe^x$에 서로 다른 두 개의 접선을 그을 수 있으려면 두 개의 접점이 존재해야 하므로 이차방정식 $\bigcirc$이 서로 다른 두 실근을 가져야 한다.

즉 $\bigcirc$의 판별식을 D라 하면

$$D=a^2+4a>0, \ a(a+4)>0$$
$$\therefore a<-4 \text{ 또는 } a>0 \ \blacksquare$$

Sub Note 070쪽

유제
049-❶ 원점에서 곡선 $y=(kx+1)2^x$에 오직 하나의 접선을 그을 수 있을 때, 상수 k의 값을 구하여라.

050 두 곡선 $y=e^{x-1}$, $y=\sqrt{2x-1}$이 한 점에서 접할 때, 이 점에서의 접선의 방정식을 구하여라.

GUIDE 두 곡선 $y=f(x)$, $y=g(x)$가 점 (a, b)에서 공통인 접선을 가지면 다음 두 가지를 이용하여 문제를 해결한다.

(i) 두 곡선이 점 (a, b)를 지난다. $\Rightarrow f(a)=g(a)=b$

(ii) $x=a$인 점에서의 두 곡선의 접선의 기울기는 같다. $\Rightarrow f'(a)=g'(a)$

SOLUTION

$f(x)=e^{x-1}$, $g(x)=\sqrt{2x-1}$로 놓으면

$$f'(x)=e^{x-1}, g'(x)=\frac{2}{2\sqrt{2x-1}}=\frac{1}{\sqrt{2x-1}}$$

두 곡선이 $x=a$인 점에서 접한다고 하면

$f(a)=g(a)$에서 $e^{a-1}=\sqrt{2a-1}$ $\cdots\cdots$ ㉠

$f'(a)=g'(a)$에서 $e^{a-1}=\dfrac{1}{\sqrt{2a-1}}$ $\cdots\cdots$ ㉡

㉠을 ㉡에 대입하면 $\sqrt{2a-1}=\dfrac{1}{\sqrt{2a-1}}$

$2a-1=1$ $\therefore a=1$

따라서 접점의 좌표는 $(1, 1)$이고 이 점에서의 접선의 기울기는

$$f'(1)=g'(1)=1$$

이므로 구하는 접선의 방정식은

$y-1=1\cdot(x-1)$ $\therefore \boldsymbol{y=x}$ ∎

Sub Note 070쪽

유제
050-■ 함수 $f(x)=2x+\cos x$의 역함수를 $g(x)$라 할 때, $y=g(x)$의 그래프 위의 $x=1$인 점에서의 접선의 방정식을 구하여라.

051 매개변수 t로 나타낸 곡선 $x=t+\dfrac{k}{t}$, $y=\dfrac{1}{t}$ $(t>0)$에 대하여 $t=2$에 대응하는 점에서의 접선 l의 기울기는 $-\dfrac{1}{3}$일 때, 직선 l의 방정식을 구하여라. (단, k는 상수)

GUIDE　먼저 매개변수로 나타낸 함수의 미분법을 이용하여 $\dfrac{dy}{dx}$를 구한 다음, 주어진 t의 값을 $\dfrac{dy}{dx}$에 대입하여 접점의 좌표를 구한다.

SOLUTION ─────────────────────

$$\frac{dx}{dt}=1-\frac{k}{t^2}, \ \frac{dy}{dt}=-\frac{1}{t^2} \text{이므로}$$

$$\frac{dy}{dx}=\frac{\dfrac{dy}{dt}}{\dfrac{dx}{dt}}=\frac{-\dfrac{1}{t^2}}{1-\dfrac{k}{t^2}}=-\frac{1}{t^2-k} \ (t^2-k\neq0)$$

$t=2$일 때, $\dfrac{dy}{dx}=-\dfrac{1}{4-k}$이므로

$$-\frac{1}{4-k}=-\frac{1}{3} \quad \therefore k=1$$

$t=2$일 때, 접선의 기울기는 $-\dfrac{1}{3}$이고 곡선 위의 점의 좌표는

$$x=2+\frac{1}{2}=\frac{5}{2}, \ y=\frac{1}{2}$$

이므로 직선 l의 방정식은

$$y-\frac{1}{2}=-\frac{1}{3}\left(x-\frac{5}{2}\right) \quad \therefore \boldsymbol{y=-\frac{1}{3}x+\frac{4}{3}} \ \blacksquare$$

Sub Note 070쪽

유제
051-❶ 매개변수 t로 나타낸 곡선 $x=\dfrac{e^t+e^{-t}}{3}$, $y=\dfrac{e^t-e^{-t}}{3}$에 대하여 $t=\ln3$에 대응하는 점에서의 접선이 y축과 만나는 점의 좌표가 $(0,\ a)$일 때, a의 값을 구하여라.

Sub Note 071쪽

유제
051-❷ 곡선 $e^x-e^y-e+1=0$ 위의 점 $(1,\ 0)$에서의 접선과 원점 사이의 거리를 d라 할 때, d^2의 값을 구하여라.

02 함수의 증가와 감소

S U M M A   C U M   L A U D E

ESSENTIAL LECTURE

1 함수의 증가와 감소

함수 $f(x)$가 어떤 구간에 속하는 임의의 두 실수 a, b에 대하여

(1) $a<b$일 때 $f(a)<f(b)$이면 $f(x)$는 이 구간에서 증가한다고 한다.

(2) $a<b$일 때 $f(a)>f(b)$이면 $f(x)$는 이 구간에서 감소한다고 한다.

2 함수의 증가와 감소의 판정

함수 $f(x)$가 어떤 열린구간에서 미분가능할 때,

(1) 이 구간의 모든 x에 대하여 $f'(x)>0$이면 $f(x)$는 이 구간에서 증가한다.

　[참고] 함수 $f(x)$가 이 구간에서 증가하면 이 구간의 모든 x에 대하여 $f'(x)\geq 0$이다.

(2) 이 구간의 모든 x에 대하여 $f'(x)<0$이면 $f(x)$는 이 구간에서 감소한다.

　[참고] 함수 $f(x)$가 이 구간에서 감소하면 이 구간의 모든 x에 대하여 $f'(x)\leq 0$이다.

1 함수의 증가와 감소

그래프를 통해 확인할 수 있듯이 어떤 구간에서 x의 값이 커질 때 이에 대응하는 함숫값 $f(x)$도 커지면 함수 $f(x)$는 이 구간에서 **증가**한다고 말하고, 반대로 x의 값이 증가할 때 이에 대응하는 함숫값 $f(x)$가 작아지면 함수 $f(x)$는 이 구간에서 **감소**한다고 말한다.

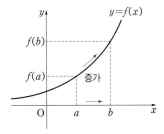 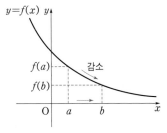

함수의 증가와 감소

함수 $f(x)$가 어떤 구간에 속하는 임의의 두 실수 a, b에 대하여

(1) $a<b$일 때 $f(a)<f(b)$이면 $f(x)$는 이 구간에서 증가한다고 한다.

(2) $a<b$일 때 $f(a)>f(b)$이면 $f(x)$는 이 구간에서 감소한다고 한다.

② 함수의 증가와 감소의 판정 〔수능 고빈도 출제〕

어떤 열린구간에서 미분가능한 함수 $f(x)$의 증가와 감소는 이 구간에서 도함수 $f'(x)$의 부호로 판정할 수 있다. 오른쪽 그림을 보면 함수 $f(x)$의 도함수 $f'(x)$가 함수 $f(x)$의 증가와 감소에 어떻게 관련되어 있는지를 직관적으로 쉽게 이해할 수 있을 것이다. 두 점 A와 B, 그리고 두 점 C와 D 사이에서 접선은 양의 기울기를 가지므로 $f'(x)>0$이고, 두 점 B와 C 사이에서 접선은 음의 기울기를 가지므로 $f'(x)<0$이다. 이때

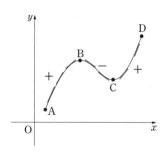

> $f'(x)$의 부호가 양인 구간에서 $f(x)$는 증가하고,
> $f'(x)$의 부호가 음인 구간에서 $f(x)$는 감소한다

는 것을 알 수 있다.

함수의 증가와 감소의 판정

함수 $f(x)$가 어떤 열린구간에서 미분가능할 때, 이 구간의 모든 x에 대하여
(1) $f'(x)>0$이면 $f(x)$는 이 구간에서 증가한다.
(2) $f'(x)<0$이면 $f(x)$는 이 구간에서 감소한다.

이때 위 명제 (1), (2)의 역은 성립하지 않음을 염두에 두자.
어떤 열린구간에서 증가 또는 감소하고 있어도 이 구간에서 $f'(x)=0$인 경우가 있을 수 있기 때문이다.
예를 들어 함수 $f(x)=x^3$은 구간 $(-\infty, \infty)$에서 증가하지만 $f'(x)=3x^2$이므로 $f'(0)=0$이다.
즉 미분가능한 함수 $f(x)$가 모든 구간에서 증가하면 $f'(x) \geq 0$이다.
따라서 다음이 성립한다.

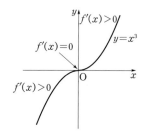

함수 $f(x)$가 어떤 열린구간에서 미분가능할 때,
(1) 함수 $f(x)$가 이 구간에서 증가하면 이 구간의 모든 x에 대하여 $f'(x) \geq 0$이다.❷
(2) 함수 $f(x)$가 이 구간에서 감소하면 이 구간의 모든 x에 대하여 $f'(x) \leq 0$이다.❸

---

❷ $f(x)$가 몇 개의 x의 값에서만 $f'(x)=0$이고, 나머지 x의 값에서는 $f'(x)>0$인 경우이다.
❸ $f(x)$가 몇 개의 x의 값에서만 $f'(x)=0$이고, 나머지 x의 값에서는 $f'(x)<0$인 경우이다.

■ **E X A M P L E   054**   다음 함수의 증가와 감소를 조사하여라.

(1) $f(x)=x\cos x-\sin x\,(0<x<2\pi)$ (2) $f(x)=xe^x$

ANSWER   (1) $f(x)=x\cos x-\sin x$에서

$$f'(x)=\cos x-x\sin x-\cos x=-x\sin x$$

$f'(x)=0$에서 $\sin x=0\,(\because x\neq 0)$

$\therefore x=\pi\ (\because 0<x<2\pi)$

함수 $f(x)$의 증가와 감소를 표로 나타내면 다음과 같다.

x	(0)	$\cdots$	π	$\cdots$	(2π)
$f'(x)$		$-$	0	$+$	
$f(x)$		$\searrow$		$\nearrow$	

따라서 함수 $f(x)$는 구간 $(0,\pi\,]$에서 감소하고, 구간 $[\,\pi,2\pi)$에서 증가한다. ■

(2) $f(x)=xe^x$에서 $f'(x)=e^x+xe^x=e^x(x+1)$

$f'(x)=0$에서 $x=-1\,(\because e^x>0)$

함수 $f(x)$의 증가와 감소를 표로 나타내면 다음과 같다.

x	$\cdots$	-1	$\cdots$
$f'(x)$	$-$	0	$+$
$f(x)$	$\searrow$		$\nearrow$

따라서 함수 $f(x)$는 구간 $(-\infty,-1]$에서 감소하고, 구간 $[-1,\infty)$에서 증가한다. ■

APPLICATION   071   다음 함수의 증가와 감소를 조사하여라.   Sub Note 023쪽

(1) $f(x)=2x-\dfrac{1}{x^2}\ (x<0)$ (2) $f(x)=x-2\sqrt{x+1}\ (x>-1)$

052 함수 $f(x)=\dfrac{e^{ax}}{x-1}$ 이 구간 $(1, \infty)$에서 감소하도록 하는 실수 a의 값의 범위를 구하여라.

GUIDE   함수 $f(x)$가 어떤 열린구간에서 미분가능할 때,
① 함수 $f(x)$가 이 구간에서 증가하면 이 구간의 모든 x에 대하여 $f'(x) \geq 0$이다.
② 함수 $f(x)$가 이 구간에서 감소하면 이 구간의 모든 x에 대하여 $f'(x) \leq 0$이다.

SOLUTION ―――――――――――――――――

$f(x)=\dfrac{e^{ax}}{x-1}$ 에서

$$f'(x)=\frac{ae^{ax}(x-1)-e^{ax}}{(x-1)^2}=\frac{e^{ax}(ax-a-1)}{(x-1)^2} \quad \cdots\cdots \ \text{㉠}$$

함수 $f(x)$가 구간 $(1, \infty)$에서 감소하려면 $x>1$일 때 $f'(x) \leq 0$이어야 한다.

㉠에서 $(x-1)^2>0$, $e^{ax}>0$이므로 $x>1$일 때 $f'(x) \leq 0$이려면

$$ax-a-1 \leq 0$$

이어야 한다.

즉 $x>1$일 때 $y=ax-a-1$의 그래프가 오른쪽 그림과 같아야 하므로

$a \leq 0$ ∎

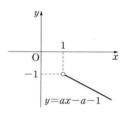

Sub Note 071쪽
유제
052-❶ 함수 $f(x)=ax+\ln(x^2+4)$가 구간 $(-\infty, \infty)$에서 증가하도록 하는 실수 a의 최솟값을 구하여라.

Sub Note 071쪽
유제
052-❷ 함수 $f(x)=(1+ax^2)e^x$이 실수 전체의 집합에서 증가하도록 하는 실수 a의 최댓값을 구하여라.

03 함수의 극대와 극소

SUMMA CUM LAUDE

ESSENTIAL LECTURE

1 함수의 극대와 극소

함수 $f(x)$에서 $x=a$를 포함하는 어떤 열린구간에 속하는 모든 x에 대하여

(1) $f(x) \leq f(a)$이면 함수 $f(x)$는 $x=a$에서 극대라 하고, $f(a)$를 극댓값이라 한다.

(2) $f(x) \geq f(a)$이면 함수 $f(x)$는 $x=a$에서 극소라 하고, $f(a)$를 극솟값이라 한다.

이때 극댓값과 극솟값을 통틀어 극값이라 한다.

2 함수의 극대와 극소의 판정

(1) 도함수를 이용한 함수의 극대와 극소의 판정

미분가능한 함수 $f(x)$에 대하여 $f'(a)=0$일 때, $x=a$의 좌우에서

① $f'(x)$의 부호가 양($+$)에서 음($-$)으로 바뀌면 $f(x)$는 $x=a$에서 극대이다.

② $f'(x)$의 부호가 음($-$)에서 양($+$)으로 바뀌면 $f(x)$는 $x=a$에서 극소이다.

(2) 극값과 미분계수 사이의 관계

미분가능한 함수 $f(x)$가 $x=a$에서 극값을 가지면 $f'(a)=0$이다.

(3) 이계도함수를 이용한 함수의 극대와 극소의 판정

이계도함수를 갖는 함수 $f(x)$에 대하여 $f'(a)=0$일 때

① $f''(a)<0$이면 $f(x)$는 $x=a$에서 극대이고, 극댓값 $f(a)$를 갖는다.

② $f''(a)>0$이면 $f(x)$는 $x=a$에서 극소이고, 극솟값 $f(a)$를 갖는다.

1 함수의 극대와 극소

극대, 극소 개념은 그래프를 통해 직관적으로 쉽게 이해할 수 있다. 다음 그래프를 통해 알아
보자.

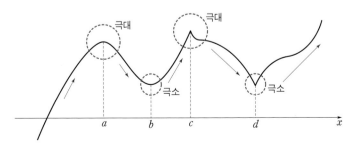

그래프에서 $x=a$ 근방의 작은 구간을 잡아서 그 구간에서의 함수의 그래프(동그라미의 내부)만 놓고 보면 $x=a$에서의 함숫값이 최대가 된다. 즉 이 함수는 $x=a$에서 **극대**(local maximum)라 하고, $x=a$에서의 함숫값을 **극댓값**이라 한다. 마찬가지로 $x=b$ 근방에서의 함수의 그래프를 보면 $x=b$에서의 함숫값이 최소가 된다. 이와 같은 경우 이 함수는 $x=b$에서 **극소**(local minimum)라 하고, $x=b$에서의 함숫값을 **극솟값**이라 한다. 같은 원리로 $x=c$에서는 극대, $x=d$에서는 극소임을 알 수 있다.

이상으로부터 극대, 극소를 정의하면 다음과 같다.

> **함수의 극대와 극소**
> 함수 $f(x)$에서 $x=a$를 포함하는 어떤 열린구간에 속하는 모든 x에 대하여
> (1) $f(x) \leq f(a)$이면 함수 $f(x)$는 $x=a$에서 극대라 하고, $f(a)$를 극댓값이라 한다.
> (2) $f(x) \geq f(a)$이면 함수 $f(x)$는 $x=a$에서 극소라 하고, $f(a)$를 극솟값이라 한다.

이때 극댓값과 극솟값을 통틀어 **극값**[4](extreme value)이라 한다.

2 함수의 극대와 극소의 판정 (수능 고빈도 출제)

(1) 도함수를 이용한 함수의 극대와 극소의 판정

함수의 증가, 감소의 변화를 알면 극대, 극소를 판정할 수 있다.

> **함수의 증가, 감소와 극대, 극소**
> 미분가능한 함수 $f(x)$에 대하여 $x=a$의 좌우에서
> (1) 함수 $f(x)$가 증가하다가 감소하면 $f(x)$는 $x=a$에서 극대이다. ➡ $f(a)$는 극댓값
> (2) 함수 $f(x)$가 감소하다가 증가하면 $f(x)$는 $x=a$에서 극소이다. ➡ $f(a)$는 극솟값

미분가능한 함수 $f(x)$가 증가하다가 감소한다는 것은 그래프의 접선의 기울기가 양($+$)에서 음($-$)으로 바뀌는 것을 의미하고, 이 과정에서 (기울기)$=0$인 경우가 반드시 생긴다.
즉 $f'(a)=0$인 실수 a가 존재하고, 이때 함수 $f(x)$는 $x=a$에서 극대이다.
마찬가지로 미분가능한 함수 $f(x)$가 감소하다가 증가한다는 것은 그래프의 접선의 기울기가 음($-$)에서 양($+$)으로 바뀌는 것을 의미하고, 이 과정에서 (기울기)$=0$인 경우가 반드시 생긴다.
즉 $f'(a)=0$인 실수 a가 존재하고, 이때 함수 $f(x)$는 $x=a$에서 극소이다.

---

❹ 하나의 함수에서 극값은 여러 개 존재할 수 있으며, 극댓값이 극솟값보다 반드시 큰 것은 아니다.

함수의 극대와 극소의 판정

미분가능한 함수 $f(x)$에 대하여 $f'(a)=0$일 때, $x=a$의 좌우에서
(1) $f'(x)$의 부호가 양($+$)에서 음($-$)으로 바뀌면 $f(x)$는 $x=a$에서 극대이다.
(2) $f'(x)$의 부호가 음($-$)에서 양($+$)으로 바뀌면 $f(x)$는 $x=a$에서 극소이다.

$f'(x)$의 부호의 변화와 $f(x)$의 증가와 감소를 그래프로 나타내면 다음과 같다.

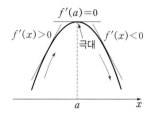 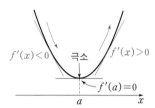

이 사실로부터 일반적으로 미분가능한 함수의 극값에 대해 다음의 정리를 얻는다.

극값과 미분계수 사이의 관계

미분가능한 함수 $f(x)$가 $x=a$에서 극값을 가지면 $f'(a)=0$이다.

하지만 위 명제의 역이 성립하지 않음에 항상 주의해야 한다.

다시 말해

미분가능한 함수 $f(x)$에 대하여 $f'(a)=0$이라 해도
$f(a)$가 극값이 아닐 수 있다는 것이다.

이와 같이 역이 성립하지 않는 이유는 <u>$f'(a)=0$이라 해서 $x=a$의 좌우에서 $f'(x)$의 부호가 반드시 양($+$)에서 음($-$) 또는 음($-$)에서 양($+$)으로 바뀌는 것은 아니기 때문이다.</u>
다음 네 개의 그래프는 $f'(a)=0$이 가능한 경우를 전부 나열한 것인데 이를 통해 확인할 수 있을 것이다.

(ⅰ) (ⅱ) (ⅲ) (ⅳ)

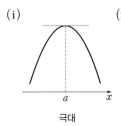 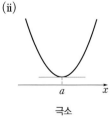 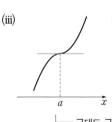 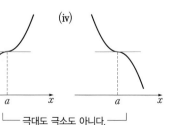

극대　　　　　극소　　　　└─ 극대도 극소도 아니다. ─┘

따라서 미분가능[5]한 함수 $f(x)$의 극값을 판정할 때에는 먼저 $f'(x)=0$이 되는 x의 값을 구한 다음, 그 값의 좌우에서 도함수 $f'(x)$의 부호의 변화를 조사하여 $f(x)$의 극대와 극소를 판정하여야 한다.

다음 문제를 통해 연습해 보자.

EXAMPLE 055 다음 함수의 극값을 구하여라.

(1) $f(x)=\dfrac{x-1}{x^2+8}$　　　　　　(2) $f(x)=\sin^3 2x \,(0<x<\pi)$

ANSWER (1) $f(x)=\dfrac{x-1}{x^2+8}$ 에서

$$f'(x)=\frac{x^2+8-(x-1)\cdot 2x}{(x^2+8)^2}=\frac{-x^2+2x+8}{(x^2+8)^2}$$
$$=\frac{-(x+2)(x-4)}{(x^2+8)^2}$$

$f'(x)=0$에서

$(x+2)(x-4)=0$ ($\because (x^2+8)^2>0$)

$\therefore x=-2$ 또는 $x=4$

함수 $f(x)$의 증가와 감소를 표로 나타내면 다음과 같다.

x	$\cdots$	-2	$\cdots$	4	$\cdots$
$f'(x)$	$-$	0	$+$	0	$-$
$f(x)$	$\searrow$	$-\dfrac{1}{4}$	$\nearrow$	$\dfrac{1}{8}$	$\searrow$

따라서 함수 $f(x)$는 $x=4$에서 **극댓값** $\dfrac{1}{8}$, $x=-2$에서 **극솟값** $-\dfrac{1}{4}$ 을 갖는다. ■

(2) $f(x)=\sin^3 2x$에서

$$f'(x)=3\sin^2 2x\cdot\cos 2x\cdot 2=6\sin^2 2x\cos 2x$$

$f'(x)=0$에서

$\sin 2x=0$ 또는 $\cos 2x=0$

$\therefore x=\dfrac{\pi}{4}$ 또는 $x=\dfrac{\pi}{2}$ 또는 $x=\dfrac{3}{4}\pi$ ($\because 0<x<\pi$)

함수 $f(x)$의 증가와 감소를 표로 나타내면 다음과 같다.

---

[5] '미분가능'이라는 조건을 명심하자. 우리가 극대, 극소를 다룰 때 대부분 미분가능함을 전제로 하고 당연시 받아들이지만 엄밀히 말해 미분가능하지 않은 경우에는 $f'(a)=0$을 생각할 수 없기 때문에 앞에서 배운 명제 자체가 아무 의미 없게 된다. 한 예로 $y=|x|$는 $x=0$에서 극값을 갖지만 $f'(0)$은 존재하지 않는다.

x	(0)	$\cdots$	$\dfrac{\pi}{4}$	$\cdots$	$\dfrac{\pi}{2}$	$\cdots$	$\dfrac{3}{4}\pi$	$\cdots$	(π)
$f'(x)$		$+$	0	$-$	0	$-$	0	$+$	
$f(x)$		$\nearrow$	1	$\searrow$	0	$\searrow$	-1	$\nearrow$	

따라서 함수 $f(x)$는 $x=\dfrac{\pi}{4}$에서 **극댓값 1**, $x=\dfrac{3}{4}\pi$에서 **극솟값 -1**을 갖는다. ■

APPLICATION **072** 다음 함수의 극값을 구하여라.

Sub Note 023쪽

(1) $f(x)=\sqrt{6-x}+\sqrt{x}$ (2) $f(x)=xe^{x}+1$ (3) $f(x)=2x^2+\dfrac{1}{x}+\ln x$

Sub Note 024쪽

APPLICATION **073** 함수 $f(x)=x+a\sin x+b\cos x$가 $x=\dfrac{\pi}{3}$, $x=\pi$에서 극값을 가질 때, 함수 $g(x)=ax-\ln x+b$의 극값을 구하여라.

(2) 이계도함수를 이용한 함수의 극대와 극소의 판정

이계도함수를 이용하면 보다 더 간단하게 함수의 극대와 극소를 판정할 수 있다.

$f'(x)$를 이용하여 극대, 극소를 판정하는 경우는 먼저 $f'(x)=0$이 되는 x의 값을 구한 다음, 그 값의 좌우에서 도함수 $f'(x)$의 부호의 변화를 조사해야 한다. 하지만 이계도함수 $f''(x)$를 이용하는 경우는 $f'(x)=0$이 되는 x의 값에서의 $f''(x)$의 부호만 알면 함수의 극대와 극소를 판정할 수 있다.

본격적으로 함수 $f(x)$의 $f'(x)$, $f''(x)$의 관계를 통해 언제 극대, 극소가 되는지 알아보자. 함수 $f(x)$에서 $f'(x)$, $f''(x)$가 존재하고, $f'(a)=0$이라 하자.

먼저 $f''(x)$는 $f'(x)$의 도함수이므로

$\qquad$ $f''(x)<0$이면 $f'(x)$는 감소하고, $f''(x)>0$이면 $f'(x)$는 증가한다.

$f'(a)=0$일 때, $f''(a)<0$이면 $f'(x)$는 $x=a$를 포함하는 어떤 열린구간에서 감소한다. 이때 $f'(a)=0$이므로 $x=a$의 좌우에서 $f'(x)$의 부호는 양($+$)에서 음($-$)으로 바뀐다. 따라서 함수 $f(x)$는 $x=a$에서 극대이다.

x	$\cdots$	a	$\cdots$
$f'(x)$	$+$	0	$-$
$f''(x)$	$-$	$-$	$-$
$f(x)$	$\nearrow$	극대	$\searrow$

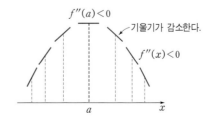

마찬가지로 $f'(a)=0$일 때, $f''(a)>0$이면 $f'(x)$는 $x=a$를 포함하는 어떤 열린구간에서 증가한다.

이때 $f'(a)=0$이므로 $x=a$의 좌우에서 $f'(x)$의 부호는 음$(-)$에서 양$(+)$으로 바뀐다.

따라서 함수 $f(x)$는 $x=a$에서 극소이다.

x	$\cdots$	a	$\cdots$
$f'(x)$	$-$	0	$+$
$f''(x)$	$+$	$+$	$+$
$f(x)$	$\searrow$	극소	$\nearrow$

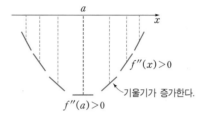

따라서 이계도함수를 이용하여 극대와 극소를 다음과 같이 판정할 수 있다.

이계도함수를 이용한 함수의 극대와 극소의 판정

이계도함수를 갖는 함수 $f(x)$에 대하여 $f'(a)=0$일 때

(1) $f''(a)<0$이면 $f(x)$는 $x=a$에서 극대이고, 극댓값 $f(a)$를 갖는다.

(2) $f''(a)>0$이면 $f(x)$는 $x=a$에서 극소이고, 극솟값 $f(a)$를 갖는다.

그런데 $\boldsymbol{f'(a)=0,\ f''(a)=0}$일 때에는

$f(x)$가 $x=a$에서 극값을 갖는지, 극값을 갖는다 해도

극댓값인지 극솟값인지 판정할 수 없다.

이때는 그래프를 이용하거나 $f'(x)$의 부호를 이용하여 함수 $f(x)$의 증가, 감소를 조사하여 극대, 극소를 판정해야 한다.

예 (1) $f(x)=x^3$에서 $\quad f'(x)=3x^2,\ f''(x)=6x$

$\Rightarrow f'(0)=0,\ f''(0)=0$이므로 이계도함수로 극값을 판정할 수 없다.

$\Rightarrow$ 함수 $f(x)$의 증가와 감소를 나타내는 표를 만들어 보면 $x=0$에서 극값을 갖지 않음을 알 수 있다.

x	$\cdots$	0	$\cdots$
$f'(x)$	$+$	0	$+$
$f(x)$	$\nearrow$		$\nearrow$

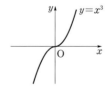

(2) $f(x)=x^4$에서 $\quad f'(x)=4x^3,\ f''(x)=12x^2$

$\Rightarrow f'(0)=0,\ f''(0)=0$이므로 이계도함수로 극값을 판정할 수 없다.

⇨ 함수 $f(x)$의 증가와 감소를 나타내는 표를 만들어 보면 $x=0$에서 극솟값을 갖는 것을 알 수 있다.

x	$\cdots$	0	$\cdots$
$f'(x)$	$-$	0	$+$
$f(x)$	↘	극소	↗

EXAMPLE 056 이계도함수를 이용하여 $f(x)=x^4-32x+48$의 극값을 구하여라.

ANSWER $f'(x)=4x^3-32=4(x-2)(x^2+2x+4)$
$f'(x)=0$에서 $\quad x=2\ (\because x^2+2x+4>0)$
$f''(x)=12x^2$에서 $\quad f''(2)=48>0$
따라서 함수 $f(x)$는 $x=2$에서 **극솟값** $f(2)=\mathbf{0}$을 갖는다. ■

[참고] 극값을 구할 때 이계도함수를 이용하는 것이 항상 편리한 것은 아니다. 함수에 따라 이계도함수를 구하는 것이 복잡할 수 있기 때문이다.
따라서 이계도함수 $f''(x)$를 구하기 복잡한 경우에는 $f'(x)$의 부호를 이용하여 극값을 구하면 된다.

APPLICATION 074 이계도함수를 이용하여 다음 함수의 극값을 구하여라. Sub Note 024쪽

(1) $f(x)=x^3+3x^2-1$

(2) $f(x)=\dfrac{\ln x}{x}$

(3) $f(x)=x^2 e^{-x}+1$

(4) $f(x)=x-2\sin x\ (0<x<2\pi)$

053 함수 $f(x)=e^x+ke^{-x}\ (k>0)$에 대한 다음 보기의 설명 중 옳은 것만을 있는 대로 골라라.

> 보기
>
> ㄱ. $x=\dfrac{1}{2}$에서 극값을 가지면 $k=\sqrt{e}$이다.
>
> ㄴ. 극솟값을 갖는다.
>
> ㄷ. 극솟값은 $2\sqrt{k}$이다.

GUIDE $f'(x)=0$인 x의 값을 찾은 후, $f(x)$의 증가와 감소를 표로 나타내어 문제를 해결한다.

SOLUTION ─────────────────

$$f'(x)=e^x-ke^{-x}=\frac{e^{2x}-k}{e^x}=\frac{(e^x+\sqrt{k})(e^x-\sqrt{k})}{e^x}$$

$f'(x)=0$에서 $e^x=\sqrt{k}\ (\because e^x>0)$

$$\therefore x=\ln\sqrt{k}=\frac{1}{2}\ln k$$

함수 $f(x)$의 증가와 감소를 표로 나타내면 오른쪽과 같다.

x	$\cdots$	$\dfrac{1}{2}\ln k$	$\cdots$
$f'(x)$	$-$	0	$+$
$f(x)$	$\searrow$	극소	$\nearrow$

ㄱ. $\dfrac{1}{2}\ln k=\dfrac{1}{2}$에서

$$\ln k=1 \qquad \therefore k=e\ (거짓)$$

ㄴ. 함수 $f(x)$는 극솟값을 갖는다. (참)

ㄷ. 함수 $f(x)$의 극솟값은 $f\left(\dfrac{1}{2}\ln k\right)=2\sqrt{k}$ (참)

따라서 옳은 것은 ㄴ, ㄷ이다. ■

유제

Sub Note 072쪽

053-❶ 함수 $f(x)=e^x-2\ln(x+2)$에 대한 다음 보기의 설명 중 옳은 것만을 있는 대로 골라라.

> 보기   ㄱ. 극댓값과 극솟값을 모두 갖는다.
>
> ㄴ. $x=0$에서 극값을 갖는다.
>
> ㄷ. 극솟값은 $1-2\ln 2$이다.

054 함수 $f(x)=\cos^3 x+a\cos^2 x+a\cos x$가 $0<x<\pi$에서 극댓값과 극솟값을 모두 갖도록 하는 실수 a의 값의 범위를 구하여라.

GUIDE 치환을 이용하여 식을 좀 더 간단히 만든 다음, 실수 a의 값의 범위를 구한다.

SOLUTION ─────────────────────────

$f(x)=\cos^3 x+a\cos^2 x+a\cos x$에서 $\cos x=t(-1<t<1)$로 놓으면

$$g(t)=t^3+at^2+at,\ g'(t)=3t^2+2at+a=3\left(t+\frac{a}{3}\right)^2-\frac{a^2}{3}+a$$

이때 $g(t)$가 $-1<t<1$에서 극댓값과 극솟값을 모두
가지려면 이차방정식 $g'(t)=0$이 $-1<t<1$에서 서로
다른 두 실근을 가져야 한다. 즉 $y=g'(t)$의 그래프는
오른쪽 그림과 같고 다음 조건을 모두 만족해야 한다.

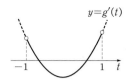

(ⅰ) 이차방정식 $g'(t)=0$의 판별식을 D라 하면

$$\frac{D}{4}=a^2-3a>0,\ a(a-3)>0 \qquad \therefore\ a<0\ \text{또는}\ a>3$$

(ⅱ) $y=g'(t)$의 그래프의 축은 직선 $t=-\dfrac{a}{3}$이므로

$$-1<-\frac{a}{3}<1 \qquad \therefore\ -3<a<3$$

(ⅲ) $g'(-1)=3-a>0,\ g'(1)=3+3a>0 \qquad \therefore\ -1<a<3$

(ⅰ), (ⅱ), (ⅲ)에서 **$-1<a<0$** ■

─ **Summa's Advice** ─────────────────

이차방정식 $f(x)=0$이 $\alpha<x<\beta$에서 서로 다른 두 실근을 가지면 함수
$y=f(x)$의 그래프는 오른쪽 그림과 같고 다음이 성립한다.
(ⅰ) 이차방정식 $f(x)=0$의 판별식을 D라 할 때 $\qquad D>0$
(ⅱ) 축이 직선 $x=p$이면 $\qquad \alpha<p<\beta$
(ⅲ) $f(\alpha)>0,\ f(\beta)>0$

Sub Note 072쪽

유제
054-❶ 함수 $f(x)=\ln x+\dfrac{a}{x}-x$가 극댓값과 극솟값을 모두 가질 때, a의 값의 범위를 구하여라.

Sub Note 072쪽

유제
054-❷ 함수 $f(x)=\dfrac{3x^2+2x-k}{e^x}$가 극값을 갖지 않도록 하는 실수 k의 최댓값을 구하여라.

055

함수 $f(x)=e^{-x}(\sin x+\cos x)\,(x>0)$가 극솟값을 가질 때의 x의 값을 작은 것부터 차례대로 $x_1,\ x_2,\ x_3,\ \cdots$이라 할 때, $\displaystyle\sum_{n=1}^{\infty}f(x_n)$의 값을 구하여라.

GUIDE 이계도함수를 이용하여 극대, 극소를 판정한다.

SOLUTION ────────────────────

$f(x)=e^{-x}(\sin x+\cos x)$에서

$\quad f'(x)=-e^{-x}(\sin x+\cos x)+e^{-x}(\cos x-\sin x)=-2e^{-x}\sin x$

$\quad f''(x)=2e^{-x}\sin x-2e^{-x}\cos x=2e^{-x}(\sin x-\cos x)$

$f'(x)=0$에서 $\quad \sin x=0\ (\because e^{-x}>0)$

$\quad\therefore x=\pi,\ 2\pi,\ 3\pi,\ \cdots$

(ⅰ) $x=2k\pi\,(k$는 자연수) 일 때

$\quad f''(2k\pi)=2e^{-2k\pi}(\sin 2k\pi-\cos 2k\pi)=-2e^{-2k\pi}<0$

(ⅱ) $x=(2k-1)\pi\,(k$는 자연수) 일 때

$\quad f''((2k-1)\pi)=2e^{-(2k-1)\pi}\{\sin(2k-1)\pi-\cos(2k-1)\pi\}$

$\qquad\qquad\qquad =2e^{-(2k-1)\pi}>0$

(ⅰ), (ⅱ)에서 $f(x)$는 $x=(2k-1)\pi\,(k$는 자연수)에서 극솟값을 갖는다.

$\quad\therefore x_n=(2n-1)\pi\,(n$은 자연수)

$\quad\therefore f(x_n)=e^{-(2n-1)\pi}\{\sin(2n-1)\pi+\cos(2n-1)\pi\}$

$\qquad\qquad =-e^{-(2n-1)\pi}$

$\quad\therefore \displaystyle\sum_{n=1}^{\infty}f(x_n)=\sum_{n=1}^{\infty}(-e^{-(2n-1)\pi})=-e^{-\pi}-e^{-3\pi}-e^{-5\pi}-\cdots$

$\qquad\qquad =\dfrac{-\dfrac{1}{e^{\pi}}}{1-\dfrac{1}{e^{2\pi}}}=\dfrac{\boldsymbol{e^{\pi}}}{\boldsymbol{1-e^{2\pi}}}$ ∎

유제

055-❶ 함수 $f(x)=e^{-x}\sin x\,(x>0)$에 대하여 극솟값을 작은 것부터 차례대로 $y_1,\ y_2,\ y_3,\ \cdots$이라 할 때, $\displaystyle\sum_{n=1}^{\infty}y_n$의 값을 구하여라.

Sub Note 072쪽

04 함수의 그래프의 개형

SUMMA CUM LAUDE

ESSENTIAL LECTURE

1 곡선의 오목과 볼록의 판정

함수 $f(x)$가 어떤 구간에서

(1) $f''(x)>0$이면 곡선 $y=f(x)$는 이 구간에서 아래로 볼록하다.

(2) $f''(x)<0$이면 곡선 $y=f(x)$는 이 구간에서 위로 볼록하다.

2 변곡점

(1) 변곡점

곡선 $y=f(x)$ 위의 점 $(a, f(a))$에 대하여 $x=a$의 좌우에서 곡선의 모양이 아래로 볼록에서 위로 볼록으로 바뀌거나 위로 볼록에서 아래로 볼록으로 바뀔 때, 이 점을 곡선 $y=f(x)$의 변곡점이라 한다.

(2) 변곡점의 판정

함수 $f(x)$에서 $f''(a)=0$이고 $x=a$의 좌우에서 $f''(x)$의 부호가 바뀌면 점 $(a, f(a))$는 곡선 $y=f(x)$의 변곡점이다.

3 함수의 그래프의 개형

함수 $f(x)$의 그래프의 개형을 그릴 때, 다음을 조사하면 좀 더 정확한 그래프를 그릴 수 있다.

① 함수의 정의역과 치역

② 그래프의 대칭성과 주기

③ 좌표축과의 교점(x절편, y절편)

④ 함수의 증가와 감소, 극대와 극소

⑤ 곡선의 오목과 볼록, 변곡점

⑥ $\lim\limits_{x\to\infty}f(x)$, $\lim\limits_{x\to-\infty}f(x)$, 점근선

미분을 배우기 전까지는 함수의 그래프를 그리려면 좌표평면에 몇 개의 점을 표시하고 선으로 이어주는 정도였다. 그래서 그래프의 개형이 단순하게 나타나는 함수들 위주로 다루어 왔다. 하지만 이제부터는 개형을 짐작할 수 없었던 함수들도 그 그래프의 개형을 그릴 수 있게 된다. 바로 미분이라는 강력한 도구가 있기 때문이다.

이 단원에서는 지금까지 배웠던 내용들과 곧 접하게 될 변곡점을 이용하여 여러 함수들의 그래프를 그려 보기로 하자.

1 곡선의 오목과 볼록의 판정

구간 $[a,\ b]$에서 증가하는 곡선 $y=f(x)$를 그리라고 하면 어떻게 그릴까?

아마 다음 그림과 같이 두 가지 모양이 나올 것이다.

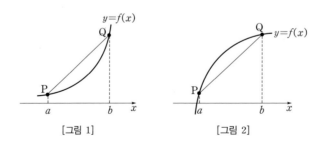

[그림 1]   [그림 2]

이때 [그림 1]과 같이 구간 $[a,\ b]$에서 곡선 $y=f(x)$ 위의 두 점 P, Q에 대하여 <u>두 점 P, Q 사이의 곡선이 선분 PQ 아래에 있을 때</u>, 곡선 $y=f(x)$는 이 구간에서 **아래로 볼록**(또는 위로 오목)(convex upward)이라 한다. 이 경우 접선의 기울기가 증가하고 있음을 알 수 있다.

이는 역도 성립하여 어떤 구간에서 x가 증가할 때, 곡선 $y=f(x)$의 접선의 기울기 $f'(x)$가 증가하면 곡선은 이 구간에서 아래로 볼록하다.

한편 [그림 2]와 같이 구간 $[a,\ b]$에서 곡선 $y=f(x)$ 위의 두 점 P, Q에 대하여 <u>두 점 P, Q 사이의 곡선이 선분 PQ 위에 있을 때</u>, 곡선 $y=f(x)$는 이 구간에서 **위로 볼록**(또는 아래로 오목)(convex downward)이라 한다. 이 경우 접선의 기울기가 감소하고 있음을 알 수 있다.

이는 역도 성립하여 어떤 구간에서 x가 증가할 때, 곡선 $y=f(x)$의 접선의 기울기 $f'(x)$가 감소하면 곡선은 이 구간에서 위로 볼록하다.

우리는 이미 앞에서 $f''(x)>0$이면 $f'(x)$는 증가하고, $f''(x)<0$이면 $f'(x)$는 감소한다는 것을 배웠다. 이를 곡선의 오목과 볼록의 판정에 접목하면 다음과 같다.

곡선의 오목과 볼록의 판정

함수 $y=f(x)$가 어떤 구간에서

(1) $f''(x)>0$이면 곡선 $y=f(x)$는 이 구간에서 아래로 볼록하다. **❻** ← 접선의 기울기가 증가한다.

(2) $f''(x)<0$이면 곡선 $y=f(x)$는 이 구간에서 위로 볼록하다. ← 접선의 기울기가 감소한다.

---

❻ 즉 $f''(x)>0$이면 $f(x)$는 $\cup$ 형태의 그래프를 가지며, $f''(x)<0$이면 $f(x)$는 $\cap$ 형태의 그래프를 가진다.
사실 곡선의 볼록성을 확인하면 「$f''(x)>0 \rightarrow$ 아래로 볼록 $\rightarrow$ 극소」, 「$f''(x)<0 \rightarrow$ 위로 볼록 $\rightarrow$ 극대」로 $f''(x)$의 부호와 극대, 극소와의 연관성을 좀 더 쉽게 이해할 수 있을 것이다. 이를 적용하여 앞에서 배웠던 이계도함수를 이용한 극대와 극소의 판정에 대해 한 번 더 숙지할 시간을 갖기 바란다.

EXAMPLE 057 곡선 $y=x^3-3x^2$의 오목과 볼록을 조사하여라.

> **ANSWER** $f(x)=x^3-3x^2$이라 하면
> $f'(x)=3x^2-6x$, $f''(x)=6x-6=6(x-1)$
> $f''(x)=0$에서 $x=1$
> $x<1$에서 $f''(x)<0$, $x>1$에서 $f''(x)>0$
> 따라서 곡선 $y=f(x)$는 **구간 $(-\infty, 1)$에서 위로 볼록**하고, **구간 $(1, \infty)$에서 아래로 볼록**하다. ■

APPLICATION 075 다음 곡선의 오목과 볼록을 조사하여라.   Sub Note 025쪽

(1) $y=xe^{2x}$ (2) $y=\ln(x^2+4)$

❷ 변곡점

연속인 어떤 곡선이 위로 볼록인 구간과 아래로 볼록인 구간을 같이 가지고 있다면 위로 볼록에서 아래로 볼록으로 또는 아래로 볼록에서 위로 볼록으로 바뀌는 순간이 생길 수 있을 것이다. 이때 곡선 $y=f(x)$ 위의 어떤 점의 좌우에서 위로 볼록에서 아래로 볼록으로 바뀌거나 아래로 볼록에서 위로 볼록으로 바뀔 때, 이 점을 곡선 $y=f(x)$의 **변곡점**(inflection point)이라 한다.

아래의 두 그래프는 변곡점의 예를 보여 준다.

곡선이 위로 볼록하면 $f''(x)$의 부호는 음$(-)$이고, 아래로 볼록하면 $f''(x)$의 부호는 양$(+)$이므로 변곡점은 $f''(x)$의 부호가 바뀌는 지점에 존재한다. 즉

$$\text{곡선 } y=f(x) \text{ 위의 점 } (a, f(a)) \text{가 변곡점이면 } f''(a)=0$$

임을 알 수 있다.

> **변곡점의 판정**
> 함수 $f(x)$에서 $f''(a)=0$이고 $x=a$의 좌우에서 $f''(x)$의 부호가 바뀌면 점 $(a, f(a))$는 곡선 $y=f(x)$의 변곡점이다.

---

❼ 변곡점에서 곡선에 접하는 접선은 일반적인 접선과 달리 곡선을 뚫고 지나간다.

한편 곡선 $y=f(x)$에 대하여 $f''(a)=0$이라고 해서 점 $(a,\ f(a))$가 항상 변곡점인 것은 아니다. 왜냐하면 $f''(a)=0$일지라도 $x=a$의 좌우에서 $f''(x)$의 부호가 바뀌지 않으면 변곡점이 되지 않기 때문이다.

예를 들어, $f(x)=x^4$의 경우 $f'(x)=4x^3$, $f''(x)=12x^2$이므로 $f''(0)=0$이지만 $x=0$의 좌우에서 $f''(x)$의 부호가 바뀌지 않으므로 점 $(0,\ 0)$은 곡선 $y=f(x)$의 변곡점이 아니다.

따라서 $f''(a)=0$일 때, 점 $(a,\ f(a))$가 변곡점인지 알기 위해서는 $x=a$의 좌우에서 $f''(x)$의 부호가 바뀌는지 반드시 확인해야 한다.

■ **EXAMPLE 058** 다음 곡선의 변곡점의 좌표를 구하여라.

(1) $y=x^4-2x^3+2x-1$ (2) $y=\dfrac{2}{x^2+3}$

ANSWER (1) $f(x)=x^4-2x^3+2x-1$이라 하면

$$f'(x)=4x^3-6x^2+2,\ f''(x)=12x^2-12x=12x(x-1)$$

$f''(x)=0$에서 $x=0$ 또는 $x=1$

$x<0$ 또는 $x>1$에서 $f''(x)>0$, $0<x<1$에서 $f''(x)<0$

따라서 $x=0$, $x=1$의 좌우에서 $f''(x)$의 부호가 바뀌므로 변곡점의 좌표는 $\mathbf{(0,\ -1)}$, $\mathbf{(1,\ 0)}$이다. ■

(2) $f(x)=\dfrac{2}{x^2+3}$라 하면 $f'(x)=-\dfrac{4x}{(x^2+3)^2}$

$$f''(x)=\frac{-4(x^2+3)^2+4x\cdot 2(x^2+3)\cdot 2x}{(x^2+3)^4}=\frac{12(x+1)(x-1)}{(x^2+3)^3}$$

$f''(x)=0$에서 $x=-1$ 또는 $x=1$

$x<-1$ 또는 $x>1$에서 $f''(x)>0$, $-1<x<1$에서 $f''(x)<0$

따라서 $x=-1$, $x=1$의 좌우에서 $f''(x)$의 부호가 바뀌므로 변곡점의 좌표는 $\left(-1,\ \dfrac{1}{2}\right)$, $\left(1,\ \dfrac{1}{2}\right)$이다. ■

APPLICATION **076** 다음 곡선의 변곡점의 좌표를 구하여라.   Sub Note 025쪽

(1) $y=x^5-10x^3+\sqrt{3}$ (2) $y=\sin^2 x\ (0\le x\le\pi)$

(3) $y=\dfrac{x^2-x}{e^x}$ (4) $y=\ln(x^2+9)^2$

Sub Note 026쪽

APPLICATION **077** 함수 $y=f(x)$의 이계도함수 $y=f''(x)$의 그래프가 오른쪽 그림과 같을 때, 곡선 $y=f(x)$의 변곡점의 x좌표를 구하여라.

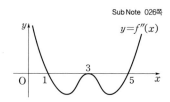

❸ 함수의 그래프의 개형

함수 $f(x)$의 그래프의 개형을 그릴 때는 다음을 조사하여 그리면 좀 더 정확한 그래프를 그릴 수 있다.

① 함수의 정의역과 치역
② 그래프의 대칭성과 주기
③ 좌표축과의 교점 (x절편, y절편)
④ 함수의 증가와 감소, 극대와 극소
⑤ 곡선의 오목과 볼록, 변곡점
⑥ $\lim\limits_{x \to \infty} f(x)$, $\lim\limits_{x \to -\infty} f(x)$, 점근선

그래프를 그리기 전에 점근선에 대하여 조금 짚고 넘어가자.

곡선 위의 점이 특정한 방향으로 진행하면서 일정한 직선에 한없이 가까워질 때, 이 직선을 그 곡선의 점근선(asymptote)이라 한다.

점근선 중 수직점근선, 수평점근선에 대하여 살펴보자.

(i) 수직점근선은 x축에 수직인 점근선(y축과 평행한 점근선)이다.

함수 $f(x)$의 그래프에서

$$\lim_{x \to a+} f(x) = \pm\infty \ \text{또는} \ \lim_{x \to a-} f(x) = \pm\infty \text{이면}$$

$f(x)$의 그래프는 수직점근선 $x = a$를 갖는다.

일반적으로 분수함수 $f(x)$의 분모를 0으로 만드는 x의 값에서 $f(x)$는 수직점근선을 갖는다.

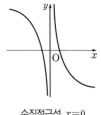

수직점근선 $x = 0$

(ii) 수평점근선은 x축에 평행한 점근선(y축에 수직인 점근선)이다.

함수 $f(x)$의 그래프에서

$$\lim_{x \to \infty} f(x) = b \ \text{또는} \ \lim_{x \to -\infty} f(x) = b \text{이면}$$

$f(x)$의 그래프는 수평점근선 $y = b$를 갖는다.

$\lim\limits_{x \to \pm\infty} f(x)$가 어떤 수 b로 수렴하면 $f(x)$는 수평점근선을 갖는다.

수평점근선 $y = 0$

EXAMPLE 059 함수 $f(x) = \dfrac{x}{x^2+1}$ 의 그래프의 개형을 그려라.

ANSWER ① $x^2+1 \neq 0$이므로 정의역은 실수 전체의 집합이다.

② $f(-x) = \dfrac{-x}{x^2+1} = -f(x)$이므로 그래프는 원점에 대하여 대칭이다.

③ $f(0) = 0$이므로 그래프는 원점을 지난다.

④ $f'(x) = \dfrac{x^2+1-x \cdot 2x}{(x^2+1)^2} = \dfrac{-x^2+1}{(x^2+1)^2}$

$f''(x) = \dfrac{-2x(x^2+1)^2 - (-x^2+1) \cdot 2(x^2+1) \cdot 2x}{(x^2+1)^4} = \dfrac{2x(x^2-3)}{(x^2+1)^3}$

$f'(x)=0$에서　　$x=\pm1$

$f''(x)=0$에서　　$x=0$ 또는 $x=\pm\sqrt{3}$

함수 $f(x)$의 증가와 감소, 오목과 볼록을 표로 나타내면 다음과 같다.

x	$\cdots$	$-\sqrt{3}$	$\cdots$	-1	$\cdots$	0	$\cdots$	1	$\cdots$	$\sqrt{3}$	$\cdots$
$f'(x)$	$-$	$-$	$-$	0	$+$	$+$	$+$	0	$-$	$-$	$-$
$f''(x)$	$-$	0	$+$	$+$	$+$	0	$-$	$-$	$-$	0	$+$
$f(x)$	$\searrow$ ❽	$-\dfrac{\sqrt{3}}{4}$ (변곡점)	$\searrow$	$-\dfrac{1}{2}$ (극소)	$\nearrow$	0 (변곡점)	$\nearrow$	$\dfrac{1}{2}$ (극대)	$\searrow$	$\dfrac{\sqrt{3}}{4}$ (변곡점)	$\searrow$

⑤ $\displaystyle\lim_{x\to\infty}\frac{x}{x^2+1}=0$, $\displaystyle\lim_{x\to-\infty}\frac{x}{x^2+1}=0$이므로 x축이 점근선이다.

따라서 주어진 함수의 그래프의 개형을 그리면 다음 그림과 같다.

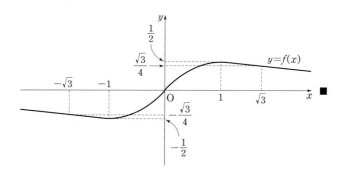

APPLICATION **078** 다음 함수의 그래프의 개형을 그려라.　　Sub Note 026쪽

(1) $f(x)=x^4-4x^3+2$

(2) $f(x)=e^{-2x^2}$

(3) $f(x)=\dfrac{\ln x}{x}$

(4) $f(x)=x-\sin x\left(-\dfrac{\pi}{2}\leq x\leq\dfrac{\pi}{2}\right)$

---

❽ 오목과 볼록을 화살표로 나타낼 때에는 $f'(x)$와 $f''(x)$의 부호를 판단하여 보통 구부러진 모양으로 표시한다.
화살표의 방향은 $f'(x)$를 기준으로 그리되 $f'(x)>0$이면 $\nearrow$, $f'(x)<0$이면 $\searrow$ 방향으로 표시해 둔 다음 $f''(x)>0$이면 아래로 볼록하므로 $\nearrow$는 $\smile$로, $\searrow$는 $\searrow$로 나타내고, $f''(x)<0$이면 위로 볼록하므로 $\nearrow$는 $\frown$로, $\searrow$는 $\frown$로 나타 낸다.

$f'(x)$	$+$	$-$	$+$	$-$
$f''(x)$	$+$	$+$	$-$	$-$
$f(x)$	$\nearrow$	$\searrow$	$\nearrow$	$\searrow$

056 함수 $f(x)=x^2+ax+b\ln x$는 $x=1$에서 극댓값을 갖고, 그래프의 변곡점의 x좌표는 4일 때, 함수 $f(x)$의 극솟값을 구하여라. (단, a, b는 상수)

GUIDE   먼저 주어진 극댓값과 변곡점에 대한 정보를 이용하여 a, b의 값을 구한 다음, 극솟값을 구하면 된다.

SOLUTION ―――――――――――――――――

$f(x)=x^2+ax+b\ln x$에서 $x>0$이고

$$f'(x)=2x+a+\frac{b}{x},\ f''(x)=2-\frac{b}{x^2}$$

$x=1$에서 극대이므로 $f'(1)=0$에서 $2+a+b=0$ ······ ㉠

변곡점의 x좌표가 4이므로 $f''(4)=0$에서 $2-\dfrac{b}{16}=0$

$$\therefore\ b=32$$

$b=32$를 ㉠에 대입하면 $2+a+32=0$ $\therefore\ a=-34$

$$\therefore\ f'(x)=2x-34+\frac{32}{x}=\frac{2x^2-34x+32}{x}=\frac{2(x-1)(x-16)}{x}$$

$f'(x)=0$에서 $x=1$ 또는 $x=16$

함수 $f(x)$의 증가와 감소를 표로 나타내면 다음과 같다.

x	(0)	$\cdots$	1	$\cdots$	16	$\cdots$
$f'(x)$		$+$	0	$-$	0	$+$
$f(x)$		$\nearrow$	극대	$\searrow$	극소	$\nearrow$

따라서 $f(x)$의 극솟값은

$$f(16)=16^2-34\cdot16+32\ln16=\boldsymbol{-288+128\ln2}\ \blacksquare$$

유제
056-1 곡선 $y=(\ln kx)^2$의 변곡점이 직선 $y=4x-1$ 위에 있을 때, 양수 k의 값을 구하여라.
Sub Note 073쪽

유제
056-2 함수 $f(x)=ax^2+4\sin x+x$의 그래프가 변곡점을 갖도록 하는 실수 a의 값의 범위를 구하여라.
Sub Note 073쪽

변곡점과 함수의 그래프

057

실수 전체의 집합에서 이계도함수를 갖는 함수 $f(x)$에 대하여 점 $\mathrm{A}(a,\,f(a))$를 곡선 $y=f(x)$의 변곡점이라 하고, 곡선 $y=f(x)$ 위의 점 A에서의 접선의 방정식을 $y=g(x)$라 하자. 직선 $y=g(x)$가 함수 $f(x)$의 그래프와 점 $\mathrm{B}(b,\,f(b))$에서 접할 때, 함수 $h(x)$를 $h(x)=f(x)-g(x)$라 하자. 보기에서 항상 옳은 것을 모두 고른 것은? (단, $a \neq b$이다.)

[수능 기출]

보기
 ㄱ. $h'(b)=0$
 ㄴ. 방정식 $h'(x)=0$은 3개 이상의 실근을 갖는다.
 ㄷ. 점 $(a,\,h(a))$는 곡선 $y=h(x)$의 변곡점이다.

① ㄱ ② ㄴ ③ ㄱ, ㄴ ④ ㄱ, ㄷ ⑤ ㄱ, ㄴ, ㄷ

GUIDE 함수 $f(x)$에 대하여 $f'(x)=0$, $f''(x)=0$을 만족시키는 x의 값이 의미하는 것을 극대와 극소, 변곡점 등과 연관지어 생각해 보자.

SOLUTION

$h(x)=f(x)-g(x)$이므로 $h(x)$는 미분가능하고, $h'(x)=f'(x)-g'(x)$이다.

ㄱ. 두 함수 $f(x)$, $g(x)$의 그래프가 $x=b$에서 접하므로

$$f(b)=g(b),\, f'(b)=g'(b)$$
$$\therefore h'(b)=f'(b)-g'(b)=0 \,(참)$$

ㄴ. 두 함수 $f(x)$, $g(x)$의 그래프가 $x=a$에서 접하므로

$$f(a)=g(a),\, f'(a)=g'(a)$$
$$\therefore h'(a)=f'(a)-g'(a)=0$$

한편 모든 실수의 구간에서 함수 $h(x)$는 미분가능한 함수이고,

$$h(a)=f(a)-g(a)=0,\, h(b)=f(b)-g(b)=0$$

이므로 롤의 정리에 의하여 $h'(c)=0$을 만족시키는 실수 c가 구간 $(a,\,b)$에 적어도 하나 존재한다.

즉 $h'(a)=h'(b)=h'(c)=0$이므로 방정식 $h'(x)=0$은 적어도 3개의 실근을 갖는다. (참)

ㄷ. $h''(x)=f''(x)-g''(x)$에서 $g(x)$는 일차함수이므로 모든 실수 x에 대하여

$$g''(x)=0$$
$$\therefore h''(x)=f''(x)$$

그런데 점 $(a, f(a))$가 곡선 $y=f(x)$의 변곡점이므로

$$h''(a)=f''(a)=0$$

이고, $x=a$의 좌우에서 $f''(x)$의 부호가 바뀌므로 $h''(x)$의 부호도 바뀐다.

즉 점 $(a, h(a))$는 곡선 $y=h(x)$의 변곡점이다. (참)

따라서 옳은 것은 ⑤ ㄱ, ㄴ, ㄷ이다. ■

Sub Note 074쪽

유제
057-① 함수 $f(x)=x-\sqrt{1-x^2}\,(-1<x<1)$의 그래프에 대한 보기의 설명 중 옳은 것만을 있는 대로 골라라.

> 보기 ㄱ. 방정식 $f(x)=0$은 서로 다른 두 실근을 갖는다.
> ㄴ. 함수 $f(x)$의 극솟값은 $-\sqrt{2}$이다.
> ㄷ. 함수 $f(x)$의 그래프의 변곡점은 2개이다.

Sub Note 074쪽

유제
057-② 함수 $f(x)=x+\sin x\,(0\le x\le 2\pi)$의 그래프에 대한 보기의 설명 중 옳은 것만을 있는 대로 골라라.

> 보기 ㄱ. 점 (π, π)는 곡선 $y=f(x)$의 변곡점이다.
> ㄴ. 함수 $y=f(x)$의 그래프는 구간 $(0, \pi)$에서 위로 볼록하다.
> ㄷ. $f(\pi)=f(0)+\pi f'(\theta)$를 만족시키는 θ의 값은 $\theta=\dfrac{\pi}{2}$ 또는 $\theta=\dfrac{3}{2}\pi$이다.
> ㄹ. 함수 $f(x)$의 극댓값은 π이다.

05 함수의 최대와 최소

SUMMA CUM LAUDE

ESSENTIAL LECTURE

1 함수의 최대와 최소

함수 $f(x)$가 닫힌구간 $[a, b]$에서 연속이면 이 구간에서 반드시 최댓값과 최솟값을 갖는다. 이때 이 구간
에서 $f(x)$의 극값과 구간의 양 끝점에서의 함숫값 $f(a)$, $f(b)$ 중 가장 큰 값이 최댓값이고, 가장 작은
값이 최솟값이다.

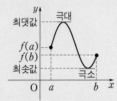 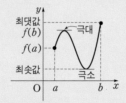 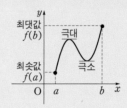

2 함수의 최대 · 최소의 활용

길이, 넓이, 부피 등의 최댓값 또는 최솟값은 다음과 같은 순서로 구한다.

(i) 적당한 변수를 미지수 x로 놓는다. (이때 변수에 제한조건이 있으면 x의 값의 범위를 정한다.)

(ⅱ) 구하고자 하는 값을 미지수 x에 대한 함수로 나타낸다.

(ⅲ) 구간에서의 극값과 구간의 양 끝점에서의 함숫값을 구한다.

(ⅳ) x의 값의 범위에 주의하여 최댓값 또는 최솟값을 구한다.

1 함수의 최대와 최소

어떤 구간에서의 함수의 최댓값 또는 최솟값은 보통 그 구간에서의 그래프를 그려 보면 어렵
지 않게 구할 수 있다. 어떤 구간에서의 함수의 최댓값은 함숫값 중 가장 큰 값을, 최솟값은
함숫값 중 가장 작은 값을 말한다. 일반적으로 함수 $f(x)$가 닫힌구간 $[a, b]$에서 연속이면
이 구간에서 $f(x)$의 극값과 구간의 양 끝점에서의 함숫값
$f(a)$, $f(b)$ 중 가장 큰 값이 최댓값이고, 가장 작은 값이 최솟값
이다. 한편 그래프로 보면 함수의 최댓값과 최솟값은 단순히 가장
높은 점과 가장 낮은 점으로 생각할 수 있다.

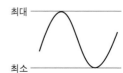

물론 구간과 함수에 따라 최댓값(가장 높은 점)이나 최솟값(가장 낮은 점)이 존재하지 않을 수 있고, 또 둘 다 존재하지 않을 수도 있다. 이때는 존재하는 것만 구하면 되므로 크게 신경 쓸 필요는 없다.

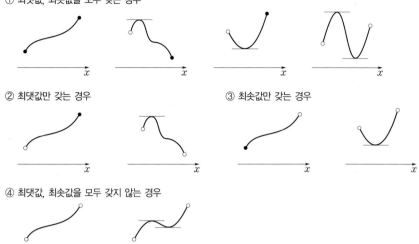

① 최댓값, 최솟값을 모두 갖는 경우

② 최댓값만 갖는 경우

③ 최솟값만 갖는 경우

④ 최댓값, 최솟값을 모두 갖지 않는 경우

함수의 극대, 극소를 구할 수 있으면 증가와 감소를 나타내는 표를 통해 주어진 구간에서 그래프의 개형을 유추할 수 있으므로 최대, 최소도 짐작할 수 있다. 내용적으로 보면 수학Ⅱ에서 배운 내용과 다른 것이 없지만 다항함수와 달리 지수함수나 삼각함수가 포함된 함수들은 그래프 개형을 바로바로 떠올릴 수 없으므로 충분한 연습이 필수이다. 여러 가지 함수의 그래프의 개형을 그리는 것에 익숙해지도록 꾸준히 연습하도록 하자.

EXAMPLE 060 구간 $[-2, 4]$에서 함수 $f(x)=xe^x$의 최댓값과 최솟값을 구하여라.

ANSWER $f'(x)=e^x+xe^x=(1+x)e^x$
$f'(x)=0$에서 $x=-1$
함수 $f(x)$의 증가와 감소를 표로 나타내면 다음과 같다.

x	-2	$\cdots$	-1	$\cdots$	4
$f'(x)$		$-$	0	$+$	
$f(x)$	$-\dfrac{2}{e^2}$	$\searrow$	$-\dfrac{1}{e}$	$\nearrow$	$4e^4$

따라서 함수 $f(x)$는 $x=4$에서 **최댓값 $4e^4$**, $x=-1$에서 **최솟값 $-\dfrac{1}{e}$**을 갖는다. ■

APPLICATION 079 다음 함수에 대하여 주어진 구간에서의 최댓값과 최솟값을 구하여라.

(1) $f(x) = x + \dfrac{1}{x+1} \left(-\dfrac{1}{2} \leq x \leq 2 \right)$　　　　(2) $f(x) = x\sqrt{4 - x^2}\ (-2 \leq x \leq 2)$

(3) $f(x) = x \ln x - 2x\ (1 \leq x \leq e^2)$　　　　(4) $f(x) = x + 2\cos x\ (0 \leq x \leq \pi)$

앞의 **EXAMPLE 060**과 APPLICATION 079에서 확인할 수 있듯이 미분가능한 함수 $f(x)$의 최댓값, 최솟값은 일반적으로 다음과 같이 구할 수 있다.

(1) 주어진 구간이 닫힌구간일 경우
<u>극댓값, 극솟값과 구간의 양 끝점에서의 함숫값 중</u> 가장 큰 값이 최댓값, 가장 작은 값이 최솟값이다.[9]

(2) 주어진 구간이 열린구간일 경우
그래프의 개형을 그린 후, 가장 높은 점과 가장 낮은 점을 찾는다. 이때 가장 높은 점은 극대일 때이거나 존재하지 않는다. 마찬가지로 가장 낮은 점은 극소일 때이거나 존재하지 않는다. 예를 들어 **EXAMPLE 060**에서 구간을 $[-2,\ 4]$에서 $(-2,\ 4)$로 바꾸면 $f(x)$의 최댓값은 존재하지 않게 된다.

② 함수의 최대·최소의 활용

함수의 최댓값과 최솟값을 구하는 것은 최적화 문제에 매우 자주 이용된다. 예를 들어 도형의 넓이나 부피를 최대로 하기 위해 변의 길이를 어떻게 잡아야 할지 또는 이익을 최대로 하기 위해 공장에서 물건을 얼마나 생산해야 할지 등은 함수의 최대·최소 문제로 귀결된다. 문제가 긴 문장으로 주어져 당황할 수도 있으나 다음과 같은 순서로 차근차근 접근해가면 의외로 간단하게 해결할 수 있을 것이다. 문제에 대한 적용은 뒤의 **기본 예제 060**에서 다루도록 하자.

함수의 최대·최소 활용 문제의 해결 순서
(i) 적당한 변수를 미지수 x로 놓는다. (이때 변수에 제한조건이 있으면 x의 값의 범위를 정한다.)
(ii) 구하고자 하는 값을 미지수 x에 대한 함수로 나타낸다.
(iii) 구간에서의 극값과 구간의 양 끝점에서의 함숫값을 구한다.
(iv) x의 값의 범위에 주의하여 최댓값 또는 최솟값을 구한다.

---

[9] 수학Ⅱ의 함수의 연속에서 배웠던 최대·최소 정리를 상기해 보자.
　　　'함수 $f(x)$가 닫힌구간 $[a,\ b]$에서 연속이면 함수 $f(x)$는
　　　　　　이 구간에서 반드시 최댓값과 최솟값을 갖는다.'
　위의 정리에 의하여 미분가능한 연속함수는 닫힌구간에서 반드시 최댓값과 최솟값을 갖게 되고, 그래프를 그려 보면 극댓값, 극솟값과 구간의 양 끝점에서의 함숫값 중에서 결정된다.

치환을 이용한 함수의 최대 · 최소

058 구간 $[0, \pi]$에서 함수 $f(x) = -\cos^3 x + 2\sin^2 x + 4$의 최댓값과 최솟값을 구하여라.

GUIDE 주어진 함수식을 x에 대하여 미분하면 너무 복잡한 식이 나올 것이다. 이럴 때에는 $\cos x = t$로 치환한 후 최댓값, 최솟값을 계산하는 것이 편리하다. 이때 t의 값의 범위를 따지는 것은 필수이니 절대 잊지 말도록 하자.

SOLUTION ─────────────────────

$$f(x) = -\cos^3 x + 2\sin^2 x + 4$$
$$= -\cos^3 x + 2(1 - \cos^2 x) + 4$$
$$= -\cos^3 x - 2\cos^2 x + 6$$

$\cos x = t$로 치환하면 $0 \le x \le \pi$에서 $\qquad -1 \le t \le 1$

주어진 함수를 t에 대한 함수 $g(t)$로 나타내면

$$g(t) = -t^3 - 2t^2 + 6$$
$$\therefore g'(t) = -3t^2 - 4t = -t(3t + 4)$$

$g'(t) = 0$에서 $\qquad t = 0 \; (\because -1 \le t \le 1)$

함수 $g(t)$의 증가와 감소를 표로 나타내면 다음과 같다.

t	-1	$\cdots$	0	$\cdots$	1
$g'(t)$		$+$	0	$-$	
$g(t)$	5	$\nearrow$	6	$\searrow$	3

따라서 함수 $g(t)$의 최댓값이 $g(0) = 6$이고, 최솟값이 $g(1) = 3$이므로 함수 $f(x)$의 **최댓값은 6**이고, **최솟값은 3**이다. ■

Sub Note 075쪽

유제
058-❶ 구간 $\left[\dfrac{1}{e}, \, e^2 \right]$에서 함수 $f(x) = -\dfrac{1}{2}(\ln x^2)^3 + 12\ln 5x - 1$의 최댓값을 M, 최솟값을 m이라

할 때, $M - m$의 값을 구하여라.

함수의 최대·최소를 이용한 미정계수의 결정

059

구간 $[0, \pi]$에서 함수 $f(x)=ax-a\sin 2x\,(a>0)$의 최솟값이 $\dfrac{\pi}{6}-\dfrac{\sqrt{3}}{2}$일 때, 최댓값을 구하여라.

GUIDE 주어진 구간에서의 극값과 구간의 양 끝점에서의 함숫값을 구한 다음, 주어진 최댓값 또는 최솟값을 이용하여 미정계수를 찾는다.

SOLUTION ————————————————————

$f(x)=ax-a\sin 2x$에서

$$f'(x)=a-2a\cos 2x=a(1-2\cos 2x)$$

$f'(x)=0$에서 $\cos 2x=\dfrac{1}{2}$

$$\therefore x=\frac{\pi}{6} \text{ 또는 } x=\frac{5}{6}\pi \ (\because 0\le x\le \pi)$$

함수 $f(x)$의 증가와 감소를 표로 나타내면 다음과 같다.

x	0	$\cdots$	$\dfrac{\pi}{6}$	$\cdots$	$\dfrac{5}{6}\pi$	$\cdots$	π
$f'(x)$		$-$	0	$+$	0	$-$	
$f(x)$	0	$\searrow$	$\dfrac{\pi}{6}a-\dfrac{\sqrt{3}}{2}a$	$\nearrow$	$\dfrac{5}{6}\pi a+\dfrac{\sqrt{3}}{2}a$	$\searrow$	$a\pi$

함수 $f(x)$는 $x=\dfrac{\pi}{6}$에서 극소이고 최솟값을 가지므로

$$f\left(\frac{\pi}{6}\right)=\frac{\pi}{6}a-\frac{\sqrt{3}}{2}a=\frac{\pi}{6}-\frac{\sqrt{3}}{2} \qquad \therefore a=1$$

따라서 $f(x)$의 최댓값은 $\quad f\left(\dfrac{5}{6}\pi\right)=\dfrac{5}{6}\pi a+\dfrac{\sqrt{3}}{2}a=\dfrac{5}{6}\pi+\dfrac{\sqrt{3}}{2}$ ■

Sub Note 075쪽

유제
059-① 함수 $f(x)=\dfrac{ax+b}{x^2+2x+3}$가 $x=1$에서 최댓값 2를 가질 때, 상수 a, b의 값을 구하여라.

유제
059-② 함수 $f(x)=\dfrac{1}{8}x^2-\ln ax$의 최솟값이 0일 때, 양수 a의 값을 구하여라. Sub Note 075쪽

최대·최소의 활용

060 사각형 모양의 철판 세 장을 구입하여 두 장은 원 모양으로 오려 밑면으로 하고, 나머지 한 장은 옆면으로 하여 오른쪽 그림과 같은 원기둥 모양의 통을 만들려고 한다. 철판은 가로와 세로의 길이를 임의로 정해서 직사각형 모양으로 구입할 수 있고, 철판의 가격은 $1m^2$당 3000원이다. 부피가 $64m^3$인 통을 만드는 데 필요한 철판 구입비의 최소 비용을 구하여라.

GUIDE 원기둥의 밑면의 반지름의 길이와 높이에 따라 구입해야 할 철판의 모양이 달라진다. 넓이가 최소일수록 구입 비용도 최소가 되므로 철판의 넓이에 대한 식을 세워 최소가 되는 경우를 찾아보자.

SOLUTION

원기둥 모양의 통의 밑면의 반지름의 길이를 x m, 높이를 y m라 하면 통의 부피가 $64m^3$이어야 하므로

$$\pi x^2 y = 64 \qquad \therefore y = \frac{64}{\pi x^2}$$

구입해야 할 철판의 넓이를 $S(x)$라 하면

$$S(x) = 2 \cdot (2x)^2 + 2\pi x \cdot y = 8x^2 + 2\pi x \cdot \frac{64}{\pi x^2} = 8x^2 + \frac{128}{x}$$

$$\therefore S'(x) = 16x - \frac{128}{x^2} = \frac{16(x^3 - 8)}{x^2} = \frac{16(x-2)(x^2 + 2x + 4)}{x^2}$$

$S'(x) = 0$에서 $x = 2$ $(\because x^2 + 2x + 4 > 0)$

함수 $S(x)$의 증가와 감소를 표로 나타내면 오른쪽과 같다.

x	(0)	$\cdots$	2	$\cdots$
$S'(x)$		$-$	0	$+$
$S(x)$		$\searrow$	96	$\nearrow$

$S(x)$는 $x=2$에서 극소이면서 최소이므로 $S(x)$의 최솟값은

$$S(2) = 96$$

따라서 철판의 가격이 $1m^2$당 3000원이므로 구하는 최소 비용은

$$96 \times 3000 = \mathbf{288000\,(원)} \blacksquare$$

유제

060- 1 오른쪽 그림과 같이 반지름의 길이가 2인 반원에 내접하는 사다리꼴 ABCD가 있다. 이 사다리꼴의 넓이의 최댓값을 구하여라.

Sub Note 075쪽

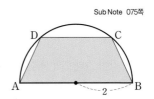

06 방정식과 부등식에의 활용

S U M M A   C U M   L A U D E

ESSENTIAL LECTURE

◼1 방정식에의 활용

함수의 그래프를 이용하여 방정식의 실근의 개수를 조사할 수 있다.

(1) 방정식 $f(x)=0$의 실근의 개수는 함수 $y=f(x)$의 그래프와 x축의 교점의 개수와 같다.

(2) 방정식 $f(x)=g(x)$의 실근의 개수는 두 함수 $y=f(x)$와 $y=g(x)$의 그래프의 교점의 개수와 같다.

◼2 부등식에의 활용

(1) 모든 실수 x에 대하여 부등식 $f(x)>0$이 성립함을 보이려면

➡ 함수 $f(x)$에 대하여 $(f(x)$의 최솟값$)>0$임을 보인다.

(2) 모든 실수 x에 대하여 부등식 $f(x)<0$이 성립함을 보이려면

➡ 함수 $f(x)$에 대하여 $(f(x)$의 최댓값$)<0$임을 보인다.

(3) $x>a$에서 부등식 $f(x)>0$이 성립함을 보이려면

① 함수 $f(x)$의 극값이 존재할 때 ➡ $x>a$에서 $(f(x)$의 최솟값$)>0$임을 보인다.

② 함수 $f(x)$의 극값이 존재하지 않을 때 ➡ $x>a$에서 함수 $f(x)$가 증가하고, $f(a)\geq0$임을 보인다.

◼1 방정식에의 활용 （수능 고빈도 출제）

방정식의 실근과 함수의 그래프 사이에는 다음과 같은 관계가 성립한다.

> **방정식의 실근과 함수의 그래프 사이의 관계**
>
> (1) 방정식 $f(x)=0$의 실근 $\iff$ 함수 $y=f(x)$의 그래프의 x절편
>
> (2) 방정식 $f(x)=g(x)$의 실근 $\iff$ 함수 $y=f(x)$와 함수 $y=g(x)$의 그래프의 교점의 x좌표
>
> $\iff$ 함수 $y=f(x)-g(x)$의 그래프의 x절편

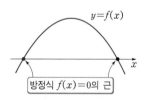

방정식 $f(x)=0$의 근

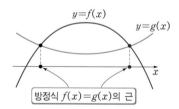

방정식 $f(x)=g(x)$의 근

위와 같이 그래프의 개형을 이용하면 복잡한 형태의 방정식의 실근은 정확하게 구하지 못하더라도 실근의 존재 유무, 개수 등의 정보는 쉽게 알아낼 수 있다.

우리는 이미 앞에서 미분을 이용하여 함수의 그래프의 개형을 그리는 방법을 배웠으니 이를 충분히 활용하면 복잡한 형태의 방정식의 실근의 개수를 조사할 수 있다.

EXAMPLE 061 방정식 $e^x=5x$의 서로 다른 실근의 개수를 구하여라.

ANSWER $e^x=5x$에서 $f(x)=e^x-5x$로 놓으면 주어진 방정식의 실근의 개수는 함수 $f(x)=e^x-5x$의 그래프와 x축의 교점의 개수와 같다.
$f(x)=e^x-5x$에서 $f'(x)=e^x-5$
$f'(x)=0$에서 $x=\ln 5$
함수 $f(x)$의 증가와 감소를 표로 나타내면 오른쪽과 같고
$$\lim_{x\to -\infty} f(x)=\infty, \ \lim_{x\to\infty} f(x)=\infty$$
따라서 $y=f(x)$의 그래프는 오른쪽 그림과 같으므로 주어진 방정식의 서로 다른 실근의 개수는 **2**이다. ■

x	$\cdots$	$\ln 5$	$\cdots$
$f'(x)$	$-$	0	$+$
$f(x)$	$\searrow$	$5(1-\ln 5)$	$\nearrow$

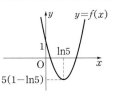

APPLICATION 080 다음 방정식의 서로 다른 실근의 개수를 구하여라. Sub Note 029쪽

(1) $x=3\ln x$ (2) $\sin x-x=0$

한편 x에 대한 방정식 $f(x)=k(k$는 실수$)$의 실근의 개수는 k의 값에 따라 달라지게 된다. 이때 두 함수 $y=f(x)$, $y=k$의 그래프의 교점의 개수가 곧 방정식 $f(x)=k$의 실근의 개수임을 이용하면 k의 값과 실근의 개수 사이의 관계를 파악할 수 있다.

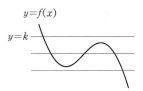

EXAMPLE 062 $0 \le x \le 2\pi$에서 방정식 $x+2\sin x-k=0$이 서로 다른 세 실근을 갖도록 하는 실수 k의 값의 범위를 구하여라.

ANSWER $x+2\sin x-k=0$에서 $x+2\sin x=k$
$f(x)=x+2\sin x$로 놓으면 $f'(x)=1+2\cos x$
$f'(x)=0$에서 $\cos x=-\dfrac{1}{2}$
$\therefore x=\dfrac{2}{3}\pi$ 또는 $x=\dfrac{4}{3}\pi(\because 0 \le x \le 2\pi)$

함수 $f(x)$의 증가와 감소를 표로 나타내면 다음과 같다.

x	0	$\cdots$	$\dfrac{2}{3}\pi$	$\cdots$	$\dfrac{4}{3}\pi$	$\cdots$	2π
$f'(x)$		$+$	0	$-$	0	$+$	
$f(x)$	0	↗	$\dfrac{2}{3}\pi+\sqrt{3}$	↘	$\dfrac{4}{3}\pi-\sqrt{3}$	↗	2π

따라서 $y=f(x)$의 그래프가 오른쪽 그림과 같으므로
함수 $y=f(x)$의 그래프와 직선 $y=k$가 서로 다른 세
점에서 만나려면

$$\frac{4}{3}\pi-\sqrt{3}<k<\frac{2}{3}\pi+\sqrt{3}\ \blacksquare$$

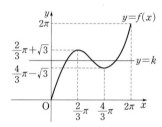

Sub Note 030쪽

APPLICATION **081** 　방정식 $ke^{2x}-e^x+2=0$이 서로 다른 두 실근을 갖도록 하는 실수 k의
값의 범위를 구하여라.

Sub Note 030쪽

APPLICATION **082** 　방정식 $\ln x-kx=0$의 서로 다른 실근의 개수를 실수 k의 값의 범위에
따라 조사하여라.

❷ 부등식에의 활용

함수의 그래프를 이용하여 부등식이 성립함을 보일 수도 있다. 방정식에서와 마찬가지로 극
대, 극소를 이용하여 어떤 구간에서 함수의 최댓값 또는 최솟값을 찾으면 된다.
그럼 어떤 방법으로 부등식이 성립함을 보일 수 있는지 알아보자.

모든 실수 x에 대하여 부등식 $f(x)>0$이 성립함을 보이려면
<u>함수 $f(x)$의 최솟값이 0보다 크다는 것을 보이면 되고,</u>
모든 실수 x에 대하여 부등식 $f(x)<0$이 성립함을 보이려면
<u>함수 $f(x)$의 최댓값이 0보다 작다는 것을 보이면 된다.</u>
또 $x>a$에서 부등식 $f(x)>0$이 성립함을 보이려면
함수 $f(x)$의 극값이 존재하는 경우에는 <u>$x>a$에서 함수 $f(x)$의 최솟값이 0보다 크다는 것</u>
<u>을 보이면 되고,</u>
함수 $f(x)$의 극값이 존재하지 않는 경우에는 <u>$x>a$에서 함수 $f(x)$가 증가하고, $f(a)\geq0$</u>
<u>임을 보이면 된다.</u>

한편 $f(x)>g(x)$ 꼴의 부등식이 성립함을 보이려면 $h(x)=f(x)-g(x)$로 놓고 $h(x)>0$임을 보이면 된다.

(1) 모든 실수에 대하여 성립하는 부등식의 증명
　① 모든 실수 x에 대하여 부등식 $f(x)>0$이 성립함을 보이려면
　　➡ 함수 $f(x)$에 대하여 ($f(x)$의 최솟값)>0임을 보인다.
　② 모든 실수 x에 대하여 부등식 $f(x)<0$이 성립함을 보이려면
　　➡ 함수 $f(x)$에 대하여 ($f(x)$의 최댓값)<0임을 보인다.
(2) 어떤 구간에서 성립하는 부등식의 증명
　$x>a$에서 부등식 $f(x)>0$이 성립함을 보이려면
　① 함수 $f(x)$의 극값이 존재할 때
　　➡ $x>a$에서 ($f(x)$의 최솟값)>0임을 보인다.
　② 함수 $f(x)$의 극값이 존재하지 않을 때
　　➡ $x>a$에서 함수 $f(x)$가 증가하고, $f(a)\geq0$임을 보인다.[⑩] ◀ $f'(x)>0$, $f(a)\geq0$

EXAMPLE 063 $x>-1$일 때, 부등식 $x\geq\ln(1+x)$가 성립함을 보여라.

ANSWER $x\geq\ln(1+x)$에서　　$x-\ln(1+x)\geq0$
$f(x)=x-\ln(1+x)$로 놓고 $f(x)\geq0$임을 보이면 된다.
$f'(x)=1-\dfrac{1}{1+x}=\dfrac{x}{1+x}$이므로 $f'(x)=0$에서　　$x=0$
함수 $f(x)$의 증가와 감소를 표로 나타내면 다음과 같다.

x	(-1)	$\cdots$	0	$\cdots$
$f'(x)$		$-$	0	$+$
$f(x)$		$\searrow$	0	$\nearrow$

이때 $\lim\limits_{x\to-1+}f(x)=\infty$, $\lim\limits_{x\to\infty}f(x)=\infty$이므로
함수 $y=f(x)$의 그래프를 그리면 오른쪽 그림과 같다.
$x>-1$일 때, 함수 $f(x)$의 최솟값은 $f(0)=0$이므로
　　$f(x)\geq0$, 즉 $x-\ln(1+x)\geq0$
따라서 $x>-1$일 때, 부등식 $x\geq\ln(1+x)$가 성립한다. ■

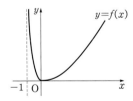

Sub Note 031쪽

APPLICATION 083　모든 실수 x에 대하여 부등식 $e^{-x}\geq-x+1$이 성립함을 보여라.

⑩ $f'(x)$의 부호 판정이 어려운 경우에는 이계도함수 $f''(x)$를 구하여 $f''(x)>0$, $f'(a)\geq0$이면 $x>a$에서 $f'(x)>0$임을 이용한다.

061 방정식 $a^x - x - \dfrac{1}{\ln a} = 0$이 실근을 갖도록 하는 실수 a의 값의 범위가 $\alpha < a \leq \beta$일 때, $\alpha\beta$의 값을 구하여라. (단, $a > 1$)

GUIDE 이 문제는 방정식 $a^x - x - \dfrac{1}{\ln a} = 0$, 즉 $a^x = x + \dfrac{1}{\ln a}$에서 $f(x) = a^x$, $g(x) = x + \dfrac{1}{\ln a}$로 놓은 다음, 두 함수 $y = f(x)$, $y = g(x)$의 그래프가 만나야 함을 이용하여 해결한다.

SOLUTION

방정식 $a^x - x - \dfrac{1}{\ln a} = 0$, 즉 $a^x = x + \dfrac{1}{\ln a}$이 실근을 가지려면

곡선 $y = a^x$과 직선 $y = x + \dfrac{1}{\ln a}$이 만나야 한다.

$f(x) = a^x$, $g(x) = x + \dfrac{1}{\ln a}$로 놓으면

$\qquad f'(x) = a^x \ln a,\ g'(x) = 1$

접점의 x좌표를 t라 하면

$f(t) = g(t)$에서 $\qquad a^t = t + \dfrac{1}{\ln a} \qquad \cdots\cdots \ \bigcirc$

$f'(t) = g'(t)$에서 $\qquad a^t \ln a = 1 \qquad \cdots\cdots \ \bigcirc\!\!\!\!\bigcirc$

㉠을 ㉡에 대입하면

$\qquad \left(t + \dfrac{1}{\ln a}\right)\ln a = 1,\ t + \dfrac{1}{\ln a} = \dfrac{1}{\ln a} \qquad \therefore t = 0$

이때 $f(0) = 1$이므로 곡선과 직선이 만나려면 $g(0) \geq 1$이어야 한다.

즉 $\qquad \dfrac{1}{\ln a} \geq 1,\ \ln a \leq 1 \qquad \therefore 1 < a \leq e\ (\because a > 1)$

따라서 $\alpha = 1$, $\beta = e$이므로 $\qquad \alpha\beta = e$ ■

유제
061-❶ 방정식 $e^{2x} - \dfrac{2}{\sqrt{e}}x - k = 0$이 실근을 갖도록 하는 실수 k의 값의 범위를 구하여라.   Sub Note 076쪽

062 $x>0$일 때, 부등식 $(\ln x)^2-4\ln x+5k+9\geq0$이 성립하도록 하는 실수 k의 최솟값을 구하여라.

GUIDE $f(x)=(\ln x)^2-4\ln x+5k+9$로 놓고 함수 $f(x)$의 증가와 감소를 나타내는 표를 만든 다음, $f(x)$의 최솟값을 구한다.

SOLUTION ─────────────────

$f(x)=(\ln x)^2-4\ln x+5k+9$로 놓으면

$$f'(x)=2\ln x\cdot\frac{1}{x}-\frac{4}{x}=\frac{2\ln x-4}{x}$$

$$=\frac{2(\ln x-2)}{x}$$

$f'(x)=0$에서 $\ln x=2$

  $\therefore x=e^2$

함수 $f(x)$의 증가와 감소를 나타내는 표를 만들면 다음과 같다.

x	(0)	$\cdots$	e^2	$\cdots$
$f'(x)$		$-$	0	$+$
$f(x)$		$\searrow$	$5k+5$	$\nearrow$

$x>0$일 때 함수 $f(x)$는 $x=e^2$에서 극소이면서 최소이고 최솟값 $5k+5$를 가지므로 $x>0$일 때 $f(x)\geq0$이 성립하려면

  $5k+5\geq0$ $\therefore k\geq-1$

따라서 k의 최솟값은 **-1**이다. ■

Sub Note 076쪽

유제
062-❶ $x>0$일 때, 부등식 $e^x>\dfrac{x^2}{4}+x+a$가 성립하도록 하는 실수 a의 최댓값을 구하여라.

Sub Note 077쪽

유제
062-❷ $x>0$일 때, 두 함수 $f(x)=x^2-a$, $g(x)=\cos x$에 대하여 $f(x)>g(x)$가 성립하도록 하는 실수 a의 값의 범위를 구하여라.

07 속도와 가속도

SUMMA CUM LAUDE

ESSENTIAL LECTURE

1 직선 운동에서의 속도와 가속도

수직선 위를 움직이는 점 P의 시각 t에서의 위치 x가 $x=f(t)$일 때, 시각 t에서의 점 P의 속도 $v(t)$와 가속도 $a(t)$는 다음과 같다.

(1) $v(t) = \dfrac{dx}{dt} = f'(t)$

(2) $a(t) = \dfrac{dv}{dt} = f''(t)$

2 평면 운동에서의 속도와 가속도

좌표평면 위를 움직이는 점 $P(x, y)$의 시각 t에서의 위치가 $x=f(t)$, $y=g(t)$일 때,

(1) 속도 : $\left(\dfrac{dx}{dt}, \dfrac{dy}{dt} \right) = (f'(t), g'(t))$

(2) 속력 : $\sqrt{\left(\dfrac{dx}{dt} \right)^2 + \left(\dfrac{dy}{dt} \right)^2} = \sqrt{\{f'(t)\}^2 + \{g'(t)\}^2}$

(3) 가속도 : $\left(\dfrac{d^2x}{dt^2}, \dfrac{d^2y}{dt^2} \right) = (f''(t), g''(t))$

(4) 가속도의 크기 : $\sqrt{\left(\dfrac{d^2x}{dt^2} \right)^2 + \left(\dfrac{d^2y}{dt^2} \right)^2} = \sqrt{\{f''(t)\}^2 + \{g''(t)\}^2}$

1 직선 운동에서의 속도와 가속도

수학 Ⅱ에서 수직선 위를 움직이는 점의 속도와 가속도를 이미 다룬 바 있다. 수학 Ⅱ에서는 주로 점 P의 시각 t에서의 위치를 나타내는 함수가 다항함수일 경우만을 다루었지만 이제 지수함수, 삼각함수 등의 복잡한 함수인 경우도 생각해 볼 수 있다. 이미 접해 보았던 부분이므로 어렵지 않게 문제를 해결할 수 있을 것이다.

수직선 위를 움직이는 점 P의 시각 t에서의 위치 x가 $x=f(t)$일 때, 시각 t에서의 점 P의 속도 $v(t)$와 가속도 $a(t)$는 다음과 같다.

$$v(t) = \frac{dx}{dt} = f'(t), \ a(t) = \frac{dv}{dt} = f''(t)$$

이때 속도의 절댓값 $|v(t)|$를 시각 t에서의 점 P의 속도의 크기 또는 속력이라 하고, 가속도의 절댓값 $|a(t)|$를 가속도의 크기라 한다.

EXAMPLE 064 수직선 위를 움직이는 점 P의 시각 t에서의 위치 $x=f(t)$가

$f(t)=\cos\dfrac{t}{2}+\dfrac{t}{4}$일 때, 다음 물음에 답하여라.

(1) $t=\dfrac{\pi}{2}$에서의 점 P의 속도와 가속도를 구하여라.

(2) 점 P가 처음으로 운동 방향을 바꾸는 시각을 구하여라.

ANSWER　점 P의 시각 t에서의 속도를 $v(t)$, 가속도를 $a(t)$라 하면

$$v(t)=f'(t)=-\frac{1}{2}\sin\frac{t}{2}+\frac{1}{4}\,,\ a(t)=f''(t)=-\frac{1}{4}\cos\frac{t}{2}$$

(1) $t=\dfrac{\pi}{2}$에서의 점 P의 **속도와 가속도**는

$$v\left(\frac{\pi}{2}\right)=-\frac{1}{2}\sin\frac{\pi}{4}+\frac{1}{4}=-\frac{\sqrt{2}}{4}+\frac{1}{4}$$

$$a\left(\frac{\pi}{2}\right)=-\frac{1}{4}\cos\frac{\pi}{4}=-\frac{\sqrt{2}}{8}\ \blacksquare$$

(2) 점 P가 운동 방향을 바꿀 때의 속도는 0이므로 $t=\alpha$에서의 점 P의 속도를 0이라 하면

$$-\frac{1}{2}\sin\frac{\alpha}{2}+\frac{1}{4}=0,\ \sin\frac{\alpha}{2}=\frac{1}{2}$$

이때 $\alpha>0$이므로　$\dfrac{\alpha}{2}=\dfrac{\pi}{6},\ \dfrac{5}{6}\pi,\ \dfrac{13}{6}\pi,\ \cdots$

$$\therefore\ \alpha=\frac{\pi}{3},\ \frac{5}{3}\pi,\ \frac{13}{3}\pi,\ \cdots$$

따라서 점 P가 처음으로 운동 방향을 바꾸는 시각은 $\dfrac{\pi}{3}$이다. $\blacksquare$

Sub Note 031쪽

APPLICATION 084　수직선 위를 움직이는 점 P의 시각 t에서의 위치 $x=f(t)$가
$f(t)=e^{-t}-t-1$일 때, $t=1$에서의 점 P의 속도와 가속도를 구하여라.

Sub Note 032쪽

APPLICATION 085　수직선 위를 움직이는 점 P의 시각 t에서의 위치 $x=f(t)$가
$f(t)=\dfrac{t}{4}+\sin\dfrac{t}{2}$일 때, 점 P의 속력이 처음으로 0이 되는 시각을 구하여라.

❷ 평면 운동에서의 속도와 가속도

이제 직선 위의 점의 운동을 확장하여 평면 위를 움직이는 점의 속도와 가속도에 대하여 알아
보자. 수직선 위를 움직이는 점의 위치를 미분하면 그 점의 속도이듯이 평면 위를 움직이는
점의 위치를 성분별로 미분하면 그 점의 속도가 됨은 당연하다.

좌표평면 위를 움직이는 점 P에 대하여 점 P의 시각 t에서의 위치를 (x, y)라 하면 x, y는 시각 t에 대한 함수 $x=f(t)$, $y=g(t)$로 나타낼 수 있다.

오른쪽 그림과 같이 점 P에서 x축, y축에 내린 수선의 발을 각각 Q, R라 하면 점 P의 움직임에 따라 점 Q는 x축 위에서, 점 R는 y축 위에서 직선 운동을 하고,

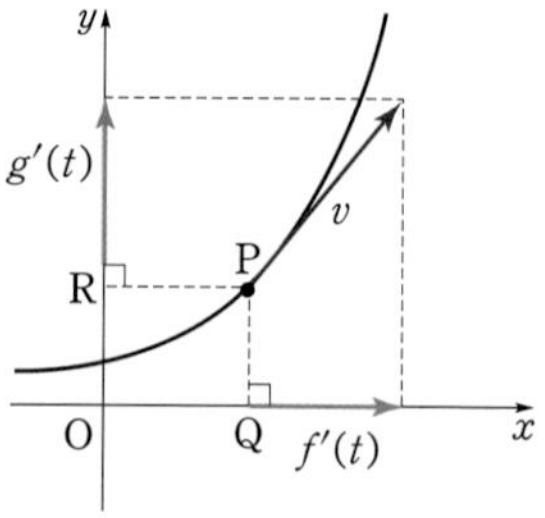

$$x=f(t), \ y=g(t)$$

는 각각 두 점 Q, R의 좌표축 위의 위치를 나타낸다.

따라서 시각 t에서의 점 Q의 속도를 $v_x(t)$, 점 R의 속도를 $v_y(t)$라 하면 점 P의

x축 방향의 속도는 $\quad v_x(t)=\dfrac{dx}{dt}=f'(t)$,

y축 방향의 속도는 $\quad v_y(t)=\dfrac{dy}{dt}=g'(t)$

이다.

이때 순서쌍

$$\left(\frac{dx}{dt}, \ \frac{dy}{dt}\right)=(f'(t), g'(t))$$

를 점 P의 속도라 하고,

$$\sqrt{\{v_x(t)\}^2+\{v_y(t)\}^2}=\sqrt{\left(\frac{dx}{dt}\right)^2+\left(\frac{dy}{dt}\right)^2}=\sqrt{\{f'(t)\}^2+\{g'(t)\}^2}$$

을 점 P의 속력이라 한다.

또한 시각 t에서의 점 Q의 가속도를 $a_x(t)$, 점 R의 가속도를 $a_y(t)$라 하면 점 P의

x축 방향의 가속도는 $\quad a_x(t)=\dfrac{d}{dt}v_x(t)=\dfrac{d^2x}{dt^2}=f''(t)$,

y축 방향의 가속도는 $\quad a_y(t)=\dfrac{d}{dt}v_y(t)=\dfrac{d^2y}{dt^2}=g''(t)$

이다.

이때 순서쌍

$$\left(\frac{d^2x}{dt^2}, \ \frac{d^2y}{dt^2}\right)=(f''(t), g''(t))$$

를 점 P의 가속도라 하고,

$$\sqrt{\{a_x(t)\}^2+\{a_y(t)\}^2}=\sqrt{\left(\frac{d^2x}{dt^2}\right)^2+\left(\frac{d^2y}{dt^2}\right)^2}=\sqrt{\{f''(t)\}^2+\{g''(t)\}^2}$$

을 점 P의 가속도의 크기라 한다.

이상을 정리하면 다음과 같다.

평면 운동에서의 속도와 가속도

좌표평면 위를 움직이는 점 $P(x, y)$의 시각 t에서의 위치가 $x=f(t)$, $y=g(t)$일 때,

(1) 속도 : $\left(\dfrac{dx}{dt}, \dfrac{dy}{dt}\right)=(f'(t), g'(t))$

(2) 속력 : $\sqrt{\left(\dfrac{dx}{dt}\right)^2+\left(\dfrac{dy}{dt}\right)^2}=\sqrt{\{f'(t)\}^2+\{g'(t)\}^2}$

(3) 가속도 : $\left(\dfrac{d^2x}{dt^2}, \dfrac{d^2y}{dt^2}\right)=(f''(t), g''(t))$

(4) 가속도의 크기 : $\sqrt{\left(\dfrac{d^2x}{dt^2}\right)^2+\left(\dfrac{d^2y}{dt^2}\right)^2}=\sqrt{\{f''(t)\}^2+\{g''(t)\}^2}$

EXAMPLE 065 좌표평면 위를 움직이는 점 $P(x, y)$의 시각 t에서의 위치가 $x=t^2+1$, $y=2\ln(t+1)$일 때, 다음 물음에 답하여라.

(1) t시간 후의 점 P의 속도와 가속도를 구하여라.

(2) $t=1$에서의 점 P의 속력과 가속도의 크기를 구하여라.

ANSWER (1) $\dfrac{dx}{dt}=2t$, $\dfrac{dy}{dt}=\dfrac{2}{t+1}$ 이므로

점 P의 **속도**는 $\left(\boldsymbol{2t}, \dfrac{\boldsymbol{2}}{\boldsymbol{t+1}}\right)$

또 $\dfrac{d^2x}{dt^2}=2$, $\dfrac{d^2y}{dt^2}=-\dfrac{2}{(t+1)^2}$ 이므로

점 P의 **가속도**는 $\left(\boldsymbol{2}, -\dfrac{\boldsymbol{2}}{\boldsymbol{(t+1)^2}}\right)$ ■

(2) $t=1$에서의 점 P의 속도는 $(2, 1)$이므로

$t=1$에서의 점 P의 **속력**은 $\sqrt{2^2+1^2}=\sqrt{5}$

$t=1$에서의 점 P의 가속도는 $\left(2, -\dfrac{1}{2}\right)$이므로

$t=1$에서의 점 P의 **가속도의 크기**는 $\sqrt{2^2+\left(-\dfrac{1}{2}\right)^2}=\dfrac{\sqrt{17}}{2}$ ■

Sub Note 032쪽

APPLICATION 086 좌표평면 위를 움직이는 점 $P(x, y)$의 시각 t에서의 위치가 $x=t-\sin t$, $y=1-\cos t$일 때, $t=\dfrac{\pi}{3}$에서의 점 P의 가속도와 가속도의 크기를 구하여라.

063 어느 농구 선수가 지면의 한 지점에서 지면과 $60°$의 각을 이루는 방향으로 공을 던졌다. 이 공을 던진 지점을 원점으로 하고 지면을 x축으로 하는 좌표평면 위에 공의 t초 후의 위치를 점 $P(x, y)$로 나타낼 때, $x=5\sqrt{3}t$, $y=15t-5t^2$인 관계가 성립한다. 다음 물음에 답하여라.

(1) $t=1$에서의 속도와 가속도를 구하여라.

(2) 공이 최고 높이에 도달하는 시각은 공을 던진 지 몇 초 후인지 구하여라.

GUIDE 좌표평면 위를 움직이는 점 $P(x, y)$의 시각 t에서의 위치가 $x=f(t)$, $y=g(t)$일 때,

$$속도 : \left(\frac{dx}{dt}, \frac{dy}{dt}\right), 가속도 : \left(\frac{d^2x}{dt^2}, \frac{d^2y}{dt^2}\right)$$

한편 공이 최고 높이에 도달할 때는 $\frac{dy}{dt}=0$일 때이다.

SOLUTION

(1) $\frac{dx}{dt}=5\sqrt{3}$, $\frac{dy}{dt}=15-10t$이고, $\frac{d^2x}{dt^2}=0$, $\frac{d^2y}{dt^2}=-10$이므로 공의 시각 t에서의 속도는 $(5\sqrt{3}, 15-10t)$, 가속도는 $(0, -10)$이다.

따라서 $t=1$에서의 공의 **속도는 $(5\sqrt{3}, 5)$, 가속도는 $(0, -10)$**이다. ■

(2) 공이 최고 높이에 도달할 때는 $\frac{dy}{dt}=0$일 때이다.

즉 $15-10t=0$에서 $t=1.5$

따라서 공이 최고 높이에 도달하는 시각은 공을 던진 지 **1.5초 후**이다. ■

Sub Note 077쪽

유제
063-1 수직선 위를 움직이는 점 P의 시각 t에서의 위치 $x=f(t)$가 $f(t)=2\sin t-\frac{1}{2}\sin 2t-t$이다. $t=\alpha$일 때 속력이 최대이고, 그때의 속력을 β라 할 때, $\alpha\beta$의 값을 구하여라. (단, $0\leq t\leq 2\pi$)

Sub Note 077쪽

유제
063-2 좌표평면 위를 움직이는 점 $P(x, y)$의 시각 t에서의 위치가 $x=e^t\cos t$, $y=e^t\sin t$이다. 점 P의 속력이 $\sqrt{2}e^2$일 때의 가속도의 크기를 구하여라.

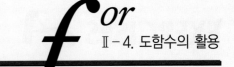
1. 다음 [   ] 안에 적절한 것을 채워 넣어라.

(1) 함수 $f(x)$가 어떤 구간에서 미분가능할 때, 함수 $f(x)$가 이 구간에서 증가하면
[   ]이다.

(2) 미분가능한 함수 $f(x)$가 $x=a$에서 극값을 가지면 [   ]이다.

(3) 함수 $f(x)$가 어떤 구간에서 $f''(x)>0$이면 곡선 $y=f(x)$는 이 구간에서 아래로
[   ]하다.

(4) 함수 $f(x)$에서 $f''(a)=0$이고 $x=a$의 좌우에서 $f''(x)$의 부호가 바뀌면 점
$(a, f(a))$는 곡선 $y=f(x)$의 [   ]이다.

(5) 좌표평면 위를 움직이는 점 $\mathrm{P}(x, y)$의 시각 t에서의 위치가 $x=f(t)$, $y=g(t)$일 때,
속력을 f, g로 표현하면 [   ]이고, 가속도를 f, g로 표현하면
[   ]이다.

2. 다음 문장이 참(true) 또는 거짓(false)인지 결정하고, 그 이유를 설명하거나 적절한 반례를 제시하여라.

(1) 구간 (a, b)에서 미분가능한 함수 $f(x)$가 이 구간에 속하는 $x=c$인 점에서 최댓값 또는 최솟값을 가지면 곡선 $y=f(x)$ 위의 점 $(c, f(c))$에서의 접선의 기울기는 0 이다.

(2) 미분가능한 함수 $f(x)$에 대하여 $f''(a)=0$이면 점 $(a, f(a))$는 변곡점이다.

3. 다음 물음에 대한 답을 간단히 서술하여라.

(1) 삼차함수 $y=f(x)$가 $x=a$, $x=b$에서 극값을 가지면 $f''\left(\dfrac{a+b}{2}\right)=0$임을 설명하여라.

(2) 이계도함수를 갖는 함수 $f(x)$에 대하여
    '$f''(a)>0$이면 $f(x)$는 $x=a$에서 극소이다.'
    의 역이 성립하지 않음을 예를 들어 설명하여라. (단, $f'(a)=0$)

EXERCISES

Sub Note 147쪽

접선의 방정식 **01** 오른쪽 그림과 같이 곡선 $\sqrt{x}+2\sqrt{y}=4$ 위의 점 $(4,\ 1)$에서의 접선이 x축, y축과 만나는 점을 각각 A, B라 할 때, 삼각형 OAB의 넓이를 구하여라.

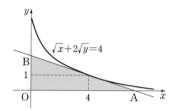

접선의 방정식 **02** 서술형 곡선 $y=\ln x$ 위의 점 $(a,\ \ln a)$에서의 접선이 원 $x^2+y^2=1$의 넓이를 이등분할 때, 양수 a의 값을 구하여라.

접선의 방정식 **03** 함수 $y=2\sqrt{x-2}$의 그래프를 x축의 방향으로 m만큼, y축의 방향으로 n만큼 평행이 동시키면 직선 $x-2y+3=0$에 접한다고 할 때, $m-2n$의 값은?

① -1 ② 1 ③ 3 ④ 5 ⑤ 7

함수의 증가와 감소 **04** 함수 $f(x)=e^{2x}-2ex^2+kx$가 실수 전체의 집합에서 증가하도록 하는 실수 k의 값의 범위를 구하여라.

함수의 극대와 극소 **05** 함수 $f(x)=e^x-ax$의 극솟값이 $-a$일 때, 양수 a의 값은?

① $\dfrac{1}{2}e$ ② e ③ e^2 ④ $3e^2$ ⑤ $5e^2$

06 함수의 극대와 극소

함수 $f(x) = \dfrac{a}{\pi}\sin \pi x + bx + c$가 $x=2$에서 극값을 갖고, $\displaystyle\lim_{x \to -1} \dfrac{f(x)}{x^2-1} = \dfrac{1}{2}$을 만족 시킬 때, 실수 a, b, c에 대하여 $a+b+2c$의 값을 구하여라.

07 함수의 극대와 극소

구간 $(0,\ a)$에서 함수 $f(x) = \sin^2 3x + 2$가 극값을 갖지 않는다고 할 때, 가능한 실수 a의 최댓값을 구하여라.

08 변곡점

함수 $f(x) = ax^3 + (4a-1)x^2 - bx + c$의 그래프는 점 $(1,\ 4)$를 지나고, y절편이 1 이라 한다. 곡선 $y = f(x)$의 변곡점의 x좌표가 -1일 때, 상수 a, b, c에 대하여 $a+b+c$의 값을 구하여라.

09 함수의 그래프

함수 $f(x) = \dfrac{a+x^3}{e^x}$의 그래프에서 변곡점의 좌표가 $(2,\ f(2))$일 때, 이 함수의 최댓값을 구하여라.

10 함수의 그래프

함수 $y = f(x)$의 도함수 $y = f'(x)$의 그래프 가 오른쪽 그림과 같을 때, 보기에서 옳은 것 만을 있는 대로 골라라.

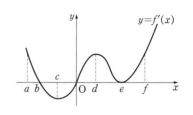

보기 ㄱ. 곡선 $y = f(x)$는 구간 $(c,\ d)$에서 아래로 볼록하다.
ㄴ. 구간 $[a,\ f]$에서 함수 $f(x)$는 2개의 극값을 갖는다.
ㄷ. 구간 $[a,\ f]$에서 곡선 $y = f(x)$의 변곡점은 2개이다.

11 구간 $[-\pi,\ \pi]$에서 함수 $f(x)=2^{\sin x}+2^{-\sin x}$의 최댓값과 최솟값을 구하여라.

12 방정식 $3^{3x}-2\cdot3^{2x+1}+3^{x+2}=2^a$이 서로 다른 세 실근을 갖도록 하는 실수 a의 값의 범위를 구하여라.

13 $x>0$인 모든 실수 x에 대하여 부등식 $\cos x>k-2x$가 성립할 때, 실수 k의 값의 범위를 구하여라.

14 수직선 위를 움직이는 점 P의 시각 t에서의 위치 $x=f(t)$가 $f(t)=k\sin 2t+2\cos 2t$이다. $t=\dfrac{3}{8}\pi$에서의 점 P의 속도가 $\sqrt{2}$일 때, $t=\dfrac{3}{8}\pi$에서의 점 P의 가속도를 구하여라. (단, k는 상수)

15 좌표평면 위를 움직이는 점 $P(x,\ y)$의 시각 $t\,(t>0)$에서의 위치가 $x=\ln t-t^2$, $y=2\sqrt{2}\,t$일 때, 점 P의 속력이 최소가 되는 시각에서의 점 P의 가속도의 크기를 구하여라.

Sub Note 152쪽

01 매개변수로 나타내어진 곡선

$$x=\cos\theta+\theta\sin\theta,\ y=\sin\theta-\theta\cos\theta$$

에 대하여 $\theta=\dfrac{\pi}{6}$ 일 때, 이 곡선 위의 점 P에서의 접선을 l이라 하자. 점 P를 지나고 접선 l에 수직인 직선이 원 $x^2+y^2=r^2$에 접할 때, 양수 r의 값은?

① 1　　　　② 2　　　　③ 3　　　　④ 4　　　　⑤ 5

02 실수 k에 대하여 함수 $f(x)$는 $f(x)=\begin{cases} x^2+k & (x\le 2) \\ \ln(x-2) & (x>2) \end{cases}$ 이다. 실수 t에 대하여 직선 $y=x+t$와 함수 $y=f(x)$의 그래프가 만나는 점의 개수를 $g(t)$라 하자. 함수 $g(t)$가 $t=a$에서 불연속인 a의 값이 한 개일 때, k의 값은?　　　[평가원 기출]

① -2　　　② $-\dfrac{9}{4}$　　　③ $-\dfrac{5}{2}$　　　④ $-\dfrac{11}{4}$　　　⑤ -3

03 함수 $f(x)=\sin x+x$에 대하여 함수 $g(x)$를 $g(x)=f(f(x))$로 정의할 때, 보기에서 옳은 것만을 있는 대로 고른 것은?

> 보기　ㄱ. 함수 $g(x)$는 실수 전체에서 감소한다.
> 　　　ㄴ. $0<x<\pi$에서 함수 $g(x)$의 그래프는 위로 볼록하다.
> 　　　ㄷ. 정수 n에 대하여 $(n-1)\pi<x<n\pi$에서 $g'(x)=1$을 만족시키는 실수 x가 적어도 하나 존재한다.

① ㄱ　　　② ㄷ　　　③ ㄱ, ㄴ　　　④ ㄴ, ㄷ　　　⑤ ㄱ, ㄴ, ㄷ

04 임의의 실수 a, $b(a<b)$에 대하여 부등식 $f(b) \geq f'(a)(b-a)+f(a)$를 만족시키고 이계도함수가 존재하는 함수 $y=f(x)$가 있다. 이때 함수 $y=f(x)$의 그래프로 가장 적당한 것은?

①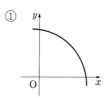

②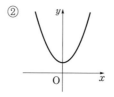

③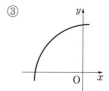

④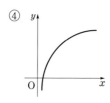

⑤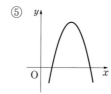

05 서술형 두 곡선 $y=e^x$, $y=e^{-x}$ 위의 두 점을 꼭짓점으로 하고, 한 변이 x축 위에 있는 직사각형을 만들 때, 이 직사각형의 최대 넓이를 구하여라.

(단, 직사각형의 꼭짓점의 y좌표는 1보다 작다.)

06 양의 실수 전체의 집합에서 정의된 함수 $f(x)=e^x+\dfrac{1}{x}$ 이 $x=a$에서 극값을 가질 때, 보기에서 옳은 것만을 있는 대로 고른 것은?

> 보기
>
> ㄱ. $e^a=\dfrac{1}{a^2}$
>
> ㄴ. $y=f(x)$의 그래프의 변곡점은 2개이다.
>
> ㄷ. $f(x)$는 $x=a$에서 최댓값을 갖는다.

① ㄱ   ② ㄴ   ③ ㄱ, ㄴ   ④ ㄱ, ㄷ   ⑤ ㄱ, ㄴ, ㄷ

07 2 이상의 자연수 n에 대하여 실수 전체의 집합에서 정의된 함수

$$f(x) = e^{x+1}\{x^2 + (n-2)x - n + 3\} + ax$$

가 역함수를 갖도록 하는 실수 a의 최솟값을 $g(n)$이라 하자. $1 \le g(n) \le 8$을 만족시키는 모든 n의 값의 합은? [평가원 기출]

① 43　　　② 46　　　③ 49　　　④ 52　　　⑤ 55

08 함수 $f(x) = \dfrac{x - \dfrac{1}{2}}{(x^2 - 2x + 2)^2}$ 에 대한 다음 보기의 설명 중 옳은 것만을 있는 대로 골라라.

> **보기**
>
> ㄱ. 함수 $f(x)$의 최댓값은 $\dfrac{1}{12}$이다.
>
> ㄴ. 곡선 $y = f(x)$ 위의 점 $\left(1, \dfrac{1}{2}\right)$에서의 접선과 원점 사이의 거리는 $\dfrac{\sqrt{2}}{4}$이다.
>
> ㄷ. 방정식 $f(x) = f(15)$의 서로 다른 실근의 개수는 2이다.

09 좌표평면 위의 점 $(1, 4)$를 출발점으로 하여 곡선 $xy = 4$ 위를 움직이는 점 P가 있다. 점 P에서 x축에 내린 수선의 발을 Q라 하자. 점 P의 움직임에 따라 점 Q가 매초 1의 일정한 속력으로 이동할 때, 점 P가 점 $(4, 1)$을 지나는 순간 점 P의 가속도의 크기를 구하여라.

10 수직선 위를 움직이는 두 점 P, Q의 시각 $t\,(t > 0)$에서의 위치가 각각 $f(t) = 3e^t$, $g(t) = 3at^2$이다. 두 점 P, Q의 속도가 같아지는 순간이 한 번뿐일 때, 실수 a의 값을 구하여라.

내신·모의고사 대비 TEST　450쪽

Chapter II Exercises

S U M M A   C U M   L A U D E

난이도 ■ : 중 ■■ : 중상 ■■■ : 상

Sub Note 156쪽

■□□
01 극한값이 존재하는 것만을 보기에서 있는 대로 골라라.

> 보기
> ㄱ. $\lim\limits_{x \to -\infty} \dfrac{1}{1-2^{\frac{1}{x}}}$ ㄴ. $\lim\limits_{x \to 0} \dfrac{x}{1+3^{\frac{1}{x}}}$ ㄷ. $\lim\limits_{x \to 1+} \dfrac{x}{\log_5 x}$

■□□
02 $\lim\limits_{x \to 0+} \dfrac{\ln\left(\dfrac{2}{x}+4\right)}{\ln\left(\dfrac{4}{x}+2\right)}$ 의 값은?

① 0   ② $\dfrac{1}{2}$ ③ 1   ④ 2   ⑤ 3

■□□
03 함수 $f(x)=x^2(\ln x+1)$ 에 대하여 $\lim\limits_{x \to 1} \dfrac{f(x)-1}{x^3-1}$ 의 값은?

① -3 ② -1 ③ 1   ④ 2   ⑤ 3

■□□
04 $\lim\limits_{x \to 0} \dfrac{1}{x}(e^x+e^{2x}+e^{3x}+\cdots+e^{999x}-999)$ 의 값을 구하여라.

05 함수 $f(x) = \sqrt{\left(\dfrac{2019}{2}\csc x\right)^2 + \left(\dfrac{2021}{2}\sec x\right)^2}$ 의 최솟값을 m이라 할 때, $\dfrac{m+2}{6}$ 의 값을 구하여라.

06 오른쪽 그림과 같이 중심이 P이고 반지름의 길이가 1인 단위원에 접하는 부채꼴 OAB를 그린 다음, 다시 중심이 O이고 원 P에 접하는 부채꼴 OCD를 그린다. 부채꼴 OAB의 중심각의 크기가 2θ일 때, 색칠한 부분의 넓이를 $S(\theta)$라 하자. $\displaystyle\lim_{\theta \to 0} S(\theta)$의 값은?

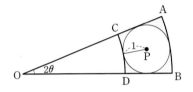

① $5-\pi$　　② $4-\pi$　　③ $\pi-3$　　④ $\pi-2$　　⑤ $\pi-1$

07 오른쪽 그림과 같이 중심이 원점이고 반지름의 길이가 r인 반원 C와 두 점 A$(r, 0)$, B$(-r, 0)$이 있다. 직선 $y=mx\,(m>0)$와 반원 C의 제1사분면에서의 교점을 P, 부채꼴 OAP의 넓이를 $f(m)$, 점 P와 점 B$(-r, 0)$을 연결한 직선 l이 y축과 만나는 점을 Q라 할 때, 삼각형 OPQ의 넓이를 $g(m)$이라 하자.

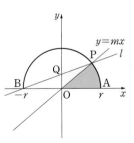

$\displaystyle\lim_{m \to 0+} \dfrac{f(m)}{g(m)}$의 값은?

① $\dfrac{1}{2}$　　② $\dfrac{\sqrt{2}}{2}$　　③ 1　　④ $\sqrt{2}$　　⑤ 2

08 함수 $f(x)=\sin x-\sqrt{3}\cos x$에 대하여 $f'(a)=\sqrt{2}$를 만족시키는 a의 값은?

$$\left(\text{단, } 0\leq a\leq \frac{\pi}{2}\right)$$

① $\dfrac{\pi}{12}$ ② $\dfrac{\pi}{6}$ ③ $\dfrac{\pi}{4}$ ④ $\dfrac{\pi}{3}$ ⑤ $\dfrac{\pi}{2}$

09 함수 $f(x)=\begin{cases} e^x & (x\leq 1) \\ a\sin \pi x-b & (x>1)\end{cases}$ 가 $x=1$에서 미분가능할 때, 상수 a, b의 값을 구하여라.

10 두 함수 $f(x)=\ln x$, $g(x)=x\sqrt{x}$에 대하여 함수 $(f^{-1}\circ g)(x)$의 $x=1$에서의 미분계수를 구하여라.

11 함수 $f(x)=(x+1)^{\frac{3}{2}}$과 실수 전체의 집합에서 미분가능한 함수 $g(x)$에 대하여 함수 $h(x)$를

$$h(x)=(g\circ f)(x)$$

라 하자. $h'(0)=21$일 때, $g'(1)$의 값은?

① 11   ② 12   ③ 13   ④ 14   ⑤ 15

■■□

12 실수 전체의 집합에서 증가하고 미분가능한 함수 $f(x)$가 있다. 곡선 $y=f(x)$ 위의 점 $(2, 1)$에서의 접선의 기울기는 1이다. 함수 $f(2x)$의 역함수를 $g(x)$라 할 때, 곡선 $y=g(x)$ 위의 점 $(1, a)$에서의 접선의 기울기는 b이다. $10(a+b)$의 값을 구하여라.

[평가원 기출]

■□□

13 곡선 $y=e^{3-x}$ 위의 점 $(2, e)$에서의 접선과 x축 및 y축으로 둘러싸인 도형의 넓이를 구하여라.

■■□

14 양의 실수 전체의 집합에서 미분가능한 함수 $f(x)$에 대하여 함수 $g(x)$를
$$g(x)=2f(x)\ln x^2$$
이라 하자. 곡선 $y=f(x)$ 위의 점 $(e, -e)$에서의 접선과 곡선 $y=g(x)$ 위의 점 $(e, -4e)$에서의 접선이 서로 수직일 때, $f'(e)$의 값을 구하여라.

■□□

15 매개변수로 나타낸 함수 $x=t^2\cos t$, $y=e^t\sin t$가 있다. $t=\pi$인 점에서의 접선이 y축과 만나는 점의 좌표를 $(0, k)$라 할 때, k의 값은?

① $\frac{1}{2}\pi e$ ② $\frac{1}{2}\pi^2 e^{2\pi}$ ③ $\frac{1}{2}\pi^2 e^{\pi}$ ④ $\frac{1}{2}\pi e^{2\pi}$ ⑤ $\frac{1}{2}\pi e^{\pi}$

16 ■□□ 함수 $f(x)=\sin^2 x+\cos x+3$의 역함수 $g(x)$에 대하여 $y=g(x)$ 위의 점 $\left(4, \dfrac{\pi}{2}\right)$ 에서의 접선의 방정식을 구하여라.

17 ■□□ 함수 $f(x)=\dfrac{1}{2}x^2-a\ln x \ (a>0)$의 극솟값이 0일 때, 상수 a의 값을 구하여라.

18 ■□□ 곡선 $y=\left(\ln\dfrac{1}{ax}\right)^2$의 변곡점이 직선 $y=4x$ 위에 있을 때, 양수 a의 값을 구하여라.

19 ■■■ 다음 그림과 같이 $\overline{AB}=2$, $\overline{AD}=2\sqrt{3}$인 직사각형 ABCD가 있다. 선분 BC 위의 점 P에 대하여 선분 AP의 수직이등분선이 두 직선 AB, AD와 만나는 점을 각각 Q, R 라 하자. 선분 QR의 길이의 최솟값이 k일 때, $4k^2$의 값을 구하여라. (단, 점 P는 점 B 가 아니다.)

[교육청 기출]

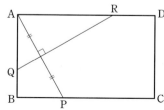

20 정의역이 $\{x \mid 0 \leq x \leq \pi\}$인 함수 $f(x)=2x\cos x$에 대하여 옳은 것만을 보기에서 있는 대로 고른 것은? [수능 기출]

보기

ㄱ. $f'(a)=0$이면 $\tan a=\dfrac{1}{a}$이다.

ㄴ. 함수 $f(x)$가 $x=a$에서 극댓값을 가지는 a가 구간 $\left(\dfrac{\pi}{4}, \dfrac{\pi}{3}\right)$에 있다.

ㄷ. 구간 $\left[0, \dfrac{\pi}{2}\right]$에서 방정식 $f(x)=1$의 서로 다른 실근의 개수는 2이다.

① ㄱ　　　　② ㄷ　　　　③ ㄱ, ㄴ
④ ㄴ, ㄷ　　　⑤ ㄱ, ㄴ, ㄷ

21 두 함수 $f(x)=2\sin^2 x+4\cos x+k$, $g(x)=2\cos^2 x+1$에 대하여 구간 $(0, \pi)$에서 부등식 $f(x) \leq g(x)$가 성립하도록 하는 실수 k의 최댓값은?

① -1　　② -2　　③ -3　　④ -4　　⑤ -5

22 수직선 위를 움직이는 두 점 P, Q의 시각 t에서의 위치가 각각
$$x_\mathrm{P}=\ln(t^2-3t+4), \quad x_\mathrm{Q}=t^2-kt$$
이다. 두 점 P, Q가 서로 반대 방향으로 움직이는 시각 t의 범위가 $\dfrac{3}{2}<t<2$일 때, 실수 k의 값은?

① 2　　② $\dfrac{5}{2}$　　③ 3　　④ $\dfrac{7}{2}$　　⑤ 4

내신 · 모의고사 대비 TEST　464쪽

Chapter II Advanced Lecture

S U M M A   C U M   L A U D E

TOPIC (1) 도형을 이용한 삼각함수의 덧셈정리의 증명

삼각함수의 덧셈정리를 증명하는 방법들은 매우 다양하다. 여기서는 직각삼각형을 이용한 증명 방법을 살펴보도록 하자.

⑴ 사인함수와 코사인함수의 덧셈정리

① 직각삼각형 ABC에서 $\angle BCA=\alpha$, $\angle DAE=\beta$, $\overline{AD}=1$이라 하고, 점 D에서 변 AC에 내린 수선의 발을 E라 하자. 오른쪽 그림에서

$$\sin\alpha=\frac{\sin(\alpha+\beta)}{\cos\beta+\dfrac{\sin\beta\cos\alpha}{\sin\alpha}}$$

$$=\frac{\sin\alpha\sin(\alpha+\beta)}{\sin\alpha\cos\beta+\sin\beta\cos\alpha}$$

즉 $$1=\frac{\sin(\alpha+\beta)}{\sin\alpha\cos\beta+\sin\beta\cos\alpha}$$

$$\therefore\ \sin(\alpha+\beta)=\sin\alpha\cos\beta+\cos\alpha\sin\beta$$

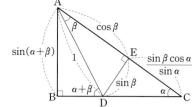

② 직각삼각형 ABC에서 $\angle BAD=\beta$, $\angle BCA=\alpha$, $\overline{AD}=1$이라 하고, 점 D에서 변 AC에 내린 수선의 발을 E라 하자. 오른쪽 그림에서

$$\tan\alpha=\frac{\cos\beta}{\sin\beta+\dfrac{\cos(\alpha+\beta)}{\sin\alpha}}$$

$$=\frac{\sin\alpha\cos\beta}{\sin\alpha\sin\beta+\cos(\alpha+\beta)}$$

즉 $$\frac{\sin\alpha}{\cos\alpha}=\frac{\sin\alpha\cos\beta}{\sin\alpha\sin\beta+\cos(\alpha+\beta)}$$

$$\sin\alpha\sin\beta+\cos(\alpha+\beta)=\cos\alpha\cos\beta$$

$$\therefore\ \cos(\alpha+\beta)=\cos\alpha\cos\beta-\sin\alpha\sin\beta$$

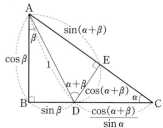

(2) 탄젠트함수의 덧셈정리

① 직각삼각형 ABC에서 변 BC의 연장선 위의 점 F
에서 변 AB에 내린 수선의 발을 E, 선분 AC와
EF의 교점을 D라 하자.

이때 $\angle ABC = \alpha$, $\angle DBC = \beta$, $\overline{BC} = 1$이라 하면
오른쪽 그림에서와 같이

$$\triangle BEF \backsim \triangle DEA(\text{AA닮음})$$

이므로 $\dfrac{\overline{DE}}{\overline{BE}} = \dfrac{\overline{DA}}{\overline{BF}}$ 이다.

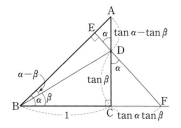

$$\therefore \tan(\alpha - \beta) = \frac{\overline{DE}}{\overline{BE}} = \frac{\overline{DA}}{\overline{BF}}$$

$$= \frac{\tan\alpha - \tan\beta}{1 + \tan\alpha\tan\beta}$$

② 오른쪽 그림과 같이 삼각형 ABC의 세 꼭짓점 A, B, C에서
각 대변에 내린 수선의 발을 각각 H, D, E라 하고

$$\overline{AH} = 1, \ \angle CAH = \alpha, \ \angle BAH = \beta$$

$$\left(\text{단, } 0 < \alpha < \frac{\pi}{2}, \ 0 < \beta < \frac{\pi}{2}\right)$$

라 하면 $\triangle OAD \backsim \triangle OBH(\text{AA닮음})$이므로 $\angle OBH = \alpha$이다.

그러면 $\overline{BH} = \tan\beta$이므로 $\overline{OH} = \overline{BH}\tan\alpha = \tan\alpha\tan\beta$이고

$$\overline{OE} = \overline{OA}\sin\beta = (1 - \tan\alpha\tan\beta)\sin\beta$$

한편 $\triangle BAH \backsim \triangle BCE(\text{AA닮음})$이므로 $\angle BCE = \beta$가 된다. 그러므로

$$\overline{BE} = \overline{CB}\sin\beta = (\tan\alpha + \tan\beta)\sin\beta$$

그런데 $\triangle BAD \backsim \triangle BOE(\text{AA닮음})$이므로 $\angle BOE = \alpha + \beta$가 된다.

$$\therefore \tan(\alpha + \beta) = \frac{\overline{BE}}{\overline{OE}} = \frac{\tan\alpha + \tan\beta}{1 - \tan\alpha\tan\beta}$$

TOPIC (2) 로피탈의 정리

부정형의 극한을 쉽게 계산하는 한 방법으로 로피탈의 정리가 있다. 이 로피탈의 정리는 함수의 극한을 구하는 데 사용할 수 있는 강력한 도구이다. 하지만 제한 조건으로 인해 이를 확인하지 않고 사용하다가는 잘못된 답이 나오기도 한다.

비록 로피탈의 정리와 그 증명이 교육과정에 포함되어 있지는 않지만 고등과정에서 다루는 극한 문제에는 큰 무리없이 로피탈의 정리를 이용할 수 있어 소개한다.

기억할 것은 모든 경우에 로피탈의 정리를 사용할 수 있는 것이 아니라는 점이다.

일반적으로 $x \longrightarrow a$일 때, $f(x) \longrightarrow 0$이고, $g(x) \longrightarrow 0$이면 $\lim\limits_{x \to a} \dfrac{f(x)}{g(x)}$의 극한은 존재할 수도 있고, 존재하지 않을 수도 있다.

이때 이 형태를 $\dfrac{\mathbf{0}}{\mathbf{0}}$ 꼴의 부정형이라 하는데 수학Ⅱ에서 이미 다루었다.

또한 일반적으로 $x \longrightarrow a$일 때, $f(x) \longrightarrow \infty$(또는 $-\infty$) 이고, $g(x) \longrightarrow \infty$(또는 $-\infty$)이면 $\lim\limits_{x \to a} \dfrac{f(x)}{g(x)}$의 극한은 존재할 수도 있고, 존재하지 않을 수도 있다.

이때 이 형태를 $\dfrac{\infty}{\infty}$ 꼴의 부정형이라 하는데 이 형태 역시 수학Ⅱ에서 다루었다.

이처럼 $\dfrac{0}{0}$ 꼴, $\dfrac{\infty}{\infty}$ 꼴의 부정형의 극한을 구할 때에는 일반적으로 주어진 함수의 형태를 변형해야 한다. 그런데 편리하게도 미분을 이용하여 극한값을 구할 수 있는 방법이 있는데 그것이 바로 **로피탈의 정리**(L'Hopital's rule)이다.

로피탈의 정리는 간단히 말해서 $\dfrac{0}{0}$ 꼴, $\dfrac{\infty}{\infty}$ 꼴의 부정형의 극한을 해결할 때

분자와 분모를 각각 미분하여 값을 구하는 방법이다.

로피탈의 정리를 이용하면 $\dfrac{0}{0}$ 꼴의 부정형이지만 위의 방법으로 구할 수 없는 $\lim\limits_{x \to 1} \dfrac{\ln x}{x-1}$와 같은 식의 극한도 구할 수 있게 된다.

그럼 로피탈의 정리와 그 증명에 대해 본격적으로 살펴보도록 하자.

$x \to a$일 때, $\dfrac{0}{0}$ 꼴의 부정형에 대해서 로피탈의 정리는 다음과 같이 성립한다.

$\dfrac{0}{0}$ 꼴의 부정형의 로피탈의 정리

함수 $f(x)$와 $g(x)$가 x_0을 포함하는 열린구간 (a, b)에서 미분가능하고 $f(x_0)=g(x_0)=0$이라 하자. 또한 $x=x_0$을 제외한 열린구간 (a, b) 안의 모든 점에서 $g'(x)\neq 0$이라 하자.

이때 $\lim\limits_{x \to x_0}\dfrac{f'(x)}{g'(x)}$ 가 존재한다면 $\lim\limits_{x \to x_0}\dfrac{f(x)}{g(x)}=\lim\limits_{x \to x_0}\dfrac{f'(x)}{g'(x)}$ 이다.

[**증명**] 먼저 $x_0 < x < b$인 x에 대하여 $g'(x)\neq 0$이다. 또한 함수 $f(x)$와 $g(x)$가 닫힌구간 $[x_0, x]$에서 연속이고 열린구간 (x_0, x)에서 미분가능하며 이 구간 안의 모든 x에 대하여 $g'(x)\neq 0$이므로 코시의 평균값 정리[1]를 적용할 수 있다. 즉

$$\frac{f(x)-f(x_0)}{g(x)-g(x_0)}=\frac{f'(c)}{g'(c)}$$

인 c가 (x_0, x) 안에 적어도 하나 존재한다. 그런데 조건에 의해 $f(x_0)=g(x_0)=0$이므로

$$\frac{f(x)}{g(x)}=\frac{f'(c)}{g'(c)}$$

$x \to x_0 +$ 일 때 $x_0 < c < x$이므로 $\qquad c \to x_0 +$

$$\therefore \lim_{x \to x_0+}\frac{f(x)}{g(x)}=\lim_{c \to x_0+}\frac{f'(c)}{g'(c)}=\lim_{x \to x_0+}\frac{f'(x)}{g'(x)} \qquad \cdots\cdots \ \ominus$$

마찬가지 방법으로 $x \to x_0 -$ 일 때 $x < c < x_0$이므로 $\qquad c \to x_0 -$

$$\lim_{x \to x_0-}\frac{f(x)}{g(x)}=\lim_{c \to x_0-}\frac{f'(c)}{g'(c)}=\lim_{x \to x_0-}\frac{f'(x)}{g'(x)} \qquad \cdots\cdots \ \bigcirc$$

$\ominus$, $\bigcirc$으로부터 $\lim\limits_{x \to x_0}\dfrac{f'(x)}{g'(x)}$ 가 존재한다면

$$\lim_{x \to x_0}\frac{f(x)}{g(x)}=\lim_{x \to x_0}\frac{f'(x)}{g'(x)}$$

임을 알 수 있다.

---

❶ 코시의 평균값 정리(Cauchy's Mean Value Theorem)

함수 $f(x)$와 $g(x)$가 닫힌구간 $[a, b]$에서 연속이고 열린구간 (a, b)에서 미분가능하며 구간의 모든 점에서 $g'(x)\neq 0$이라 하면

$$\frac{f(b)-f(a)}{g(b)-g(a)}=\frac{f'(c)}{g'(c)}$$

를 만족하는 c가 열린구간 (a, b) 안에 적어도 하나 존재한다.

$\dfrac{\pm\infty}{\pm\infty}$ 꼴의 부정형의 로피탈의 정리

함수 $f(x)$와 $g(x)$가 x_0을 포함하는 열린구간 (a, b)에서 미분가능하고 $\displaystyle\lim_{x\to x_0} f(x)=\pm\infty$이며 $\displaystyle\lim_{x\to x_0} g(x)=\pm\infty$라 하자. 또한 $x=x_0$을 제외한 열린구간 (a, b)의 모든 점에서 $g'(x)\neq 0$이라 하자. 이때 $\displaystyle\lim_{x\to x_0}\dfrac{f'(x)}{g'(x)}$가 존재한다면 $\displaystyle\lim_{x\to x_0}\dfrac{f(x)}{g(x)}=\lim_{x\to x_0}\dfrac{f'(x)}{g'(x)}$ 이다.

위에서 말한 $\dfrac{0}{0}$ 꼴, $\dfrac{\pm\infty}{\pm\infty}$ 꼴의 부정형의 로피탈의 정리는 좌극한이나 우극한에 대해서도 성립한다.

또한 $x\to\infty$일 때, $\dfrac{0}{0}$ 꼴, $\dfrac{\pm\infty}{\pm\infty}$ 꼴의 부정형에 대해서도 로피탈의 정리는 다음과 같이 성립한다.

$x\to\infty$일 때, 부정형의 로피탈의 정리

함수 $f(x)$, $g(x)$가 구간 (a, ∞)에서 미분가능하고, $\displaystyle\lim_{x\to\infty} f(x)=\lim_{x\to\infty} g(x)$이거나 $\displaystyle\lim_{x\to\infty} f(x)=\pm\infty$, $\displaystyle\lim_{x\to\infty} g(x)=\pm\infty$라 하자. 또한 구간 (a, ∞)의 모든 점에서 $g'(x)\neq 0$이라 하자. 이때 $\displaystyle\lim_{x\to\infty}\dfrac{f'(x)}{g'(x)}$가 존재하면 $\displaystyle\lim_{x\to\infty}\dfrac{f(x)}{g(x)}=\lim_{x\to\infty}\dfrac{f'(x)}{g'(x)}$이다.

$x\to\pm\infty$인 경우에 대한 증명은 $\varepsilon-\delta$ 논법을 사용하는데 이는 고등학교 수준에서 이해하기 힘들므로 생략하였다. 궁금한 학생들은 대학 미적분학 교재를 참고하기 바란다.

로피탈의 정리는 극한이 부정형일 경우에 그 힘이 막강하다. 그러나

부정형이 아닐 경우에는 로피탈의 정리가 성립하지 않는다.

앞뒤 살피지 않고 무턱대고 로피탈의 정리부터 쓰다가는 오답을 낼 수 있다. 더구나 일부 문제의 경우 로피탈의 정리를 쓰면 쓸수록 계산이 꼬여 애먹을 수도 있다. 따라서

로피탈의 정리를 사용할 때에는 반드시 전제 조건을 만족하는지를 확인해야 한다.

특히 두 번 이상 연속적으로 로피탈의 정리를 사용할 때, 전제 조건 역시 반드시 연속적으로 확인해야 한다.

다음은 로피탈의 정리를 잘못 사용한 경우이다.

$$\lim_{x \to \pi} \frac{3\sin x}{1-\cos x} = \lim_{x \to \pi} \frac{3\cos x}{\sin x} = -\infty \ (\times)$$

위의 경우 $x \to \pi$일 때 분자 $\to 0$이지만 분모는 0으로 수렴하지 않으므로 로피탈의 정리를 적용할 수 없다. 이 경우는 $x \to \pi$일 때 분모가 0이 아니므로 다음과 같이 $x = \pi$를 대입하면 바로 극한값이 나온다.

$$\lim_{x \to \pi} \frac{3\sin x}{1-\cos x} = \frac{3\sin \pi}{1-\cos \pi} = \frac{0}{1-(-1)} = 0 \ (\bigcirc)$$

고등학교에서 나오는 극한들은 로피탈의 정리를 굳이 사용하지 않아도 쉽게 구할 수 있는 경우가 많으므로 로피탈의 정리를 사용하기 전에 본문에서 배웠던 여러 방법들을 먼저 적용하도록 하자.

EXAMPLE *01* 로피탈의 정리를 사용하여 다음 극한을 구하여라.

(1) $\displaystyle\lim_{x \to 0} \frac{x-\sin x}{x^3}$
(2) $\displaystyle\lim_{x \to 2} \frac{x^2-2x}{e^{x-2}-1}$
(3) $\displaystyle\lim_{x \to \infty} \frac{\ln x}{x-1}$

ANSWER (1) $x \to 0$일 때 분자, 분모가 모두 0이므로 로피탈의 정리를 사용하면

$$\lim_{x \to 0} \frac{x-\sin x}{x^3} = \lim_{x \to 0} \frac{1-\cos x}{3x^2} = \lim_{x \to 0} \frac{\sin x}{6x} = \lim_{x \to 0} \frac{\cos x}{6} = \frac{1}{6} \ \blacksquare$$

(2) $x \to 2$일 때 분자, 분모가 모두 0이므로 로피탈의 정리를 사용하면

$$\lim_{x \to 2} \frac{x^2-2x}{e^{x-2}-1} = \lim_{x \to 2} \frac{2x-2}{e^{x-2}} = \lim_{x \to 2} \frac{2}{e^{x-2}} = 2 \ \blacksquare$$

(3) $x \to \infty$일 때 분자, 분모가 모두 ∞이므로 로피탈의 정리를 사용하면

$$\lim_{x \to \infty} \frac{\ln x}{x-1} = \lim_{x \to \infty} \frac{\dfrac{1}{x}}{1} = \lim_{x \to \infty} \frac{1}{x} = 0 \ \blacksquare$$

APPLICATION *01* 로피탈의 정리를 사용하여 다음 극한을 구하여라.

(1) $\displaystyle\lim_{x \to 1} \frac{x^8-1}{x^4-1}$
(2) $\displaystyle\lim_{x \to 1} \frac{(x^2-1)\cos \pi x}{e^x-e}$
(3) $\displaystyle\lim_{x \to \infty} \frac{e^x}{x^3-1}$

Chapter II Advanced Lecture **287**

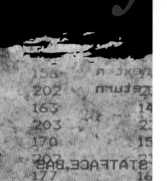

01. 테일러 급수

우리는 살아가면서 늘 '비슷함' 또는 '근사'의 개념을 가지고 살아간다. 우리는 연예인을 직접 만날 수 없기에 연예인과 비슷한 이성 친구를 만나며, 연예인과 비슷한 옷차림을 하는 것을 좋아한다. 또한 우리는 어떤 특정한 사람을 이해하려고 할 때, 그 사람의 취미는 무엇인지, 어디에서 사는지, 좋아하는 음식은 무엇인지 등의 특징들을 파악함으로써 그 사람을 이해할 수 있게 된다. 이런 개념은 수학에서도 마찬가지로 적용된다. 우리는 어떤 특정한 함수의 성질을 이해할 때 그 함수를 직접적으로 관찰하기보다는 그 함수와 비슷한 함수를 찾아냄으로써 우리가 관심 있는 함수의 성질을 이해할 수 있다. 이때 사용되는 방법이 테일러 전개(Taylor's Expension)이다.

즉 우리가 파악하기 어려운 함수들을 우리가 그동안 쉽게 알고 있었던 다항함수로 '근사'시켜서 원래 함수의 성질들을 파악하는 데 사용되는 방법이라고 할 수 있다. 테일러 전개를 위해서는 우선 함수들을 멱급수[1]로 표현할 수 있어야 하는데 그때 표현되는 급수를 테일러 급수(Taylor Series)라 한다.

테일러 급수(Taylor Series)

$f(x)$가 무 한 번 미분가능한 함수라 할 때

$$f(x)=f(a)+\frac{f'(a)}{1!}(x-a)+\frac{f''(a)}{2!}(x-a)^2+\cdots+\frac{f^{(n)}(a)}{n!}(x-a)^n+\cdots$$

이라는 다항함수로 표현할 수 있고, 이를 a에서 $f(x)$의 테일러 급수라 한다.

위의 식에서 $a=0$일 때의 테일러 급수인

$$f(x)=f(0)+\frac{f'(0)}{1!}x+\frac{f''(0)}{2!}x^2+\frac{f'''(0)}{3!}x^3+\cdots+\frac{f^{(n)}(0)}{n!}x^n+\cdots$$

을 특별히 매클로린 급수(Maclaurin Series)라 부른다.

테일러 급수는 영국 수학자 테일러(Brook Taylor, 1686~1731)의 이름을 딴 것이

$$\varphi = \frac{1}{3} \cdot \left[h_I (r_{I_2}^3 - r_{I_1}^3) + h_{II} (r_{II_2}^3 - r_{II_1}^3) + h_{III} (r_{III_2}^3 - r_{III_1}^3) \right]$$

고, 매클로린 급수는 사실 테일러 급수의 한 형태이지만 급수를 대중화시킨 매클로린 (Colin Maclaurin, 1698~1746)의 업적을 기리기 위해 붙여졌다.

테일러 전개는 $x=a$ 주위의 함숫값을 구할 때 다항식을 이용할 수 있음을 말해 준다. 먼저 $a=0$에서의 삼각함수에 대한 테일러 급수를 살펴보도록 하자.

---

(1) 함수 $f(x)=\sin x$의 $a=0$에서의 테일러 급수

$a=0$일 때이므로

$$f(x)=f(0)+\frac{f'(0)}{1!}x+\frac{f''(0)}{2!}x^2+\frac{f'''(0)}{3!}x^3+\cdots+\frac{f^{(n)}(0)}{n!}x^n+\cdots$$

이다. $f(x)=\sin x$의 특성상 모든 자연수 n에 대하여

$$f^{(4n)}(0)=0,\ f^{(4n+1)}(0)=1,\ f^{(4n+2)}(0)=0,\ f^{(4n+3)}(0)=-1$$

로 반복된다. 이를 위의 식에 대입하면

$$f(x)=\sin x=\frac{x}{1!}-\frac{x^3}{3!}+\frac{x^5}{5!}-\frac{x^7}{7!}+\cdots$$

이 된다.

(2) 함수 $f(x)=\cos x$의 $a=0$에서의 테일러 급수

$a=0$일 때이므로

$$f(x)=f(0)+\frac{f'(0)}{1!}x+\frac{f''(0)}{2!}x^2+\frac{f'''(0)}{3!}x^3+\cdots+\frac{f^{(n)}(0)}{n!}x^n+\cdots$$

이다. $f(x)=\cos x$의 특성상 모든 자연수 n에 대하여

$$f^{(4n)}(0)=1,\ f^{(4n+1)}(0)=0,\ f^{(4n+2)}(0)=-1,\ f^{(4n+3)}(0)=0$$

으로 반복된다. 이를 위의 식에 대입하면

$$f(x)=\cos x=1-\frac{x^2}{2!}+\frac{x^4}{4!}-\frac{x^6}{6!}+\frac{x^8}{8!}-\cdots$$

이 된다.

---

❶ 수열의 각 항을 +기호로 연결한 식을 급수(級數)라 한다.

'멱급수'에서 멱(冪, power)은 거듭제곱을 나타내는 말이다.

$$\sum_{k=1}^{n} a_k x^{k-1}$$
$$=a_1+a_2x+\cdots+a_nx^{n-1}$$

꼴의 식을 멱급수(power series)라 한다.

위에서 구한 전개식 $\sin x=\dfrac{x}{1!}-\dfrac{x^3}{3!}+\dfrac{x^5}{5!}-\dfrac{x^7}{7!}+\cdots$의 양변을 x에 대해 미분

하면 $\cos x=1-\dfrac{x^2}{2!}+\dfrac{x^4}{4!}-\dfrac{x^6}{6!}+\dfrac{x^8}{8!}-\cdots$이 되는데 신기하게도 이 식은 우리

가 구한 $\cos x$의 테일러 전개식과 같다. 마찬가지로 $\cos x$의 양변을 미분하면

$-\sin x=-\dfrac{x}{1!}+\dfrac{x^3}{3!}-\dfrac{x^5}{5!}+\dfrac{x^7}{7!}-\cdots$으로 $\sin x$의 테일러 전개식과 같다.

MATH for ESSAY　　289

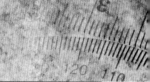

이러한 사실을 이용하면 또다른 함수들의 테일러 급수를 보다 쉽게 구할 수 있게 된다. 예를 들어 $f(x)=x\cos x$와 같은 식은 $\cos x$의 급수에 x를 곱하면 되기 때문이다.

APPLICATION 01 함수 $f(x)$의 $a=0$에서의 테일러 급수를 구하여라. Sub Note 163쪽

(1) $f(x)=e^x$ (2) $f(x)=x\sin x$

위에서도 말해왔듯이 테일러 급수는 원래의 함수를 '근사' 시킨 것이므로 오차가 존재할 것이다. 그렇다면 과연 몇 번이나 미분을 해야 $f(x)=\sum\limits_{n=0}^{\infty}\dfrac{f^{(n)}(a)}{n!}(x-a)^n$이 성립하게 될까? 우변은 급수이므로 우리는 부분합의 극한을 생각할 수 있다. 즉 $f(x)$는 부분합으로 이루어진 수열의 극한을 의미한다.

그래서 급수에서 부분합을 이용하였듯이 테일러 급수에서도 부분합을 이용하는데 이를 **n차 테일러 다항식**(nth Taylor Polynomial)이라 부르고 함수 $f(x)$에 대하여 아래와 같이 정의한다.

> **n차 테일러 다항식**
>
> $$T_n(x)=f(a)+\frac{f'(a)}{1!}(x-a)+\frac{f''(a)}{2!}(x-a)^2+\cdots+\frac{f^{(n)}(a)}{n!}(x-a)^n$$

여기서 T_n은 n차 다항식으로 $\underline{a에서\ f(x)의\ n차\ 테일러\ 다항식}$이라 부른다.

함수 $f(x)=e^x$에 대하여 0에서 $T_1(x)$, $T_2(x)$, $T_3(x)$를 구하면 다음과 같다.

$$T_1(x)=1+x$$

$$T_2(x)=1+x+\frac{x^2}{2!}$$

$$T_3(x)=1+x+\frac{x^2}{2!}+\frac{x^3}{3!}$$

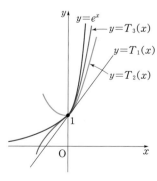

각각의 다항식을 그래프로 나타내면 n이 증가할수록 $T_n(x)$의 그래프는 e^x의 그래프에 접근함을 예측할 수 있을 것이다.

$$Y = \frac{1}{3} \cdot \left[h_I (r_{I_2}^3 - r_{I_1}^3) + h_{II} (r_{II_2}^3 - r_{II_1}^3) + h_{III} (r_{III_2}^3 - r_{III_1}^3) \right]$$

논술, 구술 자료

테일러 급수가 우리에게 안겨준 여러 이점 중 하나는 테일러 급수를 통해 여러 상수의 값을 계산할 수 있다는 것이다. 대표적으로 1748년 오일러는 테일러 급수를 이용하여 그 유명한 무리수 e의 값을 구할 수 있었다.

e^x을 테일러 급수로 표현하면

$$e^x = 1 + x + \frac{x^2}{2!} + \frac{x^3}{3!} + \frac{x^4}{4!} + \cdots$$

이고 여기에 $x = 1$을 대입하면

$$e = 1 + 1 + \frac{1}{2!} + \frac{1}{3!} + \frac{1}{4!} + \cdots$$

이 되는데 우변을 계속 더해 가면서 e의 근삿값을 구한다.

이 식에서는 우변의 급수가 수렴하기 때문에 e의 값을 계산하는 데 편리하다. 이러한 장점을 이용하여 오일러는 다음과 같이 소수점 아래 23자리까지 e의 값을 계산할 수 있었다.

$$e = 2.71828182845904523536028$$

또한 테일러 전개는 함수의 극한을 이해하는 데에 도움을 준다.

본문에서 다룬 $\lim\limits_{x \to 0} \dfrac{\sin x}{x}$ 의 극한을 다음과 같이 테일러 전개를 이용하면 극한값이 1이 됨을 보다 쉽게 이해할 수 있다.

$\sin x = x - \dfrac{x^3}{3!} + \dfrac{x^5}{5!} - \dfrac{x^7}{7!} + \cdots$ 이므로

$\dfrac{\sin x}{x} = 1 - \dfrac{x^2}{3!} + \dfrac{x^4}{5!} - \dfrac{x^6}{7!} + \cdots$ (단, $x \neq 0$)

양변에 극한을 취하면 $\quad \lim\limits_{x \to 0} \dfrac{\sin x}{x} = \lim\limits_{x \to 0} \left(1 - \dfrac{x^2}{3!} + \dfrac{x^4}{5!} - \dfrac{x^6}{7!} + \cdots \right) = 1$

$\therefore \lim\limits_{x \to 0} \dfrac{\sin x}{x} = 1$

Sub Note 163쪽

APPLICATION *02* 테일러 전개를 이용하여 $\lim\limits_{x \to 0} \dfrac{\cos x - 1}{x^2}$ 의 값을 계산하여라.

SUMMA CUM LAUDE
MATHEMATICS

똑같이 출발하였는데 세월이 지난 뒤에 보면
어떤 이는 뛰어나고, 어떤 이는 낙오되어 있다.
이 두 사람의 거리는 좀처럼 가까워질 수 없게 되었다.
그것은 하루하루 주어진 시간을 얼마나 잘 활용했느냐에 달려있다.

– 벤자민 프랭클린

CHAPTER III
적분법

숨마쿰라우데®
[미적분]

1. 부정적분
2. 정적분
3. 정적분의 활용

INTRO to Chapter Ⅲ
적분법

S U M M A   C U M   L A U D E

적분법은 넓이와 부피 등을 알아내는 도구이다. 뉴턴과 라이프니츠에 의하여 미분과 적분이 서로 역관계에 있다는 것이 발견되면서 미분과 적분은 하나가 되어 다양한 과학기술과 사회과학 분야 발전의 원동력이 되었다.

본 단원의 구성에 대하여...

적분은 미래로 나아가기 위한 도구

적분의 시작은 오랜 옛날, 기원전의 고대 그리스 시대로 거슬러 올라간다. 지금도 그렇지만, 그 당시 사람들에게 논과 밭 등의 땅의 소유에 대한 문제는 아주 중요했다. 땅의 넓이에 따라 세금이라도 부과하려 하면 개개인이 소유한 토지의 모양과 그 넓이를 계산할 필요가 있었는데, 다각형 모양이 아닌 제멋대로 생긴 모양의 땅의 넓이를 계산하는 것은 아주 어려운 문제였다. 그래서 그 당시 사람들은 비교적 넓이를 구하기 쉬운 사각형을 여러 개 이용하여 땅의 넓이를 근사적으로 구하였는데, 이것이 바로 구분구적법❶의 시초라고 할 수 있다.

이렇듯 적분의 역사는 사실상 이천 년이 넘는다고 볼 수 있다. 17세기에서야 뉴턴과 라이프니츠에 의하여 서로 독립적으로 고안된 미분과는 대조적이다. 이와 같이 오랜 세월을 두고 독립적으로 등장한 미분과 적분은 '정적분의 정의(미적분의 기본 정리)'를 통하여 극적으로 만나게 되고, 덕분에 미분과 적분은 '미적분'이라는 하나의 이름을 갖게 되었다.

미분과 적분의 만남이 일으킨 파급 효과는 실로 엄청난 것이었다. 미분을 이용하면 어떤 현상의 변화에 대해 알 수 있고 이 변화로부터 현상의 원리를 이해한다. 그리고 적분을 이용하여 변화로부터 앞으로 어떤 현상이 일어날 지를 예측할 수 있다. 따라서 미적분의 발달은 곧 과학의 큰 발전을 이룩하는 중요한 도구가 되었고, 현대 사회의 모습을 만들어내는 데 큰 역할을 하였다.

미래를 예측하는 일에 있어 미적분은 실로 광범위하게 이용되고 있다. 환경에 따른 동물의 개체 수를 예측하는 일, 기상 예보, 우주선 발사 등은 모두 미적분이 없었으면 불가능한 일이었다.

또 자연과학 및 공학에서뿐만 아니라 경제학, 심리학 등 사회과학에서도 미적분학은 없어서는 안 될 존재이다. 한마디로 말해 현대의 학문은 기본적으로 모두 미적분학을 포함하고 있다고 해도 과언이 아니다.

즉 미적분학은 과거에서 쌓아 온 자료로부터 현재의 양상을 알고, 이로부터 미래로 나아가기 위한 도구이다. 미적분학을 알아야 이 세상이 어떻게 움직이는지, 그리고 우리가 사는 사회가 어디로 가는지를 이해할 수 있다.

우리는 이제 고등학교 수학 미적분의 마지막 단계로 적분을 배움으로써 우주를 이해하는 일에 한발 다가서는 것이다.

---

❶ 367쪽에서 자세히 다룰 것이다. 간단히 말해 도형의 넓이나 부피를 극한을 이용하여 구하는 방법이다.

초월함수[2]의 적분 정복하기

미적분은 결코 쉬운 분야가 아니다. 특히 학생들은 미분보다 적분을 어려워하는 경우가 많다. 어떠한 함수가 주어져도 미분하여 도함수를 구하는 것은 합성함수의 미분법 등의 방법을 이용하면 어떻게든 기계적으로 계산할 수 있지만, 그것을 거꾸로 하는 적분은 다양한 상황에 익숙해지지 않으면 제대로 계산하는 것이 힘들 수도 있다. 주어진 함수에 따라 어떤 적분법을 이용해야 하는지를 판단해야 하는데, 이 과정을 익히는 것이 쉽지만은 않기 때문이다.

그러나 너무 겁먹지는 말길 바란다. 우리는 어디까지나 수학II에서 배웠던 적분을 다시 한 번 공부하는 것이다. 우리는 적분이 무엇인지, 부정적분과 정적분을 어떻게 구하는 것인지 수학II에서 공부하였으므로 이미 알고 있고, 여기서는 그것을 새로운 함수를 이용하여 다시 한번 살펴보는 것뿐이다. 게다가 우리는 앞에서 이미 초월함수를 충분히 다루고 그것의 도함수를 구한 바 있다. '적분은 미분 거꾸로'이므로 앞에서 배운 초월함수의 미분 공식만 거꾸로 하면 적분이 되지 않겠는가! 사실이다. 우리는 미분 공식을 기억함으로써 적분 공식을 자연스럽게 터득한 것이고, 이번 단원에서 새롭게 배울 여러 가지 적분법(치환적분법, 부분적분법)은 단지 미분 공식을 거꾸로 뒤집은 것뿐이다. 여러 가지 초월함수의 부정적분 공식을 비롯한 식들이 겉보기에는 굉장히 복잡해 보일 수 있다. 그러나 실제로는 이미 알고 있는 식을 조금만 다른 모양으로 바꾼 것뿐임을 생각하자. 물론 수학II에서도 당부한 것과 같이, 적분의 여러 가지 식을 함수의 그래프를 떠올려가며 기하적인 의미를 이해하는 것도 게을리해서는 안 된다. 이 점을 알아두고, 겁먹지 않고 포기하지 않는다면, 수학II에서 적분을 잘 이해한 학생이면 틀림없이 초월함수의 적분도 잘할 수 있을 것이다.

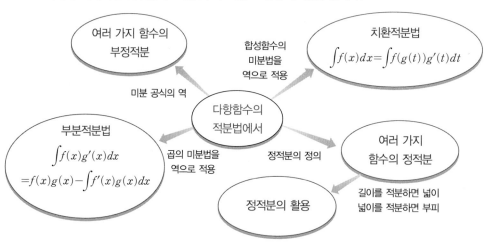

---

❷ 계수가 유리수인 다항함수의 사칙연산(거듭제곱근 연산을 포함하여)을 유한 번 이내에서 아무리 적용하여도 만들 수 없는 함수를 초월함수라 한다. 초월함수의 예로 지수함수, 로그함수, 삼각함수 등이 있다.

01 여러 가지 함수의 부정적분

S U M M A   C U M   L A U D E

ESSENTIAL LECTURE

1 함수 $y=x^n$ (n은 실수)의 부정적분

(1) $n \neq -1$일 때, $\displaystyle\int x^n dx = \frac{1}{n+1}x^{n+1}+C$ (2) $n=-1$일 때, $\displaystyle\int \frac{1}{x}dx = \ln|x|+C$

2 지수함수의 부정적분

(1) $\displaystyle\int e^x dx = e^x+C$ (2) $\displaystyle\int a^x dx = \frac{a^x}{\ln a}+C$ (단, $a>0$, $a \neq 1$)

3 삼각함수의 부정적분

(1) $\displaystyle\int \sin x \, dx = -\cos x + C$ (2) $\displaystyle\int \cos x \, dx = \sin x + C$

(3) $\displaystyle\int \sec^2 x \, dx = \tan x + C$ (4) $\displaystyle\int \csc^2 x \, dx = -\cot x + C$

(5) $\displaystyle\int \sec x \tan x \, dx = \sec x + C$ (6) $\displaystyle\int \csc x \cot x \, dx = -\csc x + C$

수학Ⅱ에서 배운 내용을 떠올려 보자.

함수 $f(x)$에 대하여 $F'(x)=f(x)$가 성립할 때, 함수 $F(x)$를 함수 $f(x)$의 부정적분이라 한다. 따라서 함수 $f(x)$의 한 부정적분을 $F(x)$라 하면 $f(x)$의 모든 부정적분은

$$\int f(x)dx = F(x)+C \text{ (단, } C \text{는 적분상수)}$$

와 같이 나타낼 수 있다.

수학Ⅱ에서는 다항함수의 적분법만을 다루었지만 이제 지수함수, 삼각함수 등의 초월함수의 적분법에 대해 알아보자. 여기서 배우는 적분 공식은 앞에서 배운 미분 공식을 거꾸로 생각하는 것[3]으로 새로운 공식을 공부하는 것이 아니므로 어렵지 않게 이해할 수 있을 것이다. 또한 이 단원에서 등장하는 모든 문자 C는 적분상수를 의미하므로 따로 설명하지 않는다.

---

[3] 함수 $f(x)$의 부정적분 $F(x)$는 $F'(x)=f(x)$, 즉 '미분하여 $f(x)$가 되는 함수'이므로 부정적분은 필연적으로 미분의 정의를 안고 갈 수밖에 없고, 독립적으로 정의할 수가 없다. 따라서 기본적인 적분 공식은 결국 기본적인 미분 공식을 거꾸로 생각하여 부정적분의 형태로 바꾼 것일 수밖에 없다.

1 함수 $y=x^n$ (n은 실수)의 부정적분

수학 $\mathbb{II}$ 에서 n이 음이 아닌 정수일 때, 함수 $y=x^n$의 부정적분은

$$\int x^n dx = \frac{1}{n+1} x^{n+1} + C$$

임을 배웠다.

이제 n의 값의 범위를 실수까지 확장하여 함수 $y=x^n$의 부정적분을 구해 보자.

사실 n의 값의 범위를 확장하여도 위 식은 달라지지 않는다. 다음과 같이 $n=-1$일 때만 다른 적분식을 취할 뿐이다.

(1) $n \neq -1$일 때, 함수 $y=x^n$의 미분법에서 $\left(\dfrac{1}{n+1} x^{n+1}\right)' = x^n$이므로 부정적분의 정의에 의하여

$$\int x^n dx = \frac{1}{n+1} x^{n+1} + C$$

(2) $n=-1$일 때, 로그함수의 미분법에서 $(\ln|x|)' = \dfrac{1}{x}$ 이므로 부정적분의 정의에 의하여

$$\int \frac{1}{x} dx = \ln|x| + C$$

그러면 다음 문제들을 풀어 보도록 하자. 수학 $\mathbb{II}$ 에서 배운 부정적분의 성질[4]이 계산 과정에서 자연스럽게 이용되므로 기억나지 않는다면 잠시 확인하고서 시작하기 바란다.

▌ EXAMPLE 066 다음 부정적분을 구하여라.

(1) $\displaystyle\int \frac{1}{x^2} dx$ (2) $\displaystyle\int \sqrt{x} dx$ (3) $\displaystyle\int \frac{\sqrt{x}+1}{x} dx$

ANSWER (1) $\displaystyle\int \frac{1}{x^2} dx = \int x^{-2} dx = \frac{1}{-2+1} x^{-2+1} + C = -\frac{1}{x} + C$ ■

(2) $\displaystyle\int \sqrt{x} dx = \int x^{\frac{1}{2}} dx = \frac{1}{\frac{1}{2}+1} x^{\frac{1}{2}+1} + C = \frac{2}{3} x\sqrt{x} + C$ ■

(3) $\displaystyle\int \frac{\sqrt{x}+1}{x} dx = \int \left(\frac{1}{\sqrt{x}} + \frac{1}{x}\right) dx = \int \left(x^{-\frac{1}{2}} + \frac{1}{x}\right) dx$

$\qquad = \dfrac{1}{-\frac{1}{2}+1} x^{-\frac{1}{2}+1} + \ln|x| + C = 2\sqrt{x} + \ln|x| + C$ ■

---

[4] 두 함수 $f(x)$, $g(x)$에 대하여

① $\displaystyle\int kf(x)dx = k\int f(x)dx$ (단, k는 상수)   ② $\displaystyle\int \{f(x) \pm g(x)\}dx = \int f(x)dx \pm \int g(x)dx$ (복부호 동순)

다음 부정적분을 구하여라. Sub Note 033쪽

(1) $\int \sqrt{2}\, x^{2\sqrt{2}-1}\, dx$

(2) $\int \dfrac{\sqrt[3]{x}-2}{x}\, dx$

(3) $\int \left(x+\dfrac{1}{x^2}\right)^2 dx$

(4) $\int (\sqrt[3]{x^2}-1)^3 dx$

② 지수함수의 부정적분

지수함수의 미분법에서 (단, $a>0$, $a \neq 1$)

(1) $(e^x)' = e^x$ [5]

(2) $(a^x)' = a^x \ln a \iff \left(\dfrac{a^x}{\ln a}\right)' = a^x$

이므로 부정적분의 정의에 의하여

(1) $\displaystyle\int e^x\, dx = e^x + C$

(2) $\displaystyle\int a^x\, dx = \dfrac{a^x}{\ln a} + C$

임을 알 수 있다.

EXAMPLE 067 다음 부정적분을 구하여라.

(1) $\int e^{x+2}\, dx$

(2) $\int 3^{x-2}\, dx$

ANSWER (1) $\displaystyle\int e^{x+2}\, dx = \int e^2 \cdot e^x\, dx = e^2 \int e^x\, dx = e^2 \cdot e^x + C = e^{x+2} + C$ ∎

(2) $\displaystyle\int 3^{x-2}\, dx = \int 3^x \cdot 3^{-2}\, dx = \dfrac{1}{9}\int 3^x\, dx = \dfrac{3^x}{9\ln 3} + C = \dfrac{3^{x-2}}{\ln 3} + C$ ∎

다음 부정적분을 구하여라. Sub Note 033쪽

(1) $\int \dfrac{e^{2x}-1}{e^x+1}\, dx$

(2) $\int (e^{2x}+5^{2x})\, dx$

(3) $\int (2^x+1)^2 dx$

(4) $\int \dfrac{27^x-1}{3^x-1}\, dx$

한편 미분 공식에서 미분하여 $\ln x$, $\log_a x$가 나오는 식이 없으므로 $\ln x$, $\log_a x$를 적분하면 어떤 식이 나오는지, 아직 그 부정적분을 알 수 없다. 사실 $\ln x$, $\log_a x$ 꼴의 로그함수의 부정적분은 뒤에서 배울 특수한 적분법인 부분적분법을 통해야만 구할 수 있다. 지금은 일단 넘어가도록 하자.

---

[5] $\dfrac{d}{dx} e^x = e^x$, $\int e^x\, dx = e^x + C$, 즉 e^x은 미분해도 적분해도 변하지 않는 특이한 함수이다.

❸ 삼각함수의 부정적분

삼각함수의 미분법에서

(1) $(\cos x)' = -\sin x$ (2) $(\sin x)' = \cos x$

(3) $(\tan x)' = \sec^2 x$ (4) $(\cot x)' = -\csc^2 x$

(5) $(\sec x)' = \sec x \tan x$ (6) $(\csc x)' = -\csc x \cot x$

이므로 부정적분의 정의에 의하여

(1) $\displaystyle\int \sin x \, dx = -\cos x + C$ (2) $\displaystyle\int \cos x \, dx = \sin x + C$

(3) $\displaystyle\int \sec^2 x \, dx = \tan x + C$ (4) $\displaystyle\int \csc^2 x \, dx = -\cot x + C$

(5) $\displaystyle\int \sec x \tan x \, dx = \sec x + C$ (6) $\displaystyle\int \csc x \cot x \, dx = -\csc x + C$

임을 알 수 있다. 위의 공식들을 보고서

'미분법에서는 기본적인 삼각함수 $\tan x$에 대한 미분 공식이 있는데,

왜 적분법에서는 $\tan x$에 대한 적분 공식이 없지?'

하고 의아해하는 독자가 있을 수 있다. 하지만 미분 공식에서 <u>미분하여 $\tan x$가 나오는 식이</u> <u>없으므로</u> $\tan x$를 적분하면 어떤 식이 나오는지 당연히 아직은 알 수 없다.

$\tan x$의 부정적분은 다음 소단원에서 배울 특수한 적분법인 치환적분법을 통해야만 구할 수 있다. ($\cot x$, $\sec x$, $\csc x$의 부정적분도 치환적분법으로 구한다.)

뒤에서 배울 특수한 적분법을 이해하기 위해서는 당연히 기본적인 식들을 자유자재로 적분할 수 있어야 하므로 조금 복잡하더라도 위의 공식들을 반드시 암기하도록 하자.❻ 물론 피적분함수가 다소 복잡한 적분 공식을 기준으로 암기할 필요는 없다. 미분 공식만 철저히 기억하면 적분 공식은 저절로 튀어나온다.

EXAMPLE 068 다음 부정적분을 구하여라.

(1) $\displaystyle\int (3\sin x - \cos x) \, dx$ (2) $\displaystyle\int (1 - \csc^2 x) \, dx$

(3) $\displaystyle\int \sin\left(x - \frac{\pi}{2}\right) dx$ (4) $\displaystyle\int \frac{x - \cos^2 x}{x\cos^2 x} \, dx$

---

❻ 특히 진하게 표시된 4개의 식 (1), (2), (3), (5)는 반드시 암기해야 한다.
식 (4), (6)은 각각 식 (3), (5)에서 sec → csc, tan → cot로 바꾸고 한 변의 부호를 바꾸어 얻는다.

ANSWER (1) $\displaystyle\int (3\sin x - \cos x)\,dx = -3\cos x - \sin x + C$ ∎

(2) $\displaystyle\int (1 - \csc^2 x)\,dx = x + \cot x + C$ ∎

(3) $\displaystyle\int \sin\left(x - \frac{\pi}{2}\right)dx = \int (-\cos x)\,dx = -\sin x + C$ ∎

(4) $\displaystyle\int \frac{x - \cos^2 x}{x\cos^2 x}\,dx = \int\left(\frac{1}{\cos^2 x} - \frac{1}{x}\right)dx = \int\left(\sec^2 x - \frac{1}{x}\right)dx = \tan x - \ln|x| + C$ ∎

APPLICATION 089 다음 부정적분을 구하여라. Sub Note 033쪽

(1) $\displaystyle\int (2\cos x + 3\sec^2 x)\,dx$

(2) $\displaystyle\int \frac{1 - \cos^3 x}{\cos^2 x}\,dx$

(3) $\displaystyle\int \frac{\cos^2 x - \sin^2 x}{\cos^2 x \sin^2 x}\,dx$

(4) $\displaystyle\int \frac{\cot x}{\sin x}\,dx$

삼각함수의 부정적분은 '삼각함수 사이의 관계'나 '삼각함수의 덧셈정리' 등을 이용[7]하여 처음 함수를 변형해야 구할 수 있는 경우가 많다. 물론 변형하는 경우는 한정적이므로 문제를 통해 자주 쓰이는 공식들은 숙지해 두도록 하자.

EXAMPLE 069 다음 부정적분을 구하여라.

(1) $\displaystyle\int \sin^2 \frac{x}{2}\,dx$

(2) $\displaystyle\int \tan^2 x\,dx$

(3) $\displaystyle\int \frac{1}{1 - \cos^2 x}\,dx$

(4) $\displaystyle\int (\tan x + \cot x)^2\,dx$

ANSWER (1) $\displaystyle\int \sin^2 \frac{x}{2}\,dx = \int \frac{1 - \cos x}{2}\,dx = \frac{1}{2}\int (1 - \cos x)\,dx$

$$= \frac{1}{2}(x - \sin x) + C = \frac{1}{2}x - \frac{1}{2}\sin x + C$$ ∎

(2) $\displaystyle\int \tan^2 x\,dx = \int (\sec^2 x - 1)\,dx = \tan x - x + C$ ∎

---

[7] 보통 다음 공식들이 많이 사용된다.

① $\sin^2 x + \cos^2 x = 1$, $\tan^2 x + 1 = \sec^2 x$, $1 + \cot^2 x = \csc^2 x$

② $\sin 2x = 2\sin x \cos x$, $\cos 2x = 2\cos^2 x - 1 = 1 - 2\sin^2 x$

③ $\sin^2 \dfrac{x}{2} = \dfrac{1 - \cos x}{2}$, $\cos^2 \dfrac{x}{2} = \dfrac{1 + \cos x}{2}$

$$(3) \int \frac{1}{1-\cos^2 x}\,dx = \int \frac{1}{\sin^2 x}\,dx$$

$$= \int \csc^2 x\,dx = -\cot x + C \ \blacksquare$$

$$(4) \int (\tan x + \cot x)^2\,dx = \int (\tan^2 x + 2 + \cot^2 x)\,dx$$

$$= \int \{(\tan^2 x + 1) + (1 + \cot^2 x)\}\,dx$$

$$= \int (\sec^2 x + \csc^2 x)\,dx = \tan x - \cot x + C \ \blacksquare$$

APPLICATION 090 다음 부정적분을 구하여라.   Sub Note 034쪽

(1) $\displaystyle \int \cos^2 \frac{x}{2}\,dx$

(2) $\displaystyle \int \cot^2 x\,dx$

(3) $\displaystyle \int \frac{\cos^2 x}{1-\sin x}\,dx$

(4) $\displaystyle \int \sin \frac{x}{2} \cos \frac{x}{2}\,dx$

(5) $\displaystyle \int \frac{1}{1+\cos x}\,dx$

(6) $\displaystyle \int \frac{\sin x(\sin x - 1)}{\cos^2 x}\,dx$

■ **수학 공부법에 대한 저자들의 충고 – 암기 없는 수학은 없다.**

혹자들은 '수학은 이해하는 과목이므로 머리가 좋아서 이해만 잘하면 암기할 필요가 없다.'고 말한다. 물론 수학은 이해 및 논증이 필수불가결한 철저한 논리의 학문이다. 하지만 그렇다고 해서 수학을 암기 없이 이해만으로 공부하려고 하는 것은 크나큰 잘못이다. 이는 비단 공식 암기에 국한된 말이 아니다. 수학에는 여러 가지 도구가 있다. 자연을 인간이 이해하기 위해 정의한 숫자 및 기호부터 시작하여 공식, 정리, 논증 방법 등 수많은 도구가 사람의 수학 연구를 도와주고 있다. 이러한 도구를 사용하는 것은 사람의 몫이다. 도구는 있는데 그 도구가 어디 있는지, 그리고 무엇인지 모른다면 어떻게 사용할 수 있을까? 공식 암기, 논증 과정의 기억 등이 없이 그때그때 이해를 통하여 문제를 풀면 된다는 것은, 말하자면 도구를 만들어 보관해 둘 필요가 없이 일을 할 때 매번 도구를 만들어서 쓰면 된다는 말과 마찬가지이다. 간단한 예로 이차방정식의 근의 공식을 떠올려 보자. 근의 공식을 기억하지 않는다면 매번 완전제곱 꼴로 바꾸어 근을 구해야 한다. 물론 근을 구할 수 있다. 그렇지만 시간 절약 및 다음 단계의 공부를 위해서는 이를 도구로 만들어서 보관해두는 것이 편하지 않을까?

특히 아직 수학을 '공부'하는 입장에서는 도구의 보관 및 관리를 철저히 하여 필요할 때 즉각적으로 꺼내 쓸 수 있어야 하겠다.

064 다음 조건을 만족시키는 두 함수 $f(x)$, $g(x)$를 구하여라.

> (가) $f'(x)+g'(x)=2\cos x-\sin x$ (나) $f'(x)-g'(x)=\sin x$
>
> (다) $f(\pi)=0$ (라) $g(\pi)=-1$

GUIDE 조건 (가), (나)의 두 식을 변끼리 더하고, 변끼리 빼서 $f'(x)$와 $g'(x)$를 구한다.

SOLUTION ────────────────────────

조건 (가), (나)는 $f'(x)$, $g'(x)$에 대한 연립방정식으로 볼 수 있다.

두 식을 변끼리 더하면 $2f'(x)=2\cos x$

두 식을 변끼리 빼면 $2g'(x)=2\cos x-2\sin x$

$\therefore f'(x)=\cos x,\ g'(x)=\cos x-\sin x$

$\therefore f(x)=\displaystyle\int \cos x\,dx=\sin x+C_1$

$g(x)=\displaystyle\int (\cos x-\sin x)\,dx=\sin x+\cos x+C_2$

이때 조건 (다), (라)에 의하여

$f(\pi)=C_1=0,\ g(\pi)=-1+C_2=-1$

이므로 $C_1=0,\ C_2=0$

$\therefore \boldsymbol{f(x)=\sin x,\ g(x)=\sin x+\cos x}$ ■

Sub Note 078쪽

유제 064-❶ 함수 $f(x)=\dfrac{x-1}{\sqrt{x}-1}$ 의 한 부정적분을 $F(x)$라 하자. $F(1)=\dfrac{4}{3}$일 때, 함수 $F(x)$를 구하여라.

Sub Note 078쪽

유제 064-❷ 함수 $y=f(x)$의 그래프 위의 임의의 점 $(x,\ y)$에서의 접선의 기울기가 $\dfrac{1}{2}\sin x\cot x$이고 그 래프가 원점을 지날 때, $f\left(\dfrac{\pi}{2}\right)$의 값을 구하여라.

Sub Note 078쪽

유제 064-❸ 실수 전체의 집합에서 연속인 함수 $f(x)$의 도함수 $f'(x)$가 $f'(x)=\begin{cases} 2^x\ln 2 & (x>0) \\ k\sec^2 x & (x<0) \end{cases}$ 이다. $f\left(-\dfrac{\pi}{3}\right)=0$, $f(1)=2$일 때, 상수 k의 값을 구하여라.

02 치환적분법

S U M M A   C U M   L A U D E

ESSENTIAL LECTURE

1 치환적분법

미분가능한 함수 $g(t)$에 대하여 $x=g(t)$로 놓으면

$$\int f(x)\,dx = \int f(g(t))g'(t)\,dt$$

2 치환적분법을 이용하여 부정적분 구하기

(1) 피적분함수가 $f(g(x))g'(x)$ 꼴인 경우 : $g(x)=t$로 놓으면 $g'(x)=\dfrac{dt}{dx}$ 이므로

$$\int f(g(x))g'(x)\,dx = \int f(t)\,dt = F(t)+C = F(g(x))+C$$

(단, $F(t)$는 $f(t)$의 한 부정적분)

(2) 피적분함수가 $\dfrac{f'(x)}{f(x)}$ 꼴인 경우 : $f(x)=t$로 놓으면 $f'(x)=\dfrac{dt}{dx}$ 이므로

$$\int \frac{f'(x)}{f(x)}\,dx = \int \frac{1}{t}\,dt = \ln|t|+C = \ln|f(x)|+C$$

3 유리함수의 부정적분

피적분함수가 $\dfrac{f'(x)}{f(x)}$ 꼴이 아닌 유리함수의 부정적분은

(1) (분자의 차수) < (분모의 차수)이고 분모가 인수분해되는 경우 : 피적분함수를 부분분수로 변형하여 부정적분을 구한다.

(2) (분자의 차수) ≥ (분모의 차수)인 경우 : 분자를 분모로 나누어 몫과 나머지의 꼴로 나타내어 부정적분을 구한다.

앞 소단원에서는 여러 가지 기본적인 함수들의 부정적분을 공부하였다.

그러나 지금까지 배운 부정적분의 공식만으로는 어떤 함수의 부정적분을 구하기에 여전히 어려움이 따른다.[8]

예를 들어 부정적분 $\displaystyle\int \frac{1}{2x+1}\,dx$를 구할 수 있겠는가?

---

[8] 현재까지 공부한 지식으로 구할 수 있는 부정적분은 기본적인 적분 공식에 상수배하거나 더하고 뺀 것뿐이다.

얼핏 보기에는 매우 간단해 보이지만, 피적분함수 $y=\dfrac{1}{2x+1}$ 은 유리함수 $y=\dfrac{1}{x}$ 과 다항함수 $y=2x+1$ 의 합성함수 형태로 지금까지 배운 것으로는 아직 이 부정적분을 구할 수 없다.

이와 같은 문제를 쉽게 해결하기 위한 방법이 지금부터 배울 <u>치환적분법</u>으로 이는 Ⅱ. 미분법에서 배운 '합성함수의 미분법'의 역과정을 이용하는 방법이다.

즉 미분가능한 두 함수 $F(x)$, $g(x)$의 합성함수 $F(g(x))$를 미분하면

$$\{F(g(x))\}'=f(g(x))g'(x) \quad \text{← 여기서 } F'(x)=f(x)\text{이다.}$$

이므로 역으로 생각하여 $f(g(x))g'(x)$ 꼴의 함수의 부정적분은

$$\int f(g(x))g'(x)\,dx=F(g(x))+C$$

임을 이용하는 것이다. 그러나 피적분함수가 $f(g(x))g'(x)$ 꼴인지 파악하기 어렵기 때문에 새로운 문자를 도입하여 치환하는 방법을 사용한다.

그러면 지금부터 치환적분법에 대해 자세히 알아보도록 하자. 앞 소단원과는 다르게 <u>피적분함수의 식뿐만 아니라 그 형태도 중요</u>하므로 차근차근 주의 깊게 공부하도록 하자.

1 치환적분법

(1) 적분변수의 치환(역연쇄법칙)

'합성함수의 미분법'을 공부하면서 신기하게 느꼈을 법한 것이 바로 다음과 같이 미분 기호를 분수처럼 계산할 수 있다는 것이다.

$$\frac{dy}{dx}=\frac{dy}{dt}\cdot\frac{dt}{dx} \quad \text{← 연쇄법칙}$$

이는 적분에서도 비슷하게 사용할 수 있다. 즉 함수 $f(x)$에서 변수 x를 다른 변수 t에 대한 미분가능한 함수 $x=g(t)$로 생각하여 $\int$ 안에서 다음과 같이 변형할 수 있다.

$$\int f(x)\,dx=\int f(x)\frac{dt}{dt}\,dx=\int f(x)\frac{dx}{dt}\,dt^{\textcircled{9}}$$
$$=\int f(g(t))g'(t)\,dt$$

이때 좌변의 적분변수는 x이고, 우변의 적분변수는 t가 된다.

---

❾ $\int$ 안에서 $\dfrac{dt}{dt}$ 를 자유롭게 곱하고 약분도 가능하며, 결합법칙도 쓸 수 있다. 이것을 미분법의 연쇄법칙과 구분하여 역연쇄법칙(anti chain rule)으로 불리기도 한다.

이렇게 적분변수를 x에서 t로 바꾸는 것을 적분변수의 **치환**(substitution)이라 한다. 이와 같은 적분변수의 치환이 정당함을 수학적으로 증명해 보자.

[증명] 함수 $f(x)$의 한 부정적분을 $F(x)$라 하면

$$\int f(x)\,dx = F(x) + C \qquad \cdots\cdots \ㄱ$$

한편 x를 t에 대한 미분가능한 함수 $x = g(t)$로 놓으면 $F(x) = F(g(t))$이므로 $F(x)$를 t에 대하여 미분하면 합성함수의 미분법에 의하여

$$\frac{d}{dt}F(x) = \frac{d}{dx}F(x) \cdot \frac{dx}{dt} = f(x)g'(t) = f(g(t))g'(t)$$

따라서 부정적분의 정의에 의하여

$$\int f(g(t))g'(t)\,dt = F(x) + C \qquad \cdots\cdots \ㄴ$$

이므로 ㉠, ㉡을 비교하면 $\int \boldsymbol{f(x)\,dx} = \int \boldsymbol{f(g(t))g'(t)\,dt}$가 성립한다.

이렇게 적분변수의 치환이 정당하므로 지금부터 우리는 좌변에서 우변으로 또는 우변에서 좌변으로 자유롭게 바꾸어 부정적분을 생각할 수 있다.

(2) 치환적분법

치환적분법(integration by substitution)이란, <u>적분변수의 치환을 이용하여 합성함수 형태의 복잡한 적분식을 상대적으로 쉬운 적분식으로 변형하여 적분하는 방법</u>을 말한다.

(단, 치환적분법으로 모든 합성함수의 부정적분을 구할 수 있는 것은 아니다.)

예를 들어 부정적분 $\int (3x+2)^2\,dx$를 치환적분법으로 구해 보자. (물론 단순히 전개하여 구할 수도 있지만 치환하는 것이 더 간단하다.)

$3x+2 = t$로 놓으면 $x = \dfrac{t-2}{3}$이고 양변을 t에 대하여 미분하면 $\dfrac{dx}{dt} = \dfrac{1}{3}$이므로

$$\int (3x+2)^2\,dx = \int t^2 \cdot \frac{1}{3}\,dt \quad \leftarrow \frac{dx}{dt} = \frac{1}{3}\text{에서} \quad dx = \frac{1}{3}dt$$

$$= \frac{1}{3}\int t^2\,dt = \frac{1}{3} \cdot \frac{1}{3}t^3 + C = \frac{1}{9}t^3 + C = \frac{1}{9}(3x+2)^3 + C^{\text{⑩}}$$

치환적분법은 공식이라기보다 정형화된 하나의 풀이 과정으로 다음과 같이 그 과정을 정리할 수 있다. 다양한 문제를 접해 보면 저절로 익혀지는 과정이므로 무턱대고 외우기보다는 문제를 통해 연습하도록 하자.

---

⑩ 처음 변수에 대한 부정적분을 구하는 것이므로 결과는 당연히 처음 변수로 나타내어야 한다.

(ⅰ) $\int f(x)\,dx$에서 $x=g(t)$로 치환한다.

　　보통 하나로 묶어서 생각할 수 있는 식을 한 문자로 치환한다. (괄호 안의 식, 근호 안
　　의 식, 지수에 포함된 식, 분모의 식, 분자의 식 등을 한 문자로 치환)

(ⅱ) $x=g(t)$를 t에 대하여 미분한다.

$$\frac{dx}{dt}=g'(t)$$

(ⅲ) $\int f(x)\,dx$에서 다음과 같이 바꾼다.

$$f(x) \longrightarrow f(g(t)),\ dx \longrightarrow g'(t)\,dt^{\text{⓫}}$$

$$\therefore \int f(x)\,dx = \int f(g(t))g'(t)\,dt$$

(ⅳ) t에 대한 부정적분을 구한 후, (ⅰ)을 이용하여 **원래 변수 x에 대하여 나타낸다.**

■ **EXAMPLE** 070　다음 부정적분을 구하여라.

(1) $\displaystyle\int (2x+1)^{10}\,dx$　　　　　　　(2) $\displaystyle\int \frac{1}{(3x-1)^5}\,dx$

ANSWER　(1) $(2x+1)^{10}=1024x^{10}+5120x^9+11520x^8+15360x^7+13440x^6$
　　　　　　　　$+8064x^5+3360x^4+960x^3+180x^2+20x+1$

과 같이 직접 전개하여 부정적분을 구할 수 있지만 쉽지만은 않다. 설령 전개를 한다고 해도
실수하기 쉬울 것이다. 치환적분법을 적용하면 다음과 같이 간단히 해결된다.

$2x+1=t$로 놓으면 $x=\dfrac{t-1}{2}$이고 $\dfrac{dx}{dt}=\dfrac{1}{2}$이므로　◀ $dx=\dfrac{1}{2}dt$

$$\int (2x+1)^{10}\,dx = \int t^{10}\cdot\frac{1}{2}\,dt = \frac{1}{2}\int t^{10}\,dt = \frac{1}{2}\cdot\frac{1}{11}t^{11}+C$$

$$= \frac{1}{22}t^{11}+C = \frac{(2x+1)^{11}}{22}+C\ ■$$

(2) $3x-1=t$로 놓으면 $x=\dfrac{t+1}{3}$이고 $\dfrac{dx}{dt}=\dfrac{1}{3}$이므로　◀ $dx=\dfrac{1}{3}dt$

$$\int \frac{1}{(3x-1)^5}\,dx = \int \frac{1}{t^5}\cdot\frac{1}{3}\,dt = \frac{1}{3}\int t^{-5}\,dt = \frac{1}{3}\cdot\frac{1}{-4}t^{-4}+C$$

$$= -\frac{1}{12t^4}+C = -\frac{1}{12(3x-1)^4}+C\ ■$$

⓫ $\dfrac{dx}{dt}=g'(t)$에서 $dx=g'(t)dt$로 생각한다.

APPLICATION 091　　다음 부정적분을 구하여라.　　Sub Note 034쪽

(1) $\displaystyle\int (3-2x)^{11}\,dx$

(2) $\displaystyle\int \frac{1}{(4x-1)^3}\,dx$

(3) $\displaystyle\int 2^{5-3x}\,dx$

(4) $\displaystyle\int \cos(2x+3)\,dx$

2 치환적분법을 이용하여 부정적분 구하기

이제까지 공부한 것을 바탕으로 치환적분법을 이용하여 부정적분을 구해 보자. 사실 부정적분을 구할 때 치환적분법을 사용하는 경우는 몇몇으로 정해져 있다. 말하자면 대체로 **피적분함수를 보면 치환적분법을 사용해야 하는 경우인지 아닌지 알 수 있다**는 것이다. 물론 어려운 문제의 경우 그렇지 않을 수도 있다. 하지만 고등학교 범위 내에서는 쉽게 알 수 있는 문제들이 대부분이다. 여기서는 치환적분법을 사용하는 전형적인 형태에 대하여 공부한다.

⑴ 피적분함수가 $f(g(x))g'(x)$[12] 꼴인 경우

$g(x)=t$로 놓으면 $g'(x)=\dfrac{dt}{dx}$이므로

$$\int f(g(x))g'(x)\,dx=\int f(t)\,dt \quad\longleftarrow f(g(x))\to f(t),\ g'(x)\,dx\to dt\text{로 바꾼다.}[13]$$

---

[12] APPLICATION 091과 같이 $g(x)$가 일차식 $ax+b$인 경우에는 $g'(x)=a$이므로 $f(ax+b)$ 꼴도 이 유형에 포함시켜 생각하면 된다.

[13] $g'(x)=\dfrac{dt}{dx}$에서 $g'(x)\,dx=dt$로 생각한다.

따라서 $f(t)$의 한 부정적분이 $F(t)$이면

$$\int f(g(x))g'(x)\,dx = \int f(t)\,dt = F(t) + C = F(g(x)) + C$$

와 같이 구할 수 있다.

EXAMPLE 071 다음 부정적분을 구하여라.

(1) $\displaystyle\int x(x^2+1)^5\,dx$　　　　　(2) $\displaystyle\int (4x+3)e^{2x^2+3x+4}\,dx$

ANSWER　(1), (2) 모두 두 함수가 곱해져 있는 형태이므로 $f(g(x))g'(x)$ 꼴인지 확인한다.

(1) $(x^2+1)'=2x$이므로 $x^2+1=t$로 놓으면 $\dfrac{dt}{dx}=2x$이다.　⬅ $2x\,dx=dt$

$$\therefore \int x(x^2+1)^5\,dx = \frac{1}{2}\int (x^2+1)^5 \cdot 2x\,dx$$

$$= \frac{1}{2}\int t^5\,dt = \frac{1}{2}\cdot\frac{1}{6}t^6 + C = \frac{1}{12}(x^2+1)^6 + C \ \blacksquare$$

(2) $(2x^2+3x+4)'=4x+3$이므로 $2x^2+3x+4=t$로 놓으면 $\dfrac{dt}{dx}=4x+3$이다.　⬅ $(4x+3)\,dx=dt$

$$\therefore \int (4x+3)e^{2x^2+3x+4}\,dx = \int e^{2x^2+3x+4}\cdot(4x+3)\,dx$$

$$= \int e^t\,dt = e^t + C = e^{2x^2+3x+4} + C \ \blacksquare$$

APPLICATION 092　다음 부정적분을 구하여라.　　　　　　　　Sub Note 035쪽

(1) $\displaystyle\int \frac{x}{\sqrt{x^2+1}}\,dx$　　　　　(2) $\displaystyle\int \frac{\ln x}{x}\,dx$ [14]

(3) $\displaystyle\int (e^x+2)^2 e^x\,dx$　　　　　(4) $\displaystyle\int \sin^3 x \cos x\,dx$

(2) 피적분함수가 $\dfrac{f'(x)}{f(x)}$ 꼴인 경우

$f'(x)$가 분자에 있다는 것에 착안하여 $f(x)=t$로 놓으면 $f'(x)=\dfrac{dt}{dx}$이므로

$$\int \frac{f'(x)}{f(x)}\,dx = \int \frac{1}{f(x)}\cdot f'(x)\,dx = \int \frac{1}{t}\,dt = \ln|t| + C = \ln|f(x)| + C$$

와 같이 구할 수 있다.

---

❹ 함수 $y=\ln x$는 합성함수 형태가 아니지만, $f(x)=x$와 $g(x)=\ln x$의 합성함수 $f(g(x))$로 생각하면 주어진 피적분함수는 $f(g(x))g'(x)$ 꼴임이 명백하다.

EXAMPLE 072 다음 부정적분을 구하여라.

(1) $\displaystyle\int \frac{x^2}{x^3-4}\,dx$ (2) $\displaystyle\int \tan x\,dx$ [15]

ANSWER (1) $(x^3-4)'=3x^2$이므로

$$\int \frac{x^2}{x^3-4}\,dx=\frac{1}{3}\int \frac{3x^2}{x^3-4}\,dx=\frac{1}{3}\int \frac{(x^3-4)'}{x^3-4}\,dx=\frac{1}{3}\ln|x^3-4|+C \;\blacksquare$$

(2) $\displaystyle\int \tan x\,dx=\int \frac{\sin x}{\cos x}\,dx$ 에서 $(\cos x)'=-\sin x$ 이므로

$$\int \frac{\sin x}{\cos x}\,dx=-\int \frac{-\sin x}{\cos x}\,dx=-\int \frac{(\cos x)'}{\cos x}\,dx=-\ln|\cos x|+C \;\blacksquare$$

APPLICATION 093 다음 부정적분을 구하여라. Sub Note 036쪽

(1) $\displaystyle\int \frac{3x^2+2}{x^3+2x+3}\,dx$ (2) $\displaystyle\int \frac{1}{x\ln x}\,dx$ (3) $\displaystyle\int \frac{e^x-e^{-x}}{e^x+e^{-x}}\,dx$

(4) $\displaystyle\int \frac{2^x\ln 2+1}{2^x+x}\,dx$ (5) $\displaystyle\int \frac{1}{1+e^{-x}}\,dx$ [16] (6) $\displaystyle\int \cot x\,dx$ [15]

치환적분법은 이 두 가지 유형을 기억하고 있으면 어렵지 않게 풀 수 있는 경우가 많다. 이때 치환적분의 과정에서 상수배를 생각해야 하는 경우 이를 빠뜨리는 실수를 할 수도 있으므로 주의하도록 한다.

❸ 유리함수의 부정적분

x에 대한 두 다항식 $G(x)$, $H(x)$로 이루어진 유리함수 $\dfrac{H(x)}{G(x)}$ 중 위에서 다룬 유형이 아닌 경우는 그 부정적분을 어떻게 구할 수 있을까?

그 방법을 알기 위해서는 우선 **분모, 분자의 차수에 주목**할 필요가 있다. 즉,

(분자 $H(x)$의 차수) < (분모 $G(x)$의 차수) ← 진분수 꼴의 유리함수

(분자 $H(x)$의 차수) ≥ (분모 $G(x)$의 차수) ← 가분수 꼴의 유리함수

로 나눌 수 있는데, 각 경우에 따른 부정적분을 생각해 보자.

---

[15] $\tan x$, $\cot x$의 부정적분은 치환적분법을 이용해야 구할 수 있기 때문에 기본적인 함수의 부정적분에서 다루지 못하였다. 하지만 이들도 기본적인 함수이므로 부정적분의 결과를 공식처럼 기억해 두는 것이 좋다.

[16] 얼핏 어려운 적분처럼 보이지만 식을 적절히 변형하여 쉬운 문제로 바꿀 수 있다. 분모와 분자에 e^x을 곱해 보자.

(1) (분자의 차수) < (분모의 차수)인 유리함수의 부정적분

① 분모가 인수분해되는 경우 : 부분분수로 변형하여 부정적분을 구한다.

주어진 피적분함수를 치환적분이 가능한 형태로 잘 분해하는 기술, 즉 부분분수로의 분해 기술이 필요하다. 사실 유리식을 다룰 때는 부분분수로의 분해가 필수적이다. 기본적인 다음 등식은 반드시 기억하기 바란다.[⑰]

$$\frac{1}{AB} = \frac{1}{B-A}\left(\frac{1}{A} - \frac{1}{B}\right)$$

② ①의 과정을 거칠 수 없는 경우

보통 고등학교 수준에서는 다루기 힘든 유리함수이다.

예를 들어 $\int \frac{1}{x^3+2x^2+1}\,dx$[⑱]에서 $\frac{1}{x^3+2x^2+1}$ 은 부분분수로의 분해도 안되고 $\frac{f'(x)}{f(x)}$ 꼴의 치환적분도 이용할 수 없으므로 지금까지 배운 방법으로는 부정적분을 구할 수 없다.

EXAMPLE 073 다음 부정적분을 구하여라.

(1) $\int \frac{1}{x(x+1)}\,dx$　　　　　　(2) $\int \frac{1}{x^2-x-2}\,dx$

(3) $\int \frac{3x-7}{x^2-5x+6}\,dx$　　　　　(4) $\int \frac{x+2}{x(x+1)^2}\,dx$

ANSWER (1) $\frac{1}{x(x+1)} = \frac{1}{x} - \frac{1}{x+1}$ 이므로

$$\int \frac{1}{x(x+1)}\,dx = \int \left(\frac{1}{x} - \frac{1}{x+1}\right) dx$$

$$= \ln|x| - \ln|x+1| + C = \ln\left|\frac{x}{x+1}\right| + C \ \blacksquare$$

[⑰] 다음 정리는 교육과정을 벗어나는 내용이지만 '부분분수로의 분해'의 이론적 배경으로 복잡한 진분수 꼴의 유리함수도 어렵지 않게 부분분수로 분해할 수 있게 해 준다.

유리함수 $\frac{H}{G}$ 에 대하여 (단, (H의 차수) < (G의 차수))

[정리 1] 다항식 G가 두 다항식 P, Q의 곱일 때, P보다 차수가 낮은 다항식 M과 Q보다 차수가 낮은 다항식 N이 존재하여 $\frac{H}{G} = \frac{H}{PQ} = \frac{M}{P} + \frac{N}{Q}$ 이 성립한다.

[정리 2] 다항식 P에 대하여 $G = P^n (n$은 자연수)일 때, P보다 차수가 낮은 다항식 $M_i (i=1, 2, \cdots, n)$가 존재하여 $\frac{H}{G} = \frac{H}{P^n} = \frac{M_1}{P} + \frac{M_2}{P^2} + \cdots + \frac{M_n}{P^n}$ 이 성립한다.

[⑱] 사실 이 부정적분은 지금까지 배운 함수(다항함수, 삼각함수, 지수함수 및 그 역함수의 사칙연산, 합성으로 표현할 수 있는 함수)로 표현할 수 없다는 사실이 알려져 있다. 이처럼 어떤 공식으로도 부정적분을 구할 수 없는 함수는 무수히 많다. 단, 이것이 부정적분이 존재하지 않음을 의미하는 것은 아니다. 모든 연속함수는 부정적분을 갖는다.

(2) $\dfrac{1}{x^2-x-2}=\dfrac{1}{(x-2)(x+1)}=\dfrac{1}{3}\Big(\dfrac{1}{x-2}-\dfrac{1}{x+1}\Big)$이므로

$$\int\dfrac{1}{x^2-x-2}\,dx=\dfrac{1}{3}\int\Big(\dfrac{1}{x-2}-\dfrac{1}{x+1}\Big)dx$$

$$=\dfrac{1}{3}(\ln|x-2|-\ln|x+1|)+C=\dfrac{1}{3}\ln\Big|\dfrac{x-2}{x+1}\Big|+C\ \blacksquare$$

(3) $\dfrac{3x-7}{x^2-5x+6}=\dfrac{3x-7}{(x-2)(x-3)}=\dfrac{A}{x-2}+\dfrac{B}{x-3}\ (A,\ B$는 상수)로 놓으면

$\dfrac{3x-7}{x^2-5x+6}=\dfrac{(A+B)x+(-3A-2B)}{(x-2)(x-3)}$이므로 $\quad A+B=3,\ -3A-2B=-7$

위의 두 식을 연립하여 풀면 $\quad A=1,\ B=2$

$$\therefore \int\dfrac{3x-7}{x^2-5x+6}\,dx=\int\Big(\dfrac{1}{x-2}+\dfrac{2}{x-3}\Big)dx=\ln|x-2|+2\ln|x-3|+C$$

$$=\ln|(x-2)(x-3)^2|+C\ \blacksquare$$

(4) $\dfrac{x+2}{x(x+1)^2}=\dfrac{A}{x}+\dfrac{B}{x+1}+\dfrac{C}{(x+1)^2}\ (A,\ B,\ C$는 상수)로 놓으면

$$\dfrac{x+2}{x(x+1)^2}=\dfrac{(A+B)x^2+(2A+B+C)x+A}{x(x+1)^2}$$

이므로 $\quad A+B=0,\ 2A+B+C=1,\ A=2$

위의 세 식을 연립하여 풀면 $\quad A=2,\ B=-2,\ C=-1$

$$\therefore \int\dfrac{x+2}{x(x+1)^2}\,dx=\int\Big\{\dfrac{2}{x}-\dfrac{2}{x+1}-\dfrac{1}{(x+1)^2}\Big\}dx$$

$$=2\ln|x|-2\ln|x+1|+\dfrac{1}{x+1}+C$$

$$=2\ln\Big|\dfrac{x}{x+1}\Big|+\dfrac{1}{x+1}+C\ \blacksquare$$

[참고] 첨삭 ⑰에 제시한 두 정리에 의하여 (3), (4)와 같은 부분분수로의 분해가 가능하다.

(3) [정리 1]에 의하여 분모 $x-2$, $x-3$보다 각각 차수가 낮은 두 다항식, 즉 두 상수 A, B가

존재하여 $\dfrac{3x-7}{(x-2)(x-3)}=\dfrac{A}{x-2}+\dfrac{B}{x-3}$가 성립한다.

(4) [정리 1]에 의하여 분모 x, $(x+1)^2$보다 각각 차수가 낮은 상수 A와 식 $ax+b$가 존재하여

$\dfrac{x+2}{x(x+1)^2}=\dfrac{A}{x}+\dfrac{ax+b}{(x+1)^2}$가 성립하고, [정리 2]에 의하여 $x+1$보다 차수가 낮은 두

다항식, 즉 두 상수 B, C가 존재하여 $\dfrac{ax+b}{(x+1)^2}=\dfrac{B}{x+1}+\dfrac{C}{(x+1)^2}$가 성립한다.

따라서 $\dfrac{x+2}{x(x+1)^2}=\dfrac{A}{x}+\dfrac{B}{x+1}+\dfrac{C}{(x+1)^2}$가 성립한다.

APPLICATION 094   다음 부정적분을 구하여라.

Sub Note 036쪽

(1) $\displaystyle\int\dfrac{1}{(x+1)(x+2)}\,dx$

(2) $\displaystyle\int\dfrac{1}{x^2+2x-35}\,dx$

(3) $\displaystyle\int\dfrac{7x-1}{x^2-x-6}\,dx$

(4) $\displaystyle\int\dfrac{x-1}{x^3(x+1)}\,dx$

⑵ **(분자의 차수)≥(분모의 차수)인 유리함수의 부정적분**

x에 대한 두 다항함수 $G(x)$, $H(x)$로 이루어진 유리함수 $\dfrac{H(x)}{G(x)}$에서

$(H(x)$의 차수$)≥(G(x)$의 차수$)$인 경우는 먼저 분자 $H(x)$를 분모 $G(x)$로 나누어 다음과 같이 나타내자.

$$H(x)=\underbrace{Q(x)}_{몫}G(x)+\underbrace{R(x)}_{나머지} \text{ (단, }(R(x)의 차수)<(G(x)의 차수))$$

그 다음 위 등식의 양변을 $G(x)$로 나누면

$$\dfrac{H(x)}{G(x)}=Q(x)+\dfrac{R(x)}{G(x)} \quad \longleftarrow \text{(다항함수)+(진분수 꼴의 유리함수)}$$

이때 $\dfrac{R(x)}{G(x)}$는 간단한 꼴의 유리함수가 되므로 지금까지 배운 적분법을 이용하면 어렵지 않게 적분할 수 있을 것이다.

■ **EXAMPLE 074** 부정적분 $\displaystyle\int \dfrac{x^3-2x+1}{x+1}\,dx$를 구하여라.

ANSWER $\dfrac{x^3-2x+1}{x+1}=\dfrac{(x^2-x-1)(x+1)+2}{x+1}=x^2-x-1+\dfrac{2}{x+1}$ 이므로

$$\int \dfrac{x^3-2x+1}{x+1}\,dx=\int\left(x^2-x-1+\dfrac{2}{x+1}\right)dx$$
$$=\dfrac{1}{3}x^3-\dfrac{1}{2}x^2-x+2\ln|x+1|+C \blacksquare$$

APPLICATION 095 부정적분 $\displaystyle\int \dfrac{x^4+x^3-x-2}{x-1}\,dx$를 구하여라. Sub Note 037쪽

■ **수학 공부법에 대한 저자들의 충고 – 삼각함수로의 치환적분법–삼각치환법**

부정적분에서는 다루지 않았지만 앞으로 배울 정적분에서는 매우 유용하게 사용될 치환적분법으로 **삼각치환법(trigonometric substitution)**이 있다. 삼각치환법이란

$$\int f(x)\,dx \text{에서 } x\text{를 적당한 삼각함수로 치환하여 부정적분을 구하는 방법}$$

을 말한다. 예를 들면 $\displaystyle\int \sqrt{1-x^2}\,dx$에서 $x=\sin\theta\left(\text{단, } -\dfrac{\pi}{2}\leq\theta\leq\dfrac{\pi}{2}\right)$로 치환하여 주어진 적분식을

$$\int \sqrt{1-\sin^2\theta}\cos\theta\,d\theta=\int \cos^2\theta\,d\theta \text{로 변형한 후 적분하는 것이다. 간단해 보이지만 부정적분에서는}$$

원래 변수 x로 되돌려 놓는 과정에서 역삼각함수가 필요하게 되어 주로 대학 미적분에서 다룬다. 대신 구간이 주어진 정적분에서는 유용하게 쓰이니 정적분에서 삼각치환법의 효력을 맛보도록 하자. (342쪽)

065 다음 부정적분을 구하여라.

(1) $\displaystyle\int \sin 2x \cos x\, dx$ (2) $\displaystyle\int \sin^3 x\, dx$

GUIDE 삼각함수를 포함하는 함수의 부정적분을 구할 때는 적분가능한 형태인

$$f(g(x))g'(x) \ \ \text{또는} \ \ \frac{f'(x)}{f(x)}$$

꼴을 유도한 후, 치환적분법을 이용하여 해결한다. 특별한 유형이 있는 것은 아니므로 연습을 통해 적응력을 기르도록 하자.

SOLUTION

(1) $\displaystyle\int \sin 2x \cos x\, dx = 2\int \cos^2 x \sin x\, dx$ ← $\sin 2x = 2\sin x \cos x$

에서 $\cos x = t$로 놓으면 $\dfrac{dt}{dx} = -\sin x$이므로

$$2\int \cos^2 x \sin x\, dx = -2\int \cos^2 x \cdot (-\sin x)\, dx$$

$$= -2\int t^2\, dt = -2\cdot\frac{1}{3}t^3 + C$$

$$= -\frac{2}{3}\cos^3 x + C \ \blacksquare$$

(2) $\displaystyle\int \sin^3 x\, dx = \int \sin^2 x \sin x\, dx = \int (1-\cos^2 x)\sin x\, dx$ ← $\sin^2 x + \cos^2 x = 1$

에서 $\cos x = t$로 놓으면 $\dfrac{dt}{dx} = -\sin x$이므로

$$\int (1-\cos^2 x)\sin x\, dx = -\int (1-\cos^2 x)\cdot(-\sin x)\, dx$$

$$= -\int (1-t^2)\, dt = -t + \frac{1}{3}t^3 + C$$

$$= -\cos x + \frac{1}{3}\cos^3 x + C \ \blacksquare$$

── **Summa's Advice** ──

삼각함수를 포함하는 함수의 부정적분을 구하는 전략

[전략 1] 삼각함수와 그 도함수를 파악하여 치환적분법을 이용한다.

① $(\sin x)' = \cos x$, $(\cos x)' = -\sin x$: $\sin x$를 미분하면 $\cos x$가, $\cos x$를 미분하면 $\sin x$가 나타난다.(부호는 잠시 제외) 따라서 $\sin x$와 $\cos x$가 섞여 있는 함수의 부정적분에서는 $\sin x = t$ 또는 $\cos x = t$로 치환하는 것을 고려할 만하다.

② $(\tan x)'=\sec^2 x$, $(\cot x)'=-\csc^2 x$: $\tan x$와 $\cot x$를 한 문자로 치환하기 위해서는 $\sec^2 x$ 또는 $\csc^2 x$가 필요하다. $\sec^2 x$와 $\csc^2 x$는 눈에 잘 띄는 식이기 때문에 이런 식이 나왔을 경우 $\tan x = t$ 또는 $\cot x = t$로 치환하는 것을 고려할 만하다.

③ $(\sec x)'=\sec x \tan x$, $(\csc x)'=-\csc x \cot x$: $\sec x$와 $\csc x$의 도함수는 자기 자신을 복제한 뒤 $\tan x$ 또는 $\cot x$를 곱한다. 자기 자신이 나타난다는 측면에서 e^x과도 비슷하다는 것을 느낄 수 있어야 한다. 따라서 $\sec x = t$ 또는 $\csc x = t$ 등으로 치환하는 문제에서는 그 함수가 두 번 이상 등장하는 경우가 많다.

[전략 2] 삼각함수의 항등식을 이용하여 피적분함수를 변형시킨다.

피적분함수가 $f(g(x))g'(x)$ 또는 $\dfrac{f'(x)}{f(x)}$ 꼴이 될 수 있도록 삼각함수의 항등식을 이용하여 변형시킨다. 기본적으로 다음 항등식을 이용할 수 있어야 한다.

(1) $\tan x = \dfrac{\sin x}{\cos x}=\dfrac{1}{\cot x}$, $\csc x = \dfrac{1}{\sin x}$, $\sec x = \dfrac{1}{\cos x}$

(2) $\sin^2 x + \cos^2 x = 1$, $\tan^2 x + 1 = \sec^2 x$, $1 + \cot^2 x = \csc^2 x$

   [참고] $\sin^2 \theta + \cos^2 \theta = 1$은 원 $x^2 + y^2 = 1$ 위의 임의의 한 점의 좌표를 $(\cos\theta,\ \sin\theta)$로 표현 가능함을 보여주고 있다.

(3) $\sin 2x = 2\sin x \cos x$, $\cos 2x = 2\cos^2 x - 1 = 1 - 2\sin^2 x$

(4) $\sin^2 \dfrac{x}{2} = \dfrac{1 - \cos x}{2}$, $\cos^2 \dfrac{x}{2} = \dfrac{1 + \cos x}{2}$ ← 이차식을 일차식으로 낮추면 적분하기 쉽다.

유제
065-❶ 다음 부정적분을 구하여라.   Sub Note 079쪽

(1) $\displaystyle\int \dfrac{4\sin x}{1 - 4\cos x}\, dx$ (2) $\displaystyle\int \sec^2 x \tan x\, dx$ (3) $\displaystyle\int \dfrac{1}{x^2}\cos\left(\dfrac{1}{x} - 1\right) dx$

(4) $\displaystyle\int (1 + e^{\tan x})\sec^2 x\, dx$ (5) $\displaystyle\int \sin x \cos 2x\, dx$ (6) $\displaystyle\int \sin 2x \sin 4x\, dx$

(7) $\displaystyle\int \cos^5 x\, dx$ (8) $\displaystyle\int \sec x\, dx$ (9) $\displaystyle\int \csc x\, dx$

$\left[\text{Hint. (8) } \sec x = \dfrac{\sec x}{1}\ \text{로 생각하고 분모, 분자에 각각 } \sec x + \tan x \text{를 곱한다.}\right]$

치환적분법의 활용

066

$0<x<\pi$에서 정의된 함수 $f(x)$의 도함수 $f'(x)$가 $f'(x)=\dfrac{\cos^4 x+\cos^2 x\sin^2 x}{\sin^4 x}$ 이다.

$f\left(\dfrac{\pi}{2}\right)=-\sqrt{3}$일 때, $f\left(\dfrac{\pi}{6}\right)$의 값을 구하여라.

GUIDE 지금까지 배운 여러 가지 치환적분법이 적재적소에 쓰일 수 있도록 충분히 연습하도록 하자.

SOLUTION —————————————————————

$$f'(x)=\frac{\cos^4 x+\cos^2 x\sin^2 x}{\sin^4 x}=\frac{\cos^4 x}{\sin^4 x}+\frac{\cos^2 x}{\sin^2 x}$$

$$=\cot^4 x+\cot^2 x=\cot^2 x(\cot^2 x+1)=\cot^2 x\csc^2 x$$

이므로 $\qquad f(x)=\displaystyle\int \cot^2 x\csc^2 x\, dx$

$\cot x=t$로 놓으면 $\dfrac{dt}{dx}=-\csc^2 x$이므로

$$f(x)=-\int \cot^2 x(-\csc^2 x)\, dx=-\int t^2\, dt$$

$$=-\frac{1}{3}t^3+C=-\frac{1}{3}\cot^3 x+C$$

$f\left(\dfrac{\pi}{2}\right)=-\sqrt{3}$에서 $\qquad f\left(\dfrac{\pi}{2}\right)=0+C=-\sqrt{3}\qquad \therefore C=-\sqrt{3}$

$$\therefore f(x)=-\frac{1}{3}\cot^3 x-\sqrt{3}$$

$$\therefore f\left(\frac{\pi}{6}\right)=-\frac{1}{3}\cot^3\frac{\pi}{6}-\sqrt{3}=-\frac{1}{3}\cdot(\sqrt{3})^3-\sqrt{3}=\boldsymbol{-2\sqrt{3}}\ \blacksquare$$

Sub Note 081쪽

유제
066-1 함수 $y=f(x)$의 그래프 위의 임의의 점 $(x,\ y)$에서의 접선의 기울기가 $\dfrac{4}{x^2-2x-3}$ 이다. 함수 $y=f(x)$의 그래프가 두 점 $(1,\ 0)$, $(-3,\ a)$를 지날 때, a의 값을 구하여라.

Sub Note 081쪽

유제
066-2 $x>0$에서 정의된 미분가능한 함수 $f(x)$의 한 부정적분을 $F(x)$라 할 때, $F(x)=xf(x)-4x\ln x$가 성립한다. $f\left(\dfrac{1}{e}\right)=1$일 때, 방정식 $f(x)=9$를 만족시키는 모든 x의 값의 곱을 구하여라.

역치환을 이용한 치환적분법

067 다음 부정적분을 구하여라.

(1) $\displaystyle\int x(1-x)^5 dx$ (2) $\displaystyle\int \frac{x-1}{\sqrt{x+1}}\,dx$

GUIDE 피적분함수가 치환적분법의 전형적인 형태가 아닌 경우, 피적분함수의 일부분을 t로 치환하여 구하기도 한다. 이때 치환한 부분뿐만 아니라 피적분함수의 x로 표현된 다른 부분도 t에 대해 표현해 주어야 하는데, 이것은 치환한 식을 $x=g(t)$로 정리하여 대입하면 된다. 이렇게 치환한 식을 다시 거꾸로 정리하여 치환하는 것을 역치환이라 한다.

SOLUTION

(1) 전개하여 구할 수도 있지만 복잡하므로 치환을 이용하자.

$1-x=t$로 놓으면 $x=1-t$이고 $\dfrac{dx}{dt}=-1$이므로

$$\int x(1-x)^5 dx = \int (1-t)t^5 \cdot (-dt) = \int (t^6-t^5)\,dt = \frac{1}{7}t^7 - \frac{1}{6}t^6 + C$$

$$= \frac{1}{7}(1-x)^7 - \frac{1}{6}(1-x)^6 + C \ \blacksquare$$

(2) $\sqrt{x+1}=t$로 놓으면 $x+1=t^2$에서 $x=t^2-1$이고 $\dfrac{dx}{dt}=2t$이므로

$$\int \frac{x-1}{\sqrt{x+1}}\,dx = \int \frac{(t^2-1)-1}{t}\cdot 2t\,dt = 2\int (t^2-2)\,dt = \frac{2}{3}t^3 - 4t + C$$

$$= \frac{2}{3}(x+1)\sqrt{x+1} - 4\sqrt{x+1} + C \ \blacksquare$$

[다른 풀이] $x+1=t$로 놓으면 $x=t-1$이고 $\dfrac{dx}{dt}=1$이므로

$$\int \frac{x-1}{\sqrt{x+1}}\,dx = \int \frac{(t-1)-1}{\sqrt{t}}\,dt = \int \left(\sqrt{t} - \frac{2}{\sqrt{t}}\right)dt$$

$$= \frac{2}{3}t\sqrt{t} - 4\sqrt{t} + C = \frac{2}{3}(x+1)\sqrt{x+1} - 4\sqrt{x+1} + C$$

유제
067- 1 다음 부정적분을 구하여라.   Sub Note 082쪽

(1) $\displaystyle\int \frac{1-5x}{(x-1)^4}\,dx$ (2) $\displaystyle\int (x+2)\sqrt{x-1}\,dx$ (3) $\displaystyle\int \frac{1}{x\sqrt{x+1}}\,dx$

(4) $\displaystyle\int \frac{e^{3x}}{(e^x-1)^2}\,dx$ (5) $\displaystyle\int \frac{2\ln x-1}{x(\ln x-1)^2}\,dx$

03 부분적분법

SUMMA CUM LAUDE

ESSENTIAL LECTURE

1 부분적분법

두 함수 $f(x)$, $g(x)$가 미분가능할 때

$$\int f(x)g'(x)\,dx = f(x)g(x) - \int f'(x)g(x)\,dx \leftarrow \int uv'\,dx = uv - \int u'v\,dx$$

2 부분적분법을 사용하는 전략

(1) 피적분함수가 두 함수의 곱의 꼴로 주어지고, 치환적분법을 이용하기 어려운 경우에 사용한다. 특히 로그함수는 상수 부분도 함수로 볼 수 있는 유연함이 필요하다.

(2) 미분하면 간단해지는 것을 $f(x)$, 적분하기 쉬운 것을 $g'(x)$로 놓는다. 보통

로그함수, 다항함수, 삼각함수, 지수함수

순으로 $f(x)$를 선택하고, 남은 함수를 $g'(x)$로 선택한다.

기본적인 적분 공식과 치환적분법만으로도 여전히 부정적분을 구하지 못하는 함수들이 무수히 많이 존재한다. 특히 두 함수 $f(x)$, $g(x)$의 곱 $f(x)g(x)$ 꼴의 함수의 부정적분을 구하는 것은 이제까지 배운 방법만으로는 거의 불가능하다.

물론 xe^{x^2}과 같이 $f(g(x))$와 $g'(x)$의 곱인 $f(g(x))g'(x)$ 꼴의 함수는 치환적분법을 사용할 수 있지만 이는 특별한 경우이고, 많은 경우 치환적분법을 사용하기 힘들다. xe^x의 부정적분을 구하는 방법을 생각해 보라. 기본적인 적분 공식이 존재하는 두 함수 x, e^x의 곱으로 되어 있는 함수이지만 그 적분 공식을 사용할 수도 치환적분법을 사용할 수도 없다.[19]

이와 같은 문제를 쉽게 해결하기 위한 방법이 바로 지금부터 배울 <u>부분적분법</u>이다. 이는 수학 Ⅱ에서 배운 '곱의 미분법'의 역과정을 이용하는 방법이다.

---

[19] 일반적으로 두 함수 $f(x)$, $g(x)$에 대하여 그 곱의 부정적분이 각각의 부정적분의 곱으로 분리되지 않는다. 즉

$$\int f(x)g(x)\,dx \neq \int f(x)\,dx \int g(x)\,dx$$

또 xe^x에서 치환할 수 있는 경우는 $t=e^x$ 정도인데 $\dfrac{dt}{dx}=e^x$, $x=\ln t$에서 $\int xe^x\,dx = \int \ln t\,dt$이므로 여전히 적분할 수 없는 것은 마찬가지이다.

즉 미분가능한 두 함수 $f(x)$, $g(x)$의 곱 $f(x)g(x)$를 미분하면

$$\{f(x)g(x)\}'=f(x)g'(x)+f'(x)g(x)$$

이므로 역으로 생각하여 $f(x)g'(x)+f'(x)g(x)$ 꼴의 함수의 부정적분은

$$\int\{f(x)g'(x)+f'(x)g(x)\}dx=f(x)g(x)+C \quad \cdots\cdots \ ㉠$$

임을 이용하는 것이다.

그러면 지금부터 부분적분법에 대해 자세히 알아보도록 하자. 부분적분법에서는 <u>피적분함수를 이루는 식의 종류가 중요</u>하므로 차근차근 주의 깊게 공부하도록 하자.

1 부분적분법

위에서 설명한 '곱의 미분법'의 역과정 ㉠을 좀 더 변형해 보면

$$\int f(x)g'(x)\,dx+\int f'(x)g(x)\,dx=f(x)g(x)+C$$

$$\Longleftrightarrow \int f(x)g'(x)\,dx=f(x)g(x)-\int f'(x)g(x)\,dx^{⑳}$$

그대로 적분 미분 적분
→ 그적미적!

적분 / 적분 / 그대로 / 미분

가 성립하는데 이 항등식을 이용하여 두 함수의 곱의 꼴인 함수의 부정적분을 구하는 방법을 **부분적분법**(integration by parts)이라 한다.

부분적분법을 통해 우리는 앞에서 언급한 부정적분 $\int xe^x dx$를 이제 구할 수 있다. 즉

$f(x)=x$, $g'(x)=e^x$이라 하면 $f'(x)=1$, $g(x)=e^x$이므로

$$\int xe^x dx=xe^x-\int e^x dx=xe^x-e^x+C^{㉑}$$

Sub Note 037쪽

APPLICATION 096 부정적분 $\int xe^{-x}dx$를 $f(x)=x$, $g'(x)=e^{-x}$을 이용하여 구하여라.

참고로 부분적분법의 항등식에서 $f(x)=u$, $g(x)=v$로 놓아 다음과 같이 간단하게 표현하여 기억하면 실수를 줄일 수 있다. (지금부터는 이 표현을 많이 사용할 것이다.)

$$\int uv'\,dx=uv-\int u'v\,dx \quad ← dx까지 생략하여 \int uv'=uv-\int u'v로 생각해도 된다.$$

---

⑳ 우변의 적분이 완성된 형태가 아니므로 적분을 완성한 후 적분상수 C는 마지막 단계에서 붙이면 된다.
㉑ $f(x)=e^x$, $g'(x)=x$라 하고 부분적분법을 이용하려는 독자가 있을지도 모른다. 하지만 이와 같이 놓으면 부정적분을 구할 수 없다. 자세한 이유는 바로 뒤 '2 부분적분법을 사용하는 전략'에서 배우도록 하자.

② 부분적분법을 사용하는 전략

부분적분법은 조금 복잡한 면이 있어 무턱대고 사용하기에는 시간적인 면에서 비효율적이다. 따라서 그 사용하는 전략 2가지에 대하여 간단히 언급하도록 하겠다.

⑴ 피적분함수가 두 함수의 곱의 꼴로 주어지고, 치환적분법을 이용하기 어려운 경우에 사용한다.

부분적분법은 그 공식 $\int uv'dx = uv - \int u'v\,dx$의 형태상 피적분함수가 두 함수 u와 v'의 곱으로 표현되어야만 사용할 수 있다. 또 계산이 조금 복잡하고 번거로울 수 있기 때문에 먼저 치환적분법을 쓸 수 있는지 생각해 보고, 사용할 수 없다면 차선책으로 부분적분법을 이용하는 것이 효과적이다.

한편 부분적분법을 이용할 때는 **상수도 함수로 볼 수 있는 유연함**이 필요하다. 말하자면 부분적분법의 공식에 포함된 v'을 1로 두는 경우가 있다는 것이다. 그러면 $v = x$가 되어 다음과 같이 부정적분을 구할 수 있다.

$$\int u\,dx = \int u \cdot 1\,dx = ux - \int u'x\,dx$$

■ EXAMPLE 075 부정적분 $\int \ln x\,dx$[22]를 구하여라.

ANSWER $u = \ln x$, $v' = 1$이라 하면

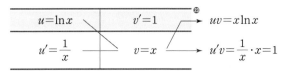

$$\therefore \int \ln x\,dx = x\ln x - \int dx$$
$$= x\ln x - x + C \ ■$$

APPLICATION 097 부정적분 $\int \log_a x\,dx$[22]를 구하여라. (단, $a > 0$, $a \neq 1$)   Sub Note 037쪽

---

[22] $\ln x$, $\log_a x$는 부분적분법을 이용해야 구할 수 있기 때문에 기본적인 함수의 부정적분에서 다루지 못하였다. 하지만 이들도 기본적인 함수이므로 부정적분의 결과를 공식처럼 기억해 두는 것이 편리하다.

[23] u, v'을 비롯하여 u', v를 구해 위와 같이 표로 나타내면 부분적분법을 이용할 때 실수를 줄일 수 있다.

(2) $\int u'v\,dx$가 간단해지도록 u, v'을 선택한다. 즉 미분하면 간단해지는 것을 $u=f(x)$로, 적분하기 쉬운 것을 $v'=g'(x)$로 놓는다.

예를 들어 부정적분 $\int x\cos x\,dx$를 구하는 방법을 생각해 보자. u, v'을 선택할 수 있는 방법은 식을 특별하게 변형하지 않는 한 다음과 같이 4가지 경우가 있다.

   (i) $u=1$, $v'=x\cos x$ (ii) $u=x$, $v'=\cos x$

   (iii) $u=\cos x$, $v'=x$ (iv) $u=x\cos x$, $v'=1$

(i)의 경우 $v'=x\cos x$를 만족시키는 v를 구하는 것이 문제의 목적이기 때문에 의미없고, (iii), (iv)의 경우 부분적분법의 우변에 있는 $\int u'v\,dx$가 다음과 같이 복잡해져 부정적분을 구하기가 더 힘들어진다.

  (iii)의 경우 : $\int u'v\,dx=-\int \dfrac{1}{2}x^2\sin x\,dx$ $\leftarrow u'=-\sin x,\ v=\dfrac{1}{2}x^2$

  (iv)의 경우 : $\int u'v\,dx=\int (x\cos x-x^2\sin x)\,dx$ $\leftarrow u'=\cos x-x\sin x,\ v=x$

이제 택할 수 있는 경우는 (ii)뿐이고, 이 경우 $u'=1$, $v=\sin x$이므로

$$\int x\cos x\,dx=x\sin x-\int \sin x\,dx=x\sin x+\cos x+C$$

와 같이 부정적분을 구할 수 있다. 그런데 $x\cos x$보다 피적분함수가 더 복잡해지면 u, v'을 선택하는 방법의 수는 더 많아질 것이고, 그 모든 경우를 위와 같이 일일이 확인해 볼 수는 없을 것이다. 따라서 부분적분법의 우변에 있는 $\int u'v\,dx$가 최대한 간단해지도록 u, v'을 선택하는 효과적인 방법이 필요한데,

  일반적으로 미분하면 간단해지는 것을 u로 놓고, 적분하기 쉬운 것을 v'으로 놓으면 $\int u'v\,dx$가 간단해진다.

이 원칙에 따라 자주 다루는 함수들을 다음과 같이 분류할 수 있다. 왼쪽으로 갈수록 u로 놓기 좋은 함수이고, 오른쪽으로 갈수록 v'으로 놓기 좋은 함수이다.[24]

$\longleftarrow$ u		v' $\longrightarrow$	
로그함수	다항함수	삼각함수	지수함수
$\log_a x,\ \ln x$	$x,\ x^2,\ \cdots$	$\sin x,\ \cos x$	$e^x,\ a^x$

---

[24] 부분적분법은 보통 피적분함수가 다음과 같은 꼴일 때 적용한다.
(다항함수)×(삼각함수), (다항함수)×(지수함수), (다항함수)×(로그함수), (삼각함수)×(지수함수)

EXAMPLE 076 다음 부정적분을 구하여라.

(1) $\displaystyle\int x\sin x\,dx$ (2) $\displaystyle\int x^3\ln x\,dx$

ANSWER (1) $u=x$, $v'=\sin x$라 하면

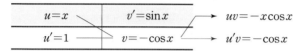

$$\therefore \int x\sin x\,dx=-x\cos x-\int(-\cos x)\,dx$$

$$=-x\cos x+\int\cos x\,dx=-x\cos x+\sin x+C \ \blacksquare$$

(2) $u=\ln x$, $v'=x^3$이라 하면

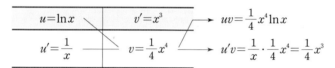

$$\therefore \int x^3\ln x\,dx=\frac{1}{4}x^4\ln x-\int\frac{1}{4}x^3\,dx=\frac{1}{4}x^4\ln x-\frac{1}{16}x^4+C \ \blacksquare$$

APPLICATION 098 다음 부정적분을 구하여라. Sub Note 037쪽

(1) $\displaystyle\int(1-2x)e^{2x}\,dx$ (2) $\displaystyle\int 2x\log_2 x\,dx$ (3) $\displaystyle\int x\cos^2 x\,dx$

$\left[\text{Hint. (3) } \cos^2 x=\dfrac{1+\cos 2x}{2}\right]$

■ **수학 공부법에 대한 저자들의 충고 – 공식으로 기억해 두면 편리한 기본적인 함수들의 부정적분**

본문을 설명하면서 중간중간 얘기했듯이 기본적인 함수이지만 치환적분법을 이용하여 구할 수밖에 없는 삼각함수 $\tan x$, $\cot x$, $\sec x$, $\csc x$의 부정적분과 부분적분법을 이용하여 구할 수밖에 없는 로그함수 $\ln x$, $\log_a x$의 부정적분은 자주 접하게 되므로 공식처럼 기억해 두면 편리하다. 계산 없이 그 결과만을 쓰면 다음과 같다. 적분상수는 생략하였다.

(1) $\displaystyle\int\tan x\,dx=-\ln|\cos x|$ (2) $\displaystyle\int\cot x\,dx=\ln|\sin x|$

(3) $\displaystyle\int\sec x\,dx=\ln|\sec x+\tan x|$ (4) $\displaystyle\int\csc x\,dx=-\ln|\csc x+\cot x|$

(5) $\displaystyle\int\ln x\,dx=x\ln x-x$ (6) $\displaystyle\int\log_a x\,dx=x\log_a x-\frac{1}{\ln a}x$

068 부정적분 $\int x^2 e^x dx$ 를 구하여라.

GUIDE　부분적분법 $\int uv'\,dx = uv - \int u'v\,dx$ 를 적용하여 부정적분을 구할 때, $\int u'v\,dx$ 가 곧바로 적분되는 것이 아니라 다시 한 번 부분적분법을 적용해야 구할 수 있는 경우가 있다. 당황할 필요 없이 또 다시 부분적분을 시도하면 된다. 물론 3번, 4번 그 이상 시도해야 하는 경우도 있다.

SOLUTION

$u = x^2,\ v' = e^x$ 이라 하면

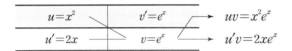

$$\therefore \int x^2 e^x dx = x^2 e^x - 2\int x e^x dx \qquad \cdots\cdots \ \text{㉠}$$

이때 $\int x e^x dx$ 가 곧바로 적분되지 않으므로 다시 부분적분법을 적용하자.

$u = x,\ v' = e^x$ 이라 하면　◀ 공식과의 연계를 위해 편의상 $u,\ v'$ 을 다시 사용하였다.

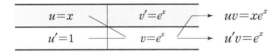

$$\therefore \int x e^x dx = x e^x - \int e^x dx = x e^x - e^x + C \qquad \cdots\cdots \ \text{㉡}$$

㉡을 ㉠에 대입하면

$$\int x^2 e^x dx = x^2 e^x - 2(x e^x - e^x) + C$$
$$= x^2 e^x - 2x e^x + 2e^x + C \ \blacksquare$$

유제
068-❶ 다음 부정적분을 구하여라.　　　　　　　　　　　　　　　Sub Note 083쪽

(1) $\int x^2 \cos x\, dx$ 　　　　　　　　　(2) $\int x^2 e^{-2x} dx$

(3) $\int (\ln x)^2 dx$ 　　　　　　　　　(4) $\int x(\ln x)^2 dx$

부분적분법을 여러 번 적용하는 경우(2)

069 부정적분 $\int e^x \cos x\, dx$를 구하여라.

GUIDE 피적분함수를 자세히 살펴보면 여러 번 미분했을 때 같은 것이 주기적으로 반복되어 나오는 두 함수 e^x과 $\cos x$의 곱의 꼴임을 확인할 수 있다. 이런 경우에는 부분적분법을 무한히 반복 적용하더라도 적분이 끝나지 않는데, 대신 처음 부정적분 $\int e^x \cos x\, dx$가 주기적으로 반복되어 나오게 된다. 따라서 이와 같은 경우에는 처음 부정적분이 다시 나오는 순간까지만 부분적분법을 반복 적용하고 식의 조작을 통하여 부정적분을 구하면 된다.

SOLUTION

$\int e^x \cos x\, dx = I$라 하자. $u = \cos x$, $v' = e^x$으로 놓으면

$$
\begin{array}{c|cc}
u = \cos x & v' = e^x & \longrightarrow & uv = e^x \cos x \\
\hline
u' = -\sin x & v = e^x & \longrightarrow & u'v = -e^x \sin x
\end{array}
$$

$$\therefore I = e^x \cos x + \int e^x \sin x\, dx \qquad \cdots\cdots \text{㉠}$$

$\int e^x \sin x\, dx$에 다시 부분적분법을 적용하자. $u = \sin x$, $v' = e^x$으로 놓으면

$$
\begin{array}{c|cc}
u = \sin x & v' = e^x & \longrightarrow & uv = e^x \sin x \\
\hline
u' = \cos x & v = e^x & \longrightarrow & u'v = e^x \cos x
\end{array}
$$

$$\therefore \int e^x \sin x\, dx = e^x \sin x - \int e^x \cos x\, dx = e^x \sin x - I \qquad \cdots\cdots \text{㉡}$$

㉡을 ㉠에 대입하면

$$I = e^x \cos x + (e^x \sin x - I),\ 2I = e^x(\cos x + \sin x)$$

$$\therefore I = \int e^x \cos x\, dx = \frac{1}{2} e^x(\cos x + \sin x) + C \ \blacksquare$$

유제
069-1 다음 부정적분을 구하여라.

Sub Note 084쪽

(1) $\int e^{-x} \sin 2x\, dx$ (2) $\int e^{2x} \cos x\, dx$

070

자연수 n에 대하여 $I_n = \int (\ln x)^n dx$라 할 때, 등식

$$I_{n+1} = x(\ln x)^{n+1} - (n+1)I_n$$

이 성립함을 증명하고, 위의 등식을 이용하여 I_2, I_3을 구하여라.

GUIDE I_{n+1}과 I_n 사이의 점화식을 증명하는 문제이다. 자연수 n에 대하여 I_n들이 적분으로 주어져 있으므로 이들의 나열을 '적분열'이라 하고, 부분적분법을 통하면 문제에서 주어진 점화식을 충분히 증명할 수 있다. 또 이로부터 I_2, I_3, $\cdots$을 순차적으로 구할 수 있다.

SOLUTION

[증명] $I_{n+1} = \int (\ln x)^{n+1} dx$에서 $u = (\ln x)^{n+1}$, $v' = 1$이라 하면

$u = (\ln x)^{n+1}$	$v' = 1$	$uv = x(\ln x)^{n+1}$
$u' = (n+1)(\ln x)^n \cdot \dfrac{1}{x}$	$v = x$	$u'v = (n+1)(\ln x)^n$

$$\therefore I_{n+1} = \int (\ln x)^{n+1} dx = x(\ln x)^{n+1} - \int (n+1)(\ln x)^n dx$$

$$= x(\ln x)^{n+1} - (n+1)\int (\ln x)^n dx$$

$$= x(\ln x)^{n+1} - (n+1)I_n \ ■$$

한편 $I_1 = \int \ln x \, dx = x\ln x - x + C$이므로 위의 등식을 이용하여 I_2, I_3을 구하면

$$\boldsymbol{I_2 = x(\ln x)^2 - 2I_1 = x(\ln x)^2 - 2(x\ln x - x) + C}$$

$$\boldsymbol{= x(\ln x)^2 - 2x\ln x + 2x + C}$$

$$\boldsymbol{I_3 = x(\ln x)^3 - 3I_2 = x(\ln x)^3 - 3\{x(\ln x)^2 - 2x\ln x + 2x\} + C}$$

$$\boldsymbol{= x(\ln x)^3 - 3x(\ln x)^2 + 6x\ln x - 6x + C} \ ■$$

Sub Note 085쪽

유제
070-1

자연수 n에 대하여 $I_n = \int \sin^n x \, dx$라 할 때, 등식

$$I_{n+2} = -\frac{\sin^{n+1} x \cos x}{n+2} + \frac{n+1}{n+2} I_n$$

이 성립함을 증명하고, 위의 등식을 이용하여 I_3, I_4를 구하여라.

[Hint. $\sin^{n+2} x = \sin x \sin^{n+1} x$로 놓고 부분적분법을 이용한다.]

1. 다음 [   ] 안에 적절한 것을 채워 넣어라.

   (1) 다음 부정적분을 구하여라.

   ① $\int \sin x \, dx = [\qquad\qquad]$ ② $\int \cos x \, dx = [\qquad\qquad]$

   ③ $\int \tan x \, dx = [\qquad\qquad]$ ④ $\int \cot x \, dx = [\qquad\qquad]$

   ⑤ $\int \sec x \, dx = [\qquad\qquad]$ ⑥ $\int \csc x \, dx = [\qquad\qquad]$

   (2) 적분 기호 안에서 적분변수를 다른 변수로 바꾸어 적분하는 방법을 [   ]이라 한다.

   (3) '곱의 미분법'으로부터 얻은 적분 방법으로 주로 두 함수의 곱의 꼴인 함수의 부정적분을 구하는 데 효과적인 적분법을 [   ]이라 한다.

2. 다음 문장이 참(true) 또는 거짓(false)인지 결정하고, 그 이유를 설명하거나 적절한 반례를 제시하여라.

   (1) n이 실수일 때, $\int x^n \, dx = \dfrac{1}{n+1} x^{n+1} + C$이다.

   (2) 부정적분 $\int \dfrac{x+2}{x^2(x+1)} \, dx$는 $\dfrac{x+2}{x^2(x+1)} = \dfrac{A}{x^2} + \dfrac{B}{x+1}$ (A, B는 상수) 꼴로 나타낸 후 구하면 된다.

3. 다음 물음에 대한 답을 간단히 서술하여라.

   (1) 부정적분 $\int \cos x \sin x \, dx$를 $\sin x = t$로 치환할 때와 $\cos x = t$로 치환할 때로 나누어 구해 보고, 둘의 결과를 설명하여라.

   (2) 부분적분법 $\int uv' \, dx = uv - \int u'v \, dx$를 이용할 때, u와 v'을 선택하는 방법을 서술하여라.

EXERCISES

Sub Note 165쪽

함수 $y=x^n$의
부정적분 **01** 함수 $f(x)$에 대하여 $\lim\limits_{h \to 0} \dfrac{f(x+h)-f(x)}{h} = \dfrac{(\sqrt{x}-1)^2}{x}$, $f(1)=-2$일 때, $f(4)$
의 값을 구하여라.

지수함수의
부정적분 **02** 곡선 $y=f(x)$ 위의 임의의 점 $(x,\ y)$에서의 접선의 기울기는 e^x+3x^2+1에 정비례
한다. 두 곡선 $y=f(x)$, $y=-x^2+2x+3$이 $x=0$인 점에서 공통인 접선을 가질 때,
$f(1)$의 값을 구하여라.

삼각함수의
부정적분 **03** 실수 전체의 집합에서 정의되고 이계도함수가 존재하는 함수 $f(x)$가
$$f(x)=xf'(x)-x\cos x+\sin x+1$$
서술형
을 만족시킨다. $f(0)=1$, $f'(0)=1$일 때, $f\left(\dfrac{\pi}{2}\right)$의 값을 구하여라.

치환적분법 **04** 함수 $f(x)=\displaystyle\int \dfrac{e^{\sqrt{x}}}{\sqrt{x}}\,dx$에 대하여 $f(0)=2$일 때, $f(4)$의 값을 구하여라.

치환적분법 **05** $0 \le x \le 2\pi$에서 정의된 함수 $f(x)$가
$$f'(x)=(1+\sin x)^2 \cos x$$
를 만족시키고 $f(0)=0$일 때, 함수 $f(x)$의 최댓값을 구하여라.

치환적분법 06 함수 $f(x)$가 $(x^2+1)f'(x)=4x\ln(x^2+1)$을 만족시키고 $f(0)=-3$일 때, 함수 $f(x)$를 구하여라.

유리함수의 부정적분 07 부정적분 $\int \dfrac{1}{x^3(x+1)}\,dx$를 구하여라.

부분적분법 08 곡선 $y=f(x)$ 위의 임의의 점 $(x,\ y)$에서의 접선의 기울기가 xe^{2x}이고, 이 곡선이 원점을 지날 때, $f\left(\dfrac{1}{2}\right)$의 값을 구하여라.

부분적분법 09 함수 $f(x)$에 대하여 $f'(x)=\ln(x+1)$이고 $f(0)=3$일 때, $f(1)$의 값을 구하여라.

부분적분법 10 $x>0$에서 정의된 미분가능한 함수 $f(x)$의 한 부정적분을 $F(x)$라 할 때,
$$F(x)=xf(x)+x^2\cos x$$
가 성립한다. $F(\pi)=\pi$일 때, $f\left(\dfrac{\pi}{2}\right)$의 값을 구하여라.

Sub Note 168쪽

01 $x>0$에서 정의된 함수 $f(x)$가
$$f(x)+xf'(x)=\frac{1}{x\sqrt{x}}-\frac{2}{x^2}$$
를 만족시키고 $f(1)=0$일 때, $f(2)$의 값을 구하여라.

02 함수 $f(x)$에 대하여 $f(0)=1$, $f'(x)=f(x)+e^x\cos x$를 만족시키고
$g(x)=e^{-x}f(x)$라 할 때, $g(\pi)+g(3\pi)+g(5\pi)+g(7\pi)+g(9\pi)$의 값을 구하여라.

03 실수 전체의 집합에서 연속인 함수 $f(x)$의 도함수 $f'(x)$가
$$f'(x)=\begin{cases} \cos^2x & (x>0) \\ k\sin x & (x<0) \end{cases}$$
이다. $f(\pi)=f(-\pi)=1$일 때, 상수 k의 값을 구하여라.

04 $x>1$에서 정의된 함수 $f(x)$가
$$f(x)=\int \frac{1}{x}\cos(\ln x)dx, \ f(e^\pi)=0$$
을 만족시킨다. 방정식 $f(x)=0$의 실근을 작은 것부터 차례대로 a_1, a_2, a_3, $\cdots$이라
할 때, $a_1a_2a_3$의 값을 구하여라.

05 함수 $f(x)=\dfrac{x^4}{(x-1)^2}$의 한 부정적분 $F(x)$가
$$F(x)=a(x-1)^3+b(x-1)^2+c(x-1)+d\ln|x-1|-\frac{e}{x-1}+3$$
이다. $abcde$의 값을 구하여라. (단, a, b, c, d, e는 상수)

06 함수 $f(x)$의 도함수가 $f'(x)=\dfrac{1}{e^{2x}+1}$ 이고 $f(0)=0$일 때, $f(\ln 2)$의 값은?

① $\dfrac{1}{2}\ln\dfrac{2}{5}$ ② $\dfrac{1}{2}\ln\dfrac{4}{5}$ ③ $\dfrac{1}{2}\ln\dfrac{6}{5}$ ④ $\dfrac{1}{2}\ln\dfrac{8}{5}$ ⑤ $\dfrac{1}{2}\ln 2$

07 실수 전체의 집합에서 정의되고 미분가능한 함수 $f(x)$가 임의의 실수 a, b에 대하여
$$f(a+b)=f(a)f(b),\; f'(0)=1$$
을 만족시킬 때, $f(\ln 2)$의 값을 구하여라. (단, $f(x)>0$)

08 서술형 함수 $f(x)$에 대하여 $f'(x)=e^{\sqrt{x}}$이고 $f(1)=0$일 때, $f(4)$의 값을 구하여라.

09 방정식 $\displaystyle\int e^{x}\sin x\,dx=-\dfrac{1}{2}e^{x}$의 한 근이 0일 때, 이 방정식의 양수 해 중 세 번째로 작은 것을 구하여라.

10 자연수 n에 대하여 $I_n=\displaystyle\int x^n e^{2x}\,dx$라 할 때, 등식
$$I_{n+1}=\dfrac{1}{2}x^{n+1}e^{2x}-\dfrac{n+1}{2}I_n$$
이 성립함을 증명하고, 위의 등식을 이용하여 I_2, I_3을 구하여라.

내신 · 모의고사 대비 TEST 454쪽

01 정적분의 뜻과 성질

SUMMA CUM LAUDE

ESSENTIAL LECTURE

1 정적분의 정의

(1) 닫힌구간 $[a, b]$에서 연속인 함수 $f(x)$의 부정적분 중 하나를 $F(x)$라 할 때, $f(x)$의 a에서 b까지의 정적분은

$$\int_a^b f(x)\,dx = \Big[\, F(x)\, \Big]_a^b = F(b) - F(a)$$

(2) $\displaystyle\int_a^a f(x)\,dx = 0$, $\displaystyle\int_a^b f(x)\,dx = -\int_b^a f(x)\,dx$

2 정적분의 성질

두 함수 $f(x)$, $g(x)$가 임의의 세 실수 a, b, c를 포함하는 닫힌구간에서 연속일 때,

(1) $\displaystyle\int_a^b kf(x)\,dx = k\int_a^b f(x)\,dx$ (단, k는 상수)

(2) $\displaystyle\int_a^b \{f(x) \pm g(x)\}\,dx = \int_a^b f(x)\,dx \pm \int_a^b g(x)\,dx$ (복부호 동순)

(3) $\displaystyle\int_a^b f(x)\,dx = \int_a^c f(x)\,dx + \int_c^b f(x)\,dx$

1 정적분의 정의

우리는 수학 Ⅱ에서 '정적분'을 공부하였으나, 다항함수만을 다루었다. 이제 앞 단원에서 배운 '여러 가지 함수의 부정적분'을 바탕으로 하여 '여러 가지 함수의 정적분'에 대하여 알아보자.

먼저 정적분의 정의를 다시 되짚어 보고, 이를 여러 가지 함수에 적용해 보자.

정적분의 정의

(1) 닫힌구간 $[a, b]$에서 연속인 함수 $f(x)$의 부정적분 중 하나를 $F(x)$라 할 때, $f(x)$의 a에서 b까지의 정적분은

$$\int_a^b f(x)\,dx = \Big[\, F(x)\, \Big]_a^b = F(b) - F(a)$$

(2) $\displaystyle\int_a^a f(x)\,dx = 0$, $\displaystyle\int_a^b f(x)\,dx = -\int_b^a f(x)\,dx$

② 정적분의 성질

정적분의 값을 잘 구하기 위해서는 $\int_a^b f(x)\,dx$에서 $f(x)$의 부정적분을 잘 구할 수 있어야 하겠다. 이를 위해서 앞에서 배운 여러 가지 함수의 부정적분을 반드시 기억하도록 하자.

이제 본격적으로 여러 가지 함수의 정적분의 값을 계산하기 전에 수학 Ⅱ에서 배운 정적분의 성질을 정리해 두고 넘어가자.

정적분의 성질

두 함수 $f(x)$, $g(x)$가 임의의 세 실수 a, b, c를 포함하는 닫힌구간에서 연속일 때,

(1) $\int_a^b kf(x)\,dx = k\int_a^b f(x)\,dx$ (단, k는 상수)

(2) $\int_a^b \{f(x) \pm g(x)\}\,dx = \int_a^b f(x)\,dx \pm \int_a^b g(x)\,dx$ (복부호 동순)

(3) $\int_a^b f(x)\,dx = \int_a^c f(x)\,dx + \int_c^b f(x)\,dx$

정적분의 정의와 정적분의 성질을 이용하여 유리함수, 무리함수, 지수함수, 삼각함수의 정적분의 값을 구해 보자.

▎EXAMPLE 077 다음 정적분의 값을 구하여라.

(1) $\displaystyle\int_1^4 \sqrt{x}\,dx$

(2) $\displaystyle\int_0^{-2} \frac{1}{e^{2x}}\,dx$

(3) $\displaystyle\int_0^1 (x-1)(\sqrt{x}+1)\,dx$

(4) $\displaystyle\int_{-\pi}^0 \frac{\sin x + \cos x}{2}\,dx$

(5) $\displaystyle\int_1^2 \frac{2x+3}{x}\,dx + \int_2^3 \frac{2x+3}{x}\,dx$

(6) $\displaystyle\int_{\frac{\pi}{6}}^{\frac{\pi}{3}} (1+\cot^2 x)\,dx$

> **ANSWER** (1) $\displaystyle\int_1^4 \sqrt{x}\,dx = \left[\frac{2}{3}x\sqrt{x}\right]_1^4 = \frac{16}{3} - \frac{2}{3} = \boldsymbol{\frac{14}{3}}$ ■
>
> (2) $\displaystyle\int_0^{-2} \frac{1}{e^{2x}}\,dx = \int_0^{-2} e^{-2x}\,dx = \left[-\frac{1}{2}e^{-2x}\right]_0^{-2}$
>
> $\qquad = -\frac{1}{2}e^4 - \left(-\frac{1}{2}\right) = \boldsymbol{\frac{1}{2} - \frac{1}{2}e^4}$ ■
>
> **[다른 풀이]** $\displaystyle\int_0^{-2} \frac{1}{e^{2x}}\,dx = -\int_{-2}^0 e^{-2x}\,dx = -\left[-\frac{1}{2}e^{-2x}\right]_{-2}^0$
>
> $\qquad\qquad = -\left\{-\frac{1}{2} - \left(-\frac{1}{2}e^4\right)\right\} = \frac{1}{2} - \frac{1}{2}e^4$

(3) $\displaystyle\int_0^1 (x-1)(\sqrt{x}+1)\,dx = \int_0^1 (x^{\frac{3}{2}}+x-x^{\frac{1}{2}}-1)\,dx$

$$= \left[\frac{2}{5}x^{\frac{5}{2}}+\frac{1}{2}x^2-\frac{2}{3}x^{\frac{3}{2}}-x\right]_0^1$$

$$= \frac{2}{5}+\frac{1}{2}-\frac{2}{3}-1 = -\frac{\mathbf{23}}{\mathbf{30}}\ \blacksquare$$

(4) $\displaystyle\int_{-\pi}^0 \frac{\sin x+\cos x}{2}\,dx = \left[-\frac{1}{2}\cos x+\frac{1}{2}\sin x\right]_{-\pi}^0$

$$= \left(-\frac{1}{2}\cos 0+\frac{1}{2}\sin 0\right)-\left\{-\frac{1}{2}\cos(-\pi)+\frac{1}{2}\sin(-\pi)\right\}$$

$$= -\frac{1}{2}-\frac{1}{2} = \mathbf{-1}\ \blacksquare$$

(5) $\displaystyle\int_1^2 \frac{2x+3}{x}\,dx+\int_2^3 \frac{2x+3}{x}\,dx = \int_1^3 \frac{2x+3}{x}\,dx = \int_1^3 \left(2+\frac{3}{x}\right)dx$

$$= \Big[2x+3\ln|x|\Big]_1^3$$

$$= 6+3\ln 3-2 = \mathbf{4+3\ln 3}\ \blacksquare$$

(6) $\displaystyle\int_{\frac{\pi}{6}}^{\frac{\pi}{3}} (1+\cot^2 x)\,dx = \int_{\frac{\pi}{6}}^{\frac{\pi}{3}} \csc^2 x\,dx = \Big[-\cot x\Big]_{\frac{\pi}{6}}^{\frac{\pi}{3}}$

$$= -\cot\frac{\pi}{3}-\left(-\cot\frac{\pi}{6}\right)$$

$$= -\frac{\sqrt{3}}{3}+\sqrt{3} = \frac{\mathbf{2\sqrt{3}}}{\mathbf{3}}\ \blacksquare$$

APPLICATION 099   다음 정적분의 값을 구하여라.   Sub Note 039쪽

(1) $\displaystyle\int_1^e \frac{2x+1}{x^2}\,dx$

(2) $\displaystyle\int_1^4 \frac{(\sqrt{x}-1)^2}{\sqrt{x}}\,dx$

(3) $\displaystyle\int_0^1 5^{2x+1}\,dx$

(4) $\displaystyle\int_{\ln 2}^{\ln 4} \frac{e^{2x}-e^{-2x}}{e^x+e^{-x}}\,dx$

(5) $\displaystyle\int_0^\pi \left(\cos x+\sin^2\frac{x}{2}\right)dx$

(6) $\displaystyle\int_0^{\frac{\pi}{4}} \tan^2 x\,dx$

(7) $\displaystyle\int_{-2}^0 \frac{x^3}{x-1}\,dx-\int_{-2}^0 \frac{1}{y-1}\,dy$

(8) $\displaystyle\int_0^{\frac{\pi}{2}} \frac{1}{1+\sin x}\,dx+\int_{\frac{\pi}{2}}^0 \frac{\sin^2 x}{1+\sin x}\,dx$

구간에 따라 다르게 정의된 함수의 정적분

071

함수 $f(x)=\begin{cases} e^x+1 & (x\leq 1) \\ \dfrac{1}{x}+e & (x\geq 1) \end{cases}$ 에 대하여 다음 정적분의 값을 구하여라.

(1) $\displaystyle\int_{e}^{2e} f(x)dx$　　　　　　　　　　(2) $\displaystyle\int_{0}^{e} f(x)dx$

GUIDE 구간에 따라 다르게 정의된 함수의 정적분은 적분 구간을 나누어

$$\int_{a}^{b} f(x)dx = \int_{a}^{c} f(x)dx + \int_{c}^{b} f(x)dx$$

임을 이용한다.

SOLUTION

(1) $e \leq x \leq 2e$일 때 $f(x)=\dfrac{1}{x}+e$이므로

$$\int_{e}^{2e} f(x)dx = \int_{e}^{2e}\left(\frac{1}{x}+e\right)dx$$

$$=\left[\ln|x|+ex\right]_{e}^{2e}$$

$$=\ln 2e+2e^2-(1+e^2)=\boldsymbol{\ln 2 + e^2} \blacksquare$$

(2) $0 \leq x \leq 1$일 때 $f(x)=e^x+1$, $1 \leq x \leq e$일 때 $f(x)=\dfrac{1}{x}+e$이므로

$$\int_{0}^{e} f(x)dx = \int_{0}^{1} f(x)dx + \int_{1}^{e} f(x)dx$$

$$=\int_{0}^{1}(e^x+1)dx+\int_{1}^{e}\left(\frac{1}{x}+e\right)dx$$

$$=\left[e^x+x\right]_{0}^{1}+\left[\ln|x|+ex\right]_{1}^{e}$$

$$=(e+1-1)+(1+e^2-e)$$

$$=\boldsymbol{e^2+1} \blacksquare$$

Sub Note 086쪽

유제
071-❶

함수 $f(x)=\begin{cases} e^{-2x} & (x\leq 0) \\ \sin x+\cos x & (x\geq 0) \end{cases}$ 에 대하여 정적분 $\displaystyle\int_{-1}^{\pi} f(x)\,dx$의 값을 구하여라.

절댓값 기호를 포함한 함수의 정적분

072 다음 정적분의 값을 구하여라.

(1) $\displaystyle\int_0^4 |\sqrt{x}-1|\,dx$

(2) $\displaystyle\int_0^1 |e^x-2|\,dx$

GUIDE 절댓값 기호를 포함한 함수의 정적분은 절댓값 기호 안의 식의 값이 0이 되는 x의 값을 경계로 구간을 나눈다.

SOLUTION ────────────────────

(1) $\sqrt{x}-1=0$에서 $x=1$이므로

$$|\sqrt{x}-1|=\begin{cases} -\sqrt{x}+1 & (0\le x\le 1) \\ \sqrt{x}-1 & (x\ge 1) \end{cases}$$

$$\therefore \int_0^4 |\sqrt{x}-1|\,dx=\int_0^1 (-\sqrt{x}+1)\,dx+\int_1^4 (\sqrt{x}-1)\,dx$$

$$=\left[-\frac{2}{3}x\sqrt{x}+x\right]_0^1+\left[\frac{2}{3}x\sqrt{x}-x\right]_1^4$$

$$=\left(-\frac{2}{3}+1\right)+\left\{\left(\frac{16}{3}-4\right)-\left(\frac{2}{3}-1\right)\right\}$$

$$=\frac{1}{3}+\frac{5}{3}=\mathbf{2}\ \blacksquare$$

(2) $e^x-2=0$에서 $\quad e^x=2\quad \therefore\ x=\ln 2$

$$|e^x-2|=\begin{cases} -e^x+2 & (x\le \ln 2) \\ e^x-2 & (x\ge \ln 2) \end{cases}$$

$$\therefore \int_0^1 |e^x-2|\,dx=\int_0^{\ln 2} (-e^x+2)\,dx+\int_{\ln 2}^1 (e^x-2)\,dx$$

$$=\left[-e^x+2x\right]_0^{\ln 2}+\left[e^x-2x\right]_{\ln 2}^1$$

$$=\{(-2+2\ln 2)-(-1)\}+\{(e-2)-(2-2\ln 2)\}$$

$$=\mathbf{4\ln 2+e-5}\ \blacksquare$$

유제
072-❶ 다음 정적분의 값을 구하여라.

Sub Note 086쪽

(1) $\displaystyle\int_1^4 \left|\frac{x-2}{x}\right|\,dx$

(2) $\displaystyle\int_0^{\frac{\pi}{2}} |\sin x-\cos x|\,dx$

02 치환적분법, 부분적분법을 이용한 정적분

SUMMA CUM LAUDE

ESSENTIAL LECTURE

1 치환적분법을 이용한 정적분

닫힌구간 $[a, b]$에서 연속인 함수 $f(x)$에 대하여 미분가능한 함수 $x=g(t)$의 도함수 $g'(t)$가 닫힌구간 $[\alpha, \beta]$에서 연속이고 $a=g(\alpha)$, $b=g(\beta)$이면

$$\int_a^b f(x)\,dx = \int_\alpha^\beta f(g(t))g'(t)\,dt$$

여기서 $x=g(t)$는 주어진 적분 구간에서 일대일대응이다.

2 부분적분법을 이용한 정적분

닫힌구간 $[a, b]$에서 두 함수 $f(x)$, $g(x)$가 미분가능하고 $f'(x)$, $g'(x)$가 연속일 때,

$$\int_a^b f(x)g'(x)\,dx = \Big[f(x)g(x) \Big]_a^b - \int_a^b f'(x)g(x)\,dx$$

1 치환적분법을 이용한 정적분 〔수능 고빈도 출제〕

정적분 $\displaystyle\int_a^b f(x)\,dx$의 값은 오른쪽과 같은 과정으로 어렵지 않게 구할 수 있었다. 그런데 $f(x)$의 한 부정적분 $F(x)$를 치환적분법을 이용하여 구하는 경우, 치환한 변수를 다시 원래의 변수로 바꾸는 데에 상당한 시간이 소요

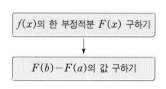

될 뿐만 아니라 얻어지는 $F(x)$의 형태도 꽤 복잡하여 정적분 $F(b)-F(a)$를 계산할 때도 상당한 어려움을 겪게 된다.

다행히도 치환적분법이 합성함수 형태의 피적분함수에 포함된 어떤 식을 하나의 새로운 변수로 치환하여 적분하는 것임에 주목하여 주어진 적분 구간 $[a, b]$에 대응하는 새로운 변수에 대한 적분 구간 $[\alpha, \beta]$를 찾아 적용하면 처음 정적분을 새로운 변수에 대한 정적분으로 완전히 바꾸어 계산할 수 있게 된다.❶

---

❶ 치환은 복잡한 하나의 함수 $f : X \to Y$를 단순한 두 함수 $g : X \to T$, $h : T \to Y$의 합성함수 $h \circ g$로 바꾸어 다룰 수 있게 해주는 굉장히 유용한 도구이다. 이때 함수 $g : X \to T$가 일대일대응이면 함수 $f : X \to Y$를 함수 $h : T \to Y$로 바꾸어 생각할 수 있음은 당연하다. 즉 주어진 함수의 식을 간단히 하는 대신 정의역 X에 대응하는 새로운 정의역 T를 구하는 것이다.

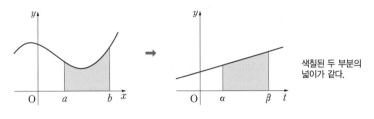

색칠된 두 부분의 넓이가 같다.

$$\int_a^b (\text{원래 함수}) = \int_\alpha^\beta (\text{치환한 함수})$$ ← 원래의 변수로 되돌릴 필요가 없어 계산이 쉬워진다.

이상을 정리하면 다음과 같다.

치환적분법을 이용한 정적분

닫힌구간 $[a, b]$에서 연속인 함수 $f(x)$에 대하여 미분가능한 함수 $x=g(t)$의 도함수 $g'(t)$가 닫힌구간 $[\alpha, \beta]$에서 연속이고 $a=g(\alpha)$, $b=g(\beta)$이면

$$\int_a^b f(x)\,dx = \int_\alpha^\beta f(g(t))g'(t)\,dt$$

여기서 $x=g(t)$는 주어진 적분 구간에서 일대일대응이다.

그러면 위의 내용이 정당함을 수학적으로 확인해 보자.

닫힌구간 $[a, b]$에서 연속인 함수 $f(x)$의 한 부정적분을 $F(x)$라 하면

$$\int_a^b f(x)\,dx = \Big[F(x) \Big]_a^b = F(b) - F(a) \quad \cdots\cdots \ \text{㉠}$$

한편 x를 t에 대한 미분가능한 함수 <u>$x=g(t)$로 치환</u>❷ 하면 치환적분법에 의하여

$$\int f(x)\,dx = \int f(g(t))g'(t)\,dt = F(g(t))$$

가 성립하고, 여기서 <u>$a=g(\alpha)$, $b=g(\beta)$</u>❸ 라 하면 다음을 얻는다.

$$\int_\alpha^\beta f(g(t))g'(t)\,dt = \Big[F(g(t)) \Big]_\alpha^\beta$$
$$= F(g(\beta)) - F(g(\alpha))$$
$$= F(b) - F(a) \quad \cdots\cdots \ \text{㉡}$$

따라서 ㉠, ㉡으로부터 $\int_a^b f(x)\,dx = \int_\alpha^\beta f(g(t))g'(t)\,dt$가 성립한다.

❷ $x=g(t)$는 주어진 적분 구간에서 항상 증가하거나 감소하는 함수이어야 한다. 그래야만 일대일대응이 되어 처음 정적분과 치환된 정적분을 같은 것으로 간주할 수 있다.

❸ $x=g(t)$가 일대일대응이므로 역함수 $t=g^{-1}(x)$가 존재한다. 따라서 a, b에 대응하는 α, β는 유일하게 결정되며 명백하게 적분 구간 $[a, b]$가 적분 구간 $[\alpha, \beta]$로 바뀌게 된다. 즉 $x=g(t)$가 일대일대응이면 경곗값에 대응하는 값을 구하는 것만으로 적분 구간을 변경할 수 있다.

EXAMPLE 078 다음 정적분의 값을 구하여라.

(1) $\displaystyle\int_0^4 \sqrt{2x+1}\,dx$

(2) $\displaystyle\int_0^3 \frac{2x}{1+x^2}\,dx$

(3) $\displaystyle\int_0^{\frac{\pi}{2}} \sin^3 x \cos x\,dx$

(4) $\displaystyle\int_e^{e^3} \frac{3\ln x}{x(\ln x+1)}\,dx$

ANSWER (1) $2x+1=t$로 놓으면 $x=\dfrac{t-1}{2}$에서 $\dfrac{dx}{dt}=\dfrac{1}{2}$이고

$x=0$일 때 $t=1$, $x=4$일 때 $t=9$이므로

$$\int_0^4 \sqrt{2x+1}\,dx=\int_1^9 \sqrt{t}\cdot\frac{1}{2}\,dt=\frac{1}{2}\int_1^9 t^{\frac{1}{2}}dt=\frac{1}{2}\left[\frac{2}{3}t^{\frac{3}{2}}\right]_1^9$$

$$=\frac{1}{3}\left[t^{\frac{3}{2}}\right]_1^9=\frac{1}{3}(27-1)=\frac{\mathbf{26}}{\mathbf{3}}\ \blacksquare$$

(2) $1+x^2=t$로 놓으면 $\dfrac{dt}{dx}=2x$이고 $x=0$일 때 $t=1$, $x=3$일 때 $t=10$이므로

$$\int_0^3 \frac{2x}{1+x^2}\,dx=\int_0^3 \frac{1}{1+x^2}\cdot 2x\,dx=\int_1^{10}\frac{1}{t}\,dt=\Big[\ln t\Big]_1^{10}=\mathbf{\ln 10}\ \blacksquare$$

[다른 풀이] $(1+x^2)'=2x$이므로

$$\int_0^3 \frac{2x}{1+x^2}\,dx=\int_0^3 \frac{(1+x^2)'}{1+x^2}\,dx=\Big[\ln(1+x^2)\Big]_0^3=\ln 10$$

[참고] 부정적분에서 $\displaystyle\int \frac{f'(x)}{f(x)}\,dx=\ln|f(x)|$로 절댓값 기호를 항상 붙이지만, 정적분에서는 x의 값의 범위를 알 수 있으므로 $f(x)$가 항상 양수라면 절댓값 기호를 생략할 수 있다.

(3) $\sin x=t$로 놓으면 $\dfrac{dt}{dx}=\cos x$이고 $x=0$일 때 $t=0$, $x=\dfrac{\pi}{2}$일 때 $t=1$이므로

$$\int_0^{\frac{\pi}{2}}\sin^3 x \cos x\,dx=\int_0^1 t^3 dt=\Big[\frac{1}{4}t^4\Big]_0^1=\frac{\mathbf{1}}{\mathbf{4}}\ \blacksquare$$

(4) $\ln x+1=t$로 놓으면 $\dfrac{dt}{dx}=\dfrac{1}{x}$이고 $x=e$일 때 $t=2$, $x=e^3$일 때 $t=4$이므로

$$\int_e^{e^3} \frac{3\ln x}{x(\ln x+1)}\,dx=\int_e^{e^3}\frac{3\ln x}{\ln x+1}\cdot\frac{1}{x}\,dx=\int_2^4 \frac{3(t-1)}{t}\,dt=3\int_2^4\Big(1-\frac{1}{t}\Big)dt$$

$$=3\Big[t-\ln t\Big]_2^4=3\{(4-\ln 4)-(2-\ln 2)\}=\mathbf{6-3\ln 2}\ \blacksquare$$

APPLICATION 100 다음 정적분의 값을 구하여라.

Sub Note 040쪽

(1) $\displaystyle\int_0^1 (2x+3)e^{x^2+3x}\,dx$

(2) $\displaystyle\int_1^e \ln^x\!\sqrt{x}\,dx$

(3) $\displaystyle\int_0^{\frac{\pi}{4}} \sin^3 x\,dx$

(4) $\displaystyle\int_0^{\frac{\pi}{2}} \cos x \cos 2x\,dx$

(5) $\displaystyle\int_{-1}^2 \frac{1-5x}{(x-1)^4}\,dx$

(6) $\displaystyle\int_{\ln 2}^{\ln 3} \frac{e^{3x}}{e^x-1}\,dx$

우리는 치환적분법을 이용하여 정적분의 값을 구할 때, 치환이 적분 구간에서 일대일대응이 되어야 한다고 배웠다. (고등학교 수학의 문제들은 반드시 일대일대응인 경우로만 주어지므로 문제 풀이에서 특별히 따지지도 않는다.) 하지만 이는 고등학교 교육과정 안에서 '치환적분법을 이용하는 정적분'을 여러 가지 복잡한 경우 없이 단순하게 다루기 위해 제한해 놓은 조건으로 대학 과정으로 넘어가면 특별한 정적분 외에는 일대일대응 조건으로 제한을 두지 않는다.

그러면 여기서는 치환이 일대일대응이 아닐 때의 정적분을 생각해 보도록 하자. 결론적으로 얘기하면 일대일대응인 경우와 똑같이 다루면 되는데, 주어진 적분 구간에서 변수의 움직임과 치환한 적분 구간에서 변수의 움직임을 서로 연계하여 생각하면 어렵지 않게 이해할 수 있을 것이다.

예를 들어 정적분 $\int_0^{\frac{5}{2}\pi} \sin^2 x \cos x \, dx$의 값을 구해 보자.

$\sin x = t$로 놓으면 $\dfrac{dt}{dx} = \cos x$이고, x가 $0 \to \dfrac{\pi}{2} \to \pi \to \dfrac{3}{2}\pi \to 2\pi \to \dfrac{5}{2}\pi$로 움직이는 동안 t는 $0 \to \underset{①}{\underline{1 \to 0}} \to \underset{②}{\underline{-1 \to 0 \to 1}}$로 -1과 1 사이를 움직이게 된다. 이때

$$\int \sin^2 x \cos x \, dx = \int t^2 \, dt$$

에서 t가 1부터 -1까지 움직이면서(①) 적분한 값은 -1부터 1까지 움직이면서(②) 적분한 값과 부호만 반대이고 그 절댓값이 같다. (적분 경로만 반대로 바뀌었다.) 따라서 이들 정적분 값은 서로 상쇄되어 0이 되므로 결국 t가 0부터 1까지 움직이면서 적분한 값만 남게 된다.

이 과정을 식으로 써 보면

$$\int_0^{\frac{5}{2}\pi} \sin^2 x \cos x \, dx = \int_0^{\frac{\pi}{2}} \sin^2 x \cos x \, dx + \int_{\frac{\pi}{2}}^{\frac{3}{2}\pi} \sin^2 x \cos x \, dx + \int_{\frac{3}{2}\pi}^{\frac{5}{2}\pi} \sin^2 x \cos x \, dx$$

$$= \int_0^1 t^2 \, dt + \int_1^{-1} t^2 \, dt + \int_{-1}^1 t^2 \, dt$$

$$= \int_0^1 t^2 \, dt = \left[\frac{1}{3} t^3 \right]_0^1$$

$$= \frac{1}{3}$$

한편 우리가 알고 있는 치환적분법을 곧바로 이용하면, 즉

$x = 0$일 때 $t = 0$, $x = \dfrac{5}{2}\pi$일 때 $t = 1$이므로

$$\int_0^{\frac{5}{2}\pi} \sin^2 x \cos x \, dx = \int_0^1 t^2 \, dt = \left[\frac{1}{3} t^3 \right]_0^1 = \frac{1}{3}$$

이렇게 둘의 결과는 서로 같음을 알 수 있다.

하지만 치환에 따라 여러 가지 다양한 경우로 나뉘어질 수 있으므로 일반적으로 먼저 제시한 방법처럼 따지도록 하자.

② 부분적분법을 이용한 정적분 수능 고빈도 출제

치환적분법을 정적분에 이용할 수 있듯이 부분적분법도 정적분에 이용할 수 있다.
지금부터는 부분적분법이 정적분에 어떻게 이용되는지 알아보도록 하자.

> 닫힌구간 $[a, b]$에서 두 함수 $f(x)$, $g(x)$가 미분가능하고 $f'(x)$, $g'(x)$가 연속일 때,
> 함수의 곱의 미분법에서
> $$\{f(x)g(x)\}'=f'(x)g(x)+f(x)g'(x)$$
> 이므로 $f(x)g(x)$는 $f'(x)g(x)+f(x)g'(x)$의 한 부정적분이다.
> 따라서 정적분의 정의에 의하여
> $$\int_a^b \{f'(x)g(x)+f(x)g'(x)\}\,dx=\Big[f(x)g(x)\Big]_a^b$$
> $$\int_a^b f'(x)g(x)\,dx+\int_a^b f(x)g'(x)\,dx=\Big[f(x)g(x)\Big]_a^b$$
> $$\therefore \int_a^b f(x)g'(x)\,dx=\Big[f(x)g(x)\Big]_a^b-\int_a^b f'(x)g(x)\,dx$$

이렇게 부분적분법을 이용하는 정적분은 형태적으로
하나의 정적분을 두 개의 정적분으로 나누어 구하는 것
일 뿐, 치환적분법을 이용할 때와 같이 함수와 적분 구간이 바뀌어 계산상의 이점을 얻을 수
있는 것은 아니다. 따라서 정적분을 구하는 일반적인 방법, 즉
(부분적분법으로) 부정적분을 구하고 정적분의 정의 적용하기
의 또 다른 표현임을 깨닫기 바란다.

이상을 정리하면 다음과 같다.

부분적분법을 이용한 정적분

닫힌구간 $[a, b]$에서 두 함수 $f(x)$, $g(x)$가 미분가능하고 $f'(x)$, $g'(x)$가 연속일 때,
$$\int_a^b f(x)g'(x)\,dx=\Big[f(x)g(x)\Big]_a^b-\int_a^b f'(x)g(x)\,dx\,❹$$

다시 한번 말하자면 부분적분법은 특별히 새로운 방법이 아니라 곱의 미분을 적분하여 거꾸
로 돌린 것에 불과하니 복잡해 보이는 기호에 현혹되지 말고, 암기하기 편하게 다음과 같이
주문처럼 외웠던 것을 떠올려 보자.

---

❹ 부정적분에서와 똑같이 '로그함수, 다항함수, 삼각함수, 지수함수' 순으로 미분한 결과가 간단한 함수를 $f(x)$로,
나머지 함수, 즉 적분하기 쉬운 함수를 $g'(x)$로 선택한다.

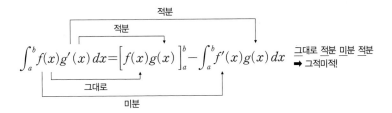

$$\int_a^b f(x)g'(x)\,dx = \Big[f(x)g(x) \Big]_a^b - \int_a^b f'(x)g(x)\,dx \qquad \begin{array}{l} \text{그대로 적분 미분 적분} \\ \Rightarrow \text{그적미적!} \end{array}$$

적분
적분
그대로
미분

■ **EXAMPLE 079** 다음 정적분의 값을 구하여라.

(1) $\displaystyle\int_0^1 xe^x\,dx$ (2) $\displaystyle\int_1^e x^2\ln x\,dx$

ANSWER   (1) $u=x$, $v'=e^x$으로 놓으면

$u=x$	$v'=e^x$	$\rightarrow uv=xe^x$
$u'=1$	$v=e^x$	$\rightarrow u'v=e^x$

$$\therefore \int_0^1 xe^x\,dx = \Big[xe^x \Big]_0^1 - \int_0^1 e^x\,dx = e - \Big[e^x \Big]_0^1 = e - (e-1) = \mathbf{1}\ \blacksquare$$

(2) $u=\ln x$, $v'=x^2$으로 놓으면

$u=\ln x$	$v'=x^2$	$\rightarrow uv=\dfrac{1}{3}x^3\ln x$
$u'=\dfrac{1}{x}$	$v=\dfrac{1}{3}x^3$	$\rightarrow u'v=\dfrac{1}{x}\cdot\dfrac{1}{3}x^3=\dfrac{1}{3}x^2$

$$\therefore \int_1^e x^2\ln x\,dx = \Big[\frac{1}{3}x^3\ln x \Big]_1^e - \int_1^e \frac{1}{3}x^2\,dx = \frac{1}{3}e^3 - \Big[\frac{1}{9}x^3 \Big]_1^e$$

$$= \frac{1}{3}e^3 - \Big(\frac{1}{9}e^3 - \frac{1}{9} \Big) = \frac{\mathbf{2}}{\mathbf{9}}e^3 + \frac{\mathbf{1}}{\mathbf{9}}\ \blacksquare$$

[다른 풀이] 부정적분을 구한 후 위끝과 아래끝을 대입하여 정적분의 값을 구해 보자.

(1) $\displaystyle\int xe^x\,dx = xe^x - \int e^x\,dx = xe^x - e^x = (x-1)e^x$이므로

$$\int_0^1 xe^x\,dx = \Big[(x-1)e^x \Big]_0^1 = -(-1) = 1$$

(2) $\displaystyle\int x^2\ln x\,dx = \frac{1}{3}x^3\ln x - \int \frac{1}{3}x^2\,dx = \frac{1}{3}x^3\ln x - \frac{1}{9}x^3$이므로

$$\int_1^e x^2\ln x\,dx = \Big[\frac{1}{3}x^3\ln x - \frac{1}{9}x^3 \Big]_1^e = \Big(\frac{1}{3}e^3 - \frac{1}{9}e^3 \Big) - \Big(-\frac{1}{9} \Big) = \frac{2}{9}e^3 + \frac{1}{9}$$

APPLICATION **101**   다음 정적분의 값을 구하여라.   Sub Note 041쪽

(1) $\displaystyle\int_0^\pi x\sin x\,dx$ (2) $\displaystyle\int_{-\pi}^0 x^2\cos x\,dx$ (3) $\displaystyle\int_0^2 (x^2+x+1)e^x\,dx$

(4) $\displaystyle\int_0^{\frac{\pi}{2}} e^x\sin x\,dx$ (5) $\displaystyle\int_0^{\frac{\pi}{2}} x\sqrt{1+\cos 2x}\,dx$ (6) $\displaystyle\int_{\frac{1}{e}}^e |\ln x|\,dx$

삼각함수를 이용한 치환적분법–삼각치환법

073 다음 정적분의 값을 구하여라. (단, $a>0$)

(1) $\displaystyle\int_0^a \sqrt{a^2-x^2}\,dx$ (2) $\displaystyle\int_{-a}^a \frac{1}{x^2+a^2}\,dx$

GUIDE $\sqrt{a^2-x^2}$, x^2+a^2 꼴을 포함한 함수의 부정적분 또는 정적분은 삼각치환법, 즉 x를 적당한 삼각함수로 치환하여 구할 수 있다.

(일반적으로 0이 아닌 정수 n에 대하여 $(a^2-x^2)^{\frac{n}{2}}$, $(x^2+a^2)^{\frac{n}{2}}$, $(x^2-a^2)^{\frac{n}{2}}$ 등을 포함하는 함수의 부정적분 또는 정적분은 삼각치환법을 이용하여 구한다.)

이는 삼각함수 사이에 성립하는 항등식 $\sin^2\theta+\cos^2\theta=1$, $\tan^2\theta+1=\sec^2\theta$의 덕분으로 치환에 의하여 $\sqrt{a^2-x^2}$, x^2+a^2이 다음과 같이 θ에 대한 삼각함수로 변형되기 때문이다.

(i) $\sin^2\theta+\cos^2\theta=1$이 성립하므로 $\sqrt{a^2-x^2}\ (a>0)$에서 $x=a\sin\theta$로 놓으면
$$\sqrt{a^2-x^2}=\sqrt{a^2-a^2\sin^2\theta}=a\sqrt{1-\sin^2\theta}=a|\cos\theta|$$

(ii) $\tan^2\theta+1=\sec^2\theta$가 성립하므로 $x^2+a^2\ (a>0)$에서 $x=a\tan\theta$로 놓으면
$$x^2+a^2=a^2\tan^2\theta+a^2=a^2(\tan^2\theta+1)=a^2\sec^2\theta$$

하지만 삼각치환법을 이용할 때 (i)과 같이 절댓값 기호가 등장하여 계산을 불편하게 하는 경우가 생긴다. 이 경우 $\sqrt{a^2-x^2}$, x^2+a^2이 정의되는 x의 구간에 대응하는 적당한 θ의 구간을 잡으면 절댓값 기호가 나타나지 않게 되어 계산을 편하게 할 수 있다. 일반적으로 다음 표와 같이 정하면 불편함이 없다.

함수의 형태	삼각치환	θ의 범위	치환 시 이용할 수 있는 수식	
$\sqrt{a^2-x^2}$	$x=a\sin\theta$	$\left[-\dfrac{\pi}{2},\ \dfrac{\pi}{2}\right]$	$\sqrt{a^2-x^2}=a\cos\theta$	$dx=a\cos\theta\,d\theta$
x^2+a^2	$x=a\tan\theta$	$\left(-\dfrac{\pi}{2},\ \dfrac{\pi}{2}\right)$	$x^2+a^2=a^2\sec^2\theta$	$dx=a\sec^2\theta\,d\theta$

SOLUTION

(1) $x=a\sin\theta\left(-\dfrac{\pi}{2}\leq\theta\leq\dfrac{\pi}{2}\right)$로 놓으면 $\dfrac{dx}{d\theta}=a\cos\theta$이고

$$\sqrt{a^2-x^2}=\sqrt{a^2-a^2\sin^2\theta}=\sqrt{a^2\cos^2\theta}=a\cos\theta\left(\because -\dfrac{\pi}{2}\leq\theta\leq\dfrac{\pi}{2}\right)$$

이다. 또 $x=0$일 때 $\theta=0$, $x=a$일 때 $\theta=\dfrac{\pi}{2}$이므로

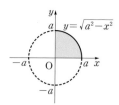

$$\int_0^a\sqrt{a^2-x^2}\,dx=\int_0^{\frac{\pi}{2}}a\cos\theta\cdot a\cos\theta\,d\theta$$

$$=a^2\int_0^{\frac{\pi}{2}}\cos^2\theta\,d\theta$$

$$=a^2\int_0^{\frac{\pi}{2}}\frac{1+\cos2\theta}{2}\,d\theta$$

구하는 정적분의 값은 사분원의 넓이와 같다.

$$=\frac{a^2}{2}\left[\theta+\frac{1}{2}\sin2\theta\right]_0^{\frac{\pi}{2}}=\frac{a^2}{2}\cdot\frac{\pi}{2}=\frac{a^2}{4}\pi\ \blacksquare$$

(2) $x = a\tan\theta \left(-\dfrac{\pi}{2} < \theta < \dfrac{\pi}{2} \right)$로 놓으면 $\dfrac{dx}{d\theta} = a\sec^2\theta$이고

$$\frac{1}{x^2+a^2} = \frac{1}{a^2\tan^2\theta + a^2} = \frac{1}{a^2\sec^2\theta}$$

이다. 또 $x = -a$일 때 $\theta = -\dfrac{\pi}{4}$, $x = a$일 때 $\theta = \dfrac{\pi}{4}$이므로

$$\int_{-a}^{a} \frac{1}{x^2+a^2}\,dx = \int_{-\frac{\pi}{4}}^{\frac{\pi}{4}} \frac{1}{a^2\sec^2\theta} \cdot a\sec^2\theta\,d\theta = \frac{1}{a}\int_{-\frac{\pi}{4}}^{\frac{\pi}{4}} d\theta$$

$$= \frac{1}{a}\Big[\theta\Big]_{-\frac{\pi}{4}}^{\frac{\pi}{4}} = \frac{1}{a}\cdot\left(\frac{\pi}{4}+\frac{\pi}{4}\right) = \boldsymbol{\frac{\pi}{2a}}\ \blacksquare$$

Summa's Advice

제시한 두 문제 (1), (2)에서 부정적분을 구한다고 생각해 보면 우리가 아는 함수로 쓸 수 없음을 확인할 수 있을 것이다. (θ가 단독적으로 남아 있기 때문)

(1) $\displaystyle\int \sqrt{a^2-x^2}\,dx = \sim = \dfrac{a^2}{2}\left(\theta + \dfrac{1}{2}\sin 2\theta\right) + C = ?$ (2) $\displaystyle\int \dfrac{1}{x^2+a^2}\,dx = \sim = \dfrac{1}{a}\theta + C = ?$

이는 치환 $x = ($삼각함수 $\theta)$에서 $\theta = g(x)$ 꼴로 바꾸어 표현하는 방법을 아직 배우지 않았기 때문에 불가능한 것이다. (사실 이와 같은 이유 때문에 부정적분에서 삼각치환법을 다루지 않았다.) $\underline{\theta\text{를 } x\text{에}}$ $\underline{\text{대하여 표현하려면 삼각함수의 역함수를 알아야 한다.}}$ 삼각함수의 역함수를 알고 있는 학생들은 다음과 같이 부정적분도 구할 수 있다.

(1) $x = a\sin\theta$, $\sqrt{a^2-x^2} = a\cos\theta \left(-\dfrac{\pi}{2} \le \theta \le \dfrac{\pi}{2} \right)$에서

$$\sin\theta = \frac{x}{a},\ \cos\theta = \frac{\sqrt{a^2-x^2}}{a},\ \theta = \arcsin\frac{x}{a}\ (\text{단},\ -a \le x \le a)$$

$$\therefore \int \sqrt{a^2-x^2}\,dx = \sim = \frac{a^2}{2}\left(\theta + \frac{1}{2}\sin 2\theta\right) + C = \frac{a^2}{2}(\theta + \sin\theta\cos\theta) + C$$

$$= \frac{a^2}{2}\left(\arcsin\frac{x}{a} + \frac{x\sqrt{a^2-x^2}}{a^2}\right) + C$$

(2) $x = a\tan\theta \left(-\dfrac{\pi}{2} < \theta < \dfrac{\pi}{2} \right)$에서　　　$\theta = \arctan\dfrac{x}{a}$

$$\therefore \int \frac{1}{x^2+a^2}\,dx = \sim = \frac{1}{a}\theta + C = \frac{1}{a}\arctan\frac{x}{a} + C$$

유제
073-❶ 다음 정적분의 값을 구하여라. (단, $a > 0$)

Sub Note 086쪽

(1) $\displaystyle\int_0^{\frac{a}{2}} \frac{1}{\sqrt{a^2-x^2}}\,dx$

(2) $\displaystyle\int_{-a}^{a} \frac{1}{(x^2+a^2)^2}\,dx$

(3) $\displaystyle\int_1^{\sqrt{3}} \frac{1}{\sqrt{(4-x^2)^3}}\,dx$

(4) $\displaystyle\int_{\frac{\sqrt{2}}{2}}^{\frac{\sqrt{3}}{2}} \frac{1}{x^2\sqrt{1-x^2}}\,dx$

074 정적분 $\displaystyle\int_0^{\frac{\pi}{2}} \frac{\cos x}{\sin x + \cos x}\,dx$의 값을 $x = \dfrac{\pi}{2} - t$로 치환하여 구하여라.

GUIDE 정적분의 치환적분법은 부정적분의 치환적분법과 그 방법이 유사하다. 그러나 정적분의 경우에는 그 나름의 특성이 있어 이를 잘 이용하면 부정적분에서 볼 수 없었던 효과적인 풀이가 가능하기도 하다. 이 문제가 그 대표적인 경우이다.

SOLUTION

$x = \dfrac{\pi}{2} - t$로 놓으면 $\dfrac{dx}{dt} = -1$이고 $x = 0$일 때 $t = \dfrac{\pi}{2}$, $x = \dfrac{\pi}{2}$일 때 $t = 0$이므로

$$\int_0^{\frac{\pi}{2}} \frac{\cos x}{\sin x + \cos x}\,dx = \int_{\frac{\pi}{2}}^{0} \frac{\cos\left(\frac{\pi}{2} - t\right)}{\sin\left(\frac{\pi}{2} - t\right) + \cos\left(\frac{\pi}{2} - t\right)} \cdot (-1)\,dt$$

$$= -\int_{\frac{\pi}{2}}^{0} \frac{\sin t}{\cos t + \sin t}\,dt$$

$$\left(\because \sin\left(\frac{\pi}{2} - t\right) = \cos t,\ \cos\left(\frac{\pi}{2} - t\right) = \sin t\right)$$

$$= \int_0^{\frac{\pi}{2}} \frac{\sin t}{\sin t + \cos t}\,dt = \int_0^{\frac{\pi}{2}} \frac{\sin x}{\sin x + \cos x}\,dx$$

즉 $\displaystyle\int_0^{\frac{\pi}{2}} \frac{\cos x}{\sin x + \cos x}\,dx = \int_0^{\frac{\pi}{2}} \frac{\sin x}{\sin x + \cos x}\,dx$이므로

$$2\int_0^{\frac{\pi}{2}} \frac{\cos x}{\sin x + \cos x}\,dx = \int_0^{\frac{\pi}{2}} \frac{\sin x}{\sin x + \cos x}\,dx + \int_0^{\frac{\pi}{2}} \frac{\cos x}{\sin x + \cos x}\,dx$$

가 성립하고 우변을 정리하면

$$\int_0^{\frac{\pi}{2}} \frac{\sin x + \cos x}{\sin x + \cos x}\,dx = \int_0^{\frac{\pi}{2}} dx = \Big[\,x\,\Big]_0^{\frac{\pi}{2}} = \frac{\pi}{2}$$

이므로　$\displaystyle 2\int_0^{\frac{\pi}{2}} \frac{\cos x}{\sin x + \cos x}\,dx = \frac{\pi}{2}$

$$\therefore \int_0^{\frac{\pi}{2}} \frac{\cos x}{\sin x + \cos x}\,dx = \frac{\pi}{4} \ \blacksquare$$

유제
074-❶ 정적분 $\displaystyle\int_0^{\frac{\pi}{4}} \ln(1 + \tan x)\,dx$의 값을 $x = \dfrac{\pi}{4} - t$로 치환하여 구하여라.

Sub Note 088쪽

정적분의 부분적분법과 점화식

075

(1) 자연수 n에 대하여 $I_n = \int_0^{\frac{\pi}{2}} \sin^n x\, dx$라 할 때, 등식 $I_{n+2} = \dfrac{n+1}{n+2} I_n$이 성립함을 증명하여라.

(2) (1)의 등식을 이용하여 I_3, I_4, I_5, I_6의 값을 구하여라.

GUIDE 부정적분의 부분적분법에서 적분열의 점화식을 공부하였다. (325쪽 참고) 이와 비슷하게 하면 정적분에서도 점화식을 세울 수 있다. 이때 $\{I_n\}$은 명백히 수열이므로 일반항을 파악하면 특정한 정적분의 값을 비교적 간단한 계산을 통하여 구할 수 있다.

SOLUTION

(1) **[증명]** $\displaystyle\int \sin^{n+2} x\, dx = \int \sin x \sin^{n+1} x\, dx$에서 $u = \sin^{n+1} x$, $v' = \sin x$로 놓으면

$u = \sin^{n+1} x$	$v' = \sin x$	$\longrightarrow uv = -\cos x \sin^{n+1} x$
$u' = (n+1)\sin^n x \cos x$	$v = -\cos x$	$\longrightarrow u'v = -(n+1)\sin^n x \cos^2 x$

$$\therefore I_{n+2} = \int_0^{\frac{\pi}{2}} \sin^{n+2} x\, dx = \Big[-\cos x \sin^{n+1} x \Big]_0^{\frac{\pi}{2}} + (n+1)\int_0^{\frac{\pi}{2}} \sin^n x \cos^2 x\, dx$$

$$= 0 + (n+1)\int_0^{\frac{\pi}{2}} \sin^n x \cos^2 x\, dx$$

$$= (n+1)\int_0^{\frac{\pi}{2}} \sin^n x (1 - \sin^2 x)\, dx$$

$$= (n+1)\int_0^{\frac{\pi}{2}} \sin^n x\, dx - (n+1)\int_0^{\frac{\pi}{2}} \sin^{n+2} x\, dx$$

$$= (n+1)I_n - (n+1)I_{n+2}$$

즉 $I_{n+2} = (n+1)I_n - (n+1)I_{n+2}$이므로 I_{n+2}에 대하여 정리하면

$$(n+2)I_{n+2} = (n+1)I_n \qquad \therefore I_{n+2} = \frac{n+1}{n+2} I_n \ \blacksquare$$

(2) $I_1 = \displaystyle\int_0^{\frac{\pi}{2}} \sin x\, dx = \Big[-\cos x \Big]_0^{\frac{\pi}{2}} = -(-1) = 1$

$I_2 = \displaystyle\int_0^{\frac{\pi}{2}} \sin^2 x\, dx = \int_0^{\frac{\pi}{2}} \frac{1 - \cos 2x}{2}\, dx = \Big[\frac{1}{2}x - \frac{1}{4}\sin 2x \Big]_0^{\frac{\pi}{2}} = \frac{\pi}{4}$

따라서 (1)의 등식을 이용하여 I_3, I_4, I_5, I_6을 구하면

$$\boldsymbol{I_3} = \frac{2}{3}I_1 = \frac{2}{3}\cdot 1 = \boldsymbol{\frac{2}{3}},\ \boldsymbol{I_4} = \frac{3}{4}I_2 = \frac{3}{4}\cdot\frac{\pi}{4} = \boldsymbol{\frac{3}{16}\pi},$$

$$\boldsymbol{I_5} = \frac{4}{5}I_3 = \frac{4}{5}\cdot\frac{2}{3} = \boldsymbol{\frac{8}{15}},\ \boldsymbol{I_6} = \frac{5}{6}I_4 = \frac{5}{6}\cdot\frac{3}{16}\pi = \boldsymbol{\frac{5}{32}\pi}\ \blacksquare$$

[참고] 수열 $\{I_n\}$의 일반항을 구해 보자.

$k=1,\ 2,\ 3,\ \cdots$에 대하여

(ⅰ) n이 홀수일 때 : 점화식의 n에 $1,\ 3,\ 5,\ \cdots,\ 2k-1$을 차례로 대입하면

$$I_3=\frac{2}{3}I_1,\ I_5=\frac{4}{5}I_3,\ I_7=\frac{6}{7}I_5,\ \cdots,\ I_{2k+1}=\frac{2k}{2k+1}I_{2k-1}$$

이를 변끼리 곱하여 정리하면 $\quad I_{2k+1}=\frac{2k}{2k+1}\cdot\ \cdots\ \cdot\frac{6}{7}\cdot\frac{4}{5}\cdot\frac{2}{3}I_1$

$$\therefore\ I_{2k+1}=\frac{2\cdot4\cdot6\cdot\ \cdots\ \cdot2k}{3\cdot5\cdot7\cdot\ \cdots\ \cdot(2k+1)}\ (\because\ I_1=1)$$

(ⅱ) n이 짝수일 때 : 점화식의 n에 $2,\ 4,\ 6,\ \cdots,\ 2k$를 차례로 대입하면

$$I_4=\frac{3}{4}I_2,\ I_6=\frac{5}{6}I_4,\ I_8=\frac{7}{8}I_6,\ \cdots,\ I_{2k+2}=\frac{2k+1}{2k+2}I_{2k}$$

이를 변끼리 곱하여 정리하면 $\quad I_{2k+2}=\frac{2k+1}{2k+2}\cdot\ \cdots\ \cdot\frac{7}{8}\cdot\frac{5}{6}\cdot\frac{3}{4}I_2$

$$\therefore\ I_{2k+2}=\frac{3\cdot5\cdot7\cdot\ \cdots\ \cdot(2k+1)}{4\cdot6\cdot8\cdot\ \cdots\ \cdot(2k+2)}\cdot\frac{\pi}{4}\left(\because\ I_2=\frac{\pi}{4}\right)$$

(ⅰ), (ⅱ)에 의하여

$$I_1=1,\ I_2=\frac{\pi}{4},\ \begin{cases}I_{2n+1}=\dfrac{2\cdot4\cdot6\cdot\ \cdots\ \cdot2n}{3\cdot5\cdot7\cdot\ \cdots\ \cdot(2n+1)}\\[2mm] I_{2n+2}=\dfrac{3\cdot5\cdot7\cdot\ \cdots\ \cdot(2n+1)}{4\cdot6\cdot8\cdot\ \cdots\ \cdot(2n+2)}\cdot\dfrac{\pi}{4}\end{cases}$$

Summa's Advice

$I_n=\displaystyle\int_0^{\frac{\pi}{2}}\sin^n x\,dx$에서 $x=\frac{\pi}{2}-t$로 치환하여 형태를 바꾸면 $I_n=\displaystyle\int_0^{\frac{\pi}{2}}\cos^n t\,dt$로 변형할 수 있다.

즉 주어진 점화식 $I_{n+2}=\frac{n+1}{n+2}I_n\ (n=1,\ 2,\ 3,\ \cdots)$은 $I_n=\displaystyle\int_0^{\frac{\pi}{2}}\cos^n t\,dt$인 경우에도 성립한다.

또한 적분 구간이 $\left[0,\ \dfrac{\pi}{2}\right]$가 아니라 예컨대 $[0,\ \pi]$이더라도 주어진 점화식은 성립한다.

(1)의 증명 과정에서 $\left[-\cos x\sin^{n+1}x\right]_0^{\frac{\pi}{2}}$가 0이 되어 없어지는 것에 주목하여, 위끝과 아래끝이 각

각 $\dfrac{\pi}{2}$의 정수배이기만 하면 주어진 점화식은 적분 구간에 구애받지 않는다는 것을 알 수 있다.

이렇게 주어진 점화식은 상당히 넓은 범위에서 사용할 수 있는 좋은 식이다. 어려운 정적분의 계산을
위해 이를 기억하여 활용할 수 있도록 하자.

유제

075- 1 자연수 n에 대하여 $I_n=\displaystyle\int_1^e(\ln x)^n dx$라 할 때, 등식

Sub Note 088쪽

$$I_{n+1}=e-(n+1)I_n$$

이 성립함을 증명하고, 위의 등식을 이용하여 $I_2,\ I_3$의 값을 구하여라.

03 그래프의 대칭성을 이용한 정적분

SUMMA CUM LAUDE

ESSENTIAL LECTURE

1 그래프의 대칭성을 이용한 정적분

(1) 함수 $f(x)$가 구간 $[-a, a]$에서 연속일 때

① 짝함수의 정적분 : $\int_{-a}^{a} f(x)\,dx = 2\int_{0}^{a} f(x)\,dx$

② 홀함수의 정적분 : $\int_{-a}^{a} f(x)\,dx = 0$

(2) 주기함수의 정적분

함수 $f(x)$가 주기가 p인 주기함수이면

① $\int_{a}^{b} f(x)\,dx = \int_{a+p}^{b+p} f(x)\,dx$

② $\int_{a}^{a+p} f(x)\,dx = \int_{b}^{b+p} f(x)\,dx$

1 그래프의 대칭성을 이용한 정적분

수학 Ⅱ에서 배운 것과 같이 정적분의 기하적 의미(넓이)와 함수의 그래프의 대칭성(y축 대칭, 원점 대칭, 주기)을 파악하면 정적분의 값을 보다 쉽게 구할 수 있다.

(1) 짝함수의 정적분

짝함수(우함수, even function)는 그래프가 y축에 대하여 대칭인 함수이다. 즉 $f(-x)=f(x)$를 만족시키는 함수로 x의 지수가 0 또는 짝수인 항들로만 이루어진 다항함수와 코사인함수가 대표적인 짝함수이다.

짝함수 $y=f(x)$의 그래프는 y축에 대하여 대칭이므로 양수 a에 대하여 구간 $[-a, 0]$과 구간 $[0, a]$의 정적분의 값이 서로 같다. 즉

$$\int_{-a}^{0} f(x)\,dx = \int_{0}^{a} f(x)\,dx$$

$$\therefore \int_{-a}^{a} f(x)\,dx = 2\int_{0}^{a} f(x)\,dx$$

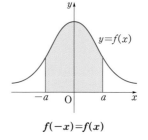

$f(-x)=f(x)$

이 내용은 이미 수학 Ⅱ에서 공부하였다. 여기에서는 치환적분법을 이용해서 위 식을 확인해 보자.

정적분의 성질에 의하여

$$\int_{-a}^{a} f(x)\,dx = \int_{-a}^{0} f(x)\,dx + \int_{0}^{a} f(x)\,dx \qquad \cdots\cdots \text{㉠}$$

이때 $\int_{-a}^{0} f(x)\,dx$에서 $x=-t$로 놓으면 $\dfrac{dx}{dt}=-1$이고

$x=-a$일 때 $t=a$, $x=0$일 때 $t=0$이므로

$$\int_{-a}^{0} f(x)\,dx = \int_{a}^{0} f(-t)\cdot(-1)\,dt$$

$$= \int_{0}^{a} f(-t)\,dt = \int_{0}^{a} f(t)\,dt = \int_{0}^{a} f(x)\,dx \qquad \cdots\cdots \text{㉡}$$

㉡을 ㉠에 대입하면

$$\int_{-a}^{a} f(x)\,dx = \int_{0}^{a} f(x)\,dx + \int_{0}^{a} f(x)\,dx = 2\int_{0}^{a} f(x)\,dx$$

(2) 홀함수의 정적분

홀함수(기함수, odd function)는 그래프가 원점에 대하여 대칭인 함수이다. 즉
$f(-x)=-f(x)$를 만족시키는 함수로 x의 지수가 홀수인 항들로만 이루어진 다항함수와
사인함수, 탄젠트함수가 대표적인 홀함수이다.

홀함수 $y=f(x)$의 그래프는 원점에 대하여 대칭이므로 양수 a에 대하여
구간 $[-a,\ 0]$과 구간 $[0,\ a]$에서의 정적분의 값은 그 절댓값이 같고 부
호가 다르다. 즉

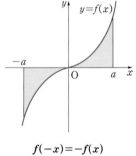

$$\int_{-a}^{0} f(x)\,dx = -\int_{0}^{a} f(x)\,dx$$

$$\therefore \int_{-a}^{a} \boldsymbol{f(x)\,dx} = 0$$

이 내용은 이미 수학 Ⅱ에서 공부하였다. 여기에서는 치환적분법을 이용해
서 위 식을 확인해 보자.

$f(-x)=-f(x)$

정적분의 성질에 의하여

$$\int_{-a}^{a} f(x)\,dx = \int_{-a}^{0} f(x)\,dx + \int_{0}^{a} f(x)\,dx \qquad \cdots\cdots \text{㉠}$$

이때 $\int_{-a}^{0} f(x)\,dx$에서 $x=-t$로 놓으면 $\dfrac{dx}{dt}=-1$이고

$x=-a$일 때 $t=a$, $x=0$일 때 $t=0$이므로

$$\int_{-a}^{0} f(x)\,dx = \int_{a}^{0} f(-t)\cdot(-1)\,dt = \int_{0}^{a} f(-t)\,dt$$

$$= \int_{0}^{a} \{-f(t)\}\,dt = -\int_{0}^{a} f(x)\,dx \qquad \cdots\cdots \text{㉡}$$

ⓛ을 ⓖ에 대입하면

$$\int_{-a}^{a} f(x)\,dx = -\int_{0}^{a} f(x)\,dx + \int_{0}^{a} f(x)\,dx = 0$$

짝함수와 홀함수의 정적분

함수 $f(x)$가 구간 $[-a,\ a]$에서 연속일 때

(1) 짝함수의 정적분 : $\displaystyle\int_{-a}^{a} f(x)\,dx = 2\int_{0}^{a} f(x)\,dx$

(2) 홀함수의 정적분 : $\displaystyle\int_{-a}^{a} f(x)\,dx = 0$

EXAMPLE 080 다음 정적분의 값을 구하여라.

(1) $\displaystyle\int_{-\frac{\pi}{4}}^{\frac{\pi}{4}} (\sin x + \cos x + \tan x)\,dx$　　　　(2) $\displaystyle\int_{-1}^{1}\left(\frac{e^{x}+e^{-x}}{2}+x^{3}\right)dx$

ANSWER　(1) $\sin x$, $\tan x$는 홀함수이고, $\cos x$는 짝함수이므로

$$\int_{-\frac{\pi}{4}}^{\frac{\pi}{4}} (\sin x + \cos x + \tan x)\,dx = \int_{-\frac{\pi}{4}}^{\frac{\pi}{4}} (\sin x + \tan x)\,dx + \int_{-\frac{\pi}{4}}^{\frac{\pi}{4}} \cos x\,dx$$

$$= 0 + 2\int_{0}^{\frac{\pi}{4}} \cos x\,dx = 2\Big[\sin x\Big]_{0}^{\frac{\pi}{4}}$$

$$= 2\Big(\sin\frac{\pi}{4} - \sin 0\Big)$$

$$= \sqrt{2} \ \blacksquare$$

(2) x^{3}은 홀함수이고,

$f(x) = \dfrac{e^{x}+e^{-x}}{2}$ 으로 놓으면 $f(-x) = \dfrac{e^{-x}+e^{x}}{2} = f(x)$ 이므로 $\dfrac{e^{x}+e^{-x}}{2}$ 은 짝함수이다.

$$\therefore \int_{-1}^{1}\left(\frac{e^{x}+e^{-x}}{2}+x^{3}\right)dx = \int_{-1}^{1} \frac{e^{x}+e^{-x}}{2}\,dx + \int_{-1}^{1} x^{3}\,dx$$

$$= 2\int_{0}^{1} \frac{e^{x}+e^{-x}}{2}\,dx + 0$$

$$= \int_{0}^{1} (e^{x}+e^{-x})\,dx = \Big[e^{x}-e^{-x}\Big]_{0}^{1}$$

$$= (e^{1}-e^{-1}) - (1-1)$$

$$= e - \frac{1}{e} \ \blacksquare$$

APPLICATION 102　다음 정적분의 값을 구하여라.　　　　Sub Note 043쪽

(1) $\displaystyle\int_{-2}^{2} x(e^{x}-e^{-x})\,dx$

(2) $\displaystyle\int_{-\pi}^{\frac{\pi}{2}} (x^{3}\cos x + \sin^{2} x)\,dx + \int_{\frac{\pi}{2}}^{\pi} (x^{3}\cos x + \sin^{2} x)\,dx$

(3) 주기함수의 정적분

주기함수(periodic function)는 일정 간격을 기준으로 함숫값이 반복되는 함수이다. 즉 $f(x+p)=f(x)$ (p는 0이 아닌 상수)를 만족시키는 상수 p 중 최소인 양수를 그 함수의 주기라 하고, 주기가 p인 주기함수의 정적분의 값은 다음 두 성질을 이용하여 편리하게 구할 수 있음을 수학 Ⅱ에서 공부하였다.

① $\displaystyle\int_a^b f(x)\,dx=\int_{a+p}^{b+p} f(x)\,dx$

② $\displaystyle\int_a^{a+p} f(x)\,dx=\int_b^{b+p} f(x)\,dx$

예 ①

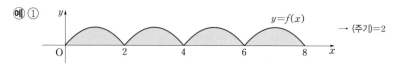

→ (주기)=2

$$\int_0^2 f(x)\,dx=\int_2^4 f(x)\,dx=\int_4^6 f(x)\,dx=\int_6^8 f(x)\,dx$$

②

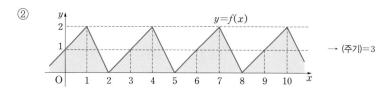

→ (주기)=3

$$\int_0^3 f(x)\,dx=\int_1^4 f(x)\,dx=\int_2^5 f(x)\,dx=\cdots$$

① 여기에서는 치환적분법을 이용해서 위 식을 확인해 보자.

정적분 $\displaystyle\int_a^b f(x)\,dx$에서 $x=t-p$로 놓으면 $\dfrac{dx}{dt}=1$이고

$x=a$일 때 $t=a+p$, $x=b$일 때 $t=b+p$이므로

$$\begin{aligned}
\int_a^b f(x)\,dx &=\int_{a+p}^{b+p} f(t-p)\,dt \\
&=\int_{a+p}^{b+p} f(t)\,dt \quad (\because f(t)\text{는 주기가 } p\text{인 주기함수}) \\
&=\int_{a+p}^{b+p} f(x)\,dx
\end{aligned}$$

② 정적분 $\displaystyle\int_a^{a+p} f(x)\,dx$에서 정적분의 성질에 의하여

$$\int_a^{a+p} f(x)\,dx=\int_a^b f(x)\,dx+\int_b^{b+p} f(x)\,dx+\int_{b+p}^{a+p} f(x)\,dx \qquad \cdots\cdots ㉠$$

한편 ①에 의하여

$$\int_{b+p}^{a+p} f(x)\,dx = -\int_{a+p}^{b+p} f(x)\,dx = -\int_a^b f(x)\,dx \qquad \cdots\cdots \text{ⓛ}$$

이므로 ⓛ을 ㉠에 대입하면

$$\int_a^{a+p} f(x)\,dx = \int_a^b f(x)\,dx + \int_b^{b+p} f(x)\,dx - \int_a^b f(x)\,dx$$

$$= \int_b^{b+p} f(x)\,dx$$

EXAMPLE 081 정적분 $\displaystyle\int_0^{4\pi} |\sin 2x|\,dx$의 값을 구하여라.

ANSWER 함수 $y=|\sin 2x|$의 그래프가 다음 그림과 같으므로 $|\sin 2x|$는 주기가 $\dfrac{\pi}{2}$인
주기함수이다.

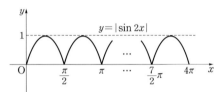

$$\therefore \int_0^{4\pi} |\sin 2x|\,dx = \int_0^{\frac{\pi}{2}} |\sin 2x|\,dx + \int_{\frac{\pi}{2}}^{\pi} |\sin 2x|\,dx + \cdots + \int_{\frac{7}{2}\pi}^{4\pi} |\sin 2x|\,dx$$

$$= 8\int_0^{\frac{\pi}{2}} |\sin 2x|\,dx$$

$$= 8\int_0^{\frac{\pi}{2}} \sin 2x\,dx \left(\because 0\leq x \leq \frac{\pi}{2}\text{에서 } \sin 2x \geq 0 \right)$$

$$= 8\left[-\frac{1}{2}\cos 2x \right]_0^{\frac{\pi}{2}}$$

$$= 8\cdot\left(\frac{1}{2} + \frac{1}{2} \right) = 8 \ \blacksquare$$

APPLICATION 103 정적분 $\displaystyle\int_a^{a+\pi} |\cos x|\,dx$의 값을 구하여라. (단, a는 실수) Sub Note 043쪽

　　본문에서는 함수의 그래프 자체의 대칭성을 파악하여 정적분의 값을 계산하는 경우에 대해 살펴보았다. 여기에서는 주어진 그래프를 평행이동하거나 대칭이동하여 정적분의 값을 계산하는 경우를 살펴보자.

(1) 정적분과 평행이동

함수 $y=f(x)$의 그래프를 x축의 방향으로 m만큼 평행이동하면 함수 $y=f(x-m)$의 그래프가 된다. 이때 함수 $f(x)$에서의 적분 구간도 x축의 방향으로 m만큼 평행이동하면 다음 그림의 색칠한 부분의 넓이는 변하지 않는다. 따라서 다음 식이 성립함을 알 수 있다.

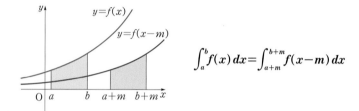

$$\int_a^b f(x)\,dx=\int_{a+m}^{b+m}f(x-m)\,dx$$

정적분의 값을 계산할 때, 평행이동을 이용하면 계산 상 몇 가지 이점을 얻을 수 있다. 이는 피적분함수를 단순하게 하거나, 위끝, 아래끝을 간단하게 할수록 정적분의 계산이 수월하기 때문이다.

(예) $\displaystyle\int_{-1}^{4}(x+1)^5dx=\int_{-1+1}^{4+1}\{(x-1)+1\}^5dx=\int_0^5 x^5dx=\dfrac{5^6}{6}$　◀ x축의 방향으로 1만큼 평행이동

(2) 정적분과 대칭이동

함수 $y=f(x)$의 그래프를 y축에 대하여 대칭이동하면 함수 $y=f(-x)$의 그래프가 된다. 이때 함수 $f(x)$에서의 적분 구간도 y축에 대하여 대칭이동하면 다음 그림의 색칠한 부분의 넓이는 변하지 않는다. 따라서 다음 식이 성립함을 알 수 있다.

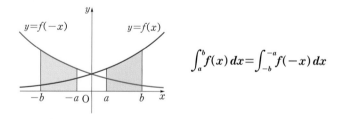

$$\int_a^b f(x)\,dx=\int_{-b}^{-a}f(-x)\,dx$$

정적분에 있어서 평행이동과 대칭이동에 대한 등식이 비단 위의 두 가지만은 아니다. 하지만 굳이 위와 같이 식으로 표현하려고 애쓸 필요도 없다. 앞에서 배운 치환적분법을 통해 평행이동이나 대칭이동을 고려하지 않고도 식을 간단히 변형시킬 수 있기 때문이다. (실제로 평행이동은 $x=t+m$으로, 대칭이동은 $x=-t$로 치환한 것으로 생각하면 치환적분법과 다를 것이 없다.)

그래프의 대칭성을 이용한 정적분

076 모든 실수 x에 대하여 $f\left(x+\dfrac{\pi}{2}\right)=f(x)$이고 $-\dfrac{\pi}{4}\le x\le\dfrac{\pi}{4}$에서 $f(x)=\sec^2 x$인 함수 $f(x)$

가 있다. 이때 정적분 $\displaystyle\int_{-\frac{\pi}{4}}^{\frac{9}{4}\pi}f(x)\,dx$의 값을 구하여라.

GUIDE 주기함수의 정적분, 짝함수의 정적분을 이용하여 주어진 정적분을 간단히 나타내 본다.

SOLUTION ─────────────────────────

$f\left(x+\dfrac{\pi}{2}\right)=f(x)$에서 $f(x)$는 주기가 $\dfrac{\pi}{2}$인 주기함수이므로

$$\int_{-\frac{\pi}{4}}^{\frac{\pi}{4}}f(x)\,dx=\int_{\frac{\pi}{4}}^{\frac{3}{4}\pi}f(x)\,dx=\int_{\frac{3}{4}\pi}^{\frac{5}{4}\pi}f(x)\,dx=\int_{\frac{5}{4}\pi}^{\frac{7}{4}\pi}f(x)\,dx=\int_{\frac{7}{4}\pi}^{\frac{9}{4}\pi}f(x)\,dx$$

이때 $-\dfrac{\pi}{4}\le x\le\dfrac{\pi}{4}$에서

$$f(-x)=\sec^2(-x)=\sec^2 x=f(x)$$

따라서 $f(x)$는 짝함수이므로

$$\int_{-\frac{\pi}{4}}^{\frac{9}{4}\pi}f(x)\,dx=5\int_{-\frac{\pi}{4}}^{\frac{\pi}{4}}f(x)\,dx=10\int_{0}^{\frac{\pi}{4}}f(x)\,dx$$

$$=10\int_{0}^{\frac{\pi}{4}}\sec^2 x\,dx=10\Big[\tan x\Big]_{0}^{\frac{\pi}{4}}$$

$$=\mathbf{10}\ \blacksquare$$

유제
076- 1 함수 $f(x)$가 $f(-x)=-f(x)$, $\displaystyle\int_{0}^{2}f(x)\sin x\,dx=3$을 만족시킬 때, 정적분

$\displaystyle\int_{-2}^{2}f(x)(\cos^2 x+x\sin x+2\sin x)\,dx$의 값을 구하여라.

Sub Note 088쪽

유제
076- 2 모든 실수 x에 대하여 $f(x+3)=f(x)$인 연속함수 $f(x)$가 다음 두 조건을 모두 만족시킬 때,

정적분 $\displaystyle\int_{2}^{10}f(x)\,dx$의 값을 구하여라.

Sub Note 088쪽

> (가) $-1\le x\le 1$일 때 $f(x)=\sqrt{x+1}$ (나) $\displaystyle\int_{-5}^{1}f(x)\,dx=\dfrac{11\sqrt{2}}{3}$

04 정적분으로 나타내어진 함수

S U M M A   C U M   L A U D E

ESSENTIAL LECTURE

1 정적분으로 나타내어진 함수의 미분

(1) $\dfrac{d}{dx}\displaystyle\int_a^x f(t)\,dt=f(x)$ (단, a는 상수)

(2) $\dfrac{d}{dx}\displaystyle\int_x^{x+a} f(t)\,dt=f(x+a)-f(x)$ (단, a는 상수)

2 정적분으로 나타내어진 함수의 극한

(1) $\displaystyle\lim_{x\to a}\dfrac{1}{x-a}\int_a^x f(t)\,dt=f(a)$

(2) $\displaystyle\lim_{x\to 0}\dfrac{1}{x}\int_a^{x+a} f(t)\,dt=f(a)$

정적분에서 위끝과 아래끝이 모두 상수이면 정적분의 값은 당연히 수가 되지만 위끝 또는 아래끝에 적분변수가 아닌 다른 변수가 들어가면 이 정적분은 그 변수에 대한 함수가 된다. 이러한 함수를 우리는 '정적분으로 나타내어진 함수'라 부른다.

이 소단원에서는 수학 Ⅱ에서 배웠던 정적분으로 나타내어진 함수의 미분과 극한에 대하여 복습해 보고, 다항함수 이외의 함수들에 대한 문제에 적용해 보자.

1 정적분으로 나타내어진 함수의 미분[⑤]

수학 Ⅱ에서 배운 정적분으로 나타내어진 함수의 미분을 다시 한 번 정리해 보자.

함수 $f(x)$의 한 부정적분을 $F(x)$라 할 때,

(1) $\displaystyle\int_a^x f(t)\,dt=\left[\,F(t)\,\right]_a^x=F(x)-F(a)$ 이므로

[⑤] 정적분으로 나타내어진 함수를 미분할 때에는 피적분함수의 변수와 적분변수가 일치하는지 그리고 적분구간의 변수와 미분하고자 하는 변수가 일치하는지 확인해야 한다. 즉 $f(t)\,dt$에서 두 변수 t가 일치해야 하고, $\dfrac{d}{dx}\displaystyle\int_a^x$에서 두 변수 x가 일치해야 한다.

$$\frac{d}{dx}\int_a^x f(t)\,dt=\frac{d}{dx}\{F(x)-F(a)\}$$

$$=F'(x)=f(x)$$

(2) $\displaystyle\int_x^{x+a} f(t)\,dt=\Big[\,F(t)\,\Big]_x^{x+a}=F(x+a)-F(x)$ 이므로

$$\frac{d}{dx}\int_x^{x+a} f(t)\,dt=\frac{d}{dx}\{F(x+a)-F(x)\}$$

$$=F'(x+a)-F'(x)$$

$$=f(x+a)-f(x)$$

정적분으로 나타내어진 함수의 미분

(1) $\displaystyle\frac{d}{dx}\int_a^x f(t)\,dt=f(x)$ (단, a는 상수)

(2) $\displaystyle\frac{d}{dx}\int_x^{x+a} f(t)\,dt=f(x+a)-f(x)$ (단, a는 상수)

한편 위의 등식 (2)를 일반화하여 $\displaystyle\frac{d}{dx}\int_{g(x)}^{h(x)} f(t)\,dt=f(h(x))-f(g(x))$가 성립한다고 생각할 수도 있는데, 이는 옳지 않다.

결론부터 말하자면 이 등식이 성립하기 위해서는 반드시

위끝 $h(x)$와 아래끝 $g(x)$가 모두

일차항의 계수가 1인 일차식 $x+a$(a는 상수) 꼴

이어야 한다.

일차식 $x+a$(a는 상수) 꼴이 아닌 경우에는 결과가 다르게 나온다.

예를 들어 $\displaystyle\int_{2x}^{x^2} f(t)\,dt$를 x에 대하여 미분하면

$$\frac{d}{dx}\int_{2x}^{x^2} f(t)\,dt=\frac{d}{dx}\{F(x^2)-F(2x)\} \quad \Leftarrow F(x)\text{는 } f(x)\text{의 한 부정적분}$$

$$=F'(x^2)\cdot(x^2)'-F'(2x)\cdot(2x)'$$

$$=2xf(x^2)-2f(2x)$$

가 되어 $f(x^2)-f(2x)$와는 다른 식이 나온다.[6]

---

[6] 일반화하면

$$\frac{d}{dx}\int_{g(x)}^{h(x)} f(t)\,dt=f(h(x))h'(x)-f(g(x))g'(x)$$

라는 공식을 얻을 수 있다. 합성함수의 미분법을 이용하면 쉽게 알 수 있을 것이다.

■ **EXAMPLE 082** 다음을 x에 대하여 미분하여라.

(1) $\displaystyle\int_1^x t^2\cos t\,dt$ 　　　　　　　　　　(2) $\displaystyle\int_x^{x+3}(te^t-t^2)\,dt$

> **ANSWER**　(1) $f(t)=t^2\cos t$로 놓으면　　$\dfrac{d}{dx}\displaystyle\int_1^x f(t)\,dt=f(x)=\boldsymbol{x^2\cos x}$ ■
>
> (2) $f(t)=te^t-t^2$으로 놓으면
>
> $$\frac{d}{dx}\int_x^{x+3}f(t)\,dt=f(x+3)-f(x)=\{(x+3)e^{x+3}-(x+3)^2\}-(xe^x-x^2)$$
>
> $$=\boldsymbol{(x+3)e^{x+3}-xe^x-6x-9}\ ■$$

지금부터 정적분을 포함한 등식에서 함수를 구하는 대표적인 2가지 유형에 대하여 알아보자.

(1) 적분 구간이 상수인 정적분을 포함한 등식

함수 $f(x)$가 $f(x)=g(x)+\displaystyle\int_a^b f(t)\,dt\,(a,\,b$는 상수) 꼴일 때,

$\displaystyle\int_a^b f(t)\,dt=k\,(k$는 상수)로 놓으면 $f(x)=g(x)+k$이므로

$k=\displaystyle\int_a^b\{g(t)+k\}\,dt$를 풀어 k의 값을 구한 후 $f(x)$를 구한다.

■ **EXAMPLE 083** 등식 $f(x)=e^x-2\displaystyle\int_0^1 f(t)\,dt$를 만족시키는 함수 $f(x)$를 구하여라.

> **ANSWER**　$\displaystyle\int_0^1 f(t)\,dt=k\ (k$는 상수)　　$\cdots\cdots$ ㉠
>
> 로 놓으면　$f(x)=e^x-2k$
>
> $f(t)=e^t-2k$를 ㉠의 좌변에 대입하면　$\displaystyle\int_0^1(e^t-2k)\,dt=\Big[e^t-2kt\Big]_0^1=e-2k-1$
>
> 즉 $e-2k-1=k$이므로　　$k=\dfrac{e-1}{3}$
>
> $\therefore\ \boldsymbol{f(x)=e^x-\dfrac{2(e-1)}{3}}$ ■

Sub Note 043쪽

APPLICATION 104　함수 $f(x)$가 $f(x)=\ln x-\displaystyle\int_1^e f(t)\,dt$를 만족시킬 때, $f(e^2)$의 값을 구하여라.

Sub Note 044쪽

APPLICATION 105　등식 $f(x)=\cos x+\displaystyle\int_0^{\frac{\pi}{3}}f(t)\sin t\,dt$를 만족시키는 함수 $f(x)$를 구하여라.

(2) **적분 구간에 변수가 있는 정적분을 포함한 등식**

함수 $f(x)$가 $\int_a^x f(t)\,dt = g(x)$ (a는 상수) 꼴일 때,

(ⅰ) 양변을 x에 대하여 미분 ➡ $\dfrac{d}{dx}\int_a^x f(t)\,dt = g'(x)$ 이므로 $f(x) = g'(x)$ 이다.

(ⅱ) 양변에 $x = a$를 대입 ➡ $\int_a^a f(t)\,dt = 0$임을 이용한다.

■ **EXAMPLE 084** 임의의 실수 x에 대하여 $\int_1^x f(t)\,dt = \sin \pi x + a\cos \pi x + 1$을 만족시키는 미분가능한 함수 $f(x)$를 구하여라.

ANSWER 주어진 등식의 양변을 x에 대하여 미분하면
$$f(x) = \pi \cos \pi x - a\pi \sin \pi x$$
주어진 등식의 양변에 $x = 1$을 대입하면
$$\int_1^1 f(t)\,dt = \sin \pi + a\cos \pi + 1$$
$$0 = -a + 1 \qquad \therefore a = 1$$
$$\therefore \boldsymbol{f(x) = \pi \cos \pi x - \pi \sin \pi x} \ \blacksquare$$

Sub Note 044쪽

APPLICATION **106** 임의의 실수 x에 대하여 미분가능한 함수 $f(x)$가
$\int_a^x f(t)\,dt = e^{2x} + 2e^x - 3$을 만족시킬 때, 함수 $f(x)$와 상수 a의 값을 구하여라.

2 정적분으로 나타내어진 함수의 극한

수학 Ⅱ에서 배운 정적분으로 나타내어진 함수의 극한을 다시 한 번 정리해 보자.

함수 $f(x)$의 한 부정적분을 $F(x)$라 할 때,

(1) $\int_a^x f(t)\,dt = \Big[F(t) \Big]_a^x = F(x) - F(a)$ 이므로

$$\lim_{x \to a} \frac{1}{x-a}\int_a^x f(t)\,dt = \underbrace{\lim_{x \to a} \frac{F(x) - F(a)}{x - a}}_{\text{미분계수의 정의}} = F'(a) = f(a)$$

(2) $\int_a^{x+a} f(t)\,dt = \Big[F(t) \Big]_a^{x+a} = F(x+a) - F(a)$ 이므로

$$\lim_{x \to 0} \frac{1}{x}\int_a^{x+a} f(t)\,dt = \underbrace{\lim_{x \to 0} \frac{F(x+a) - F(a)}{x}}_{\text{미분계수의 정의}} = F'(a) = f(a)$$

정적분으로 나타내어진 함수의 극한

(1) $\displaystyle\lim_{x \to a} \frac{1}{x-a} \int_a^x f(t)\,dt = f(a)$

(2) $\displaystyle\lim_{x \to 0} \frac{1}{x} \int_a^{x+a} f(t)\,dt = f(a)$

결국 적분과 미분이 만나 원래의 함수에 상수 a를 대입한 것일 뿐이므로 식이 복잡해 보이지만 어렵지 않다.

다만, 변형 문제가 많으니 위의 식을 그대로 기억하기보다는 유도 과정을 이해하도록 하자.

■ **E X A M P L E   085** 다음 극한값을 구하여라.

(1) $\displaystyle\lim_{x \to 2} \frac{1}{x-2} \int_2^x (t^2 + t\cos t)\,dt$

(2) $\displaystyle\lim_{h \to 0} \frac{1}{h} \int_{1-h}^{1+h} \frac{e^{2t}}{2 + t\sin \pi t}\,dt$

ANSWER (1) $f(t) = t^2 + t\cos t$로 놓고, $f(t)$의 한 부정적분을 $F(t)$라 하면

$$\lim_{x \to 2} \frac{1}{x-2} \int_2^x (t^2 + t\cos t)\,dt = \lim_{x \to 2} \frac{1}{x-2} \int_2^x f(t)\,dt$$

$$= \lim_{x \to 2} \frac{1}{x-2} \Big[F(t) \Big]_2^x$$

$$= \lim_{x \to 2} \frac{F(x) - F(2)}{x-2}$$

$$= F'(2) = f(2) = \mathbf{4 + 2\cos 2} \ \blacksquare$$

(2) $f(t) = \dfrac{e^{2t}}{2 + t\sin \pi t}$ 으로 놓고, $f(t)$의 한 부정적분을 $F(t)$라 하면

$$\lim_{h \to 0} \frac{1}{h} \int_{1-h}^{1+h} \frac{e^{2t}}{2 + t\sin \pi t}\,dt = \lim_{h \to 0} \frac{1}{h} \int_{1-h}^{1+h} f(t)\,dt$$

$$= \lim_{h \to 0} \frac{1}{h} \Big[F(t) \Big]_{1-h}^{1+h}$$

$$= \lim_{h \to 0} \frac{F(1+h) - F(1-h)}{h}$$

$$= \lim_{h \to 0} \left\{ \frac{F(1+h) - F(1)}{h} + \frac{F(1-h) - F(1)}{-h} \right\}$$

$$= 2F'(1) = 2f(1) = 2 \cdot \frac{e^2}{2 + \sin \pi} = \mathbf{e^2} \ \blacksquare$$

APPLICATION **107** 다음 극한값을 구하여라.

(1) $\displaystyle\lim_{x \to 1} \frac{1}{x-1} \int_1^{\sqrt{x}} (t^2 + t + 1)e^t\,dt$

(2) $\displaystyle\lim_{h \to 0} \frac{1}{h} \int_e^{e+2h} t^2 \ln t\,dt$

적분 구간이 상수인 정적분을 포함한 등식

077 다음 등식을 만족시키는 함수 $f(x)$, $g(x)$를 구하여라.

$$f(x)=\frac{1}{\sqrt{x}}+\int_0^\pi g(t)dt, \ g(x)=\sin x+\frac{1}{\pi}\int_0^1 tf(t)dt$$

GUIDE $\displaystyle\int_a^b f(x)dx$에서 아래끝 a와 위끝 b가 상수이면 정적분의 값도 상수이다. 따라서 위 함수의 식의 각 정적분을 상수로 놓고 계산하면 그 두 상수의 값을 구할 수 있다.

SOLUTION

$$\int_0^\pi g(t)dt=a \ \ \cdots\cdots\ \bigcirc, \ \int_0^1 tf(t)dt=b \ \ \cdots\cdots\ \bigcirc\ (단,\ a,\ b는\ 상수)$$

로 놓으면

$$f(x)=\frac{1}{\sqrt{x}}+a, \ g(x)=\sin x+\frac{b}{\pi}$$

$g(x)=\sin x+\dfrac{b}{\pi}$를 $\bigcirc$의 좌변에 대입하면

$$\int_0^\pi\left(\sin t+\frac{b}{\pi}\right)dt=\left[-\cos t+\frac{b}{\pi}t\right]_0^\pi=2+b \qquad \therefore\ 2+b=a \quad \cdots\cdots\ \bigcirc$$

$f(x)=\dfrac{1}{\sqrt{x}}+a$를 $\bigcirc$의 좌변에 대입하면

$$\int_0^1 t\left(\frac{1}{\sqrt{t}}+a\right)dt=\int_0^1(\sqrt{t}+at)dt=\left[\frac{2}{3}t^{\frac{3}{2}}+\frac{a}{2}t^2\right]_0^1=\frac{2}{3}+\frac{a}{2}$$

$$\therefore\ \frac{2}{3}+\frac{a}{2}=b \qquad\qquad\qquad\qquad\qquad\qquad \cdots\cdots\ ㉣$$

㉢, ㉣을 연립하여 풀면 $\quad a=\dfrac{16}{3},\ b=\dfrac{10}{3}$

$$\therefore\ \boldsymbol{f(x)=\frac{1}{\sqrt{x}}+\frac{16}{3}, \ g(x)=\sin x+\frac{10}{3\pi}}\ \blacksquare$$

유제
077-❶ 다음 등식을 만족시키는 함수 $f(x)$를 구하여라.
Sub Note 089쪽

$$f'(x)=\sqrt{x}+\int_0^1 f(t)dt, \ f(0)=0$$

유제
077-❷ 다음 등식을 만족시키는 함수 $f(x)$, $g(x)$를 구하여라.
Sub Note 089쪽

$$f(x)=\sec^2 x+\frac{32}{\pi^2}x\int_{-2}^0 g(t)dt, \ g(x)=x+\int_0^{\frac{\pi}{4}}f(t)dt$$

정적분으로 나타내어진 함수의 미분 (1)

078

모든 실수 x에 대하여 미분가능한 함수 $f(x)$가

$$xf(x)=x^2e^x+\int_0^x f(t)\,dt$$

를 만족시키고 $f(0)=1$일 때, $f(1)$의 값을 구하여라.

GUIDE 주어진 식으로는 구하는 함수에 대한 정보를 얻기 힘들다. 우선 주어진 식의 양변을 미분해 보자.
이때 정적분으로 나타내어진 함수의 미분을 이용한다.

SOLUTION

주어진 등식의 양변을 x에 대하여 미분하면

$$f(x)+xf'(x)=2xe^x+x^2e^x+f(x)$$

$$xf'(x)=xe^x(2+x)$$

$$\therefore f'(x)=e^x(2+x)$$

$$\therefore f(x)=\int e^x(2+x)dx=e^x(1+x)+C \quad \leftarrow \text{부분적분법 이용}$$

$f(0)=1$이므로

$$1=1+C \quad \therefore C=0$$

$$\therefore f(x)=e^x(1+x)$$

$$\therefore f(1)=2e \ \blacksquare$$

Sub Note 089쪽

유제
078-① $-\dfrac{\pi}{2}<x<\dfrac{\pi}{2}$에서 정의된 미분가능한 함수 $f(x)$가

$$f(x)=\tan x-x-\int_0^x f'(u)\tan^2 u\,du$$

를 만족시킬 때, $f\left(\dfrac{\pi}{4}\right)$의 값을 구하여라.

유제
078-② $x>0$에서 함수 $f(x)=\displaystyle\int_1^x (1-\ln t)\,dt$의 극값을 구하여라. Sub Note 090쪽

079

$0 \le x \le \pi$에서 정의된 함수 $f(x) = \int_0^x 2(x-t)\cos t \, dt - 1$에 대하여 $f\left(\dfrac{\pi}{4}\right)$의 값을 구하여라.

GUIDE $f(x)$를 구하려면 피적분함수에 변수 x가 포함되지 않도록 식을 변형한 후 양변을 x에 대하여 미분한다.

SOLUTION ─────────────────────────────

$$f(x) = \int_0^x 2(x-t)\cos t \, dt - 1 \text{에서} \qquad \cdots\cdots \text{㉠}$$

$$f(x) = 2x\int_0^x \cos t \, dt - 2\int_0^x t\cos t \, dt - 1$$

위의 등식의 양변을 x에 대하여 미분하면

$$f'(x) = 2\int_0^x \cos t \, dt + 2x\cos x - 2x\cos x$$

$$= 2\int_0^x \cos t \, dt = 2\Big[\sin t\Big]_0^x = 2\sin x$$

$$\therefore f(x) = \int 2\sin x \, dx = -2\cos x + C \qquad \cdots\cdots \text{㉡}$$

㉠의 양변에 $x=0$을 대입하면

$$f(0) = -1 \qquad \cdots\cdots \text{㉢}$$

㉡, ㉢에 의하여

$$f(0) = -2\cos 0 + C = -2 + C = -1 \qquad \therefore C = 1$$

$$\therefore f(x) = 1 - 2\cos x$$

$$\therefore f\left(\frac{\pi}{4}\right) = 1 - 2\cos\frac{\pi}{4} = \mathbf{1 - \sqrt{2}} \blacksquare$$

유제

079-1 모든 실수 x에 대하여 미분가능한 함수 $f(x)$가

Sub Note 090쪽

$$\int_0^x (x-t)f(t)\, dt = ae^{-x+1} + \frac{1}{2}\sin 2x - 1$$

을 만족시키고 $f(\pi) = b$일 때, ab의 값을 구하여라. (단, a, b는 상수)

1. 다음 [ ] 안에 적절한 것을 채워 넣어라.

(1) 정적분 $\displaystyle\int_{\alpha}^{\beta} f(g(t))g'(t)\,dt$의 값을 $x=g(t)$로 치환하여 구할 때,

$g(\alpha)=a$, $g(\beta)=b$이면 $\displaystyle\int_{\alpha}^{\beta} f(g(t))g'(t)\,dt=[\qquad\qquad]$이다.

(2) 닫힌구간 $[a,\ b]$에서 $f(x),\ g(x)$가 미분가능할 때, 부분적분법을 이용하여 정적분

$\displaystyle\int_{a}^{b} f(x)g'(x)\,dx$의 값을 구하면

$\displaystyle\int_{a}^{b} f(x)g'(x)\,dx=\Big[\qquad\qquad\Big]_{a}^{b}-\int_{a}^{b}\Big[\qquad\qquad\qquad\Big]\,dx$이다.

(3) 함수 $\sin x$는 [ ]이므로 상수 a에 대하여 $\displaystyle\int_{-a}^{a}\sin x\,dx=[\quad]$이다.

2. 다음 문장이 참(true) 또는 거짓(false)인지 결정하고, 그 이유를 설명하거나 적절한 반례를 제시하여라.

(1) 정적분의 정의를 이용하여 계산하면 $\displaystyle\int_{-2}^{1}\dfrac{1}{x^{4}}\,dx=-\dfrac{3}{8}$이다.

(2) $\displaystyle\int_{-\frac{\pi}{2}}^{\frac{\pi}{4}}|\sin x|\,dx=\left|\int_{-\frac{\pi}{2}}^{\frac{\pi}{4}}\sin x\,dx\right|$이다.

3. 다음 물음에 대한 답을 간단히 서술하여라.

(1) 짝함수 $f(x)$에 대하여 $\displaystyle\int_{-a}^{a}f(x)\,dx=2\int_{0}^{a}f(x)\,dx$임을 치환적분법을 이용하여 설명하여라.

(2) 함수 $f(x)$에 대하여 $\dfrac{d}{dx}\displaystyle\int_{a}^{x}f(t)\,dt$, $\dfrac{d}{dx}\displaystyle\int_{a}^{b}f(t)\,dt$, $\displaystyle\int_{a}^{b}\dfrac{d}{dx}f(x)\,dx$의 결과를 서로 비교하여라. (단, $a,\ b$는 상수)

EXERCISES

Sub Note 173쪽

정적분의 계산 **01** 다음 정적분의 값을 구하여라.

(1) $\displaystyle\int_1^9\left(\sqrt{x}-\dfrac{3}{x}\right)dx$ 　　　　　(2) $\displaystyle\int_0^e\dfrac{2}{x+e}\,dx$

(3) $\displaystyle\int_{-1}^0(e^x+3^x)dx+\int_0^1(e^x+3^x)dx$ 　　(4) $\displaystyle\int_0^{\frac{\pi}{4}}\tan^2x\,dx+\int_0^{\frac{\pi}{4}}dx$

치환적분법을 이용한 정적분 **02** 정적분 $\displaystyle\int_{\frac{\pi}{2}}^{\pi}(\cos^2x+2\cos x)\sin x\,dx$의 값을 구하여라.

치환적분법을 이용한 정적분 **03** 1보다 큰 실수 a에 대하여 $f(a)=\displaystyle\int_1^a\dfrac{\sqrt{\ln x}}{x}\,dx$라 할 때, $f(a^4)$과 같은 것은?

[수능 기출]

① $4f(a)$　　　② $8f(a)$　　　③ $12f(a)$　　　④ $16f(a)$　　　⑤ $20f(a)$

부분적분법을 이용한 정적분 **04** 정적분 $\displaystyle\int_{-1}^1|x|\,e^x\,dx$의 값을 구하여라.

부분적분법을 이용한 정적분 **05** 함수 $f(x)=\dfrac{(\ln x)^2}{x^2}$에 대하여

$$\int_{e^2}^4 f(x)\,dx-\int_e^4 f(x)\,dx+\int_1^{e^2}f(x)\,dx$$

의 값을 구하여라.

짝함수,
홀함수의
정적분 **06** $f(-x)=-f(x)$를 만족시키는 임의의 함수 $f(x)$에 대하여 정적분의 값이 항상 0인
것만을 보기에서 있는 대로 골라라.

> **보기**
> ㄱ. $\displaystyle\int_{-\frac{\pi}{2}}^{\frac{\pi}{2}} \sin f(x)\,dx$ ㄴ. $\displaystyle\int_{-\frac{\pi}{2}}^{\frac{\pi}{2}} \cos f(x)\,dx$
>
> ㄷ. $\displaystyle\int_{-\frac{\pi}{4}}^{\frac{\pi}{4}} f(x)\tan x\,dx$ ㄹ. $\displaystyle\int_{-\frac{\pi}{2}}^{\frac{\pi}{2}} f(x)\cos x\,dx$

주기함수의
정적분 **07** 모든 실수 x에서 연속인 함수 $f(x)$가 다음 조건을 모두 만족시킨다.

서술형

> (가) $f(x+4)=f(x)$
> (나) $\displaystyle\int_{-\frac{1}{2}}^{\frac{1}{2}} f(2x+1)\,dx=4,\ \int_{\frac{1}{2}}^{1} f(4x)\,dx=3$

이때 정적분 $\displaystyle\int_{6}^{20} f(x)\,dx$의 값을 구하여라.

정적분으로
나타내어진
함수 **08** 함수 $f(x)$가 $f(x)=\sin x+3\displaystyle\int_{0}^{\frac{\pi}{2}} f(t)\cos t\,dt$를 만족시킬 때, $f\left(\dfrac{\pi}{6}\right)$의 값을 구하
여라.

정적분으로
나타내어진
함수 **09** 함수 $f(x)$가 $f(x)=-\ln x+\displaystyle\int_{e}^{x} tf'(t)\,dt$를 만족시킬 때, $f(e^2)$의 값을 구하여라.

(단, $x \geq e$)

정적분으로
나타내어진
함수 **10** $\displaystyle\lim_{x \to 2} \frac{6}{x^2-x-2}\int_{2}^{x} t\cos \pi t\,dt$의 값을 구하여라.

EXERCISES

01 실수 전체의 집합에서 정의된 함수 $y=f(x)$의 그래프가 다음 그림과 같다.

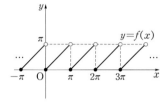

함수 $g(x)$가 $g(x)=\sin x$일 때, $\displaystyle\int_{-\pi}^{3\pi}(g\circ f)(x)\,dx$의 값을 구하여라.

02 함수 $y=f(x)$의 그래프가 오른쪽 그림과 같을 때,

정적분 $\displaystyle\int_{2}^{6}|f'(x)|\sin f(x)\,dx$의 값을 구하여라.

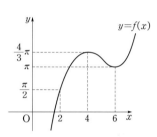

03 자연수 n에 대하여 수열 $\{a_n\}$의 일반항이 $a_n=\displaystyle\int_{0}^{\frac{\pi}{2}}\sin x\cos x(1-\sin x)^n\,dx$라 할

때, $\displaystyle\sum_{n=1}^{\infty}a_n$의 값을 구하여라.

04 정적분 $\displaystyle\int_{-\frac{\sqrt{3}}{3}}^{\frac{\sqrt{3}}{3}}\frac{1}{9x^4+6x^2+1}\,dx$의 값을 구하여라.

05 미분가능한 함수 $f(x)$에 대하여 $f(0)=0$, $f(1)=2$일 때, $\displaystyle\int_{0}^{1}f(x)f'(x)e^{f(x)}\,dx$의

값을 구하여라.

06 $\dfrac{1}{2}\sum\limits_{k=1}^{n}\displaystyle\int_{(k-1)\pi}^{k\pi} kx\cos x\,dx = -2020$을 만족시키는 자연수 n의 값을 구하여라.

07 $\displaystyle\int_{2\pi}^{4\pi}\dfrac{\sin x}{x}\,dx = A$라 할 때, 등식 $\displaystyle\int_{\pi}^{2\pi}\dfrac{\sin^2 x}{x^2}\,dx = kA$를 만족시키는 실수 k의 값을 구하여라.

08 두 연속함수 $f(x)$, $g(x)$가

$$g(e^x)=\begin{cases} f(x) & (0\le x<1) \\ g(e^{x-1})+5 & (1\le x\le 2) \end{cases}$$

를 만족시키고, $\displaystyle\int_{1}^{e^2} g(x)\,dx = 6e^2+40$이다. $\displaystyle\int_{1}^{e} f(\ln x)\,dx = ae+b$일 때, a^2+b^2의 값을 구하여라. (단, a, b는 정수) [평가원 기출]

09 구간 $\left[0,\ \dfrac{\pi}{2}\right]$에서 연속인 함수 $f(x)$가 다음 조건을 만족시킬 때, $f\left(\dfrac{\pi}{4}\right)$의 값은? [평가원 기출]

> (가) $\displaystyle\int_{0}^{\frac{\pi}{2}} f(t)\,dt = 1$
>
> (나) $\cos x\displaystyle\int_{0}^{x} f(t)\,dt = \sin x\displaystyle\int_{x}^{\frac{\pi}{2}} f(t)\,dt$ $\left(\text{단},\ 0\le x\le \dfrac{\pi}{2}\right)$

① $\dfrac{1}{5}$ ② $\dfrac{1}{4}$ ③ $\dfrac{1}{3}$ ④ $\dfrac{1}{2}$ ⑤ 1

10 연속함수 $y=f(x)$의 그래프가 원점에 대하여 대칭이고, 모든 실수 x에 대하여 $f(x)=\dfrac{\pi}{2}\displaystyle\int_{1}^{x+1} f(t)\,dt$이다. $f(1)=1$일 때, $\pi^2\displaystyle\int_{0}^{1} xf(x+1)\,dx$의 값은? [수능 기출]

① $2(\pi-2)$ ② $2\pi-3$ ③ $2(\pi-1)$
④ $2\pi-1$ ⑤ 2π

내신·모의고사 대비 TEST 456쪽

01 구분구적법

SUMMA CUM LAUDE

ESSENTIAL LECTURE

1 구분구적법

어떤 도형의 넓이나 부피를 구할 때, 주어진 도형을 넓이 또는 부피를 알고 있는 기본 도형으로 잘게 나누어 기본 도형의 넓이 또는 부피의 합을 구한 후 그 합의 극한값을 이용하여 주어진 도형의 넓이나 부피를 구하는 방법을 구분구적법이라 한다.

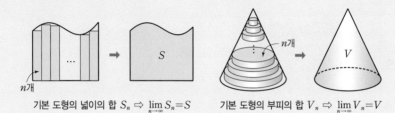

기본 도형의 넓이의 합 S_n $\Rightarrow$ $\lim\limits_{n \to \infty} S_n = S$ 기본 도형의 부피의 합 V_n $\Rightarrow$ $\lim\limits_{n \to \infty} V_n = V$

1 구분구적법

어떤 도형의 넓이나 부피를 구할 때, 주어진 도형을 넓이 또는 부피를 알고 있는 기본 도형[1]으로 잘게 나누어 기본 도형의 넓이 또는 부피의 합을 구한 후 그 합의 극한값을 이용하여 주어진 도형의 넓이나 부피를 구하는 방법을 **구분구적법**(mensuration by parts)이라 한다.

우리는 사실 구분구적법이라는 용어만 접하지 않았을 뿐 이미 단순한 형태의 구분구적법을 배운 적이 있다. 한 예로 원의 넓이를 구하는 방법이다.

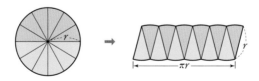

위의 방법은 고대 그리스의 수학자 아르키메데스(B.C. 287~B.C. 212)가 생각해낸 것으로, 원을 여러 개의 부채꼴로 잘게 쪼갠 다음 위의 오른쪽 그림과 같이 붙여서 직사각형에 가깝게 만들어 넓이를 구하는 것이다.

---

[1] 기본 도형은 직사각형, 이등변삼각형, 원기둥, 직육면체 등과 같이 넓이 또는 부피를 쉽게 구할 수 있는 도형으로 정한다.

앞의 오른쪽 도형은 겨우 12개의 조각으로 쪼개어 붙인 것이지만 더 잘게 쪼개면 쪼갤수록 점점 직사각형의 모양이 될 것이다.

이때 직사각형의 가로의 길이는 원주의 반인 πr에 가까워지고, 세로의 길이는 원의 반지름의 길이인 r에 가까워지므로 직사각형의 넓이는 $\pi r \times r = \pi r^2$이 된다. 따라서 반지름의 길이가 r인 원의 넓이는 결국 이 직사각형의 넓이와 같이 πr^2이 된다는 사실을 알 수 있다.

삼각형이나 사각형 등은 그 넓이를 구하는 공식이 알려져 있고 직관적으로 그 공식이 타당함을 알 수 있지만, 곡선으로 이루어진 도형의 넓이는 직접 구하기가 힘들다. 따라서 곡선으로 이루어진 도형의 경우는 간접적인 방법으로써 삼각형이나 사각형의 넓이를 이용한 구분구적법을 이용한다. 즉, 평면도형의 넓이를 S, 평면도형을 삼각형, 사각형 등으로 n조각 내어 구한 넓이의 합을 S_n이라 할 때, $\lim_{n \to \infty} S_n = S$임을 이용하는 것이다.

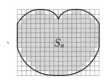 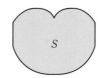

EXAMPLE 086 오른쪽 그림과 같이 반지름의 길이가 r인 원 O 에 내접하는 정n각형이 있다. 점 O에서 $\overline{AB}$에 내린 수선의 발을 H, 정n각형의 둘레의 길이를 l_n, $\overline{OH} = h_n$이라 할 때, 다음 물음에 답하여라.

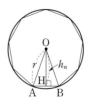

(1) 정n각형의 넓이 S_n을 l_n과 h_n에 대한 식으로 나타내어라.

(2) $\lim_{n \to \infty} S_n$을 r에 대한 식으로 나타내어라.

ANSWER (1) 정n각형은 합동인 n개의 이등변삼각형으로 나누어진다.

이등변삼각형 OAB의 높이가 h_n이므로

$$S_n = \triangle OAB \cdot n = \left(\frac{1}{2} \cdot \overline{AB} \cdot h_n \right) \cdot n$$

$$= \frac{1}{2} h_n \cdot n \cdot \overline{AB}$$

이때 정n각형의 둘레의 길이가 l_n이므로

$$n \cdot \overline{AB} = l_n \qquad \therefore S_n = \frac{1}{2} h_n l_n \ \blacksquare$$

(2) $n \longrightarrow \infty$일 때, 정n각형은 원에 점점 가까워지므로

$$h_n \longrightarrow r, \ l_n \longrightarrow 2\pi r$$

$$\therefore \lim_{n \to \infty} S_n = \lim_{n \to \infty} \frac{1}{2} h_n l_n = \frac{1}{2} \cdot r \cdot 2\pi r = \pi r^2 \ \blacksquare$$

그러면 지금부터 구분구적법을 이용하여 곡선 $y=x^2$과 x축 및 직선 $x=1$로 둘러싸인 도형의 넓이 S를 구해 보도록 하자.

곡선 $y=x^2$과 x축 및 직선 $x=1$로 둘러싸인 도형의 넓이는 다음 그림과 같이 가로의 길이가 같은 직사각형들로 조각내어 그 조각들의 넓이의 합으로 구할 수 있다. 물론 직사각형들의 넓이의 합과 실제 구하려는 도형의 넓이와는 차이가 있겠지만 극한을 이용하여 조각의 가로의 길이를 무한히 작게 하면, 즉 조각의 개수를 무한히 늘려 나가면 두 넓이가 같아짐을 알 수 있다.

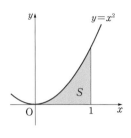

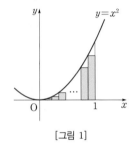

[그림 1]

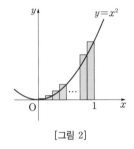

[그림 2]

우선 닫힌구간 $[0,\ 1]$을 n등분하면 각 소구간의 길이 (간격)는 $\dfrac{1}{n}$이 되고 분점들의 x좌표는 각각 $\dfrac{1}{n},\ \dfrac{2}{n},\ \cdots,$

$\dfrac{n-1}{n}$이 된다.

이때 위의 그림과 같이 두 가지 방법으로 직사각형을 만들 수 있다. 즉,

> 첫 번째는 소구간의 왼쪽 끝점의 함숫값을 직사각형의 세로의 길이로 하는 방법([그림 1]),
> 두 번째는 소구간의 오른쪽 끝점의 함숫값을 직사각형의 세로의 길이로 하는 방법([그림 2])

이다.

두 방법에 큰 차이가 없을 것 같지만 그림으로 확인해 보면 첫 번째 방법에서는 직사각형의 넓이의 합이 구하는 도형의 넓이보다 작고, 두 번째 방법에서는 직사각형의 넓이의 합이 구하는 도형의 넓이보다 큼을 알 수 있다.

이제 직사각형의 개수를 무한히 늘려 나가면 그 넓이의 합이 실제 구하려는 도형의 넓이와 같아지는지 확인해 보자.

(1) 소구간의 왼쪽 끝점의 함숫값을 세로의 길이로 하는 직사각형의 넓이의 합 S_n에 대하여 $\lim_{n\to\infty} S_n$의 값 구하기

오른쪽 그림에서 소구간의 왼쪽 끝점의 x좌표는 차례로

$$0, \ \frac{1}{n}, \ \frac{2}{n}, \ \frac{3}{n}, \ \cdots, \ \frac{n-1}{n}$$ ← (직사각형의 가로의 길이)$=\dfrac{1}{n}$

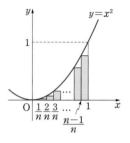

이고, 이에 대응하는 y의 값은 차례로

$$0^2, \ \left(\frac{1}{n}\right)^2, \ \left(\frac{2}{n}\right)^2, \ \left(\frac{3}{n}\right)^2, \ \cdots, \ \left(\frac{n-1}{n}\right)^2$$ ← 직사각형의 세로의 길이

이다. 따라서 각각의 직사각형의 넓이가

$$0, \ \frac{1}{n}\left(\frac{1}{n}\right)^2, \ \frac{1}{n}\left(\frac{2}{n}\right)^2, \ \cdots, \ \frac{1}{n}\left(\frac{n-1}{n}\right)^2$$ ← (가로의 길이) × (세로의 길이)

이므로 넓이의 합 S_n은

$$S_n = \frac{1}{n}\left(\frac{1}{n}\right)^2 + \frac{1}{n}\left(\frac{2}{n}\right)^2 + \cdots + \frac{1}{n}\left(\frac{n-1}{n}\right)^2 = \frac{1}{n^3}\{1^2 + 2^2 + \cdots + (n-1)^2\}$$

$$= \frac{1}{n^3} \cdot \frac{n(n-1)(2n-1)}{6} = \frac{1}{6}\left(1-\frac{1}{n}\right)\left(2-\frac{1}{n}\right)$$

$$\therefore \lim_{n\to\infty} S_n = \lim_{n\to\infty} \frac{1}{6}\left(1-\frac{1}{n}\right)\left(2-\frac{1}{n}\right) = \frac{1}{3}$$

(2) 소구간의 오른쪽 끝점의 함숫값을 세로의 길이로 하는 직사각형의 넓이의 합 $S_n{}'$에 대하여 $\lim_{n\to\infty} S_n{}'$의 값 구하기

오른쪽 그림에서 각 직사각형의 넓이의 합 $S_n{}'$을 구하면

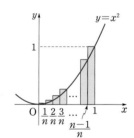

$$S_n{}' = \frac{1}{n}\left(\frac{1}{n}\right)^2 + \frac{1}{n}\left(\frac{2}{n}\right)^2 + \cdots + \frac{1}{n}\left(\frac{n-1}{n}\right)^2 + \frac{1}{n}\left(\frac{n}{n}\right)^2$$

$$= \frac{1}{n^3}(1^2 + 2^2 + \cdots + n^2)$$

$$= \frac{1}{n^3} \cdot \frac{n(n+1)(2n+1)}{6} = \frac{1}{6}\left(1+\frac{1}{n}\right)\left(2+\frac{1}{n}\right)$$

$$\therefore \lim_{n\to\infty} S_n{}' = \lim_{n\to\infty} \frac{1}{6}\left(1+\frac{1}{n}\right)\left(2+\frac{1}{n}\right) = \frac{1}{3}$$

그러면 실제 구하려는 부분의 넓이 S가 $S = \dfrac{1}{3}$임이 명백한가?

임의의 자연수 n에 대하여 $S_n < S < S_n{}'$이므로 $\lim_{n\to\infty} S_n \le S \le \lim_{n\to\infty} S_n{}'$이 성립한다.

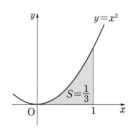

이때 (1)과 (2)에서 $\lim_{n\to\infty} S_n = \lim_{n\to\infty} S_n{}' = \dfrac{1}{3}$이므로 수열의 극한의 대소 관계에 의하여 $S = \dfrac{1}{3}$이다.

함수 $y=x^2$과 같이 연속함수인 경우에는 $\lim\limits_{n\to\infty} S_n$과 $\lim\limits_{n\to\infty} S_n{}'$ 중에서 어느 하나의 극한이 존재하면 나머지 하나의 극한이 반드시 존재하고, 그 두 극한값이 서로 같다는 것이 알려져 있다.

따라서 넓이를 구할 때 굳이 두 가지를 모두 구하지 않고

$$\lim_{n\to\infty} S_n \text{이나} \ \lim_{n\to\infty} S_n{}' \text{ 중 하나만 구하면 된다.}$$

일반적으로 구분구적법으로 도형의 넓이를 구하는 과정은 다음 단계를 따른다.

구분구적법으로 도형의 넓이 구하기

① 주어진 도형을 충분히 작은 n개의 기본 도형으로 잘게 나눈다.
② 나눈 기본 도형의 넓이의 합 S_n을 구한다.
③ 주어진 도형의 넓이를 S라 하면 $S=\lim\limits_{n\to\infty} S_n$이다.

한편 곡선 $y=x^2$과 x축 및 직선 $x=1$로 둘러싸인 도형의 넓이를 정적분을 이용하여 구해 보면

$$\int_0^1 x^2\,dx = \left[\frac{1}{3}x^3\right]_0^1 = \frac{1}{3}$$

이다. 즉, 구분구적법을 이용하여 구한 넓이와 정적분을 이용하여 구한 넓이가 서로 같음을 확인할 수 있다.

■ **EXAMPLE 087** 곡선 $y=x^3$과 x축 및 직선 $x=1$로 둘러싸인 도형의 넓이를 구분구적법으로 구하여라.

ANSWER 오른쪽 그림과 같이 닫힌구간 $[0,\ 1]$을 n등분하고 곡선 $y=x^3$의 아래쪽에 직사각형을 만들면 각 직사각형의 넓이는

$$0,\ \frac{1}{n}\left(\frac{1}{n}\right)^3,\ \frac{1}{n}\left(\frac{2}{n}\right)^3,\ \cdots,\ \frac{1}{n}\left(\frac{n-1}{n}\right)^3$$

이고, 이들의 합 S_n은

$$S_n = \frac{1}{n}\left(\frac{1}{n}\right)^3 + \frac{1}{n}\left(\frac{2}{n}\right)^3 + \cdots + \frac{1}{n}\left(\frac{n-1}{n}\right)^3$$

$$= \frac{1}{n^4}\{1^3 + 2^3 + \cdots + (n-1)^3\} = \frac{1}{n^4}\left\{\frac{n(n-1)}{2}\right\}^2$$

$$= \frac{1}{4}\left(1-\frac{1}{n}\right)^2$$

따라서 구하는 넓이를 S라 하면

$$S = \lim_{n\to\infty} S_n = \lim_{n\to\infty} \frac{1}{4}\left(1-\frac{1}{n}\right)^2 = \frac{1}{4} \ \blacksquare$$

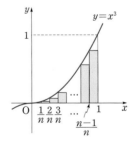

[다른 풀이] 곡선 $y=x^3$의 위쪽에 직사각형을 만들면 직사각형의 넓이의 합 $S_n{}'$은

$$S_n{}' = \frac{1}{n}\left(\frac{1}{n}\right)^3 + \frac{1}{n}\left(\frac{2}{n}\right)^3 + \cdots + \frac{1}{n}\left(\frac{n}{n}\right)^3$$

$$= \frac{1}{n^4}(1^3 + 2^3 + \cdots + n^3)$$

$$= \frac{1}{n^4}\left\{\frac{n(n+1)}{2}\right\}^2$$

$$= \frac{1}{4}\left(1+\frac{1}{n}\right)^2$$

따라서 구하는 넓이를 S라 하면

$$S = \lim_{n\to\infty} S_n{}' = \lim_{n\to\infty} \frac{1}{4}\left(1+\frac{1}{n}\right)^2 = \frac{1}{4}$$

Sub Note 045쪽

APPLICATION **108** 곡선 $y=-x^2$과 x축 및 직선 $x=2$로 둘러싸인 도형의 넓이를 구분구적법으로 구하여라.

구분구적법을 이용하면 뿔이나 구의 부피를 구할 수 있다.

즉, 부피의 경우도 넓이와 마찬가지로 부피를 구하기 쉬운 원기둥이나 직육면체 등으로 주어진 입체도형을 잘게 쪼갠 다음, 각각의 부피의 합을 구해 극한을 취하면 된다.

구분구적법을 이용하여 밑면의 반지름의 길이가 r이고, 높이가 h인 원뿔의 부피 V를 구해 보자. 높이를 n등분한 후 각 분점을 지나면서 밑면에 평행한 평면으로 원뿔을 잘라, 높이가 $\dfrac{h}{n}$인 원기둥들을 만드는데, 그 부피의 합은 다음과 같이 두 가지로 나누어 생각할 수 있다.

(단, 입체도형에 처음부터 포함되어 있는 면도 잘린 단면의 하나로 생각한다.)

잘린 단면을 윗면으로 하는 원기둥의 부피의 합 V_n

잘린 단면을 아랫면으로 하는 원기둥의 부피의 합 $V_n{}'$

(1) 잘린 단면을 윗면으로 하는 원기둥의 부피의 합 V_n에 대하여 $\lim\limits_{n\to\infty} V_n$의 값 구하기

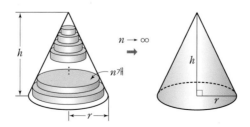

높이를 n등분하고 각 분점을 지나면서 밑면에 평행한 평면으로 원뿔을 자르면, 잘린 단면을 윗면으로 하는 원기둥이 $(n-1)$개 생긴다. 생긴 원기둥들의 밑면의 반지름의 길이는 위에서부터 차례로

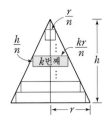

$$\frac{r}{n}, \frac{2r}{n}, \frac{3r}{n}, \cdots, \frac{(n-1)r}{n} \ \textbf{❷}$$

이고 높이는 모두 $\dfrac{h}{n}$ 이므로 $(n-1)$개의 원기둥의 부피의 합 V_n은

$$V_n = \pi\left(\frac{r}{n}\right)^2\frac{h}{n} + \pi\left(\frac{2r}{n}\right)^2\frac{h}{n} + \cdots + \pi\left\{\frac{(n-1)r}{n}\right\}^2\frac{h}{n}$$

$$= \frac{\pi r^2 h}{n^3}\{1^2 + 2^2 + \cdots + (n-1)^2\} = \frac{\pi r^2 h}{n^3} \cdot \frac{n(n-1)(2n-1)}{6}$$

$$= \frac{1}{6}\pi r^2 h\left(1-\frac{1}{n}\right)\left(2-\frac{1}{n}\right)$$

$$\therefore \lim_{n\to\infty} V_n = \lim_{n\to\infty}\frac{1}{6}\pi r^2 h\left(1-\frac{1}{n}\right)\left(2-\frac{1}{n}\right) = \boldsymbol{\frac{1}{3}\pi r^2 h}$$

(2) 잘린 단면을 아랫면으로 하는 원기둥의 부피의 합 $V_n{'}$에 대하여 $\displaystyle\lim_{n\to\infty} V_n{'}$의 값 구하기

잘린 단면을 아랫면으로 하는 n개의 원기둥의 부피의 합 $V_n{'}$은

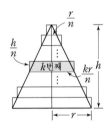

$$V_n{'} = \pi\left(\frac{r}{n}\right)^2\frac{h}{n} + \pi\left(\frac{2r}{n}\right)^2\frac{h}{n} + \cdots + \pi\left(\frac{nr}{n}\right)^2\frac{h}{n}$$

$$= \frac{\pi r^2 h}{n^3}(1^2 + 2^2 + \cdots + n^2) = \frac{\pi r^2 h}{n^3} \cdot \frac{n(n+1)(2n+1)}{6}$$

$$= \frac{1}{6}\pi r^2 h\left(1+\frac{1}{n}\right)\left(2+\frac{1}{n}\right)$$

$$\therefore \lim_{n\to\infty} V_n{'} = \lim_{n\to\infty}\frac{1}{6}\pi r^2 h\left(1+\frac{1}{n}\right)\left(2+\frac{1}{n}\right) = \boldsymbol{\frac{1}{3}\pi r^2 h}$$

따라서 구하는 원뿔의 부피 V가 $V = \dfrac{1}{3}\pi r^2 h$임이 명백하다.

즉, 넓이에서 설명한대로 임의의 자연수 n에 대하여 $V_n < V < V_n{'}$이므로 $\displaystyle\lim_{n\to\infty} V_n \leq V \leq \lim_{n\to\infty} V_n{'}$이 성립하고, 이때 (1)과 (2)에서 $\displaystyle\lim_{n\to\infty} V_n = \lim_{n\to\infty} V_n{'} = \dfrac{1}{3}\pi r^2 h$이므로

수열의 극한의 대소 관계에 의하여 $V = \dfrac{1}{3}\pi r^2 h$이다.

---

❷ 맨 위의 원기둥의 반지름의 길이를 x라 하면 삼각형의 닮음에 의하여 $\quad \dfrac{h}{n} : h = x : r \qquad \therefore x = \dfrac{r}{n}$

높이가 2배, 3배, $\cdots$로 늘어나므로 반지름의 길이는 $\dfrac{2r}{n}$, $\dfrac{3r}{n}$, $\cdots$로 늘어난다.

■ **EXAMPLE 088** 오른쪽 그림과 같이 밑면은 한 변의 길이가 a인 정사각형이고, 높이가 h인 정사각뿔의 부피를 구분구적법으로 구하여라.

ANSWER 높이를 n등분하고 각 분점을 지나면서 밑면에 평행한 평면으로 정사각뿔을 자르면 잘린 단면을 윗면으로 하는 직육면체가 $(n-1)$개 생긴다.

각 직육면체의 높이는 $\dfrac{h}{n}$이고 밑면의 한 변의 길이는 위에서부터 차례로

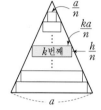

$$\frac{a}{n}, \frac{2a}{n}, \frac{3a}{n}, \cdots, \frac{(n-1)a}{n}$$

이므로 $(n-1)$개의 직육면체의 부피의 합 V_n은

$$V_n = \left(\frac{a}{n}\right)^2 \frac{h}{n} + \left(\frac{2a}{n}\right)^2 \frac{h}{n} + \cdots + \left\{\frac{(n-1)a}{n}\right\}^2 \frac{h}{n}$$

$$= \frac{a^2 h}{n^3}\{1^2 + 2^2 + \cdots + (n-1)^2\}$$

$$= \frac{a^2 h}{n^3} \cdot \frac{n(n-1)(2n-1)}{6}$$

$$= \frac{1}{6}a^2 h\left(1-\frac{1}{n}\right)\left(2-\frac{1}{n}\right)$$

따라서 구하는 부피를 V라 하면 $V = \lim\limits_{n\to\infty} V_n$[3]이므로

$$V = \lim_{n\to\infty} \frac{1}{6}a^2 h\left(1-\frac{1}{n}\right)\left(2-\frac{1}{n}\right)$$

$$= \frac{1}{3}a^2 h \ \blacksquare$$

Sub Note 045쪽

APPLICATION **109** 넓이가 S인 정다각형을 밑면으로 하는 높이가 h인 각뿔의 부피를 구분구적법을 이용하여 S와 h에 대한 식으로 나타내어라.

---

[3] 넓이에서와 같이 실제 문제에서는 $\lim\limits_{n\to\infty} V_n$이나 $\lim\limits_{n\to\infty} V_n'$ 중 하나만 구하면 된다.

구분구적법에 의한 넓이의 계산

080 곡선 $y=\dfrac{1}{3}x^2$과 x축 및 두 직선 $x=1$, $x=3$으로 둘러싸인 도형의 넓이를 구분구적법으로 구하여라.

GUIDE n개의 직사각형의 넓이의 합으로 표현한 후 $n \longrightarrow \infty$일 때의 극한을 구한다.

SOLUTION ─────────────────────

오른쪽 그림과 같이 닫힌구간 $[1, 3]$을 n등분하면 각 분점과 끝점의 x좌표는 차례로

$$1+\frac{2}{n},\ 1+\frac{4}{n},\ \cdots,\ 1+\frac{2n}{n}=3$$

이고, 이에 대응하는 y의 값은 차례로

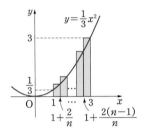

$$\frac{1}{3}\left(1+\frac{2}{n}\right)^2,\ \frac{1}{3}\left(1+\frac{4}{n}\right)^2,\ \cdots,\ \frac{1}{3}\left(1+\frac{2n}{n}\right)^2$$

이므로 직사각형의 넓이의 합 S_n은

$$S_n=\frac{2}{n}\cdot\frac{1}{3}\left(1+\frac{2}{n}\right)^2+\frac{2}{n}\cdot\frac{1}{3}\left(1+\frac{4}{n}\right)^2+\cdots+\frac{2}{n}\cdot\frac{1}{3}\left(1+\frac{2n}{n}\right)^2$$

$$=\frac{2}{3n^3}\{(n+2)^2+(n+4)^2+\cdots+(n+2n)^2\}$$

$$=\frac{2}{3n^3}\sum_{k=1}^{n}(n+2k)^2=\frac{2}{3n^3}\sum_{k=1}^{n}(n^2+4nk+4k^2)$$

$$=\frac{2}{3n^3}\left\{n^2\cdot n+4n\cdot\frac{n(n+1)}{2}+4\cdot\frac{n(n+1)(2n+1)}{6}\right\}$$

$$=\frac{2(13n^2+12n+2)}{9n^2}=\frac{2}{9}\left(13+\frac{12}{n}+\frac{2}{n^2}\right)$$

따라서 구하는 넓이를 S라 하면

$$S=\lim_{n\to\infty}S_n=\lim_{n\to\infty}\frac{2}{9}\left(13+\frac{12}{n}+\frac{2}{n^2}\right)=\frac{26}{9}\ \blacksquare$$

유제
080-❶ 오른쪽 그림과 같이 가로의 길이가 2, 세로의 길이가 4인 직사각형 ABCD 안에 포물선이 꼭 맞게 들어가 있다. 색칠한 부분의 넓이를 구분구적법으로 구하여라.

Sub Note 091쪽

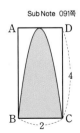

구분구적법에 의한 부피의 계산

081 반지름의 길이가 r인 구의 부피 V를 구분구적법으로 구하여라.

GUIDE 구는 합동인 2개의 반구로 나누어지므로 반구의 부피를 구해 2배하는 것으로 구의 부피를 구한다.
이때 반구의 밑면의 반지름의 길이와 n등분된 높이를 알 수 있으므로 피타고라스 정리를 통해 각
원기둥의 밑면의 반지름의 길이를 구한다. 뒤에 배울 부피의 아이디어가 되므로 문제의 풀이 방법
을 잘 숙지하도록 하자.

SOLUTION

반구의 높이를 n등분하여 $(n-1)$개의 원기둥을 만들면
밑면인 원의 반지름의 길이는 아래에서부터 차례로

$$\sqrt{r^2-\left(\frac{r}{n}\right)^2},\ \sqrt{r^2-\left(\frac{2r}{n}\right)^2},\ \cdots,\ \sqrt{r^2-\left\{\frac{(n-1)r}{n}\right\}^2}$$

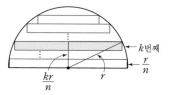

이다. 이때 높이는 모두 $\frac{r}{n}$이므로 잘린 단면을 윗면으로 하

는 $(n-1)$개의 원기둥의 부피의 합 V_n은

$$V_n=\pi\left\{r^2-\left(\frac{r}{n}\right)^2\right\}\frac{r}{n}+\pi\left\{r^2-\left(\frac{2r}{n}\right)^2\right\}\frac{r}{n}+\cdots+\pi\left[r^2-\left\{\frac{(n-1)r}{n}\right\}^2\right]\frac{r}{n}$$

$$=\frac{\pi r^3}{n^3}[(n^2-1^2)+(n^2-2^2)+\cdots+\{n^2-(n-1)^2\}]$$

$$=\frac{\pi r^3}{n^3}\left\{n^2(n-1)-\frac{n(n-1)(2n-1)}{6}\right\}$$

$$\therefore V=2\lim_{n\to\infty}V_n=2\pi r^3\left(1-\frac{1}{3}\right)=\frac{4}{3}\pi r^3\ \blacksquare$$

[다른 풀이] 잘린 단면을 아랫면으로 하는 n개의 원기둥을
만들어 부피의 합 $V_n{}'$을 구하면

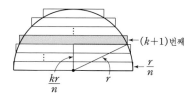

$$V_n{}'=\frac{\pi r^3}{n^3}[n^2+(n^2-1^2)+\cdots+\{n^2-(n-1)^2\}]$$

$$=\frac{\pi r^3}{n^3}\left\{n^3-\frac{n(n-1)(2n-1)}{6}\right\}$$

$$\therefore V=2\lim_{n\to\infty}V_n{}'=2\pi r^3\left(1-\frac{1}{3}\right)=\frac{4}{3}\pi r^3$$

유제

081-1 오른쪽 그림과 같은 원뿔대의 부피를 구분구적법으로 구하여라.

Sub Note 091쪽

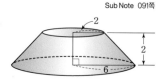

02 정적분과 급수

SUMMA CUM LAUDE

ESSENTIAL LECTURE

1 정적분과 급수의 합 사이의 관계

(1) 함수 $f(x)$가 닫힌구간 $[a, b]$에서 연속일 때,

$$\lim_{n \to \infty} \sum_{k=1}^{n} f(x_k) \Delta x = \int_a^b f(x)\,dx \left(단, \ \Delta x = \frac{b-a}{n}, \ x_k = a + k\Delta x\right)$$

(2) 정적분으로 급수의 합 구하기

① $\lim\limits_{n \to \infty} \sum\limits_{k=1}^{n} f\left(a + \dfrac{b-a}{n}k\right) \cdot \dfrac{b-a}{n} = \int_a^b f(x)\,dx$

② $\lim\limits_{n \to \infty} \sum\limits_{k=1}^{n} f\left(a + \dfrac{p}{n}k\right) \cdot \dfrac{p}{n} = \int_a^{a+p} f(x)\,dx = \int_0^p f(a+x)\,dx$

③ $\lim\limits_{n \to \infty} \sum\limits_{k=1}^{n} f\left(a + \dfrac{p}{n}k\right) \cdot \dfrac{p}{n} = \int_0^1 pf(a+px)\,dx$

1 정적분과 급수의 합 사이의 관계

구분구적법을 이용하여 정적분과 급수의 합 사이의 관계를 알아보자.

함수 $f(x)$가 닫힌구간 $[a, b]$에서 연속이고 $f(x) \geq 0$일 때, 오른쪽 그림과 같이 닫힌구간 $[a, b]$를 n등분하여 양 끝점과 각 분점의 x좌표를 차례로

$$x_0(=a), \ x_1, \ x_2, \ \cdots, \ x_{n-1}, \ x_n(=b)$$

이라 하면 각 소구간 $[x_{k-1}, x_k] \ (k=1, 2, \cdots, n)$의 길이 Δx는

$$\Delta x = \frac{b-a}{n}$$

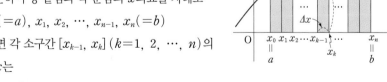

이고, 각 소구간의 오른쪽 끝점에서의 함숫값은

$$f(x_1), \ f(x_2), \ \cdots, \ f(x_{n-1}), \ f(x_n)$$

이다.

이때 가로의 길이가 Δx이고, 세로의 길이가 $f(x_k)$인 n개의 직사각형을 생각할 수 있고, 그 넓이의 합을 S_n이라 하면

$$S_n = f(x_1)\Delta x + f(x_2)\Delta x + \cdots + f(x_{n-1})\Delta x + f(x_n)\Delta x$$

$$= \sum_{k=1}^{n} f(x_k)\Delta x$$

가 되는데, 일반적으로 함수 $f(x)$가 닫힌구간 $[a,\ b]$에서 연속이면 극한값 $\displaystyle\lim_{n\to\infty}\sum_{k=1}^{n} f(x_k)\Delta x$

는 반드시 존재한다고 알려져 있고, 이 극한값은 함수 $f(x)$의 a에서 b까지의 정적분

$\displaystyle\int_a^b f(x)\,dx$와 같다.

좀 더 쉽게 말하면 정적분은 그 함수의 그래프가 이루는 평면도형의 넓이와 통하는 면이 있고
(정적분의 기하적 의미), 구분구적법을 생각하면 평면도형의 넓이는 급수의 합과 통하는 면이
있으므로 이들 사이의 관계를 통해 정적분과 급수의 합 사이의 관계 역시 밀접한 관계가 있음
을 알 수 있고, 실제로 정적분의 값을 급수의 합을 이용하여 계산할 수 있다.

EXAMPLE 089 정적분과 급수의 합 사이의 관계를 이용하여 정적분 $\displaystyle\int_0^1 x^3\,dx$의 값을
구하여라.

ANSWER $f(x)=x^3$이라 하면 함수 $f(x)$는 닫힌구간
$[0,\ 1]$에서 연속이다.
$a=0,\ b=1$이므로

$$\Delta x = \frac{1-0}{n} = \frac{1}{n} \quad \text{← 직사각형의 가로의 길이}$$

$x_k = 0 + k\Delta x = \dfrac{k}{n}$ 이므로

$$f(x_k) = x_k^3 = \left(\frac{k}{n}\right)^3 \quad \text{← } k\text{번째 직사각형의 세로의 길이}$$

$$\therefore \int_0^1 x^3\,dx$$

$$= \lim_{n\to\infty} \sum_{k=1}^{n} f(x_k)\Delta x$$

$$= \lim_{n\to\infty} \sum_{k=1}^{n} \left(\frac{k}{n}\right)^3 \cdot \frac{1}{n}$$

$$= \lim_{n\to\infty} \frac{1}{n^4} \sum_{k=1}^{n} k^3$$

$$= \lim_{n\to\infty} \frac{1}{n^4} \left\{ \frac{n(n+1)}{2} \right\}^2$$

$$= \frac{1}{4} \ \blacksquare$$

$$\lim_{n\to\infty}\ \sum_{k=1}^{n}\ \boxed{f(x_k)\Delta x}$$

→ k번째 직사각형의 넓이
→ 모든 직사각형의 넓이의 합

APPLICATION **110** 정적분과 급수의 합 사이의 관계를 이용하여 다음 정적분의 값을 구하여라.

(1) $\int_0^2 2x^2 dx$ (2) $\int_1^2 x^3 dx$

한편 위의 문제와 같이 정적분 $\int_a^b f(x)\,dx$의 값을 군이 급수의 합을 이용하여 구할 필요는 없다. 함수 $f(x)$의 부정적분을 구할 수 있는 경우라면, 정적분의 정의를 이용해서 쉽게 구할 수 있기 때문이다.

그러나 거꾸로 하여 '급수의 합을 구하는 문제가 주어졌을 때, 이를 정적분으로 바꿀 수 있다면 급수의 합을 보다 쉽게 구할 수 있지 않을까?'하고 생각해 볼 수 있을 것이다. 주어진 급수가 $\lim\limits_{n\to\infty}\sum\limits_{k=1}^n f\left(a+\dfrac{b-a}{n}k\right)\cdot\dfrac{b-a}{n}$ 꼴이라면 우리는 급수를 정적분으로 바꾸어 아주 쉽게 그 합을 구할 수 있다.

일반적으로 정적분과 급수의 합 사이에는 다음과 같은 관계가 있다.

정적분과 급수의 합 사이의 관계[4]
함수 $f(x)$가 닫힌구간 $[a,\,b]$에서 연속일 때,
$$\lim_{n\to\infty}\sum_{k=1}^n f(x_k)\varDelta x = \int_a^b f(x)\,dx \left(\text{단, } \varDelta x=\frac{b-a}{n},\ x_k=a+k\varDelta x\right)$$

E X A M P L E 090 정적분과 급수의 합 사이의 관계를 이용하여 극한값
$\lim\limits_{n\to\infty}\dfrac{1}{n^4}(1^3+2^3+3^3+\cdots+n^3)$을 구하여라.

ANSWER $\lim\limits_{n\to\infty}\dfrac{1}{n^4}(1^3+2^3+3^3+\cdots+n^3)=\lim\limits_{n\to\infty}\dfrac{1}{n^4}\sum\limits_{k=1}^n k^3$
$$=\lim_{n\to\infty}\sum_{k=1}^n\left(\frac{k}{n}\right)^3\frac{1}{n}$$

---

[4] $f(x)\geq0$이 아닌 경우에도 함수 $y=f(x)$가 닫힌구간 $[a,\,b]$에서 연속이면 이 관계가 성립한다.
[5] 정적분을 각 소구간의 왼쪽 끝점에서의 함숫값을 기준으로 하여 나타낼 수도 있고, 또 수렴하는 급수에서 한 두 항은 무시할 수 있으므로 다음과 같은 형태의 급수는 모두 같은 정적분으로 바꿀 수 있다.
$$\lim_{n\to\infty}\sum_{k=0}^n f(x_k)\varDelta x=\lim_{n\to\infty}\sum_{k=0}^{n-1} f(x_k)\varDelta x=\lim_{n\to\infty}\sum_{k=1}^{n-1} f(x_k)\varDelta x=\lim_{n\to\infty}\sum_{k=0}^{n+1} f(x_k)\varDelta x$$
따라서 무조건 1부터 n까지라는 생각은 버리도록 하자.

이때 $f(x)=x^3$, $a=0$, $b=1$로 놓으면

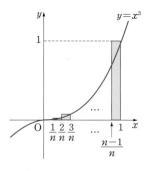

$$\Delta x = \frac{b-a}{n} = \frac{1}{n}, \quad x_k = a + k\Delta x = \frac{k}{n}$$

따라서 정적분과 급수의 합 사이의 관계에 의하여

$$\lim_{n \to \infty} \sum_{k=1}^{n} \left(\frac{k}{n} \right)^3 \frac{1}{n} = \lim_{n \to \infty} \sum_{k=1}^{n} f(x_k) \Delta x = \int_0^1 f(x) \, dx$$

$$= \int_0^1 x^3 \, dx = \left[\frac{1}{4} x^4 \right]_0^1 = \frac{1}{4} \ \blacksquare$$

그러면 지금부터 급수의 식과 정적분의 식을 비교해 보면서 급수의 합을 정적분으로 어떻게 바꿀 수 있는지 알아보자. 변수 x를 어떻게 잡느냐에 따라 세 가지 유형으로 나누어 생각해 볼 수 있는데, 그때마다 적분 구간과 함수식이 다르게 나타나므로 이에 유의하면서 살펴보도록 하자.

① 구간을 $[a, \ b]$로 볼 때,

함수 $f(x)$에 대하여 k번째 직사각형의 가로의 길이는 $\frac{b-a}{n}$이고, 세로의 길이는 $f\left(a+\frac{b-a}{n}k\right)$이므로 넓이의 합을 정적분으로 나타내면 다음과 같다.

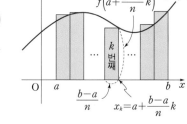

$$\lim_{n \to \infty} \sum_{k=1}^{n} f\left(a+\frac{b-a}{n}k\right) \cdot \frac{b-a}{n}$$

$$= \int_a^b f(x) \, dx$$

이때 $p=b-a$라 하면 위 식은 다음과 같다.

$$\lim_{n \to \infty} \sum_{k=1}^{n} f\left(a+\frac{p}{n}k\right) \cdot \frac{p}{n} = \int_a^{a+p} f(x) \, dx \text{[6]} \qquad \cdots\cdots \ \bigcirc$$

② 구간을 $[0, \ p]$로 볼 때,

함수의 그래프를 x축의 방향으로 $-a$만큼 평행이동시킬 때, 구간도 $-a$만큼 평행이동시키면 정적분의 값은 달라지지 않는다. 즉, ⊙에서 함수의 그래프와 구간을 동시에 x축의 방향으로 $-a$만큼 평행이동시켜 정적분을 구하면, 그 값은 변함이 없다.

---

[6] $\lim_{n \to \infty} \sum_{k=1}^{n}$은 $\int$에, $f\left(a+\frac{p}{n}k\right)$는 $f(x)$에, $\frac{p}{n}$는 dx에 각각 대응시켜 급수의 합을 정적분으로 변형한다.
원리를 이해하지 않고 외운 식은 사상누각과 같음을 독자들도 많이 경험했으리라 생각한다. 부디 독자들은 원리를 깨우친 다음 요령을 익히길 바란다.

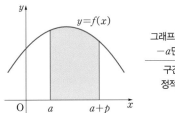
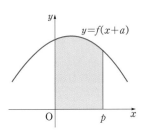

그래프를 x축의 방향으로
$-a$만큼 평행이동하면
구간 $[0,\ p]$에서의
정적분의 값과 같다.

이때 구간은 $[a,\ a+p]$에서 $[0,\ p]$로 바뀌고, 함수식은 $f(x)$에서 $f(a+x)$로 바뀐다. 즉,

$$\int_a^{a+p} f(x)\,dx = \int_0^p f(a+x)\,dx^{❼}$$

따라서 함수 $f(a+x)$에 대하여 가로의 길이가 $\dfrac{p}{n}$, 세로의 길이가 $f\left(a+\dfrac{p}{n}k\right)$인 직사각형 의 넓이의 합을 정적분으로 나타내면 다음과 같다.

$$\lim_{n\to\infty}\sum_{k=1}^{n} f\left(a+\frac{p}{n}k\right)\cdot\frac{p}{n} = \int_a^{a+p} f(x)\,dx = \int_0^p f(a+x)\,dx \quad\cdots\cdots ㉡$$

③ 구간을 $[0,\ 1]$로 볼 때,

치환적분법에서 치환이 일대일대응이면 구조적으로 완전히 동일한 정적분으로 변형됨을 배 웠다.

㉡에서 얻은 정적분 $\int_0^p f(a+x)\,dx$에서 일대일대응인 $x=pt$로 치환하면 $\dfrac{dx}{dt}=p$이고 $x=0$일 때 $t=0$, $x=p$일 때 $t=1$이므로

$$\lim_{n\to\infty}\sum_{k=1}^{n} f\left(a+\frac{p}{n}k\right)\cdot\frac{p}{n} = \int_0^p f(a+x)\,dx = \int_0^1 f(a+pt)\cdot p\,dt$$

$$= \int_0^1 pf(a+px)\,dx$$

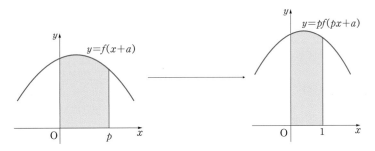

---

❼ 평행이동을 치환적분법의 하나로 볼 수 있으므로 치환적분법으로 이해해도 된다.

즉, ①에서 $x=a+t$로 놓으면 $\dfrac{dx}{dt}=1$이고 $x=a$일 때 $t=0$, $x=a+p$일 때 $t=p$이므로

$$\int_a^{a+p} f(x)\,dx = \int_0^p f(a+t)\,dt = \int_0^p f(a+x)\,dx$$

이와 같이 같은 급수의 합이라도 서로 다른 정적분의 식으로 나타낼 수 있다.[8] 변수 x를 어떻게 잡느냐에 따라 다르게 나타나니 그래프를 떠올리며 변환 과정을 잘 숙지하길 바란다.

정적분으로 급수의 합 구하기

① $\lim\limits_{n \to \infty} \sum\limits_{k=1}^{n} f\left(a + \dfrac{b-a}{n}k\right) \cdot \dfrac{b-a}{n} = \displaystyle\int_a^b f(x)\,dx$

② $\lim\limits_{n \to \infty} \sum\limits_{k=1}^{n} f\left(a + \dfrac{p}{n}k\right) \cdot \dfrac{p}{n} = \displaystyle\int_a^{a+p} f(x)\,dx = \int_0^p f(a+x)\,dx$

③ $\lim\limits_{n \to \infty} \sum\limits_{k=1}^{n} f\left(a + \dfrac{p}{n}k\right) \cdot \dfrac{p}{n} = \displaystyle\int_0^1 p f(a+px)\,dx$

지금부터 급수의 합을 정적분으로 바꾸는 방법을 정리함과 동시에 실전에서 빠르게 바꿀 수 있는 요령을 알아보자.

(i) $a + \dfrac{b-a}{n}k$, $\dfrac{p}{n}k$, $\dfrac{k}{n}$ 중 어떤 것을 적분변수 x로 나타낼 지 결정한다.

(ii) 적분변수 x에 따라 '직사각형의 가로의 길이'에 해당되는 부분을 dx로 나타낸다.

$$\dfrac{b-a}{n} \;\blacktriangleright\; dx, \qquad \dfrac{p}{n} \;\blacktriangleright\; dx, \qquad \dfrac{1}{n} \;\blacktriangleright\; dx$$

(iii) 적분변수 x에 따라 다음과 같이 적분 구간을 둔다. 아래끝은 $k=1$일 때의 극한값, 위끝은 $k=n$일 때의 극한값으로 기억해도 된다.

$$a + \dfrac{b-a}{n}k \;\blacktriangleright\; [a,\,b], \qquad \dfrac{p}{n}k \;\blacktriangleright\; [0,\,p], \qquad \dfrac{k}{n} \;\blacktriangleright\; [0,\,1]$$

$k=1$일 때 $a + \dfrac{b-a}{n} \xrightarrow{n \to \infty} a$

$k=n$일 때 $a + (b-a) \xrightarrow{n \to \infty} b$

예를 들어 $\lim\limits_{n \to \infty} \sum\limits_{k=1}^{n} \left(1 + \dfrac{3k}{n}\right)^3 \cdot \dfrac{3}{n}$ 을 정적분으로 나타내면

[방법 1] $1 + \dfrac{3k}{n}$ 를 x로 나타내는 경우

(i) $\dfrac{3}{n}$ 을 dx로 나타낸다.

(ii) 아래끝 $\blacktriangleright$ $k=1$일 때의 극한값인 1

(iii) 위끝 $\blacktriangleright$ $k=n$일 때의 극한값인 4

$$\lim\limits_{n \to \infty} \sum\limits_{k=1}^{n} \boxed{\left(1 + \dfrac{3k}{n}\right)^3} \cdot \boxed{\dfrac{3}{n}}$$

$$\blacktriangleright \quad \int_1^4 \qquad x \qquad dx$$

$$\rightarrow \int_1^4 x^3\,dx$$

---

[8] ①, ②, ③을 정리하면 $p = b-a$라 할 때,

$$\lim\limits_{n \to \infty} \sum\limits_{k=1}^{n} f\left(a + \dfrac{p}{n}k\right) \cdot \dfrac{p}{n} = \int_a^{a+p} f(x)\,dx = \int_0^p f(a+x)\,dx = \int_0^1 p f(a+px)\,dx$$

[방법 2] $\dfrac{3k}{n}$ 를 x로 나타내는 경우

(i) $\dfrac{3}{n}$ 을 dx로 나타낸다.

(ii) 아래끝 ➡ $k=1$일 때의 극한값인 0

(iii) 위끝 ➡ $k=n$일 때의 극한값인 3

$$\lim_{n\to\infty}\sum_{k=1}^{n}\left(1+\boxed{\dfrac{3k}{n}}\right)^3\cdot\boxed{\dfrac{3}{n}}$$

$$\int_0^3 \qquad x \qquad dx$$

$$\to \int_0^3 (1+x)^3\,dx$$

[방법 3] $\dfrac{k}{n}$ 를 x로 나타내는 경우

(i) $\dfrac{1}{n}$ 을 dx로 나타낸다.

(ii) 아래끝 ➡ $k=1$일 때의 극한값인 0

(iii) 위끝 ➡ $k=n$일 때의 극한값인 1

$$\lim_{n\to\infty}\sum_{k=1}^{n}\left(1+3\cdot\boxed{\dfrac{k}{n}}\right)^3\cdot3\cdot\boxed{\dfrac{1}{n}}$$

$$\int_0^1 \qquad x \qquad dx$$

$$\to \int_0^1 \{(1+3x)^3\cdot3\}\,dx$$

■ **EXAMPLE 091** 정적분을 이용하여 다음 극한값을 구하여라.

(1) $\displaystyle\lim_{n\to\infty}\sum_{k=1}^{n}\left(5+\dfrac{2k}{n}\right)^2\cdot\dfrac{3}{n}$

(2) $\displaystyle\lim_{n\to\infty}\sum_{k=1}^{n}\dfrac{4}{n}e^{1+\frac{2k}{n}}$

ANSWER (1) $\displaystyle\lim_{n\to\infty}\sum_{k=1}^{n}\left(5+\dfrac{2k}{n}\right)^2\cdot\dfrac{3}{n}$ 에서 $5+\dfrac{2k}{n}$ 를 x로, $\dfrac{2}{n}$ 를 dx로 나타내면

적분 구간은 $\begin{cases} k=1 일 때 \ 5+\dfrac{2}{n} \ \xrightarrow{n\to\infty} \ 5 \\ k=n 일 때 \ 5+2 \ \xrightarrow{n\to\infty} \ 7 \end{cases}$ 에서 $[5,\ 7]$이므로

$$\lim_{n\to\infty}\sum_{k=1}^{n}\left(5+\dfrac{2k}{n}\right)^2\cdot\dfrac{3}{n}=\lim_{n\to\infty}\sum_{k=1}^{n}\left(5+\dfrac{2k}{n}\right)^2\cdot\dfrac{2}{n}\cdot\dfrac{3}{2}=\dfrac{3}{2}\int_5^7 x^2\,dx$$

$$=\dfrac{3}{2}\left[\dfrac{1}{3}x^3\right]_5^7=\dfrac{1}{2}(7^3-5^3)=\mathbf{109}\ ■$$

[다른 풀이 1] $\dfrac{2k}{n}$ 를 x로, $\dfrac{2}{n}$ 를 dx로 나타내면 적분 구간이 $[0,\ 2]$이므로

$$\lim_{n\to\infty}\sum_{k=1}^{n}\left(5+\dfrac{2k}{n}\right)^2\cdot\dfrac{3}{n}=\lim_{n\to\infty}\sum_{k=1}^{n}\left(5+\dfrac{2k}{n}\right)^2\cdot\dfrac{2}{n}\cdot\dfrac{3}{2}$$

$$=\dfrac{3}{2}\int_0^2 (5+x)^2\,dx=\dfrac{3}{2}\left[\dfrac{1}{3}(5+x)^3\right]_0^2=109$$

[다른 풀이 2] $\dfrac{k}{n}$ 를 x로, $\dfrac{1}{n}$ 을 dx로 나타내면 적분 구간이 $[0,\ 1]$이므로

$$\lim_{n\to\infty}\sum_{k=1}^{n}\left(5+\dfrac{2k}{n}\right)^2\cdot\dfrac{3}{n}=\lim_{n\to\infty}\sum_{k=1}^{n}\left(5+2\cdot\dfrac{k}{n}\right)^2\cdot\dfrac{1}{n}\cdot3$$

$$=3\int_0^1 (5+2x)^2\,dx=3\left[\dfrac{1}{6}(5+2x)^3\right]_0^1=109$$

(2) $\displaystyle\lim_{n\to\infty}\sum_{k=1}^{n}\frac{4}{n}e^{1+\frac{2k}{n}}$ 에서 $1+\dfrac{2k}{n}$ 를 x로, $\dfrac{2}{n}$ 를 dx로 나타내면

적분 구간은 $\begin{cases} k=1\text{일 때 } 1+\dfrac{2}{n} \xrightarrow{n\to\infty} 1 \\ k=n\text{일 때 } 1+2 \xrightarrow{n\to\infty} 3 \end{cases}$ 에서 $[1,\,3]$이므로

$$\lim_{n\to\infty}\sum_{k=1}^{n}\frac{4}{n}e^{1+\frac{2k}{n}}=\lim_{n\to\infty}\sum_{k=1}^{n}e^{1+\frac{2k}{n}}\cdot\frac{2}{n}\cdot 2=2\int_{1}^{3}e^{x}dx=2\Big[e^{x}\Big]_{1}^{3}=\mathbf{2(e^{3}-e)}\ \blacksquare$$

[다른 풀이 1] $\dfrac{2k}{n}$ 를 x로, $\dfrac{2}{n}$ 를 dx로 나타내면 적분 구간이 $[0,\,2]$이므로

$$\lim_{n\to\infty}\sum_{k=1}^{n}\frac{4}{n}e^{1+\frac{2k}{n}}=\lim_{n\to\infty}\sum_{k=1}^{n}e^{1+\frac{2k}{n}}\cdot\frac{2}{n}\cdot 2=2\int_{0}^{2}e^{1+x}dx=2\Big[e^{1+x}\Big]_{0}^{2}=2(e^{3}-e)$$

[다른 풀이 2] $\dfrac{k}{n}$ 를 x로, $\dfrac{1}{n}$ 을 dx로 나타내면 적분 구간이 $[0,\,1]$이므로

$$\lim_{n\to\infty}\sum_{k=1}^{n}\frac{4}{n}e^{1+\frac{2k}{n}}=\lim_{n\to\infty}\sum_{k=1}^{n}e^{1+2\cdot\frac{k}{n}}\cdot\frac{1}{n}\cdot 4=4\int_{0}^{1}e^{1+2x}dx=4\Big[\frac{1}{2}e^{1+2x}\Big]_{0}^{1}=2(e^{3}-e)$$

APPLICATION 111 정적분을 이용하여 다음 극한값을 구하여라. Sub Note 046쪽

(1) $\displaystyle\lim_{n\to\infty}\frac{1}{n}\left(\sin\frac{\pi}{n}+\sin\frac{2\pi}{n}+\sin\frac{3\pi}{n}+\cdots+\sin\frac{n\pi}{n}\right)$

(2) $\displaystyle\lim_{n\to\infty}\left\{\ln(n+1)^{\frac{1}{n}}+\ln(n+2)^{\frac{1}{n}}+\cdots+\ln(n+n)^{\frac{1}{n}}-\ln n\right\}$

Sub Note 047쪽

APPLICATION 112 다음은 급수의 합을 정적분으로 나타낸 것이다. 보기에서 옳은 것만을 있는 대로 골라라.

보기

ㄱ. $\displaystyle\lim_{n\to\infty}\frac{1}{n}\sum_{k=1}^{n}f\left(1+\frac{k}{n}\right)=\int_{0}^{1}f(x+1)\,dx$

ㄴ. $\displaystyle\lim_{n\to\infty}\frac{1}{2n}\sum_{k=1}^{2n}f\left(2+\frac{k}{2n}\right)=\int_{0}^{1}f(x+2)\,dx$

ㄷ. $\displaystyle\lim_{n\to\infty}\frac{2}{n}\sum_{k=1}^{n}f\left(4+\frac{4k}{n}\right)=\frac{1}{2}\int_{0}^{2}f(x+4)\,dx$

[Hint. ㄴ은 구간을 n등분이 아닌 $2n$등분했다고 생각할 수 있으므로 $2n$을 하나의 변수로 다루도록 한다.]

APPLICATION 113 정적분을 이용하여 다음 극한값을 구하여라. Sub Note 047쪽

(1) $\displaystyle\lim_{n\to\infty}\frac{(2n+1)^{4}+(2n+2)^{4}+\cdots+(2n+n)^{4}}{n^{5}}$

(2) $\displaystyle\lim_{n\to\infty}\frac{(n+1)^{3}+(n+2)^{3}+\cdots+(2n)^{3}}{1^{3}+2^{3}+\cdots+n^{3}}$

082 다음 극한값을 구하여라.

(1) $\displaystyle\lim_{n\to\infty} n \sum_{k=1}^{n} \frac{1}{k^2 - nk - 6n^2}$

(2) $\displaystyle\lim_{n\to\infty} \frac{1}{n} \ln \frac{(2n)!}{n!\,n^n}$

GUIDE 문제에 주어진 꼴로는 바로 정적분의 식의 형태로 고칠 수 없으므로 $\dfrac{k}{n}$ 와 $\dfrac{1}{n}$ 이 나타나도록 식을 변형한다.

SOLUTION

(1) $\displaystyle\lim_{n\to\infty} n \sum_{k=1}^{n} \frac{1}{k^2 - nk - 6n^2} = \lim_{n\to\infty} n \sum_{k=1}^{n} \frac{\dfrac{1}{n^2}}{\left(\dfrac{k}{n}\right)^2 - \dfrac{k}{n} - 6} = \lim_{n\to\infty} \sum_{k=1}^{n} \frac{1}{\left(\dfrac{k}{n}\right)^2 - \dfrac{k}{n} - 6} \cdot \frac{1}{n}$

$\dfrac{k}{n}$ 를 x로, $\dfrac{1}{n}$ 을 dx로 나타내면 적분 구간은 $[0,\ 1]$이므로

$$\text{(주어진 식)} = \int_0^1 \frac{1}{x^2 - x - 6}\, dx = \int_0^1 \frac{1}{(x+2)(x-3)}\, dx$$

$$= \frac{1}{5} \int_0^1 \left(\frac{1}{x-3} - \frac{1}{x+2} \right) dx$$

$$= \frac{1}{5} \Big[\ln|x-3| - \ln|x+2| \Big]_0^1 = \frac{2}{5}(\ln 2 - \ln 3) \ \blacksquare$$

(2) $\dfrac{1}{n} \ln \dfrac{(2n)!}{n!\,n^n} = \dfrac{1}{n} \ln \dfrac{1 \times 2 \times \cdots \times (n+n)}{(1 \times 2 \times \cdots \times n) \times n^n}$

$$= \frac{1}{n} \ln \frac{(n+1) \times \cdots \times (n+n)}{n^n}$$

$$= \frac{1}{n} \ln \left\{ \left(1 + \frac{1}{n}\right) \times \cdots \times \left(1 + \frac{n}{n}\right) \right\} = \frac{1}{n} \sum_{k=1}^{n} \ln\left(1 + \frac{k}{n}\right)$$

즉, $\displaystyle\lim_{n\to\infty} \frac{1}{n} \ln \frac{(2n)!}{n!\,n^n} = \lim_{n\to\infty} \sum_{k=1}^{n} \ln\left(1 + \frac{k}{n}\right) \cdot \frac{1}{n}$ 에서 $1 + \dfrac{k}{n}$ 를 x로, $\dfrac{1}{n}$ 을 dx로 나타

내면 적분 구간은 $[1,\ 2]$이므로

$$\text{(주어진 식)} = \int_1^2 \ln x\, dx = \Big[x\ln x - x \Big]_1^2 = 2\ln 2 - 1 \ \blacksquare$$

유제
082-1 $\displaystyle\lim_{n\to\infty} \left(\sum_{k=n+1}^{2n} \frac{\ln k}{n} - \ln n \right)$의 값을 구하여라.　Sub Note 092쪽

유제
082-2 함수 $f(x) = x^3 - 2$에 대하여 $\displaystyle\lim_{n\to\infty} \sum_{k=1}^{n} \left\{ f\left(\frac{k}{n}\right) - f\left(\frac{k-1}{n}\right) \right\} \frac{k}{n}$ 의 값을 구하여라.　Sub Note 092쪽

083

오른쪽 그림과 같이 반지름의 길이가 1인 사분원 OAB가 있다. 선분 OB를 n등분한 점을 중심 O로부터 차례로 P_1, P_2, P_3, $\cdots$, P_{n-1}이라 하고, 각 점에서 선분 OA에 평행하게 직선을 그어 호 AB와 만나는 점을 각각 Q_1, Q_2, Q_3, $\cdots$, Q_{n-1}이라 할 때, $\displaystyle\lim_{n\to\infty}\frac{\pi}{n}\sum_{k=1}^{n-1}\overline{P_kQ_k}^2$의 값을 구하여라.

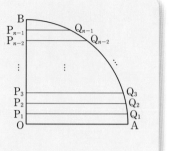

GUIDE 피타고라스 정리를 이용하여 $\overline{P_kQ_k}^2$을 n과 k에 대한 식으로 나타낸 후 급수의 합을 정적분으로 나타내고 계산한다.

SOLUTION

오른쪽 그림에서 $\overline{P_kQ_k}^2 = 1-\left(\dfrac{k}{n}\right)^2$이므로

$$\lim_{n\to\infty}\frac{\pi}{n}\sum_{k=1}^{n-1}\overline{P_kQ_k}^2 = \lim_{n\to\infty}\frac{\pi}{n}\sum_{k=1}^{n-1}\left\{1-\left(\frac{k}{n}\right)^2\right\}$$

$$=\pi\lim_{n\to\infty}\sum_{k=1}^{n-1}\left\{1-\left(\frac{k}{n}\right)^2\right\}\cdot\frac{1}{n}$$

$$=\pi\int_0^1(1-x^2)\,dx$$

$$=\pi\left[x-\frac{1}{3}x^3\right]_0^1=\frac{2}{3}\pi \quad\blacksquare$$

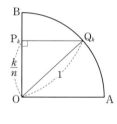

유제
083- ■

오른쪽 그림과 같이 x축 위의 구간 $[0, 2]$를 n등분한 점을 앞에서부터 차례로 A_1, A_2, $\cdots$, A_{n-1}이라 하자.

점 A_k를 지나고 y축에 평행한 직선이 곡선 $y=x^2$과 만나는 점을 B_k라 할 때, $\displaystyle\lim_{n\to\infty}\frac{1}{n}\sum_{k=1}^{n}\overline{A_kB_k}$의 값을 구하여라.

(단, $A_n(2, 0)$)

Sub Note 092쪽

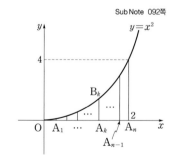

SUMMA CUM LAUDE

ESSENTIAL LECTURE

1 곡선과 좌표축 사이의 넓이

(1) 곡선과 x축 사이의 넓이

함수 $f(x)$가 닫힌구간 $[a, b]$에서 연속일 때, 곡선 $y=f(x)$와 x축 및 두 직선 $x=a$, $x=b$로 둘러
싸인 도형의 넓이 S는 $S=\int_a^b |f(x)|\,dx$이다.

(2) 곡선과 y축 사이의 넓이

함수 $g(y)$가 닫힌구간 $[c, d]$에서 연속일 때, 곡선 $x=g(y)$와 y축 및 두 직선 $y=c$, $y=d$로 둘러
싸인 도형의 넓이 S는 $S=\int_c^d |g(y)|\,dy$이다.

2 두 곡선 사이의 넓이

(1) 두 함수 $f(x)$, $g(x)$가 닫힌구간 $[a, b]$에서 연속일 때, 두 곡선 $y=f(x)$, $y=g(x)$와 두 직선
$x=a$, $x=b$로 둘러싸인 도형의 넓이 S는 $S=\int_a^b |f(x)-g(x)|\,dx$이다.

(2) 두 함수 $f(y)$, $g(y)$가 닫힌구간 $[c, d]$에서 연속일 때, 두 곡선 $x=f(y)$, $x=g(y)$와 두 직선
$y=c$, $y=d$로 둘러싸인 도형의 넓이 S는 $S=\int_c^d |f(y)-g(y)|\,dy$이다.

이번 단원에서는 수학 Ⅱ에서 배운 평면도형의 넓이에 대해 복습한 후, 앞에서 배운 여러 가지
함수의 정적분을 활용하여 다양한 평면도형의 넓이를 구해 볼 것이다.

1 곡선과 좌표축 사이의 넓이

(1) 곡선과 x축 사이의 넓이

함수 $f(x)$가 닫힌구간 $[a, b]$에서 연속일 때, 곡선 $y=f(x)$
와 x축 및 두 직선 $x=a$, $x=b$로 둘러싸인 도형의 넓이 S는

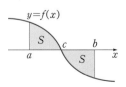

$$S=\int_a^b |f(x)|\,dx$$ ← $f(x)$의 값이 양수인 구간과 음수인 구간으로 나누어 넓이를 구한다.

이다.

예를 들어 위의 그림에서 $a \le x \le c$일 때 $f(x) \ge 0$이고, $c \le x \le b$일 때 $f(x) \le 0$이므로

$$S=\int_{a}^{b}|f(x)|\,dx=\int_{a}^{c}f(x)\,dx+\int_{c}^{b}\{-f(x)\}\,dx$$

이다.

곡선과 좌표축 사이의 넓이를 구하기 위해서는

    ① 넓이는 음의 값을 가지지 않으므로 그래프의 개형을 알아야 한다.

    ② 정적분의 값을 구할 수 있어야 한다.

따라서 다양한 그래프와 적분식을 접할 때마다 그 그래프의 개형과 적분 방법들을 눈여겨 두도록 하자.

EXAMPLE 092 곡선 $y=e^{x}+e^{-x}$과 x축 및 두 직선 $x=-\ln 2$, $x=\ln 3$으로 둘러싸인 도형의 넓이를 구하여라.

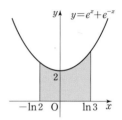

ANSWER   구간 $[-\ln 2,\ \ln 3]$에서 $y>0$이므로 구하는 넓이를 S라 하면

$$S=\int_{-\ln 2}^{\ln 3}(e^{x}+e^{-x})\,dx=\Big[e^{x}-e^{-x}\Big]_{-\ln 2}^{\ln 3}=\frac{25}{6}\ \blacksquare$$

[참고] $f(x)=e^{x}+e^{-x}$이라 하면
$$f'(x)=e^{x}-e^{-x},\ f''(x)=e^{x}+e^{-x}$$
이때 $f'(0)=0$이고, 모든 실수 x에 대하여 $f''(x)>0$임을 통해 $y=e^{x}+e^{-x}$의 그래프의 개형을 알 수 있다.

APPLICATION 114   다음 곡선과 직선으로 둘러싸인 도형의 넓이를 구하여라.   Sub Note 048쪽

(1) $y=\sin x\,(0\le x\le 2\pi)$, x축   (2) $y=-\ln x$, x축, $x=e$

(2) 곡선과 y축 사이의 넓이

앞에서는 곡선과 x축 사이의 넓이를 다루었다. 기준인 선을 x축에서 y축으로만 바꿔 생각하면 곡선과 y축 사이의 넓이도 쉽게 구할 수 있다. 함수를 $x=g(y)$ 형태로 고친 다음 y에 대하여 적분하면 그만이다.

함수 $g(y)$가 닫힌구간 $[c,\ d]$에서 연속일 때, 곡선 $x=g(y)$와 y축 및 두 직선 $y=c$, $y=d$로 둘러싸인 도형의 넓이 S는

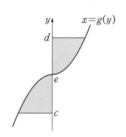

$$S=\int_{c}^{d}|g(y)|\,dy$$

이다.

EXAMPLE 093 곡선 $y=\ln x$와 y축 및 두 직선 $y=1$, $y=3$으로 둘러싸인 도형의 넓이를 구하여라.

ANSWER 그래프를 그려 보면 오른쪽 그림과 같으므로 y로의 적분을 이용하자.

$y=\ln x$에서 $x=e^y$이고, $x>0$이므로 구하는 도형의 넓이를 S라 하면

$$S=\int_1^3 e^y\,dy=\left[e^y\right]_1^3=e^3-e\ \blacksquare$$

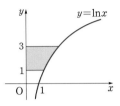

APPLICATION **115** 다음 곡선과 직선으로 둘러싸인 도형의 넓이를 구하여라. Sub Note 048쪽

(1) $y=(x+2)^2\,(x\geq-2)$, y축, $y=1$, $y=9$

(2) $y=e^{-x}-1$, y축, $y=2$, $y=4$

2 두 곡선 사이의 넓이

두 함수 $f(x)$, $g(x)$가 닫힌구간 $[a,\ b]$에서 연속일 때, 두 곡선 $y=f(x)$, $y=g(x)$와 두 직선 $x=a$, $x=b$로 둘러싸인 도형의 넓이 S는

$$S=\int_a^b |f(x)-g(x)|\,dx$$

이다.

예를 들어 위의 그림에서 $a\leq x\leq c$일 때 $f(x)\geq g(x)$이고, $c\leq x\leq b$일 때 $f(x)\leq g(x)$이므로

$$S=\int_a^b |f(x)-g(x)|\,dx=\int_a^c \{f(x)-g(x)\}\,dx+\int_c^b \{g(x)-f(x)\}\,dx$$

이다.

쉽게 말하면 두 곡선 사이의 넓이는 위쪽에 있는 곡선의 식에서 아래쪽에 있는 곡선의 식을 빼어 적분하면 된다.

EXAMPLE 094 두 곡선 $y=\sin x$, $y=\cos 2x\,(0\leq x\leq 2\pi)$로 둘러싸인 도형의 넓이를 구하여라.

ANSWER 두 곡선의 교점의 x좌표는 $\sin x=\cos 2x$에서
$\sin x=1-2\sin^2 x$, $2\sin^2 x+\sin x-1=0$, $(2\sin x-1)(\sin x+1)=0$

$$\sin x = \frac{1}{2} \text{ 또는 } \sin x = -1$$

$$\therefore x = \frac{\pi}{6} \text{ 또는 } x = \frac{5}{6}\pi \text{ 또는 } x = \frac{3}{2}\pi \ (\because 0 \le x \le 2\pi)$$

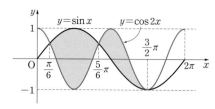

따라서 구하는 넓이를 S라 하면

$$S = \int_{\frac{\pi}{6}}^{\frac{5}{6}\pi} (\sin x - \cos 2x)\,dx + \int_{\frac{5}{6}\pi}^{\frac{3}{2}\pi} (\cos 2x - \sin x)\,dx$$

$$= \left[-\cos x - \frac{1}{2}\sin 2x \right]_{\frac{\pi}{6}}^{\frac{5}{6}\pi} + \left[\frac{1}{2}\sin 2x + \cos x \right]_{\frac{5}{6}\pi}^{\frac{3}{2}\pi}$$

$$= \frac{3\sqrt{3}}{2} + \frac{3\sqrt{3}}{4} = \frac{9\sqrt{3}}{4} \ \blacksquare$$

APPLICATION 116 다음 곡선과 직선으로 둘러싸인 도형의 넓이를 구하여라. Sub Note 049쪽

(1) $y = \dfrac{1}{x}$, $y = x$, $y = \dfrac{1}{4}x$ (단, $x > 0$)

(2) $y = \sin x$, $y = \cos x$, $x = 0$, $x = \pi$

한편 두 함수 $g(y)$, $h(y)$가 닫힌구간 $[c, d]$에서 연속일 때, 두 곡선 $x = g(y)$, $x = h(y)$와 두 직선 $y = c$, $y = d$로 둘러싸인 도형의 넓이 S는

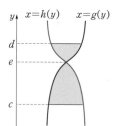

$$S = \int_c^d |g(y) - h(y)|\,dy$$

이다.

쉽게 말하면 두 곡선 사이의 넓이는 오른쪽에 있는 곡선의 식에서 왼쪽에 있는 곡선의 식을 빼어 적분하면 된다.

EXAMPLE 095 두 곡선 $y = \dfrac{1}{x}$, $y = -\dfrac{2}{x}$와 두 직선 $y = 1$, $y = 2$로 둘러싸인 도형의 넓이를 구하여라.

ANSWER　그래프를 그려 보면 오른쪽 그림과 같으므로 y로의 적분을 이용하자.

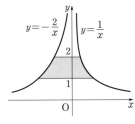

$y=\dfrac{1}{x}$에서　$x=\dfrac{1}{y}$

$y=-\dfrac{2}{x}$에서　$x=-\dfrac{2}{y}$

따라서 구하는 넓이를 S라 하면

$$S=\int_{1}^{2}\left\{\dfrac{1}{y}-\left(-\dfrac{2}{y}\right)\right\}dy=\int_{1}^{2}\dfrac{3}{y}\,dy=\left[3\ln y\right]_{1}^{2}=\mathbf{3\ln 2}\ \blacksquare$$

Sub Note 050쪽

APPLICATION **117**　두 곡선 $y=\ln x$, $y=-\ln x$와 두 직선 $y=2$, $y=-2$로 둘러싸인 도형의 넓이를 구하여라.

마지막으로 역함수의 그래프의 성질을 이용하여 도형의 넓이를 구하는 전형적인 두 가지 유형에 대하여 알아보자.

일반적으로 함수 $y=f(x)$와 그 역함수 $y=g(x)$의 그래프로 둘러싸인 도형의 넓이는 두 곡선 $y=f(x)$, $y=g(x)$가 직선 $y=x$에 대하여 서로 대칭임을 이용하여 구한다.

즉, 두 곡선 $y=f(x)$, $y=g(x)$로 둘러싸인 도형의 넓이 S는 직선 $y=x$와 곡선 $y=f(x)$로 둘러싸인 도형의 넓이의 2배가 된다.

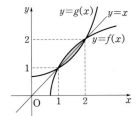

$$S=\int_{a}^{b}|f(x)-g(x)|\,dx=2\int_{a}^{b}|f(x)-x|\,dx$$

EXAMPLE 096　함수 $f(x)=\sqrt{3x-2}$의 역함수를 $g(x)$라 할 때, 두 곡선 $y=f(x)$, $y=g(x)$로 둘러싸인 도형의 넓이를 구하여라.

ANSWER　두 곡선 $y=f(x)$, $y=g(x)$는 직선 $y=x$에 대하여 대칭이므로 두 곡선 $y=f(x)$, $y=g(x)$의 교점의 x좌표는 곡선 $y=f(x)$와 직선 $y=x$의 교점의 x좌표와 같다.

즉, $\sqrt{3x-2}=x$에서　$3x-2=x^2$

$x^2-3x+2=0,\ (x-1)(x-2)=0$

$\therefore\ x=1$ 또는 $x=2$

이때 두 곡선 $y=f(x)$, $y=g(x)$로 둘러싸인 도형의 넓이는 곡선 $y=f(x)$와 직선 $y=x$로 둘러싸인 도형의 넓이의 2배와 같으므로 구하는 넓이를 S라 하면

$$S=2\int_{1}^{2}(\sqrt{3x-2}-x)\,dx=2\left[\dfrac{2}{9}(3x-2)^{\frac{3}{2}}-\dfrac{1}{2}x^{2}\right]_{1}^{2}=2\cdot\dfrac{1}{18}=\dfrac{\mathbf{1}}{\mathbf{9}}\ \blacksquare$$

APPLICATION 118 두 곡선 $y=\sqrt{3x}$, $x=\sqrt{3y}$로 둘러싸인 도형의 넓이를 구하여라.

한편 역함수를 가지는 연속함수 $f(x)$에 대하여 넓이 $\int_a^b |f^{-1}(x)|\,dx$를 구하려고 할 때,

    역함수 $f^{-1}(x)$의 식을 직접 구하기 어렵거나 부정적분을 구하기 어려운 경우

두 곡선 $y=f(x)$, $y=f^{-1}(x)$가 직선 $y=x$에 대하여 서로 대칭인 것을 이용하면 구하고자

하는 부분의 넓이 S를 구할 수 있다.

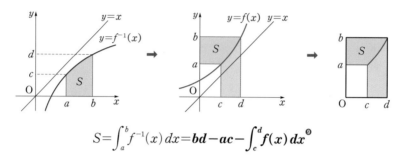

$$S=\int_a^b f^{-1}(x)\,dx = bd - ac - \int_c^d f(x)\,dx^{\text{❾}}$$

EXAMPLE 097 함수 $f(x)=4\sin x\left(0\le x\le\dfrac{\pi}{2}\right)$의 역함수를 $g(x)$라 할 때,

$\displaystyle\int_{2\sqrt{2}}^{4} g(x)\,dx$의 값을 구하여라.

ANSWER 함수 $f(x)=4\sin x\left(0\le x\le\dfrac{\pi}{2}\right)$의 역함수

가 $g(x)$이므로 $y=f(x)$의 그래프와 $y=g(x)$의 그래프

는 직선 $y=x$에 대하여 대칭이다.

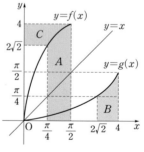

$$\therefore \int_{2\sqrt{2}}^{4} g(x)\,dx = (B\text{의 넓이}) = (C\text{의 넓이})$$

$$= \frac{\pi}{2}\cdot 4 - \frac{\pi}{4}\cdot 2\sqrt{2} - (A\text{의 넓이})$$

$$= 2\pi - \frac{\sqrt{2}}{2}\pi - \int_{\frac{\pi}{4}}^{\frac{\pi}{2}} 4\sin x\,dx$$

$$= \left(2 - \frac{\sqrt{2}}{2}\right)\pi - \left[-4\cos x\right]_{\frac{\pi}{4}}^{\frac{\pi}{2}} = \left(2 - \frac{\sqrt{2}}{2}\right)\pi - 2\sqrt{2}\ \blacksquare$$

APPLICATION 119 함수 $f(x)=\ln x$의 역함수를 $g(x)$라 할 때,

$\displaystyle\int_{2}^{4} f(x)\,dx + \int_{\ln 2}^{\ln 4} g(x)\,dx$의 값을 구하여라.

---

❾ 위 식이 유도됨은 정적분의 계산을 통해서도 증명할 수 있다. **Advanced Lecture**에 소개하였으니 참고하기 바란다.

084 곡선 $y=e^x$과 이 곡선 위의 점 $(1, e)$에서의 접선 및 y축으로 둘러싸인 도형의 넓이를 구하여라.

GUIDE　곡선 $y=f(x)$ 위의 점 $(a, f(a))$에서의 접선의 기울기는 $f'(a)$임을 이용하여 접선의 방정식을 구한 후 곡선과 접선의 위치 관계를 파악한다.

SOLUTION

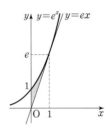

$y=e^x$에서　　$y'=e^x$

곡선 위의 점 $(1, e)$에서의 접선의 기울기는 e이므로 접선의 방정식은

$$y-e=e(x-1)　　\therefore y=ex$$

따라서 구하는 넓이를 S라 하면

$$S=\int_0^1 (e^x-ex)\,dx=\left[e^x-\frac{e}{2}x^2\right]_0^1$$

$$=\frac{e}{2}-1 \ \blacksquare$$

유제

084-❶ 점 $(0, 1)$에서 곡선 $y=2\sqrt{x}$에 그은 접선과 이 곡선 및 y축으로 둘러싸인 도형의 넓이를 구하여라.

Sub Note 093쪽

유제

084-❷ 곡선 $y=ke^{\frac{1}{2}x}$과 직선 $y=\frac{1}{2}ex$가 서로 접할 때, 곡선 $y=ke^{\frac{1}{2}x}$과 직선 $y=\frac{1}{2}ex$ 및 y축으로 둘러싸인 도형의 넓이를 구하여라. (단, k는 상수)

Sub Note 093쪽

085 곡선 $y=\sin 2x\left(0\leq x\leq\dfrac{\pi}{2}\right)$와 x축으로 둘러싸인 도형의 넓이를 곡선 $y=k\cos x$가 이등분할 때, 상수 k의 값을 구하여라. (단, $0<k<1$)

GUIDE 곡선 $y=k\cos x$에 의하여 나누어진 어느 한 도형의 넓이는 전체 도형의 넓이의 $\dfrac{1}{2}$임을 이용한다.

SOLUTION ────────────────────

두 곡선 $y=\sin 2x$, $y=k\cos x$의 교점의 x좌표를

$\alpha\left(0<\alpha<\dfrac{\pi}{2}\right)$라 하면

$\sin 2\alpha=k\cos\alpha$, $2\sin\alpha\cos\alpha=k\cos\alpha$

$2\sin\alpha=k$ $(\because \cos\alpha\neq 0)$ $\quad \therefore \sin\alpha=\dfrac{k}{2}$ $\quad\cdots\cdots\ \bigcirc$

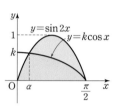

$0\leq x\leq\dfrac{\pi}{2}$에서 곡선 $y=\sin 2x$와 x축으로 둘러싸인 도형의 넓이를 S_1이라 하면

$$S_1=\int_0^{\frac{\pi}{2}}\sin 2x\,dx=\left[-\dfrac{1}{2}\cos 2x\right]_0^{\frac{\pi}{2}}=1$$

$\alpha\leq x\leq\dfrac{\pi}{2}$에서 두 곡선 $y=\sin 2x$, $y=k\cos x$로 둘러싸인 도형의 넓이를 S_2라 하면

$$S_2=\int_\alpha^{\frac{\pi}{2}}(\sin 2x-k\cos x)\,dx=\left[-\dfrac{1}{2}\cos 2x-k\sin x\right]_\alpha^{\frac{\pi}{2}}$$

$$=\dfrac{1}{2}-k+\dfrac{1}{2}\cos 2\alpha+k\sin\alpha$$

이때 $S_2=\dfrac{1}{2}S_1$이므로 $\quad \cos 2\alpha+2k\sin\alpha-2k=0$

이 식을 $\cos 2\alpha=1-2\sin^2\alpha$와 $\bigcirc$을 이용하여 정리하면

$1-\dfrac{k^2}{2}+k^2-2k=0$, $k^2-4k+2=0$ $\quad \therefore \boldsymbol{k=2-\sqrt{2}}$ $(\because 0<k<1)$ ■

유제

Sub Note 093쪽

085-1 곡선 $y=\dfrac{1}{x+1}$과 x축, y축 및 직선 $x=3$으로 둘러싸인 도형의 넓이가 직선 $x=k$에 의하여 이등분될 때, 상수 k의 값을 구하여라. (단, $0<k<3$)

유제

Sub Note 093쪽

085-2 곡선 $y=a\cos x\left(0\leq x\leq\dfrac{\pi}{2}\right)$와 x축, y축으로 둘러싸인 도형의 넓이가 곡선 $y=\sin x$에 의하여 이등분될 때, 양수 a의 값을 구하여라.

086 함수 $f(x)=e^x+1$의 역함수를 $g(x)$라 할 때, $\displaystyle\int_0^a f(x)\,dx+\int_2^{f(a)} g(t)\,dt$의 값을 구하여라.

（단, a는 양수）

GUIDE 함수 $f(x)$와 $g(x)$가 서로 역함수의 관계에 있으면 곡선 $y=f(x)$와 $y=g(x)$가 직선 $y=x$에 대하여 대칭임을 이용한다.

SOLUTION ─────────────────

함수 $y=f(x)$의 그래프와 함수 $y=g(x)$의 그래프는 직선 $y=x$에 대하여 대칭이므로 이 두 그래프는 오른쪽 그림과 같다.

이때 정적분 $\displaystyle\int_0^a f(x)\,dx$, $\displaystyle\int_2^{f(a)} g(t)\,dt$의 값은 각

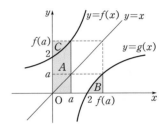

각 도형 A, B의 넓이와 같고 두 도형 B와 C의 넓이도 같다.

따라서 구하는 값은 두 도형 A와 C의 넓이의 합과 같으므로

$$\int_0^a f(x)\,dx+\int_2^{f(a)} g(t)\,dt=af(a)=\boldsymbol{a(e^a+1)}\ \blacksquare$$

[다른 풀이] $y=e^x+1$이라 하면 $e^x=y-1$, 즉 $x=\ln(y-1)$이다.

따라서 함수 $f(x)$의 역함수 $g(x)$는 $g(x)=\ln(x-1)$이다.

이로부터 주어진 식의 값을 구할 수 있다.

$$\therefore \int_0^a f(x)\,dx+\int_2^{f(a)} g(t)\,dt=\int_0^a (e^x+1)\,dx+\int_2^{f(a)} \ln(t-1)\,dt$$

$$=\Big[e^x+x\Big]_0^a+\Big[(t-1)\ln(t-1)-t\Big]_2^{e^a+1}$$

$$=a(e^a+1)$$

Sub Note 094쪽

유제
086-❶ 함수 $f(x)=\tan x\left(-\dfrac{\pi}{2}<x<\dfrac{\pi}{2}\right)$의 역함수를 $g(x)$라 할 때, $\displaystyle\int_0^1 g(x)\,dx$의 값을 구하여라.

유제
086-❷ $a>0$, $b>0$일 때, 다음 부등식이 성립함을 보여라.　　Sub Note 094쪽

$$\int_0^a \ln(x+1)\,dx+\int_0^b (e^x-1)\,dx\geq ab$$

04 부피

SUMMA CUM LAUDE

ESSENTIAL LECTURE

1 입체도형의 부피

닫힌구간 $[a, b]$에서 x좌표가 x인 점을 지나고 x축에 수직인 평면으로 자른 단면의 넓이가 $S(x)$인

입체도형의 부피 V는 $V=\int_a^b S(x)\,dx$ (단, $S(x)$는 닫힌구간 $[a, b]$에서 연속)

1 입체도형의 부피

우리는 구분구적법에서 어떤 도형을 기본 도형(넓이에서는 직사각형, 부피에서는 기둥 등)으로 잘게 나눈 뒤 이들의 넓이나 부피의 합에 극한을 취하여 도형의 넓이나 부피를 구해 보았다.

이번 단원에서는 정적분과 급수의 합 사이의 관계를 이용하여 입체도형의 부피를 구해 보자.

오른쪽 그림과 같은 입체도형이 주어졌을 때, 한 직선을 x축으로 정하고 x좌표가 a, b $(a<b)$인 두 점을 각각 지나며 x축에 수직인 두 평면 사이에 있는 부분의 부피 V를 구해 보자.

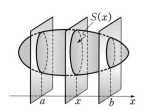

x축 위의 점 x $(a\leq x\leq b)$를 지나며 x축에 수직인 평면으로 입체도형을 잘랐을 때 생기는 단면의 넓이를 $S(x)$라 하면 $S(x)$는 x에 대한 함수이다. x축 위의 닫힌구간 $[a, b]$를 n등분하여 양 끝점과 각 분점의 x좌표를 차례로

$$a=x_0, x_1, x_2, \cdots, x_{n-1}, x_n=b$$

라 하고, 각 소구간의 길이를 $\varDelta x$라 하면

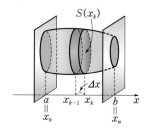

$$\varDelta x=\frac{b-a}{n}, \; x_k=a+k\varDelta x \; (k=0, 1, 2, \cdots, n)$$

이때 k번째 구간에서 높이가 Δx, 밑넓이가 $S(x_k)$인 기둥을 생각할 수 있다.

이 k번째 기둥의 부피는 $S(x_k)\,\Delta x$이고, n개의 기둥의 부피의 합 V_n은

$$V_n = \sum_{k=1}^{n} S(x_k)\,\Delta x$$

따라서 입체도형의 부피 V는 정적분과 급수의 합 사이의 관계에 의하여

$$\boldsymbol{V = \lim_{n \to \infty} V_n = \lim_{n \to \infty} \sum_{k=1}^{n} S(x_k)\,\Delta x = \int_a^b S(x)\,dx}$$

임을 알 수 있다.

입체도형의 부피

닫힌구간 $[a,\ b]$에서 x좌표가 x인 점을 지나고 x축에 수직[10]인 평면으로 자른 단면의 넓이가 $S(x)$인

입체도형의 부피 V는 $V = \displaystyle\int_a^b S(x)\,dx$ (단, $S(x)$는 닫힌구간 $[a,\ b]$에서 연속)

위의 식은 어떤 도형의 부피를 구할 때, 기본 도형으로 자른 다음, 자른 도형의 부피의 합을 계산하지 않고도 구간 안에서 어느 한 지점에서의 단면적을 구하여 정적분하면 입체도형의 부피를 얻을 수 있음을 말한다.

EXAMPLE 098 오른쪽 그림과 같이 높이가 $5\,\mathrm{cm}$인 그릇이 있다. 이 그릇의 바닥으로부터 높이가 $x\,\mathrm{cm}$인 지점에서 밑면에 평행한 평면으로 자를 때 생기는 단면은 반지름의 길이가 $\sqrt{3x^2+2}\,\mathrm{cm}$인 원이다. 이 그릇의 부피를 구하여라.

ANSWER   먼저 x축을 정하고 x축에 수직인 평면으로 그릇을 자를 때 생기는 단면의 넓이 $S(x)$를 구해 보자.

밑면의 중심을 원점 O로 하고, 점 O를 지나고 밑면에 수직인 직선을 x축으로 정하면 x좌표가 x ($0 \le x \le 5$)인 점을 지나고 x축에 수직인 평면으로 그릇을 자른 단면의 넓이 $S(x)$는

$$S(x) = (3x^2+2)\pi\,(\mathrm{cm}^2)$$

따라서 구하는 그릇의 부피 V는

$$V = \int_0^5 (3x^2+2)\pi\,dx = \pi\left[\,x^3+2x\,\right]_0^5 = \boldsymbol{135\pi\,(\mathrm{cm}^3)} \ \blacksquare$$

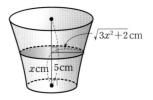

Sub Note 050쪽

APPLICATION 120   어떤 그릇에 채워진 물의 깊이가 $x\,\mathrm{cm}$일 때의 수면의 넓이는 $\ln(x+1)\,\mathrm{cm}^2$이다. 물의 깊이가 $6\,\mathrm{cm}$일 때, 이 그릇에 담긴 물의 부피를 구하여라.

---

[10] $S(x)$는 점 x를 지나면서 x축에 수직으로 얇게 잘라낸 임의의 단면의 넓이임을 항상 기억하자. 얇은 원기둥의 밑면과 높이의 관계에서 비롯된 것으로 x축을 높이로 하여 그 밑면을 생각하는 것이니 반드시 수직이어야 한다.

087 정적분을 이용하여 밑넓이가 S, 높이가 h인 삼각뿔의 부피를 구하여라.

GUIDE 입체도형의 부피 V는 다음 순서로 구한다.

(ⅰ) x축 정하기

(ⅱ) x축에 수직인 평면으로 입체도형 자르기

(ⅲ) 자른 단면의 넓이 $S(x)$ 구하기

(ⅳ) 닫힌구간 $[a,\ b]$에서 $V=\int_a^b S(x)dx$ 계산하기

SOLUTION

오른쪽 그림과 같이 삼각뿔의 꼭짓점 O를 원점, 꼭짓점에서 밑면에 내린 수선을 x축으로 정하고, x좌표가 x인 점을 지나고 x축에 수직인 평면으로 삼각뿔을 자른 단면의 넓이를 $S(x)$라 하자.

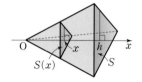

이때 단면과 밑면은 닮은 도형이고 닮음비가 $x:h$이므로 넓이의 비는 $x^2:h^2$이다. 즉,

$$S(x):S=x^2:h^2$$

$$\therefore S(x)=\frac{S}{h^2}x^2$$

따라서 구하는 부피를 V라 하면

$$V=\int_0^h S(x)\,dx=\int_0^h \frac{S}{h^2}x^2 dx$$

$$=\frac{S}{h^2}\left[\frac{1}{3}x^3\right]_0^h=\frac{1}{3}Sh\ \blacksquare$$

유제
087-1 정적분을 이용하여 밑면의 반지름의 길이가 r, 높이가 h인 원뿔의 부피를 구하여라. Sub Note 095쪽

입체도형의 부피 – 단면이 밑면과 수직인 경우(1)

088

오른쪽 그림과 같이 곡선 $y=\sin x \ (0 \le x \le \pi)$와 x축으로 둘러싸인 도형을 밑면으로 하는 입체도형이 있다. 이 입체도형을 x축에 수직인 평면으로 자른 단면이 모두 정삼각형일 때, 이 입체도형의 부피를 구하여라.

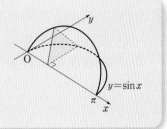

GUIDE 단면이 밑면과 수직인 경우의 입체도형의 부피는 밑면에 수직인 평면으로 자른 단면의 넓이를 적분한다.

SOLUTION

오른쪽 그림과 같이 단면인 △PQR는 정삼각형이고 $\overline{PQ}=\sin x$이므로 △PQR의 넓이 $S(x)$는

$$S(x) = \frac{\sqrt{3}}{4}\sin^2 x$$

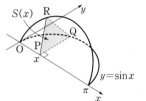

따라서 구하는 부피를 V라 하면

$$V = \int_0^\pi S(x)\,dx = \int_0^\pi \frac{\sqrt{3}}{4}\sin^2 x\,dx$$

$$= \frac{\sqrt{3}}{4}\int_0^\pi \frac{1-\cos 2x}{2}\,dx$$

$$= \frac{\sqrt{3}}{4}\left[\frac{1}{2}x - \frac{1}{4}\sin 2x\right]_0^\pi$$

$$= \frac{\sqrt{3}}{8}\pi \ \blacksquare$$

Sub Note 095쪽

유제
088- 1 곡선 $y=\dfrac{1}{x}\ln x$와 x축 및 직선 $x=e^2$으로 둘러싸인 도형을 밑면으로 하는 입체도형이 있다. 이 입체도형을 x축에 수직인 평면으로 자른 단면이 모두 반원일 때, 이 입체도형의 부피를 구하여라.

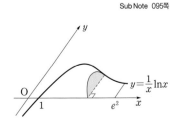

입체도형의 부피 – 단면이 밑면과 수직인 경우(2)

089 오른쪽 그림과 같이 밑면의 반지름의 길이가 1이고 높이가 2인 원기둥이 있다. 이 원기둥의 밑면의 중심을 지나고 밑면과 60°의 각을 이루는 평면으로 원기둥을 자를 때 생기는 두 입체도형 중에서 작은 것의 부피를 구하여라.

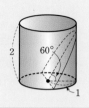

GUIDE 원기둥의 밑면의 중심을 원점, 밑면의 지름을 x축으로 정한다.

SOLUTION

오른쪽 그림과 같이 원기둥의 밑면의 중심을 원점, 밑면의 지름을 x축으로 정하고, x축 위의 점 $\mathrm{P}(x,\ 0)\ (-1 \le x \le 1)$을 지나면서 x축에 수직인 평면으로 작은 입체도형을 자른 단면을 $\triangle \mathrm{PQR}$라 하면

$\triangle \mathrm{POQ}$에서 $\quad \overline{\mathrm{PQ}} = \sqrt{\overline{\mathrm{OQ}}^2 - \overline{\mathrm{OP}}^2} = \sqrt{1-x^2}$

$\triangle \mathrm{PQR}$에서 $\quad \overline{\mathrm{RQ}} = \overline{\mathrm{PQ}} \tan 60° = \sqrt{3}\sqrt{1-x^2}$

이때 $\triangle \mathrm{PQR}$의 넓이를 $S(x)$라 하면

$$S(x) = \frac{1}{2} \cdot \overline{\mathrm{PQ}} \cdot \overline{\mathrm{RQ}} = \frac{1}{2} \cdot \sqrt{1-x^2} \cdot \sqrt{3}\sqrt{1-x^2} = \frac{\sqrt{3}}{2}(1-x^2)$$

따라서 구하는 부피를 V라 하면

$$V = \int_{-1}^{1} S(x)\,dx = \int_{-1}^{1} \frac{\sqrt{3}}{2}(1-x^2)\,dx$$

$$= \sqrt{3} \int_{0}^{1} (1-x^2)\,dx = \sqrt{3} \left[x - \frac{1}{3}x^3 \right]_0^1 = \frac{2\sqrt{3}}{3} \ \blacksquare$$

Sub Note 096쪽

유제
089-1 $0 \le x \le \dfrac{\pi}{2}$일 때, 좌표평면 위의 점 $\mathrm{P}(x,\ 0)$을 지나고 y축에 평행한 직선이 곡선 $y=1-\sin x$와 만나는 점을 Q, 곡선 $y=-\cos^2 x$와 만나는 점을 R라 하자. 좌표평면을 x축을 접는 선으로 하여 90°만큼 접을 때, 삼각형 PQR가 움직여서 생기는 입체도형의 부피를 구하여라.

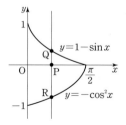

05 속도와 거리

SUMMA CUM LAUDE

ESSENTIAL LECTURE

1 수직선 위를 움직이는 점의 위치와 움직인 거리

수직선 위를 움직이는 점 P의 시각 t에서의 속도가 $v(t)$이고, 시각 $t=a$에서의 위치가 x_0일 때,

(1) 시각 t에서의 점 P의 위치 x는

$$x = x_0 + \int_a^t v(t)\,dt$$

(2) 시각 $t=a$에서 $t=b$까지 점 P가 움직인 거리 s는

$$s = \int_a^b |v(t)|\,dt$$

2 좌표평면 위를 움직이는 점이 움직인 거리

좌표평면 위를 움직이는 점 P(x, y)의 시각 t에서의 위치가 $x=f(t)$, $y=g(t)$일 때,
시각 $t=a$에서 $t=b$까지 점 P가 움직인 거리 s는

$$s = \int_a^b \sqrt{\left(\frac{dx}{dt}\right)^2 + \left(\frac{dy}{dt}\right)^2}\,dt = \int_a^b \sqrt{\{f'(t)\}^2 + \{g'(t)\}^2}\,dt$$

3 곡선의 길이

(1) 곡선 $x=f(t)$, $y=g(t)$ $(a \le t \le b)$의 겹치는 부분이 없을 때, 곡선의 길이 l은

$$l = \int_a^b \sqrt{\left(\frac{dx}{dt}\right)^2 + \left(\frac{dy}{dt}\right)^2}\,dt = \int_a^b \sqrt{\{f'(t)\}^2 + \{g'(t)\}^2}\,dt$$

(2) 곡선 $y=f(x)$ $(a \le x \le b)$의 길이 l은

$$l = \int_a^b \sqrt{1 + \{f'(x)\}^2}\,dx$$

1 수직선 위를 움직이는 점의 위치와 움직인 거리

수학 Ⅱ에서 배웠던 수직선 위를 움직이는 점의 위치와 움직인 거리에 대하여 간단히 복습해
보자.

위치의 변화량은 속도와 관련이 있어서 속도 $v(t)$를 시간에 대하여 적분하면 위치의 변화량
을 얻게 된다.

반면 움직인 거리는 속력과 관련이 있어서 속력 $|v(t)|$를 시간에 대하여 적분하면 실제로 움
직인 거리가 된다.

수직선 위를 움직이는 점의 위치와 움직인 거리

수직선 위를 움직이는 점 P의 시각 t에서의 속도가 $v(t)$이고, 시각 $t=a$에서의 위치가 x_0일 때,

(1) 시각 t에서의 점 P의 위치 x는

$$x = x_0 + \int_a^t v(t)\,dt$$

(2) 시각 $t=a$에서 $t=b$까지 점 P가 움직인 거리 s[⑪]는

$$s = \int_a^b |v(t)|\,dt$$

■ **EXAMPLE 099** 수직선 위에서 원점을 출발하여 움직이는 점 P의 시각 t에서의 속도가 $v(t)=1-\sqrt{t}$일 때, 다음을 구하여라.

(1) 시각 t에서의 점 P의 위치

(2) 시각 $t=0$에서 $t=4$까지 점 P가 움직인 거리

ANSWER (1) 시각 t에서의 점 P의 위치를 x라 하면

$$x = 0 + \int_0^t (1-\sqrt{t}\,)\,dt = \left[t - \frac{2}{3} t^{\frac{3}{2}} \right]_0^t = \boldsymbol{t - \frac{2}{3} t\sqrt{t}} \ ■$$

(2) $\displaystyle \int_0^4 |1-\sqrt{t}\,|\,dt = \int_0^1 (1-\sqrt{t}\,)\,dt + \int_1^4 (-1+\sqrt{t}\,)\,dt$

$$= \left[t - \frac{2}{3} t^{\frac{3}{2}} \right]_0^1 + \left[-t + \frac{2}{3} t^{\frac{3}{2}} \right]_1^4 = \frac{1}{3} + \frac{5}{3} = \boldsymbol{2} \ ■$$

Sub Note 050쪽

APPLICATION 121 수직선 위를 움직이는 점 P의 시각 t에서의 속도가 $v(t)=(t-1)e^t$일 때, 다음을 구하여라.

(1) 점 P의 처음 위치가 5일 때, $t=2$에서의 점 P의 위치

(2) 시각 $t=0$에서 $t=2$까지 점 P가 움직인 거리

② 좌표평면 위를 움직이는 점이 움직인 거리

이제 좌표평면 위를 움직이는 점이 움직인 거리에 대하여 알아보자.

좌표평면 위를 움직이는 점 P(x, y)의 시각 t에서의 위치가 시각 t를 매개변수로 하는 함수 $x=f(t)$, $y=g(t)$로 주어지면 점 P의 시각 t에서의 속도는

$$\left(\frac{dx}{dt}, \frac{dy}{dt} \right) = (f'(t), g'(t))$$

이다.

---

⑪ 점 P의 위치의 변화량은 $\displaystyle \int_a^b v(t)\,dt$이다.

이를 이용하여 시각 $t=a$에서 $t=b$까지 점 P가 움직인 거리 s를 구해 보자.

시각 $t=a$에서 시각 $t(a\leq t\leq b)$까지 점 P가 움직인 거리
는 t에 대한 함수이므로 이를 $s(t)$라 하자.
시각이 t에서 $t+\varDelta t$로 변할 때, 오른쪽 그림과 같이 점
P$(x,\ y)$가 점 Q$(x+\varDelta x,\ y+\varDelta y)$로 움직인다고 하면 점
P가 움직인 거리 s의 증분 $\varDelta s$는

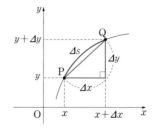

$$\varDelta s=s(t+\varDelta t)-s(t)$$

이고, 이는 곡선 PQ의 길이를 의미한다.
한편 선분 PQ의 길이는

$$\overline{\mathrm{PQ}}=\sqrt{(\varDelta x)^2+(\varDelta y)^2}$$

이고, $\varDelta t$가 충분히 작으면 곡선 PQ의 길이와 선분 PQ의 길이는 거의 같아지므로
$\llcorner\ \varDelta s=\overline{\mathrm{PQ}}=\sqrt{(\varDelta x)^2+(\varDelta y)^2}$

$$\begin{aligned}\frac{ds}{dt}&=\lim_{\varDelta t\to0}\frac{\varDelta s}{\varDelta t}=\lim_{\varDelta t\to0}\frac{\overline{\mathrm{PQ}}}{\varDelta t}=\lim_{\varDelta t\to0}\frac{\sqrt{(\varDelta x)^2+(\varDelta y)^2}}{\varDelta t}\\&=\lim_{\varDelta t\to0}\sqrt{\left(\frac{\varDelta x}{\varDelta t}\right)^2+\left(\frac{\varDelta y}{\varDelta t}\right)^2}=\sqrt{\left(\frac{dx}{dt}\right)^2+\left(\frac{dy}{dt}\right)^2}\end{aligned}$$

> 속도 : $\left(\dfrac{dx}{dt},\ \dfrac{dy}{dt}\right)$
>
> 속력 : $\sqrt{\left(\dfrac{dx}{dt}\right)^2+\left(\dfrac{dy}{dt}\right)^2}$

즉, $s(t)$는 속력 $\sqrt{\left(\dfrac{dx}{dt}\right)^2+\left(\dfrac{dy}{dt}\right)^2}$의 한 부정적분이므로 점 P가 시각 $t=a$에서 $t=b$까지
움직인 거리 s[12]는 다음과 같다.

$$s=\int_a^b\sqrt{\left(\frac{dx}{dt}\right)^2+\left(\frac{dy}{dt}\right)^2}\,dt=\int_a^b\sqrt{\{f'(t)\}^2+\{g'(t)\}^2}\,dt$$

이상을 정리하면 다음과 같다.

좌표평면 위를 움직이는 점이 움직인 거리

좌표평면 위를 움직이는 점 P$(x,\ y)$의 시각 t에서의 위치가 $x=f(t),\ y=g(t)$일 때,
시각 $t=a$에서 $t=b$까지 점 P가 움직인 거리 s는

$$s=\int_a^b\sqrt{\left(\frac{dx}{dt}\right)^2+\left(\frac{dy}{dt}\right)^2}\,dt=\int_a^b\sqrt{\{f'(t)\}^2+\{g'(t)\}^2}\,dt$$

---

[12] 직선 운동에서 운동하는 도중에 방향이 바뀌는 경우 점 P의 위치의 변화량과 움직인 거리는 다르게 된다. 마찬가
지로 평면 운동에서 점 P가 같은 구간을 반복할 때 위치의 변화량은 움직인 거리와 다르다.

■ **EXAMPLE 100** 좌표평면 위를 움직이는 점 $P(x, y)$의 시각 t에서의 위치가
$x = -\dfrac{1}{3}t^3 + t$, $y = t^2$일 때, 시각 $t=0$에서 $t=3$까지 점 P가 움직인 거리를 구하여라.

ANSWER $\dfrac{dx}{dt} = -t^2 + 1$, $\dfrac{dy}{dt} = 2t$이므로

시각 $t=0$에서 $t=3$까지 점 P가 움직인 거리를 s라 하면

$$s = \int_0^3 \sqrt{(-t^2+1)^2 + (2t)^2}\,dt = \int_0^3 \sqrt{(t^2+1)^2}\,dt = \int_0^3 (t^2+1)\,dt$$

$$= \left[\dfrac{1}{3}t^3 + t\right]_0^3 = 12 \;■$$

Sub Note 051쪽

APPLICATION **122** 좌표평면 위를 움직이는 점 $P(x, y)$의 시각 t에서의 위치가
$x = e^t \cos t$, $y = e^t \sin t$일 때, 시각 $t=0$에서 $t=\pi$까지 점 P가 움직인 거리를 구하여라.

❸ 곡선의 길이

평면 위의 점이 움직인 자취가 곧 어떤 곡선이 될 것이므로 자연스럽게 점이 움직인 거리와
곡선의 길이는 같지 않을까 하는 생각을 할 수 있다.

실제로 좌표평면 위를 움직이는 점 $P(x, y)$의 시각 t에서의 위치가

$x = f(t)$, $y = g(t)$

와 같이 주어진다면, 이 식은 매개변수 t로 나타내어진 곡선의 방정식으로도 볼 수 있으므로
(평면 위의) 점의 운동과 (점의 자취인) 곡선의 길이를 같은 개념으로 이해해도 된다.
다만, 점 P가 움직이는 경로가 겹쳐지지 않음이 전제되어야 한다.[⑬]
만약 점 P가 원 위를 계속 돈다고 하면 움직인 거리는 시간이 지날수록 늘어나겠지만, 곡선의
길이는 원의 둘레로 일정하기 때문에 움직인 거리와 곡선의 길이는 서로 다르게 된다.

따라서 점 P가 움직이는 경로가 겹치는 부분이 없을 때,

곡선 $x = f(t)$, $y = g(t)$ $(a \le t \le b)$의 길이 l은

시각 $t=a$에서 $t=b$까지 점 $P(x, y)$가 움직인 거리와 같다.

즉, 점 P가 시각 $t=a$에서 $t=b$까지 움직인 거리 l은 다음과 같다.

$$l = \int_a^b \sqrt{\left(\dfrac{dx}{dt}\right)^2 + \left(\dfrac{dy}{dt}\right)^2}\,dt$$

---

⑬ 유한개의 점을 다시 지나가는 것을 말하는 것은 아니다. 유한개의 점이 겹쳐진다고 해도 그 차이는 매우 미미하기 때
문에 곡선의 길이는 달라지지 않는다. 여기서 말하는 겹쳐지는 경로란 무한한 점을 포함한 곡선의 일부를 말한다.

한편 곡선 $y=f(x)\,(a\leq x\leq b)$를 매개변수 t로 나타내면

$\quad x=t,\ y=f(t)\ (a\leq t\leq b)$

로 볼 수 있다. 이때 $\dfrac{dx}{dt}=1,\ \dfrac{dy}{dt}=f'(t)$이므로 곡선 $y=f(x)\,(a\leq x\leq b)$의 길이 l은 다음과 같다.

$$l=\int_a^b \sqrt{\left(\frac{dx}{dt}\right)^2+\left(\frac{dy}{dt}\right)^2}\,dt=\int_a^b \sqrt{1+\{f'(t)\}^2}\,dt=\int_a^b \sqrt{1+\{f'(x)\}^2}\,dx$$

이상을 정리하면 다음과 같다.

곡선의 길이

(1) 곡선 $x=f(t),\ y=g(t)\,(a\leq t\leq b)$의 겹치는 부분이 없을 때, 곡선의 길이 l은

$$l=\int_a^b \sqrt{\left(\frac{dx}{dt}\right)^2+\left(\frac{dy}{dt}\right)^2}\,dt=\int_a^b \sqrt{\{f'(t)\}^2+\{g'(t)\}^2}\,dt$$

(2) 곡선 $y=f(x)\,(a\leq x\leq b)$의 길이 l은

$$l=\int_a^b \sqrt{1+\{f'(x)\}^2}\,dx$$

EXAMPLE 101 다음 곡선의 길이를 구하여라.

(1) $x=\cos^3 t,\ y=\sin^3 t\left(0\leq t\leq \dfrac{\pi}{2}\right)$　　　(2) $y=\dfrac{1}{4}x^2-\ln\sqrt{x}\ (1\leq x\leq 2)$

ANSWER　(1) $\dfrac{dx}{dt}=-3\cos^2 t\sin t,\ \dfrac{dy}{dt}=3\sin^2 t\cos t$이므로 곡선의 길이를 l이라 하면

$$l=\int_0^{\frac{\pi}{2}} \sqrt{(-3\cos^2 t\sin t)^2+(3\sin^2 t\cos t)^2}\,dt$$

$$=\int_0^{\frac{\pi}{2}} \sqrt{9\cos^2 t\sin^2 t(\cos^2 t+\sin^2 t)}\,dt$$

$$=\int_0^{\frac{\pi}{2}} 3\cos t\sin t\,dt\left(\because 0\leq t\leq \frac{\pi}{2}\text{에서 }\cos t\sin t\geq 0\right)$$

$$=\frac{3}{2}\int_0^{\frac{\pi}{2}}\sin 2t\,dt=\frac{3}{2}\left[-\frac{1}{2}\cos 2t\right]_0^{\frac{\pi}{2}}=\frac{3}{2}\ \blacksquare$$

(2) $\dfrac{dy}{dx}=\dfrac{1}{2}x-\dfrac{1}{2x}$이므로 곡선의 길이를 l이라 하면

$$l=\int_1^2 \sqrt{1+\left(\frac{1}{2}x-\frac{1}{2x}\right)^2}\,dx$$

$$=\int_1^2 \sqrt{\frac{1}{4}\left(x+\frac{1}{x}\right)^2}\,dx=\int_1^2 \frac{1}{2}\left(x+\frac{1}{x}\right)dx$$

$$=\frac{1}{2}\left[\frac{1}{2}x^2+\ln x\right]_1^2=\frac{3}{4}+\frac{1}{2}\ln 2\ \blacksquare$$

(1) $x = 2\ln t$, $y = \dfrac{1}{2}\left(4t + \dfrac{1}{t}\right)\left(\dfrac{1}{e} \le t \le e\right)$

(2) $y = \dfrac{2}{3}(x^2 + 1)^{\frac{3}{2}}$ $(1 \le x \le 3)$

한편 정적분과 급수의 합 사이의 관계, 평균값 정리를 이용하여 곡선 $y = f(x)$ $(a \le x \le b)$의 길이를 구할 수도 있다. 이를 살펴보자.

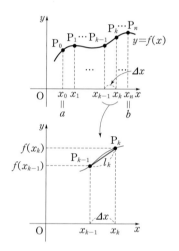

함수 $f(x)$가 열린구간 (a, b)에서 미분가능할 때, 닫힌구간 $[a, b]$에서 곡선 $y = f(x)$의 길이를 l이라 하자. x축 위의 닫힌구간 $[a, b]$를 n등분하여 양 끝점과 각 분점의 x좌표를 차례로

$$a = x_0, \ x_1, \ x_2, \ \cdots, \ x_{n-1}, \ x_n = b$$

라 하고, 각 소구간의 길이를 $\varDelta x$라 하면

$$\varDelta x = \frac{b-a}{n}, \ x_k = a + k\varDelta x$$

$$(단, \ k = 0, \ 1, \ 2, \ \cdots, \ n)$$

또한 양 끝점과 각 분점에 대응하는 곡선 위의 점을

$$P_0, \ P_1, \ \cdots, \ P_n$$

이라 하면 k번째 구간에서의 양 끝점 P_{k-1}, P_k의 좌표는 각각

$$(x_{k-1}, f(x_{k-1})), \ (x_k, f(x_k))$$

이다.

이때 이 두 점을 양 끝점으로 하는 선분을 생각하자.

이 k번째 선분의 길이를 l_k라 하면

$$l_k = \overline{P_{k-1}P_k} = \sqrt{(x_k - x_{k-1})^2 + \{f(x_k) - f(x_{k-1})\}^2}$$

여기서 $\varDelta x = x_k - x_{k-1}$임에 주목하여 위의 식에서 우변을 변형시켜 보면

$$l_k = \sqrt{(x_k - x_{k-1})^2 \left[1 + \left\{\frac{f(x_k) - f(x_{k-1})}{x_k - x_{k-1}}\right\}^2\right]}$$

$$= \sqrt{1 + \left\{\frac{f(x_k) - f(x_{k-1})}{x_k - x_{k-1}}\right\}^2} \, (x_k - x_{k-1})$$

$$= \sqrt{1 + \left\{\frac{f(x_k) - f(x_{k-1})}{x_k - x_{k-1}}\right\}^2} \, \varDelta x$$

이때 평균값 정리로부터

$$\frac{f(x_k)-f(x_{k-1})}{x_k-x_{k-1}}=f'(c_k)$$

인 c_k가 x_{k-1}과 x_k 사이에 존재하므로

$$l_k=\sqrt{1+\{f'(c_k)\}^2}\,\varDelta x$$

한편 l_k의 합 $\sum\limits_{k=1}^{n} l_k$는 근사적으로 곡선의 길이 l을 나타낸다. 특히 $n\to\infty$일 때 $\sum\limits_{k=1}^{n} l_k \to l$이

므로 곡선의 길이 l은 다음과 같이 나타낼 수 있다.

$$l=\lim_{n\to\infty}\sum_{k=1}^{n} l_k=\lim_{n\to\infty}\sum_{k=1}^{n}\sqrt{1+\{f'(c_k)\}^2}\,\varDelta x$$

그런데 $n\to\infty$이면 $\varDelta x\to 0$이고 $c_k\to x_k$[⑭]이므로 정적분과 급수의 합 사이의 관계에 의하여

$$l=\lim_{n\to\infty}\sum_{k=1}^{n}\sqrt{1+\{f'(c_k)\}^2}\,\varDelta x$$
$$=\int_a^b\sqrt{1+\{f'(x)\}^2}\,dx$$

임을 알 수 있다.

이는 앞에서 배운 곡선의 길이와 일치한다.

위에서 보면 알 수 있듯이 곡선의 길이를 구하는 방법도 도형의 넓이나 부피를 구하는 방법과 크게 다르지 않다.

넓이나 부피에서 도형을 '기본 도형(넓이에서는 직사각형, 부피에서는 기둥 등)으로 쪼갠 뒤 이들의 넓이나 부피의 합에 극한을 취한다.'라는 생각을 여기서

   '길이를 구하는 데에도 곡선을 직선으로 쪼갠 뒤 이들의 길이의 합에 극한을 취한다.'

와 같이 적용하고 있다.

Sub Note 051쪽

APPLICATION **124**   실수 전체의 집합에서 이계도함수를 갖고 $f(0)=0$, $f(1)=\sqrt{3}$을 만족시 키는 모든 함수 $f(x)$에 대하여 $\int_0^1\sqrt{1+\{f'(x)\}^2}\,dx$의 최솟값을 구하여라.   [평가원 기출]

[⑭] $x_{k-1}<c_k<x_k$이고 $\lim\limits_{n\to\infty}\varDelta x=\lim\limits_{n\to\infty}(x_k-x_{k-1})=0$일 때, $\lim\limits_{n\to\infty}x_k=\lim\limits_{n\to\infty}x_{k-1}$이므로
$\lim\limits_{n\to\infty}x_{k-1}=\lim\limits_{n\to\infty}c_k=\lim\limits_{n\to\infty}x_k$

090 원점을 출발하여 수직선 위를 움직이는 점 P의 시각 t에서의 속도가 $v(t)=\cos t+\cos 2t$일 때, $0 \le t \le 2\pi$에서 점 P가 원점에서 가장 멀 때의 시각을 모두 구하여라.

GUIDE 원점에서 가장 멀리 떨어질 때의 점의 위치를 알아보려면 방향이 바뀐 지점의 위치와 끝점의 위치를 비교하면 된다.

SOLUTION ─────────────────

$v(t)=0$일 때 움직이는 방향이 바뀌므로

$v(t)=\cos t+\cos 2t=0$에서 $\cos t+2\cos^2 t-1=0$

$(\cos t+1)(2\cos t-1)=0$, $\cos t=-1$ 또는 $\cos t=\dfrac{1}{2}$

$\therefore\ t=\dfrac{\pi}{3}$ 또는 $t=\pi$ 또는 $t=\dfrac{5}{3}\pi$

한편 시각 t에서의 점 P의 위치를 $x(t)$라 하면

$$x(t)=0+\int_0^t (\cos t+\cos 2t)\,dt=\left[\sin t+\frac{1}{2}\sin 2t\right]_0^t=\sin t+\frac{1}{2}\sin 2t$$

따라서 $x\left(\dfrac{\pi}{3}\right)=\dfrac{3\sqrt{3}}{4}$, $x(\pi)=0$, $x\left(\dfrac{5}{3}\pi\right)=-\dfrac{3\sqrt{3}}{4}$ 이고, ← 방향이 바뀐 지점

$x(2\pi)=0$이므로 ← 끝점

점 P가 원점에서 가장 멀 때의 시각은 $\dfrac{\pi}{3}$, $\dfrac{5}{3}\pi$이다. ■

유제
090-❶ 원점을 출발하여 수직선 위를 움직이는 점 P의 시각 t에서의 속도가

Sub Note 096쪽

$v(t)=\sin\left(t-\dfrac{\pi}{6}\right)-\dfrac{1}{2}$ 일 때, 옳은 것만을 보기에서 있는 대로 골라라. (단, $0 \le t \le 2\pi$)

보기   ㄱ. 시각 $t=2\pi$일 때, 점 P는 원점으로부터 π만큼 떨어져 있다.

ㄴ. 점 P는 시각 $t=\dfrac{5}{3}\pi$일 때, 원점에서 가장 멀리 떨어져 있다.

ㄷ. 시각 $t=0$에서 $t=\pi$까지 점 P가 움직인 거리는 $\sqrt{3}-\dfrac{\pi}{6}$이다.

091

좌표평면 위를 움직이는 점 $P(x, y)$의 시각 t에서의 위치가 $x=t-\sin t$, $y=1-\cos t$일 때, 점 P가 출발 후 처음으로 속력이 0이 될 때까지 움직인 거리를 구하여라.

GUIDE 좌표평면 위를 움직이는 점 $P(x, y)$의 시각 t에서의 위치가 $x=f(t)$, $y=g(t)$일 때, 시각 $t=a$ 에서 $t=b$까지 점 P가 움직인 거리를 s라 하면

$$s=\int_a^b \sqrt{\left(\frac{dx}{dt}\right)^2+\left(\frac{dy}{dt}\right)^2}\,dt=\int_a^b \sqrt{\{f'(t)\}^2+\{g'(t)\}^2}\,dt$$

SOLUTION ─────────────────────────────

$\dfrac{dx}{dt}=1-\cos t$, $\dfrac{dy}{dt}=\sin t$이므로

점 P의 시각 t에서의 속력은

$$\sqrt{(1-\cos t)^2+\sin^2 t}=\sqrt{2(1-\cos t)}$$
$$=\sqrt{4\sin^2\frac{t}{2}} \quad \leftarrow \text{반각의 공식}$$
$$=2\left|\sin\frac{t}{2}\right|$$

이때 점 P가 출발 후 처음으로 속력이 0이 되는 때는

$2\left|\sin\dfrac{t}{2}\right|=0$에서 $\left|\sin\dfrac{t}{2}\right|=0$ $\therefore t=2\pi$

따라서 시각 $t=0$에서 $t=2\pi$까지 점 P가 움직인 거리를 s라 하면

$$s=\int_0^{2\pi}2\left|\sin\frac{t}{2}\right|dt=\int_0^{2\pi}2\sin\frac{t}{2}\,dt\left(\because 0\le t\le 2\pi\text{에서 }\sin\frac{t}{2}\ge 0\right)$$
$$=\left[-4\cos\frac{t}{2}\right]_0^{2\pi}=8\ \blacksquare$$

Sub Note 096쪽

유제
091-1 좌표평면 위를 움직이는 점 $P(x, y)$의 시각 t에서의 위치가 $x=\dfrac{1}{2}t^2-t$, $y=\dfrac{4}{3}t\sqrt{t}$일 때, $t=0$에서 $t=a$까지 점 P가 움직인 거리는 4이다. 이때 양수 a의 값을 구하여라.

092 $0 \leq x \leq a$에서 곡선 $y = \dfrac{e^x + e^{-x}}{2}$ 의 길이가 t일 때, a를 t에 대한 식으로 나타내어라.

GUIDE   곡선 $y = \dfrac{e^x + e^{-x}}{2}$ $(0 \leq x \leq a)$의 길이가 t이므로 $t = \displaystyle\int_0^a \sqrt{1 + \left(\dfrac{dy}{dx}\right)^2}\, dx$

SOLUTION ─────────────────────────

$\dfrac{dy}{dx} = \dfrac{e^x - e^{-x}}{2}$ 이므로

$$t = \int_0^a \sqrt{1 + \left(\dfrac{e^x - e^{-x}}{2}\right)^2}\, dx$$

$$= \int_0^a \sqrt{\left(\dfrac{e^x + e^{-x}}{2}\right)^2}\, dx = \int_0^a \dfrac{e^x + e^{-x}}{2}\, dx$$

$$= \left[\dfrac{e^x - e^{-x}}{2} \right]_0^a = \dfrac{e^a - e^{-a}}{2}$$

즉, $t = \dfrac{e^a - e^{-a}}{2}$ 에서 $e^a - e^{-a} - 2t = 0$

양변에 e^a을 곱하면

$$(e^a)^2 - 2te^a - 1 = 0$$

이므로 e^a에 대한 이차방정식이 된다.

이때 $e^a > 0$이므로 $e^a = t + \sqrt{t^2 + 1}$

$$\therefore a = \ln\left(t + \sqrt{t^2 + 1}\right) \ \blacksquare$$

Sub Note 097쪽

유제
092-❶ $0 \leq t \leq 5$일 때, 곡선 $x = \sin(t^3 + 2t^2 + 3t + 4)$, $y = \cos(t^3 + 2t^2 + 3t + 4)$의 길이를 구하여라.

Review Quiz

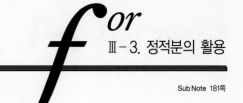

SUMMA CUM LAUDE

Sub Note 181쪽

1. 다음 [   ] 안에 적절한 것을 채워 넣어라.

(1) 도형을 넓이나 부피를 알고 있는 기본 도형으로 잘게 나누어 기본 도형의 넓이나 부피의 합을 구한 후 그 합의 극한값을 이용하여 도형의 넓이나 부피를 구하는 방법을 [   ]이라 한다.

(2) $\displaystyle\lim_{n\to\infty}\sum_{k=1}^{n} f\left(a+\dfrac{b-a}{n}k\right)\cdot\dfrac{b-a}{n}$ 를 정적분의 식으로 바꾸면 [   ]이다.

(3) 함수 $g(y)$ 가 닫힌구간 $[c,\ d]$ 에서 연속일 때, 곡선 $x=g(y)$ 와 y축 및 두 직선 $y=c$, $y=d$ 로 둘러싸인 도형의 넓이는 [   ]이다.

(4) 닫힌구간 $[a,\ b]$ 에서 x좌표가 x인 점을 지나고 x축에 수직인 평면으로 자른 단면의 넓이가 $S(x)$ 인 입체도형의 부피는 [   ]이다.

(5) 곡선 $y=f(x)\,(a\le x\le b)$ 의 길이는 [   ]이다.

2. 다음 문장이 참(true) 또는 거짓(false)인지 결정하고, 그 이유를 설명하거나 적절한 반례를 제시하여라.

(1) 두 입체도형 A, B에 대하여 구간 $[0,\ 2]$ 의 임의의 점 x에서 x축에 수직인 평면으로 두 입체도형 A, B를 자른 단면의 넓이가 각각 $S(x)$, $S(2-x)$ 일 때, 두 입체도형 A, B의 부피는 같다.

(2) 좌표평면 위를 움직이는 점 $\mathrm{P}(x,\ y)$ 의 시각 t에서의 위치가 $x=f(t)$, $y=g(t)$ 일 때, $t=a$에서 $t=b$까지 점 P가 움직인 거리와 $a\le t\le b$에서의 곡선의 길이는 항상 같다.

3. 다음 물음에 대한 답을 간단히 서술하여라.

(1) 단면적 $S(x)$ 로부터 부피를 구하는 식 $\displaystyle\int_{a}^{b} S(x)dx$ 의 기하적 의미를 설명하여라.

(2) 입체도형의 부피를 정적분을 이용하여 구할 때, 단면을 일정한 방향으로 자르지 않으면 올바른 답을 얻을 수 없음을 알 수 있는 예를 하나 들어라.

정적분과 급수 **01** $\displaystyle\lim_{n\to\infty}\frac{(1^2+2^2+\cdots+n^2)(1^3+2^3+\cdots+n^3)}{(1^4+2^4+\cdots+n^4)(1+2+\cdots+n)}$ 의 값을 정적분을 이용하여 구하여라.

정적분과 급수 **02** 함수 $f(x)=3x^2+2x+\dfrac{10}{x^2}\ (x>0)$에 대하여 $\displaystyle\lim_{n\to\infty}\sum_{k=1}^{n}f\Big(2+\frac{3k}{n}\Big)\cdot\frac{4a}{n}=12$가 성립할 때, 상수 a의 값을 구하여라.

정적분과 급수 **03** 연속함수 $f(x)$가 $f(3)=4$, $\displaystyle\int_0^3 f(x)\,dx=6$을 만족시킬 때,

$\displaystyle\lim_{n\to\infty}\sum_{k=1}^{n}\Big\{f\Big(\frac{3k}{n}\Big)-f\Big(\frac{3k-3}{n}\Big)\Big\}\frac{k}{n}$ 의 값을 구하여라.

넓이 **04** 오른쪽 그림과 같이 곡선 $y=\ln x$ 위의 한 점 $P(k,\ln k)$와 세 점 $Q(1,0)$, $R(e,0)$, $S(k,0)$에 대하여 곡선 $y=\ln x$, $\overline{QR}$, $\overline{RP}$로 둘러싸인 도형의 넓이와 $\triangle PRS$의 넓이가 같을 때, $\dfrac{e^k}{k^e}$ 의 값을 구하여라.

(단, $k>e$)

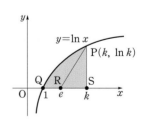

넓이 **05** 곡선 $y=\dfrac{1}{x}$과 세 직선 $y=0$, $x=n$, $x=n+1\ (n>0)$로 둘러싸인 도형의 넓이를 S_n이라 할 때, $\displaystyle\lim_{n\to\infty}nS_n$의 값을 구하여라.

넓이 06 곡선 $y=\sqrt{6}\cos\dfrac{x}{4}$ $(0\leq x\leq 2\pi)$ 위의 점 $(a, \sqrt{3})$에서의 접선과 이 곡선 및 y축으로 둘러싸인 도형의 넓이를 구하여라.

넓이 07 곡선 $y=e^{2x}$과 y축 및 직선 $y=-2x+a$로 둘러싸인 영역을 A, 곡선 $y=e^{2x}$과 두 직선 $y=-2x+a$, $x=1$로 둘러싸인 영역을 B라 하자. A의 넓이와 B의 넓이가 같을 때, 상수 a의 값은? (단, $1<a<e^2$) [수능 기출]

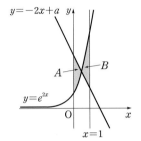

① $\dfrac{e^2+1}{2}$ ② $\dfrac{2e^2+1}{4}$ ③ $\dfrac{e^2}{2}$

④ $\dfrac{2e^2-1}{4}$ ⑤ $\dfrac{e^2-1}{2}$

넓이 08 함수 $f(x)=x\ln x$ $(x\geq 1)$의 역함수를 $g(x)$라 할 때, 곡선 $y=g(x)$와 x축, y축 및 직선 $x=e$로 둘러싸인 도형의 넓이를 구하여라.

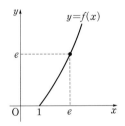

넓이 09 오른쪽 그림과 같이 한 변의 길이가 2인 정사각형 ABCD와 지름의 길이가 2인 반원이 수직선 위에 놓여 있다. 반원은 정지해 있고, 정사각형은 수직선의 양의 방향으로 움직인다. 선분 PB의 길이가 $\dfrac{1}{2}t^2$일 때의 반원과 정사각형이 겹쳐지는 부분의 넓이를 $S(t)$라 할 때, $S'(1)$의 값을 구하여라.

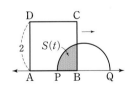

부피 10 어떤 그릇에 채워진 물의 깊이가 x일 때, 물의 부피는 $\dfrac{1}{4}e^{4x}+\dfrac{1}{2}x^2-\dfrac{1}{4}$이다. 물의 깊이가 $\ln 2$일 때, 수면의 넓이를 구하여라.

부피 **11** 곡선 $y=2\tan x\left(0\le x\le\dfrac{\pi}{4}\right)$ 위의 점 P에서 x축에 내린 수선의 발을 Q라 하자. 오른쪽 그림과 같이 선분 PQ를 지나고 좌표평면에 수직인 평면 위에 선분 PQ를 한 현으로 하는 원이 있다. 원의 중심과 선분 PQ와의 거리가 1이 유지되도록 $x=0$에서 $x=\dfrac{\pi}{4}$까지 원이 움직일 때, 이 원이 만드는 입체도형의 부피를 구하여라.

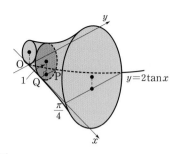

부피 **12** 오른쪽 그림과 같이 반지름의 길이가 1인 반구가 있다. 밑면의 중심을 지나고 밑면과 $60°$의 각을 이루는 평면으로 반구를 잘랐을 때 생기는 두 입체도형 중 작은 것의 부피를 정적분을 이용하여 구하여라.

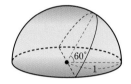

속도와 거리 **13** 원점에서 동시에 출발하여 수직선 위를 움직이는 두 점 P, Q의 t초 후의 속도가 각각

서술형 $\sin\pi t,\ \dfrac{1}{\pi}-\cos 2\pi t$일 때, 1초 후의 두 점 P, Q 사이의 거리를 구하여라.

속도와 거리 **14** 좌표평면 위를 움직이는 점 $P(x,\ y)$의 시각 t에서의 위치가

$x=\dfrac{1}{2}e^{2t}-at,\ y=2\sqrt{a}e^t$일 때, $t=0$에서 $t=1$까지 점 P가 움직인 거리는

$\dfrac{1}{2}(3e^2-1)$이다. 이때 양수 a의 값을 구하여라.

곡선의 길이 **15** $\dfrac{1}{3}\le t\le 3$에서 곡선 $x=2t+\dfrac{1}{t},\ y=2\sqrt{2}\ln t$의 길이를 구하여라.

EXERCISES ℬ

Sub Note 186쪽

01 함수 $f(x)=\ln x$에 대하여 $\lim\limits_{n\to\infty}\sum\limits_{k=1}^{n}\dfrac{k}{n^2}f\left(1+\dfrac{k}{n}\right)$의 값을 구하여라.

02 오른쪽 그림과 같이 반지름의 길이가 6인 사분원의 호 AB를 n등분한 점을 점 A에서 가까운 것부터 차례로 P_1, P_2, P_3, $\cdots$, P_{n-1}이라 하자. 점 B에서 선분 OP_k에 내린 수선의 발을 Q_k라 하고, 삼각형 OQ_kB의 넓이를 S_k라 할 때, $\lim\limits_{n\to\infty}\dfrac{1}{n}\sum\limits_{k=1}^{n-1}S_k$의 값을 구하여라.

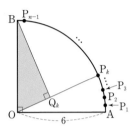

03 오른쪽 그림과 같이 곡선 $y=\log_a x$와 x축 및 두 직선 $x=p$, $x=q$로 둘러싸인 도형이 곡선 $y=\log_b x$에 의하여 두 도형 A와 B로 나누어진다. A와 B의 넓이를 각각 α, β라 할 때, $\dfrac{\alpha}{\beta}$의 값은? (단, $1<a<b$, $1<p<q$)

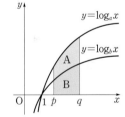

① $\log_a b-1$ ② $\log_b a-1$ ③ $\ln\dfrac{b}{a}$

④ $(q-p)\log_b a$ ⑤ $\left(\dfrac{b}{a}-1\right)(q-p)$

04 함수 $f(x)=\dfrac{5}{2}-\dfrac{10x}{x^2+4}$와 함수 $g(x)=\dfrac{4-|x-4|}{2}$의 그래프가 그림과 같다. $0\le a\le8$인 a에 대하여 $\int_0^a f(x)dx+\int_a^8 g(x)dx$의 최솟값은? [평가원 기출]

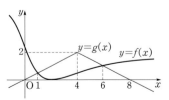

① $14-5\ln5$ ② $15-5\ln10$ ③ $15-5\ln5$
④ $16-5\ln10$ ⑤ $16-5\ln5$

05 $x\geq0$에서 정의된 삼차함수 $f(x)$는 $f(0)=0$이고, $x>0$인 모든 실수 x에서 $f'(x)\geq0$을 만족시킨다. 함수 $f(x)$의 역함수 $g(x)$에 대하여 함수 $h(x)$를

$$h(x)=\int_0^x \{f(t)-g(t)\}dt \ (x\geq0)$$

라 하면 $y=h(x)$의 그래프는 오른쪽 그림과 같다.

$h(x)$가 $x=6$일 때 극댓값 12, $x=10$일 때 극솟값 4를 갖는다고 할 때, $\displaystyle\int_0^{10} g(t)dt$의 값을 구하여라.

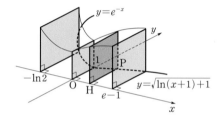

06 그림과 같이 함수

$$f(x)=\begin{cases} e^{-x} & (x<0) \\ \sqrt{\ln(x+1)+1} & (x\geq0) \end{cases}$$

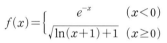

의 그래프 위의 점 $P(x, f(x))$에서 x축에 내린 수선의 발을 H라 하고, 선분 PH를 한 변으로 하는 정사각형을 x축에 수직인 평면 위에 그린다. 점 P의 x좌표가 $x=-\ln2$에서 $x=e-1$까지 변할 때, 이 정사각형이 만드는 입체도형의 부피는?

[교육청 기출]

① $e-\dfrac{3}{2}$　　② $e+\dfrac{2}{3}$　　③ $2e-\dfrac{3}{2}$　　④ $e+\dfrac{3}{2}$　　⑤ $2e-\dfrac{2}{3}$

07 서술형

오른쪽 그림과 같이 중심이 C, 반지름의 길이가 10인 구를 중심에서 8만큼 떨어진 평면 α로 자른 단면은 지름이 $\overline{AB}$인 원이다. 원 위의 두 점 P, Q에 대하여 $\overline{PQ}\perp\overline{AB}$일 때, $\overline{PQ}$가 지름인 반원을 평면 α와 수직이 되도록 점 A에서 점 B까지 세워나갈 때 생기는 입체도형의 부피를 구하여라.

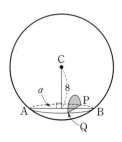

08 어떤 입체도형을 구간 $\left[0, \dfrac{\pi}{2}\right]$의 임의의 점 x에서 x축에 수직인 평면으로 자른 단면이 오른쪽 그림과 같은 사각형 ABCD이고, $\overline{\text{AB}}=\overline{\text{BC}}=1$, $\overline{\text{AD}}=x$, $\angle \text{ABC}=x$이다. 이때 이 입체도형의 부피를 구하여라.

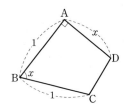

09 오른쪽 그림과 같이 중심이 원점이고 반지름의 길이가 1인 원 위에 점 $(0,\ 1)$에서 출발하여 매초 2의 속력으로 원 위를 시계 방향으로 움직이는 점 P가 있다. 점 P의 이동거리가 l일 때, 점 P를 x축의 양의 방향으로 l만큼 평행이동한 점을 Q라 하자. 이때 시각 $t=0$에서 $t=\dfrac{\pi}{6}$까지 점 Q가 움직인 거리를 구하여라.

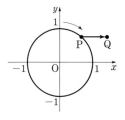

10 곡선 $y=f(x)$에 대하여 곡선 위의 점 $(0,\ 3)$에서 $(a,\ f(a))$까지의 곡선의 길이가 $2e^{\frac{a}{\sqrt{2}}}-\dfrac{e^{-\frac{a}{\sqrt{2}}}}{4}-\dfrac{7}{4}$일 때, $f(x)$를 x에 대한 식으로 나타내어라. (단, $a>0$)

내신·모의고사 대비 TEST ▷ 458쪽

Chapter III Exercises

SUMMA CUM LAUDE

Sub Note 190쪽

■■□

01 자연수 n에 대하여 $f_n(x) = \int \sin^n x \sin 2x \, dx$라 하자. $f_n(0) = 0$일 때,

$f_n\left(\dfrac{\pi}{2}\right) < \dfrac{1}{2020}$ 을 만족시키는 n의 최솟값을 구하여라.

■■□

02 $x \geq 0$에서 정의된 미분가능한 함수 $f(x)$가 $f'(x) > 0$이고 $f(x) + \ln f'(x) = \ln 6$을 만족시킨다. $f(0) = 3$일 때, $f(3)$의 값을 구하여라.

■■■

03 $x > 0$에서 정의된 미분가능한 두 함수 $f(x)$, $g(x)$가 다음 조건을 만족시킨다.

> (가) $xf'(x) - g(x) = 0$, $f(x) - xg'(x) = 0$
> (나) $f(x) > |g(x)|$
> (다) $f(1) = 3$, $g(1) = 2$

이때 $\{f(x)\}^2 + \{g(x)\}^2$의 최솟값을 구하여라.

■□□

04 $\displaystyle\int_{-a}^{a} f(x)\,dx = \int_{0}^{a} \{f(x) + f(-x)\}\,dx$임을 이용하여 정적분 $\displaystyle\int_{-2}^{2} \frac{3x^2}{3^x + 1}\,dx$의 값을 구하여라.

---

05 수열 $\{a_n\}$을 다음과 같이 정의하자.

$$a_n = \int_1^n \left(\frac{ax}{x^2+1} - \frac{1}{2x} \right) dx \ (n=1, 2, 3, \cdots)$$

$\lim\limits_{n \to \infty} a_n$이 존재할 때, 그 극한값을 구하여라. (단, a는 상수)

06 모든 실수 x에서 연속인 함수 $f(x)$에 대하여 $f(x)+f(-x)=x\sin x+1$이 성립할 때, 정적분 $\int_{-1}^1 f(x)dx$의 값을 구하여라.

07 $a_n = \int_0^{\frac{\pi}{4}} \tan^n x \, dx \, (n=1, 2, 3, \cdots)$로 정의할 때, 옳은 것을 보기에서 모두 고른 것은?

[교육청 기출]

보기

ㄱ. $a_1 + a_3 = \dfrac{1}{2}$

ㄴ. $a_1 + a_2 + a_3 + a_4 = \dfrac{1}{2} + \dfrac{1}{3}$

ㄷ. $\displaystyle\sum_{k=1}^{100} a_k = \dfrac{1}{2} + \dfrac{1}{3} + \dfrac{1}{4} + \cdots + \dfrac{1}{51}$

① ㄱ   ② ㄷ   ③ ㄱ, ㄴ   ④ ㄴ, ㄷ   ⑤ ㄱ, ㄴ, ㄷ

08 정적분 $\int_1^{\sqrt{3}} \dfrac{1}{x^2\sqrt{1+x^2}} \, dx$의 값을 구하여라.

09 실수 전체의 집합에서 이계도함수를 갖는 함수 $f(x)$에 대하여 $f(0)=f'(0)=1$이고 $f(x)+f(1-x)=0$이 성립할 때, 정적분 $\int_0^1 (1-x)^2 f''(x)\,dx$의 값을 구하여라.

10 미분가능한 함수 $f(x)$가
$$f(1)=3,\ f(6)=7,\ \int_1^{36} \frac{\{f(\sqrt{x}\,)\}^2}{2\sqrt{x}}\,dx=15$$
를 만족시킬 때, 정적분 $\int_1^6 xf(x)f'(x)\,dx$의 값을 구하여라.

11 모든 실수 x에 대하여 연속인 함수 $f(x)$가 다음 조건을 만족시킨다.

(가) $f(x)=f(x+3)$

(나) $\int_1^2 f(2x)\,dx=1,\ \int_1^{\frac{5}{4}} f(4x)\,dx=\dfrac{3}{4}$

이때 정적분 $\int_{2011}^{2020} f(x)\,dx$의 값을 구하여라.

12 함수 $f(x)=\int_1^x \dfrac{\sin t}{t}\,dt$에 대하여 정적분 $\int_1^\pi f(x)(\sin x+x\cos x)\,dx$의 값을 구하여라.

13 함수 $f(x)$를 $f(x)=\displaystyle\int_a^x\{2+\sin(t^2)\}dt$라 하자. $f''(a)=\sqrt{3}a$일 때, $(f^{-1})'(0)$의 값은? $\left(\text{단, }a\text{는 } 0<a<\sqrt{\dfrac{\pi}{2}}\text{인 상수이다.}\right)$ [수능 기출]

① $\dfrac{1}{10}$ ② $\dfrac{1}{5}$ ③ $\dfrac{3}{10}$ ④ $\dfrac{2}{5}$ ⑤ $\dfrac{1}{2}$

14 함수 $f(x)=x^2$에 대하여 그림과 같이 구간 $[0,\ 1]$을 $2n$등분한 후, 구간 $\left[\dfrac{k-1}{2n},\ \dfrac{k}{2n}\right]$를 밑변으로 하고 높이가 $f\left(\dfrac{k}{2n}\right)$인 직사각형의 넓이를 S_k라 하자. (단, n은 자연수이고 $k=1$, $2,\ 3,\ \cdots,\ 2n$이다.)
보기에서 옳은 것을 모두 고른 것은? [평가원 기출]

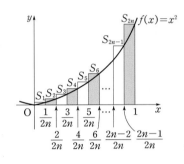

> **보기**
>
> ㄱ. $\displaystyle\lim_{n\to\infty}\sum_{k=1}^{n}S_k=\int_0^{\frac{1}{2}}x^2\,dx$ ㄴ. $\displaystyle\lim_{n\to\infty}\sum_{k=1}^{n}(S_{2k}-S_{2k-1})=0$
>
> ㄷ. $\displaystyle\lim_{n\to\infty}\sum_{k=1}^{n}S_{2k}=\frac{1}{2}\int_0^1 x^2\,dx$

① ㄱ ② ㄱ, ㄴ ③ ㄱ, ㄷ ④ ㄴ, ㄷ ⑤ ㄱ, ㄴ, ㄷ

15 닫힌구간 $[0,\ 1]$에서 정의된 연속함수 $f(x)$가 $f(0)=0$, $f(1)=1$이며, 열린구간 $(0,\ 1)$에서 이계도함수를 갖고 $f'(x)>0$, $f''(x)>0$일 때, $\displaystyle\int_0^1\{f^{-1}(x)-f(x)\}dx$ 의 값과 같은 것은? [수능 기출]

① $\displaystyle\lim_{n\to\infty}\sum_{k=1}^{n}\left\{\frac{k}{n}-f\left(\frac{k}{n}\right)\right\}\frac{1}{2n}$ ② $\displaystyle\lim_{n\to\infty}\sum_{k=1}^{n}\left\{\frac{k}{n}-f\left(\frac{k}{n}\right)\right\}\frac{2}{n}$

③ $\displaystyle\lim_{n\to\infty}\sum_{k=1}^{n}\left\{\frac{k}{n}-f\left(\frac{k}{n}\right)\right\}\frac{1}{n}$ ④ $\displaystyle\lim_{n\to\infty}\sum_{k=1}^{n}\left\{\frac{k}{2n}-f\left(\frac{k}{n}\right)\right\}\frac{1}{n}$

⑤ $\displaystyle\lim_{n\to\infty}\sum_{k=1}^{n}\left\{\frac{2k}{n}-f\left(\frac{k}{n}\right)\right\}\frac{1}{n}$

16 길이가 2인 선분 l을 지름으로 하는 원에서 l과 직교하며 l을 n등분하는 현 $(n-1)$개의 길이의 평균을 a_n이라 하자. 이때 $\lim\limits_{n\to\infty} a_n$을 구하여라.

17 두 곡선 $y=\ln x$, $y=2\ln x$와 이 두 곡선에 동시에 접하는 직선으로 둘러싸인 도형의 넓이를 구하여라.

18 오른쪽 그림과 같이 곡선 $y=\dfrac{3}{x}\ (x>0)$과 두 직선 $y=3x$, $y=\dfrac{1}{3}x$로 둘러싸인 도형이 직선 $y=kx\,(1<k<3)$에 의하여 두 부분으로 나누어진다. 곡선 $y=\dfrac{3}{x}$과 두 직선 $y=3x$, $y=kx$로 둘러싸인 도형의 넓이를 A, 곡선 $y=\dfrac{3}{x}$과 두 직선 $y=kx$, $y=\dfrac{1}{3}x$로 둘러싸인 도형의 넓이를 B라 할 때, $A:B=1:2$이다. 이때 상수 k의 값을 구하여라.

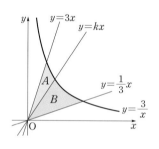

19 오른쪽 그림과 같이 함수 $f(x)=\sqrt{x(x^2+1)\sin(x^2)}\ (0\le x\le\sqrt{\pi}\,)$에 대하여 곡선 $y=f(x)$와 x축으로 둘러싸인 부분을 밑면으로 하는 입체도형이 있다. 두 점 $\mathrm{P}(x,\,0)$, $\mathrm{Q}(x,\,f(x))$를 지나고 x축에 수직인 평면으로 입체도형을 자른 단면이 선분 PQ를 한 변으로 하는 정삼각형일 때, 이 입체도형의 부피를 구하여라.

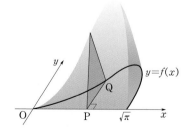

20 반지름의 길이가 1인 반구 모양의 그릇에 물이 가득 차 있었다. 오른쪽 그림과 같이 이 그릇을 $\theta\left(0<\theta<\dfrac{\pi}{2}\right)$ 만큼 기울였을 때 수면의 높이를 $H(\theta)$, 수면의 넓이를 $S(\theta)$, 물의 부피를 $V(\theta)$라 하자. 보기에서 옳은 것만을 있는 대로 고른 것은? [교육청 기출]

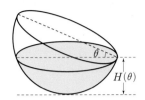

보기　　ㄱ. $H(\theta)=1-\sin\theta$

　　　　ㄴ. $S(\theta)=\pi\cos^{2}\theta$

　　　　ㄷ. $\dfrac{d}{d\theta}V(\theta)=-S(\theta)\cos\theta$

① ㄱ　　　　② ㄷ　　　　③ ㄱ, ㄴ　　　　④ ㄴ, ㄷ　　　　⑤ ㄱ, ㄴ, ㄷ

21 좌표평면 위를 움직이는 점 P의 시각 t에서의 위치 $(x,\ y)$가
$$\begin{cases} x=4(\cos t+\sin t) \\ y=\cos 2t \end{cases} (0\le t\le 2\pi)$$
이다. 점 P가 $t=0$에서 $t=2\pi$까지 움직인 거리(경과 거리)를 $a\pi$라 할 때, a^{2}의 값을 구하여라. [수능 기출]

22 곡선 $y=\ln x\,(\sqrt{3}\le x\le 2\sqrt{2}\,)$의 길이를 구하여라.

내신·모의고사 대비 TEST 468쪽

Chapter **III** Advanced Lecture

S U M M A   C U M   L A U D E

TOPIC (1) 역함수의 부정적분과 정적분

함수 $f(x)$의 역함수 $f^{-1}(x)$의 부정적분을 구하기가 쉽지 않을 때,

$f(x)$의 부정적분만 알면

이를 이용하여 $f^{-1}(x)$의 부정적분을 구할 수 있는 방법이 있다. 이는 다음과 같이 부분적분법과 치환적분법을 차례로 적용하여 공식으로 유도할 수 있다.

함수 $f(x)$의 역함수 $y=f^{-1}(x)$에 대하여 역함수의 정의에 의하여 $f(y)=x$이고, 역함수의 미분법에 의하여 $\{f^{-1}(x)\}'=\dfrac{1}{f'(y)}$ 이다.

따라서 $\displaystyle\int f^{-1}(x)\,dx$에서 $u=f^{-1}(x)$, $v'=1$로 놓으면 $u'=\dfrac{1}{f'(y)}$, $v=x$이므로

$$\int f^{-1}(x)\,dx=xf^{-1}(x)-\int \frac{x}{f'(y)}\,dx \quad \text{← 부분적분법}$$

이때 $\displaystyle\int \frac{x}{f'(y)}\,dx$에서 $x=f(y)$, $dx=f'(y)\,dy$이므로

$$\int \frac{x}{f'(y)}\,dx=\int \frac{f(y)}{f'(y)}\cdot f'(y)\,dy=\int f(y)\,dy \quad \text{← 치환적분법}$$

$$\therefore \int f^{-1}(x)\,dx=xf^{-1}(x)-\int f(y)\,dy \;\blacksquare \quad \substack{\text{← 부정적분을 구한 후, } y\text{로 표현된 부분은}\\ y=f^{-1}(x)\text{임을 이용하여 } x\text{로 표현한다.}}$$

한편 $f^{-1}(a)=c$, $f^{-1}(b)=d$라 하면 $f(c)=a$, $f(d)=b$이므로 유도한 부정적분의 공식에서 정적분에 대한 다음 공식도 유도할 수 있다.

$$\int_a^b f^{-1}(x)\,dx=\Big[\,xf^{-1}(x)\,\Big]_a^b-\int_c^d f(y)\,dy=\Big[\,xf^{-1}(x)\,\Big]_a^b-\int_c^d f(x)\,dx^{\text{❶}}$$

여기서 $b>a>0$이라 한정시켜 생각하면 다음과 같이 392쪽에서 배운 넓이 공식과 똑같다는 것을 확인할 수 있을 것이다. (정적분은 반드시 기하적인 의미와 함께 생각하길 바란다.)

---

❶ 정적분에서는 적분변수를 임의로 바꾸어 써도 무방하므로 x로 통일하여 표기하자.

$$\int_a^b f^{-1}(x)\,dx = bf^{-1}(b) - af^{-1}(a) - \int_c^d f(x)\,dx = bd - ac - \int_c^d f(x)\,dx$$

■ EXAMPLE *01* 앞에서 제시한 방법으로 부정적분 $\int \log_2 x\,dx$를 구하여라.

ANSWER 함수 $y = \log_2 x$에 대하여 $x = 2^y$을 이용하면

$$\int \log_2 x\,dx = x\log_2 x - \int 2^y\,dy = x\log_2 x - \frac{1}{\ln 2}2^y + C = x\log_2 x - \frac{1}{\ln 2}x + C \ \blacksquare$$

Sub Note 200쪽

APPLICATION *01* 앞에서 제시한 방법으로 $\int \ln x\,dx$, $\int_e^{e^3} \ln x\,dx$를 차례로 구하여라.

TOPIC (2) 회전체의 부피

정적분을 이용하여 회전체의 부피를 구하는 방법을 알아보자.

회전체는 입체도형의 일종이니 부피를 구하는 방법이 다르지 않다. 단지
회전체는 단면이 모두 원이므로 원의 반지름의 길이를 r라 할 때,
단면의 넓이가 πr^2 꼴임을 생각해 볼 수 있을 것이다.

먼저 구간 $[a,\ b]$에서 곡선 $y = f(x)$와 x축 및 두 직선 $x = a$, $x = b$로 둘러싸인 도형을 x축을 회전축으로 하여 회전시킬 때 생기는 회전체의 부피를 정적분을 이용하여 구해보자.

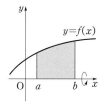

구간 $[a,\ b]$의 임의의 점 x에서 x축에 수직인 평면으로 회전체를 자르면 단면은 원이 되고 반지름의 길이가 $|f(x)|$이므로 그 단면의 넓이는

$$S(x) = \pi y^2 = \pi\{f(x)\}^2$$

이 된다.

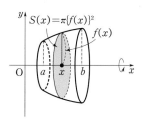

따라서 구하는 회전체의 부피 V는

$$V = \int_a^b S(x)\,dx = \int_a^b \pi\{f(x)\}^2\,dx = \pi\int_a^b \{f(x)\}^2\,dx$$

x축을 회전축으로 하는 회전체의 부피

구간 $[a, b]$에서 곡선 $y=f(x)$와 x축 및 두 직선 $x=a$, $x=b$로 둘러싸인 도형을 x축을 회전축으로 하여 회전시킬 때 생기는 회전체의 부피 V는

$$V=\pi\int_a^b y^2 dx=\pi\int_a^b \{f(x)\}^2 dx$$

마찬가지의 방법으로 y축을 회전축으로 하는 회전체의 부피도 생각할 수 있다.

이 경우 x축에 평행한 평면으로 회전체를 자르면 단면은 원이 되고 반지름의 길이가 $|x|$이므로 단면의 넓이는 πx^2이 된다.

y축을 회전축으로 하는 회전체의 부피

구간 $[c, d]$에서 곡선 $x=g(y)$와 y축 및 두 직선 $y=c$, $y=d$로 둘러싸인 도형을 y축을 회전축으로 하여 회전시킬 때 생기는 회전체의 부피 V는

$$V=\pi\int_c^d x^2 dy=\pi\int_c^d \{g(y)\}^2 dy$$

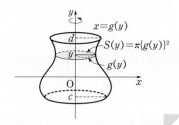

EXAMPLE *02* 다음 곡선과 직선으로 둘러싸인 도형을 [ ] 안의 축을 회전축으로 하여 회전시킬 때 생기는 회전체의 부피를 구하여라.

(1) $y=e^x$, x축, y축, $x=1$ [x축]

(2) $y=e^x$, y축, $y=e$ [y축]

ANSWER (1) 구하는 부피를 V라 하면

$$V=\pi\int_0^1 (e^x)^2 dx$$

$$=\pi\int_0^1 e^{2x} dx$$

$$=\pi\left[\frac{1}{2}e^{2x}\right]_0^1$$

$$=\pi\left(\frac{1}{2}e^2-\frac{1}{2}\right)$$

$$=\frac{\pi}{2}(e^2-1) \blacksquare$$

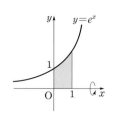

(2) y축을 회전축으로 하므로 주어진 곡선의 식을 $x=g(y)$로 나타내 보면 $x=\ln y$이다.
따라서 구하는 부피를 V라 하면

$$V=\pi\int_1^e (\ln y)^2\,dy$$

$$=\pi\left\{\left[y(\ln y)^2\right]_1^e-2\int_1^e \ln y\,dy\right\}$$

$$=e\pi-2\pi\left\{\left[y\ln y\right]_1^e-\int_1^e dy\right\}$$

$$=e\pi-2\pi\left\{\left[y\ln y\right]_1^e-\left[y\right]_1^e\right\}$$

$$=e\pi-2\pi(e-e+1)$$

$$=e\pi-2\pi$$

$$=\pi(e-2)\ \blacksquare$$

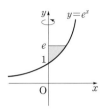

Sub Note 200쪽

APPLICATION *02*   다음 곡선과 직선으로 둘러싸인 도형을 [ ] 안의 축을 회전축으로 하여 회전시킬 때 생기는 회전체의 부피를 구하여라.

(1) $y=\tan x,\ y=0,\ x=\dfrac{\pi}{4}\ \ [x$축$]$

(2) $y=\ln x,\ x$축, y축, $y=1\ \ [y$축$]$

두 곡선으로 둘러싸인 도형을 x축 또는 y축을 회전축으로 하여 회전시킬 때 생기는 회전체의 부피는 두 곡선 사이의 넓이에서와 마찬가지로 두 곡선의 위치를 고려하면서 구하면 된다.

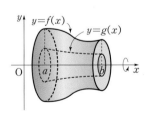

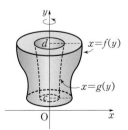

$$V=\pi\int_a^b \left[\{f(x)\}^2-\{g(x)\}^2\right]dx \qquad V=\pi\int_c^d \left[\{f(y)\}^2-\{g(y)\}^2\right]dy$$

지금까지 알아본 회전체의 부피를 구하는 과정을 직관적으로 설명해 본다면

　　'무수히 많은 원(넓이)을 포개면(적분) 회전체(부피)가 된다.'

일 것이다.

이와 같이 무수히 많은 고리 모양의 원판이 포개진 것으로 생각하여 부피를 구하는 방법을 와셔의 방법(washer method)이라 한다. 여기서 와셔란 볼트나 너트로 물건을 죌 때, 너트 밑에 끼우는 둥글고 얇은 쇠붙이를 말한다.

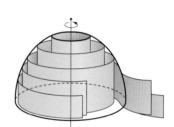

이제 발상을 달리하여 오른쪽 그림과 같이 회전체의 부피를

　　'무수히 많은 원기둥의 옆면(넓이)을 포개면(적분) 회전체(부피)가 된다.'

로 생각하자. 마치 겹겹이 쌓여 있는 양파처럼 말이다.

이 아이디어를 이용한 방법을 원주각의 방법(cylindrical shells method)이라 한다.

고등학교 수준의 함수에서는 회전체의 부피를 와셔의 방법으로 구하는 것이 쉬울 수 있다. 하지만 보다 복잡한 함수가 제시된 경우 원주각의 방법이 편리한 경우가 많다.

오른쪽 그림과 같이 곡선 $y=f(x)$와 직선 $x=a$ 및 x축으로 둘러싸인 영역을 y축을 회전축으로 하여 회전시킬 때 생기는 회전체의 부피는 다음과 같이 식으로 정리할 수 있다.

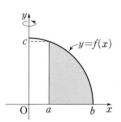

회전체	와셔의 방법	원주각의 방법
	$\displaystyle\int_0^c \underbrace{\pi(x^2-a^2)}_{\text{원의 넓이}}\ \underbrace{dy}_{\text{높이}}$	$\displaystyle\int_a^b \underbrace{2\pi x}_{\text{원주}}\ \underbrace{f(x)}_{\text{높이}}\ \underbrace{dx}_{\text{두께}}$ ，옆넓이

예제를 통해 두 방법을 비교하여 이해해 보자.

E X A M P L E *03* 곡선 $y=x^2$과 x축 및 직선 $x=2$로 둘러싸인 도형을 y축을 회전축으로 하여 회전시킬 때 생기는 회전체의 부피 V를 (1) 와셔의 방법과 (2) 원주각의 방법으로 각각 구해 보아라.

ANSWER (1) 와셔의 방법으로 구하기

$$V=\pi\int_0^4 (2^2-x^2)\,dy$$

$$=\pi\int_0^4 (4-y)\,dy$$

$$=\pi\left[4y-\frac{1}{2}y^2\right]_0^4=8\pi\ ■$$

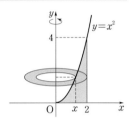

(2) 원주각의 방법으로 구하기

$f(x)=x^2$으로 놓으면 구하는 부피는

$$V=\int_0^2 2\pi x f(x)\,dx$$

$$=\int_0^2 2\pi x\cdot x^2\,dx$$

$$=2\pi\int_0^2 x^3\,dx$$

$$=2\pi\left[\frac{1}{4}x^4\right]_0^2$$

$$=2\pi\cdot4=8\pi\ ■$$

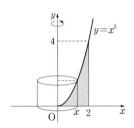

Sub Note 200쪽

APPLICATION *03* 반지름의 길이가 a인 구의 부피 V를 (1) 와셔의 방법과 (2) 원주각의 방법으로 각각 구해 보아라.

01. 정적분을 이용한 급수의 수렴 판정

정적분을 이용하면 감소하는 양수의 수열로 이루어진 급수의 수렴, 발산을 판정할 수 있다.

적분판정법
구간 $[1, \infty)$에서 정의된 연속함수 $f(x)$가 양의 값을 가지면서 감소할 때,

① 정적분 $\int_1^\infty f(x)dx$ ❶ 가 수렴하면 급수 $\sum\limits_{n=1}^{\infty} f(n)$은 수렴하고,

② 정적분 $\int_1^\infty f(x)dx$가 발산하면 급수 $\sum\limits_{n=1}^{\infty} f(n)$은 발산한다.

적분판정법이 성립함을 증명하는 것은 고교 과정을 넘으므로 생략하고 몇몇 예를 통해 적분판정법이 성립함을 확인해 보도록 하자.

(1) 급수 $\sum\limits_{n=1}^{\infty} \dfrac{1}{n}$의 수렴성

함수 $f(x)=\dfrac{1}{x}$을 생각하자. 이 함수는 구간 $[1, \infty)$에서 감소하고 $f(x)>0$이다.

이때 정적분 $\int_1^\infty f(x)dx$의 값은 구간 $[1, \infty)$에서 곡선 $y=f(x)$와 x축 사이의 넓이와 같고, 급수 $\sum\limits_{n=1}^{\infty} f(n) = \sum\limits_{n=1}^{\infty} \dfrac{1}{n}$의 합은 다음 그림에서 가로의 길이가 1, 세로의 길이가 $\dfrac{1}{n}$인 직사각형의 넓이의 합과 같다.

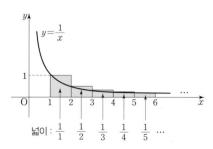

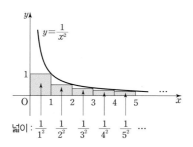

정적분 $\int_1^\infty f(x)dx$의 수렴, 발산을 조사하면

$$\int_1^\infty \frac{1}{x}dx=\lim_{t\to\infty}\int_1^t \frac{1}{x}dx=\lim_{t\to\infty}\Big[\ln x\Big]_1^t=\lim_{t\to\infty}\ln t=\infty$$

이때 $x\geq 1$에서 곡선 $y=\dfrac{1}{x}$과 x축 사이의 넓이보다 모든 직사각형의 넓이의 합

$\displaystyle\sum_{n=1}^{\infty}\dfrac{1}{n}$이 크므로 $\displaystyle\sum_{n=1}^{\infty}\dfrac{1}{n}=\infty$이다. 즉, 급수 $\displaystyle\sum_{n=1}^{\infty}\dfrac{1}{n}$은 발산한다.

(2) 급수 $\displaystyle\sum_{n=1}^{\infty}\dfrac{1}{n^2}$의 수렴성

함수 $g(x)=\dfrac{1}{x^2}$을 생각하자. 이 함수는 구간 $[1,\ \infty)$에서 감소하고 $g(x)>0$이다.

이때 정적분 $\int_1^\infty g(x)dx$의 값은 구간 $[1,\ \infty)$에서 곡선 $y=g(x)$와 x축 사이의 넓

이와 같고, 급수 $\displaystyle\sum_{n=1}^{\infty}g(n)=\sum_{n=1}^{\infty}\dfrac{1}{n^2}$의 합은 다음 그림에서 가로의 길이가 1, 세로의

길이가 $\dfrac{1}{n^2}$인 직사각형의 넓이의 합과 같다.

정적분 $\int_1^\infty g(x)dx$의 수렴, 발산을 조사하면

$$\int_1^\infty \frac{1}{x^2}dx=\lim_{t\to\infty}\int_1^t \frac{1}{x^2}dx=\lim_{t\to\infty}\Big[-\frac{1}{x}\Big]_1^t=\lim_{t\to\infty}\Big(-\frac{1}{t}+1\Big)=1$$

로 수렴한다.

이때 $\displaystyle\sum_{n=1}^{\infty}\dfrac{1}{n^2}=1+\sum_{n=2}^{\infty}\dfrac{1}{n^2}<1+\int_1^\infty \dfrac{1}{x^2}dx=2$이므로 급수 $\displaystyle\sum_{n=1}^{\infty}\dfrac{1}{n^2}$도 수렴함을 알

수 있다.❷

❶ $\displaystyle\int_1^\infty f(x)\,dx$

$=\displaystyle\lim_{t\to\infty}\int_1^t f(x)\,dx$

로 정의한다. 이와 같은 적분을 '이상적분'이라 부른다.

❷ 급수 $\displaystyle\sum_{n=1}^{\infty}\dfrac{1}{n^2}$의 합은 오일러(1707~1783)에 의해 $\dfrac{\pi^2}{6}$임이 밝혀져 있다.

적분판정법을 이용하면 일반적인 방법으로 수렴, 발산을 판정할 수 없던 여러 가지 급수에 대하여 그 수렴, 발산을 판정할 수 있다. 단, 적분판정법으로는 주어진 급수의 수렴, 발산만 판정할 수 있을 뿐 주어진 급수가 수렴한다고 해도 그 값이 정확히 얼마인지는 알 수 없다.

■ EXAMPLE 01 급수 $\sum\limits_{n=1}^{\infty} \dfrac{1}{n^3}$ 의 수렴, 발산을 판정하여라.

ANSWER $x \geq 1$에서 연속함수 $f(x) = \dfrac{1}{x^3}$ 은 감소하고 $f(x) > 0$이므로 적분판정법을 이용할 수 있다. 이때

$$\int_1^{\infty} f(x)\,dx = \lim_{t \to \infty} \int_1^t \frac{1}{x^3}\,dx = \lim_{t \to \infty} \left[-\frac{1}{2x^2} \right]_1^t$$

$$= \lim_{t \to \infty} \left(-\frac{1}{2t^2} + \frac{1}{2} \right) = \frac{1}{2}$$

따라서 정적분 $\int_1^{\infty} f(x)\,dx$가 수렴하므로 주어진 급수 $\sum\limits_{n=1}^{\infty} \dfrac{1}{n^3}$ 도 **수렴**한다. ■

APPLICATION 01 급수 $\sum\limits_{n=1}^{\infty} \dfrac{1}{\sqrt{n}}$ 의 수렴, 발산을 판정하여라. Sub Note 201쪽

급수 $\sum\limits_{n=1}^{\infty} \dfrac{1}{n^p}$ 의 수렴 판정 과정은 다음과 같은 적분 과정을 거치게 된다.

$$\int_1^{\infty} \frac{1}{x^p}\,dx = \lim_{t \to \infty} \int_1^t \frac{1}{x^p}\,dx = \lim_{t \to \infty} \left[\frac{1}{1-p} x^{-p+1} \right]_1^t$$

$$= \lim_{t \to \infty} \left\{ \frac{1}{(1-p) \cdot t^{p-1}} + \frac{1}{p-1} \right\}$$

이 식을 통해 $p > 1$이면 $\int_1^{\infty} \dfrac{1}{x^p}\,dx$가 항상 $\dfrac{1}{p-1}$ 로 수렴하므로 급수 $\sum\limits_{n=1}^{\infty} \dfrac{1}{n^p}$ 도 수렴함을 알 수 있다.

$$y = \frac{1}{3} \cdot \left[h_I(r_{I_2}^3 - r_{I_1}^3) + h_{II}(r_{II_2}^3 - r_{II_1}^3) + h_{III}(r_{III_2}^3 - r_{III_1}^3) \right]$$

앞에서 다룬 급수 $\sum\limits_{n=1}^{\infty} \dfrac{1}{n^p}$ $(p > 0)$의 경우에는 함수 $f(x) = \dfrac{1}{x^p}$ 이 구간 $[1, \infty)$에서 $f(x) > 0$이고 감소하므로 바로 적분판정법을 이용할 수 있었다. 하지만 일반적인 경우에는 구간 $[1, \infty)$에서 $f(x) > 0$이고 감소한다는 보장이 없으므로 이를 반드시 확인해 보아야 한다.

EXAMPLE *02* 급수 $\sum\limits_{n=1}^{\infty} \dfrac{\ln n}{n}$ 의 수렴, 발산을 판정하여라.

ANSWER $f(x) = \dfrac{\ln x}{x}$ 라 하면

구간 $[1, \infty)$에서 $f(x) > 0$이고, $f'(x) = \dfrac{1 - \ln x}{x^2}$ 이므로 $x \geq e$일 때 $f(x)$는 감소한다. 즉, 적분판정법을 이용할 수 있다. (비록 $1 < x < e$일 때 $f(x)$는 증가하지만 $x = e$일 때 최댓값이 $\dfrac{1}{e}$로 값이 유한하므로 적분판정법을 이용할 수 있다.)

이때

$$\int_1^{\infty} \frac{\ln x}{x} \, dx = \lim_{t \to \infty} \int_1^t \frac{\ln x}{x} \, dx$$
$$= \lim_{t \to \infty} \left[\frac{1}{2} (\ln x)^2 \right]_1^t$$
$$= \lim_{t \to \infty} \frac{1}{2} (\ln t)^2 = \infty$$

따라서 주어진 급수 $\sum\limits_{n=1}^{\infty} \dfrac{\ln n}{n}$ 은 **발산**한다. ■

APPLICATION *02* 급수 $\sum\limits_{n=1}^{\infty} n e^{-n}$의 수렴, 발산을 판정하여라. Sub Note 201쪽

02. 미분방정식-변수분리형

과학자, 공학자들은 자연 세계에서 일어나는 수많은 현상을 수학을 이용하여 연구해왔다. 이 과정에서 가장 유용하게 사용하는 방법이 바로 **미분방정식**이다.

미분방정식(Differential Equation)이란
어떤 함수와 그 도함수 사이의 관계를 나타내는 방정식을 말한다.[3]

과학자들은 여러 현상을 관측, 연구하여 미분방정식으로 표현한 후 이것을 풀고, 그 결과를 토대로 앞으로 어떤 현상이 더 일어날 것인지를 예측한다. 심지어는 자연과학, 공학뿐만 아니라, 경제학, 금융 등의 사회과학 분야에서도 미분방정식을 이용하여 주가, 금리 등을 모델링하기도 한다.

다음은 생물학에서 사용되는 미분방정식의 한 예이다.

[3] 간단한 형태로 예를 들면 다음과 같다.
$$\frac{dy}{dx} = xy,$$
$$y' = xy^2 + 2xy$$
사실 우리는 이미 몇몇 문제를 통해 미분방정식을 푼 경험이 있다.
풀이 도중 $\frac{f'(x)}{f(x)} = 1$과 같은 식을 얻었던 것을 기억하는가?
$y = f(x)$로 나타내면 위의 식은
$$\frac{dy}{dx} \cdot \frac{1}{y} = 1, \text{ 즉 } \frac{dy}{dx} = y$$
와 같다.

'영원히 사는' 어떤 생물의 개체 수를 N, 시간을 t라 하면

시간당 개체 수의 증가량 $\frac{dN}{dt}$ 는 개체 수 N에 비례하므로 미분방정식

$\frac{dN}{dt} = kN$ (단, k는 비례상수)이 성립한다고 볼 수 있다.

하지만 좀 더 현실적으로 죽음 등의 이유로 개체 수 감소가 발생하는 평범한 생물

을 생각해 보면 기본적으로 $\frac{dN}{dt}$ 는 N이 커지면 역시 커지겠지만, 개체 수가 너

무 많아지면 먹이 부족 등의 요인으로 인해 증가 속도 $\frac{dN}{dt}$ 가 작아지고 심하게

는 음수가 될 수도 있을 것이다.

따라서 비례상수 k 대신, N이 커져도 개체 수가 적당히 균형이 잡히도록 조절할

수 있는 비례상수를 도입하여 다음과 같은 미분방정식이 성립한다.

$\frac{dN}{dt} = (k - rN)N$ (단, k, r는 비례상수)   ······ (★)

$$y = \frac{1}{3} \cdot \left[h_I (r_{I_2}^3 - r_{I_1}^3) + h_{II} (r_{II_2}^3 - r_{II_1}^3) + h_{III} (r_{III_2}^3 - r_{III_1}^3) \right]$$

앞의 식 (★)과 같이 생물학의 한 분야인 생태학에서 개체군 성장의 단순한 모델로 고안된 미분방정식을 **로지스틱 방정식**(logistic equation)이라 하며, 생태학뿐만 아닌 인구 추산이나 해충 발생에 대한 예상 등 여러 분야에서 널리 사용되고 있다.[4]

다음은 물리학에서 사용되는 미분방정식의 한 예이다.

> 지구상에서 질량이 m인 물체가 중력을 받아 공중에서 자유낙하하고 있다고 하자. 이때 이 물체에는 공기에 의한 저항력이 물체가 낙하하는 반대 방향으로 작용하고 있고, 그 크기는 물체가 낙하하는 속도 v에 비례한다고 하자. 그러면 물체가 받는 총 힘 F는
>
> $F = mg - bv$ (단, g는 중력가속도, b는 비례상수)
>
> 이다.
> 따라서 뉴턴의 제2법칙[5]에 의하여 얻을 수 있는 운동방정식을 적용하면
>
> $mg - bv = ma$ (단, a는 물체의 가속도) $\quad \cdots\cdots$ ㉠
>
> 또 v를 물체의 속도, t를 시간이라 하면 가속도의 정의로부터
>
> $a = \dfrac{dv}{dt}$ $\quad\qquad\qquad\qquad \cdots\cdots$ ㉡
>
> ㉠, ㉡에 의하여 다음과 같은 미분방정식을 얻을 수 있다.
>
> $mg - bv = m \dfrac{dv}{dt}$ $\qquad\qquad \cdots\cdots$ (●)

위의 식 (●)이 곧 공기 저항을 받는 물체의 자유낙하를 묘사하는 미분방정식이다. 이 미분방정식을 풀면 물체의 운동에 대한 구체적인 정보를 알 수 있다.

미분방정식의 활용은 실생활과 밀접한 관계가 있어서 모든 현상에 대한 미분방정식을 세우고 풀 수 있다면 실생활의 모든 변화를 설명할 수 있을 것이다. 하지만 아직까지 그러지 못하는 이유는 복잡한 미분방정식을 세우고 푸는 일이 결코 쉬운 일이 아니기 때문이다.

❹ 사실 로지스틱 방정식과 같이 모델링에 의하여 세워진 미분방정식은 실제 현상을 완벽하게 재현하는 것은 거의 불가능하다. 이는 모델링이 실제 현상의 특징을 모두 반영하지 못하기 때문이다. 그러나 비록 실제 현상과는 다소 차이가 있더라도, 미분방정식에 중요한 특징은 이미 반영되어 있기 때문에 이를 통해 미래의 개체 수를 대략 추측하는 데에는 큰 무리가 없다. 생물의 개체 수를 정확히 1마리 단위로 예측하는 것은 불가능하고, 그럴 필요도 없다.

❺ 질량이 m인 물체에 작용하는 힘의 크기를 F, 가속도를 a라 하면 $F = ma$가 성립한다.

여기서는 우리가 아는 지식으로 충분히 해결할 수 있는 간단한 미분방정식을 접하는 정도로 만족하기로 하자. 우리가 해결할만한 간단한 미분방정식으로는 **변수분리형 미분방정식**이 있다.

> **변수분리형 미분방정식**
>
> 1계 미분방정식의 형태가 $g(y)\dfrac{dy}{dx}=f(x)$ 꼴로 변수분리가 가능할 때 변수분리형 미분방정식이라 한다.

변수분리형 미분방정식은 방정식의 두 변수를 좌변과 우변으로 완전히 분리한 후 양변을 적분하여 푼다. 즉, 다음과 같이 방정식에 $\dfrac{dy}{dx}$ 가 있으면 두 변수 x와 y를 각각 우변과 좌변으로 보낸 후 양변을 적분한다.

❻ 수학적으로 좀 더 정확한 논리는 다음과 같다.
미분방정식
$$g(y)\frac{dy}{dx}=f(x)$$
에서 양변을 x에 대하여 적분하면
$$\int\!\Big(g(y)\frac{dy}{dx}\Big)dx$$
$$=\int f(x)\,dx$$
이때 치환적분법을 이용하여 좌변을 정리하면
$$\int\!\Big(g(y)\frac{dy}{dx}\Big)dx$$
$$=\int g(y)\,dy$$
이므로
$$\int g(y)dy=\int f(x)\,dx$$

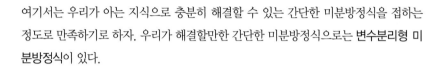

$$g(y)\frac{dy}{dx}=f(x) \;\Rightarrow\; g(y)\,dy=f(x)\,dx \;\Rightarrow\; \int g(y)\,dy=\int f(x)\,dx \;^{❻}$$

또한 '미분방정식을 풀어라.' 의 의미는 '주어진 미분방정식을 도함수가 아닌 원래 함수의 식으로 나타내어라.' 이다.

EXAMPLE *03* 미분방정식 $\dfrac{dy}{dx}=y(x+1)$을 풀어라.

ANSWER 주어진 미분방정식의 두 변수 x와 y를 양변으로 분리하면

$$\frac{1}{y}\,dy=(x+1)\,dx$$

양변에 부정적분을 취하면 $\displaystyle\int\frac{1}{y}\,dy=\int(x+1)\,dx$

$$\ln y=\frac{1}{2}x^2+x+C',\; y=e^{\frac{1}{2}x^2+x+C'}$$

$$\therefore\; \boldsymbol{y=Ce^{\frac{1}{2}x^2+x}} \;\blacksquare \;\; \leftarrow C=e^C\text{으로 놓고 간단히 정리}$$

$$y = \frac{1}{3} \cdot \left[h_{I}\left(r_{I_2}^3 - r_{I_1}^3\right) + h_{II}\left(r_{II_2}^3 - r_{II_1}^3\right) + h_{III}\left(r_{III_2}^3 - r_{III_1}^3\right) \right]$$

지금부터 실생활과 관련된 미분방정식을 풀어 보면서 좀 더 이해해 보자.

EXAMPLE *04*   질량이 1인 물체를 자유낙하시켰을 때, 시각 t에 대한 물체의 낙하속도 v가 다음 미분방정식을 만족시킨다고 한다.

$$\frac{dv}{dt} = 10 - 2v \text{ (단, } t=0 \text{일 때 } v=0)$$

이때 v를 t에 대한 함수로 나타내어라.

ANSWER   주어진 미분방정식의 두 변수 v와 t를 양변으로 분리하면

$$\frac{1}{10-2v} \, dv = dt$$

양변에 부정적분을 취하면 $\displaystyle\int \frac{1}{10-2v} \, dv = \int dt$

$$\therefore -\frac{1}{2} \ln(10-2v) = t + C$$

$t=0$일 때 $v=0$이므로 $C = -\frac{1}{2} \ln 10$

따라서 $-\frac{1}{2}\ln(10-2v) = t - \frac{1}{2}\ln 10$이므로

$$\ln(10-2v) = -2t + \ln 10, \ 10-2v = e^{-2t+\ln 10}$$
$$2v = 10 - 10e^{-2t} \quad \therefore \boldsymbol{v = 5 - 5e^{-2t}} \ \blacksquare$$

[참고] 이때 낙하속도 v는 $\displaystyle\lim_{t\to\infty}(5-5e^{-2t}) = 5$를 넘지 못하는데, 이 한계 낙하속도를 종단 속도라 한다.

Sub Note 201쪽

APPLICATION *03*   우라늄과 같은 방사성 원소는 원자핵이 붕괴되면서 다른 원소로 변한다. 시각 t에서 붕괴되고 남은 원소의 양을 $x = x(t)$라 하자. 이러한 원소가 붕괴되는 속도는 그때의 원소의 양에 비례하므로 다음과 같은 식이 성립한다.

$$\frac{dx}{dt} = -kx \text{ (단, } k\text{는 양의 비례상수)}$$

$x(0) = x_0$이라 할 때, 다음 물음에 답하여라.

(1) x를 t에 대한 함수로 나타내어라.

(2) 남은 원소의 양이 $\frac{x_0}{2}$이 되는 데 걸리는 시간, 즉 반감기를 구하여라.

MATH for ESSAY   **437**

내신 · 모의고사
대비 TEST

숨마쿰라우데®

[미적분]

I. 수열의 극한
II. 미분법
III. 적분법

01 수열의 극한

기본 ☑ Exercises

01 두 수열 $\{a_n\}$, $\{b_n\}$에 대하여 $\lim\limits_{n\to\infty} a_n = -2$,

$\lim\limits_{n\to\infty} b_n = 3$일 때, $\lim\limits_{n\to\infty} \dfrac{a_n - 2b_n}{a_n b_n + 4}$의 값은?

① -4 ② -2 ③ 1

④ 2 ⑤ 4

02 수열 $\{a_n\}$의 첫째항부터 제n항까지의 합 S_n이

$S_n = n \cdot 3^{n-1}$일 때, $\lim\limits_{n\to\infty} \dfrac{a_n}{S_n}$의 값을 구하여라.

03 $\lim\limits_{n\to\infty}\{\sqrt{4n^2 + 4n} - (an + b)\} = 5$일 때, 상수 a,

b에 대하여 $a - b$의 값은?

① -10 ② -6 ③ -2

④ 6 ⑤ 10

04 수열 $\{a_n\}$이 모든 자연수 n에 대하여

$4n < a_n < 4n + 1$을 만족시킬 때,

$\lim\limits_{n\to\infty} \dfrac{a_1 + a_2 + a_3 + \cdots + a_n}{8n^2 - 5}$의 값은?

① $\dfrac{1}{8}$ ② $\dfrac{1}{6}$ ③ $\dfrac{1}{4}$

④ $\dfrac{1}{2}$ ⑤ 1

05 a, b, s, r가 $a \neq 0$, $b = 0$, $0 < s < 1$, $r > 1$인
실수일 때, 보기의 등비수열 중 수렴하는 것만을 있는
대로 고른 것은?

┤ 보기 ├

ㄱ. $\{ar^{n-1}\}$ ㄴ. $\{br^{n-1}\}$ ㄷ. $\{ar^{-n}s^{n-1}\}$

① ㄴ ② ㄷ ③ ㄱ, ㄴ

④ ㄴ, ㄷ ⑤ ㄱ, ㄴ, ㄷ

06 수렴하는 수열 $\{a_n\}$에 대하여

$\lim\limits_{n\to\infty} \dfrac{2^{n+1} \cdot a_n - 3^{n+1}}{3^n \cdot a_n + 2^n} = -\dfrac{1}{2}$일 때, $\lim\limits_{n\to\infty} a_n$의 값을 구하
여라.

발전 ☑ **Exercises**

07 자연수 n에 대하여 $\sqrt{4n^2+2n}=a_n+b_n$일 때, $\lim\limits_{n\to\infty} b_n$의 값은? (단, a_n은 정수, $0\le b_n<1$)

① $\dfrac{1}{2}$ 　　　② $\dfrac{2}{3}$ 　　　③ $\dfrac{3}{4}$

④ $\dfrac{4}{5}$ 　　　⑤ $\dfrac{5}{6}$

08 $\lim\limits_{n\to\infty} f\left(\dfrac{1}{n}\right)=10$, $\lim\limits_{n\to\infty}(\sqrt{f(n)}-n)=1$을 만족시키는 다항함수 $f(x)$에 대하여 $f(1)$의 값은?

(단, n은 자연수)

① 10 　　　② 11 　　　③ 12

④ 13 　　　⑤ 14

09 자연수 n에 대하여 곡선 $y=(x-n)^2$과 직선 $y=\dfrac{1}{n}x$가 만나는 두 점 사이의 거리를 d_n이라 할 때, $\lim\limits_{n\to\infty} d_n$의 값을 구하여라.

10 $a_1=2$, $a_{n+1}=\dfrac{5a_n+3}{a_n+3}$ $(n=1,\ 2,\ 3,\ \cdots)$으로 정의된 수열 $\{a_n\}$에 대하여 |보기| 중 옳은 것만을 있는 대로 고른 것은?

┤ 보기 ├

ㄱ. $\dfrac{a_{n+1}+1}{a_{n+1}-3}=k\cdot\dfrac{a_n+1}{a_n-3}$ 을 만족시키는 k의 값은 3이다.

ㄴ. $\dfrac{a_n+1}{a_n-3}=-3^n$이다.

ㄷ. $\lim\limits_{n\to\infty} a_n=3$이다.

① ㄱ 　　　② ㄷ 　　　③ ㄱ, ㄴ

④ ㄴ, ㄷ 　　　⑤ ㄱ, ㄴ, ㄷ

11 다음 그림과 같이 한 변의 길이가 1인 정삼각형 ABC의 변 BC의 중점을 P_1이라 하고 점 P_1에서 변 AB에 평행한 선을 그어 변 AC와의 교점을 Q_1, 점 Q_1에서 변 BC에 평행한 선을 그어 변 AB와의 교점을 R_1, 점 R_1에서 변 BC에 내린 수선의 발을 P_2라 하자. 이와 같은 과정을 한없이 계속할 때, $\lim\limits_{n\to\infty}\overline{BP_n}$의 값을 구하여라.

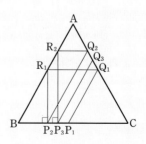

02 급수

기본 ☑ Exercises

01 급수 $1+\dfrac{1}{1+2}+\dfrac{1}{1+2+3}+\cdots$의 합은?

① $\dfrac{19}{10}$ ② 2 ③ $\dfrac{13}{6}$

④ $\dfrac{8}{3}$ ⑤ 3

02 급수 $\displaystyle\sum_{n=1}^{\infty}\log\left(1+\dfrac{1}{3^{2^{n}}}\right)$의 합은?

① $\log\dfrac{9}{8}$ ② $\log\dfrac{4}{3}$ ③ $\log 2$

④ $\log\dfrac{5}{2}$ ⑤ $\log 3$

03 급수 $(a_1-1)+\left(a_2-\dfrac{3}{2}\right)+\left(a_3-\dfrac{5}{3}\right)+\cdots$가 수렴할 때, $\displaystyle\lim_{n\to\infty}a_n$의 값을 구하여라.

04 등비수열 $\{a_n\}$에 대하여 $a_1=1$이고 $\displaystyle\sum_{n=1}^{\infty}a_n$이 수렴할 때, 급수 $\displaystyle\sum_{n=1}^{\infty}a_n$의 합의 범위를 구하여라.

05 등비수열 $\{a_n\}$에 대하여 $\displaystyle\sum_{n=1}^{\infty}a_n=3$, $\displaystyle\sum_{n=1}^{\infty}a_n^{\,2}=6$일 때, a_3의 값은?

① $\dfrac{12}{125}$ ② $\dfrac{1}{5}$ ③ $\dfrac{28}{125}$

④ $\dfrac{2}{5}$ ⑤ $\dfrac{56}{125}$

06 다음 그림과 같이 원 O_1 밖의 한 점 P에서 원 O_1에 그은 두 접선의 접점을 각각 Q, R라 하고 $\overline{PR}=6\sqrt{3}$, $\angle RPQ=60°$이다. 선분 PQ와 선분 PR에 접하고 원 O_1에 외접하는 원 O_2를 그린 다음 선분 PQ와 선분 PR에 접하고 원 O_2에 외접하는 원 O_3을 그린다. 이와 같은 과정을 한없이 계속하여 원을 그려 나갈 때, 모든 원의 반지름의 길이의 합은?

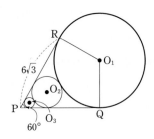

① $5\sqrt{3}$ ② 9 ③ 10

④ $6\sqrt{3}$ ⑤ 12

발전 ☑ **Exercises**

07 수열 $\{a_n\}$에 대하여 $\sum_{n=1}^{\infty}\left\{a_n - \dfrac{1}{n(n+2)}\right\} = 3$ 일 때, 급수 $\sum_{n=1}^{\infty} a_n$의 합을 구하여라.

08 급수 $\sum_{n=1}^{\infty} \dfrac{n+2}{n(n+1)} \cdot \left(\dfrac{1}{2}\right)^n$의 합은?

① 1 ② $\dfrac{5}{4}$ ③ $\dfrac{3}{2}$

④ $\dfrac{7}{4}$ ⑤ 2

09 등비급수 $1 + a + a^2 + a^3 + \cdots$ 이 수렴하고, 그 합이 ka일 때, |보기 중 k의 값이 될 수 없는 것만을 있는 대로 고른 것은? (단, $a \neq 0$)

┤ 보기 ├
ㄱ. -10 ㄴ. $-\sqrt{2}$
ㄷ. $\sqrt{2}$ ㄹ. 4

① ㄱ   ② ㄷ   ③ ㄱ, ㄹ
④ ㄴ, ㄷ   ⑤ ㄱ, ㄷ, ㄹ

10 3^n을 분모로 하는 기약분수 중 0과 1 사이에 있는 것들의 합을 S_n이라 할 때, 급수 $\sum_{n=1}^{\infty} \dfrac{1}{S_n}$의 합을 구하여라.

11 자연수 n에 대하여 $1523^n + 7$을 5로 나누었을 때의 나머지를 a_n이라 하자. 이때 급수 $\sum_{k=1}^{\infty} \dfrac{a_k}{10^k}$의 합은?

① $\dfrac{14}{999}$ ② $\dfrac{143}{9999}$ ③ $\dfrac{1430}{9999}$

④ $\dfrac{1430}{99999}$ ⑤ $\dfrac{14308}{99999}$

12 다음 그림과 같이 한 변의 길이가 2인 정육각형에서 각 변의 중점을 차례로 연결하여 다시 정육각형을 만드는 과정을 한없이 계속할 때, 모든 정육각형의 둘레의 길이의 합을 구하여라.

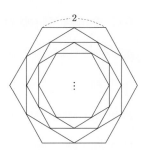

03 지수함수와 로그함수의 미분

기본 ☑ **Exercises**

01 함수 $f(x)=\dfrac{2^{x+1}+3^x}{2^x+3^{x+1}}$일 때, $\lim\limits_{x\to\infty}f(x)$의 값은?

① 2   ② 1   ③ $\dfrac{1}{2}$

④ $\dfrac{1}{3}$ ⑤ 0

02 모든 실수 x에서 연속인 함수 $f(x)$가 $(e^{-3x}-1)f(x)=x$를 만족시킬 때, $f(0)$의 값은?

① $-\dfrac{1}{3}$ ② $-\dfrac{1}{e^3}$ ③ 0

④ $\dfrac{1}{e}$ ⑤ 1

03 함수 $f(x)=3\ln x$의 역함수를 $g(x)$라 할 때, $\lim\limits_{x\to0}\dfrac{f(x+1)}{g(x)-g(0)}$의 값은?

① 1   ② 3   ③ 9

④ $\dfrac{1}{3}$ ⑤ $\dfrac{1}{9}$

04 $\lim\limits_{x\to0}\dfrac{(a+2)^x-a^x}{x}=\ln2$일 때, 양수 a의 값은?

① 0   ② $\dfrac{1}{4}$ ③ $\dfrac{1}{2}$

④ 2   ⑤ 4

05 $\lim\limits_{x\to0}\dfrac{\ln(2x+a)}{e^x-1}=b$를 만족시키는 상수 a, b에 대하여 $a+b$의 값은?

① 1   ② 2   ③ 3

④ 4   ⑤ 5

06 함수 $f(x)=\begin{cases} x^3-ax+2 & (x>1) \\ be^{-x} & (x\le1) \end{cases}$ 이 모든 실수 x에서 미분가능할 때, $f'(-3)+f'(3)$의 값은?

(단, a, b는 상수)

① 20   ② 21   ③ 22

④ 23   ⑤ 24

발전 ☑ Exercises

07 곡선 $y=2^x$을 x축의 방향으로 1만큼 평행이동한 곡선을 $y=f(x)$, y축의 방향으로 1만큼 평행이동한 곡선을 $y=g(x)$라 하자. 직선 $x=k$가 x축과 만나는 점을 P, 곡선 $y=f(x)$와 만나는 점을 Q, 곡선 $y=g(x)$와 만나는 점을 R라 할 때, $\lim\limits_{k\to\infty}\dfrac{\overline{PR}}{\overline{PQ}}$의 값은?

① 1　　　　② $\sqrt{2}$　　　　③ 2

④ 3　　　　⑤ 4

08 $\lim\limits_{x\to\infty}\left(1-\dfrac{10}{x}+\dfrac{9}{x^2}\right)^x$의 값은?

① 1　　　　② e　　　　③ $\dfrac{1}{e^8}$

④ $\dfrac{1}{e^9}$　　　　⑤ $\dfrac{1}{e^{10}}$

09 $\lim\limits_{x\to0}(1+7x^2+9x^4)^{\frac{1}{x^2}}$의 값은?

① 0　　　　② 1　　　　③ 7

④ e　　　　⑤ e^7

10 함수 $f(x)=\dfrac{x}{e^x+e^{2x}+\cdots+e^{nx}-n}$에 대하여 $g(n)=\lim\limits_{x\to0}f(x)$라 하자. $\sum\limits_{n=1}^{\infty}g(n)$의 값은?

① 1　　　　② 2　　　　③ 3

④ 4　　　　⑤ 5

11 함수 $f(x)=e^{2x}+\dfrac{x}{2}$에 대하여 $100\lim\limits_{x\to0}\dfrac{f(3x)-1}{x}$의 값을 구하여라.

12 두 실수 a, b에 대하여 함수 $f(x)=\dfrac{1}{1+ae^{bx}}$이 실수 전체에서 연속이고 $\lim\limits_{x\to-\infty}f(x)=0$을 만족시킬 때, 옳은 것만을 |보기|에서 있는 대로 고른 것은?

|　보기　|

ㄱ. $a>0$　　　ㄴ. $b<0$　　　ㄷ. $\lim\limits_{x\to\infty}f(x)=1$

① ㄱ　　　② ㄱ, ㄴ　　　③ ㄱ, ㄷ

④ ㄴ, ㄷ　　　⑤ ㄱ, ㄴ, ㄷ

04 삼각함수의 미분

기본 ☑ **Exercises**

01 $\sec\theta=\sqrt{2}$일 때, $\sqrt{\dfrac{1-\cos\theta}{1+\sin\theta}+\cot^2\theta}$의 값은? $\left(\text{단, } 0<\theta<\dfrac{\pi}{2}\right)$

① $\sqrt{2}-1$ ② 1 ③ $\sqrt{2}$
④ $\sqrt{2}+1$ ⑤ $\sqrt{2}+2$

02 $\sin\alpha+\cos\beta=\dfrac{2}{3}$, $\cos\alpha+\sin\beta=\dfrac{4\sqrt{2}}{3}$일 때, $\sin(\alpha+\beta)$의 값은?

① $\dfrac{1}{4}$ ② $\dfrac{1}{3}$ ③ $\dfrac{1}{2}$
④ $\dfrac{3}{4}$ ⑤ 1

03 다음 그림과 같이 두 직각삼각형 ABC와 ADE가 있다. $\overline{AB}=\overline{DE}=3$, $\overline{BC}=\overline{AD}=4$, $\overline{BC}/\!/\overline{DE}$, $\angle CAE=\theta$일 때, $\tan\theta$의 값을 구하여라.

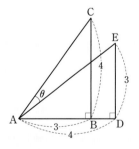

04 함수 $f(x)=\cos 2x-2\sin x-3$의 최댓값은?

① -3 ② $-\dfrac{5}{2}$ ③ -2
④ $-\dfrac{3}{2}$ ⑤ -1

05 함수 $y=a\cos x$의 그래프를 x축의 방향으로 m만큼, y축의 방향으로 n만큼 평행이동하면 함수 $y=3\sin x+\sqrt{3}\cos x-1$의 그래프와 겹쳐진다. 이때 상수 a, m, n의 곱 amn의 값을 구하여라. (단, $0\le m\le\pi$)

06 함수 $f(x)=\begin{cases}\dfrac{\sin 2(x-1)}{x-1} & (x\ne 1)\\ k & (x=1)\end{cases}$ 가 $x=1$에서 연속일 때, 상수 k의 값을 구하여라.

07 함수 $f(x)=e^x\sin x$에 대하여 구간 $(0, 2\pi)$에서 $f'(x)=0$을 만족시키는 모든 x의 값의 합을 구하여라.

발전 ☑ **Exercises**

08 다음 그림과 같이 반지름의 길이가 1인 원 O 위에 두 점 A, B가 있다. 점 A에서의 접선이 $\overline{OB}$의 연장선과 만나는 점을 P, 점 B에서 $\overline{OA}$에 내린 수선의 발을 Q라 하고 ∠AOB=θ라 하면 $\overline{OQ}=2\overline{PA}\cdot\overline{BQ}$가 성립할 때, $\csc\theta\sec\theta\cot\theta$의 값을 구하여라.

$$\left(\text{단, } 0<\theta<\frac{\pi}{2}\right)$$

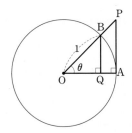

09 이차방정식 $x^2-7x+3=0$의 두 근을 $\tan\alpha$, $\tan\beta$라 할 때, $\tan\dfrac{\alpha+\beta}{2}\tan(\alpha+\beta)$의 값을 구하여라.

$$\left(\text{단, } 0<\alpha<\frac{\pi}{2},\ 0<\beta<\frac{\pi}{2}\right)$$

10 반지름의 길이가 4인 원에 내접하는 정팔각형의 한 변의 길이를 t라 할 때, 다음 중 $\dfrac{t^2}{8}$을 근으로 갖는 이차방정식은?

① $x^2-8x+8=0$ ② $x^2+8x+8=0$
③ $x^2+8x-4=0$ ④ $x^2+4x-8=0$
⑤ $x^2+2x-4=0$

11 $\displaystyle\lim_{x\to 0}\frac{\cos 2x-(ax+b)}{x^2}=c$를 만족시키는 상수 a, b, c에 대하여 $a-b+c$의 값은?

① -3 ② -1 ③ 0
④ 1 ⑤ 3

12 $\displaystyle\lim_{x\to 0}\frac{10x^2+20x^2+\cdots+100x^2}{10-(\cos x+\cos 2x+\cdots+\cos 10x)}$의 값을 구하여라.

13 함수 $f(x)=\sin x+\cos x$에 대하여 $\displaystyle\lim_{x\to 0}\frac{f(-\sin x)-1}{x}$의 값을 구하여라.

05 여러 가지 미분법

기본 ☑ Exercises

01 함수 $f(x) = \dfrac{\cos x}{3(\sin x + \cos x)}$ 에 대하여

$f'\left(\dfrac{\pi}{4}\right)$의 값은?

① $-\dfrac{1}{2}$ ② $-\dfrac{1}{3}$ ③ $-\dfrac{1}{6}$

④ $\dfrac{1}{3}$ ⑤ $\dfrac{1}{2}$

02 미분가능한 두 함수 $f(x)$, $g(x)$가 다음 두 조건을 만족시킬 때, $g'(1)$의 값을 구하여라.

(가) $f'(3) = 8$, $g(1) = 3$
(나) $f(g(x)) = 5x^2 + 6x - 4$

---

03 곡선 $xy^2 + 2\sqrt{x} - 8 = 0$ 위의 점 $(4,\ 1)$에서의 접선의 기울기는?

① $-\dfrac{3}{16}$ ② $-\dfrac{5}{16}$ ③ $-\dfrac{7}{16}$

④ $-\dfrac{9}{16}$ ⑤ $-\dfrac{11}{16}$

04 $\displaystyle\lim_{x \to 1}\dfrac{f(x) - 2}{x - 1} = \dfrac{1}{3}$을 만족시키는 미분가능한 함수 $f(x)$가 역함수 $g(x)$를 가질 때, $g'(2)$의 값을 구하여라.

05 함수 $f(x) = (\ln x)^2$에 대하여 옳은 것만을 |보기|에서 있는 대로 고른 것은?

보기

ㄱ. $f(1) = f(e) - 1$
ㄴ. $f'(1) = 0$
ㄷ. $\displaystyle\lim_{x \to 1}\dfrac{f'(x)}{x - 1} = f''(1)$

---

① ㄱ   ② ㄴ   ③ ㄱ, ㄷ
④ ㄴ, ㄷ   ⑤ ㄱ, ㄴ, ㄷ

06 $y = a\sin(2x + b)\ (a \neq 0)$일 때, 등식 $y'' + cy = 0$이 모든 실수 x에 대하여 항상 성립하도록 하는 상수 c의 값을 구하여라. (단, a, b는 상수)

발전 ☑ **Exercises**

07 함수 $f(x)=\dfrac{ax+b}{x^2+1}$ 가 두 조건

$$\lim_{x\to 1}\frac{f(x)-f(1)}{x-1}=\frac{1}{2},\ \lim_{x\to 0}\frac{f(x)-f(0)}{2x}=1$$

을 모두 만족시킬 때, 상수 $a,\ b$에 대하여 a^2+b^2의 값을 구하여라.

08 $\lim\limits_{x\to 0}\dfrac{2^{\sin x}+e^{3x}-2}{x}$ 의 값은?

① $\ln 2$ ② $\ln 3$ ③ $\ln 2+3$

④ $\ln 5$ ⑤ $\ln 5+3$

09 $\lim\limits_{x\to 0}\dfrac{1}{x}\ln\dfrac{e^x+e^{2x}+\cdots+e^{10x}}{10}$ 의 값은?

① $\dfrac{9}{2}$ ② 5 ③ $\dfrac{11}{2}$

④ 6 ⑤ $\dfrac{13}{2}$

10 함수 $f(x)=x^{4\ln x}$에 대하여

$\lim\limits_{h\to 0}\dfrac{f(e+3h)-f(e-3h)}{h}$ 의 값을 구하여라.

11 매개변수 θ로 나타낸 곡선 $x=1+\cos\theta$, $y=\theta-\sin\theta$ 위의 점 $\mathrm{P}(a,\ b)$에서의 접선의 기울기가 -1일 때, $a+b$의 값을 구하여라. (단, $0<\theta<2\pi$)

12 함수 $f(x)=\ln(x+\sqrt{x^2+1})$에 대하여 옳은 것만을 |보기|에서 있는 대로 고른 것은?

┤ 보기 ├

ㄱ. $f'(\sqrt{3})=\dfrac{1}{4}$

ㄴ. $xf'(x)+(x^2+1)f''(x)=0$

ㄷ. $\lim\limits_{x\to\infty}\dfrac{f''(x)}{f'(x)}=1$

① ㄱ ② ㄴ ③ ㄱ, ㄷ

④ ㄴ, ㄷ ⑤ ㄱ, ㄴ, ㄷ

06 도함수의 활용

기본 ☑ Exercises

01 곡선 $y=\tan x$ 위의 점 $(k, \tan k)$에서의 접선의 y절편을 $f(k)$라 할 때, $\lim\limits_{k \to 0} \dfrac{f(k)}{k}$의 값은?

① 0 ② 1 ③ 2
④ 3 ⑤ 4

02 두 곡선 $y=a-2\cos^2 x$, $y=2\sin x$가 교점에서 공통인 접선을 갖도록 하는 상수 a의 값은?

$$\left(\text{단, } 0<x<\frac{\pi}{2}\right)$$

① $\dfrac{1}{2}$ ② $\dfrac{3}{2}$ ③ $\dfrac{5}{2}$
④ 3 ⑤ 4

03 함수 $f(x)=\ln(1+x^2)-\dfrac{1}{2}x^2$의 모든 극값의 합은?

① $2\ln 2-2$ ② $2\ln 2-1$
③ $2\ln 2-\dfrac{1}{2}$ ④ $2\ln 2+1$
⑤ $2\ln 2+2$

04 곡선 $f(x)=xe^{-x}$의 변곡점에서의 접선의 기울기는?

① $-\dfrac{1}{e}$ ② $-\dfrac{1}{e^2}$ ③ $-\dfrac{1}{e^3}$
④ $-\dfrac{1}{e^4}$ ⑤ $-\dfrac{1}{e^5}$

05 함수 $f(x)=x^3+ax^2+bx+11$이 $x=-3$에서 극댓값을 갖고, $x=-2$에서의 접선의 기울기가 -21이라 한다. $f(x)$의 극솟값을 c, 변곡점의 x좌표를 d라 할 때, $c+d$의 값은?

① -150 ② -158 ③ -160
④ -161 ⑤ -163

06 함수 $f(x)=x^3+x^2\cos a-4x$의 극댓점과 극솟점은 원점에 대하여 대칭이다. 이때 상수 a의 값은?

$$(\text{단, } 0 \le a \le \pi)$$

① $\dfrac{\pi}{6}$ ② $\dfrac{\pi}{4}$ ③ $\dfrac{\pi}{3}$
④ $\dfrac{\pi}{2}$ ⑤ π

07 함수 $f(x)=\dfrac{x}{x^2+1}$ 에 대하여 다음 중 옳은 것은?

① 함수 $y=f(x)$ 의 그래프는 y 축에 대하여 대칭이다.

② 극댓값은 1, 극솟값은 $-\dfrac{1}{2}$ 이다.

③ $0<x<\sqrt{3}$ 에서 함수 $y=f(x)$ 의 그래프는 위로 볼록하다.

④ 변곡점은 2 개이다.

⑤ $x>0$ 에서 함수 $y=f(x)$ 의 그래프의 점근선은 $y=1$ 이다.

08 삼각함수 $y=\sin 3\theta+\dfrac{9}{4}\cos 2\theta$ 의 최댓값과 최솟값의 차를 a 라 할 때, $32a$ 의 값을 구하여라.

09 $y=e^{-x^2}$ 의 그래프는 오른쪽 그림과 같다. 곡선 $y=e^{-x^2}$ 위의 두 점과 x 축 위의 두 점이 만드는 직사각형의 넓이의 최댓값은?

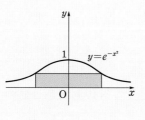

① $\sqrt{\dfrac{1}{e}}$ ② $\sqrt{\dfrac{2}{e}}$ ③ $\sqrt{\dfrac{3}{e}}$

④ $\dfrac{1}{e}$ ⑤ $\dfrac{2}{e}$

10 곡선 $y=\sqrt{2}\sin x$ 와 직선 $y=x+k$ 가 $0\le x\le \pi$ 에서 적어도 한 점에서 만나도록 하는 실수 k 의 값의 범위는?

① $-2\pi\le k\le \dfrac{\pi}{4}$ ② $-2\pi\le k\le \sqrt{2}-\dfrac{\pi}{4}$

③ $-\pi\le k\le 1+\dfrac{\pi}{4}$ ④ $-\pi\le k\le 1$

⑤ $-\pi\le k\le 1-\dfrac{\pi}{4}$

11 모든 양수 x 에 대하여 부등식 $2x^2>a\ln x$ 가 성립할 때, 양수 a 의 값의 범위는?

① $0<a<2e$ ② $0<a<\dfrac{5}{2}e$

③ $0<a<3e$ ④ $0<a<\dfrac{7}{2}e$

⑤ $0<a<4e$

12 좌표평면 위를 움직이는 점 $\mathrm{P}(x,\ y)$ 의 시각 t 에서의 위치가 $x=1-\cos t,\ y=kt-\sin t$ 이다. $t=\dfrac{\pi}{3}$ 에서의 속력이 1 일 때, 상수 k 의 값을 구하여라.

(단, $k>0$)

13 곡선 $y=e^x$ 위의 점 $(1,\ e)$에서의 접선이 곡선 $y=2\sqrt{x-k}$에 접할 때, 실수 k의 값은? [수능 기출]

① $\dfrac{1}{e}$　　② $\dfrac{1}{e^2}$　　③ $\dfrac{1}{e^4}$

④ $\dfrac{1}{1+e}$　　⑤ $\dfrac{1}{1+e^2}$

14 x축 위의 점 $(a,\ 0)$에서 곡선 $y=xe^x$에 접선을 그었을 때, 접선이 두 개가 되는 a의 값의 범위를 구하여라.

15 함수 $f(x)=-3\cos x+\sqrt{3}\sin x+ax+1$이 구간 $\left(0,\ \dfrac{\pi}{2}\right)$에서 증가하도록 하는 실수 a의 최솟값을 구하여라.

16 구간 $(0,\ 2\pi)$에서 정의된 함수 $f(x)=\dfrac{\sin x}{e^{2x}}$가 $x=a$에서 극솟값을 가질 때, $\cos a$의 값을 구하여라.

17 함수 $f(x)=4\ln x-2x+\dfrac{k}{x}$의 극댓값과 극솟값이 모두 존재하도록 하는 정수 k의 값을 구하여라.

18 다항함수 $f(x)$에 대하여 다음 표는 x의 값에 따른 $f(x),\ f'(x),\ f''(x)$의 변화 중 일부를 나타낸 것이다.

x	$x<1$	$x=1$	$1<x<3$	$x=3$
$f'(x)$		0		1
$f''(x)$	$+$		$+$	0
$f(x)$		$\dfrac{\pi}{2}$		π

함수 $g(x)=\sin(f(x))$에 대하여 옳은 것만을 |보기|에서 있는 대로 고른 것은?

| 보기 |

ㄱ. $g'(3)=-1$

ㄴ. $1<a<b<3$이면 $-1<\dfrac{g(b)-g(a)}{b-a}<0$ 이다.

ㄷ. 점 $\mathrm{P}(1,\ 1)$은 곡선 $y=g(x)$의 변곡점이다.

① ㄱ　　② ㄷ　　③ ㄱ, ㄴ

④ ㄴ, ㄷ　　⑤ ㄱ, ㄴ, ㄷ

19 구간 $(0, 5)$에서 미분가능한 두 함수 $f(x)$, $g(x)$의 그래프가 그림과 같다. 합성함수 $h(x) = (f \circ g)(x)$에 대하여 옳은 것만을 |보기에서 있는 대로 골라라.

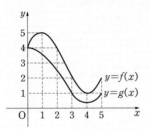

┤ 보기 ├

ㄱ. $h(3) = 4$ ㄴ. $h'(2) > 0$
ㄷ. 함수 $h(x)$는 구간 $(3, 4)$에서 감소한다.

20 곡선 $y = 2e^{-x}$ 위의 점 $P(t, 2e^{-t})$ $(t > 0)$에서 y축에 내린 수선의 발을 A라 하고, 점 P에서의 접선이 y축과 만나는 점을 B라 하자. 삼각형 APB의 넓이가 최대가 되도록 하는 t의 값은?   [수능 기출]

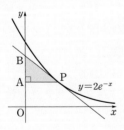

① 1   ② $\dfrac{e}{2}$ ③ $\sqrt{2}$

④ 2   ⑤ e

21 미분가능한 두 함수 $f(x)$, $g(x)$에 대하여
$f(x) + g(x) = -\cos x - \dfrac{1}{20}x^2$일 때, 방정식

$\dfrac{f'(x)}{g'(x)} + \dfrac{g'(x)}{f'(x)} = -2$인 양수인 근의 개수는?

(단, $f'(x)g'(x) \neq 0$)

① 2   ② 3   ③ 4

④ 5   ⑤ 6

22 오른쪽 그림과 같이 원점 O를 지나고 x축의 양의 방향과 이루는 각의 크기가 $\dfrac{\pi}{6}$인 직선 l이 있다.

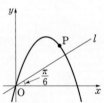

좌표평면 위를 움직이는 점 P의 시각 t에서의 위치가 (x, y)이고 $x = \sqrt{3}t$, $y = 3t - 2t^2$일 때, 점 P가 원점에서 출발한 후 처음으로 직선 l과 만날 때의 속도를 구하면?

① $(\sqrt{3}, -2)$ ② $(\sqrt{3}, -1)$

③ $(2\sqrt{3}, 1)$ ④ $(2\sqrt{3}, 2)$

⑤ $(3\sqrt{3}, 3)$

기본 ☑ **Exercises**

01 다음 부정적분을 구하여라.

(1) $\displaystyle\int \frac{x^3-x+\sqrt{x}}{x^2}\,dx$

(2) $\displaystyle\int (2+\tan^2 x)\,dx$

(3) $\displaystyle\int \frac{e^{3x}+1}{e^{2x}-e^x+1}\,dx$

02 $0<x<\pi$에서 정의된 함수 $F(x)$에 대하여

$$F'(x)=\cos x\cdot\ln(\sin x),\ F\!\left(\frac{\pi}{6}\right)=\frac{1}{2}\ln\frac{1}{2}$$

일 때, $F\!\left(\dfrac{\pi}{2}\right)$의 값은?

① $-\dfrac{1}{4}$　　② $-\dfrac{1}{2}$　　③ 0

④ $\dfrac{1}{2}$　　⑤ $\dfrac{1}{4}$

03 $0\le x\le\ln 3$에서 정의된 함수 $f(x)$가

$f(x)=\displaystyle\int e^x\sqrt{e^x+1}\,dx$이고 $f(0)=3\sqrt{2}$를 만족시킬 때, $f(x)$의 최댓값을 구하여라.

04 함수 $f(x)$에 대하여

$$f'(x)=\frac{14}{x^2+x-12},\ f(4)=1$$

일 때, $f(-5)$의 값을 구하여라.

05 곡선 $y=f(x)$ 위의 임의의 점 $(x,\ y)$에서의 접선의 기울기가 $x\cos x$이고 이 곡선이 원점을 지날 때, $f(\pi)$의 값을 구하여라.

06 $x>0$에서 미분가능한 함수 $f(x)$의 한 부정적분 $F(x)$에 대하여

$$F(x)=xf(x)-x^2e^x$$

이 성립하고 $f(1)=2e$일 때, 함수 $f(x)$를 구하여라.

발전 ☑ Exercises

07 구간 $(0, 2\pi)$에서 정의된 함수 $f(x)$에 대하여 $f'(x)=2\cos x+1$이고, $f(x)$의 극댓값과 극솟값의 합이 π일 때, $f(\pi)$의 값을 구하여라.

08 미분가능한 두 함수 $f(x), g(x)$가
$$\frac{d}{dx}\left\{\frac{f(x)}{g(x)}\right\}=\frac{f(x)}{g(x)}\cdot\frac{d}{dx}\{3x-\ln g(x)\}$$
를 만족시킨다. 모든 실수 x에 대하여 $f(x)>0, g(x)>0$이고 $f(0)=1$일 때, $f(\ln 2)$의 값을 구하여라.

09 자연수 n에 대하여 $f_n(x)=\int x(x+1)^n dx$, $f_n(-1)=0$일 때, $\sum_{n=1}^{\infty} f_n(0)$의 값을 구하여라.

10 구간 $\left[0, \frac{\pi}{2}\right)$에서 정의된 함수 $f(x)$가 $f'(x)=\frac{1}{\cos x}$, $f(0)=0$을 만족시킬 때, $f\left(\frac{\pi}{6}\right)$의 값을 구하여라.

11 $x>0$에서 정의되는 함수 $f(x)$에 대하여
$$x^2 f'(x)+2xf(x)=3x^2\ln x, \ f(1)=-\frac{1}{3}$$
이 성립한다. $f(e)$의 값은?

① $\frac{e}{4}$ ② $\frac{e}{3}$ ③ $\frac{e}{2}$

④ $\frac{2}{3}e$ ⑤ $\frac{3}{4}e$

12 점 $(0, 3)$을 지나는 함수 $y=f(x)$의 그래프 위의 임의의 점 (x, y)에서의 접선의 기울기가 $2\sqrt{2}e^x\sin\left(x+\frac{3}{4}\pi\right)$일 때, $f(\pi)$의 값을 구하여라.

08 정적분

기·본 ☑ **Exercises**

01 함수 $f(x)=\begin{cases} e^{-x} & (x<0) \\ \cos x & (x\geq 0) \end{cases}$ 에 대하여 정적분

$\int_{-2}^{\frac{\pi}{2}} f(x)\,dx$의 값을 구하여라.

02 정적분 $\int_{\frac{\pi}{6}}^{\frac{\pi}{3}} (1+\cot^2 x)\cos x\,dx$의 값을 구하여라.

03 정적분 $\int_{-\sqrt{3}}^{\sqrt{3}} \dfrac{1}{x^2+9}\,dx$의 값을 구하여라.

04 정적분 $\int_{1}^{e} x(1-\ln x)\,dx$의 값을 구하여라.

05 함수 $f(x)=e^x+\ln(2x-1)$일 때, $\displaystyle\lim_{h\to 0}\frac{1}{h}\int_{1}^{1+2h} f(x)\,dx$의 값은?

① 1 ② e ③ $e+\ln 2$

④ $2e$ ⑤ $2e^2+2\ln 3$

06 실수 전체의 집합에서 정의된 함수

$$f(x)=\int_{0}^{x} \frac{2t-1}{t^2-t+1}\,dt$$

의 최솟값은?

① $\ln\dfrac{1}{2}$ ② $\ln\dfrac{2}{3}$ ③ $\ln\dfrac{3}{4}$

④ $\ln\dfrac{4}{5}$ ⑤ $\ln\dfrac{5}{6}$

발전 ☑ **Exercises**

07 정의역이 $\{x|x>-1\}$인 함수 $f(x)$에 대하여
$f'(x)=\dfrac{1}{(1+x^3)^2}$이고, 함수 $g(x)=x^2$일 때,
$\displaystyle\int_0^1 f(x)g'(x)\,dx=\dfrac{1}{6}$이다. $f(1)$의 값은?

① $\dfrac{1}{6}$ ② $\dfrac{2}{9}$ ③ $\dfrac{5}{18}$

④ $\dfrac{1}{3}$ ⑤ $\dfrac{7}{18}$

08 정적분 $\displaystyle\int_0^{\frac{\pi}{2}} e^{2x}(\sin 2x-\cos 2x+1)\,dx$의 값은?

① $\dfrac{1}{2}e^{\frac{\pi}{2}}$ ② $e^{\frac{\pi}{2}}$ ③ $\dfrac{1}{2}e^{\pi}$

④ e^{π} ⑤ $e^{2\pi}$

09 두 연속함수 $f(x)$, $g(x)$가
$$g(e^x)=\begin{cases} f(x) & (0\le x<1) \\ g(e^{x-1})+5 & (1\le x\le 2) \end{cases}$$
를 만족시키고, $\displaystyle\int_1^{e^2} g(x)\,dx=6e^2+4$이다.
$\displaystyle\int_1^e f(\ln x)\,dx$의 값을 구하여라.

10 정적분 $\dfrac{2}{\pi}\displaystyle\int_{-3}^3 (3-x)\sqrt{9-x^2}\,dx$의 값을 구하여라.

11 연속함수 $y=f(x)$의 그래프가 원점에 대하여 대칭이고, 모든 실수 x에 대하여 $f(x)=\dfrac{\pi}{4}\displaystyle\int_1^{x+1} f(t)\,dt$ 이다. $f(1)=1$일 때, $\pi^2\displaystyle\int_0^1 xf(x+1)\,dx$의 값은?

① $4(\pi-4)$ ② $4\pi-3$ ③ $4(\pi-1)$

④ $4\pi-1$ ⑤ 4π

12 구간 $\left[0,\ \dfrac{\pi}{2}\right]$에서 연속인 함수 $f(x)$가 다음 조건을 만족시킬 때, $f\left(\dfrac{\pi}{4}\right)$의 값을 구하여라.

(가) $\displaystyle\int_0^{\frac{\pi}{2}} f(t)\,dt=10$

(나) $\cos x\displaystyle\int_0^x f(t)\,dt=\sin x\displaystyle\int_x^{\frac{\pi}{2}} f(t)\,dt$

$\left(\text{단, } 0\le x\le \dfrac{\pi}{2}\right)$

---

09 정적분의 활용

기본 ☑ **Exercises**

01 $\lim_{n \to \infty} \frac{1}{n}\left(e^{\frac{1}{n}} + e^{\frac{2}{n}} + e^{\frac{3}{n}} + \cdots + e^{\frac{n}{n}}\right)$의 값을 구하여라.

02 $0 \leq x \leq 2\pi$에서 곡선 $y = \sin x$와 x축 및 두 직선 $x = \frac{\pi}{6}$, $x = \frac{3}{2}\pi$로 둘러싸인 도형의 넓이를 구하여라.

03 연속함수 $f(x)$의 그래프가 x축과 만나는 세 점의 x좌표는 0, 3, 4이다. 그림과 같이 곡선 $y = f(x)$와 x축으로 둘러싸인 두 부분 A, B의 넓이가 각각 6, 2일 때, $\int_0^2 f(2x)\,dx$의 값을 구하여라.

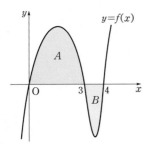

04 함수 $y = e^x$의 그래프와 x축, y축 및 직선 $x = 1$로 둘러싸인 도형의 넓이가 직선 $y = ax \ (0 < a < e)$에 의하여 이등분될 때, 상수 a의 값을 구하여라.

05 그림과 같이 곡선 $y = \sqrt{x} + 1$과 x축, y축 및 직선 $x = 1$로 둘러싸인 도형을 밑면으로 하는 입체도형이 있다. 이 입체도형을 x축에 수직인 평면으로 자른 단면이 모두 정사각형일 때, 이 입체도형의 부피를 구하여라.

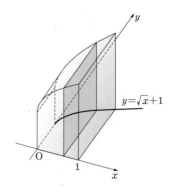

06 좌표평면 위를 움직이는 점 P의 시각 t에서의 위치 (x, y)가
$$x = \sin t + 2\cos t, \ y = \cos t - 2\sin t$$
로 주어질 때, $t = 0$에서 $t = \pi$까지 점 P가 움직인 거리를 구하여라.

발전 ☑ **Exercises**

07 자연수 n에 대하여 $a_n=\displaystyle\int_0^{\frac{\pi}{2}}\sin^{2n-1}x\cos x\,dx$ 일 때, $\displaystyle\lim_{n\to\infty}\sum_{k=n+1}^{2n}\frac{1}{n^2a_k}$ 의 값을 구하여라.

08 그림과 같이 곡선 $y=x\sin x\left(0\le x\le\dfrac{\pi}{2}\right)$ 에 대하여 이 곡선과 x축, 직선 $x=k$로 둘러싸인 도형을 A, 이 곡선과 직선 $x=k$, 직선 $y=\dfrac{\pi}{2}$ 로 둘러싸인 도형을 B라 하자. A의 넓이와 B의 넓이가 같을 때, 상수 k의 값은? $\left(단, 0\le k\le\dfrac{\pi}{2}\right)$

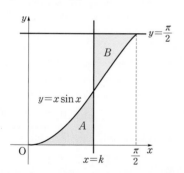

① $\dfrac{\pi}{4}-\dfrac{1}{\pi}$ ② $\dfrac{\pi}{4}$ ③ $\dfrac{\pi}{2}-\dfrac{2}{\pi}$

④ $\dfrac{\pi}{4}+\dfrac{1}{\pi}$ ⑤ $\dfrac{\pi}{2}-\dfrac{1}{\pi}$

09 점 $(0,\ 1)$에서 곡선 $y=\ln x$에 그은 접선과 이 곡선 및 x축으로 둘러싸인 도형의 넓이를 구하여라.

10 양수 a에 대하여 함수 $f(x)=\displaystyle\int_0^x(a-t)e^t\,dt$ 의 최댓값이 32이다. 곡선 $y=3e^x$과 두 직선 $x=a$, $y=3$으로 둘러싸인 도형의 넓이를 구하여라.

11 어떤 입체도형의 밑면과 평행하고 밑면으로부터 $a\,(0\le a\le1)$만큼 떨어진 평면으로 그 입체도형을 자른 단면은, 좌표평면에서 함수 $y=x^2-a$의 그래프와 x축으로 둘러싸인 도형과 같다. 이때 이 입체도형의 부피를 구하여라.

12 미분가능한 함수 $f(x)$가

$$\lim_{h\to0}\frac{f(x+2h)-f(x)}{h}=-2\sqrt{x^2+2x}$$

를 만족시킬 때, $0\le x\le4$에서의 곡선 $y=f(x)$의 길이를 구하여라.

01 수열 $\{a_n\}$과 $\{b_n\}$이

$$\lim_{n \to \infty}(n+1)a_n = 2, \ \lim_{n \to \infty}(n^2+1)b_n = 7$$

을 만족시킬 때, $\displaystyle\lim_{n \to \infty}\frac{(10n+1)b_n}{a_n}$의 값을 구하시오.

(단, $a_n \neq 0$)

02 두 수열 $\{a_n\}$, $\{b_n\}$이 다음 조건을 만족시킨다.

(가) $\displaystyle\sum_{k=1}^{n}(a_k+b_k) = \frac{1}{n+1}$ $(n \geq 1)$

(나) $\displaystyle\lim_{n \to \infty}n^2 b_n = 2$

$\displaystyle\lim_{n \to \infty}n^2 a_n$의 값은?

① -3　　　② -2　　　③ -1

④ 0　　　⑤ 1

03 함수 $f(x)$가 $f(x) = (x-3)^2$이고 자연수 n에 대하여 방정식 $f(x) = n$의 두 근이 α, β일 때 $h(n) = |\alpha - \beta|$라 하자. $\displaystyle\lim_{n \to \infty}\sqrt{n}\{h(n+1) - h(n)\}$의 값은?

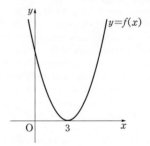

① $\dfrac{1}{2}$　　　② 1　　　③ $\dfrac{3}{2}$

④ 2　　　⑤ $\dfrac{5}{2}$

04 양의 실수 x에 대하여 $\log x$의 정수 부분과 소수 부분을 각각 $f(x)$, $g(x)$라 하자. 자연수 n에 대하여 $f(x) - (n+1)g(x) = n$을 만족시키는 모든 x의 값의 곱을 a_n이라 할 때, $\displaystyle\lim_{n \to \infty}\frac{\log a_n}{n^2}$의 값은?

① 1　　　② $\dfrac{3}{2}$　　　③ 2

④ $\dfrac{5}{2}$　　　⑤ 3

05

수열 $\{a_n\}$에 대하여 곡선 $y=x^2-(n+1)x+a_n$은 x축과 만나고, 곡선 $y=x^2-nx+a_n$은 x축과 만나지 않는다. $\lim\limits_{n \to \infty} \dfrac{a_n}{n^2}$의 값은?

① $\dfrac{1}{20}$ ② $\dfrac{1}{10}$ ③ $\dfrac{3}{20}$

④ $\dfrac{1}{5}$ ⑤ $\dfrac{1}{4}$

06

수열 $\{\sqrt{16^n+a^n}-4^n\}$이 수렴하도록 하는 자연수 a의 개수는?

① 1   ② 2   ③ 3
④ 4   ⑤ 5

07

자연수 k에 대하여

$$a_k=\lim_{n \to \infty} \frac{\left(\dfrac{6}{k}\right)^{n+1}}{\left(\dfrac{6}{k}\right)^n+1}$$

이라 할 때, $\sum\limits_{k=1}^{10} ka_k$의 값을 구하시오.

08

그림과 같이 곡선 $y=f(x)$와 직선 $y=g(x)$가 원점과 점 $(3, 3)$에서 만난다.

$$h(x)=\lim_{n \to \infty} \frac{\{f(x)\}^{n+1}+5\{g(x)\}^n}{\{f(x)\}^n+\{g(x)\}^n}$$ 일 때, $h(2)+h(3)$의 값은?

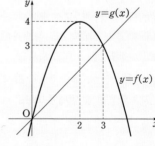

① 6   ② 7   ③ 8
④ 9   ⑤ 10

09 첫째항과 공차가 같은 등차수열 $\{a_n\}$에 대하여 $S_n=\sum\limits_{k=1}^{n} a_k$라 할 때, 옳은 것만을 |보기|에서 있는 대로 고른 것은? (단, $a_1>0$)

---| 보기 |---

ㄱ. 수열 $\{S_n\}$이 수렴한다.

ㄴ. 급수 $\sum\limits_{n=1}^{\infty} \dfrac{1}{S_n}$이 수렴한다.

ㄷ. $\lim\limits_{n\to\infty}(\sqrt{S_{n+1}}-\sqrt{S_n})$이 존재한다.

① ㄴ   ② ㄷ   ③ ㄱ, ㄴ

④ ㄱ, ㄷ   ⑤ ㄴ, ㄷ

10 수열 $\{a_n\}$에 대하여

집합 $A=\{x\,|\,x^2-1<a<x^2+2x,\ x는\ 자연수\}$

가 공집합이 되도록 하는 자연수 a를 작은 수부터 크기순으로 나열할 때, n번째 수를 a_n이라 하자.

예를 들어, $a=3$은 $x^2-1<a<x^2+2x$를 만족시키는 자연수 x가 존재하지 않는 첫 번째 수이므로 $a_1=3$이다.

$\sum\limits_{n=1}^{\infty} \dfrac{1}{a_n}$의 값은?

① $\dfrac{1}{2}$ ② $\dfrac{3}{4}$ ③ 1

④ $\dfrac{5}{4}$ ⑤ $\dfrac{3}{2}$

11 등비수열 $\{a_n\}$이 $a_2=\dfrac{1}{2}$, $a_5=\dfrac{1}{6}$을 만족시킨다. $\sum\limits_{n=1}^{\infty} a_n a_{n+1} a_{n+2}=\dfrac{q}{p}$일 때, $p+q$의 값을 구하시오.

(단, p, q는 서로소인 자연수이다.)

12 수열 $\{a_n\}$이 $a_1=\dfrac{1}{8}$이고,

$$a_n a_{n+1}=2^n \ (n\geq1)$$

을 만족시킬 때, $\sum\limits_{n=1}^{\infty} \dfrac{1}{a_{2n-1}}$의 값을 구하시오.

13 2보다 큰 자연수 n에 대하여 $(-3)^{n-1}$의 n제곱근 중 실수인 것의 개수를 a_n이라 할 때, $\displaystyle\sum_{n=3}^{\infty}\frac{a_n}{2^n}$ 의 값은?

① $\dfrac{1}{6}$ ② $\dfrac{1}{4}$ ③ $\dfrac{1}{3}$

④ $\dfrac{5}{12}$ ⑤ $\dfrac{1}{2}$

14 자연수 n에 대하여 직선 $y=\left(\dfrac{1}{2}\right)^{n-1}(x-1)$과 이차함수 $y=3x(x-1)$의 그래프가 만나는 두 점을 $A(1, 0)$과 P_n이라 하자. 점 P_n에서 x축에 내린 수선의 발을 H_n이라 할 때, $\displaystyle\sum_{n=1}^{\infty}\overline{P_nH_n}$의 값은?

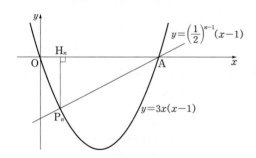

① $\dfrac{3}{2}$ ② $\dfrac{14}{9}$ ③ $\dfrac{29}{18}$

④ $\dfrac{5}{3}$ ⑤ $\dfrac{31}{18}$

15 그림과 같이 $\overline{OA_1}=4$, $\overline{OB_1}=4\sqrt{3}$인 직각삼각형 OA_1B_1이 있다. 중심이 O이고 반지름의 길이가 $\overline{OA_1}$인 원이 선분 OB_1과 만나는 점을 B_2라 하자. 삼각형 OA_1B_1의 내부와 부채꼴 OA_1B_2의 내부에서 공통된 부분을 제외한 ↖ 모양의 도형에 색칠하여 얻은 그림을 R_1이라 하자.

그림 R_1에서 점 B_2를 지나고 선분 A_1B_1에 평행한 직선이 선분 OA_1과 만나는 점을 A_2, 중심이 O이고 반지름의 길이가 $\overline{OA_2}$인 원이 선분 OB_2와 만나는 점을 B_3이라 하자. 삼각형 OA_2B_2의 내부와 부채꼴 OA_2B_3의 내부에서 공통된 부분을 제외한 ↖ 모양의 도형에 색칠하여 얻은 그림을 R_2라 하자. 이와 같은 과정을 계속하여 n번째 얻은 그림 R_n에 색칠되어 있는 부분의 넓이를 S_n이라 할 때, $\displaystyle\lim_{n\to\infty}S_n$의 값은?

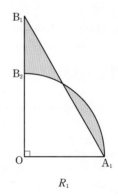 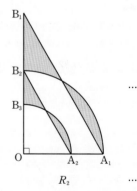

R_1 R_2 ⋯

① $\dfrac{3}{2}\pi$ ② $\dfrac{5}{3}\pi$ ③ $\dfrac{11}{6}\pi$

④ 2π ⑤ $\dfrac{13}{6}\pi$

01 함수 $f(x)$에 대하여 옳은 것만을 |보기|에서 있는 대로 고른 것은?

| 보기 |

ㄱ. $f(x)=x^2$이면 $\lim\limits_{x\to0}\dfrac{e^{f(x)}-1}{x}=0$이다.

ㄴ. $\lim\limits_{x\to0}\dfrac{e^x-1}{f(x)}=1$이면 $\lim\limits_{x\to0}\dfrac{3^x-1}{f(x)}=\ln3$이다.

ㄷ. $\lim\limits_{x\to0}f(x)=0$이면 $\lim\limits_{x\to0}\dfrac{e^{f(x)}-1}{x}$이 존재한다.

① ㄱ ② ㄷ ③ ㄱ, ㄴ

④ ㄴ, ㄷ ⑤ ㄱ, ㄴ, ㄷ

02 $t<1$인 실수 t에 대하여 곡선 $y=\ln x$와 직선 $x+y=t$가 만나는 점을 P라 하자. 점 P에서 x축에 내린 수선의 발을 H, 직선 PH와 곡선 $y=e^x$이 만나는 점을 Q라 할 때, 삼각형 OHQ의 넓이를 $S(t)$라 하자.

$\lim\limits_{t\to0+}\dfrac{2S(t)-1}{t}$의 값은?

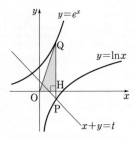

① 1 ② $e-1$ ③ 2

④ e ⑤ 3

03 ∠B가 직각인 이등변삼각형 ABC가 있다. 그림과 같이 선분 BC 위의 점 D와 선분 BC의 연장선 위의 점 E를 ∠CAD=∠CAE=θ가 되도록 잡는다. $\dfrac{\overline{AE}-\overline{AD}}{\overline{AC}}=2$일 때, $\sin\theta$의 값은?

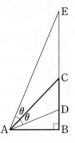

① $\dfrac{1}{3}$ ② $\dfrac{1}{2}$ ③ $\dfrac{2-\sqrt{2}}{4}$

④ $\dfrac{\sqrt{6}-\sqrt{2}}{4}$ ⑤ $\dfrac{\sqrt{5}-\sqrt{3}}{4}$

04 좌표평면에서 점 A의 좌표는 $(1, 0)$이고, $0<\theta<\dfrac{\pi}{2}$인 θ에 대하여 점 B의 좌표는 $(\cos\theta, \sin\theta)$이다. 사각형 OACB가 평행사변형이 되도록 하는 제1사분면 위의 점 C에 대하여 사각형 OACB의 넓이를 $f(\theta)$, 선분 OC의 길이의 제곱을 $g(\theta)$라 하자. $f(\theta)+g(\theta)$의 최댓값은? (단, O는 원점이다.)

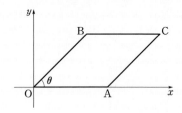

① $2+\sqrt{5}$ ② $2+\sqrt{6}$ ③ $2+\sqrt{7}$

④ $2+2\sqrt{2}$ ⑤ 5

05 그림과 같이 반지름의 길이가 1이고 중심각의 크기가 $\dfrac{\pi}{2}$인 부채꼴 OAB가 있다. 호 AB 위의 점 P에서 선분 OA에 내린 수선의 발을 H, 선분 PH와 선분 AB의 교점을 Q라 하자. ∠POH=θ일 때, 삼각형 AQH의 넓이를 $S(\theta)$라 하자. $\displaystyle\lim_{\theta \to 0+} \dfrac{S(\theta)}{\theta^4}$의 값은? $\left(\text{단, } 0<\theta<\dfrac{\pi}{2}\right)$

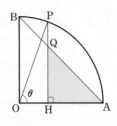

① $\dfrac{1}{8}$ ② $\dfrac{1}{4}$ ③ $\dfrac{3}{8}$

④ $\dfrac{1}{2}$ ⑤ $\dfrac{5}{8}$

06 점 A(1, 0)을 지나고 기울기가 양수인 직선 l이 곡선 $y=2\sqrt{x}$와 만나는 점을 B, 점 B에서 x축에 내린 수선의 발을 C, 직선 l이 y축과 만나는 점을 D라 하자.

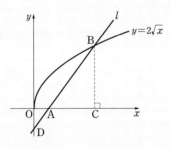

점 B$(t, 2\sqrt{t})$에 대하여 삼각형 BAC의 넓이를 $f(t)$라 할 때, $f'(9)$의 값은?

① 3 ② $\dfrac{10}{3}$ ③ $\dfrac{11}{3}$

④ 4 ⑤ $\dfrac{13}{3}$

07 그림과 같이 좌표평면에서 원 $x^2+y^2=1$ 위의 점 P는 점 A(1, 0)에서 출발하여 원 둘레를 따라 시계 반대 방향으로 매초 $\dfrac{\pi}{2}$의 일정한 속력으로 움직이고 있다.

점 Q는 점 A에서 출발하여 점 B(−1, 0)을 향하여 매초 1의 일정한 속력으로 x축 위를 움직이고 있다. 점 P와 점 Q가 동시에 점 A에서 출발하여 t초가 되는 순간, 선분 PQ, 선분 QA, 호 AP로 둘러싸인 어두운 부분의 넓이를 S라 하자. 출발한 지 1초가 되는 순간, 넓이 S의 시간(초)에 대한 변화율은?

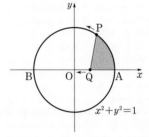

① $\dfrac{\pi}{4}-1$ ② $\dfrac{\pi}{4}$ ③ $\dfrac{\pi}{4}-\dfrac{1}{3}$

④ $\dfrac{\pi}{4}+\dfrac{1}{2}$ ⑤ $\dfrac{\pi}{4}+1$

08 함수 $f(x)=(x^2+ax+b)e^x$과 함수 $g(x)$가 다음 조건을 만족시킨다.

> (가) $f(1)=e$, $f'(1)=e$
> (나) 모든 실수 x에 대하여 $g(f(x))=f'(x)$이다.

함수 $h(x)=f^{-1}(x)g(x)$에 대하여 $h'(e)$의 값은?

(단, a, b는 상수이다.)

① 1   ② 2   ③ 3
④ 4   ⑤ 5

09 열린 구간 $\left(0, \dfrac{\pi}{2}\right)$에서 정의된 미분가능한 함수 $f(x)$는 다음 조건을 만족시킨다.

> (가) $f'(x)=1+\{f(x)\}^2$
> (나) $f\left(\dfrac{\pi}{4}\right)=1$

함수 $g(x)=\ln f'(x)$에 대하여 $g'\left(\dfrac{\pi}{4}\right)$의 값은?

① 1   ② $\dfrac{3}{2}$ ③ 2

④ $\dfrac{5}{2}$ ⑤ 3

10 실수 전체의 집합에서 미분가능한 함수 $f(x)$에 대하여 곡선 $y=f(x)$ 위의 점 $(4, f(4))$에서의 접선 l이 다음 조건을 만족시킨다.

> (가) 직선 l은 제2사분면을 지나지 않는다.
> (나) 직선 l과 x축 및 y축으로 둘러싸인 도형은 넓이가 2인 직각이등변삼각형이다.

함수 $g(x)=xf(2x)$에 대하여 $g'(2)$의 값은?

① 3   ② 4   ③ 5
④ 6   ⑤ 7

11 닫힌 구간 $[0, 4]$에서 정의된 함수

$$f(x)=2\sqrt{2}\sin\frac{\pi}{4}x$$

의 그래프가 그림과 같고, 직선 $y=g(x)$가 $y=f(x)$의 그래프 위의 점 $\mathrm{A}(1, 2)$를 지난다. 일차함수 $g(x)$가 닫힌 구간 $[0, 4]$에서 $f(x)\leq g(x)$를 만족시킬 때, $g(3)$의 값은?

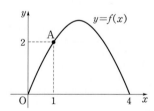

① π ② $\pi+1$ ③ $\pi+2$
④ $\pi+3$ ⑤ $\pi+4$

12 이차함수 $f(x)$에 대하여 함수 $g(x)=f(x)e^{-x}$
이 다음 조건을 만족시킨다.

> (가) 점 $(1, g(1))$과 점 $(4, g(4))$는 곡선
> $y=g(x)$의 변곡점이다.
> (나) 점 $(0, k)$에서 곡선 $y=g(x)$에 그은 접선의
>   개수가 3인 k의 값의 범위는 $-1<k<0$이다.

$g(-2) \times g(4)$의 값을 구하여라.

13 $a>3$인 상수 a에
대하여 두 곡선 $y=a^{x-1}$과
$y=3^x$이 점 P에서 만난다.
점 P의 x좌표를 k라 할 때,
점 P에서 곡선 $y=3^x$에 접
하는 직선이 x축과 만나는
점을 A, 점 P에서 곡선 $y=a^{x-1}$에 접하는 직선이 x축과
만나는 점을 B라 하자. 점 H$(k, 0)$에 대하여
$\overline{\text{AH}}=2\overline{\text{BH}}$일 때, a의 값은?

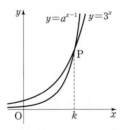

① 6   ② 7   ③ 8

④ 9   ⑤ 10

14 함수 $f(x)=e^{x+1}-1$과 자연수 n에 대하여 함
수 $g(x)$를

$$g(x)=100|f(x)|-\sum_{k=1}^{n}|f(x^k)|$$

이라 하자. $g(x)$가 실수 전체의 집합에서 미분가능하도
록 하는 모든 자연수 n의 값의 합을 구하여라.

15 원점 O를 중심으로 하고 두 점 A$(1, 0)$,
B$(0, 1)$을 지나는 사분원이 있다. 그림과 같이 점 P는
점 A에서 출발하여 호 AB를 따라 점 B를 향하여 매초
1의 일정한 속력으로 움직인다. 선분 OP와 선분 AB가
만나는 점을 Q라 하자. 점 P의 x좌표가 $\dfrac{4}{5}$인 순간 점
Q의 속도는 (a, b)이다. $b-a$의 값은?

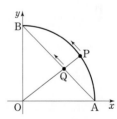

① $\dfrac{2}{49}$ ② $\dfrac{8}{49}$ ③ $\dfrac{18}{49}$

④ $\dfrac{32}{49}$ ⑤ $\dfrac{50}{49}$

01 함수 $f(x)$가 모든 실수에서 연속일 때, 도함수 $f'(x)$가

$$f'(x)=\begin{cases} e^{x-1} & (x\leq 1) \\ \dfrac{1}{x} & (x>1) \end{cases}$$

이다. $f(-1)=e+\dfrac{1}{e^2}$일 때, $f(e)$의 값은?

① $e-2$ ② $e-1$ ③ e

④ $e+1$ ⑤ $e+2$

02 실수 전체의 집합에서 미분가능한 함수 $f(x)$가 다음 조건을 만족시킬 때, $f(-1)$의 값은?

> (가) 모든 실수 x에 대하여
> $$2\{f(x)\}^2 f'(x)=\{f(2x+1)\}^2 f'(2x+1)$$
> 이다.
> (나) $f\left(-\dfrac{1}{8}\right)=1$, $f(6)=2$

① $\dfrac{\sqrt[3]{3}}{6}$ ② $\dfrac{\sqrt[3]{3}}{3}$ ③ $\dfrac{\sqrt[3]{3}}{2}$

④ $\dfrac{2\sqrt[3]{3}}{3}$ ⑤ $\dfrac{5\sqrt[3]{3}}{6}$

03 $x>0$에서 정의된 연속함수 $f(x)$가 모든 양수 x에 대하여

$$2f(x)+\dfrac{1}{x^2}f\left(\dfrac{1}{x}\right)=\dfrac{1}{x}+\dfrac{1}{x^2}$$

을 만족시킬 때, $\displaystyle\int_{\frac{1}{2}}^{2} f(x)\,dx$의 값은?

① $\dfrac{\ln 2}{3}+\dfrac{1}{2}$ ② $\dfrac{2\ln 2}{3}+\dfrac{1}{2}$ ③ $\dfrac{\ln 2}{3}+1$

④ $\dfrac{2\ln 2}{3}+1$ ⑤ $\dfrac{2\ln 2}{3}+\dfrac{3}{2}$

04 함수 $f(x)$가

$$f(x)=\int_0^x \dfrac{1}{1+e^{-t}}dt$$

일 때, $(f\circ f)(a)=\ln 5$를 만족시키는 실수 a의 값은?

① $\ln 11$ ② $\ln 13$ ③ $\ln 15$

④ $\ln 17$ ⑤ $\ln 19$

05 실수 전체의 집합에서 미분가능한 함수 $f(x)$가 다음 조건을 만족시킨다.

> (가) $f(1)=2$
> (나) $\int_0^1 (x-1)f'(x+1)dx=-4$

$\int_1^2 f(x)dx$의 값을 구하시오.

(단, $f'(x)$는 연속함수이다.)

06 함수 $f(x)=e^{-x}\int_0^x \sin(t^2)dt$에 대하여 |보기| 에서 옳은 것만을 있는 대로 고른 것은?

> ┤ 보기 ├
> ㄱ. $f(\sqrt{\pi})>0$
> ㄴ. $f'(a)>0$을 만족시키는 a가 열린구간 $(0, \sqrt{\pi})$에 적어도 하나 존재한다.
> ㄷ. $f'(b)=0$을 만족시키는 b가 열린구간 $(0, \sqrt{\pi})$에 적어도 하나 존재한다.

① ㄱ   ② ㄷ   ③ ㄱ, ㄴ
④ ㄴ, ㄷ   ⑤ ㄱ, ㄴ, ㄷ

07 함수 $f(x)=a\cos(\pi x^2)$에 대하여

$$\lim_{x\to 0}\left\{\frac{x^2+1}{x}\int_1^{x+1} f(t)dt\right\}=3$$

일 때, $f(a)$의 값은? (단, a는 상수이다.)

① 1   ② $\dfrac{3}{2}$ ③ 2

④ $\dfrac{5}{2}$ ⑤ 3

08 함수 $f(x)=\ln x$에 대하여

$\lim\limits_{n\to\infty}\sum\limits_{k=1}^{n}\dfrac{k}{n^2}f\left(1+\dfrac{k}{n}\right)=\dfrac{q}{p}$일 때, $p+q$의 값을 구하시오. (단, p와 q는 서로소인 자연수이다.)

09 그림과 같이 중심이 O, 반지름의 길이가 1이고 중심각의 크기가 $\dfrac{\pi}{2}$인 부채꼴 OAB가 있다.

자연수 n에 대하여 호 AB를 $2n$등분한 각 분점(양 끝점도 포함)을 차례로 $P_0(=A)$, P_1, P_2, $\cdots$, P_{2n-1}, $P_{2n}(=B)$라 하자.

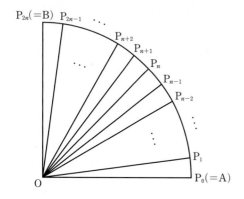

주어진 자연수 n에 대하여 $S_k\,(1\le k\le n)$을 삼각형 $OP_{n-k}P_{n+k}$의 넓이라 할 때, $\displaystyle\lim_{n\to\infty}\dfrac{1}{n}\sum_{k=1}^{n}S_k$의 값은?

① $\dfrac{1}{\pi}$ ② $\dfrac{13}{12\pi}$ ③ $\dfrac{7}{6\pi}$

④ $\dfrac{5}{4\pi}$ ⑤ $\dfrac{4}{3\pi}$

10 좌표평면에서 꼭짓점의 좌표가 $O(0, 0)$, $A(2^n, 0)$, $B(2^n, 2^n)$, $C(0, 2^n)$인 정사각형 OABC와 두 곡선 $y=2^x$, $y=\log_2 x$가 있다. (단, n은 자연수이다.)

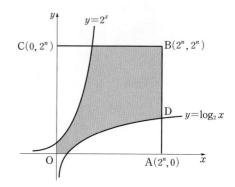

정사각형 OABC와 그 내부는 두 곡선 $y=2^x$, $y=\log_2 x$에 의하여 세 부분으로 나뉜다. $n=3$일 때 이 세 부분 중 색칠된 부분의 넓이는?

① $14+\dfrac{12}{\ln 2}$ ② $16+\dfrac{14}{\ln 2}$ ③ $18+\dfrac{16}{\ln 2}$

④ $20+\dfrac{18}{\ln 2}$ ⑤ $22+\dfrac{20}{\ln 2}$

11 곡선 $y=|\sin 2x|+1$과 x축 및 두 직선 $x=\dfrac{\pi}{4}$, $x=\dfrac{5\pi}{4}$로 둘러싸인 부분의 넓이는?

① $\pi+1$ ② $\pi+\dfrac{3}{2}$ ③ $\pi+2$

④ $\pi+\dfrac{5}{2}$ ⑤ $\pi+3$

12 연속함수 $f(x)$와 그 역함수 $g(x)$가 다음 조건을 만족시킨다.

> (가) $f(1)=1$, $f(3)=3$, $f(7)=7$
> (나) $x\neq3$인 모든 실수 x에 대하여 $f''(x)<0$이다.
> (다) $\displaystyle\int_1^7 f(x)\,dx=27$, $\displaystyle\int_1^3 g(x)\,dx=3$

$12\displaystyle\int_3^7 |f(x)-x|\,dx$의 값을 구하시오.

13 그림과 같이 함수
$f(x)=\sqrt{x\sin x^2}\left(\dfrac{\sqrt{\pi}}{2}\leq x\leq\dfrac{\sqrt{3\pi}}{2}\right)$에 대하여 곡선
$y=f(x)$와 곡선 $y=-f(x)$ 및 두 직선 $x=\dfrac{\sqrt{\pi}}{2}$,
$x=\dfrac{\sqrt{3\pi}}{2}$로 둘러싸인 도형을 밑면으로 하는 입체도형이
있다. 이 입체도형을 x축에 수직인 평면으로 자른 단면이
모두 정사각형일 때, 이 입체도형의 부피는?

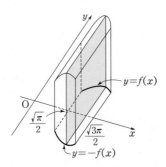

① $2\sqrt{2}$ ② $2\sqrt{3}$ ③ 4
④ $4\sqrt{2}$ ⑤ $4\sqrt{3}$

14 좌표평면에서 점 P는 시각 $t=0$일 때 $(0, -1)$에서 출발하여 시각 t에서의 속도가 $(2t, 2\pi\sin 2\pi t)$이고, 점 Q는 시각 $t=0$일 때 출발하여 시각 t에서의 위치가 $\mathrm{Q}(4\sin 2\pi t, |\cos 2\pi t|)$이다. 출발한 후 두 점 P, Q가 만나는 횟수는?

① 1   ② 2   ③ 3
④ 4   ⑤ 5

15 양의 실수 전체의 집합에서 이계도함수를 갖는 함수 $f(t)$에 대하여 좌표평면 위를 움직이는 점 P의 시각 t $(t\geq1)$에서의 위치 (x, y)가
$$\begin{cases} x=2\ln t \\ y=f(t) \end{cases}$$
이다. 점 P가 점 $(0, f(1))$로부터 움직인 거리가 s가 될 때 시각 t는 $t=\dfrac{s+\sqrt{s^2+4}}{2}$이고, $t=2$일 때 점 P의 속도는 $\left(1, \dfrac{3}{4}\right)$이다. 시각 $t=2$일 때 점 P의 가속도를 $\left(-\dfrac{1}{2}, a\right)$라 할 때, $60a$의 값을 구하시오.

내신·수능 1등급으로 가는 길
이룸이앤비가 함께합니다.

| 이룸이앤비 | 🔍 |

인터넷 서비스

이룸이앤비의 모든 교재에 대한 자세한 정보

각 교재에 필요한 듣기 MP3 파일

교재 관련 내용 문의 및 오류에 대한 수정 파일

굿비
좋은 시작, 좋은 기초

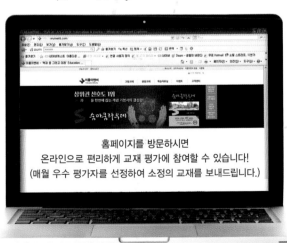

홈페이지를 방문하시면
온라인으로 편리하게 교재 평가에 참여할 수 있습니다!
(매월 우수 평가자를 선정하여 소정의 교재를 보내드립니다.)

이룸이앤비 교재는 수험생 여러분의
"부족한 2%"를 채워드립니다

누구나 자신의 꿈에 대해 깊게 생각하고 그 꿈을 실현하기 위해서는 꾸준한 실천이 필요합니다.
이룸이앤비의 책은 여러분이 꿈을 이루어 나가는 데 힘이 되고자 합니다.

수능 **수학 영역** 고득점을 위한 수학 교재 시리즈

반복 학습서

숨마쿰라우데 스타트업
한 개념 한 개념씩 쉬운 문제로 매일매일 공부하자.
○ 고등 수학 (상), 고등 수학 (하)

유형 기본서

숨마쿰라우데 라이트수학
수학의 모든 유형을 핵심개념과 대표유형으로 체계적으로 학습한다.
○ 고등 수학 (상), 고등 수학 (하), 수학I, 수학II, 미적분, 확률과 통계
 * 교육과정 적용시기에 맞추어 지속적으로 출간됩니다.

개념 기본서

숨마쿰라우데 수학 기본서
상세하고 자세한 설명으로 흔들리지 않는 실력을 쌓는다.
○ 고등 수학 (상), 고등 수학 (하), 수학I, 수학II, 미적분, 확률과 통계

단기 특강서

굿비
단기간에 끝내는 개념+실전 문제집
○ 고등 수학 (상), 고등 수학 (하), 수학I, 수학II, 미적분, 확률과 통계

숨마쿰라우데®

[수학 기본서]

미적분

秘 서브노트 SUB NOTE

내신·수능
필수 개념서

숨마쿰라우데®

[수학 기본서]

미적분

秘 서브노트 **SUB NOTE**

이룸이앤비
Education & Books

I 수열의 극한

1. 수열의 극한

APPLICATION SUMMA CUM LAUDE

001 (1) 1 (2) 0 (3) 1 (4) 0

002 (1) 수렴, 0 (2) 발산 (3) 수렴, 0 (4) 발산

003 (1) -2 (2) -39 **004** 20

005 (1) 수렴, 2 (2) 수렴, $\dfrac{1}{2}$ (3) 수렴, 0

(4) 수렴, $\dfrac{1}{2}$ (5) 수렴, $\dfrac{1}{3}$ (6) 발산

006 (1) 1 (2) 1 (3) 2 (4) 3 **007** 0

008 3 **009** (1) 0 (2) $-\dfrac{1}{9}$ (3) 4 (4) 45

010 (1) $0 \le x < 2$ 또는 $8 < x \le 10$ (2) $1 \le x \le 3$

011 $\begin{cases} |r| < 1 \text{일 때, } -\dfrac{1}{3} \\[6pt] r=1 \text{일 때, } \dfrac{1}{4} \\[6pt] |r| > 1 \text{일 때, } 2 \\[6pt] r=-1 \text{일 때, } \dfrac{1}{4} \end{cases}$

---

001 (1) 수열 $\left\{ 1 + \dfrac{(-1)^n}{n} \right\}$ 은 0, $\dfrac{3}{2}$, $\dfrac{2}{3}$, $\dfrac{5}{4}$, $\cdots$ 이므로 그래프를 살펴보면

$$\lim_{n \to \infty} \left\{ 1 + \frac{(-1)^n}{n} \right\} = 1$$

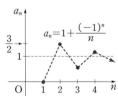

따라서 수열 $\left\{ 1 + \dfrac{(-1)^n}{n} \right\}$ 의 극한값은 **1**이다.

(2) 수열 $\left\{ \dfrac{2n}{n!} \right\}$ 은 2, 2, 1, $\dfrac{1}{3}$, $\dfrac{1}{12}$, $\cdots$ 이므로 그래프를 살펴보면 $\lim\limits_{n \to \infty} \dfrac{2n}{n!} = 0$

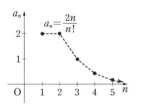

따라서 수열 $\left\{ \dfrac{2n}{n!} \right\}$ 의 극한값은 **0**이다.

(3) 수열 $\left\{ \dfrac{[n]}{n} \right\}$ 에서 n은 자연수이므로 $[n]=n$

즉, 수열 $\left\{ \dfrac{[n]}{n} \right\}$ 은 1, 1, 1, 1, $\cdots$ 이므로 그래프를 살펴보면 $\lim\limits_{n \to \infty} \dfrac{[n]}{n} = 1$

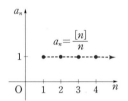

따라서 수열 $\left\{ \dfrac{[n]}{n} \right\}$ 의 극한값은 **1**이다.

(4) 수열 $\left\{ \dfrac{(-1)^n}{2n} \right\}$ 은 $-\dfrac{1}{2}$, $\dfrac{1}{4}$, $-\dfrac{1}{6}$, $\dfrac{1}{8}$, $\cdots$ 이므로 그래프를 살펴보면 $\lim\limits_{n \to \infty} \dfrac{(-1)^n}{2n} = 0$

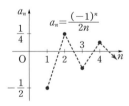

따라서 수열 $\left\{ \dfrac{(-1)^n}{2n} \right\}$ 의 극한값은 **0**이다.

[참고] (1), (4)의 경우 분자 $(-1)^n$은 n의 값에 따라 1 또는 -1의 값을 갖는다.

이때 분자가 1이든 -1이든 $\dfrac{c}{n^p}$ (단, $p>0$, c는 실수) 꼴의 항은 $n \to \infty$일 때 0에 수렴하므로

$$\lim_{n \to \infty}\left\{1+\frac{(-1)^n}{n}\right\}=1+0=1$$

$$\lim_{n \to \infty}\frac{(-1)^n}{2n}=0$$

답 (1) 1　(2) 0　(3) 1　(4) 0

002 (1) 수열 $\{a_n\}$은 $2,\ \dfrac{3}{4},\ \dfrac{4}{9},\ \dfrac{5}{16},\ \cdots$이므로

그래프를 살펴보면　$\lim\limits_{n \to \infty}\dfrac{n+1}{n^2}=0$

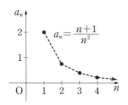

따라서 수열 $\{a_n\}$은 **수렴**하고, 그 극한값은 **0**이다.

(2) 수열 $\{a_n\}$은 $0,\ 1,\ 1,\ 2,\ \cdots$이므로 그래프를 살펴보

면　$\lim\limits_{n \to \infty}\left[\dfrac{n}{2}\right]=\infty$

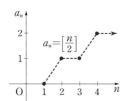

따라서 수열 $\{a_n\}$은 양의 무한대로 **발산**한다.

(3) 수열 $\{a_n\}$은 $0,\ 0,\ 0,\ 0,\ \cdots$이므로 그래프를 살펴보

면　$\lim\limits_{n \to \infty}\log(-1)^{2n}=0$

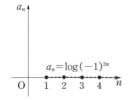

따라서 수열 $\{a_n\}$은 **수렴**하고, 그 극한값은 **0**이다.

(4) 수열 $\{a_n\}$은 $0,\ 2,\ 0,\ 2,\ \cdots$이므로 그래프로 나타내

면 다음 그림과 같다.

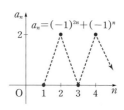

따라서 수열 $\{a_n\}$은 진동, 즉 **발산**한다.

답 (1) 수렴, 0　(2) 발산　(3) 수렴, 0　(4) 발산

003 (1) $\lim\limits_{n \to \infty}\dfrac{a_n b_n-1}{2a_n+b_n}=\dfrac{\lim\limits_{n \to \infty}(a_n b_n-1)}{\lim\limits_{n \to \infty}(2a_n+b_n)}$

$$=\dfrac{\lim\limits_{n \to \infty}a_n \cdot \lim\limits_{n \to \infty}b_n-\lim\limits_{n \to \infty}1}{2\lim\limits_{n \to \infty}a_n+\lim\limits_{n \to \infty}b_n}$$

$$=\dfrac{-1 \cdot 5-1}{2 \cdot (-1)+5}=-2$$

(2) $\lim\limits_{n \to \infty}(a_n-2)(2b_n+3)$

$$=\lim_{n \to \infty}(a_n-2)\cdot \lim_{n \to \infty}(2b_n+3)$$

$$=(\lim_{n \to \infty}a_n-\lim_{n \to \infty}2)\cdot(2\lim_{n \to \infty}b_n+\lim_{n \to \infty}3)$$

$$=(-1-2)\cdot(2 \cdot 5+3)=-39$$

답 (1) -2　(2) -39

004 $\lim\limits_{n \to \infty}(a_n^{\ 2}+b_n^{\ 2})$

$$=\lim_{n \to \infty}\{(a_n+b_n)^2-2a_n b_n\}$$

$$=\lim_{n \to \infty}(a_n+b_n)\cdot \lim_{n \to \infty}(a_n+b_n)-2\lim_{n \to \infty}a_n b_n$$

$$=2 \cdot 2-2 \cdot(-8)=20$$　**답** 20

005 (1) $\lim\limits_{n \to \infty}\dfrac{2n}{n+1}=\lim\limits_{n \to \infty}\dfrac{2}{1+\dfrac{1}{n}}$

$$=\dfrac{2}{1+0}=2\,(\text{수렴})$$

(2) $\displaystyle\lim_{n\to\infty}\frac{n^2+2n-1}{2n^2+n+3}=\lim_{n\to\infty}\frac{1+\dfrac{2}{n}-\dfrac{1}{n^2}}{2+\dfrac{1}{n}+\dfrac{3}{n^2}}$

$$=\frac{1+0-0}{2+0+0}=\boldsymbol{\frac{1}{2}}\ (\text{수렴})$$

(3) $\displaystyle\lim_{n\to\infty}\frac{2n^2+n-1}{n^3+1}=\lim_{n\to\infty}\frac{\dfrac{2}{n}+\dfrac{1}{n^2}-\dfrac{1}{n^3}}{1+\dfrac{1}{n^3}}$

$$=\frac{0+0-0}{1+0}=\boldsymbol{0}\ (\text{수렴})$$

(4) $\displaystyle\lim_{n\to\infty}\frac{1+2+3+\cdots+n}{n^2}$

$$=\lim_{n\to\infty}\frac{\dfrac{n(n+1)}{2}}{n^2}=\lim_{n\to\infty}\frac{n^2+n}{2n^2}$$

$$=\lim_{n\to\infty}\frac{1+\dfrac{1}{n}}{2}=\frac{1+0}{2}=\boldsymbol{\frac{1}{2}}\ (\text{수렴})$$

(5) $\displaystyle\lim_{n\to\infty}\frac{1^2+2^2+3^2+\cdots+n^2}{n^3}$

$$=\lim_{n\to\infty}\frac{\dfrac{n(n+1)(2n+1)}{6}}{n^3}$$

$$=\lim_{n\to\infty}\frac{n(n+1)(2n+1)}{6n^3}$$

$$=\lim_{n\to\infty}\frac{1\cdot\left(1+\dfrac{1}{n}\right)\left(2+\dfrac{1}{n}\right)}{6}$$

$$=\frac{1\cdot(1+0)\cdot(2+0)}{6}=\boldsymbol{\frac{1}{3}}\ (\text{수렴})$$

(6) $\displaystyle\lim_{n\to\infty}\frac{1^3+2^3+3^3+\cdots+n^3}{n^3}$

$$=\lim_{n\to\infty}\frac{\left\{\dfrac{n(n+1)}{2}\right\}^2}{n^3}=\lim_{n\to\infty}\frac{n^2(n+1)^2}{4n^3}$$

$$=\lim_{n\to\infty}\frac{n\left(1+\dfrac{1}{n}\right)^2}{4}=\infty\qquad\therefore\ \text{발산}$$

답 (1) 수렴, 2 (2) 수렴, $\dfrac{1}{2}$ (3) 수렴, 0

(4) 수렴, $\dfrac{1}{2}$ (5) 수렴, $\dfrac{1}{3}$ (6) 발산

006 근호가 있는 쪽을 유리화하여 극한값을 구해 보자.

(1) $\displaystyle\lim_{n\to\infty}\left(\sqrt{n^2+2n-1}-n\right)$

$$=\lim_{n\to\infty}\frac{\left(\sqrt{n^2+2n-1}-n\right)\left(\sqrt{n^2+2n-1}+n\right)}{\sqrt{n^2+2n-1}+n}$$

$$=\lim_{n\to\infty}\frac{2n-1}{\sqrt{n^2+2n-1}+n}$$

$$=\lim_{n\to\infty}\frac{2-\dfrac{1}{n}}{\sqrt{1+\dfrac{2}{n}-\dfrac{1}{n^2}}+1}=\frac{2}{1+1}=\boldsymbol{1}$$

(2) $\displaystyle\lim_{n\to\infty}\sqrt{n}\left(\sqrt{n+1}-\sqrt{n-1}\right)$

$$=\lim_{n\to\infty}\sqrt{n}\left\{\frac{\left(\sqrt{n+1}-\sqrt{n-1}\right)\left(\sqrt{n+1}+\sqrt{n-1}\right)}{\sqrt{n+1}+\sqrt{n-1}}\right\}$$

$$=\lim_{n\to\infty}\frac{2\sqrt{n}}{\sqrt{n+1}+\sqrt{n-1}}$$

$$=\lim_{n\to\infty}\frac{2}{\sqrt{1+\dfrac{1}{n}}+\sqrt{1-\dfrac{1}{n}}}=\frac{2}{1+1}=\boldsymbol{1}$$

(3) $\displaystyle\lim_{n\to\infty}\frac{1}{\sqrt{n^2+n}-n}$

$$=\lim_{n\to\infty}\frac{\sqrt{n^2+n}+n}{\left(\sqrt{n^2+n}-n\right)\left(\sqrt{n^2+n}+n\right)}$$

$$=\lim_{n\to\infty}\frac{\sqrt{n^2+n}+n}{n}$$

$$=\lim_{n\to\infty}\frac{\sqrt{1+\dfrac{1}{n}}+1}{1}=\frac{1+1}{1}=\boldsymbol{2}$$

(4) $\displaystyle\lim_{n\to\infty}\frac{\sqrt{n+3}-\sqrt{n}}{\sqrt{n+1}-\sqrt{n}}$

$$=\lim_{n\to\infty}\frac{\left(\sqrt{n+3}-\sqrt{n}\right)\left(\sqrt{n+3}+\sqrt{n}\right)\left(\sqrt{n+1}+\sqrt{n}\right)}{\left(\sqrt{n+1}-\sqrt{n}\right)\left(\sqrt{n+1}+\sqrt{n}\right)\left(\sqrt{n+3}+\sqrt{n}\right)}$$

$$=\lim_{n\to\infty}\frac{3\left(\sqrt{n+1}+\sqrt{n}\right)}{\sqrt{n+3}+\sqrt{n}}$$

$$=\lim_{n\to\infty}\frac{3\left(\sqrt{1+\dfrac{1}{n}}+1\right)}{\sqrt{1+\dfrac{3}{n}}+1}=\frac{3\cdot(1+1)}{1+1}=\boldsymbol{3}$$

답 (1) 1 (2) 1 (3) 2 (4) 3

007 $-1 \leq \cos n\theta \leq 1$이므로

$$-\frac{1}{n} \leq \frac{\cos n\theta}{n} \leq \frac{1}{n}$$

이때 $\lim\limits_{n\to\infty}\left(-\dfrac{1}{n}\right)=0$, $\lim\limits_{n\to\infty}\dfrac{1}{n}=0$이므로 수열의 극한의

대소 관계에 의하여

$$\lim_{n\to\infty}\frac{\cos n\theta}{n}=0 \qquad \boxed{답}\ 0$$

008 $\dfrac{3n-1}{n^2+2}<a_n<\dfrac{3n+1}{n^2}$ 의 각 변에 n을 곱

하면

$$\frac{3n^2-n}{n^2+2}<na_n<\frac{3n^2+n}{n^2}$$

이때

$$\lim_{n\to\infty}\frac{3n^2-n}{n^2+2}=\lim_{n\to\infty}\frac{3-\dfrac{1}{n}}{1+\dfrac{2}{n^2}}=3,$$

$$\lim_{n\to\infty}\frac{3n^2+n}{n^2}=\lim_{n\to\infty}\frac{3+\dfrac{1}{n}}{1}=3$$

이므로 수열의 극한의 대소 관계에 의하여

$$\lim_{n\to\infty}na_n=3 \qquad \boxed{답}\ 3$$

009 (1) $\lim\limits_{n\to\infty}\dfrac{3^{1-n}+2^n}{3^n}=\lim\limits_{n\to\infty}\dfrac{\dfrac{3}{3^n}+2^n}{3^n}$

$$=\lim_{n\to\infty}\frac{3\cdot\left(\dfrac{1}{9}\right)^n+\left(\dfrac{2}{3}\right)^n}{1}$$

$$=0$$

(2) $\lim\limits_{n\to\infty}\dfrac{(\sqrt{7})^n-3^{n-2}}{3^n-2^{n+1}}=\lim\limits_{n\to\infty}\dfrac{(\sqrt{7})^n-\dfrac{3^n}{9}}{3^n-2\cdot2^n}$

$$=\lim_{n\to\infty}\frac{\left(\dfrac{\sqrt{7}}{3}\right)^n-\dfrac{1}{9}}{1-2\cdot\left(\dfrac{2}{3}\right)^n}=-\frac{1}{9}$$

(3) $\lim\limits_{n\to\infty}\dfrac{2^{2n+2}+3^{n+1}}{2^{2n}+3^n}=\lim\limits_{n\to\infty}\dfrac{4\cdot4^n+3\cdot3^n}{4^n+3^n}$

$$=\lim_{n\to\infty}\frac{4+3\cdot\left(\dfrac{3}{4}\right)^n}{1+\left(\dfrac{3}{4}\right)^n}=4$$

(4) $\lim\limits_{n\to\infty}\dfrac{-5\cdot9^{n+1}+2^{3n+2}}{2^{3n}-3^{2n}}=\lim\limits_{n\to\infty}\dfrac{-45\cdot9^n+4\cdot8^n}{8^n-9^n}$

$$=\lim_{n\to\infty}\frac{-45+4\cdot\left(\dfrac{8}{9}\right)^n}{\left(\dfrac{8}{9}\right)^n-1}$$

$$=45$$

$\boxed{답}$ (1) 0   (2) $-\dfrac{1}{9}$ (3) 4   (4) 45

010 (1) 등비수열 $\left\{\left(\dfrac{x^2-10x+8}{8}\right)^n\right\}$은 첫째항과

공비가 모두 $\dfrac{x^2-10x+8}{8}$이므로 이 수열이 수렴하

려면

$$-1<\frac{x^2-10x+8}{8}\leq1$$

(ⅰ) $-1<\dfrac{x^2-10x+8}{8}$에서 $x^2-10x+16>0$

$$(x-2)(x-8)>0$$

$$\therefore\ x<2\ \text{또는}\ x>8 \qquad \cdots\cdots\ \unicode{x1F150}$$

(ⅱ) $\dfrac{x^2-10x+8}{8}\leq1$에서 $x^2-10x\leq0$

$$x(x-10)\leq0$$

$$\therefore\ 0\leq x\leq10 \qquad \cdots\cdots\ \unicode{x1F151}$$

㉠, ㉡의 공통 범위를 구하면

$$\mathbf{0\leq x<2\ \text{또는}\ 8<x\leq10}$$

(2) 등비수열 $\{(x-1)(x-2)^{n-1}\}$은 첫째항이

$(x-1)(x-2)$, 공비가 $x-2$이므로 이 수열이 수렴

하려면

$$(x-1)(x-2)=0\ \text{또는}\ -1<x-2\leq1$$

$$x=1\ \text{또는}\ x=2\ \text{또는}\ 1<x\leq3$$

$$\therefore\ \mathbf{1\leq x\leq3}$$

$\boxed{답}$ (1) $0\leq x<2$ 또는 $8<x\leq10$ (2) $1\leq x\leq3$

011 (i) $|r|<1$일 때, $\lim\limits_{n\to\infty} r^{2n}=0$이므로

$$\lim_{n\to\infty}\frac{2r^{2n}-1}{r^{2n}+3}=-\frac{1}{3}$$

(ii) $r=1$일 때, $\lim\limits_{n\to\infty} r^{2n}=1$이므로

$$\lim_{n\to\infty}\frac{2r^{2n}-1}{r^{2n}+3}=\frac{1}{4}$$

(iii) $|r|>1$일 때, $\lim\limits_{n\to\infty} r^{2n}=\infty$이므로

$$\lim_{n\to\infty}\frac{2r^{2n}-1}{r^{2n}+3}=\frac{2-\dfrac{1}{r^{2n}}}{1+\dfrac{3}{r^{2n}}}=2$$

(iv) $r=-1$일 때, $\lim\limits_{n\to\infty} r^{2n}=1$이므로

$$\lim_{n\to\infty}\frac{2r^{2n}-1}{r^{2n}+3}=\frac{1}{4}$$

답 $\begin{cases} |r|<1\text{일 때, } -\dfrac{1}{3} \\ r=1\text{일 때, } \dfrac{1}{4} \\ |r|>1\text{일 때, } 2 \\ r=-1\text{일 때, } \dfrac{1}{4} \end{cases}$

2. 급수

012 (1) 발산 (2) 수렴, $\dfrac{1}{6}$ **013** 풀이 참조

014 1   **015** 7   **016** 3

017 (1) $\dfrac{1}{7}$ (2) $-\dfrac{1}{11}$ **018** $\dfrac{3}{10}$

019 $-5<x<-4$ 또는 $4<x<7$ **020** $\dfrac{620}{99}$

021 풀이 참조   **022** 12   **023** 6

012 (1) 주어진 급수의 제 n 항까지의 부분합을 S_n이라 하면

$$\begin{aligned} S_n &= \sum_{k=1}^{n} \log\frac{k+1}{k} \\ &= \log\frac{2}{1}+\log\frac{3}{2}+\log\frac{4}{3}+\cdots+\log\frac{n+1}{n} \\ &= \log\left(2\times\frac{3}{2}\times\frac{4}{3}\times\cdots\times\frac{n+1}{n}\right) \\ &= \log(n+1) \end{aligned}$$

이때 $\lim\limits_{n\to\infty} S_n = \lim\limits_{n\to\infty}(n+1)=\infty$이므로 주어진 급수는 **발산**한다.

(2) 주어진 급수의 제 n 항까지의 부분합을 S_n이라 하면

$$\begin{aligned} S_n &= \sum_{k=1}^{n}\frac{1}{(3k-1)(3k+2)} \\ &= \sum_{k=1}^{n}\frac{1}{3}\left(\frac{1}{3k-1}-\frac{1}{3k+2}\right) \\ &= \frac{1}{3}\Big\{\left(\frac{1}{2}-\frac{1}{5}\right)+\left(\frac{1}{5}-\frac{1}{8}\right)+\left(\frac{1}{8}-\frac{1}{11}\right) \\ &\qquad\qquad +\cdots+\left(\frac{1}{3n-1}-\frac{1}{3n+2}\right)\Big\} \\ &= \frac{1}{3}\left(\frac{1}{2}-\frac{1}{3n+2}\right)=\frac{1}{6}-\frac{1}{9n+6} \end{aligned}$$

이때 $\lim\limits_{n\to\infty} S_n = \lim\limits_{n\to\infty}\left(\frac{1}{6}-\frac{1}{9n+6}\right)=\frac{1}{6}$이므로 주어진 급수는 **수렴**하고, 그 합은 $\dfrac{1}{6}$이다.

답 (1) 발산 (2) 수렴, $\dfrac{1}{6}$

013 주어진 급수의 제n항을 a_n이라 하자.

(1) $a_n = \dfrac{3n}{3n+1}$ 이므로

$$\lim_{n \to \infty} a_n = \lim_{n \to \infty} \frac{3n}{3n+1} = 1$$

따라서 $\lim_{n \to \infty} a_n \neq 0$이므로 주어진 급수는 발산한다.

(2) $a_n = \dfrac{2^n + 1}{x^n} = \left(\dfrac{2}{x}\right)^n + \left(\dfrac{1}{x}\right)^n$

이때 $\dfrac{2}{x} > 2$, $\dfrac{1}{x} > 1$이므로

$$\lim_{n \to \infty} a_n = \lim_{n \to \infty} \left\{ \left(\frac{2}{x}\right)^n + \left(\frac{1}{x}\right)^n \right\} = \infty$$

따라서 $\lim_{n \to \infty} a_n \neq 0$이므로 주어진 급수는 발산한다.

📋 풀이 참조

014 $\displaystyle\sum_{n=1}^{\infty} \left(\dfrac{a_n + 2}{a_n} - 3 \right)$이 5에 수렴하므로

$$\lim_{n \to \infty} \left(\frac{a_n + 2}{a_n} - 3 \right) = 0$$

이때 $\dfrac{a_n + 2}{a_n} - 3 = b_n$으로 놓으면 $\lim_{n \to \infty} b_n = 0$이고

$a_n = \dfrac{2}{b_n + 2}$ 이므로

$$\lim_{n \to \infty} a_n = \lim_{n \to \infty} \frac{2}{b_n + 2}$$

$$= \frac{2}{0+2} = \mathbf{1}$$

📋 1

015 $\displaystyle\sum_{n=1}^{\infty} a_n(2a_n + b_n) = \sum_{n=1}^{\infty} (2a_n^2 + a_n b_n)$

$$= 2\sum_{n=1}^{\infty} a_n^2 + \sum_{n=1}^{\infty} a_n b_n$$

$$= 2 \cdot 4 + (-1) = \mathbf{7}$$ 📋 7

016 두 급수 $\displaystyle\sum_{n=1}^{\infty} a_n$, $\displaystyle\sum_{n=1}^{\infty} b_n$이 수렴하므로

$\displaystyle\sum_{n=1}^{\infty} a_n = \alpha$, $\displaystyle\sum_{n=1}^{\infty} b_n = \beta$ (α, β는 상수)라 하면

$$\sum_{n=1}^{\infty} (a_n + 3b_n) = \sum_{n=1}^{\infty} a_n + 3\sum_{n=1}^{\infty} b_n$$

$$= \alpha + 3\beta = -4 \qquad \cdots\cdots ㉠$$

$$\sum_{n=1}^{\infty} (2a_n - b_n) = 2\sum_{n=1}^{\infty} a_n - \sum_{n=1}^{\infty} b_n$$

$$= 2\alpha - \beta = 13 \qquad \cdots\cdots ㉡$$

㉠, ㉡을 연립하여 풀면 $\alpha = 5$, $\beta = -3$

$$\therefore \sum_{n=1}^{\infty} (3a_n + 4b_n) = 3\sum_{n=1}^{\infty} a_n + 4\sum_{n=1}^{\infty} b_n$$

$$= 3\alpha + 4\beta$$

$$= 3 \cdot 5 + 4 \cdot (-3)$$

$$= \mathbf{3}$$ 📋 3

017 (1) $\displaystyle\sum_{n=1}^{\infty} \left(\frac{1}{4}\right)^n \sin^n \frac{\pi}{6} = \sum_{n=1}^{\infty} \left(\frac{1}{4} \sin \frac{\pi}{6}\right)^n$

$$= \sum_{n=1}^{\infty} \left(\frac{1}{8}\right)^n$$

$$= \frac{\dfrac{1}{8}}{1 - \dfrac{1}{8}} = \frac{\mathbf{1}}{\mathbf{7}}$$

(2) $\displaystyle\sum_{n=1}^{\infty} \left(9 \cdot 10^{-2n} - \frac{18}{11} \cdot 10^{-n} \right)$

$$= 9\sum_{n=1}^{\infty} \left(\frac{1}{100}\right)^n - \frac{18}{11} \sum_{n=1}^{\infty} \left(\frac{1}{10}\right)^n$$

$$= 9 \cdot \frac{\dfrac{1}{100}}{1 - \dfrac{1}{100}} - \frac{18}{11} \cdot \frac{\dfrac{1}{10}}{1 - \dfrac{1}{10}}$$

$$= 9 \cdot \frac{1}{99} - \frac{18}{11} \cdot \frac{1}{9}$$

$$= \frac{1}{11} - \frac{2}{11} = -\frac{\mathbf{1}}{\mathbf{11}}$$ 📋 (1) $\dfrac{1}{7}$ (2) $-\dfrac{1}{11}$

018 $\displaystyle\sum_{n=1}^{\infty}\dfrac{1+2+2^2+\cdots+2^{n-1}}{6^n}$

$$=\sum_{n=1}^{\infty}\dfrac{\dfrac{1\cdot(2^n-1)}{2-1}}{6^n}$$

$$=\sum_{n=1}^{\infty}\dfrac{2^n-1}{6^n}$$

$$=\sum_{n=1}^{\infty}\left(\dfrac{1}{3}\right)^n-\sum_{n=1}^{\infty}\left(\dfrac{1}{6}\right)^n$$

$$=\dfrac{\dfrac{1}{3}}{1-\dfrac{1}{3}}-\dfrac{\dfrac{1}{6}}{1-\dfrac{1}{6}}$$

$$=\dfrac{1}{2}-\dfrac{1}{5}=\dfrac{3}{10}$$

답 $\dfrac{3}{10}$

019 등비급수 $\displaystyle\sum_{n=1}^{\infty}\left(\dfrac{1-x}{6}\right)^n$의 첫째항과 공비가 모두 $\dfrac{1-x}{6}$ 이므로 이 등비급수가 수렴하려면

$$-1<\dfrac{1-x}{6}<1,\ -6<1-x<6$$

$$-7<-x<5\qquad\therefore\ -5<x<7\qquad\cdots\cdots\ \text{㉠}$$

등비급수 $\displaystyle\sum_{n=1}^{\infty}\left(\dfrac{4}{x}\right)^n$의 첫째항과 공비가 모두 $\dfrac{4}{x}$ 이므로 이 등비급수가 수렴하려면

$$-1<\dfrac{4}{x}<1\qquad\therefore\ x<-4\ \text{또는}\ x>4\qquad\cdots\cdots\ \text{㉡}$$

㉠, ㉡의 공통 범위를 구하면

$$\boldsymbol{-5<x<-4\ \text{또는}\ 4<x<7}$$

답 $-5<x<-4$ 또는 $4<x<7$

020 $6.\dot{2}\dot{6}=6.262626\cdots$

$$=6+0.26+0.0026+0.000026+\cdots$$

$$=6+\dfrac{26}{100}+\dfrac{26}{100^2}+\dfrac{26}{100^3}+\cdots$$

이므로 $6.\dot{2}\dot{6}$은 6에 첫째항이 $\dfrac{26}{100}$ 이고 공비가 $\dfrac{1}{100}$ 인 등비급수의 합을 더한 것과 같다.

$$\therefore\ 6.\dot{2}\dot{6}=6+\dfrac{\dfrac{26}{100}}{1-\dfrac{1}{100}}=6+\dfrac{26}{99}=\boldsymbol{\dfrac{620}{99}}$$

답 $\dfrac{620}{99}$

021 $1.2\dot{9}=1.2999\cdots$

$$=1.2+0.09+0.009+0.0009+\cdots$$

$$=1.2+\dfrac{9}{10^2}+\dfrac{9}{10^3}+\dfrac{9}{10^4}+\cdots$$

이므로 $1.2\dot{9}$는 1.2에 첫째항이 $\dfrac{9}{100}$ 이고 공비가 $\dfrac{1}{10}$ 인 등비급수의 합을 더한 것과 같다.

$$\therefore\ 1.2\dot{9}=1.2+\dfrac{\dfrac{9}{100}}{1-\dfrac{1}{10}}=1.2+0.1=1.3$$

답 풀이 참조

022 오른쪽 그림에서 와 같이 반지름의 길이가 2 인 원에 내접하는 정삼각형 에 내접하는 원의 반지름의 길이는 1이다. 따라서 닮은 꼴을 이루는 활꼴 ㉠과 ㉡ 의 닮음비가 $2:1$이므로 넓이의 비는 $4:1$이다.

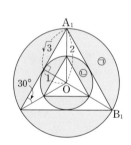

(활꼴 ㉠의 넓이)

　= (부채꼴 A_1OB_1의 넓이) $-$ (삼각형 A_1OB_1의 넓이)

$$=\pi\cdot2^2\cdot\dfrac{120}{360}-\dfrac{1}{2}\cdot2\sqrt{3}\cdot1$$

$$=\dfrac{4}{3}\pi-\sqrt{3}$$

즉, $\displaystyle\lim_{n\to\infty}S_n$은 첫째항이 $3\left(\dfrac{4}{3}\pi-\sqrt{3}\right)=4\pi-3\sqrt{3}$ 이고

공비가 $\dfrac{1}{4}$ 인 등비급수의 합이므로

$$\lim_{n\to\infty} S_n = \dfrac{4\pi - 3\sqrt{3}}{1-\dfrac{1}{4}} = \dfrac{16}{3}\pi - 4\sqrt{3}$$

따라서 $a=\dfrac{16}{3}$, $b=-4$이므로

$$3a+b = 3\cdot\dfrac{16}{3} + (-4) = \mathbf{12}$$

답 12

023 $\quad S_1$에서 $\quad l_1 = 1\cdot 2$

S_2에서 $\quad l_2 = 1\cdot 2 + \dfrac{1}{3}\cdot 2^2$

S_3에서 $\quad l_3 = 1\cdot 2 + \dfrac{1}{3}\cdot 2^2 + \left(\dfrac{1}{3}\right)^2\cdot 2^3$

$\vdots$

S_n에서

$$l_n = 1\cdot 2 + \dfrac{1}{3}\cdot 2^2 + \left(\dfrac{1}{3}\right)^2\cdot 2^3 + \cdots + \left(\dfrac{1}{3}\right)^{n-1}\cdot 2^n$$

$$= \sum_{k=1}^{n}\left(\dfrac{1}{3}\right)^{k-1}\cdot 2^k = \sum_{k=1}^{n} 2\cdot\left(\dfrac{2}{3}\right)^{k-1}$$

$$\therefore \lim_{n\to\infty} l_n = \lim_{n\to\infty}\sum_{k=1}^{n} 2\cdot\left(\dfrac{2}{3}\right)^{k-1}$$

$$= \sum_{n=1}^{\infty} 2\cdot\left(\dfrac{2}{3}\right)^{n-1} = \dfrac{2}{1-\dfrac{2}{3}} = \mathbf{6}$$

답 6

II 미분법

1. 지수함수와 로그함수의 미분

024 (1) 1   (2) $\dfrac{1}{4}$ (3) ∞ (4) ∞

025 (1) 2   (2) -4 (3) ∞ (4) ∞

026 (1) 0   (2) $-\dfrac{1}{3}$ (3) $1-\log_2 3$ (4) 0

027 (1) $e^{\frac{3}{2}}$ (2) $\sqrt{e}$ (3) $e^{-\frac{3}{2}}$ (4) e^3

028 (1) $\dfrac{1}{4}$ (2) 2   (3) $\dfrac{5}{2\ln 3}$ (4) $4\ln 3$

029 $12\ln 2$

030 (1) $y' = \ln 3x + 1$ (2) $y' = \dfrac{1}{x\ln 3}$

(3) $y' = \dfrac{2\log_2 x}{x\ln 2}$

024 $\quad$ (1) $\displaystyle\lim_{x\to 0}\left(\dfrac{3}{5}\right)^x = \left(\dfrac{3}{5}\right)^0 = \mathbf{1}$

(2) $\displaystyle\lim_{x\to -1} 4^x = 4^{-1} = \dfrac{\mathbf{1}}{\mathbf{4}}$

(3) $\dfrac{3}{2} > 1$이므로 $\quad \displaystyle\lim_{x\to\infty}\left(\dfrac{3}{2}\right)^x = \infty$

(4) $0 < \dfrac{7}{8} < 1$이므로 $\quad \displaystyle\lim_{x\to -\infty}\left(\dfrac{7}{8}\right)^x = \infty$

답 (1) 1   (2) $\dfrac{1}{4}$ (3) ∞ (4) ∞

025 $\quad$ (1) $\displaystyle\lim_{x\to 9}\log_3 x = \log_3 9 = \log_3 3^2 = \mathbf{2}$

(2) $\displaystyle\lim_{x\to 16}\log_{\frac{1}{2}} x = \log_{\frac{1}{2}} 16 = -\log_2 2^4 = \mathbf{-4}$

(3) 밑이 $2 > 1$이므로

$$\lim_{x\to\infty}\log_2 x = \infty$$

(4) 밑이 $0 < \dfrac{1}{2} < 1$이므로

$$\lim_{x\to 0+}\log_{\frac{1}{2}} x = \infty$$

답 (1) 2   (2) -4 (3) ∞ (4) ∞

026 (1) 3^x으로 분모와 분자를 각각 나누면

$$\lim_{x \to \infty} \frac{2^x+1}{3^x-1} = \lim_{x \to \infty} \frac{\left(\frac{2}{3}\right)^x + \left(\frac{1}{3}\right)^x}{1-\left(\frac{1}{3}\right)^x} = \frac{0+0}{1-0} = \mathbf{0}$$

(2) 3^x으로 분모와 분자를 각각 나누면

$$\lim_{x \to \infty} \frac{3^x}{1-3^{x+1}} = \lim_{x \to \infty} \frac{1}{\left(\frac{1}{3}\right)^x - 3} = \frac{1}{0-3} = -\frac{\mathbf{1}}{\mathbf{3}}$$

(3) $\displaystyle\lim_{x \to 1} \{\log_2 |x^2-1| - \log_2 |x^3-1|\}$

$$= \lim_{x \to 1} \log_2 \left| \frac{x^2-1}{x^3-1} \right|$$

$$= \lim_{x \to 1} \log_2 \left| \frac{(x-1)(x+1)}{(x-1)(x^2+x+1)} \right|$$

$$= \lim_{x \to 1} \log_2 \left| \frac{x+1}{x^2+x+1} \right|$$

$$= \log_2 \lim_{x \to 1} \left| \frac{x+1}{x^2+x+1} \right|$$

$$= \log_2 \frac{2}{3} = \mathbf{1-\log_2 3}$$

(4) $\displaystyle\lim_{x \to \infty} \log_2 (x-\sqrt{x^2-2x})$

$$= \lim_{x \to \infty} \log_2 \frac{(x-\sqrt{x^2-2x})(x+\sqrt{x^2-2x})}{x+\sqrt{x^2-2x}}$$

$$= \lim_{x \to \infty} \log_2 \frac{2x}{x+\sqrt{x^2-2x}}$$

$$= \log_2 \lim_{x \to \infty} \frac{2}{1+\sqrt{1-\frac{2}{x}}}$$

$$= \log_2 1 = \mathbf{0}$$

$\boxed{\text{답}}$ (1) 0 (2) $-\dfrac{1}{3}$ (3) $1-\log_2 3$ (4) 0

027 (1) $\displaystyle\lim_{x \to 0} \left(1+\frac{x}{2}\right)^{\frac{3}{x}} = \lim_{x \to 0} \left\{\left(1+\frac{x}{2}\right)^{\frac{2}{x}}\right\}^{\frac{3}{2}}$

$$= \mathbf{e^{\frac{3}{2}}}$$

(2) $\displaystyle\lim_{x \to \infty} \left(\frac{x+1}{x}\right)^{\frac{x}{2}} = \lim_{x \to \infty} \left\{\left(1+\frac{1}{x}\right)^x\right\}^{\frac{1}{2}} = e^{\frac{1}{2}} = \mathbf{\sqrt{e}}$

(3) $x=-t$로 놓으면 $x \to -\infty$일 때 $t \to \infty$이므로

$$\lim_{x \to -\infty} \left(1-\frac{1}{2x}\right)^{3x} = \lim_{t \to \infty} \left(1+\frac{1}{2t}\right)^{-3t}$$

$$= \lim_{t \to \infty} \left\{\left(1+\frac{1}{2t}\right)^{2t}\right\}^{-\frac{3}{2}} = \mathbf{e^{-\frac{3}{2}}}$$

(4) $x-1=t$로 놓으면 $x \to 1$일 때 $t \to 0$이므로

$$\lim_{x \to 1} x^{\frac{3}{x-1}} = \lim_{t \to 0} (1+t)^{\frac{3}{t}} = \lim_{t \to 0} \{(1+t)^{\frac{1}{t}}\}^3 = \mathbf{e^3}$$

$\boxed{\text{답}}$ (1) $e^{\frac{3}{2}}$ (2) $\sqrt{e}$ (3) $e^{-\frac{3}{2}}$ (4) e^3

028 (1) $\displaystyle\lim_{x \to 0} \frac{e^{2x}-1}{8x} = \frac{2}{8} = \frac{\mathbf{1}}{\mathbf{4}}$

(2) $\displaystyle\lim_{x \to 0} \frac{6x}{\ln(1+3x)} = \lim_{x \to 0} \frac{1}{\dfrac{\ln(1+3x)}{6x}}$

$$= \frac{1}{\dfrac{3}{6}} = \mathbf{2}$$

(3) $\displaystyle\lim_{x \to 0} \frac{\log_3(1+5x)}{2x} = \lim_{x \to 0} \frac{\log_3(1+5x)}{5x} \cdot \frac{5}{2}$

$$= \frac{1}{\ln 3} \cdot \frac{5}{2} = \frac{\mathbf{5}}{\mathbf{2\ln 3}}$$

(4) $\displaystyle\lim_{x \to 0} \frac{2 \cdot 3^{2x}-2}{x} = \lim_{x \to 0} \frac{2(3^{2x}-1)}{x}$

$$= \lim_{x \to 0} \frac{3^{2x}-1}{2x} \cdot 4 = \ln 3 \cdot 4 = \mathbf{4\ln 3}$$

$\boxed{\text{답}}$ (1) $\dfrac{1}{4}$ (2) 2 (3) $\dfrac{5}{2\ln 3}$ (4) $4\ln 3$

029 $f(x) = 2^{3x-1} = \dfrac{1}{2} \cdot (2^3)^x = \dfrac{1}{2} \cdot 8^x$이므로

$$f'(x) = \frac{1}{2} \cdot 8^x \ln 8 = \frac{1}{2} \ln 2^3 \cdot 8^x = \frac{3}{2} \ln 2 \cdot 8^x$$

$$\therefore f'(1) = \mathbf{12\ln 2}$$

$\boxed{\text{답}}$ $12\ln 2$

030 (1) $y=x\ln 3x=x(\ln 3+\ln x)$이므로

$$y'=\ln 3+\ln x+x\cdot\frac{1}{x}$$

$$=\ln 3+\ln x+1=\mathbf{ln\,3x+1}$$

(2) $y=\log_3 9x=\log_3 9+\log_3 x=2+\log_3 x$이므로

$$y'=\frac{1}{x\ln 3}$$

(3) $y=(\log_2 x)(\log_2 x)$이므로

$$y'=\frac{1}{x\ln 2}\cdot\log_2 x+\log_2 x\cdot\frac{1}{x\ln 2}$$

$$=\frac{2\log_2 x}{x\ln 2}$$

답 (1) $y'=\ln 3x+1$

(2) $y'=\dfrac{1}{x\ln 3}$

(3) $y'=\dfrac{2\log_2 x}{x\ln 2}$

2. 삼각함수의 미분

031 -2 **032** $2\tan\theta$ **033** 1

034 (1) $\dfrac{16}{65}$ (2) $\dfrac{33}{65}$ **035** $\dfrac{\sqrt{3}}{2}$ **036** 5

037 2 **038** $\dfrac{4}{3}$ **039** $-\dfrac{7}{25}$

040 (1) $\overline{BC}=\dfrac{1}{\sqrt{1+t^2}}$, $\overline{OC}=\dfrac{t}{\sqrt{1+t^2}}$

(2) $\left(\dfrac{1-t^2}{1+t^2},\ \dfrac{2t}{1+t^2}\right)$

041 $\sqrt{3}\sin(\theta+\alpha)$ $\left(\text{단},\ \cos\alpha=\dfrac{\sqrt{2}}{\sqrt{3}},\ \sin\alpha=\dfrac{1}{\sqrt{3}}\right)$

042 $2\cos\left(\theta-\dfrac{11}{6}\pi\right)$

043 최댓값 : 2, 최솟값 : -2

044 최댓값 : $\sqrt{7}$, 최솟값 : $-\sqrt{7}$

045 (1) 2 (2) $\sqrt{2}$ (3) $\dfrac{1}{2}$ (4) $-2\sqrt{2}$

046 (1) $\dfrac{1}{2}$ (2) $\dfrac{4}{9}$ (3) $\dfrac{4}{3}$ (4) 4

047 (1) $y'=\dfrac{1}{x}+4\sin x$

(2) $y'=2x\sin x+(x^2+3)\cos x$

(3) $y'=4\sin x\cos x$ (4) $y'=2(\cos^2 x-\sin^2 x)$

048 1 **049** -2

031 θ가 제3사분면의 각이고 $\cos\theta=-\dfrac{3}{5}$이므로 오른쪽 그림과 같이 원점을 중심으로 하고 반지름의 길이가 5인 원을 그리면 각 θ의 동경과 이 원이 만나는 점 P의 좌표는 $(-3,\ -4)$

따라서 $\csc\theta=-\dfrac{5}{4}$, $\cot\theta=\dfrac{3}{4}$이므로

$$\csc\theta-\cot\theta=-\frac{5}{4}-\frac{3}{4}=\mathbf{-2}$$ **답** -2

032

$$\frac{\sin\theta}{\sec\theta-\tan\theta}+\frac{\sin\theta}{\sec\theta+\tan\theta}$$

$$=\frac{\sin\theta(\sec\theta+\tan\theta)+\sin\theta(\sec\theta-\tan\theta)}{\sec^2\theta-\tan^2\theta}$$

$$=\frac{2\sin\theta\sec\theta}{(1+\tan^2\theta)-\tan^2\theta}$$

$$=2\sin\theta\cdot\frac{1}{\cos\theta}=\mathbf{2\tan\theta} \qquad \text{달} \ 2\tan\theta$$

033

$$(\sin\theta-\csc\theta)^2-(\cot\theta-\tan\theta)^2$$
$$\qquad\qquad +(\sec\theta-\cos\theta)^2$$

$$=(\sin^2\theta-2+\csc^2\theta)-(\cot^2\theta-2+\tan^2\theta)$$
$$\qquad\qquad +(\sec^2\theta-2+\cos^2\theta)$$

$$=-2+(\sin^2\theta+\cos^2\theta)+(\csc^2\theta-\cot^2\theta)$$
$$\qquad\qquad +(\sec^2\theta-\tan^2\theta)$$

$$=-2+1+\{(1+\cot^2\theta)-\cot^2\theta\}$$
$$\qquad\qquad +\{(1+\tan^2\theta)-\tan^2\theta\}$$

$$=-1+1+1=\mathbf{1} \qquad\qquad \text{달} \ 1$$

034 $0<\alpha<\dfrac{\pi}{2}$, $\dfrac{\pi}{2}<\beta<\pi$ 이므로

$\cos\alpha>0$, $\sin\beta>0$

$$\therefore \cos\alpha=\sqrt{1-\sin^2\alpha}=\sqrt{1-\left(\frac{4}{5}\right)^2}=\frac{3}{5},$$

$$\sin\beta=\sqrt{1-\cos^2\beta}=\sqrt{1-\left(-\frac{5}{13}\right)^2}=\frac{12}{13}$$

(1) $\sin(\alpha+\beta)=\sin\alpha\cos\beta+\cos\alpha\sin\beta$

$$=\frac{4}{5}\cdot\left(-\frac{5}{13}\right)+\frac{3}{5}\cdot\frac{12}{13}=\mathbf{\frac{16}{65}}$$

(2) $\cos(\alpha-\beta)=\cos\alpha\cos\beta+\sin\alpha\sin\beta$

$$=\frac{3}{5}\cdot\left(-\frac{5}{13}\right)+\frac{4}{5}\cdot\frac{12}{13}=\mathbf{\frac{33}{65}}$$

$$\text{달} \ (1)\ \frac{16}{65} \quad (2)\ \frac{33}{65}$$

035

$$\cos80°\sin140°+\cos10°\sin50°$$
$$=\cos(90°-10°)\sin(90°+50°)$$
$$\qquad\qquad +\cos10°\sin50°$$
$$=\sin10°\cos50°+\cos10°\sin50°$$
$$=\sin(10°+50°)$$
$$=\sin60°=\frac{\sqrt{3}}{2} \qquad \text{달} \ \frac{\sqrt{3}}{2}$$

036 이차방정식 $2x^2-5x+1=0$의 두 근이 $\tan\alpha$, $\tan\beta$이므로 이차방정식의 근과 계수의 관계에 의하여

$$\tan\alpha+\tan\beta=\frac{5}{2},\ \tan\alpha\tan\beta=\frac{1}{2}$$

$$\therefore \tan(\alpha+\beta)=\frac{\tan\alpha+\tan\beta}{1-\tan\alpha\tan\beta}=\frac{\frac{5}{2}}{1-\frac{1}{2}}=\mathbf{5}$$

$$\text{달} \ 5$$

037

$$(1+\tan\alpha)(1+\tan\beta)$$
$$=1+\tan\alpha+\tan\beta+\tan\alpha\tan\beta \ \cdots\cdots\ \bigcirc$$

이때 $\alpha+\beta=\dfrac{\pi}{4}$이므로

$$\tan(\alpha+\beta)=\frac{\tan\alpha+\tan\beta}{1-\tan\alpha\tan\beta}=1$$

$$\tan\alpha+\tan\beta=1-\tan\alpha\tan\beta$$

$$\therefore \tan\alpha+\tan\beta+\tan\alpha\tan\beta=1 \ \cdots\cdots\ \bigcirc$$

$\bigcirc$을 $\bigcirc$에 대입하면

$$(1+\tan\alpha)(1+\tan\beta)=1+1=\mathbf{2} \qquad \text{달} \ 2$$

038

$$\frac{\sin2\theta}{1+\cos2\theta}=\frac{2\sin\theta\cos\theta}{1+(2\cos^2\theta-1)}$$

$$=\frac{\sin\theta}{\cos\theta}=\tan\theta=\frac{1}{2}$$

$$\therefore \tan2\theta=\frac{2\tan\theta}{1-\tan^2\theta}=\frac{2\cdot\frac{1}{2}}{1-\left(\frac{1}{2}\right)^2}=\mathbf{\frac{4}{3}} \qquad \text{달} \ \frac{4}{3}$$

039 $\sin^2\dfrac{\theta}{2}=\dfrac{1-\cos\theta}{2}=\dfrac{1}{5}$ 에서

$5-5\cos\theta=2,\ -5\cos\theta=-3$

$\therefore \cos\theta=\dfrac{3}{5}$

$\therefore \cos2\theta=2\cos^2\theta-1=2\cdot\left(\dfrac{3}{5}\right)^2-1=-\dfrac{7}{25}$

답 $-\dfrac{7}{25}$

---

040 (1) $\angle\text{BAO}=\dfrac{\theta}{2}$ 이고 직선 AB의 기울기가

t이므로 $\quad\tan\dfrac{\theta}{2}=t$

이때 △OAB는 이등변삼각형이므로

$\overline{\text{AB}}\perp\overline{\text{OC}},\ \angle\text{OBC}=\dfrac{\theta}{2}$

$\therefore \overline{\text{BC}}=\overline{\text{OB}}\cos\dfrac{\theta}{2}=\dfrac{1}{\sqrt{1+t^2}}$

$\overline{\text{OC}}=\overline{\text{OB}}\sin\dfrac{\theta}{2}=\dfrac{t}{\sqrt{1+t^2}}$

(2) 점 B의 좌표는 $(\cos\theta,\ \sin\theta)$이고

$\cos\theta=2\cos^2\dfrac{\theta}{2}-1=\dfrac{1-t^2}{1+t^2}$

$\sin\theta=2\sin\dfrac{\theta}{2}\cos\dfrac{\theta}{2}=\dfrac{2t}{1+t^2}$

따라서 점 B의 좌표는 $\left(\dfrac{1-t^2}{1+t^2},\ \dfrac{2t}{1+t^2}\right)$이다.

답 (1) $\overline{\text{BC}}=\dfrac{1}{\sqrt{1+t^2}}$, $\overline{\text{OC}}=\dfrac{t}{\sqrt{1+t^2}}$

(2) $\left(\dfrac{1-t^2}{1+t^2},\ \dfrac{2t}{1+t^2}\right)$

---

041 좌표평면 위에 $\sin\theta$의 계수 $\sqrt{2}$를 x좌표,
$\cos\theta$의 계수 1을 y좌표로 하는 점 $\text{P}(\sqrt{2},\ 1)$을 잡으면
$\overline{\text{OP}}=\sqrt{(\sqrt{2})^2+1^2}=\sqrt{3}$

$\therefore \sqrt{2}\sin\theta+\cos\theta$

$=\sqrt{3}\left(\dfrac{\sqrt{2}}{\sqrt{3}}\sin\theta+\dfrac{1}{\sqrt{3}}\cos\theta\right)$

$=\sqrt{3}\,(\cos\alpha\sin\theta+\sin\alpha\cos\theta)$

$=\sqrt{3}\sin(\theta+\alpha)$

$\left(\text{단, }\cos\alpha=\dfrac{\sqrt{2}}{\sqrt{3}},\ \sin\alpha=\dfrac{1}{\sqrt{3}}\right)$

답 $\sqrt{3}\sin(\theta+\alpha)\left(\text{단, }\cos\alpha=\dfrac{\sqrt{2}}{\sqrt{3}},\ \sin\alpha=\dfrac{1}{\sqrt{3}}\right)$

---

042 좌표평면 위에 $\cos\theta$의 계수 $\sqrt{3}$을 x좌표,
$\sin\theta$의 계수 -1을 y좌표로 하는 점 $\text{P}(\sqrt{3},\ -1)$을 잡
으면
$\overline{\text{OP}}=\sqrt{(\sqrt{3})^2+(-1)^2}=2$

$\therefore -\sin\theta+\sqrt{3}\cos\theta$

$=2\left(-\dfrac{1}{2}\sin\theta+\dfrac{\sqrt{3}}{2}\cos\theta\right)$

$=2\left(\sin\dfrac{11}{6}\pi\sin\theta+\cos\dfrac{11}{6}\pi\cos\theta\right)$

$=2\cos\left(\theta-\dfrac{11}{6}\pi\right)$

답 $2\cos\left(\theta-\dfrac{11}{6}\pi\right)$

---

043 $y=\sin\theta+\sqrt{3}\cos\theta$

$=2\left(\dfrac{1}{2}\sin\theta+\dfrac{\sqrt{3}}{2}\cos\theta\right)$

$=2\left(\cos\dfrac{\pi}{3}\sin\theta+\sin\dfrac{\pi}{3}\cos\theta\right)$

$=2\sin\left(\theta+\dfrac{\pi}{3}\right)$

이때 $-1\le\sin\left(\theta+\dfrac{\pi}{3}\right)\le1$이므로

$-2\le2\sin\left(\theta+\dfrac{\pi}{3}\right)\le2$

따라서 주어진 함수의 **최댓값은 2, 최솟값은 -2**이다.

답 최댓값 : 2, 최솟값 : -2

044

$$y=2\sin\left(x+\frac{\pi}{3}\right)+\sin x$$

$$=2\left(\sin x\cos\frac{\pi}{3}+\cos x\sin\frac{\pi}{3}\right)+\sin x$$

$$=2\left(\frac{1}{2}\sin x+\frac{\sqrt{3}}{2}\cos x\right)+\sin x$$

$$=2\sin x+\sqrt{3}\cos x$$

$$=\sqrt{7}\left(\frac{2}{\sqrt{7}}\sin x+\frac{\sqrt{3}}{\sqrt{7}}\cos x\right)$$

$$=\sqrt{7}\left(\cos\alpha\sin x+\sin\alpha\cos x\right)$$

$$=\sqrt{7}\sin\left(x+\alpha\right)$$

$$\left(\text{단, }\cos\alpha=\frac{2}{\sqrt{7}},\ \sin\alpha=\frac{\sqrt{3}}{\sqrt{7}}\right)$$

이때 $-1\leq\sin\left(x+\alpha\right)\leq1$이므로

$$-\sqrt{7}\leq\sqrt{7}\sin\left(x+\alpha\right)\leq\sqrt{7}$$

따라서 주어진 함수의 **최댓값**은 $\sqrt{7}$, **최솟값**은 $-\sqrt{7}$이다.

답 최댓값 : $\sqrt{7}$, 최솟값 : $-\sqrt{7}$

045

(1) $\displaystyle\lim_{x\to\frac{\pi}{2}}\frac{\sin 2x}{\cos x}=\lim_{x\to\frac{\pi}{2}}\frac{2\sin x\cos x}{\cos x}$

$$=\lim_{x\to\frac{\pi}{2}}2\sin x=\mathbf{2}$$

(2) $\displaystyle\lim_{x\to\frac{\pi}{4}}\frac{1-\tan x}{\cos x-\sin x}=\lim_{x\to\frac{\pi}{4}}\frac{1-\dfrac{\sin x}{\cos x}}{\cos x-\sin x}$

$$=\lim_{x\to\frac{\pi}{4}}\frac{\dfrac{\cos x-\sin x}{\cos x}}{\cos x-\sin x}$$

$$=\lim_{x\to\frac{\pi}{4}}\frac{1}{\cos x}=\sqrt{\mathbf{2}}$$

(3) $\displaystyle\lim_{x\to0}\frac{1-\cos x}{\sin^2 x}=\lim_{x\to0}\frac{1-\cos x}{1-\cos^2 x}$

$$=\lim_{x\to0}\frac{1-\cos x}{(1+\cos x)(1-\cos x)}$$

$$=\lim_{x\to0}\frac{1}{1+\cos x}=\mathbf{\frac{1}{2}}$$

(4) $\displaystyle\lim_{x\to\frac{\pi}{4}}\frac{1-\tan^2 x}{\sin x-\cos x}=\lim_{x\to\frac{\pi}{4}}\frac{(1-\tan x)(1+\tan x)}{-\cos x\left(1-\dfrac{\sin x}{\cos x}\right)}$

$$=\lim_{x\to\frac{\pi}{4}}\frac{(1-\tan x)(1+\tan x)}{-\cos x(1-\tan x)}$$

$$=\lim_{x\to\frac{\pi}{4}}\frac{1+\tan x}{-\cos x}=\mathbf{-2\sqrt{2}}$$

답 (1) 2 (2) $\sqrt{2}$ (3) $\dfrac{1}{2}$ (4) $-2\sqrt{2}$

046

(1) $\displaystyle\lim_{x\to0}\frac{\sin(\tan x)}{2x}$

$$=\lim_{x\to0}\left\{\frac{\sin(\tan x)}{\tan x}\cdot\frac{\tan x}{x}\cdot\frac{1}{2}\right\}$$

$$=1\cdot1\cdot\frac{1}{2}=\mathbf{\frac{1}{2}}$$

(2) $\displaystyle\lim_{x\to0}\frac{x\sin 2x}{1-\cos 3x}$

$$=\lim_{x\to0}\frac{x\sin 2x(1+\cos 3x)}{(1-\cos 3x)(1+\cos 3x)}$$

$$=\lim_{x\to0}\frac{x\sin 2x(1+\cos 3x)}{\sin^2 3x}$$

$$=\lim_{x\to0}\left\{\frac{\sin 2x}{2x}\cdot\frac{3x}{\sin 3x}\cdot\frac{3x}{\sin 3x}\right.$$

$$\left.\cdot(1+\cos 3x)\cdot\frac{2}{9}\right\}$$

$$=1\cdot1\cdot1\cdot2\cdot\frac{2}{9}=\mathbf{\frac{4}{9}}$$

(3) $\dfrac{1}{x}=t$로 놓으면 $x\to\infty$일 때 $t\to0$이므로

$$\lim_{x\to\infty}\sin\frac{4}{x}\cot\frac{3}{x}=\lim_{t\to0}\sin 4t\cot 3t$$

$$=\lim_{t\to0}\frac{\sin 4t}{\tan 3t}$$

$$=\lim_{t\to0}\left(\frac{\sin 4t}{4t}\cdot\frac{3t}{\tan 3t}\cdot\frac{4}{3}\right)$$

$$=1\cdot1\cdot\frac{4}{3}=\mathbf{\frac{4}{3}}$$

(4) $x-\dfrac{\pi}{2}=t$로 놓으면 $x\to\dfrac{\pi}{2}$일 때 $t\to 0$이므로

$$\lim_{x\to\frac{\pi}{2}}(2x-\pi)\csc\left(\dfrac{x}{2}-\dfrac{\pi}{4}\right)$$

$$=\lim_{t\to 0}(2t+\pi-\pi)\csc\left(\dfrac{t}{2}+\dfrac{\pi}{4}-\dfrac{\pi}{4}\right)$$

$$=\lim_{t\to 0}\dfrac{2t}{\sin\dfrac{t}{2}}=\lim_{t\to 0}\left(\dfrac{\dfrac{t}{2}}{\sin\dfrac{t}{2}}\cdot 4\right)$$

$$=1\cdot 4=\mathbf{4}$$

답 (1) $\dfrac{1}{2}$　(2) $\dfrac{4}{9}$　(3) $\dfrac{4}{3}$　(4) 4

047　(1) $y'=(\ln x)'-(4\cos x)'$

$$=\dfrac{1}{x}-(-4\sin x)$$

$$=\dfrac{\mathbf{1}}{\boldsymbol{x}}+\mathbf{4\sin}\,\boldsymbol{x}$$

(2) $y'=(x^2+3)'\sin x+(x^2+3)(\sin x)'$

$$=\mathbf{2}\boldsymbol{x}\mathbf{\sin}\,\boldsymbol{x}+(\boldsymbol{x^2}+\mathbf{3})\mathbf{\cos}\,\boldsymbol{x}$$

(3) $y=\sin^2 x-\cos^2 x=\sin x\sin x-\cos x\cos x$이므로

$$y'=(\sin x)'\sin x+\sin x(\sin x)'$$

$$\qquad -\{(\cos x)'\cos x+\cos x(\cos x)'\}$$

$$=\cos x\sin x+\sin x\cos x$$

$$\qquad -\{-\sin x\cos x+\cos x(-\sin x)\}$$

$$=\mathbf{4\sin}\,\boldsymbol{x}\mathbf{\cos}\,\boldsymbol{x}$$

(4) $y=\sin 2x=2\sin x\cos x$이므로

$$y'=(2\sin x)'\cos x+2\sin x(\cos x)'$$

$$=2\cos x\cos x+2\sin x(-\sin x)$$

$$=\mathbf{2(\cos^2}\,\boldsymbol{x}-\mathbf{\sin^2}\,\boldsymbol{x})$$

답 (1) $y'=\dfrac{1}{x}+4\sin x$

(2) $y'=2x\sin x+(x^2+3)\cos x$

(3) $y'=4\sin x\cos x$

(4) $y'=2(\cos^2 x-\sin^2 x)$

048　$f'(x)=(e^x)'\cos x+e^x(\cos x)'$

$$=e^x\cos x+e^x(-\sin x)$$

$$=e^x(\cos x-\sin x)$$

$$\therefore f'(0)=e^0(\cos 0-\sin 0)$$

$$=1\cdot 1=\mathbf{1}$$

답 1

049　$f'(x)=(x)'\cos x+x(\cos x)'$

$$\qquad -\{(\sin x)'\cos x+\sin x(\cos x)'\}$$

$$=\cos x+x(-\sin x)$$

$$\qquad -\{\cos x\cos x+\sin x(-\sin x)\}$$

$$=\cos x-x\sin x-\cos^2 x+\sin^2 x$$

$$\therefore f'(\pi)=\cos\pi-\pi\sin\pi-\cos^2\pi+\sin^2\pi$$

$$=-1-0-1+0=\mathbf{-2}$$

답 -2

3. 여러 가지 미분법

050 (1) $y'=-\dfrac{2x-1}{(x^2-x)^2}$ (2) $y'=-\dfrac{e^x}{(e^x-3)^2}$

(3) $y'=-\dfrac{\cos x}{(\sin x+1)^2}$

051 (1) $y'=\dfrac{-2e^x}{(e^x-1)^2}$ (2) $y'=\dfrac{\ln x-1}{(\ln x)^2}$

(3) $y'=\dfrac{1}{1+\cos x}$

052 (1) $y'=\dfrac{x^3+x-16}{x^3}$

(2) $y'=\dfrac{-24x^2-10x+30}{x^7}$

053 $-2+\sqrt{2}$

054 (1) $y'=6(4x+1)(2x^2+x+7)^5$

(2) $y'=-\dfrac{10x}{(x^2+1)^6}$

055 (1) $y'=5\ln 2\cdot 2^{5x+1}$

(2) $y'=-\sin(\sin x)\cos x$

(3) $y'=2\cos 2x\cos^2 x-\sin^2 2x$

056 $-\dfrac{\sqrt{3}}{2}$

057 (1) $y'=-\tan x$ (2) $y'=\dfrac{2e^{2x}}{(e^{2x}-2)\ln 3}$

(3) $y'=-2\tan 2x$

058 (1) $y'=(\ln x)^x\left\{\ln(\ln x)+\dfrac{1}{\ln x}\right\}$

(2) $y'=\dfrac{(x-1)^2(10x+14)}{(x+1)^2(x+3)^3}$

059 (1) $y'=-\dfrac{7}{10x^4\sqrt{x}}$ (2) $y'=\dfrac{x\cos\sqrt{x^2+1}}{\sqrt{x^2+1}}$

(3) $y'=\dfrac{x}{(x^2+6)\ln 3}$

(4) $y'=x^{2\pi-1}(2\pi\cos x-x\sin x)$

060 $\dfrac{dy}{dx}=\tan t$

061 (1) $\dfrac{dy}{dx}=-\dfrac{3y}{2x}$ $(x\neq 0, y\neq 0)$

(2) $\dfrac{dy}{dx}=-\dfrac{1}{\sin y}$ $(\sin y\neq 0)$

(3) $\dfrac{dy}{dx}=\dfrac{2x^3}{y}$ $(y\neq 0)$

062 (1) $\dfrac{dy}{dx}=-\dfrac{(y^2-1)^2}{y^2+1}$

(2) $\dfrac{dy}{dx}=\dfrac{2\sqrt{y^3+2y+1}}{3y^2+2}$

063 2

064 (1) $y''=30x^4+24x$

(2) $y''=2\cos(x^2+2)-4x^2\sin(x^2+2)$

(3) $y''=4e^{-2x}+4e^{2x}$ (4) $y''=x^2(12\ln x+7)$

---

050   (1) $\boldsymbol{y'=-\dfrac{(x^2-x)'}{(x^2-x)^2}=-\dfrac{2x-1}{(x^2-x)^2}}$

(2) $\boldsymbol{y'=-\dfrac{(e^x-3)'}{(e^x-3)^2}=-\dfrac{e^x}{(e^x-3)^2}}$

(3) $\boldsymbol{y'=-\dfrac{(\sin x+1)'}{(\sin x+1)^2}=-\dfrac{\cos x}{(\sin x+1)^2}}$

📑 (1) $y'=-\dfrac{2x-1}{(x^2-x)^2}$ (2) $y'=-\dfrac{e^x}{(e^x-3)^2}$

(3) $y'=-\dfrac{\cos x}{(\sin x+1)^2}$

051   (1) $\boldsymbol{y'=\dfrac{(e^x+1)'(e^x-1)-(e^x+1)(e^x-1)'}{(e^x-1)^2}}$

$$=\frac{e^x(e^x-1)-(e^x+1)e^x}{(e^x-1)^2}$$

$$\boldsymbol{=\frac{-2e^x}{(e^x-1)^2}}$$

(2) $\boldsymbol{y'=\dfrac{(x)'\ln x-x(\ln x)'}{(\ln x)^2}}=\dfrac{1\cdot\ln x-x\cdot\dfrac{1}{x}}{(\ln x)^2}$

$$\boldsymbol{=\frac{\ln x-1}{(\ln x)^2}}$$

(3) $\boldsymbol{y'=\dfrac{(\sin x)'(1+\cos x)-\sin x(1+\cos x)'}{(1+\cos x)^2}}$

$$=\frac{\cos x(1+\cos x)-\sin x(-\sin x)}{(1+\cos x)^2}$$

$$=\frac{1+\cos x}{(1+\cos x)^2}\boldsymbol{=\frac{1}{1+\cos x}}$$

📑 (1) $y'=\dfrac{-2e^x}{(e^x-1)^2}$ (2) $y'=\dfrac{\ln x-1}{(\ln x)^2}$

(3) $y'=\dfrac{1}{1+\cos x}$

052 (1) $y=\dfrac{x^3-x+8}{x^2}=x-\dfrac{1}{x}+\dfrac{8}{x^2}$

$$=x-x^{-1}+8x^{-2}$$

이므로

$$y'=(x-x^{-1}+8x^{-2})'$$
$$=1+x^{-2}-16x^{-3}$$
$$=1+\dfrac{1}{x^2}-\dfrac{16}{x^3}$$
$$=\dfrac{x^3+x-16}{x^3}$$

(2) $y=\dfrac{6x^2+2x-5}{x^6}=\dfrac{6}{x^4}+\dfrac{2}{x^5}-\dfrac{5}{x^6}$

$$=6x^{-4}+2x^{-5}-5x^{-6}$$

이므로

$$y'=(6x^{-4}+2x^{-5}-5x^{-6})'$$
$$=-24x^{-5}-10x^{-6}+30x^{-7}$$
$$=-\dfrac{24}{x^5}-\dfrac{10}{x^6}+\dfrac{30}{x^7}$$
$$=\dfrac{-24x^2-10x+30}{x^7}$$

📋 (1) $y'=\dfrac{x^3+x-16}{x^3}$

(2) $y'=\dfrac{-24x^2-10x+30}{x^7}$

053 $f(x)=\dfrac{1-\sec x}{\tan x}$ 에서

$$f'(x)=\dfrac{(1-\sec x)'\tan x-(1-\sec x)(\tan x)'}{\tan^2 x}$$
$$=\dfrac{-\sec x\tan^2 x-(1-\sec x)\sec^2 x}{\tan^2 x}$$
$$=-\sec x-\csc^2 x(1-\sec x)$$

이므로

$$f'\left(\dfrac{\pi}{4}\right)=-\sec\dfrac{\pi}{4}-\csc^2\dfrac{\pi}{4}\left(1-\sec\dfrac{\pi}{4}\right)$$
$$=-\sqrt{2}-2(1-\sqrt{2})$$
$$=-2+\sqrt{2}$$

📋 $-2+\sqrt{2}$

054 (1) $u=2x^2+x+7$로 놓으면 주어진 식은

$y=u^6$이므로

$$\dfrac{dy}{du}=6u^5,\ \dfrac{du}{dx}=4x+1$$
$$\therefore\ y'=\dfrac{dy}{du}\cdot\dfrac{du}{dx}=6u^5(4x+1)$$
$$=6(4x+1)(2x^2+x+7)^5$$

(2) $y=(x^2+1)^{-5}$에서 $u=x^2+1$로 놓으면 주어진 식은

$y=u^{-5}$이므로

$$\dfrac{dy}{du}=-5u^{-6},\ \dfrac{du}{dx}=2x$$
$$\therefore\ y'=\dfrac{dy}{du}\cdot\dfrac{du}{dx}=-5u^{-6}\cdot 2x=-\dfrac{10x}{(x^2+1)^6}$$

📋 (1) $y'=6(4x+1)(2x^2+x+7)^5$

(2) $y'=-\dfrac{10x}{(x^2+1)^6}$

055 (1) $y'=(2^{5x+1})'=2^{5x+1}\ln 2\cdot(5x+1)'$
$$=5\ln 2\cdot 2^{5x+1}$$

(2) $y'=\{\cos(\sin x)\}'$
$$=-\sin(\sin x)\cdot(\sin x)'$$
$$=-\sin(\sin x)\cos x$$

(3) $y'=(\sin 2x\cos^2 x)'$
$$=(\sin 2x)'\cos^2 x+\sin 2x(\cos^2 x)'$$
$$=\cos 2x\cdot(2x)'\cos^2 x+\sin 2x\cdot 2\cos x(\cos x)'$$
$$=2\cos 2x\cos^2 x+\sin 2x\cdot 2\cos x(-\sin x)$$
$$=2\cos 2x\cos^2 x-\sin 2x\sin 2x$$
$$=2\cos 2x\cos^2 x-\sin^2 2x$$

📋 (1) $y'=5\ln 2\cdot 2^{5x+1}$

(2) $y'=-\sin(\sin x)\cos x$

(3) $y'=2\cos 2x\cos^2 x-\sin^2 2x$

056 $f'(x)=(\sin 4x)'\cos\left(x+\dfrac{\pi}{3}\right)$

$$+\sin 4x\left\{\cos\left(x+\dfrac{\pi}{3}\right)\right\}'$$

$$=\cos 4x \cdot (4x)' \cos\left(x+\frac{\pi}{3}\right)$$

$$-\sin 4x \sin\left(x+\frac{\pi}{3}\right) \cdot \left(x+\frac{\pi}{3}\right)'$$

$$=4\cos 4x \cos\left(x+\frac{\pi}{3}\right)$$

$$-\sin 4x \sin\left(x+\frac{\pi}{3}\right)$$

$$\therefore f'\left(\frac{\pi}{6}\right)=4\cos\frac{2}{3}\pi \cos\left(\frac{\pi}{6}+\frac{\pi}{3}\right)$$

$$-\sin\frac{2}{3}\pi \sin\left(\frac{\pi}{6}+\frac{\pi}{3}\right)$$

$$=4\cos\frac{2}{3}\pi \cos\frac{\pi}{2}-\sin\frac{2}{3}\pi \sin\frac{\pi}{2}$$

$$=4\cdot\left(-\frac{1}{2}\right)\cdot 0-\frac{\sqrt{3}}{2}\cdot 1$$

$$=-\frac{\sqrt{3}}{2} \qquad \text{달} \ -\frac{\sqrt{3}}{2}$$

057 (1) $y'=\dfrac{(\cos x)'}{\cos x}=\dfrac{-\sin x}{\cos x}=-\tan x$

(2) $y'=\dfrac{(e^{2x}-2)'}{(e^{2x}-2)\ln 3}=\dfrac{2e^{2x}}{(e^{2x}-2)\ln 3}$

(3) $y=\ln|\cos^2 x-\sin^2 x|=\ln|\cos 2x|$ 이므로

$$y'=\frac{(\cos 2x)'}{\cos 2x}=\frac{-2\sin 2x}{\cos 2x}=-2\tan 2x$$

$$\text{달} \ (1) \ y'=-\tan x \quad (2) \ y'=\frac{2e^{2x}}{(e^{2x}-2)\ln 3}$$

$$(3) \ y'=-2\tan 2x$$

058 (1) 주어진 식의 양변에 자연로그를 취하면

$$\ln y=\ln(\ln x)^x=x\ln(\ln x)$$

양변을 x에 대하여 미분하면

$$\frac{y'}{y}=\ln(\ln x)+x\cdot\frac{\frac{1}{x}}{\ln x}$$

$$=\ln(\ln x)+\frac{1}{\ln x}$$

$$\therefore y'=y\left\{\ln(\ln x)+\frac{1}{\ln x}\right\}$$

$$=(\ln x)^x\left\{\ln(\ln x)+\frac{1}{\ln x}\right\}$$

(2) 주어진 식의 양변의 절댓값에 자연로그를 취하면

$$\ln|y|=\ln\left|\frac{(x-1)^3}{(x+1)(x+3)^2}\right|$$

$$=3\ln|x-1|-\ln|x+1|-2\ln|x+3|$$

양변을 x에 대하여 미분하면

$$\frac{y'}{y}=\frac{3}{x-1}-\frac{1}{x+1}-\frac{2}{x+3}$$

$$=\frac{10x+14}{(x-1)(x+1)(x+3)}$$

$$\therefore y'=y\cdot\frac{10x+14}{(x-1)(x+1)(x+3)}$$

$$=\frac{(x-1)^3}{(x+1)(x+3)^2}$$

$$\cdot\frac{10x+14}{(x-1)(x+1)(x+3)}$$

$$=\frac{(x-1)^2(10x+14)}{(x+1)^2(x+3)^3}$$

$$\text{달} \ (1) \ y'=(\ln x)^x\left\{\ln(\ln x)+\frac{1}{\ln x}\right\}$$

$$(2) \ y'=\frac{(x-1)^2(10x+14)}{(x+1)^2(x+3)^3}$$

059 (1) $y=\dfrac{1}{5x^3\sqrt{x}}=\dfrac{1}{5x^3\cdot x^{\frac{1}{2}}}=\dfrac{1}{5x^{\frac{7}{2}}}$

$$=\frac{1}{5}x^{-\frac{7}{2}}$$이므로

$$y'=\frac{1}{5}\cdot\left(-\frac{7}{2}\right)x^{-\frac{9}{2}}=-\frac{7}{10x^4\sqrt{x}}$$

(2) $y'=\cos\sqrt{x^2+1}\cdot(\sqrt{x^2+1})'$

$$=\cos\sqrt{x^2+1}\cdot\frac{2x}{2\sqrt{x^2+1}}=\frac{x\cos\sqrt{x^2+1}}{\sqrt{x^2+1}}$$

(3) $y'=\dfrac{(\sqrt{x^2+6})'}{\sqrt{x^2+6}\ln 3}=\dfrac{1}{\sqrt{x^2+6}\ln 3}\cdot\dfrac{2x}{2\sqrt{x^2+6}}$

$$=\frac{x}{(x^2+6)\ln 3}$$

(4) $y' = (x^{2\pi})'\cos x + x^{2\pi}(\cos x)'$

$\quad = 2\pi x^{2\pi-1}\cos x + x^{2\pi}(-\sin x)$

$\quad = x^{2\pi-1}(2\pi\cos x - x\sin x)$

🔖 (1) $y' = -\dfrac{7}{10x^4\sqrt{x}}$

(2) $y' = \dfrac{x\cos\sqrt{x^2+1}}{\sqrt{x^2+1}}$

(3) $y' = \dfrac{x}{(x^2+6)\ln 3}$

(4) $y' = x^{2\pi-1}(2\pi\cos x - x\sin x)$

060 $\quad \dfrac{dx}{dt} = -\sin t + \sin t + t\cos t = t\cos t$

$\dfrac{dy}{dt} = \cos t - (\cos t - t\sin t) = t\sin t$

$\therefore \dfrac{dy}{dx} = \dfrac{\dfrac{dy}{dt}}{\dfrac{dx}{dt}} = \dfrac{t\sin t}{t\cos t} = \tan t$ 🔖 $\dfrac{dy}{dx} = \tan t$

061 (1) y를 x에 대한 함수로 보고, 각 항을 x에 대하여 미분하면

$\dfrac{d}{dx}(x^3y^2) = \dfrac{d}{dx}(16)$

$3x^2y^2 + x^3 \cdot 2y\dfrac{dy}{dx} = 0, \ 2x^3y\dfrac{dy}{dx} = -3x^2y^2$

$\therefore \dfrac{dy}{dx} = -\dfrac{3y}{2x} \ (x \neq 0, \ y \neq 0)$

(2) y를 x에 대한 함수로 보고, 각 항을 x에 대하여 미분하면

$\dfrac{d}{dx}(x) - \dfrac{d}{dx}(\cos y) = \dfrac{d}{dx}\left(\dfrac{\pi}{4}\right)$

$1 + \sin y\dfrac{dy}{dx} = 0$

$\therefore \dfrac{dy}{dx} = -\dfrac{1}{\sin y} \ (\sin y \neq 0)$

(3) $\sqrt{4+y^2} = x^2$의 양변을 제곱하면

$4 + y^2 = x^4$

y를 x에 대한 함수로 보고, 각 항을 x에 대하여 미분하면

$\dfrac{d}{dx}(4) + \dfrac{d}{dx}(y^2) = \dfrac{d}{dx}(x^4)$

$2y\dfrac{dy}{dx} = 4x^3$

$\therefore \dfrac{dy}{dx} = \dfrac{2x^3}{y} \ (y \neq 0)$

🔖 (1) $\dfrac{dy}{dx} = -\dfrac{3y}{2x} \ (x \neq 0, \ y \neq 0)$

(2) $\dfrac{dy}{dx} = -\dfrac{1}{\sin y} \ (\sin y \neq 0)$

(3) $\dfrac{dy}{dx} = \dfrac{2x^3}{y} \ (y \neq 0)$

062 (1) $x = \dfrac{y}{y^2-1}$ 의 양변을 y에 대하여 미분하면

$\dfrac{dx}{dy} = \dfrac{y^2-1-y\cdot 2y}{(y^2-1)^2} = \dfrac{-y^2-1}{(y^2-1)^2}$

$\therefore \dfrac{dy}{dx} = \dfrac{1}{\dfrac{dx}{dy}} = -\dfrac{(y^2-1)^2}{y^2+1}$

(2) $x = \sqrt{y^3+2y+1}$ 의 양변을 y에 대하여 미분하면

$\dfrac{dx}{dy} = \dfrac{3y^2+2}{2\sqrt{y^3+2y+1}}$

$\therefore \dfrac{dy}{dx} = \dfrac{1}{\dfrac{dx}{dy}} = \dfrac{2\sqrt{y^3+2y+1}}{3y^2+2}$

🔖 (1) $\dfrac{dy}{dx} = -\dfrac{(y^2-1)^2}{y^2+1}$

(2) $\dfrac{dy}{dx} = \dfrac{2\sqrt{y^3+2y+1}}{3y^2+2}$

063 $\quad x = \sin y$의 양변을 y에 대하여 미분하면

$\dfrac{dx}{dy} = \cos y \quad \therefore \dfrac{dy}{dx} = \dfrac{1}{\dfrac{dx}{dy}} = \dfrac{1}{\cos y}$

$x = \sin y$에서 $x = \dfrac{\sqrt{3}}{2}$ 일 때

$$y = \frac{\pi}{3} \left(\because 0 < y < \frac{\pi}{2} \right)$$

따라서 $x = \frac{\sqrt{3}}{2}$ 일 때, $\frac{dy}{dx}$ 의 값은

$$\frac{1}{\cos\frac{\pi}{3}} = 2$$

탑 2

064　(1) $y' = 2(x^3+2) \cdot 3x^2 = 6x^5 + 12x^2$ 이므로

$$y'' = 30x^4 + 24x$$

(2) $y' = 2x\cos(x^2+2)$ 이므로

$$y'' = 2\cos(x^2+2) - 2x\sin(x^2+2) \cdot (2x)$$
$$= 2\cos(x^2+2) - 4x^2\sin(x^2+2)$$

(3) $y' = -2e^{-2x} + 2e^{2x}$ 이므로

$$y'' = 4e^{-2x} + 4e^{2x}$$

(4) $y' = 4x^3\ln x + x^4 \cdot \frac{1}{x} = x^3(4\ln x + 1)$ 이므로

$$y'' = 3x^2(4\ln x + 1) + x^3 \cdot \frac{4}{x}$$
$$= 12x^2\ln x + 3x^2 + 4x^2$$
$$= x^2(12\ln x + 7)$$

탑 (1) $y'' = 30x^4 + 24x$

　　(2) $y'' = 2\cos(x^2+2) - 4x^2\sin(x^2+2)$

　　(3) $y'' = 4e^{-2x} + 4e^{2x}$

　　(4) $y'' = x^2(12\ln x + 7)$

4. 도함수의 활용

065 (1) $y = \frac{1}{2}x - \frac{1}{2}$　(2) $y = 3e^4 x - 5e^4$

066 (1) $y = x + \frac{1}{12}$　(2) $y = 2x + 1 - \frac{\pi}{2}$

067 (1) $y = \frac{5}{4}x + 1$　(2) $y = -ex + 3e$　　**068** 3

069 (1) $y = \frac{3}{2}x - 3$　(2) $y = -4\sqrt{3}x + 8$

070 (1) $y = 3x - 4$　(2) $y = -\frac{\pi}{12}x + \frac{2}{3}\pi$

071 (1) 구간 $(-\infty, -1]$에서 증가,

　　　　구간 $[-1, 0)$에서 감소

(2) 구간 $(-1, 0]$에서 감소, 구간 $[0, \infty)$에서 증가

072 (1) 극댓값 : $2\sqrt{3}$　(2) 극솟값 : $-\frac{1}{e} + 1$

(3) 극솟값 : $\frac{5}{2} + \ln\frac{1}{2}$

073 극솟값 : $1 + \sqrt{3}$

074 (1) 극댓값 : 3, 극솟값 : -1　(2) 극댓값 : $\frac{1}{e}$

(3) 극댓값 : $\frac{4}{e^2} + 1$, 극솟값 : 1

(4) 극댓값 : $\frac{5}{3}\pi + \sqrt{3}$, 극솟값 : $\frac{\pi}{3} - \sqrt{3}$

075 풀이 참조

076 (1) $(-\sqrt{3}, 22\sqrt{3})$, $(0, \sqrt{3})$, $(\sqrt{3}, -20\sqrt{3})$

(2) $\left(\frac{\pi}{4}, \frac{1}{2}\right)$, $\left(\frac{3}{4}\pi, \frac{1}{2}\right)$　(3) $(1, 0)$, $\left(4, \frac{12}{e^4}\right)$

(4) $(-3, 2\ln 18)$, $(3, 2\ln 18)$

077 1, 5　　**078** 풀이 참조

079 (1) 최댓값 : $\frac{7}{3}$, 최솟값 : 1

(2) 최댓값 : 2, 최솟값 : -2

(3) 최댓값 : 0, 최솟값 : $-e$

(4) 최댓값 : $\frac{\pi}{6} + \sqrt{3}$, 최솟값 : $\frac{5}{6}\pi - \sqrt{3}$

080 (1) 2　(2) 1　　**081** $0 < k < \frac{1}{8}$

082 $k > \frac{1}{e}$ 이면 0, $0 < k < \frac{1}{e}$ 이면 2,

$k=\dfrac{1}{e}$ 또는 $k\leq0$이면 1

083 풀이 참조

084 속도 : $-\dfrac{1}{e}-1$, 가속도 : $\dfrac{1}{e}$ **085** $\dfrac{4}{3}\pi$

086 가속도 : $\left(\dfrac{\sqrt{3}}{2},\ \dfrac{1}{2}\right)$, 가속도의 크기 : 1

---

065 (1) $f(x)=\dfrac{x-1}{x+1}$ 로 놓으면

$$f'(x)=\dfrac{(x+1)-(x-1)}{(x+1)^2}=\dfrac{2}{(x+1)^2}$$

이므로 $f'(1)=\dfrac{1}{2}$

따라서 구하는 접선의 방정식은

$$y=\dfrac{1}{2}(x-1)$$

$$\therefore \boldsymbol{y=\dfrac{1}{2}x-\dfrac{1}{2}}$$

(2) $f(x)=(x-1)e^{2x}$ 으로 놓으면

$$f'(x)=e^{2x}+(x-1)\cdot2e^{2x}=e^{2x}(2x-1)$$

이므로 $f'(2)=e^4\cdot3=3e^4$

따라서 구하는 접선의 방정식은

$$y-e^4=3e^4(x-2)$$

$$\therefore \boldsymbol{y=3e^4x-5e^4}$$

🔖 (1) $y=\dfrac{1}{2}x-\dfrac{1}{2}$ (2) $y=3e^4x-5e^4$

066 (1) $f(x)=\sqrt{3x-2}$ 로 놓으면

$$f'(x)=\dfrac{3}{2\sqrt{3x-2}}$$

접점의 좌표를 $(a,\ \sqrt{3a-2})$ 라 하면 접선의 기울기가 1이므로

$$f'(a)=\dfrac{3}{2\sqrt{3a-2}}=1$$

$$2\sqrt{3a-2}=3,\ 3a-2=\dfrac{9}{4}$$

$$\therefore a=\dfrac{17}{12}$$

따라서 접점의 좌표가 $\left(\dfrac{17}{12},\ \dfrac{3}{2}\right)$ 이므로 구하는 접선의 방정식은

$$y-\dfrac{3}{2}=1\cdot\left(x-\dfrac{17}{12}\right) \qquad \therefore \boldsymbol{y=x+\dfrac{1}{12}}$$

(2) $f(x)=\tan x$ 로 놓으면 $f'(x)=\sec^2 x$

접점의 좌표를 $(a,\ \tan a)$ 라 하면 접선의 기울기가 2이므로

$$f'(a)=\sec^2 a=2$$

이때 $0<a<\dfrac{\pi}{2}$ 이므로

$$\sec a=\sqrt{2},\ \dfrac{1}{\cos a}=\sqrt{2}$$

$$\cos a=\dfrac{1}{\sqrt{2}} \qquad \therefore a=\dfrac{\pi}{4}$$

따라서 접점의 좌표가 $\left(\dfrac{\pi}{4},\ 1\right)$ 이므로 구하는 접선의 방정식은

$$y-1=2\left(x-\dfrac{\pi}{4}\right) \qquad \therefore \boldsymbol{y=2x+1-\dfrac{\pi}{2}}$$

🔖 (1) $y=x+\dfrac{1}{12}$ (2) $y=2x+1-\dfrac{\pi}{2}$

067 (1) $f(x)=\sqrt{x}+x$ 로 놓으면

$$f'(x)=\dfrac{1}{2\sqrt{x}}+1$$

접점의 좌표를 $(a,\ \sqrt{a}+a)$ 라 하면 이 점에서의 접선의 기울기는 $f'(a)=\dfrac{1}{2\sqrt{a}}+1$ 이므로

접선의 방정식은

$$y-(\sqrt{a}+a)=\left(\dfrac{1}{2\sqrt{a}}+1\right)(x-a) \qquad \cdots\cdots \ ㉠$$

이 접선이 점 $(0,\ 1)$ 을 지나므로

$$1-\sqrt{a}-a=\left(\dfrac{1}{2\sqrt{a}}+1\right)\cdot(-a)$$

$$1-\sqrt{a}-a=-\dfrac{\sqrt{a}}{2}-a$$

$$\dfrac{\sqrt{a}}{2}=1 \qquad \therefore a=4$$

$a=4$를 ㉠에 대입하면 구하는 접선의 방정식은

$$y-6=\frac{5}{4}(x-4)$$

$$\therefore \boldsymbol{y=\frac{5}{4}x+1}$$

(2) $f(x)=e^{3-x}$으로 놓으면 $f'(x)=-e^{3-x}$

접점의 좌표를 $(a,\ e^{3-a})$이라 하면 이 점에서의

접선의 기울기는 $f'(a)=-e^{3-a}$이므로

접선의 방정식은

$$y-e^{3-a}=-e^{3-a}(x-a)\qquad \cdots\cdots ㉠$$

이 접선이 점 $(3,\ 0)$을 지나므로

$$-e^{3-a}=-e^{3-a}(3-a)$$

$$e^{3-a}(a-2)=0$$

$$\therefore a=2\ (\because e^{3-a}>0)$$

$a=2$를 ㉠에 대입하면 구하는 접선의 방정식은

$$y-e=-e(x-2)$$

$$\therefore \boldsymbol{y=-ex+3e}$$

📋 (1) $y=\dfrac{5}{4}x+1$ (2) $y=-ex+3e$

068 $f(x)=\ln x$, $g(x)=\dfrac{ax^2+b}{x}=ax+\dfrac{b}{x}$ 로

놓으면

$$f'(x)=\frac{1}{x},\ g'(x)=a-\frac{b}{x^2}$$

$x=e^2$인 점에서 공통인 접선을 가지므로

$f(e^2)=g(e^2)$에서 $2=ae^2+\dfrac{b}{e^2}$

$$\therefore b=2e^2-ae^4\qquad \cdots\cdots ㉠$$

$f'(e^2)=g'(e^2)$에서 $\dfrac{1}{e^2}=a-\dfrac{b}{e^4}$

$$\therefore b=ae^4-e^2\qquad \cdots\cdots ㉡$$

㉠, ㉡을 연립하여 풀면

$$a=\frac{3}{2e^2},\ b=\frac{e^2}{2}$$

$$\therefore 4ab=4\cdot\frac{3}{2e^2}\cdot\frac{e^2}{2}=\boldsymbol{3}$$

📋 3

069 (1) $x=t^2+1$에서 $\dfrac{dx}{dt}=2t$이고

$y=2t^3-3t+1$에서 $\dfrac{dy}{dt}=6t^2-3$이므로

$$\frac{dy}{dx}=\frac{\dfrac{dy}{dt}}{\dfrac{dx}{dt}}=\frac{6t^2-3}{2t}\ (t\neq 0)$$

따라서 $t=1$일 때, 접선의 기울기는 $\dfrac{3}{2}$이고 곡선 위

의 점의 좌표는 $(2,\ 0)$이므로 구하는 접선의 방정식

$$y=\frac{3}{2}(x-2)$$

$$\therefore \boldsymbol{y=\frac{3}{2}x-3}$$

(2) $x=\cos t$에서 $\dfrac{dx}{dt}=-\sin t$이고

$y=4\sin t$에서 $\dfrac{dy}{dt}=4\cos t$이므로

$$\frac{dy}{dx}=\frac{\dfrac{dy}{dt}}{\dfrac{dx}{dt}}=-\frac{4\cos t}{\sin t}\ (\sin t\neq 0)$$

따라서 $t=\dfrac{\pi}{6}$일 때, 접선의 기울기는

$$-\frac{\dfrac{4\sqrt{3}}{2}}{\dfrac{1}{2}}=-4\sqrt{3}$$

이고 곡선 위의 점의 좌표는 $\left(\dfrac{\sqrt{3}}{2},\ 2\right)$이므로

구하는 접선의 방정식은

$$y-2=-4\sqrt{3}\left(x-\frac{\sqrt{3}}{2}\right)$$

$$\therefore \boldsymbol{y=-4\sqrt{3}x+8}$$

📋 (1) $y=\dfrac{3}{2}x-3$ (2) $y=-4\sqrt{3}x+8$

070 (1) $y^2=\ln(x^2-3)+xy$의 양변을 x에 대하

여 미분하면

$$2y\frac{dy}{dx}=\frac{2x}{x^2-3}+y+x\frac{dy}{dx}$$

$$(2y-x)\frac{dy}{dx}=\frac{2x+x^2y-3y}{x^2-3}$$

$$\therefore \frac{dy}{dx}=\frac{2x+x^2y-3y}{(2y-x)(x^2-3)}\ (x\neq 2y)$$

점 $(2,\,2)$에서의 접선의 기울기는

$$\frac{dy}{dx}=\frac{4+8-6}{2\cdot 1}=3$$

이므로 접선의 방정식은

$$y-2=3(x-2)\qquad \therefore \boldsymbol{y=3x-4}$$

(2) $\dfrac{\pi}{4}x=y-\sin xy$의 양변을 x에 대하여 미분하면

$$\frac{\pi}{4}=\frac{dy}{dx}-\cos xy\Big(y+x\frac{dy}{dx}\Big)$$

$$(1-x\cos xy)\frac{dy}{dx}=\frac{\pi}{4}+y\cos xy$$

$$\therefore \frac{dy}{dx}=\frac{\dfrac{\pi}{4}+y\cos xy}{1-x\cos xy}\ (x\cos xy\neq 1)$$

점 $\Big(2,\,\dfrac{\pi}{2}\Big)$에서의 접선의 기울기는

$$\frac{dy}{dx}=\frac{\dfrac{\pi}{4}+\dfrac{\pi}{2}\cos\pi}{1-2\cos\pi}=-\frac{\pi}{12}$$

이므로 접선의 방정식은

$$y-\frac{\pi}{2}=-\frac{\pi}{12}(x-2)$$

$$\therefore \boldsymbol{y=-\frac{\pi}{12}x+\frac{2}{3}\pi}$$

🖺 (1) $y=3x-4$　(2) $y=-\dfrac{\pi}{12}x+\dfrac{2}{3}\pi$

071　(1) $f(x)=2x-\dfrac{1}{x^2}$에서

$$f'(x)=2-\frac{-2x}{x^4}=2+\frac{2}{x^3}$$

$f'(x)=0$에서　$x^3=-1$　$\therefore x=-1$

함수 $f(x)$의 증가와 감소를 표로 나타내면 다음과 같다.

x	$\cdots$	-1	$\cdots$	(0)
$f'(x)$	$+$	0	$-$	
$f(x)$	↗		↘	

따라서 함수 $f(x)$는

구간 $(-\infty,\,-1]$에서 증가하고,

구간 $[-1,\,0)$에서 감소한다.

(2) $f(x)=x-2\sqrt{x+1}$에서

$$f'(x)=1-2\cdot\frac{1}{2\sqrt{x+1}}=1-\frac{1}{\sqrt{x+1}}$$

$f'(x)=0$에서　$\sqrt{x+1}=1$　$\therefore x=0$

함수 $f(x)$의 증가와 감소를 표로 나타내면 다음과 같다.

x	(-1)	$\cdots$	0	$\cdots$
$f'(x)$		$-$	0	$+$
$f(x)$		↘		↗

따라서 함수 $f(x)$는

구간 $(-1,\,0]$에서 감소하고,

구간 $[0,\,\infty)$에서 증가한다.

　🖺 (1) 구간 $(-\infty,\,-1]$에서 증가,
　　 구간 $[-1,\,0)$에서 감소
　(2) 구간 $(-1,\,0]$에서 감소,
　　 구간 $[0,\,\infty)$에서 증가

072　(1) $f(x)=\sqrt{6-x}+\sqrt{x}$에서 $0\leq x\leq 6$이고

$$f'(x)=\frac{-1}{2\sqrt{6-x}}+\frac{1}{2\sqrt{x}}=\frac{-\sqrt{x}+\sqrt{6-x}}{2\sqrt{6-x}\,\sqrt{x}}$$

$f'(x)=0$에서　$\sqrt{x}=\sqrt{6-x}$　$\therefore x=3$

함수 $f(x)$의 증가와 감소를 표로 나타내면 다음과 같다.

x	0	$\cdots$	3	$\cdots$	6
$f'(x)$		$+$	0	$-$	
$f(x)$	$\sqrt{6}$	↗	$2\sqrt{3}$	↘	$\sqrt{6}$

따라서 함수 $f(x)$는 $x=3$에서 **극댓값 $2\sqrt{3}$**을 갖는다.

(2) $f(x)=xe^x+1$에서

$$f'(x)=e^x+xe^x=(1+x)e^x$$

$f'(x)=0$에서 　　$x=-1$

함수 $f(x)$의 증가와 감소를 표로 나타내면 다음과 같다.

x	$\cdots$	-1	$\cdots$
$f'(x)$	$-$	0	$+$
$f(x)$	$\searrow$	$-\dfrac{1}{e}+1$	$\nearrow$

따라서 함수 $f(x)$는 $x=-1$에서 **극솟값 $-\dfrac{1}{e}+1$**을 갖는다.

(3) $f(x)=2x^2+\dfrac{1}{x}+\ln x$에서 $x>0$이고

$$\begin{aligned} f'(x)&=4x-\frac{1}{x^2}+\frac{1}{x} \\ &=\frac{4x^3+x-1}{x^2} \\ &=\frac{(2x-1)(2x^2+x+1)}{x^2} \end{aligned}$$

$f'(x)=0$에서 　　$2x-1=0$

$\therefore x=\dfrac{1}{2}$

함수 $f(x)$의 증가와 감소를 표로 나타내면 다음과 같다.

x	(0)	$\cdots$	$\dfrac{1}{2}$	$\cdots$
$f'(x)$		$-$	0	$+$
$f(x)$		$\searrow$	$\dfrac{5}{2}+\ln\dfrac{1}{2}$	$\nearrow$

따라서 함수 $f(x)$는 $x=\dfrac{1}{2}$에서 **극솟값 $\dfrac{5}{2}+\ln\dfrac{1}{2}$**을 갖는다.

답 (1) 극댓값 : $2\sqrt{3}$

(2) 극솟값 : $-\dfrac{1}{e}+1$

(3) 극솟값 : $\dfrac{5}{2}+\ln\dfrac{1}{2}$

073 $f(x)=x+a\sin x+b\cos x$에서

$$f'(x)=1+a\cos x-b\sin x$$

이때 함수 $f(x)$가 $x=\dfrac{\pi}{3}$, $x=\pi$에서 극값을 가지므로

$$f'\left(\frac{\pi}{3}\right)=1+\frac{1}{2}a-\frac{\sqrt{3}}{2}b=0$$

$$f'(\pi)=1-a=0 \qquad \therefore a=1, \ b=\sqrt{3}$$

즉 $g(x)=x-\ln x+\sqrt{3}$에서 $x>0$이고

$$g'(x)=1-\frac{1}{x}=\frac{x-1}{x}$$

$g'(x)=0$에서 　　$x-1=0$ 　　$\therefore x=1$

함수 $g(x)$의 증가와 감소를 표로 나타내면 다음과 같다.

x	(0)	$\cdots$	1	$\cdots$
$g'(x)$		$-$	0	$+$
$g(x)$		$\searrow$	$1+\sqrt{3}$	$\nearrow$

따라서 함수 $g(x)$는 $x=1$에서 **극솟값 $1+\sqrt{3}$**을 갖는다.　　**답** 극솟값 : $1+\sqrt{3}$

074 (1) $f(x)=x^3+3x^2-1$에서

$$f'(x)=3x^2+6x=3x(x+2)$$

$f'(x)=0$에서 　　$x=-2$ 또는 $x=0$

$f''(x)=6x+6$에서

$$f''(-2)=-6<0, \ f''(0)=6>0$$

따라서 함수 $f(x)$는 $x=-2$에서 **극댓값 $f(-2)=3$**, $x=0$에서 **극솟값 $f(0)=-1$**을 갖는다.

(2) $f(x)=\dfrac{\ln x}{x}$에서

$$f'(x)=\frac{\dfrac{1}{x}\cdot x-\ln x\cdot 1}{x^2}=\frac{1-\ln x}{x^2}$$

$f'(x)=0$에서 　　$\ln x=1$ 　　$\therefore x=e$

$$f''(x)=\frac{\left(-\dfrac{1}{x}\right)\cdot x^2-(1-\ln x)\cdot 2x}{x^4}$$

$$=\frac{-3+2\ln x}{x^3}$$

에서 $\quad f''(e)=-\dfrac{1}{e^3}<0$

따라서 함수 $f(x)$는 $x=e$에서 **극댓값** $f(e)=\dfrac{1}{e}$ 을
갖는다.

(3) $f(x)=x^2e^{-x}+1$에서

$$f'(x)=2xe^{-x}-x^2e^{-x}$$
$$=(-x^2+2x)e^{-x}$$

$f'(x)=0$에서 $\quad -x(x-2)e^{-x}=0$

$\quad \therefore x=0$ 또는 $x=2 \ (\because e^{-x}>0)$

$$f''(x)=(-2x+2)e^{-x}-(-x^2+2x)e^{-x}$$
$$=(x^2-4x+2)e^{-x}$$

에서 $\quad f''(0)=2>0,\ f''(2)=-\dfrac{2}{e^2}<0$

따라서 함수 $f(x)$는 $x=2$에서

극댓값 $f(2)=\dfrac{4}{e^2}+1$, $x=0$에서 **극솟값** $f(0)=1$

을 갖는다.

(4) $f(x)=x-2\sin x$에서

$$f'(x)=1-2\cos x$$

$f'(x)=0$에서 $\quad \cos x=\dfrac{1}{2}$

$\quad \therefore x=\dfrac{\pi}{3}$ 또는 $x=\dfrac{5}{3}\pi \ (\because 0<x<2\pi)$

$f''(x)=2\sin x$에서

$$f''\!\left(\dfrac{\pi}{3}\right)=\sqrt{3}>0,\ f''\!\left(\dfrac{5}{3}\pi\right)=-\sqrt{3}<0$$

따라서 함수 $f(x)$는 $x=\dfrac{5}{3}\pi$에서

극댓값 $f\!\left(\dfrac{5}{3}\pi\right)=\dfrac{5}{3}\pi+\sqrt{3}$, $x=\dfrac{\pi}{3}$ 에서 **극솟값**

$f\!\left(\dfrac{\pi}{3}\right)=\dfrac{\pi}{3}-\sqrt{3}$ 을 갖는다.

　🄑 (1) 극댓값 : 3, 극솟값 : -1

　　(2) 극댓값 : $\dfrac{1}{e}$

　　(3) 극댓값 : $\dfrac{4}{e^2}+1$, 극솟값 : 1

　　(4) 극댓값 : $\dfrac{5}{3}\pi+\sqrt{3}$, 극솟값 : $\dfrac{\pi}{3}-\sqrt{3}$

---

075 (1) $f(x)=xe^{2x}$이라 하면

$$f'(x)=e^{2x}+2xe^{2x}=(2x+1)e^{2x}$$
$$f''(x)=2e^{2x}+(2x+1)e^{2x}\cdot 2=4(x+1)e^{2x}$$

$f''(x)=0$에서 $\quad x=-1$

$\quad x<-1$에서 $f''(x)<0$,

$\quad x>-1$에서 $f''(x)>0$

따라서 곡선 $y=f(x)$는 **구간 $(-\infty,\ -1)$에서 위로
볼록**하고, **구간 $(-1,\ \infty)$에서 아래로 볼록**하다.

(2) $f(x)=\ln(x^2+4)$라 하면

$$f'(x)=\dfrac{2x}{x^2+4}$$
$$f''(x)=\dfrac{2(x^2+4)-2x\cdot 2x}{(x^2+4)^2}=\dfrac{2(4-x^2)}{(x^2+4)^2}$$

$f''(x)=0$에서 $\quad x^2=4$

$\quad \therefore x=\pm 2$

$\quad x<-2$ 또는 $x>2$에서 $f''(x)<0$,

$\quad -2<x<2$에서 $f''(x)>0$

따라서 곡선 $y=f(x)$는 **구간 $(-\infty,\ -2)$ 또는 구
간 $(2,\ \infty)$에서 위로 볼록**하고, **구간 $(-2,\ 2)$에서
아래로 볼록**하다. 　🄑 풀이 참조

---

076 (1) $f(x)=x^5-10x^3+\sqrt{3}$이라 하면

$$f'(x)=5x^4-30x^2$$
$$f''(x)=20x^3-60x=20x(x^2-3)$$

$f''(x)=0$에서 $\quad x=0$ 또는 $x=\pm\sqrt{3}$

$\quad x<-\sqrt{3}$ 또는 $0<x<\sqrt{3}$에서 $f''(x)<0$,

$\quad -\sqrt{3}<x<0$ 또는 $x>\sqrt{3}$에서 $f''(x)>0$

따라서 $x=-\sqrt{3}$, $x=0$, $x=\sqrt{3}$의 좌우에서 $f''(x)$
의 부호가 바뀌므로 변곡점의 좌표는 $(-\sqrt{3},\ 22\sqrt{3})$,
$(0,\ \sqrt{3})$, $(\sqrt{3},\ -20\sqrt{3})$이다.

(2) $f(x)=\sin^2 x$라 하면

$$f'(x)=2\sin x\cos x=\sin 2x$$
$$f''(x)=2\cos 2x$$

$f''(x)=0$에서

$x=\dfrac{\pi}{4}$ 또는 $x=\dfrac{3}{4}\pi$ $(\because 0\leq x\leq\pi)$

$x<\dfrac{\pi}{4}$ 또는 $x>\dfrac{3}{4}\pi$에서 $f''(x)>0$,

$\dfrac{\pi}{4}<x<\dfrac{3}{4}\pi$에서 $f''(x)<0$

따라서 $x=\dfrac{\pi}{4}$, $x=\dfrac{3}{4}\pi$의 좌우에서 $f''(x)$의 부호

가 바뀌므로 변곡점의 좌표는 $\left(\dfrac{\pi}{4},\ \dfrac{1}{2}\right)$, $\left(\dfrac{3}{4}\pi,\ \dfrac{1}{2}\right)$

이다.

(3) $f(x)=\dfrac{x^2-x}{e^x}=(x^2-x)e^{-x}$이라 하면

$f'(x)=(2x-1)e^{-x}-(x^2-x)e^{-x}$

$\qquad=(-x^2+3x-1)e^{-x}$

$f''(x)=(-2x+3)e^{-x}-(-x^2+3x-1)e^{-x}$

$\qquad=(x^2-5x+4)e^{-x}=(x-1)(x-4)e^{-x}$

$f''(x)=0$에서 $\quad x=1$ 또는 $x=4$

$x<1$ 또는 $x>4$에서 $f''(x)>0$,

$1<x<4$에서 $f''(x)<0$

따라서 $x=1$, $x=4$의 좌우에서 $f''(x)$의 부호가 바

뀌므로 변곡점의 좌표는 $(\mathbf{1,\ 0})$, $\left(\mathbf{4,\ \dfrac{12}{e^4}}\right)$이다.

(4) $f(x)=\ln(x^2+9)^2$이라 하면

$f'(x)=\dfrac{2(x^2+9)\cdot 2x}{(x^2+9)^2}=\dfrac{4x}{x^2+9}$

$f''(x)=\dfrac{4(x^2+9)-4x\cdot 2x}{(x^2+9)^2}=\dfrac{-4(x^2-9)}{(x^2+9)^2}$

$\qquad=\dfrac{-4(x+3)(x-3)}{(x^2+9)^2}$

$f''(x)=0$에서 $\quad x=\pm3$

$x<-3$ 또는 $x>3$에서 $f''(x)<0$,

$-3<x<3$에서 $f''(x)>0$

따라서 $x=-3$, $x=3$의 좌우에서

$f''(x)$의 부호가 바뀌므로 변곡점의 좌표는

$(\mathbf{-3,\ 2\ln 18})$, $(\mathbf{3,\ 2\ln 18})$이다.

🔁 (1) $(-\sqrt{3},\ 22\sqrt{3})$, $(0,\ \sqrt{3})$, $(\sqrt{3},\ -20\sqrt{3})$

$\quad$ (2) $\left(\dfrac{\pi}{4},\ \dfrac{1}{2}\right)$, $\left(\dfrac{3}{4}\pi,\ \dfrac{1}{2}\right)$

(3) $(1,\ 0)$, $\left(4,\ \dfrac{12}{e^4}\right)$

(4) $(-3,\ 2\ln 18)$, $(3,\ 2\ln 18)$

077 함수 $f(x)$에서 $f''(a)=0$이고 $x=a$의 좌우

에서 $f''(x)$의 부호가 바뀌면 점 $(a,\ f(a))$는 곡선

$y=f(x)$의 변곡점이 된다.

그래프에서 $x=1$, $x=3$, $x=5$일 때 $f''(x)=0$인데 이

중 $f''(x)$의 부호가 바뀌는 경우는 $x=1$, $x=5$일 때이

므로 변곡점의 x좌표는 **1, 5**이다. $\qquad$ 🔁 **1, 5**

078 (1)① 정의역은 실수 전체의 집합이다.

② $f(0)=2$이므로 그래프는 점 $(0,\ 2)$를 지난다.

③ $f(x)=x^4-4x^3+2$에서

$\quad f'(x)=4x^3-12x^2=4x^2(x-3)$

$\quad f''(x)=12x^2-24x=12x(x-2)$

$f'(x)=0$에서 $\quad x=0$ 또는 $x=3$

$f''(x)=0$에서 $\quad x=0$ 또는 $x=2$

함수 $f(x)$의 증가와 감소, 오목과 볼록을 표로 나

타내면 다음과 같다.

x	$\cdots$	0	$\cdots$	2	$\cdots$	3	$\cdots$
$f'(x)$	$-$	0	$-$	$-$	$-$	0	$+$
$f''(x)$	$+$	0	$-$	0	$+$	$+$	$+$
$f(x)$	↘	2 (변곡점)	↘	-14 (변곡점)	↘	-25 (극소)	↗

따라서 주어진 함수의 그래프의 개형을 그리면 다음

그림과 같다.

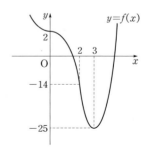

(2) ① 정의역은 실수 전체의 집합이다.

② $f(-x)=e^{-2x^2}=f(x)$이므로 그래프는 y축에 대하여 대칭이다.

③ $f(0)=1$이므로 그래프는 점 $(0, 1)$을 지난다.

④ $f(x)=e^{-2x^2}$에서

$$f'(x)=-4xe^{-2x^2}$$
$$f''(x)=-4e^{-2x^2}+(-4x)\cdot(-4xe^{-2x^2})$$
$$=4e^{-2x^2}(4x^2-1)$$
$$=4e^{-2x^2}(2x+1)(2x-1)$$

$f'(x)=0$에서 $x=0$

$f''(x)=0$에서 $x=-\dfrac{1}{2}$ 또는 $x=\dfrac{1}{2}$

함수 $f(x)$의 증가와 감소, 오목과 볼록을 표로 나타내면 다음과 같다.

x	$\cdots$	$-\dfrac{1}{2}$	$\cdots$	0	$\cdots$	$\dfrac{1}{2}$	$\cdots$
$f'(x)$	$+$	$+$	$+$	0	$-$	$-$	$-$
$f''(x)$	$+$	0	$-$	$-$	$-$	0	$+$
$f(x)$	$\curvearrowright$	$\dfrac{1}{\sqrt{e}}$ (변곡점)	$\curvearrowright$	1 (극대)	$\searrow$	$\dfrac{1}{\sqrt{e}}$ (변곡점)	$\searrow$

⑤ $\lim\limits_{x\to\infty}e^{-2x^2}=0$, $\lim\limits_{x\to-\infty}e^{-2x^2}=0$이므로 x축이 점근선이다.

따라서 주어진 함수의 그래프의 개형을 그리면 다음 그림과 같다.

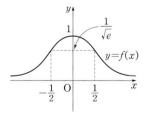

(3) ① $x>0$이므로 정의역은 양의 실수 전체의 집합이다.

② $f(1)=0$이므로 그래프는 점 $(1, 0)$을 지난다.

③ $f(x)=\dfrac{\ln x}{x}$에서

$$f'(x)=\dfrac{\dfrac{1}{x}\cdot x-\ln x\cdot 1}{x^2}=\dfrac{1-\ln x}{x^2}$$
$$f''(x)=\dfrac{-\dfrac{1}{x}\cdot x^2-(1-\ln x)\cdot 2x}{x^4}=\dfrac{2\ln x-3}{x^3}$$

$f'(x)=0$에서 $\ln x=1$ $\therefore x=e$

$f''(x)=0$에서 $\ln x=\dfrac{3}{2}$ $\therefore x=e\sqrt{e}$

함수 $f(x)$의 증가와 감소, 오목과 볼록을 표로 나타내면 다음과 같다.

x	(0)	$\cdots$	e	$\cdots$	$e\sqrt{e}$	$\cdots$
$f'(x)$		$+$	0	$-$	$-$	$-$
$f''(x)$		$-$	$-$	$-$	0	$+$
$f(x)$		$\curvearrowright$	$\dfrac{1}{e}$ (극대)	$\searrow$	$\dfrac{3\sqrt{e}}{2e^2}$ (변곡점)	$\searrow$

④ $\lim\limits_{x\to 0+}\dfrac{\ln x}{x}=-\infty$, $\lim\limits_{x\to\infty}\dfrac{\ln x}{x}=0$이므로 점근선은 x축과 y축이다.

따라서 주어진 함수의 그래프의 개형을 그리면 다음 그림과 같다.

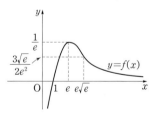

(4) $f(x)=x-\sin x$에서

$$f'(x)=1-\cos x$$
$$f''(x)=\sin x$$

$f'(x)=0$에서 $\cos x=1$

$\therefore x=0\left(\because -\dfrac{\pi}{2}\leq x\leq\dfrac{\pi}{2}\right)$

$f''(x)=0$에서 $x=0\left(\because -\dfrac{\pi}{2}\leq x\leq\dfrac{\pi}{2}\right)$

함수 $f(x)$의 증가와 감소, 오목과 볼록을 표로 나타내면 다음과 같다.

x	$-\dfrac{\pi}{2}$	$\cdots$	0	$\cdots$	$\dfrac{\pi}{2}$
$f'(x)$		$+$	0	$+$	
$f''(x)$		$-$	0	$+$	
$f(x)$	$-\dfrac{\pi}{2}+1$	$\nearrow$	0 (변곡점)	$\nearrow$	$\dfrac{\pi}{2}-1$

따라서 주어진 함수의 그래프의 개형을 그리면 다음 그림과 같다.

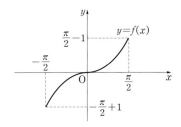

답 풀이 참조

079 (1) $f(x)=x+\dfrac{1}{x+1}$ 에서

$$f'(x)=1-\frac{1}{(x+1)^2}=\frac{(x+1)^2-1}{(x+1)^2}$$
$$=\frac{x(x+2)}{(x+1)^2}$$

$f'(x)=0$에서 $\quad x=0\left(\because -\dfrac{1}{2}\leq x\leq 2\right)$

함수 $f(x)$의 증가와 감소를 표로 나타내면 다음과 같다.

x	$-\dfrac{1}{2}$	$\cdots$	0	$\cdots$	2
$f'(x)$		$-$	0	$+$	
$f(x)$	$\dfrac{3}{2}$	$\searrow$	1	$\nearrow$	$\dfrac{7}{3}$

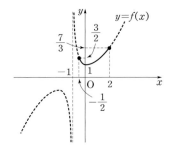

따라서 함수 $f(x)$는 $x=2$에서 **최댓값** $\dfrac{7}{3}$, $x=0$에서 **최솟값 1**을 갖는다.

(2) $f(x)=x\sqrt{4-x^2}$에서

$$f'(x)=\sqrt{4-x^2}+x\cdot\frac{-2x}{2\sqrt{4-x^2}}$$
$$=\frac{(4-x^2)-x^2}{\sqrt{4-x^2}}$$
$$=\frac{4-2x^2}{\sqrt{4-x^2}}$$

$f'(x)=0$에서 $\quad x^2=2$

$\quad\therefore x=\pm\sqrt{2}$

함수 $f(x)$의 증가와 감소를 표로 나타내면 다음과 같다.

x	-2	$\cdots$	$-\sqrt{2}$	$\cdots$	$\sqrt{2}$	$\cdots$	2
$f'(x)$		$-$	0	$+$	0	$-$	
$f(x)$	0	$\searrow$	-2	$\nearrow$	2	$\searrow$	0

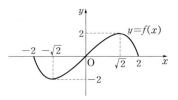

따라서 함수 $f(x)$는 $x=\sqrt{2}$에서 **최댓값 2**, $x=-\sqrt{2}$에서 **최솟값** -2를 갖는다.

(3) $f(x)=x\ln x-2x$에서

$$f'(x)=\ln x+x\cdot\frac{1}{x}-2=\ln x-1$$

$f'(x)=0$에서 $\quad \ln x=1 \quad \therefore x=e$

함수 $f(x)$의 증가와 감소를 표로 나타내면 다음과
같다.

x	1	$\cdots$	e	$\cdots$	e^2
$f'(x)$		$-$	0	$+$	
$f(x)$	-2	$\searrow$	$-e$	$\nearrow$	0

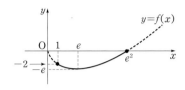

따라서 함수 $f(x)$는 $x=e^2$에서 **최댓값 0**, $x=e$에서
최솟값 $-e$를 갖는다.

(4) $f(x)=x+2\cos x$에서

$\quad f'(x)=1-2\sin x$

$f'(x)=0$에서 $\quad \sin x=\dfrac{1}{2}$

$\therefore x=\dfrac{\pi}{6}$ 또는 $x=\dfrac{5}{6}\pi$ $(\because 0\le x\le \pi)$

함수 $f(x)$의 증가와 감소를 표로 나타내면 다음과
같다.

x	0	$\cdots$	$\dfrac{\pi}{6}$	$\cdots$	$\dfrac{5}{6}\pi$	$\cdots$	π
$f'(x)$		$+$	0	$-$	0	$+$	
$f(x)$	2	$\nearrow$	$\dfrac{\pi}{6}+\sqrt{3}$	$\searrow$	$\dfrac{5}{6}\pi-\sqrt{3}$	$\nearrow$	$\pi-2$

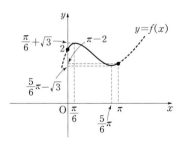

따라서 함수 $f(x)$는 $x=\dfrac{\pi}{6}$에서 **최댓값 $\dfrac{\pi}{6}+\sqrt{3}$**,

$x=\dfrac{5}{6}\pi$에서 **최솟값 $\dfrac{5}{6}\pi-\sqrt{3}$**을 갖는다.

답 (1) 최댓값 : $\dfrac{7}{3}$, 최솟값 : 1

(2) 최댓값 : 2, 최솟값 : -2

(3) 최댓값 : 0, 최솟값 : $-e$

(4) 최댓값 : $\dfrac{\pi}{6}+\sqrt{3}$, 최솟값 : $\dfrac{5}{6}\pi-\sqrt{3}$

080 (1) $x=3\ln x$에서 $f(x)=x-3\ln x$로 놓으
면 $x>0$이고

$\quad f'(x)=1-\dfrac{3}{x}=\dfrac{x-3}{x}$

$f'(x)=0$에서 $\quad x=3$

함수 $f(x)$의 증가와 감소를 표로 나타내면 다음과 같다.

x	(0)	$\cdots$	3	$\cdots$
$f'(x)$		$-$	0	$+$
$f(x)$		$\searrow$	$3-3\ln 3$	$\nearrow$

이때 $\lim\limits_{x\to 0+}f(x)=\infty$, $\lim\limits_{x\to\infty}f(x)=\infty$이므로 함수
$y=f(x)$의 그래프는 다음 그림과 같다.

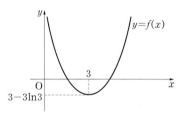

따라서 주어진 방정식의 서로 다른 실근의 개수는 **2**
이다.

(2) $\sin x-x=0$에서 $f(x)=\sin x-x$로 놓으면

$\quad f'(x)=\cos x-1$

$f'(x)\le 0$이므로 함수 $f(x)$는 실수 전체의 구간에서
감소한다.

이때 $\lim\limits_{x\to\infty}f(x)=-\infty$, $\lim\limits_{x\to-\infty}f(x)=\infty$이므로 함수
$y=f(x)$의 그래프는 다음 그림과 같다.

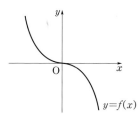

따라서 주어진 방정식의 서로 다른 실근의 개수는 **1**이
다.　　　　　　　　　　　　　　🔲 (1) 2　(2) 1

081　　$ke^{2x}-e^{x}+2=0$에서　　$k=\dfrac{e^{x}-2}{e^{2x}}$

$f(x)=\dfrac{e^{x}-2}{e^{2x}}$ 로 놓으면

$$f'(x)=\dfrac{e^{x}\cdot e^{2x}-(e^{x}-2)\cdot 2e^{2x}}{e^{4x}}$$

$$=\dfrac{e^{x}-2(e^{x}-2)}{e^{2x}}=\dfrac{4-e^{x}}{e^{2x}}$$

$f'(x)=0$에서　　$e^{x}=4$　　$\therefore x=\ln 4$

함수 $f(x)$의 증가와 감소를 표로 나타내면 다음과 같다.

x	$\cdots$	$\ln 4$	$\cdots$
$f'(x)$	$+$	0	$-$
$f(x)$	↗	$\dfrac{1}{8}$	↘

이때　　$\displaystyle\lim_{x\to\infty}f(x)=\dfrac{1-\dfrac{2}{e^{x}}}{e^{x}}=0$

$\displaystyle\lim_{x\to-\infty}f(x)=-\infty$

이므로 함수 $y=f(x)$의 그래프는 다음 그림과 같다.

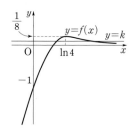

따라서 함수 $y=f(x)$의 그래프와 직선 $y=k$가 서로 다
른 두 점에서 만나려면

$$0<k<\dfrac{1}{8}$$

[참고] $\displaystyle\lim_{x\to-\infty}\dfrac{e^{x}-2}{e^{2x}}$에서　$x=-t$로 놓으면　$x\to-\infty$

일 때 $t\to\infty$이므로

$$\lim_{x\to-\infty}\dfrac{e^{x}-2}{e^{2x}}=\lim_{t\to\infty}\dfrac{e^{-t}-2}{e^{-2t}}$$

$$=\lim_{t\to\infty}(e^{t}-2e^{2t})$$

$$=\lim_{t\to\infty}e^{t}(1-2e^{t})$$

$$=-\infty$$

🔲 $0<k<\dfrac{1}{8}$

082　　$\ln x-kx=0$에서 $x>0$이고

$$k=\dfrac{\ln x}{x}$$

$f(x)=\dfrac{\ln x}{x}$ 로 놓으면

$$f'(x)=\dfrac{\dfrac{1}{x}\cdot x-\ln x\cdot 1}{x^{2}}=\dfrac{1-\ln x}{x^{2}}$$

$f'(x)=0$에서　　$x=e$

함수 $f(x)$의 증가와 감소를 표로 나타내면 다음과 같다.

x	(0)	$\cdots$	e	$\cdots$
$f'(x)$		$+$	0	$-$
$f(x)$		↗	$\dfrac{1}{e}$	↘

이때　　$\displaystyle\lim_{x\to 0+}f(x)=-\infty,\ \lim_{x\to\infty}f(x)=0$

따라서 함수 $y=f(x)$의 그래프를 그리면 다음 그림과 같
으므로 방정식 $\ln x-kx=0$, 즉 $f(x)=k$의 서로 다른
실근의 개수는

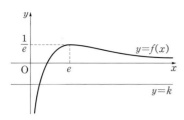

(i) $k>\dfrac{1}{e}$이면 0

(ii) $0<k<\dfrac{1}{e}$이면 2

(iii) $k=\dfrac{1}{e}$ 또는 $k\leq0$이면 1

다른 풀이 방정식 $\ln x-kx=0$에서 $\ln x=kx$

$f(x)=\ln x$, $g(x)=kx$로 놓고

곡선 $y=f(x)$와 직선 $y=g(x)$가 접할 때의 k의 값을 먼저 구해 보자.

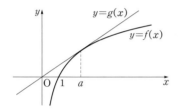

접점의 x좌표를 a라 하면

$f(a)=g(a)$이므로

$\ln a=ka$ ...... ㉠

또한 접점에서 그은 접선의 기울기가 서로 같으므로

$f'(a)=g'(a)$, 즉 $\dfrac{1}{a}=k$ ...... ㉡

㉠, ㉡에서 $a=e$ $\therefore k=\dfrac{1}{e}$

따라서 $k>\dfrac{1}{e}$일 때 만나지 않고, $0<k<\dfrac{1}{e}$일 때 두 점

에서 만나고, $k=\dfrac{1}{e}$ 또는 $k\leq0$일 때 한 점에서 만난다.

즉 방정식 $\ln x-kx=0$의 서로 다른 실근의 개수는

(i) $k>\dfrac{1}{e}$이면 0

(ii) $0<k<\dfrac{1}{e}$이면 2

(iii) $k=\dfrac{1}{e}$ 또는 $k\leq0$이면 1

답 $k>\dfrac{1}{e}$이면 0, $0<k<\dfrac{1}{e}$이면 2,

$k=\dfrac{1}{e}$ 또는 $k\leq0$이면 1

083 $e^{-x}\geq-x+1$에서 $e^{-x}+x-1\geq0$

$f(x)=e^{-x}+x-1$로 놓으면

$f'(x)=-e^{-x}+1$

$f'(x)=0$에서 $e^{-x}=1$ $\therefore x=0$

함수 $f(x)$의 증가와 감소를 표로 나타내면 다음과 같다.

x	$\cdots$	0	$\cdots$
$f'(x)$	$-$	0	$+$
$f(x)$	$\searrow$	0	$\nearrow$

이때 $\lim\limits_{x\to\infty}f(x)=\infty$, $\lim\limits_{x\to-\infty}f(x)=\infty$이므로 함수 $y=f(x)$의 그래프를 그리면 다음 그림과 같다.

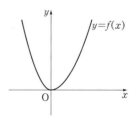

모든 실수 x에 대하여 함수 $f(x)$의 최솟값은 $f(0)=0$ 이므로

$f(x)\geq0$, 즉 $e^{-x}+x-1\geq0$

따라서 모든 실수 x에 대하여 부등식 $e^{-x}\geq-x+1$이 성립한다. **답** 풀이 참조

084 점 P의 시각 t에서의 속도를 $v(t)$, 가속도를 $a(t)$라 하면

$v(t)=f'(t)=-e^{-t}-1$, $a(t)=f''(t)=e^{-t}$

따라서 $t=1$에서의 점 P의 **속도와 가속도**는

$$v(1)=-e^{-1}-1=-\frac{1}{e}-1,\ a(1)=e^{-1}=\frac{1}{e}$$

답 속도 : $-\dfrac{1}{e}-1$, 가속도 : $\dfrac{1}{e}$

085 점 P의 시각 t에서의 속도를 $v(t)$라 하면

$$v(t)=f'(t)=\frac{1}{4}+\frac{1}{2}\cos\frac{t}{2}$$

$t=\alpha$에서의 점 P의 속력을 0이라 하면

$$\left|\frac{1}{4}+\frac{1}{2}\cos\frac{\alpha}{2}\right|=0,\ \cos\frac{\alpha}{2}=-\frac{1}{2}$$

이때 $\alpha>0$이므로

$$\frac{\alpha}{2}=\frac{2}{3}\pi,\ \frac{4}{3}\pi,\ \frac{8}{3}\pi,\ \cdots$$

$$\therefore\ \alpha=\frac{4}{3}\pi,\ \frac{8}{3}\pi,\ \frac{16}{3}\pi,\ \cdots$$

따라서 점 P의 속력이 처음으로 0이 되는 시각은 $\dfrac{4}{3}\pi$이

다. **답** $\dfrac{4}{3}\pi$

086 $\dfrac{dx}{dt}=1-\cos t,\ \dfrac{dy}{dt}=\sin t$이므로

$$\frac{d^2x}{dt^2}=\sin t,\ \frac{d^2y}{dt^2}=\cos t$$

따라서 점 P의 가속도는 $(\sin t,\ \cos t)$이므로

$t=\dfrac{\pi}{3}$에서의 점 P의 **가속도**는

$$\left(\frac{\sqrt{3}}{2},\ \frac{1}{2}\right)$$

이고 **가속도의 크기**는

$$\sqrt{\left(\frac{\sqrt{3}}{2}\right)^2+\left(\frac{1}{2}\right)^2}=1$$

답 가속도 : $\left(\dfrac{\sqrt{3}}{2},\ \dfrac{1}{2}\right)$,

가속도의 크기 : 1

III 적분법

1. 부정적분

APPLICATION　　SUMMA CUM LAUDE

087 (1) $\dfrac{1}{2}x^{2\sqrt{2}}+C$　(2) $3\sqrt[3]{x}-2\ln|x|+C$

(3) $\dfrac{1}{3}x^3+2\ln|x|-\dfrac{1}{3x^3}+C$

(4) $\dfrac{1}{3}x^3-\dfrac{9}{7}x^{\frac{7}{3}}+\dfrac{9}{5}x^{\frac{5}{3}}-x+C$

088 (1) e^x-x+C　(2) $\dfrac{1}{2}e^{2x}+\dfrac{25^x}{\ln 25}+C$

(3) $\dfrac{4^x}{\ln 4}+\dfrac{2^{x+1}}{\ln 2}+x+C$　(4) $\dfrac{9^x}{\ln 9}+\dfrac{3^x}{\ln 3}+x+C$

089 (1) $2\sin x+3\tan x+C$　(2) $\tan x-\sin x+C$

(3) $-\cot x-\tan x+C$　(4) $-\csc x+C$

090 (1) $\dfrac{1}{2}x+\dfrac{1}{2}\sin x+C$　(2) $-\cot x-x+C$

(3) $x-\cos x+C$　(4) $-\dfrac{1}{2}\cos x+C$

(5) $-\cot x+\csc x+C$　(6) $\tan x-\sec x-x+C$

091 (1) $-\dfrac{1}{24}(3-2x)^{12}+C$　(2) $-\dfrac{1}{8(4x-1)^2}+C$

(3) $-\dfrac{2^{5-3x}}{3\ln 2}+C$　(4) $\dfrac{1}{2}\sin(2x+3)+C$

092 (1) $\sqrt{x^2+1}+C$　(2) $\dfrac{1}{2}(\ln x)^2+C$

(3) $\dfrac{1}{3}(e^x+2)^3+C$　(4) $\dfrac{1}{4}\sin^4 x+C$

093 (1) $\ln|x^3+2x+3|+C$　(2) $\ln|\ln x|+C$

(3) $\ln(e^x+e^{-x})+C$　(4) $\ln|2^x+x|+C$

(5) $\ln(e^x+1)+C$　(6) $\ln|\sin x|+C$

094 (1) $\ln\left|\dfrac{x+1}{x+2}\right|+C$　(2) $\dfrac{1}{12}\ln\left|\dfrac{x-5}{x+7}\right|+C$

(3) $3\ln|x+2|+4\ln|x-3|+C$

(4) $2\ln\left|\dfrac{x+1}{x}\right|-\dfrac{2}{x}+\dfrac{1}{2x^2}+C$

095 $\dfrac{1}{4}x^4+\dfrac{2}{3}x^3+x^2+x-\ln|x-1|+C$

096 $-xe^{-x}-e^{-x}+C$　**097** $x\log_a x-\dfrac{1}{\ln a}x+C$

098 (1) $e^{2x}-xe^{2x}+C$　(2) $x^2\log_2 x-\dfrac{1}{2\ln 2}x^2+C$

---

(3) $\dfrac{1}{4}x^2+\dfrac{1}{4}x\sin 2x+\dfrac{1}{8}\cos 2x+C$

087 (1) $\displaystyle\int\sqrt{2}\,x^{2\sqrt{2}-1}dx$

$=\sqrt{2}\cdot\dfrac{1}{2\sqrt{2}-1+1}x^{2\sqrt{2}-1+1}+C$

$=\dfrac{1}{2}x^{2\sqrt{2}}+C$

(2) $\displaystyle\int\dfrac{\sqrt[3]{x}-2}{x}\,dx=\int\Big(\dfrac{\sqrt[3]{x}}{x}-\dfrac{2}{x}\Big)dx$

$=\displaystyle\int\Big(x^{-\frac{2}{3}}-\dfrac{2}{x}\Big)dx$

$=3x^{\frac{1}{3}}-2\ln|x|+C$

$=3\sqrt[3]{x}-2\ln|x|+C$

(3) $\displaystyle\int\Big(x+\dfrac{1}{x^2}\Big)^2dx=\int(x+x^{-2})^2dx$

$=\displaystyle\int(x^2+2x^{-1}+x^{-4})\,dx$

$=\dfrac{1}{3}x^3+2\ln|x|-\dfrac{1}{3}x^{-3}+C$

$=\dfrac{1}{3}x^3+2\ln|x|-\dfrac{1}{3x^3}+C$

(4) $\displaystyle\int(\sqrt[3]{x^2}-1)^3dx=\int(x^{\frac{2}{3}}-1)^3dx$

$=\displaystyle\int(x^2-3x^{\frac{4}{3}}+3x^{\frac{2}{3}}-1)\,dx$

$=\dfrac{1}{3}x^3-\dfrac{9}{7}x^{\frac{7}{3}}+\dfrac{9}{5}x^{\frac{5}{3}}-x+C$

📋 (1) $\dfrac{1}{2}x^{2\sqrt{2}}+C$

(2) $3\sqrt[3]{x}-2\ln|x|+C$

(3) $\dfrac{1}{3}x^3+2\ln|x|-\dfrac{1}{3x^3}+C$

(4) $\dfrac{1}{3}x^3-\dfrac{9}{7}x^{\frac{7}{3}}+\dfrac{9}{5}x^{\frac{5}{3}}-x+C$

088 (1) $\displaystyle\int\dfrac{e^{2x}-1}{e^x+1}\,dx=\int\dfrac{(e^x+1)(e^x-1)}{e^x+1}\,dx$

$=\displaystyle\int(e^x-1)\,dx$

$=e^x-x+C$

(2) $\displaystyle\int(e^{2x}+5^{2x})\,dx=\int\{(e^2)^x+25^x\}dx$

$=\dfrac{e^{2x}}{\ln e^2}+\dfrac{25^x}{\ln 25}+C$

$=\dfrac{1}{2}e^{2x}+\dfrac{25^x}{\ln 25}+C$

(3) $\displaystyle\int(2^x+1)^2dx=\int(4^x+2\cdot 2^x+1)\,dx$

$=\dfrac{4^x}{\ln 4}+\dfrac{2\cdot 2^x}{\ln 2}+x+C$

$=\dfrac{4^x}{\ln 4}+\dfrac{2^{x+1}}{\ln 2}+x+C$

(4) $\displaystyle\int\dfrac{27^x-1}{3^x-1}\,dx=\int\dfrac{(3^x-1)(9^x+3^x+1)}{3^x-1}\,dx$

$=\displaystyle\int(9^x+3^x+1)\,dx$

$=\dfrac{9^x}{\ln 9}+\dfrac{3^x}{\ln 3}+x+C$

📋 (1) e^x-x+C

(2) $\dfrac{1}{2}e^{2x}+\dfrac{25^x}{\ln 25}+C$

(3) $\dfrac{4^x}{\ln 4}+\dfrac{2^{x+1}}{\ln 2}+x+C$

(4) $\dfrac{9^x}{\ln 9}+\dfrac{3^x}{\ln 3}+x+C$

089 (1) $\displaystyle\int(2\cos x+3\sec^2 x)\,dx$

$=2\displaystyle\int\cos x\,dx+3\int\sec^2 x\,dx$

$=2\sin x+3\tan x+C$

(2) $\displaystyle\int\dfrac{1-\cos^3 x}{\cos^2 x}\,dx=\int\Big(\dfrac{1}{\cos^2 x}-\cos x\Big)dx$

$=\displaystyle\int(\sec^2 x-\cos x)\,dx$

$=\tan x-\sin x+C$

(3) $\displaystyle\int \frac{\cos^2 x - \sin^2 x}{\cos^2 x \sin^2 x}\, dx = \int \left(\frac{1}{\sin^2 x} - \frac{1}{\cos^2 x} \right) dx$

$$= \int (\csc^2 x - \sec^2 x)\, dx$$

$$= -\cot x - \tan x + C$$

(4) $\displaystyle\int \frac{\cot x}{\sin x}\, dx = \int \csc x \cot x\, dx$

$$= -\csc x + C$$

답 (1) $2\sin x + 3\tan x + C$ (2) $\tan x - \sin x + C$

(3) $-\cot x - \tan x + C$ (4) $-\csc x + C$

090 (1) $\displaystyle\int \cos^2 \frac{x}{2}\, dx = \int \frac{1+\cos x}{2}\, dx$

$$= \frac{1}{2}\int (1+\cos x)\, dx$$

$$= \frac{1}{2}(x+\sin x) + C$$

$$= \frac{1}{2}x + \frac{1}{2}\sin x + C$$

(2) $\displaystyle\int \cot^2 x\, dx = \int (\csc^2 x - 1)\, dx$

$$= -\cot x - x + C$$

(3) $\displaystyle\int \frac{\cos^2 x}{1-\sin x}\, dx = \int \frac{1-\sin^2 x}{1-\sin x}\, dx$

$$= \int \frac{(1-\sin x)(1+\sin x)}{1-\sin x}\, dx$$

$$= \int (1+\sin x)\, dx$$

$$= x - \cos x + C$$

(4) 배각의 공식에서 $\sin 2x = 2\sin x \cos x$이므로

$$\sin \frac{x}{2} \cos \frac{x}{2} = \frac{1}{2}\sin x$$

$$\therefore \int \sin \frac{x}{2} \cos \frac{x}{2}\, dx = \int \frac{1}{2}\sin x\, dx$$

$$= -\frac{1}{2}\cos x + C$$

(5) $\displaystyle\int \frac{1}{1+\cos x}\, dx = \int \frac{1-\cos x}{(1+\cos x)(1-\cos x)}\, dx$

$$= \int \frac{1-\cos x}{\sin^2 x}\, dx$$

$$= \int \left(\frac{1}{\sin^2 x} - \frac{\cos x}{\sin^2 x} \right) dx$$

$$= \int (\csc^2 x - \csc x \cot x)\, dx$$

$$= -\cot x + \csc x + C$$

(6) $\displaystyle\int \frac{\sin(\sin x - 1)}{\cos^2 x}\, dx$

$$= \int \frac{\sin^2 x - \sin x}{\cos^2 x}\, dx$$

$$= \int \left(\frac{\sin^2 x}{\cos^2 x} - \frac{\sin x}{\cos^2 x} \right) dx$$

$$= \int (\tan^2 x - \sec x \tan x)\, dx$$

$$= \int (\sec^2 x - 1 - \sec x \tan x)\, dx$$

$$= \tan x - \sec x - x + C$$

답 (1) $\dfrac{1}{2}x + \dfrac{1}{2}\sin x + C$ (2) $-\cot x - x + C$

(3) $x - \cos x + C$ (4) $-\dfrac{1}{2}\cos x + C$

(5) $-\cot x + \csc x + C$

(6) $\tan x - \sec x - x + C$

091 (1) $\displaystyle\int (3-2x)^{11}\, dx$에서 $3-2x=t$로 놓으면

$x = \dfrac{3-t}{2}$에서 $\dfrac{dx}{dt} = -\dfrac{1}{2}$이므로

$$\int (3-2x)^{11}\, dx = \int t^{11} \cdot \left(-\frac{1}{2} \right) dt = -\frac{1}{2}\int t^{11}\, dt$$

$$= -\frac{1}{2} \cdot \frac{1}{12} t^{12} + C$$

$$= -\frac{1}{24} t^{12} + C$$

$$= -\frac{1}{24}(3-2x)^{12} + C$$

다른 풀이 $\displaystyle\int (3-2x)^{11}\, dx$

$$= \frac{1}{-2} \cdot \frac{1}{12}(3-2x)^{12} + C$$

$$= -\frac{1}{24}(3-2x)^{12} + C$$

(2) $\displaystyle\int \frac{1}{(4x-1)^3}\,dx$에서 $4x-1=t$로 놓으면

$x=\dfrac{t+1}{4}$에서 $\dfrac{dx}{dt}=\dfrac{1}{4}$이므로

$$\int \frac{1}{(4x-1)^3}\,dx=\int \frac{1}{t^3}\cdot\frac{1}{4}\,dt$$

$$=\frac{1}{4}\int t^{-3}\,dt$$

$$=\frac{1}{4}\cdot\frac{1}{-2}t^{-2}+C$$

$$=-\frac{1}{8t^2}+C$$

$$=-\frac{1}{8(4x-1)^2}+C$$

(3) $\displaystyle\int 2^{5-3x}\,dx$에서 $5-3x=t$로 놓으면

$x=\dfrac{5-t}{3}$에서 $\dfrac{dx}{dt}=-\dfrac{1}{3}$이므로

$$\int 2^{5-3x}\,dx=\int 2^t\cdot\left(-\frac{1}{3}\right)dt=-\frac{1}{3}\int 2^t\,dt$$

$$=-\frac{1}{3}\cdot\frac{2^t}{\ln 2}+C$$

$$=-\frac{2^t}{3\ln 2}+C$$

$$=-\frac{2^{5-3x}}{3\ln 2}+C$$

(4) $\displaystyle\int \cos(2x+3)\,dx$에서 $2x+3=t$로 놓으면

$x=\dfrac{t-3}{2}$에서 $\dfrac{dx}{dt}=\dfrac{1}{2}$이므로

$$\int \cos(2x+3)\,dx=\int \cos t\cdot\frac{1}{2}\,dt$$

$$=\frac{1}{2}\int \cos t\,dt$$

$$=\frac{1}{2}\sin t+C$$

$$=\frac{1}{2}\sin(2x+3)+C$$

답 (1) $-\dfrac{1}{24}(3-2x)^{12}+C$ (2) $-\dfrac{1}{8(4x-1)^2}+C$

(3) $-\dfrac{2^{5-3x}}{3\ln 2}+C$ (4) $\dfrac{1}{2}\sin(2x+3)+C$

092 (1) $\displaystyle\int \frac{x}{\sqrt{x^2+1}}\,dx$에서 $(x^2+1)'=2x$이므로

$x^2+1=t$로 놓으면 $\dfrac{dt}{dx}=2x$이다.

$$\therefore \int \frac{x}{\sqrt{x^2+1}}\,dx=\frac{1}{2}\int \frac{1}{\sqrt{x^2+1}}\cdot 2x\,dx$$

$$=\frac{1}{2}\int \frac{1}{\sqrt{t}}\,dt=\frac{1}{2}\int t^{-\frac{1}{2}}\,dt$$

$$=\frac{1}{2}\cdot 2t^{\frac{1}{2}}+C=(x^2+1)^{\frac{1}{2}}+C$$

$$=\sqrt{x^2+1}+C$$

(2) $\displaystyle\int \frac{\ln x}{x}\,dx$에서 $(\ln x)'=\dfrac{1}{x}$이므로

$\ln x=t$로 놓으면 $\dfrac{dt}{dx}=\dfrac{1}{x}$이다.

$$\therefore \int \frac{\ln x}{x}\,dx=\int \ln x\cdot\frac{1}{x}\,dx=\int t\,dt$$

$$=\frac{1}{2}t^2+C$$

$$=\frac{1}{2}(\ln x)^2+C$$

(3) $\displaystyle\int (e^x+2)^2 e^x\,dx$에서 $(e^x+2)'=e^x$이므로

$e^x+2=t$로 놓으면 $\dfrac{dt}{dx}=e^x$이다.

$$\therefore \int (e^x+2)^2 e^x\,dx=\int (e^x+2)^2\cdot e^x\,dx$$

$$=\int t^2\,dt=\frac{1}{3}t^3+C$$

$$=\frac{1}{3}(e^x+2)^3+C$$

(4) $\displaystyle\int \sin^3 x\cos x\,dx$에서 $(\sin x)'=\cos x$이므로

$\sin x=t$로 놓으면 $\dfrac{dt}{dx}=\cos x$이다.

$$\therefore \int \sin^3 x\cos x\,dx=\int \sin^3 x\cdot\cos x\,dx$$

$$=\int t^3\,dt=\frac{1}{4}t^4+C$$

$$=\frac{1}{4}\sin^4 x+C$$

답 (1) $\sqrt{x^2+1}+C$　(2) $\dfrac{1}{2}(\ln x)^2+C$

(3) $\dfrac{1}{3}(e^x+2)^3+C$　(4) $\dfrac{1}{4}\sin^4 x+C$

093 (1) $\displaystyle\int \dfrac{3x^2+2}{x^3+2x+3}\,dx$ 에서

$(x^3+2x+3)'=3x^2+2$ 이므로

$$\int \dfrac{3x^2+2}{x^3+2x+3}\,dx=\int \dfrac{(x^3+2x+3)'}{x^3+2x+3}\,dx$$
$$=\mathbf{\ln|x^3+2x+3|+C}$$

(2) $\displaystyle\int \dfrac{1}{x\ln x}\,dx$ 에서 $(\ln x)'=\dfrac{1}{x}$ 이므로

$$\int \dfrac{1}{x\ln x}\,dx=\int \dfrac{(\ln x)'}{\ln x}\,dx$$
$$=\mathbf{\ln|\ln x|+C}$$

(3) $\displaystyle\int \dfrac{e^x-e^{-x}}{e^x+e^{-x}}\,dx$ 에서 $(e^x+e^{-x})'=e^x-e^{-x}$ 이므로

$$\int \dfrac{e^x-e^{-x}}{e^x+e^{-x}}\,dx=\int \dfrac{(e^x+e^{-x})'}{e^x+e^{-x}}\,dx$$
$$=\mathbf{\ln(e^x+e^{-x})+C}\ (\because e^x+e^{-x}>0)$$

(4) $\displaystyle\int \dfrac{2^x\ln 2+1}{2^x+x}\,dx$ 에서 $(2^x+x)'=2^x\ln 2+1$ 이므로

$$\int \dfrac{2^x\ln 2+1}{2^x+x}\,dx=\int \dfrac{(2^x+x)'}{2^x+x}\,dx$$
$$=\mathbf{\ln|2^x+x|+C}$$

(5) $\displaystyle\int \dfrac{1}{1+e^{-x}}\,dx=\int \dfrac{e^x}{(1+e^{-x})\cdot e^x}\,dx=\int \dfrac{e^x}{e^x+1}\,dx$

에서 $(e^x+1)'=e^x$ 이므로

$$\int \dfrac{1}{1+e^{-x}}\,dx=\int \dfrac{e^x}{e^x+1}\,dx=\int \dfrac{(e^x+1)'}{e^x+1}\,dx$$
$$=\mathbf{\ln(e^x+1)+C}\ (\because e^x+1>0)$$

(6) $\displaystyle\int \cot x\,dx=\int \dfrac{\cos x}{\sin x}\,dx$ 에서 $(\sin x)'=\cos x$ 이므로

$$\int \cot x\,dx=\int \dfrac{\cos x}{\sin x}\,dx=\int \dfrac{(\sin x)'}{\sin x}\,dx$$
$$=\mathbf{\ln|\sin x|+C}$$

답 (1) $\ln|x^3+2x+3|+C$　(2) $\ln|\ln x|+C$
(3) $\ln(e^x+e^{-x})+C$　(4) $\ln|2^x+x|+C$
(5) $\ln(e^x+1)+C$　(6) $\ln|\sin x|+C$

094 (1) $\dfrac{1}{(x+1)(x+2)}=\dfrac{1}{x+1}-\dfrac{1}{x+2}$ 이므로

$$\int \dfrac{1}{(x+1)(x+2)}\,dx$$
$$=\int \left(\dfrac{1}{x+1}-\dfrac{1}{x+2}\right)dx$$
$$=\ln|x+1|-\ln|x+2|+C$$
$$=\mathbf{\ln\left|\dfrac{x+1}{x+2}\right|+C}$$

(2) $\dfrac{1}{x^2+2x-35}=\dfrac{1}{(x-5)(x+7)}$
$$=\dfrac{1}{12}\left(\dfrac{1}{x-5}-\dfrac{1}{x+7}\right)$$ 이므로

$$\int \dfrac{1}{x^2+2x-35}\,dx$$
$$=\dfrac{1}{12}\int \left(\dfrac{1}{x-5}-\dfrac{1}{x+7}\right)dx$$
$$=\dfrac{1}{12}(\ln|x-5|-\ln|x+7|)+C$$
$$=\mathbf{\dfrac{1}{12}\ln\left|\dfrac{x-5}{x+7}\right|+C}$$

(3) $\dfrac{7x-1}{x^2-x-6}=\dfrac{7x-1}{(x+2)(x-3)}$
$$=\dfrac{A}{x+2}+\dfrac{B}{x-3}\ (A,\ B는\ 상수)$$

로 놓으면

$$\dfrac{7x-1}{x^2-x-6}=\dfrac{(A+B)x+(-3A+2B)}{(x+2)(x-3)}$$ 이므로

$A+B=7,\ -3A+2B=-1$

위의 두 식을 연립하여 풀면　$A=3,\ B=4$

$$\therefore \int \dfrac{7x-1}{x^2-x-6}\,dx$$
$$=\int \left(\dfrac{3}{x+2}+\dfrac{4}{x-3}\right)dx$$
$$=\mathbf{3\ln|x+2|+4\ln|x-3|+C}$$

(4) $\dfrac{x-1}{x^3(x+1)}$

$=\dfrac{A}{x}+\dfrac{B}{x^2}+\dfrac{C}{x^3}+\dfrac{D}{x+1}$ $(A,\,B,\,C,\,D$는 상수$)$

로 놓으면

$\dfrac{x-1}{x^3(x+1)}$

$=\dfrac{(A+D)x^3+(A+B)x^2+(B+C)x+C}{x^3(x+1)}$

이므로

$A+D=0,\ A+B=0,\ B+C=1,\ C=-1$

위의 네 식을 연립하여 풀면

$A=-2,\ B=2,\ C=-1,\ D=2$

$\therefore \displaystyle\int \dfrac{x-1}{x^3(x+1)}\,dx$

$=\displaystyle\int\left(-\dfrac{2}{x}+\dfrac{2}{x^2}-\dfrac{1}{x^3}+\dfrac{2}{x+1}\right)dx$

$=-2\ln|x|+2(-x^{-1})-\left(-\dfrac{1}{2}x^{-2}\right)$

$\qquad\qquad\qquad +2\ln|x+1|+C$

$=2\ln\left|\dfrac{x+1}{x}\right|-\dfrac{2}{x}+\dfrac{1}{2x^2}+C$

답 (1) $\ln\left|\dfrac{x+1}{x+2}\right|+C$

(2) $\dfrac{1}{12}\ln\left|\dfrac{x-5}{x+7}\right|+C$

(3) $3\ln|x+2|+4\ln|x-3|+C$

(4) $2\ln\left|\dfrac{x+1}{x}\right|-\dfrac{2}{x}+\dfrac{1}{2x^2}+C$

095 $\dfrac{x^4+x^3-x-2}{x-1}$

$=\dfrac{(x^3+2x^2+2x+1)(x-1)-1}{x-1}$

$=x^3+2x^2+2x+1-\dfrac{1}{x-1}$

이므로

$\displaystyle\int \dfrac{x^4+x^3-x-2}{x-1}\,dx$

$=\displaystyle\int\left(x^3+2x^2+2x+1-\dfrac{1}{x-1}\right)dx$

$=\dfrac{1}{4}x^4+\dfrac{2}{3}x^3+x^2+x-\ln|x-1|+C$

답 $\dfrac{1}{4}x^4+\dfrac{2}{3}x^3+x^2+x-\ln|x-1|+C$

096 $f(x)=x,\ g'(x)=e^{-x}$이라 하면

$f'(x)=1,\ g(x)=-e^{-x}$이므로

$\displaystyle\int xe^{-x}\,dx=-xe^{-x}-\int(-e^{-x})\,dx$

$=-xe^{-x}+\displaystyle\int e^{-x}\,dx$

$=-xe^{-x}-e^{-x}+C$

답 $-xe^{-x}-e^{-x}+C$

097 $u=\log_a x,\ v'=1$이라 하면

$u=\log_a x$	$v'=1$	$uv=x\log_a x$
$u'=\dfrac{1}{x\ln a}$	$v=x$	$u'v=\dfrac{1}{\ln a}$

$\therefore \displaystyle\int \log_a x\,dx=x\log_a x-\int \dfrac{1}{\ln a}\,dx$

$=x\log_a x-\dfrac{1}{\ln a}x+C$

답 $x\log_a x-\dfrac{1}{\ln a}x+C$

098 (1) $u=1-2x,\ v'=e^{2x}$이라 하면

$u=1-2x$	$v'=e^{2x}$	$uv=\dfrac{1}{2}(1-2x)e^{2x}$
$u'=-2$	$v=\dfrac{1}{2}e^{2x}$	$u'v=-e^{2x}$

$$\therefore \int (1-2x)e^{2x}dx$$

$$= \frac{1}{2}(1-2x)e^{2x} - \int (-e^{2x})dx$$

$$= \frac{1}{2}(1-2x)e^{2x} + \int e^{2x}dx$$

$$= \frac{1}{2}(1-2x)e^{2x} + \frac{1}{2}e^{2x} + C$$

$$= \boldsymbol{e^{2x} - xe^{2x} + C}$$

(2) $u = \log_2 x$, $v' = 2x$라 하면

$u = \log_2 x$	$v' = 2x$	$\longrightarrow$ $uv = x^2 \log_2 x$
$u' = \dfrac{1}{x\ln 2}$	$v = x^2$	$\longrightarrow$ $u'v = \dfrac{x}{\ln 2}$

$$\therefore \int 2x\log_2 x\, dx = x^2\log_2 x - \int \frac{x}{\ln 2}dx$$

$$= x^2\log_2 x - \frac{1}{\ln 2}\int x\, dx$$

$$= \boldsymbol{x^2\log_2 x - \frac{1}{2\ln 2}x^2 + C}$$

(3) $\displaystyle\int x\cos^2 x\, dx = \int x\left(\frac{1+\cos 2x}{2}\right)dx$

$$= \frac{1}{2}\int x\, dx + \frac{1}{2}\int x\cos 2x\, dx$$

$$= \frac{1}{4}x^2 + \frac{1}{2}\int x\cos 2x\, dx \quad \cdots\cdots \text{㉠}$$

이고, $\displaystyle\int x\cos 2x\, dx$에서 $u=x$, $v'=\cos 2x$라 하면

$u = x$	$v' = \cos 2x$	$\longrightarrow$ $uv = \dfrac{1}{2}x\sin 2x$
$u' = 1$	$v = \dfrac{1}{2}\sin 2x$	$\longrightarrow$ $u'v = \dfrac{1}{2}\sin 2x$

$$\therefore \int x\cos 2x\, dx$$

$$= \frac{1}{2}x\sin 2x - \int \frac{1}{2}\sin 2x\, dx$$

$$= \frac{1}{2}x\sin 2x - \frac{1}{2}\int \sin 2x\, dx$$

$$= \frac{1}{2}x\sin 2x - \frac{1}{2}\cdot\left(-\frac{1}{2}\cos 2x\right) + C$$

$$= \frac{1}{2}x\sin 2x + \frac{1}{4}\cos 2x + C \quad \cdots\cdots \text{㉡}$$

이제 ㉡을 ㉠에 대입하면

$$\int x\cos^2 x\, dx$$

$$= \boldsymbol{\frac{1}{4}x^2 + \frac{1}{4}x\sin 2x + \frac{1}{8}\cos 2x + C}$$

🖪 (1) $e^{2x} - xe^{2x} + C$ (2) $x^2\log_2 x - \dfrac{1}{2\ln 2}x^2 + C$

(3) $\dfrac{1}{4}x^2 + \dfrac{1}{4}x\sin 2x + \dfrac{1}{8}\cos 2x + C$

2. 정적분

099 (1) $3-\dfrac{1}{e}$ (2) $\dfrac{2}{3}$ (3) $\dfrac{60}{\ln 5}$ (4) $\dfrac{7}{4}$ (5) $\dfrac{\pi}{2}$

(6) $1-\dfrac{\pi}{4}$ (7) $\dfrac{8}{3}$ (8) $\dfrac{\pi}{2}-1$

100 (1) e^4-1 (2) $\dfrac{1}{2}$ (3) $\dfrac{2}{3}-\dfrac{5\sqrt{2}}{12}$ (4) $\dfrac{1}{3}$

(5) $\dfrac{27}{8}$ (6) $\dfrac{7}{2}+\ln 2$

101 (1) π (2) -2π (3) $4e^2-2$ (4) $\dfrac{1}{2}e^{\frac{\pi}{2}}+\dfrac{1}{2}$

(5) $\dfrac{\sqrt{2}}{2}\pi-\sqrt{2}$ (6) $2-\dfrac{2}{e}$

102 (1) $2e^2+\dfrac{6}{e^2}$ (2) π **103** 2

104 $2-\dfrac{1}{e}$ **105** $f(x)=\cos x+\dfrac{3}{4}$

106 $f(x)=2e^{2x}+2e^x,\ a=0$

107 (1) $\dfrac{3}{2}e$ (2) $2e^2$

---

099 (1) $\displaystyle\int_1^e \dfrac{2x+1}{x^2}\,dx=\int_1^e\left(\dfrac{2}{x}+\dfrac{1}{x^2}\right)dx$

$\qquad\qquad =\displaystyle\int_1^e\left(\dfrac{2}{x}+x^{-2}\right)dx$

$\qquad\qquad =\left[\,2\ln|x|-\dfrac{1}{x}\,\right]_1^e$

$\qquad\qquad =\left(2-\dfrac{1}{e}\right)-(-1)$

$\qquad\qquad =\mathbf{3-\dfrac{1}{e}}$

(2) $\displaystyle\int_1^4\dfrac{(\sqrt{x}-1)^2}{\sqrt{x}}\,dx=\int_1^4\dfrac{x-2\sqrt{x}+1}{\sqrt{x}}\,dx$

$\qquad\qquad =\displaystyle\int_1^4\left(x^{\frac{1}{2}}-2+x^{-\frac{1}{2}}\right)dx$

$\qquad\qquad =\left[\,\dfrac{2}{3}x^{\frac{3}{2}}-2x+2x^{\frac{1}{2}}\,\right]_1^4$

$\qquad\qquad =\left(\dfrac{16}{3}-8+4\right)-\left(\dfrac{2}{3}-2+2\right)$

$\qquad\qquad =\mathbf{\dfrac{2}{3}}$

(3) $\displaystyle\int_0^1 5^{2x+1}\,dx=\int_0^1 5\cdot(5^2)^x\,dx=5\int_0^1 25^x\,dx$

$\qquad\qquad =5\left[\,\dfrac{1}{\ln 25}25^x\,\right]_0^1$

$\qquad\qquad =5\left(\dfrac{1}{\ln 25}\cdot 25-\dfrac{1}{\ln 25}\right)$

$\qquad\qquad =\dfrac{120}{\ln 25}=\mathbf{\dfrac{60}{\ln 5}}$

(4) $\displaystyle\int_{\ln 2}^{\ln 4}\dfrac{e^{2x}-e^{-2x}}{e^x+e^{-x}}\,dx=\int_{\ln 2}^{\ln 4}\dfrac{(e^x+e^{-x})(e^x-e^{-x})}{e^x+e^{-x}}\,dx$

$\qquad\qquad =\displaystyle\int_{\ln 2}^{\ln 4}(e^x-e^{-x})\,dx$

$\qquad\qquad =\left[\,e^x+e^{-x}\,\right]_{\ln 2}^{\ln 4}$

$\qquad\qquad =\left(4+\dfrac{1}{4}\right)-\left(2+\dfrac{1}{2}\right)=\mathbf{\dfrac{7}{4}}$

(5) $\displaystyle\int_0^\pi\left(\cos x+\sin^2\dfrac{x}{2}\right)dx$

$\qquad =\displaystyle\int_0^\pi\left(\cos x+\dfrac{1-\cos x}{2}\right)dx$

$\qquad =\dfrac{1}{2}\displaystyle\int_0^\pi(1+\cos x)\,dx$

$\qquad =\dfrac{1}{2}\left[\,x+\sin x\,\right]_0^\pi$

$\qquad =\dfrac{1}{2}(\pi+\sin\pi-\sin 0)=\mathbf{\dfrac{\pi}{2}}$

(6) $\displaystyle\int_0^{\frac{\pi}{4}}\tan^2 x\,dx=\int_0^{\frac{\pi}{4}}(\sec^2 x-1)\,dx$

$\qquad\qquad =\left[\,\tan x-x\,\right]_0^{\frac{\pi}{4}}$

$\qquad\qquad =\left(\tan\dfrac{\pi}{4}-\dfrac{\pi}{4}\right)-\tan 0$

$\qquad\qquad =\mathbf{1-\dfrac{\pi}{4}}$

(7) $\displaystyle\int_{-2}^0\dfrac{x^3}{x-1}\,dx-\int_{-2}^0\dfrac{1}{y-1}\,dy$

$\qquad =\displaystyle\int_{-2}^0\dfrac{x^3}{x-1}\,dx-\int_{-2}^0\dfrac{1}{x-1}\,dx$

$\qquad =\displaystyle\int_{-2}^0\dfrac{x^3-1}{x-1}\,dx$

$\qquad =\displaystyle\int_{-2}^0\dfrac{(x-1)(x^2+x+1)}{x-1}\,dx$

$$=\int_{-2}^{0}(x^2+x+1)dx$$

$$=\left[\frac{1}{3}x^3+\frac{1}{2}x^2+x\right]_{-2}^{0}$$

$$=0-\left(-\frac{8}{3}+2-2\right)$$

$$=\frac{8}{3}$$

(8) $\displaystyle\int_{0}^{\frac{\pi}{2}}\frac{1}{1+\sin x}dx+\int_{\frac{\pi}{2}}^{0}\frac{\sin^2 x}{1+\sin x}dx$

$$=\int_{0}^{\frac{\pi}{2}}\frac{1}{1+\sin x}dx-\int_{0}^{\frac{\pi}{2}}\frac{\sin^2 x}{1+\sin x}dx$$

$$=\int_{0}^{\frac{\pi}{2}}\frac{1-\sin^2 x}{1+\sin x}dx$$

$$=\int_{0}^{\frac{\pi}{2}}\frac{(1+\sin x)(1-\sin x)}{1+\sin x}dx$$

$$=\int_{0}^{\frac{\pi}{2}}(1-\sin x)dx$$

$$=\left[x+\cos x\right]_{0}^{\frac{\pi}{2}}$$

$$=\left(\frac{\pi}{2}+\cos\frac{\pi}{2}\right)-\cos 0$$

$$=\frac{\pi}{2}-1$$

目 (1) $3-\dfrac{1}{e}$　(2) $\dfrac{2}{3}$　(3) $\dfrac{60}{\ln 5}$　(4) $\dfrac{7}{4}$

　(5) $\dfrac{\pi}{2}$　(6) $1-\dfrac{\pi}{4}$　(7) $\dfrac{8}{3}$　(8) $\dfrac{\pi}{2}-1$

100　(1) $x^2+3x=t$로 놓으면 $\dfrac{dt}{dx}=2x+3$이고

$x=0$일 때 $t=0$, $x=1$일 때 $t=4$이므로

$$\int_{0}^{1}(2x+3)e^{x^2+3x}dx=\int_{0}^{1}e^{x^2+3x}\cdot(2x+3)dx$$

$$=\int_{0}^{4}e^t dt=\left[e^t\right]_{0}^{4}=e^4-1$$

(2) $\displaystyle\int_{1}^{e}\ln\sqrt[x]{x}\,dx=\int_{1}^{e}\ln x^{\frac{1}{x}}dx$

$$=\int_{1}^{e}\frac{1}{x}\ln x\,dx$$

에서 $\ln x=t$로 놓으면 $\dfrac{dt}{dx}=\dfrac{1}{x}$이고

$x=1$일 때 $t=0$, $x=e$일 때 $t=1$이므로

$$\int_{1}^{e}\ln\sqrt[x]{x}\,dx=\int_{1}^{e}\frac{1}{x}\ln x\,dx$$

$$=\int_{0}^{1}t\,dt=\left[\frac{1}{2}t^2\right]_{0}^{1}$$

$$=\frac{1}{2}$$

(3) $\displaystyle\int_{0}^{\frac{\pi}{4}}\sin^3 x\,dx=\int_{0}^{\frac{\pi}{4}}(1-\cos^2 x)\sin x\,dx$에서

$\cos x=t$로 놓으면 $\dfrac{dt}{dx}=-\sin x$이고

$x=0$일 때 $t=1$, $x=\dfrac{\pi}{4}$일 때 $t=\dfrac{\sqrt{2}}{2}$이므로

$$\int_{0}^{\frac{\pi}{4}}\sin^3 x\,dx=\int_{0}^{\frac{\pi}{4}}(1-\cos^2 x)\sin x\,dx$$

$$=\int_{0}^{\frac{\pi}{4}}(\cos^2 x-1)\cdot(-\sin x)\,dx$$

$$=\int_{1}^{\frac{\sqrt{2}}{2}}(t^2-1)\,dt$$

$$=\int_{\frac{\sqrt{2}}{2}}^{1}(1-t^2)\,dt$$

$$=\left[t-\frac{1}{3}t^3\right]_{\frac{\sqrt{2}}{2}}^{1}$$

$$=\left(1-\frac{1}{3}\right)-\left(\frac{\sqrt{2}}{2}-\frac{\sqrt{2}}{12}\right)$$

$$=\frac{2}{3}-\frac{5\sqrt{2}}{12}$$

(4) $\displaystyle\int_{0}^{\frac{\pi}{2}}\cos x\cos 2x\,dx=\int_{0}^{\frac{\pi}{2}}\cos x(1-2\sin^2 x)\,dx$

에서 $\sin x=t$로 놓으면 $\dfrac{dt}{dx}=\cos x$이고

$x=0$일 때 $t=0$, $x=\dfrac{\pi}{2}$일 때 $t=1$이므로

$$\int_{0}^{\frac{\pi}{2}}\cos x\cos 2x\,dx$$

$$=\int_{0}^{\frac{\pi}{2}}\cos x(1-2\sin^2 x)\,dx$$

$$=\int_{0}^{\frac{\pi}{2}}(1-2\sin^2 x)\cdot\cos x\,dx$$

$$=\int_{0}^{1}(1-2t^2)\,dt=\left[t-\frac{2}{3}t^3\right]_{0}^{1}$$

$$=1-\frac{2}{3}$$

$$=\boldsymbol{\frac{1}{3}}$$

(5) $\displaystyle\int_{-1}^{2}\frac{1-5x}{(x-1)^4}\,dx$에서 $x-1=t$로 놓으면

$x=t+1$에서 $\dfrac{dx}{dt}=1$이고

$x=-1$일 때 $t=-2$, $x=2$일 때 $t=1$이므로

$$\int_{-1}^{2}\frac{1-5x}{(x-1)^4}\,dx$$

$$=\int_{-2}^{1}\frac{1-5(t+1)}{t^4}\,dt$$

$$=\int_{-2}^{1}\left(-\frac{4}{t^4}-\frac{5}{t^3}\right)dt$$

$$=\left[\frac{4}{3t^3}+\frac{5}{2t^2}\right]_{-2}^{1}$$

$$=\left(\frac{4}{3}+\frac{5}{2}\right)-\left(-\frac{1}{6}+\frac{5}{8}\right)$$

$$=\boldsymbol{\frac{27}{8}}$$

(6) $\displaystyle\int_{\ln2}^{\ln3}\frac{e^{3x}}{e^x-1}\,dx$에서 $e^x-1=t$로 놓으면

$e^x=t+1$에서 $\dfrac{dt}{dx}=e^x$이고

$x=\ln2$일 때 $t=1$, $x=\ln3$일 때 $t=2$이므로

$$\int_{\ln2}^{\ln3}\frac{e^{3x}}{e^x-1}\,dx$$

$$=\int_{\ln2}^{\ln3}\frac{e^{2x}}{e^x-1}\cdot e^x\,dx=\int_{1}^{2}\frac{(t+1)^2}{t}\,dt$$

$$=\int_{1}^{2}\frac{t^2+2t+1}{t}\,dt=\int_{1}^{2}\left(t+2+\frac{1}{t}\right)dt$$

$$=\left[\frac{1}{2}t^2+2t+\ln t\right]_{1}^{2}$$

$$=(2+4+\ln2)-\left(\frac{1}{2}+2\right)$$

$$=\boldsymbol{\frac{7}{2}+\ln2}$$

답 (1) e^4-1 (2) $\dfrac{1}{2}$ (3) $\dfrac{2}{3}-\dfrac{5\sqrt{2}}{12}$

(4) $\dfrac{1}{3}$ (5) $\dfrac{27}{8}$ (6) $\dfrac{7}{2}+\ln2$

101 (1) $u=x$, $v'=\sin x$로 놓으면

$u=x$	$v'=\sin x$	$\to$	$uv=-x\cos x$
$u'=1$	$v=-\cos x$	$\to$	$u'v=-\cos x$

$$\therefore \int_{0}^{\pi}x\sin x\,dx=\Big[-x\cos x\Big]_{0}^{\pi}+\int_{0}^{\pi}\cos x\,dx$$

$$=\pi+\Big[\sin x\Big]_{0}^{\pi}$$

$$=\boldsymbol{\pi}$$

(2) $u=x^2$, $v'=\cos x$로 놓으면

$u=x^2$	$v'=\cos x$	$\to$	$uv=x^2\sin x$
$u'=2x$	$v=\sin x$	$\to$	$u'v=2x\sin x$

$$\therefore \int_{-\pi}^{0}x^2\cos x\,dx$$

$$=\Big[x^2\sin x\Big]_{-\pi}^{0}-\int_{-\pi}^{0}2x\sin x\,dx \quad\cdots\cdots\ \ominus$$

이때 $u=2x$, $v'=\sin x$로 놓으면

$u=2x$	$v'=\sin x$	$\to$	$uv=-2x\cos x$
$u'=2$	$v=-\cos x$	$\to$	$u'v=-2\cos x$

$$\therefore \int_{-\pi}^{0}2x\sin x\,dx$$

$$=\Big[-2x\cos x\Big]_{-\pi}^{0}+\int_{-\pi}^{0}2\cos x\,dx \quad\cdots\cdots\ \bigcirc\!\!\!L$$

$\bigcirc\!\!\!L$을 $\ominus$에 대입하면

$$\int_{-\pi}^{0}x^2\cos x\,dx$$

$$=\Big[x^2\sin x\Big]_{-\pi}^{0}-\Big[-2x\cos x\Big]_{-\pi}^{0}-\int_{-\pi}^{0}2\cos x\,dx$$

$$=-2\pi-\Big[2\sin x\Big]_{-\pi}^{0}$$

$$=\boldsymbol{-2\pi}$$

(3) $u=x^2+x+1$, $v'=e^x$으로 놓으면

$u=x^2+x+1$	$v'=e^x$	$\to$	$uv=(x^2+x+1)e^x$
$u'=2x+1$	$v=e^x$	$\to$	$u'v=(2x+1)e^x$

$$\therefore \int_{0}^{2}(x^2+x+1)e^x\,dx$$

$$=\left[(x^2+x+1)e^x\right]_0^2-\int_0^2(2x+1)e^x\,dx\ \cdots\ \bigcirc$$

이때 $u=2x+1,\ v'=e^x$으로 놓으면

$u=2x+1$	$v'=e^x$	$\rightarrow\ uv=(2x+1)e^x$
$u'=2$	$v=e^x$	$\rightarrow\ u'v=2e^x$

$$\therefore \int_0^2(2x+1)e^x\,dx$$

$$=\left[(2x+1)e^x\right]_0^2-\int_0^2 2e^x\,dx\qquad\cdots\cdots\ \bigcirc$$

$\bigcirc$을 $\bigcirc$에 대입하면

$$\int_0^2(x^2+x+1)e^x\,dx$$

$$=\left[(x^2+x+1)e^x\right]_0^2-\left[(2x+1)e^x\right]_0^2+\int_0^2 2e^x\,dx$$

$$=(7e^2-1)-(5e^2-1)+\left[2e^x\right]_0^2$$

$$=2e^2+(2e^2-2)$$

$$=\boldsymbol{4e^2-2}$$

(4) $u=\sin x,\ v'=e^x$으로 놓으면

$u=\sin x$	$v'=e^x$	$\rightarrow\ uv=e^x\sin x$
$u'=\cos x$	$v=e^x$	$\rightarrow\ u'v=e^x\cos x$

$$\therefore \int_0^{\frac{\pi}{2}}e^x\sin x\,dx$$

$$=\left[e^x\sin x\right]_0^{\frac{\pi}{2}}-\int_0^{\frac{\pi}{2}}e^x\cos x\,dx\qquad\cdots\cdots\ \bigcirc$$

이때 $u=\cos x,\ v'=e^x$으로 놓으면

$u=\cos x$	$v'=e^x$	$\rightarrow\ uv=e^x\cos x$
$u'=-\sin x$	$v=e^x$	$\rightarrow\ u'v=-e^x\sin x$

$$\therefore \int_0^{\frac{\pi}{2}}e^x\cos x\,dx$$

$$=\left[e^x\cos x\right]_0^{\frac{\pi}{2}}+\int_0^{\frac{\pi}{2}}e^x\sin x\,dx\qquad\cdots\cdots\ \bigcirc$$

여기서 반복되는 부분 $\int_0^{\frac{\pi}{2}}e^x\sin x\,dx=I$로 놓고 $\bigcirc$을

$\bigcirc$에 대입하면

$$I=\left[e^x\sin x\right]_0^{\frac{\pi}{2}}-\left[e^x\cos x\right]_0^{\frac{\pi}{2}}-I$$

$$2I=\left[e^x\sin x\right]_0^{\frac{\pi}{2}}-\left[e^x\cos x\right]_0^{\frac{\pi}{2}}$$

$$=e^{\frac{\pi}{2}}+1$$

$$\therefore I=\boldsymbol{\frac{1}{2}e^{\frac{\pi}{2}}+\frac{1}{2}}$$

(5) $\displaystyle\int_0^{\frac{\pi}{2}}x\sqrt{1+\cos 2x}\,dx=\int_0^{\frac{\pi}{2}}x\sqrt{2\cos^2 x}\,dx$

$$=\int_0^{\frac{\pi}{2}}\sqrt{2}\,x\cos x\,dx$$

$$(\because 범위에서 \cos x\geq 0)$$

이므로 $u=\sqrt{2}\,x,\ v'=\cos x$라 하면

$u=\sqrt{2}\,x$	$v'=\cos x$	$\rightarrow\ uv=\sqrt{2}\,x\sin x$
$u'=\sqrt{2}$	$v=\sin x$	$\rightarrow\ u'v=\sqrt{2}\sin x$

$$\therefore \int_0^{\frac{\pi}{2}}\sqrt{2}\,x\cos x\,dx$$

$$=\left[\sqrt{2}\,x\sin x\right]_0^{\frac{\pi}{2}}-\int_0^{\frac{\pi}{2}}\sqrt{2}\sin x\,dx$$

$$=\frac{\sqrt{2}}{2}\pi-\left[-\sqrt{2}\cos x\right]_0^{\frac{\pi}{2}}$$

$$=\boldsymbol{\frac{\sqrt{2}}{2}\pi-\sqrt{2}}$$

(6) $\ln x=0$에서 $x=1$이므로

$$|\ln x|=\begin{cases}-\ln x & (0<x\leq 1)\\ \ln x & (x\geq 1)\end{cases}$$

$$\int_{\frac{1}{e}}^{e}|\ln x|\,dx=\int_{\frac{1}{e}}^{1}(-\ln x)\,dx+\int_1^e\ln x\,dx$$에서

$u=\ln x,\ v'=1$로 놓으면

$u=\ln x$	$v'=1$	$\rightarrow\ uv=x\ln x$
$u'=\dfrac{1}{x}$	$v=x$	$\rightarrow\ u'v=1$

$$\therefore \int_{\frac{1}{e}}^{1}(-\ln x)\,dx+\int_1^e\ln x\,dx$$

$$=-\left\{\left[x\ln x\right]_{\frac{1}{e}}^{1}-\int_{\frac{1}{e}}^{1}dx\right\}$$

$$\qquad\qquad +\left\{\left[x\ln x\right]_1^e-\int_1^e dx\right\}$$

$$=-\frac{1}{e}+\left[x\right]_{\frac{1}{e}}^{1}+e-\left[x\right]_1^e$$

$$=-\frac{1}{e}+\left(1-\frac{1}{e}\right)+e-(e-1)=\boldsymbol{2-\frac{2}{e}}$$

답 (1) π (2) -2π (3) $4e^2-2$

(4) $\dfrac{1}{2}e^{\frac{\pi}{2}}+\dfrac{1}{2}$ (5) $\dfrac{\sqrt{2}}{2}\pi-\sqrt{2}$ (6) $2-\dfrac{2}{e}$

102   (1) $f(x)=x(e^x-e^{-x})$으로 놓으면

$f(-x)=(-x)\cdot(e^{-x}-e^x)$

$\qquad\quad =x(e^x-e^{-x})=f(x)$

이므로 $x(e^x-e^{-x})$은 짝함수이다.

$\therefore \displaystyle\int_{-2}^{2}x(e^x-e^{-x})\,dx=2\int_{0}^{2}x(e^x-e^{-x})\,dx$

이때 $u=x,\ v'=e^x-e^{-x}$으로 놓으면

$u=x$	$v'=e^x-e^{-x}$	$uv=x(e^x+e^{-x})$
$u'=1$	$v=e^x+e^{-x}$	$u'v=e^x+e^{-x}$

$\therefore 2\displaystyle\int_{0}^{2}x(e^x-e^{-x})\,dx$

$=2\left[\,x(e^x+e^{-x})\,\right]_{0}^{2}-2\displaystyle\int_{0}^{2}(e^x+e^{-x})\,dx$

$=4(e^2+e^{-2})-2\left[\,e^x-e^{-x}\,\right]_{0}^{2}$

$=4(e^2+e^{-2})-2(e^2-e^{-2})$

$=2e^2+\dfrac{6}{e^2}$

(2) $f(x)=x^3\cos x$로 놓으면

$f(-x)=(-x)^3\cos(-x)=-x^3\cos x=-f(x)$

이므로 $x^3\cos x$는 홀함수이고,

$g(x)=\sin^2 x$로 놓으면

$g(-x)=\sin^2(-x)=(-\sin x)^2=\sin^2 x$

이므로 $\sin^2 x$는 짝함수이다.

$\therefore \displaystyle\int_{-\pi}^{\frac{\pi}{2}}(x^3\cos x+\sin^2 x)\,dx$

$\qquad\qquad\qquad +\displaystyle\int_{\frac{\pi}{2}}^{\pi}(x^3\cos x+\sin^2 x)\,dx$

$=\displaystyle\int_{-\pi}^{\pi}(x^3\cos x+\sin^2 x)\,dx$

$=\displaystyle\int_{-\pi}^{\pi}x^3\cos x\,dx+\int_{-\pi}^{\pi}\sin^2 x\,dx$

$=0+2\displaystyle\int_{0}^{\pi}\sin^2 x\,dx$

$=2\displaystyle\int_{0}^{\pi}\dfrac{1-\cos 2x}{2}\,dx$

$=2\left[\,\dfrac{1}{2}x-\dfrac{1}{4}\sin 2x\,\right]_{0}^{\pi}=\pi$

답 (1) $2e^2+\dfrac{6}{e^2}$ (2) π

103 $y=|\cos x|$는 주기가 π인 주기함수이므로

$\displaystyle\int_{a}^{a+\pi}|\cos x|\,dx=\int_{0}^{\pi}|\cos x|\,dx$

$=\displaystyle\int_{0}^{\frac{\pi}{2}}\cos x\,dx+\int_{\frac{\pi}{2}}^{\pi}(-\cos x)\,dx$

$=\left[\,\sin x\,\right]_{0}^{\frac{\pi}{2}}+\left[\,-\sin x\,\right]_{\frac{\pi}{2}}^{\pi}$

$=1+1=2$ 답 2

104 $\displaystyle\int_{1}^{e}f(t)\,dt=k\ (k\text{는 상수})$ ······ ㉠

로 놓으면 $f(x)=\ln x-k$

$f(t)=\ln t-k$를 ㉠의 좌변에 대입하면

$\displaystyle\int_{1}^{e}(\ln t-k)\,dt=k$

$u=\ln t-k,\ v'=1$로 놓으면

$u=\ln t-k$	$v'=1$	$uv=(\ln t-k)t$
$u'=\dfrac{1}{t}$	$v=t$	$u'v=1$

$\therefore \displaystyle\int_{1}^{e}(\ln t-k)\,dt$

$=\left[\,(\ln t-k)t\,\right]_{1}^{e}-\displaystyle\int_{1}^{e}dt$

$=(1-k)e+k-\left[\,t\,\right]_{1}^{e}$

$=-ke+k+1$

즉 $-ke+k+1=k$이므로 $k=\dfrac{1}{e}$

$$\therefore f(x) = \ln x - \frac{1}{e}$$

$$\therefore f(e^2) = 2 - \frac{1}{e} \qquad\qquad \boxed{\text{답}}\ 2 - \frac{1}{e}$$

105 $\displaystyle\int_0^{\frac{\pi}{3}} f(t)\sin t\,dt = k$ (k는 상수) $\quad\cdots\cdots\ \bigcirc$

로 놓으면 $\quad f(x) = \cos x + k$

$f(t) = \cos t + k$를 $\bigcirc$의 좌변에 대입하면

$$\int_0^{\frac{\pi}{3}} \sin t\,(\cos t + k)\,dt$$

$$= \int_0^{\frac{\pi}{3}} \sin t\cos t\,dt + \int_0^{\frac{\pi}{3}} k\sin t\,dt$$

$$= \int_0^{\frac{\pi}{3}} \frac{1}{2}\sin 2t\,dt + \int_0^{\frac{\pi}{3}} k\sin t\,dt$$

$$= \frac{1}{4}\Big[-\cos 2t\Big]_0^{\frac{\pi}{3}} + k\Big[-\cos t\Big]_0^{\frac{\pi}{3}}$$

$$= \frac{1}{4}\Big(\frac{1}{2}+1\Big) + k\Big(-\frac{1}{2}+1\Big)$$

$$= \frac{3}{8} + \frac{1}{2}k$$

즉 $\dfrac{3}{8} + \dfrac{1}{2}k = k$이므로 $\qquad k = \dfrac{3}{4}$

$$\therefore f(x) = \cos x + \frac{3}{4} \qquad \boxed{\text{답}}\ f(x) = \cos x + \frac{3}{4}$$

106 주어진 등식의 양변을 x에 대하여 미분하면

$$f(x) = 2e^{2x} + 2e^x$$

주어진 등식의 양변에 $x=a$를 대입하면

$$\int_a^a f(t)\,dt = e^{2a} + 2e^a - 3$$

즉 $0 = e^{2a} + 2e^a - 3$이므로

$$(e^a)^2 + 2e^a - 3 = 0,\ (e^a+3)(e^a-1) = 0$$

이때 $e^a + 3 > 0$이므로 $\qquad e^a - 1 = 0$

$e^a = 1 \qquad \therefore a = 0 \qquad \boxed{\text{답}}\ f(x) = 2e^{2x} + 2e^x,\ a = 0$

107 (1) $f(t) = (t^2+t+1)e^t$로 놓고, $f(t)$의 한

부정적분을 $F(t)$라 하면

$$\lim_{x\to 1} \frac{1}{x-1}\int_1^{\sqrt{x}} (t^2+t+1)e^t\,dt$$

$$= \lim_{x\to 1} \frac{1}{x-1}\Big[F(t)\Big]_1^{\sqrt{x}}$$

$$= \lim_{x\to 1} \frac{F(\sqrt{x}) - F(1)}{x-1}$$

$$= \lim_{x\to 1}\left\{ \frac{F(\sqrt{x}) - F(1)}{\sqrt{x}-1} \cdot \frac{1}{\sqrt{x}+1} \right\}$$

$$= F'(1) \cdot \frac{1}{\sqrt{1}+1}$$

$$= \frac{f(1)}{2} = \frac{3}{2}e$$

(2) $f(t) = t^2\ln t$로 놓고, $f(t)$의 한 부정적분을 $F(t)$라

하면

$$\lim_{h\to 0} \frac{1}{h}\int_e^{e+2h} t^2\ln t\,dt$$

$$= \lim_{h\to 0} \frac{1}{h}\Big[F(t)\Big]_e^{e+2h}$$

$$= \lim_{h\to 0} \frac{F(e+2h) - F(e)}{h}$$

$$= \lim_{h\to 0}\left\{ \frac{F(e+2h) - F(e)}{2h} \cdot 2 \right\}$$

$$= 2F'(e) = 2f(e) = 2e^2$$

$$\boxed{\text{답}}\ (1)\ \frac{3}{2}e \quad (2)\ 2e^2$$

3. 정적분의 활용

---

108 $\dfrac{8}{3}$ **109** $\dfrac{1}{3}Sh$

110 (1) $\dfrac{16}{3}$ (2) $\dfrac{15}{4}$ **111** (1) $\dfrac{2}{\pi}$ (2) $2\ln 2-1$

112 ㄱ, ㄴ   **113** (1) $\dfrac{211}{5}$ (2) 15

114 (1) 4 (2) 1 **115** (1) 4 (2) $5\ln 5-3\ln 3-2$

116 (1) $\ln 2$ (2) $2\sqrt{2}$ **117** $2e^2+\dfrac{2}{e^2}-4$

118 3 **119** $6\ln 2$ **120** $(7\ln 7-6)\text{cm}^3$

121 (1) 7 (2) $2(e-1)$ **122** $\sqrt{2}(e^{\pi}-1)$

123 (1) $\dfrac{5}{2}\left(e-\dfrac{1}{e}\right)$ (2) $\dfrac{58}{3}$ **124** 2

---

108 곡선 $y=-x^2$을 x축에 대하여 대칭시켜 곡선 $y=x^2$에서 생각하면 구하는 도형의 넓이는 곡선 $y=x^2$ 과 x축 및 직선 $x=2$로 둘러싸인 도형의 넓이와 같다.

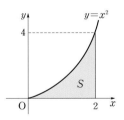

닫힌구간 $[0,\ 2]$를 n등분하고 곡선 $y=x^2$의 아래쪽에 직사각형을 만들면 각 직사각형의 넓이는

$$0,\ \frac{2}{n}\left(\frac{2}{n}\right)^2,\ \frac{2}{n}\left(\frac{4}{n}\right)^2,\ \cdots,\ \frac{2}{n}\left\{\frac{2(n-1)}{n}\right\}^2$$

이고, 이들의 합 S_n은

$$S_n=\frac{2}{n}\left(\frac{2}{n}\right)^2+\frac{2}{n}\left(\frac{4}{n}\right)^2+\cdots+\frac{2}{n}\left\{\frac{2(n-1)}{n}\right\}^2$$

$$=\frac{2}{n^3}\{2^2+4^2+\cdots+(2n-2)^2\}$$

$$=\frac{8}{n^3}\{1^2+2^2+\cdots+(n-1)^2\}$$

$$=\frac{8}{n^3}\cdot\frac{n(n-1)(2n-1)}{6}$$

$$=\frac{4}{3}\left(1-\frac{1}{n}\right)\left(2-\frac{1}{n}\right)$$

따라서 구하는 넓이를 S라 하면

$$S=\lim_{n\to\infty}S_n=\lim_{n\to\infty}\frac{4}{3}\left(1-\frac{1}{n}\right)\left(2-\frac{1}{n}\right)=\frac{8}{3}$$

다른 풀이 곡선 $y=x^2$의 위쪽에 직사각형을 만들면 직사각형의 넓이의 합 $S_n{'}$은

$$S_n{'}=\frac{2}{n}\left(\frac{2}{n}\right)^2+\frac{2}{n}\left(\frac{4}{n}\right)^2+\cdots+\frac{2}{n}\left(\frac{2n}{n}\right)^2$$

$$=\frac{2}{n^3}\{2^2+4^2+\cdots+(2n)^2\}$$

$$=\frac{8}{n^3}(1^2+2^2+\cdots+n^2)$$

$$=\frac{8}{n^3}\cdot\frac{n(n+1)(2n+1)}{6}$$

$$=\frac{4}{3}\left(1+\frac{1}{n}\right)\left(2+\frac{1}{n}\right)$$

따라서 구하는 넓이를 S라 하면

$$S=\lim_{n\to\infty}S_n{'}=\lim_{n\to\infty}\frac{4}{3}\left(1+\frac{1}{n}\right)\left(2+\frac{1}{n}\right)=\frac{8}{3}$$

답 $\dfrac{8}{3}$

109 각뿔의 높이를 n등분하고 각 분점을 지나면서 밑면에 평행한 평면으로 각뿔을 잘라, 잘린 단면을 윗면으로 하는 $(n-1)$개의 각기둥을 만들면 각 각기둥의 높이는 $\dfrac{h}{n}$이다.

각 각기둥의 밑면과 처음 각뿔의 밑면은 서로 닮은 도형이고, 그 닮음비는 위에서부터 차례로

$$1:2:3:\cdots:(n-1):n$$

이므로 넓이의 비는

$$1^2:2^2:3^2:\cdots:(n-1)^2:n^2$$

이다. 따라서 각 각기둥의 밑면의 넓이는

$$\left(\frac{1}{n}\right)^2S,\ \left(\frac{2}{n}\right)^2S,\ \cdots,\ \left(\frac{n-1}{n}\right)^2S$$

이므로 $(n-1)$개의 각기둥의 부피의 합 V_n은

$$V_n=\left(\frac{1}{n}\right)^2 S\cdot\frac{h}{n}+\left(\frac{2}{n}\right)^2 S\cdot\frac{h}{n}$$
$$+\cdots+\left(\frac{n-1}{n}\right)^2 S\cdot\frac{h}{n}$$
$$=\frac{Sh}{n^3}\cdot\{1^2+2^2+\cdots+(n-1)^2\}$$
$$=\frac{Sh}{n^3}\cdot\frac{n(n-1)(2n-1)}{6}$$
$$=\frac{1}{6}Sh\left(1-\frac{1}{n}\right)\left(2-\frac{1}{n}\right)$$

따라서 구하는 부피를 V라 하면
$$V=\lim_{n\to\infty}V_n=\lim_{n\to\infty}\frac{1}{6}Sh\left(1-\frac{1}{n}\right)\left(2-\frac{1}{n}\right)$$
$$=\frac{1}{3}Sh \qquad\qquad \text{답 } \frac{1}{3}Sh$$

110 (1) $f(x)=2x^2$이라 하면 함수 $f(x)$는 닫힌구간 $[0,\,2]$에서 연속이다.

$a=0$, $b=2$이므로
$$\varDelta x=\frac{2-0}{n}=\frac{2}{n}$$
$x_k=0+k\varDelta x=\frac{2k}{n}$이므로
$$f(x_k)=2x_k{}^2=2\left(\frac{2k}{n}\right)^2$$
$$\therefore \int_0^2 2x^2 dx$$
$$=\lim_{n\to\infty}\sum_{k=1}^{n}2\left(\frac{2k}{n}\right)^2\frac{2}{n}$$
$$=16\lim_{n\to\infty}\frac{1}{n^3}\sum_{k=1}^{n}k^2$$
$$=16\lim_{n\to\infty}\frac{n(n+1)(2n+1)}{6n^3}$$
$$=16\cdot\frac{1}{3}=\frac{16}{3}$$

(2) $f(x)=x^3$이라 하면 함수 $f(x)$는 닫힌구간 $[1,\,2]$에서 연속이다.

$a=1$, $b=2$이므로
$$\varDelta x=\frac{2-1}{n}=\frac{1}{n}$$

$x_k=1+k\varDelta x=1+\dfrac{k}{n}$이므로
$$f(x_k)=x_k{}^3=\left(1+\frac{k}{n}\right)^3$$
$$\therefore \int_1^2 x^3 dx=\lim_{n\to\infty}\sum_{k=1}^{n}\left(1+\frac{k}{n}\right)^3\frac{1}{n}$$
$$=\lim_{n\to\infty}\frac{1}{n^4}\sum_{k=1}^{n}(n+k)^3$$

이때 $\displaystyle\sum_{k=1}^{n}(n+k)^3$을 n에 대한 식으로 나타내면
$$\sum_{k=1}^{n}(n+k)^3$$
$$=\sum_{k=1}^{2n}k^3-\sum_{k=1}^{n}k^3$$
$$=\left\{\frac{2n(2n+1)}{2}\right\}^2-\left\{\frac{n(n+1)}{2}\right\}^2$$
$$=\frac{n^2}{4}\{(4n+2)^2-(n+1)^2\}$$
$$=\frac{n^2}{4}(15n^2+14n+3)$$
$$\therefore \int_1^2 x^3 dx=\lim_{n\to\infty}\frac{1}{n^4}\sum_{k=1}^{n}(n+k)^3$$
$$=\lim_{n\to\infty}\frac{1}{n^4}\cdot\frac{n^2}{4}(15n^2+14n+3)$$
$$=\frac{15}{4}$$

[참고] $\displaystyle\sum_{k=1}^{n}(n+k)^3=\sum_{k=1}^{n}(n^3+3n^2k+3nk^2+k^3)$으로 나타낸 후 자연수의 거듭제곱의 합을 이용해도 되지만 계산이 번거로우므로 풀이와 같은 방법도 알아두도록 하자.

답 (1) $\dfrac{16}{3}$ (2) $\dfrac{15}{4}$

111 (1) $\displaystyle\lim_{n\to\infty}\frac{1}{n}\left(\sin\frac{\pi}{n}+\sin\frac{2\pi}{n}+\sin\frac{3\pi}{n}\right.$
$$\left.+\cdots+\sin\frac{n\pi}{n}\right)$$
$$=\lim_{n\to\infty}\sum_{k=1}^{n}\frac{1}{n}\sin\frac{k\pi}{n}$$
$$=\frac{1}{\pi}\lim_{n\to\infty}\sum_{k=1}^{n}\sin\frac{k\pi}{n}\cdot\frac{\pi}{n}$$

$\dfrac{k\pi}{n}$를 x로, $\dfrac{\pi}{n}$를 dx로 나타내면 적분 구간은

$[0,\,\pi]$이므로

$$(\text{주어진 식})=\dfrac{1}{\pi}\int_0^\pi \sin x\,dx$$

$$=\dfrac{1}{\pi}\Big[-\cos x\Big]_0^\pi$$

$$=\dfrac{2}{\pi}$$

(2) $\displaystyle\lim_{n\to\infty}\{\ln(n+1)^{\frac{1}{n}}+\ln(n+2)^{\frac{1}{n}}$

$$+\cdots+\ln(n+n)^{\frac{1}{n}}-\ln n\}$$

$$=\lim_{n\to\infty}\dfrac{1}{n}\{\ln(n+1)+\ln(n+2)$$

$$+\cdots+\ln(n+n)-n\ln n\}$$

$$=\lim_{n\to\infty}\dfrac{1}{n}[\{\ln(n+1)-\ln n\}+\{\ln(n+2)-\ln n\}$$

$$+\cdots+\{\ln(n+n)-\ln n\}]$$

$$=\lim_{n\to\infty}\dfrac{1}{n}\left\{\ln\!\left(1+\dfrac{1}{n}\right)+\ln\!\left(1+\dfrac{2}{n}\right)\right.$$

$$\left.+\cdots+\ln\!\left(1+\dfrac{n}{n}\right)\right\}$$

$$=\lim_{n\to\infty}\sum_{k=1}^{n}\ln\!\left(1+\dfrac{k}{n}\right)\cdot\dfrac{1}{n}$$

$1+\dfrac{k}{n}$를 x로, $\dfrac{1}{n}$을 dx로 나타내면 적분 구간은

$[1,\,2]$이므로

$$(\text{주어진 식})=\int_1^2 \ln x\,dx$$

$$=\Big[x\ln x-x\Big]_1^2$$

$$=2\ln2-1$$

目 (1) $\dfrac{2}{\pi}$　(2) $2\ln2-1$

112 ㄱ. $\displaystyle\lim_{n\to\infty}\dfrac{1}{n}\sum_{k=1}^{n}f\!\left(1+\dfrac{k}{n}\right)$

$$=\lim_{n\to\infty}\sum_{k=1}^{n}f\!\left(1+\dfrac{k}{n}\right)\cdot\dfrac{1}{n}$$

에서 $1+\dfrac{k}{n}$를 x로, $\dfrac{1}{n}$을 dx로 나타내면 적분 구간

은 $[1,\,2]$이므로

$$(\text{주어진 식})=\int_1^2 f(x)\,dx$$

$$=\int_0^1 f(x+1)\,dx\ (\text{참})$$

ㄴ. $\displaystyle\lim_{n\to\infty}\dfrac{1}{2n}\sum_{k=1}^{2n}f\!\left(2+\dfrac{k}{2n}\right)=\lim_{n\to\infty}\sum_{k=1}^{2n}f\!\left(2+\dfrac{k}{2n}\right)\cdot\dfrac{1}{2n}$

에서 $2+\dfrac{k}{2n}$를 x로, $\dfrac{1}{2n}$을 dx로 나타내면 적분 구

간은 $[2,\,3]$이므로

$$(\text{주어진 식})=\int_2^3 f(x)\,dx$$

$$=\int_0^1 f(x+2)\,dx\ (\text{참})$$

ㄷ. $\displaystyle\lim_{n\to\infty}\dfrac{2}{n}\sum_{k=1}^{n}f\!\left(4+\dfrac{4k}{n}\right)=\lim_{n\to\infty}\sum_{k=1}^{n}f\!\left(4+\dfrac{4k}{n}\right)\cdot\dfrac{4}{n}\cdot\dfrac{1}{2}$

에서 $4+\dfrac{4k}{n}$를 x로, $\dfrac{4}{n}$를 dx로 나타내면 적분 구

간은 $[4,\,8]$이므로

$$(\text{주어진 식})=\dfrac{1}{2}\int_4^8 f(x)\,dx$$

$$=\dfrac{1}{2}\int_0^4 f(x+4)\,dx\ (\text{거짓})$$

따라서 옳은 것은 ㄱ, ㄴ이다.　　　　**目** ㄱ, ㄴ

113　(1) 분수들의 합의 꼴로 식을 분리시킨다.

$$\lim_{n\to\infty}\dfrac{(2n+1)^4+(2n+2)^4+\cdots+(2n+n)^4}{n^5}$$

$$=\lim_{n\to\infty}\left\{\left(2+\dfrac{1}{n}\right)^4+\left(2+\dfrac{2}{n}\right)^4+\cdots+\left(2+\dfrac{n}{n}\right)^4\right\}\dfrac{1}{n}$$

$$=\lim_{n\to\infty}\sum_{k=1}^{n}\left(2+\dfrac{k}{n}\right)^4\cdot\dfrac{1}{n}$$

$2+\dfrac{k}{n}$를 x로, $\dfrac{1}{n}$을 dx로 나타내면 적분 구간은

$[2,\,3]$이므로

$$(\text{주어진 식})=\int_2^3 x^4\,dx=\left[\dfrac{1}{5}x^5\right]_2^3=\dfrac{211}{5}$$

(2) 분자와 분모를 각각 n^4으로 나눈 후 변형시킨다.

$$\lim_{n \to \infty} \frac{(n+1)^3 + (n+2)^3 + \cdots + (2n)^3}{1^3 + 2^3 + \cdots + n^3}$$

$$= \lim_{n \to \infty} \frac{\left(1 + \dfrac{1}{n}\right)^3 \dfrac{1}{n} + \left(1 + \dfrac{2}{n}\right)^3 \dfrac{1}{n} + \cdots + \left(1 + \dfrac{n}{n}\right)^3 \dfrac{1}{n}}{\left(\dfrac{1}{n}\right)^3 \dfrac{1}{n} + \left(\dfrac{2}{n}\right)^3 \dfrac{1}{n} + \cdots + \left(\dfrac{n}{n}\right)^3 \dfrac{1}{n}}$$

$$= \lim_{n \to \infty} \frac{\sum\limits_{k=1}^{n} \left(1 + \dfrac{k}{n}\right)^3 \cdot \dfrac{1}{n}}{\sum\limits_{k=1}^{n} \left(\dfrac{k}{n}\right)^3 \cdot \dfrac{1}{n}}$$

$\dfrac{k}{n}$ 를 x로, $\dfrac{1}{n}$ 을 dx로 나타내면 적분 구간은 $[0, 1]$

이므로

$$(\text{주어진 식}) = \frac{\displaystyle\int_0^1 (1+x)^3 \, dx}{\displaystyle\int_0^1 x^3 \, dx}$$

$$= \frac{\left[\dfrac{1}{4}(1+x)^4\right]_0^1}{\left[\dfrac{1}{4}x^4\right]_0^1} = \frac{\dfrac{15}{4}}{\dfrac{1}{4}} = \mathbf{15}$$

답 (1) $\dfrac{211}{5}$ (2) 15

---

114   (1) 곡선 $y = \sin x \ (0 \le x \le 2\pi)$와 x축의 교점의 x좌표는 $\sin x = 0$에서

$x = 0$ 또는 $x = \pi$ 또는 $x = 2\pi$

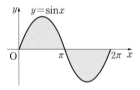

따라서 구간 $[0, \pi]$에서 $y \ge 0$, 구간 $[\pi, 2\pi]$에서 $y \le 0$이므로 구하는 넓이를 S라 하면

$$S = \int_0^{\pi} \sin x \, dx + \int_{\pi}^{2\pi} (-\sin x) \, dx$$

$$= \left[-\cos x\right]_0^{\pi} + \left[\cos x\right]_{\pi}^{2\pi} = 2 + 2 = \mathbf{4}$$

---

(2) 곡선 $y = -\ln x$와 x축의 교점의 x좌표는

$-\ln x = 0$에서 $x = 1$

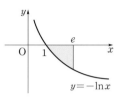

따라서 구간 $[1, e]$에서 $y \le 0$이므로 구하는 넓이를 S라 하면

$$S = \int_1^e \{-(-\ln x)\} dx = \int_1^e \ln x \, dx$$

$$= \left[x \ln x - x\right]_1^e = \mathbf{1}$$

답 (1) 4   (2) 1

---

115   (1) $y = (x+2)^2$에서

$\sqrt{y} = x + 2 \ (\because x \ge -2)$ $\therefore x = \sqrt{y} - 2$

곡선 $x = \sqrt{y} - 2$와 y축의 교점의 y좌표는 $\sqrt{y} - 2 = 0$에서

$\sqrt{y} = 2$ $\therefore y = 4$

구간 $[1, 4]$에서 $x \le 0$, 구간 $[4, 9]$에서 $x \ge 0$이므로 구하는 넓이를 S라 하면

$$S = \int_1^4 \{-(\sqrt{y} - 2)\} dy + \int_4^9 (\sqrt{y} - 2) \, dy$$

$$= \left[-\frac{2}{3}y^{\frac{3}{2}} + 2y\right]_1^4 + \left[\frac{2}{3}y^{\frac{3}{2}} - 2y\right]_4^9$$

$$= \frac{4}{3} + \frac{8}{3} = \mathbf{4}$$

(2) $y=e^{-x}-1$에서 $e^{-x}=y+1$

$-x=\ln(y+1)$

$\therefore \; x=-\ln(y+1)$

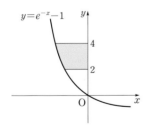

구간 $[2,\,4]$에서 $x<0$이므로 구하는 넓이를 S라 하면

$$S=\int_2^4 [-\{-\ln(y+1)\}]\,dy$$

$$=\int_2^4 \ln(y+1)\,dy$$

$$=\Big[(y+1)\ln(y+1)-y\Big]_2^4$$

$$=\mathbf{5\ln 5-3\ln 3-2}$$

[참고] $u=\ln(x+1)$, $v'=1$로 놓으면

$u'=\dfrac{1}{x+1}$, $\underline{v=x+1}$이므로 $(\because \; (x+1)'=1)$

$$\int \ln(x+1)\,dx$$

$$=\{\ln(x+1)\}\cdot(x+1)-\int \frac{1}{x+1}\cdot(x+1)\,dx$$

$$=(x+1)\ln(x+1)-x+C$$

답 (1) 4 (2) $5\ln 5-3\ln 3-2$

116 (1) 곡선 $y=\dfrac{1}{x}$과 직선 $y=x$의 교점의 x좌표

는 $\dfrac{1}{x}=x$에서

$x^2=1$ $\therefore \; x=1\,(\because \; x>0)$

곡선 $y=\dfrac{1}{x}$과 직선 $y=\dfrac{1}{4}x$의 교점의 x좌표는

$\dfrac{1}{x}=\dfrac{1}{4}x$에서

$x^2=4$ $\therefore \; x=2\,(\because \; x>0)$

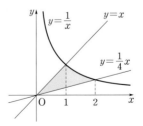

따라서 구하는 넓이를 S라 하면

$$S=\int_0^1 \Big(x-\frac{1}{4}x\Big)dx+\int_1^2 \Big(\frac{1}{x}-\frac{1}{4}x\Big)dx$$

$$=\Big[\frac{3}{8}x^2\Big]_0^1+\Big[\ln x-\frac{1}{8}x^2\Big]_1^2$$

$$=\frac{3}{8}+\Big(\ln 2-\frac{3}{8}\Big)$$

$$=\mathbf{\ln 2}$$

(2) 두 곡선의 교점의 x좌표는 $\sin x=\cos x$에서

$x=\dfrac{\pi}{4}\,(\because \; 0\le x\le \pi)$

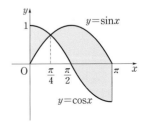

따라서 구하는 넓이를 S라 하면

$$S=\int_0^{\frac{\pi}{4}}(\cos x-\sin x)\,dx$$

$$\qquad\qquad +\int_{\frac{\pi}{4}}^{\pi}(\sin x-\cos x)\,dx$$

$$=\Big[\sin x+\cos x\Big]_0^{\frac{\pi}{4}}+\Big[-\cos x-\sin x\Big]_{\frac{\pi}{4}}^{\pi}$$

$$=(\sqrt{2}-1)+(1+\sqrt{2})$$

$$=\mathbf{2\sqrt{2}}$$

답 (1) $\ln 2$ (2) $2\sqrt{2}$

117

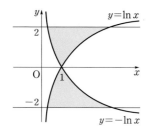

$y=\ln x$에서　　$x=e^y$

$y=-\ln x$에서　　$x=e^{-y}$

따라서 구하는 넓이를 S라 하면

$$S=\int_{-2}^{0}(e^{-y}-e^y)\,dy+\int_{0}^{2}(e^y-e^{-y})\,dy$$

$$=2\int_{0}^{2}(e^y-e^{-y})\,dy$$

$$=2\Big[e^y+e^{-y}\Big]_{0}^{2}$$

$$=2e^2+\frac{2}{e^2}-4$$

　　답 $2e^2+\dfrac{2}{e^2}-4$

118　　두 함수 $y=\sqrt{3x}$, $x=\sqrt{3y}$는 서로 역함수 관계이므로 두 곡선은 직선 $y=x$에 대하여 대칭이다.
두 곡선 $y=\sqrt{3x}$, $x=\sqrt{3y}$의 교점의 x좌표는 곡선 $y=\sqrt{3x}$와 직선 $y=x$의 교점의 x좌표와 같다.
즉, $\sqrt{3x}=x$에서

$$3x=x^2,\ x^2-3x=0$$

$$x(x-3)=0　\therefore x=0\ \text{또는}\ x=3$$

이때 두 곡선 $y=\sqrt{3x}$,
$x=\sqrt{3y}$로 둘러싸인 도형의
넓이는 곡선 $y=\sqrt{3x}$와 직
선 $y=x$로 둘러싸인 도형의
넓이의 2배와 같으므로 구하
는 넓이를 S라 하면

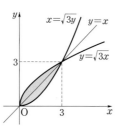

$$S=2\int_{0}^{3}(\sqrt{3x}-x)\,dx$$

$$=2\Big[\frac{2\sqrt{3}}{3}x^{\frac{3}{2}}-\frac{1}{2}x^2\Big]_{0}^{3}$$

$$=2\cdot\frac{3}{2}=3$$

　　답 3

119　　함수 $f(x)=\ln x$의 역함수가 $g(x)$이므로 $y=f(x)$의 그래프와 $y=g(x)$의 그래프는 직선 $y=x$에 대하여 대칭이다.

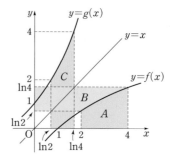

따라서 위의 그림에서 (B의 넓이)=(C의 넓이)이므로

$$\int_{2}^{4}f(x)\,dx+\int_{\ln 2}^{\ln 4}g(x)\,dx$$

$$=(A\text{의 넓이})+(C\text{의 넓이})$$

$$=(A\text{의 넓이})+(B\text{의 넓이})$$

$$=4\cdot\ln 4-2\cdot\ln 2=\mathbf{6\ln 2}$$

　　답 $6\ln 2$

120　　물의 깊이가 $x\,\mathrm{cm}$일 때의 수면의 넓이가 $\ln(x+1)\,\mathrm{cm^2}$이므로 물의 깊이가 $6\,\mathrm{cm}$일 때의 물의 부피를 V라 하면

$$V=\int_{0}^{6}\ln(x+1)\,dx$$

$$=\Big[(x+1)\ln(x+1)-x\Big]_{0}^{6}$$

$$=\mathbf{7\ln 7-6\,(cm^3)}$$

　　답 $(7\ln 7-6)\mathrm{cm^3}$

121　　(1) 5에서 출발하였으므로 $t=2$에서의 점 P의 위치를 x라 하면

$$x=5+\int_{0}^{2}(t-1)e^t\,dt$$

$$=5+\Big[(t-1)e^t\Big]_{0}^{2}-\int_{0}^{2}e^t\,dt$$

$$=5+\Big[(t-1)e^t\Big]_{0}^{2}-\Big[e^t\Big]_{0}^{2}$$

$$=5+(e^2+1)-(e^2-1)=\mathbf{7}$$

(2) $\int_0^2 |(t-1)e^t| \, dt = \int_0^1 (1-t)e^t \, dt + \int_1^2 (t-1)e^t \, dt$

$\qquad = \Big[(1-t)e^t \Big]_0^1 + \int_0^1 e^t \, dt$

$\qquad \quad + \Big[(t-1)e^t \Big]_1^2 - \int_1^2 e^t \, dt$

$\qquad = -1 + \Big[e^t \Big]_0^1 + e^2 - \Big[e^t \Big]_1^2$

$\qquad = -1 + (e-1) + e^2 - (e^2 - e)$

$\qquad = \boldsymbol{2(e-1)}$

답 (1) 7 (2) $2(e-1)$

122 $\dfrac{dx}{dt} = e^t(\cos t - \sin t)$,

$\dfrac{dy}{dt} = e^t(\sin t + \cos t)$ 이므로 시각 $t=0$에서 $t=\pi$까

지 점 P가 움직인 거리를 s라 하면

$s = \int_0^\pi \sqrt{(e^t)^2 \{(\cos t - \sin t)^2 + (\sin t + \cos t)^2\}} \, dt$

$\quad = \int_0^\pi \sqrt{e^{2t}(2\cos^2 t + 2\sin^2 t)} \, dt$

$\quad = \int_0^\pi \sqrt{2e^{2t}} \, dt = \int_0^\pi \sqrt{2}\, e^t \, dt$

$\quad = \Big[\sqrt{2}\, e^t \Big]_0^\pi = \boldsymbol{\sqrt{2}\,(e^\pi - 1)}$ **답** $\sqrt{2}\,(e^\pi - 1)$

123 (1) $\dfrac{dx}{dt} = \dfrac{2}{t}$, $\dfrac{dy}{dt} = \dfrac{1}{2}\Big(4 - \dfrac{1}{t^2}\Big)$이므로

곡선의 길이를 l이라 하면

$l = \int_{\frac{1}{e}}^{e} \sqrt{\Big(\dfrac{2}{t}\Big)^2 + \Big\{\dfrac{1}{2}\Big(4 - \dfrac{1}{t^2}\Big)\Big\}^2} \, dt$

$\quad = \int_{\frac{1}{e}}^{e} \sqrt{\dfrac{1}{4}\Big(\dfrac{1}{t^2} + 4\Big)^2} \, dt$

$\quad = \int_{\frac{1}{e}}^{e} \dfrac{1}{2}\Big(\dfrac{1}{t^2} + 4\Big) \, dt$

$\quad = \dfrac{1}{2}\Big[-\dfrac{1}{t} + 4t \Big]_{\frac{1}{e}}^{e}$

$\quad = \dfrac{1}{2}\Big(5e - \dfrac{5}{e}\Big) = \boldsymbol{\dfrac{5}{2}\Big(e - \dfrac{1}{e}\Big)}$

(2) $\dfrac{dy}{dx} = 2x(x^2+1)^{\frac{1}{2}} = 2x\sqrt{x^2+1}$ 이므로

곡선의 길이를 l이라 하면

$l = \int_1^3 \sqrt{1 + (2x\sqrt{x^2+1})^2} \, dx$

$\quad = \int_1^3 \sqrt{(2x^2+1)^2} \, dx$

$\quad = \int_1^3 (2x^2+1) \, dx$

$\quad = \Big[\dfrac{2}{3}x^3 + x \Big]_1^3$

$\quad = \boldsymbol{\dfrac{58}{3}}$ **답** (1) $\dfrac{5}{2}\Big(e - \dfrac{1}{e}\Big)$ (2) $\dfrac{58}{3}$

124 $\int_0^1 \sqrt{1 + \{f'(x)\}^2} \, dx$의 값이 구간 $[0, 1]$에서

의 곡선 $y = f(x)$의 길이임을 아는지 묻는 문제이다.

두 점 $(0, 0)$과 $(1, \sqrt{3})$을 이은 선 중 길이가 최소인 경

우는 이은 선이 직선일 때이므로 $\int_0^1 \sqrt{1 + \{f'(x)\}^2} \, dx$의

최솟값은 두 점 $(0, 0)$과 $(1, \sqrt{3})$ 사이의 거리인

$\qquad \sqrt{1^2 + (\sqrt{3})^2} = \boldsymbol{2}$

이다.   **답** 2

Ⅰ 수열의 극한

1. 수열의 극한

001-❶ ㄱ   **002-❶** ㄴ

003-❶ $\dfrac{2}{3}$ **003-❷** -8

004-❶ $2^{\frac{\sqrt{2}}{2}}$ **004-❷** 4   **005-❶** 5

006-❶ 1   **007-❶** $-2-\sqrt{3}$ **008-❶** $-\dfrac{1}{2}$

009-❶ $\dfrac{1}{2}$ **009-❷** 9   **010-❶** $\dfrac{1}{3}$

001-❶ ㄱ. 수열 $\left\{\dfrac{\cos n\pi}{n}\right\}$ 는 $-1,\ \dfrac{1}{2},\ -\dfrac{1}{3},$

$\dfrac{1}{4},\ -\dfrac{1}{5},\ \cdots$ 이므로 $\displaystyle\lim_{n\to\infty}\dfrac{\cos n\pi}{n}=0$

즉, 수열 $\left\{\dfrac{\cos n\pi}{n}\right\}$ 는 0에 수렴한다. (참)

ㄴ. 수열 $\{(-1)^n k\}$ 는 $-k,\ k,\ -k,\ k,\ \cdots$ 이므로 진동 한다.

즉, 수열 $\{(-1)^n k\}$ 는 발산한다. (거짓)

ㄷ. (반례) $a_n=(-1)^n$ 이면 모든 자연수 n에 대하여

$\displaystyle\lim_{n\to\infty}|a_n|=1$ 이지만 수열 $\{a_n\}$ 은 진동, 즉 발산한다.

(거짓)

따라서 옳은 것은 ㄱ뿐이다.   **답** ㄱ

002-❶ ㄱ. (반례) $a_n=b_n=(-1)^n$ 이면 $\displaystyle\lim_{n\to\infty}a_n b_n=1$

이지만 두 수열 $\{a_n\}$, $\{b_n\}$ 은 n의 값에 따라 -1과 1 이 반복되므로 진동, 즉 발산한다. (거짓)

ㄴ. $b_n-a_n=c_n$으로 놓으면 $b_n=a_n+c_n$

이때 $\displaystyle\lim_{n\to\infty}a_n=\infty$, $\displaystyle\lim_{n\to\infty}c_n=\alpha$ 이므로

$\displaystyle\lim_{n\to\infty}\dfrac{b_n}{a_n}=\lim_{n\to\infty}\dfrac{a_n+c_n}{a_n}=\lim_{n\to\infty}\left(1+\dfrac{c_n}{a_n}\right)=1$ (참)

ㄷ. (반례) $a_n=n$, $b_n=\dfrac{1}{n}$ 이면 $\displaystyle\lim_{n\to\infty}a_n=\infty$ 이고

$\displaystyle\lim_{n\to\infty}b_n=0$ 이지만 $\displaystyle\lim_{n\to\infty}a_n b_n=1$ 이다. (거짓)

따라서 옳은 것은 ㄴ뿐이다.   **답** ㄴ

003-❶ $\displaystyle\lim_{n\to\infty}(3n^2+4n+1)a_n=1$ 이므로

$\displaystyle\lim_{n\to\infty}2n^2 a_n$

$=\displaystyle\lim_{n\to\infty}(3n^2+4n+1)a_n\cdot\dfrac{2n^2}{3n^2+4n+1}$

$=\displaystyle\lim_{n\to\infty}(3n^2+4n+1)a_n\cdot\lim_{n\to\infty}\dfrac{2n^2}{3n^2+4n+1}$

$=\displaystyle\lim_{n\to\infty}(3n^2+4n+1)a_n\cdot\lim_{n\to\infty}\dfrac{2}{3+\dfrac{4}{n}+\dfrac{1}{n^2}}$

$=1\cdot\dfrac{2}{3}=\dfrac{2}{3}$ **답** $\dfrac{2}{3}$

003-❷ $a\neq0$ 이면

$\displaystyle\lim_{n\to\infty}\dfrac{an^2+bn+2}{4n-3}=\infty$ (또는 $-\infty$)이므로 $a=0$

$\displaystyle\lim_{n\to\infty}\dfrac{an^2+bn+2}{4n-3}=\lim_{n\to\infty}\dfrac{bn+2}{4n-3}$

$=\displaystyle\lim_{n\to\infty}\dfrac{b+\dfrac{2}{n}}{4-\dfrac{3}{n}}=\dfrac{b}{4}$

즉, $\dfrac{b}{4}=-2$ 이므로 $b=-8$

$\therefore a+b=-8$ **답** -8

004-❶ $\displaystyle\lim_{n\to\infty}\dfrac{2^{\sqrt{1+2+3+\cdots+(n+1)}}}{2^{\sqrt{1+2+3+\cdots+n}}}$

$=\displaystyle\lim_{n\to\infty}\dfrac{2^{\sqrt{\frac{(n+1)(n+2)}{2}}}}{2^{\sqrt{\frac{n(n+1)}{2}}}}$

$=\displaystyle\lim_{n\to\infty}2^{\sqrt{\frac{(n+1)(n+2)}{2}}-\sqrt{\frac{n(n+1)}{2}}}$

$=\displaystyle\lim_{n\to\infty}2^{\frac{\sqrt{n^2+3n+2}-\sqrt{n^2+n}}{\sqrt{2}}}$

$$= \lim_{n \to \infty} 2^{\frac{(\sqrt{n^2+3n+2}-\sqrt{n^2+n})(\sqrt{n^2+3n+2}+\sqrt{n^2+n})}{\sqrt{2}(\sqrt{n^2+3n+2}+\sqrt{n^2+n})}}$$

$$= \lim_{n \to \infty} 2^{\frac{2n+2}{\sqrt{2}(\sqrt{n^2+3n+2}+\sqrt{n^2+n})}}$$

$$= 2^{\frac{2}{\sqrt{2} \cdot (1+1)}} = 2^{\frac{\sqrt{2}}{2}} \qquad \text{답} \ 2^{\frac{\sqrt{2}}{2}}$$

004-② $\displaystyle\lim_{n \to \infty}(\sqrt{n^2-an+1}-n)$

$$= \lim_{n \to \infty} \frac{(\sqrt{n^2-an+1}-n)(\sqrt{n^2-an+1}+n)}{\sqrt{n^2-an+1}+n}$$

$$= \lim_{n \to \infty} \frac{-an+1}{\sqrt{n^2-an+1}+n}$$

$$= \lim_{n \to \infty} \frac{-a+\dfrac{1}{n}}{\sqrt{1-\dfrac{a}{n}+\dfrac{1}{n^2}}+1} = -\frac{a}{2}$$

즉, $-\dfrac{a}{2}=-2$이므로 $\qquad a=4$ $\qquad$ 답 4

005-① $|a_n-3n|<1$에서 $-1<a_n-3n<1$이므로 $\quad 3n-1<a_n<3n+1$

이 식의 각 변을 n으로 나누면

$$3-\frac{1}{n} < \frac{a_n}{n} < 3+\frac{1}{n}$$

이때 $\displaystyle\lim_{n \to \infty}\left(3-\frac{1}{n}\right)=3$, $\displaystyle\lim_{n \to \infty}\left(3+\frac{1}{n}\right)=3$이므로 수열의

극한의 대소 관계에 의하여

$$\lim_{n \to \infty} \frac{a_n}{n}=3$$

$$\therefore \lim_{n \to \infty} \frac{a_n+2n}{a_n-2n} = \lim_{n \to \infty} \frac{\dfrac{a_n}{n}+2}{\dfrac{a_n}{n}-2} = \frac{3+2}{3-2}=5$$

답 5

006-① $a_1=3$, $a_{n+1}=\dfrac{5a_n+2}{2a_n+5}$에서 $a_n>0$이고

$$\lim_{n \to \infty} a_n = \lim_{n \to \infty} a_{n+1} = \alpha$$

이때 $a_{n+1}=\dfrac{5a_n+2}{2a_n+5}$에서 $\displaystyle\lim_{n \to \infty} a_{n+1}=\lim_{n \to \infty}\frac{5a_n+2}{2a_n+5}$이

므로

$$\alpha=\frac{5\alpha+2}{2\alpha+5}, \ 2\alpha^2+5\alpha=5\alpha+2$$

$$\alpha^2=1 \qquad \therefore \ \alpha=1 \ (\because \ a_n>0)$$

이때 $b_n=\dfrac{a_n-1}{a_n+1}$이므로

$$\beta=\lim_{n \to \infty} b_n = \lim_{n \to \infty}\frac{a_n-1}{a_n+1}=\frac{\alpha-1}{\alpha+1}=\frac{1-1}{1+1}=0$$

$$\therefore \ \alpha+\beta=1 \qquad \text{답} \ 1$$

007-① $x^2+4x+1=0$에서 $\quad x=-2\pm\sqrt{3}$

이때 $\alpha=-2+\sqrt{3}$, $\beta=-2-\sqrt{3}$이라 하면

$0<\dfrac{\alpha}{\beta}<1$이므로 $\quad \displaystyle\lim_{n \to \infty}\left(\frac{\alpha}{\beta}\right)^n=0$

$$\therefore \lim_{n \to \infty} \frac{\alpha^{n+1}+\beta^{n+1}}{\alpha^n+\beta^n} = \lim_{n \to \infty}\frac{\alpha \cdot \alpha^n+\beta \cdot \beta^n}{\alpha^n+\beta^n}$$

$$= \lim_{n \to \infty} \frac{\alpha \cdot \left(\dfrac{\alpha}{\beta}\right)^n+\beta}{\left(\dfrac{\alpha}{\beta}\right)^n+1}$$

$$= \beta = -2-\sqrt{3} \qquad \text{답} \ -2-\sqrt{3}$$

008-① $f(-1)=\displaystyle\lim_{n \to \infty}\frac{(-1)^{2n+1}+3 \cdot (-1)-2}{(-1)^{2n}+3}$

$$= \frac{-6}{4}=-\frac{3}{2}$$

$$f\left(-\frac{1}{3}\right)=\lim_{n \to \infty}\frac{\left(-\dfrac{1}{3}\right)^{2n+1}+3 \cdot \left(-\dfrac{1}{3}\right)-2}{\left(-\dfrac{1}{3}\right)^{2n}+3}$$

$$= \frac{-3}{3}=-1$$

$$f(2)=\lim_{n \to \infty}\frac{2^{2n+1}+3 \cdot 2-2}{2^{2n}+3}=\lim_{n \to \infty}\frac{2+\dfrac{4}{2^{2n}}}{1+\dfrac{3}{2^{2n}}}=2$$

$$\therefore f(-1)+f\left(-\frac{1}{3}\right)+f(2)=-\frac{3}{2}+(-1)+2$$
$$=-\frac{1}{2}$$

다른 풀이 $f(x)$를 먼저 구한다.

(i) $|x|<1$일 때, $\lim\limits_{n\to\infty}x^{2n}=\lim\limits_{n\to\infty}x^{2n+1}=0$이므로

$$f(x)=\lim_{n\to\infty}\frac{x^{2n+1}+3x-2}{x^{2n}+3}=\frac{3x-2}{3}$$

(ii) $x=1$일 때, $\lim\limits_{n\to\infty}x^{2n}=\lim\limits_{n\to\infty}x^{2n+1}=1$이므로

$$f(x)=\lim_{n\to\infty}\frac{x^{2n+1}+3x-2}{x^{2n}+3}=\frac{1}{2}$$

(iii) $|x|>1$일 때, $\lim\limits_{n\to\infty}x^{2n}=\infty$이므로

$$f(x)=\lim_{n\to\infty}\frac{x^{2n+1}+3x-2}{x^{2n}+3}$$

$$=\lim_{n\to\infty}\frac{x+\dfrac{3x}{x^{2n}}-\dfrac{2}{x^{2n}}}{1+\dfrac{3}{x^{2n}}}=x$$

(iv) $x=-1$일 때, $\lim\limits_{n\to\infty}x^{2n}=1$, $\lim\limits_{n\to\infty}x^{2n+1}=-1$이므로

$$f(x)=\lim_{n\to\infty}\frac{x^{2n+1}+3x-2}{x^{2n}+3}=-\frac{3}{2}$$

(i)~(iv)에 의하여

$$f(-1)+f\left(-\frac{1}{3}\right)+f(2)$$

$$=-\frac{3}{2}+\frac{3\cdot\left(-\dfrac{1}{3}\right)-2}{3}+2$$

$$=-\frac{3}{2}+(-1)+2=-\frac{1}{2} \qquad \textbf{답}\quad -\frac{1}{2}$$

009-1 $a_{n+1}=3a_n+1$을 $a_{n+1}-\alpha=3(a_n-\alpha)$로 놓으면

$$a_{n+1}=3a_n-2\alpha$$

이때 $-2\alpha=1$이므로 $\alpha=-\dfrac{1}{2}$

$$\therefore a_{n+1}+\frac{1}{2}=3\left(a_n+\frac{1}{2}\right)$$

따라서 수열 $\left\{a_n+\dfrac{1}{2}\right\}$은 첫째항이

$a_1+\dfrac{1}{2}=1+\dfrac{1}{2}=\dfrac{3}{2}$, 공비가 3인 등비수열이므로

$$a_n+\frac{1}{2}=\frac{3}{2}\cdot3^{n-1}$$

$$\therefore a_n=\frac{1}{2}\cdot3^n-\frac{1}{2}$$

$$\therefore \lim_{n\to\infty}\frac{a_n}{3^n}=\lim_{n\to\infty}\frac{\dfrac{1}{2}\cdot3^n-\dfrac{1}{2}}{3^n}$$

$$=\lim_{n\to\infty}\frac{\dfrac{1}{2}-\dfrac{1}{2\cdot3^n}}{1}=\frac{1}{2} \qquad \textbf{답}\quad \frac{1}{2}$$

009-2 첫째 주 일요일에 측정한 풀의 길이를 $a_1$cm라 하면 $\dfrac{2}{3}$를 잘라낸 후의 길이는 $\dfrac{1}{3}a_1$cm이므로 둘째 주 일요일에 측정한 풀의 길이를 $a_2$cm라 하면

$a_2=\dfrac{1}{3}a_1+6$, 셋째 주 일요일에 측정한 풀의 길이를

$a_3$cm라 하면 $a_3=\dfrac{1}{3}a_2+6$, $\cdots$이다.

n째 주 일요일에 측정한 풀의 길이를 $a_n$cm라 하고, a_n과 a_{n+1} 사이의 관계를 식으로 나타내면

$$a_{n+1}=\frac{1}{3}a_n+6$$

$a_{n+1}-\beta=\dfrac{1}{3}(a_n-\beta)$로 놓으면

$$a_{n+1}=\frac{1}{3}a_n+\frac{2}{3}\beta$$

이때 $\dfrac{2}{3}\beta=6$이므로 $\beta=9$

$$\therefore a_{n+1}-9=\frac{1}{3}(a_n-9)$$

따라서 수열 $\{a_n-9\}$는 첫째항이 a_1-9, 공비가 $\dfrac{1}{3}$인 등비수열이므로

$$a_n-9=(a_1-9)\left(\frac{1}{3}\right)^{n-1}$$

$$\therefore a_n = (a_1 - 9)\left(\frac{1}{3}\right)^{n-1} + 9$$

$$\therefore \alpha = \lim_{n\to\infty} a_n = \lim_{n\to\infty}\left\{(a_1 - 9)\left(\frac{1}{3}\right)^{n-1} + 9\right\} = \mathbf{9}$$

다른 풀이 $a_{n+1} = \frac{1}{3}a_n + 6$에서 $-1 < \frac{1}{3} < 1$이므로

수열 $\{a_n\}$은 수렴한다.

$$\lim_{n\to\infty} a_{n+1} = \lim_{n\to\infty}\left(\frac{1}{3}a_n + 6\right)$$이므로

$$\lim_{n\to\infty} a_{n+1} = \frac{1}{3}\lim_{n\to\infty} a_n + 6 \quad \cdots\cdots \ \bigcirc$$

이때 $\lim_{n\to\infty} a_n = \alpha$, $\lim_{n\to\infty} a_{n+1} = \alpha$이므로 $\bigcirc$에 의하여

$$\alpha = \frac{1}{3}\alpha + 6 \qquad \therefore \alpha = 9$$ **답** 9

010-1 n번째에 만들어지는 점들을 P_n, Q_n, R_n, S_n이라 하자.

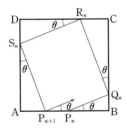

$\overline{AP_n} = x_n$이라 하면 $\triangle BP_nQ_n$에서

$$\overline{BQ_n} = \overline{BP_n}\tan\theta = \frac{1}{2}(1 - x_n) = \frac{1}{2} - \frac{1}{2}x_n$$

$\overline{CQ_n} = 1 - \overline{BQ_n}$이므로 $\triangle CQ_nR_n$에서

$$\overline{CR_n} = \overline{CQ_n}\tan\theta = \frac{1}{2}\left\{1 - \left(\frac{1}{2} - \frac{1}{2}x_n\right)\right\}$$

$$= \frac{1}{4} + \frac{1}{4}x_n$$

$\overline{DR_n} = 1 - \overline{CR_n}$이므로 $\triangle DR_nS_n$에서

$$\overline{DS_n} = \overline{DR_n}\tan\theta = \frac{1}{2}\left\{1 - \left(\frac{1}{4} + \frac{1}{4}x_n\right)\right\}$$

$$= \frac{3}{8} - \frac{1}{8}x_n$$

$\overline{AS_n} = 1 - \overline{DS_n}$이므로 $\triangle AS_nP_{n+1}$에서

$$\overline{AP_{n+1}} = \overline{AS_n}\tan\theta = \frac{1}{2}\left\{1 - \left(\frac{3}{8} - \frac{1}{8}x_n\right)\right\}$$

$$= \frac{5}{16} + \frac{1}{16}x_n$$

이때 $\overline{AP_{n+1}} = x_{n+1}$이므로

$$x_{n+1} = \frac{1}{16}x_n + \frac{5}{16}$$

$x_{n+1} - \alpha = \frac{1}{16}(x_n - \alpha)$로 놓으면

$$x_{n+1} = \frac{1}{16}x_n + \frac{15}{16}\alpha$$

이때 $\frac{15}{16}\alpha = \frac{5}{16}$이므로 $\alpha = \frac{1}{3}$

$$\therefore x_{n+1} - \frac{1}{3} = \frac{1}{16}\left(x_n - \frac{1}{3}\right)$$

따라서 수열 $\left\{x_n - \frac{1}{3}\right\}$은 첫째항이 $x_1 - \frac{1}{3}$, 공비가

$\frac{1}{16}$인 등비수열이므로

$$x_n - \frac{1}{3} = \left(x_1 - \frac{1}{3}\right)\left(\frac{1}{16}\right)^{n-1}$$

$$\therefore x_n = \left(x_1 - \frac{1}{3}\right)\left(\frac{1}{16}\right)^{n-1} + \frac{1}{3}$$

$$\therefore \lim_{n\to\infty}\overline{AP_n} = \lim_{n\to\infty} x_n$$

$$= \lim_{n\to\infty}\left\{\left(x_1 - \frac{1}{3}\right)\left(\frac{1}{16}\right)^{n-1} + \frac{1}{3}\right\}$$

$$= \mathbf{\frac{1}{3}}$$ **답** $\frac{1}{3}$

2. 급수

011-■　주어진 급수의 제n항을 a_n, 제n항까지의 부분합을 S_n이라 하면

$$a_n=\frac{2n+1}{1^2+2^2+3^2+\cdots+n^2}$$

$$=\frac{2n+1}{\dfrac{n(n+1)(2n+1)}{6}}$$

$$=\frac{6}{n(n+1)}=6\left(\frac{1}{n}-\frac{1}{n+1}\right)$$

이므로

$$S_n=\sum_{k=1}^{n}6\left(\frac{1}{k}-\frac{1}{k+1}\right)$$

$$=6\left\{\left(\frac{1}{1}-\frac{1}{2}\right)+\left(\frac{1}{2}-\frac{1}{3}\right)+\left(\frac{1}{3}-\frac{1}{4}\right)\right.$$

$$\left.+\cdots+\left(\frac{1}{n}-\frac{1}{n+1}\right)\right\}$$

$$=6\left(1-\frac{1}{n+1}\right)$$

$$\therefore\ \lim_{n\to\infty}S_n=\lim_{n\to\infty}6\left(1-\frac{1}{n+1}\right)=\mathbf{6}$$ 　　답 6

011-■　수열 $\{a_n\}$의 첫째항부터 제n항까지의 합을 S_n이라 하면

$$S_n=\sum_{k=1}^{n}a_k=n^2+2n$$

(i) $n=1$일 때,

$$a_1=S_1=1+2=3$$

(ii) $n\geq2$일 때,

$$a_n=S_n-S_{n-1}$$

$$=n^2+2n-\{(n-1)^2+2(n-1)\}$$

$$=2n+1\qquad\cdots\cdots\ \bigcirc$$

이때 $a_1=3$은 $\bigcirc$에 $n=1$을 대입한 것과 같으므로

$$a_n=2n+1$$

$$\therefore\ \sum_{n=1}^{\infty}\frac{2}{a_na_{n+1}}$$

$$=\sum_{n=1}^{\infty}\frac{2}{(2n+1)(2n+3)}$$

$$=\sum_{n=1}^{\infty}\left(\frac{1}{2n+1}-\frac{1}{2n+3}\right)$$

$$=\lim_{n\to\infty}\sum_{k=1}^{n}\left(\frac{1}{2k+1}-\frac{1}{2k+3}\right)$$

$$=\lim_{n\to\infty}\left\{\left(\frac{1}{3}-\frac{1}{5}\right)+\left(\frac{1}{5}-\frac{1}{7}\right)+\left(\frac{1}{7}-\frac{1}{9}\right)\right.$$

$$\left.+\cdots+\left(\frac{1}{2n+1}-\frac{1}{2n+3}\right)\right\}$$

$$=\lim_{n\to\infty}\left(\frac{1}{3}-\frac{1}{2n+3}\right)=\mathbf{\frac{1}{3}}$$ 　　답 $\dfrac{1}{3}$

012-■　주어진 급수의 제n항까지의 부분합을 S_n이라 하면

$$S_n=\frac{1}{\sqrt{1}}+\frac{1}{\sqrt{2}}+\frac{1}{\sqrt{3}}+\frac{1}{\sqrt{4}}+\cdots+\frac{1}{\sqrt{n}}$$

$$>\frac{1}{\sqrt{n}}+\frac{1}{\sqrt{n}}+\frac{1}{\sqrt{n}}+\frac{1}{\sqrt{n}}+\cdots+\frac{1}{\sqrt{n}}$$

$$(n=2,\ 3,\ 4,\ \cdots)$$

$$=\frac{1}{\sqrt{n}}\cdot n=\sqrt{n}$$

즉, $S_n>\sqrt{n}$이고 $\lim\limits_{n\to\infty}\sqrt{n}=\infty$이므로 $\lim\limits_{n\to\infty}S_n=\infty$이다.

따라서 주어진 급수는 **발산**한다. 　　답 발산

013-■　주어진 급수의 제n항은 $\dfrac{a_n}{n}-4$이고, 급수

가 수렴하므로

$$\lim_{n\to\infty}\left(\frac{a_n}{n}-4\right)=0$$

이때 $\frac{a_n}{n}-4=b_n$으로 놓으면 $\lim_{n\to\infty}b_n=0$이고

$\frac{a_n}{n}=b_n+4$이므로

$$\lim_{n\to\infty}\frac{a_n}{n}=\lim_{n\to\infty}(b_n+4)=0+4=4$$

$$\therefore\lim_{n\to\infty}\frac{5a_n+6n}{3a_n+n}=\lim_{n\to\infty}\frac{5\cdot\dfrac{a_n}{n}+6}{3\cdot\dfrac{a_n}{n}+1}$$

$$=\frac{5\cdot4+6}{3\cdot4+1}=\boldsymbol{2}$$ 답 2

014-➊ 두 점 P_n, P_{n+1}
에서 x축에 내린 수선의 발을
각각 X_n, X_{n+1}이라 하고, y축
에 내린 수선의 발을 각각 Y_n,
Y_{n+1}이라 하면

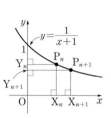

$\overline{OX_n}=n$, $\overline{OX_{n+1}}=n+1$, $\overline{OY_n}=\dfrac{1}{n+1}$,

$\overline{OY_{n+1}}=\dfrac{1}{n+2}$

이므로 두 직사각형의 넓이의 차 S_n은

$$S_n=|\square OX_{n+1}P_{n+1}Y_{n+1}-\square OX_nP_nY_n|$$

$$=\left|\frac{n+1}{n+2}-\frac{n}{n+1}\right|$$

$$=\frac{1}{(n+1)(n+2)}=\frac{1}{n+1}-\frac{1}{n+2}$$

$$\therefore\sum_{n=1}^{\infty}S_n=\sum_{n=1}^{\infty}\left(\frac{1}{n+1}-\frac{1}{n+2}\right)$$

$$=\lim_{n\to\infty}\sum_{k=1}^{n}\left(\frac{1}{k+1}-\frac{1}{k+2}\right)$$

$$=\lim_{n\to\infty}\left\{\left(\frac{1}{2}-\frac{1}{3}\right)+\left(\frac{1}{3}-\frac{1}{4}\right)\right.$$

$$\left.+\left(\frac{1}{4}-\frac{1}{5}\right)+\cdots+\left(\frac{1}{n+1}-\frac{1}{n+2}\right)\right\}$$

$$=\lim_{n\to\infty}\left(\frac{1}{2}-\frac{1}{n+2}\right)=\boldsymbol{\frac{1}{2}}$$ 답 $\dfrac{1}{2}$

015-➊ 두 등비수열 $\{a_n\}$, $\{b_n\}$의 공비를 각각
r_a, r_b라 하면

$\sum_{n=1}^{\infty}a_n=\dfrac{1}{1-r_a}=3$이므로

$$1-r_a=\frac{1}{3}\qquad\therefore r_a=\frac{2}{3}$$

$\sum_{n=1}^{\infty}b_n=\dfrac{3}{1-r_b}=4$이므로

$$1-r_b=\frac{3}{4}\qquad\therefore r_b=\frac{1}{4}$$

즉, 두 등비수열 $\{a_n\}$, $\{b_n\}$의 일반항 a_n, b_n은

$$a_n=\left(\frac{2}{3}\right)^{n-1},\ b_n=3\cdot\left(\frac{1}{4}\right)^{n-1}$$

$$\therefore\sum_{n=1}^{\infty}\frac{b_n}{a_n}=\sum_{n=1}^{\infty}\frac{3\cdot\left(\dfrac{1}{4}\right)^{n-1}}{\left(\dfrac{2}{3}\right)^{n-1}}$$

$$=\sum_{n=1}^{\infty}3\cdot\left(\frac{3}{8}\right)^{n-1}$$

$$=\frac{3}{1-\dfrac{3}{8}}=\boldsymbol{\frac{24}{5}}$$

[참고] 두 급수 $\sum_{n=1}^{\infty}a_n$, $\sum_{n=1}^{\infty}b_n$이 수렴할 때

(1) $\sum_{n=1}^{\infty}a_nb_n\neq\sum_{n=1}^{\infty}a_n\cdot\sum_{n=1}^{\infty}b_n$

(2) $\sum_{n=1}^{\infty}\dfrac{b_n}{a_n}\neq\dfrac{\sum_{n=1}^{\infty}b_n}{\sum_{n=1}^{\infty}a_n}$ 답 $\dfrac{24}{5}$

016-➊ (i) $x\neq0$일 때,

$$\frac{x^2}{1+x^2}\neq0,\ 0<\frac{1}{1+x^2}<1$$이므로

$$f(x)=\sum_{n=1}^{\infty}\frac{x^2}{1+x^2}\cdot\frac{1}{(1+x^2)^{n-1}}$$

$$=\frac{\dfrac{x^2}{1+x^2}}{1-\dfrac{1}{1+x^2}}=1$$

이때 $f(x)=g(x)$를 만족시키는 x의 값은

$$x^2=1\qquad\therefore x=\pm1$$

(ii) $x=0$일 때,

$f(0)=g(0)=0$이므로 $f(x)=g(x)$를 만족시킨다.

(i), (ii)에 의하여 구하는 x의 값은 **-1, 0, 1**이다.

$\boxed{\text{답}}$ -1, 0, 1

017-❶ $\dfrac{19}{99}=0.\dot{1}\dot{9}=0.191919\cdots$이므로

$a_1=1$, $a_2=9$, $a_3=1$, $a_4=9$, $a_5=1$, $a_6=9$, $\cdots$

$$\therefore \sum_{n=1}^{\infty} \frac{a_n}{5^n}$$

$$=\frac{1}{5}+\frac{9}{5^2}+\frac{1}{5^3}+\frac{9}{5^4}+\frac{1}{5^5}+\frac{9}{5^6}+\cdots$$

$$=\left(\frac{1}{5}+\frac{1}{5^3}+\frac{1}{5^5}+\cdots\right)$$
$$+\left(\frac{9}{5^2}+\frac{9}{5^4}+\frac{9}{5^6}+\cdots\right)$$

$$=\frac{\dfrac{1}{5}}{1-\dfrac{1}{25}}+\frac{\dfrac{9}{25}}{1-\dfrac{1}{25}}$$

$$=\frac{5}{24}+\frac{9}{24}=\frac{\mathbf{7}}{\mathbf{12}}$$

$\boxed{\text{답}}$ $\dfrac{7}{12}$

018-❶ 직선 l과 x축의 교점을 P, 점 C_n에서 x축에 내린 수선과 점 C_{n+1}에서 y축에 내린 수선의 교점을 P_n, 두 원 C_n, C_{n+1}의 반지름의 길이를 각각 r_n, r_{n+1}이라 하자.

이때 직선 l은 기울기가 $-\dfrac{1}{3}$이고 y절편이 1이므로

$$l : y=-\frac{1}{3}x+1 \qquad \therefore \text{P}(3,\ 0)$$

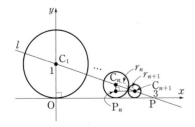

두 삼각형 $C_1\text{OP}$와 $C_n P_n C_{n+1}$은 닮음이므로

$$\overline{C_1 P} : \overline{C_n C_{n+1}}=\overline{C_1 O} : \overline{C_n P_n}$$

즉, $\sqrt{3^2+1^2} : (r_n+r_{n+1})=1 : (r_n-r_{n+1})$이므로

$$r_n+r_{n+1}=\sqrt{10}\,(r_n-r_{n+1})$$

$$(\sqrt{10}+1)r_{n+1}=(\sqrt{10}-1)r_n$$

$$r_{n+1}=\frac{\sqrt{10}-1}{\sqrt{10}+1}r_n$$

$$\therefore r_n=\left(\frac{\sqrt{10}-1}{\sqrt{10}+1}\right)^{n-1} (\because r_1=1)$$

따라서 원 C_n의 둘레의 길이 $c_n=2\pi r_n$이므로

$$\sum_{n=1}^{\infty} c_n=\sum_{n=1}^{\infty} 2\pi r_n=\sum_{n=1}^{\infty} 2\pi\cdot\left(\frac{\sqrt{10}-1}{\sqrt{10}+1}\right)^{n-1}$$

$$=\frac{2\pi}{1-\dfrac{\sqrt{10}-1}{\sqrt{10}+1}}=(\sqrt{10}+1)\pi$$

$\boxed{\text{답}}$ $(\sqrt{10}+1)\pi$

018-❷ 반원 C_n의 반지름의 길이를 r_n, 정사각형 A_n의 한 변의 길이를 l_n이라 하면

$$l_n^2+\left(\frac{1}{2}l_n\right)^2=r_n^2 \qquad \therefore l_n=\frac{2\sqrt{5}}{5}r_n$$

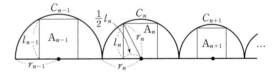

이때 주어진 조건에 의하여 $r_n=l_{n-1}$이므로

$$l_n=\frac{2\sqrt{5}}{5}r_n=\frac{2\sqrt{5}}{5}l_{n-1} \text{ (단, } n=2,\ 3,\ 4,\ \cdots)$$

$$\therefore l_n=l_1\cdot\left(\frac{2\sqrt{5}}{5}\right)^{n-1}=a\cdot\left(\frac{2\sqrt{5}}{5}\right)^n$$

$$\left(\because l_1=\frac{2\sqrt{5}}{5}r_1=\frac{2\sqrt{5}}{5}a\right)$$

따라서 모든 정사각형의 넓이의 합은

$$\sum_{n=1}^{\infty} l_n^2=\sum_{n=1}^{\infty}\left\{a\cdot\left(\frac{2\sqrt{5}}{5}\right)^n\right\}^2=\sum_{n=1}^{\infty} a^2\cdot\left(\frac{4}{5}\right)^n$$

$$=\frac{\dfrac{4}{5}a^2}{1-\dfrac{4}{5}}=\mathbf{4}a^2$$

$\boxed{\text{답}}$ $4a^2$

019-■ 처음 직사각형 D를 D_1이라 하고 새로 생기는 직사각형들을 차례로 D_2, D_3, D_4, $\cdots$라 하자.

이때 점 $A_n(x_n , y_n)$이라 하면 $x_1=10$이고

$$(D_2의 \ 가로)=(D_1의 \ 가로)\cdot\frac{2}{3}=10\cdot\frac{2}{3}$$

이므로 $\quad x_2=10+10\cdot\frac{2}{3}\cdot\frac{1}{2}$

$$(D_3의 \ 가로)=(D_2의 \ 가로)\cdot\frac{2}{3}=10\cdot\left(\frac{2}{3}\right)^2$$

이므로 $\quad x_3=10+10\cdot\frac{2}{3}\cdot\frac{1}{2}+10\cdot\left(\frac{2}{3}\right)^2\cdot\frac{1}{2}$

$\vdots$

$$\therefore x_n=10+\sum_{k=1}^{n-1}5\cdot\left(\frac{2}{3}\right)^k (단, \ n=2, \ 3, \ 4, \ \cdots)$$

같은 방법으로 $y_1=5$이고

$$(D_2의 \ 세로)=(D_1의 \ 세로)\cdot\frac{2}{3}=5\cdot\frac{2}{3}$$

이므로 $\quad y_2=5+5\cdot\frac{2}{3}$

$$(D_3의 \ 세로)=(D_2의 \ 세로)\cdot\frac{2}{3}=5\cdot\left(\frac{2}{3}\right)^2$$

이므로 $\quad y_3=5+5\cdot\frac{2}{3}+5\cdot\left(\frac{2}{3}\right)^2$

$\vdots$

$$\therefore y_n=\sum_{k=1}^{n}5\cdot\left(\frac{2}{3}\right)^{k-1} (단, \ n=1, \ 2, \ 3, \ \cdots)$$

따라서 $n \longrightarrow \infty$일 때, x_n, y_n은

$$\lim_{n\to\infty}x_n=10+\sum_{n=1}^{\infty}5\cdot\left(\frac{2}{3}\right)^n=10+\frac{\frac{10}{3}}{1-\frac{2}{3}}=20$$

$$\lim_{n\to\infty}y_n=\sum_{n=1}^{\infty}5\cdot\left(\frac{2}{3}\right)^{n-1}=\frac{5}{1-\frac{2}{3}}=15$$

이므로 $\quad a=20$, $b=15$

$\quad\therefore a+b=\mathbf{35}$ $\qquad\qquad$ 🔲 35

Ⅱ 미분법

1. 지수함수와 로그함수의 미분

020-■ ㄱ. $\displaystyle\lim_{x\to\infty}\log_{\frac{1}{4}}x=-\infty$

ㄴ. $\dfrac{1}{x^2+1}=t$로 놓으면 $x\to\infty$일 때 $t\to0+$이므로

$$\lim_{x\to\infty}\log_4\frac{1}{x^2+1}=\lim_{t\to0+}\log_4 t=-\infty$$

ㄷ. $\displaystyle\lim_{x\to\infty}\log_4\frac{2x^2-5x}{x^2+5}=\log_4\lim_{x\to\infty}\frac{2-\dfrac{5}{x}}{1+\dfrac{5}{x^2}}$

$$=\log_4 2=\frac{1}{2}$$

따라서 극한값이 존재하는 것은 ㄷ이다. $\qquad$ 🔲 ㄷ

021-■ (1) $x\to1$일 때 (분모)$\to0$이고 극한값이 존재하므로 (분자)$\to0$이다.

즉 $\displaystyle\lim_{x\to1}(ax+b)=0$이므로

$a+b=0 \qquad \therefore b=-a$

$b=-a$를 주어진 식에 대입하면

$$\lim_{x\to1}\frac{ax-a}{e^{x-1}-1}=\lim_{x\to1}\frac{a(x-1)}{e^{x-1}-1}$$

이때 $x-1=t$로 놓으면 $x\to1$일 때 $t\to0$이므로

$$\lim_{x\to1}\frac{a(x-1)}{e^{x-1}-1}=\lim_{t\to0}\frac{at}{e^t-1}=\lim_{t\to0}\frac{t}{e^t-1}\cdot a$$

$$=1\cdot a=a$$

따라서 $a=3$, $b=-3$이므로 $\quad ab=\mathbf{-9}$

(2) $x\to0$일 때 (분모)$\to0$이고 극한값이 존재하므로 (분자)$\to0$이다.

즉 $\lim\limits_{x \to 0}(a^x+b)=0$이므로

$1+b=0$ $\therefore b=-1$

$b=-1$을 주어진 식에 대입하면

$$\lim_{x \to 0}\frac{a^x-1}{\ln(x+1)}=\lim_{x \to 0}\frac{x}{\ln(x+1)}\cdot\frac{a^x-1}{x}$$

$$=1 \cdot \ln a=\ln a$$

따라서 $a=3$, $b=-1$이므로 $ab=\boldsymbol{-3}$

       🄰 (1) -9 (2) -3

022-① $\lim\limits_{x \to 0}f(x)\ln(1+4x)$

$$=\lim_{x \to 0}f(x)\cdot 4x \cdot \frac{\ln(1+4x)}{4x}$$

$$=\lim_{x \to 0}4xf(x)\cdot \frac{\ln(1+4x)}{4x}$$

$$=4\lim_{x \to 0}xf(x)$$

즉 $4\lim\limits_{x \to 0}xf(x)=12$이므로

$\lim\limits_{x \to 0}xf(x)=\boldsymbol{3}$ 🄰 3

023-① $\lim\limits_{h \to 0}\dfrac{f(1+h)-f(1)}{4h}$

$$=\lim_{h \to 0}\frac{f(1+h)-f(1)}{h}\cdot \frac{1}{4}$$

$$=\frac{1}{4}f'(1)$$

$f(x)=(x^2-1)4^x$에서

$f'(x)=2x \cdot 4^x+(x^2-1)4^x \ln 4$

$\qquad =4^x\{2x+(x^2-1)\ln 4\}$

이므로 $f'(1)=4 \cdot 2=8$

$\therefore \dfrac{1}{4}f'(1)=\dfrac{1}{4}\cdot 8=\boldsymbol{2}$ 🄰 2

023-② $\lim\limits_{h \to 0}\dfrac{f(1+h)-f(1-2h)}{h}$

$$=\lim_{h \to 0}\frac{f(1+h)-f(1)-\{f(1-2h)-f(1)\}}{h}$$

$$=\lim_{h \to 0}\frac{f(1+h)-f(1)}{h}+2\lim_{h \to 0}\frac{f(1-2h)-f(1)}{-2h}$$

$$=f'(1)+2f'(1)=3f'(1)$$

$f(x)=3x \ln x+2x^2$에서

$$f'(x)=3\ln x+3x \cdot \frac{1}{x}+4x=3\ln x+3+4x$$

이므로 $f'(1)=3+4=7$

$\therefore 3f'(1)=3 \cdot 7=\boldsymbol{21}$ 🄰 21

024-① $f(x)$가 $x=3$에서 미분가능하면 $x=3$에서 연속이므로

$$\lim_{x \to 3-}(bx^2-1)=f(3)$$

$\therefore 9b-1=ae$ ㉠

또 $f'(x)=\begin{cases} ae^{x-2} & (x>3) \\ 2bx & (x<3) \end{cases}$ 에서 $f'(1)$이 존재하므로

$$\lim_{x \to 3+}ae^{x-2}=\lim_{x \to 3-}2bx$$

$\therefore ae=6b$ ㉡

㉡을 ㉠에 대입하면

$9b-1=6b$ $\therefore \boldsymbol{b=\dfrac{1}{3}}$

$b=\dfrac{1}{3}$ 을 ㉡에 대입하면 $ae=2$

$\therefore \boldsymbol{a=\dfrac{2}{e}}$

[참고] $ae^{x-2}=\dfrac{a}{e^2}\cdot e^x$이므로

$$(ae^{x-2})'=\frac{a}{e^2}\cdot (e^x)'=\frac{a}{e^2}\cdot e^x=ae^{x-2}$$

       🄰 $a=\dfrac{2}{e}$, $b=\dfrac{1}{3}$

024-② $f(x)$가 모든 실수 x에서 미분가능하면 $x=1$에서 미분가능하다.

$f(x)$가 $x=1$에서 미분가능하면 $x=1$에서 연속이므로

$$\lim_{x \to 1-} (\ln x + bx^3) = f(1)$$

$$\therefore b = a \qquad \cdots\cdots \text{㉠}$$

또 $f'(x) = \begin{cases} ae^{x-1} & (x>1) \\ \dfrac{1}{x} + 3bx^2 & (x<1) \end{cases}$ 에서 $f'(1)$이 존재하므로

$$\lim_{x \to 1+} ae^{x-1} = \lim_{x \to 1-} \left(\frac{1}{x} + 3bx^2 \right)$$

$$\therefore a = 1 + 3b \qquad \cdots\cdots \text{㉡}$$

㉠을 ㉡에 대입하여 풀면 $a = -\dfrac{1}{2},\ b = -\dfrac{1}{2}$

$$\therefore a + b = \mathbf{-1} \qquad\qquad \text{답}\ \ -1$$

2. 삼각함수의 미분

025-**1** $-\dfrac{5}{2}$	026-**1** 풀이 참조	027-**1** $\dfrac{3}{4}$
028-**1** 12π	029-**1** $\dfrac{12}{13}$	029-**2** 10
030-**1** 4	031-**1** ②	032-**1** $\dfrac{5\sqrt{3}}{2}$
033-**1** 3	033-**2** $-\dfrac{1}{2}$	034-**1** ④
035-**1** -2	035-**2** $\dfrac{\pi}{4}$	
036-**1** -1	036-**2** -2	

025-1

$$\frac{1}{1-\sin\theta} + \frac{1}{1+\sin\theta}$$

$$= \frac{2}{1-\sin^2\theta} = \frac{2}{\cos^2\theta}$$

$$= 2\sec^2\theta = 10$$

즉, $\sec^2\theta = 5$이므로 $\quad \tan^2\theta = \sec^2\theta - 1 = 5 - 1 = 4$

이때 θ가 제2사분면의 각이므로 $\quad \tan\theta < 0$

$$\therefore \tan\theta = -2$$

$$\therefore \tan\theta + \cot\theta = \tan\theta + \frac{1}{\tan\theta}$$

$$= -2 - \frac{1}{2} = -\frac{5}{2} \qquad \text{답}\ \ -\frac{5}{2}$$

026-1 $A + B = \pi - C$이므로

$$\tan(A+B) = \tan(\pi - C) = -\tan C \qquad \cdots\cdots \text{㉠}$$

또 $\quad \tan(A+B) = \dfrac{\tan A + \tan B}{1 - \tan A \tan B} \qquad \cdots\cdots \text{㉡}$

㉠, ㉡에서 $\quad \dfrac{\tan A + \tan B}{1 - \tan A \tan B} = -\tan C$

$$\tan A + \tan B = -\tan C + \tan A \tan B \tan C$$

$$\therefore \tan A + \tan B + \tan C = \tan A \tan B \tan C$$

답 풀이 참조

027-❶ 두 직선 $y=\dfrac{1}{2}x$, $y=2x$가 x축의 양의 방

향과 이루는 각의 크기를 각각 α, β라 하면

$$\tan\alpha=\dfrac{1}{2},\ \tan\beta=2$$

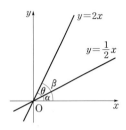

이때 $\theta=\beta-\alpha$이므로

$$\tan\theta=\tan(\beta-\alpha)=\dfrac{\tan\beta-\tan\alpha}{1+\tan\beta\tan\alpha}$$

$$=\dfrac{2-\dfrac{1}{2}}{1+2\cdot\dfrac{1}{2}}=\dfrac{3}{4}$$

[참고] 두 직선 $y=ax+b$,
$y=a'x+b'$이 x축의 양의
방향과 이루는 각의 크기를
각각 α, β라 하고, 두 직선
이 이루는 예각의 크기를 θ
라 하면

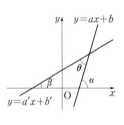

$$\tan\theta=|\tan(\alpha-\beta)|=\left|\dfrac{\tan\alpha-\tan\beta}{1+\tan\alpha\tan\beta}\right|$$

$$=\left|\dfrac{a-a'}{1+aa'}\right|$$

달 $\dfrac{3}{4}$

028-❶ 주어진 두 식의 양변을 각각 제곱하여 변끼
리 더하면

$$x^2+y^2=(3\sin A+4\cos B)^2$$
$$\qquad\qquad +(-4\sin B+3\cos A)^2$$
$$x^2+y^2=9\sin^2 A+16\cos^2 B+16\sin^2 B+9\cos^2 A$$
$$\qquad\qquad +24(\sin A\cos B-\cos A\sin B)$$
$$x^2+y^2=25+24\sin(A-B)$$

$$x^2+y^2=25+11\left(\because \sin(A-B)=\dfrac{11}{24}\right)$$

$$\therefore\ x^2+y^2=36$$

따라서 점 $(x,\ y)$의 자취는 원점을 중심으로 하고 반지
름의 길이가 6인 원이므로 자취의 길이는

$$2\pi\cdot 6=\mathbf{12\pi}$$

달 12π

029-❶ $\dfrac{1-\tan^2\theta}{\tan\theta}=\dfrac{24}{5}$에서

$$5-5\tan^2\theta=24\tan\theta,\ 5\tan^2\theta+24\tan\theta-5=0$$
$$(5\tan\theta-1)(\tan\theta+5)=0$$

$$\therefore\ \tan\theta=\dfrac{1}{5}\ \text{또는}\ \tan\theta=-5$$

그런데 $0<\theta<\dfrac{\pi}{3}$에서 $0<\tan\theta<\sqrt{3}$이므로

$$\tan\theta=\dfrac{1}{5}$$

$$\therefore\ \cos 2\theta=2\cos^2\theta-1=\dfrac{2}{\sec^2\theta}-1$$

$$=\dfrac{2}{1+\tan^2\theta}-1=\dfrac{2}{1+\left(\dfrac{1}{5}\right)^2}-1$$

$$=\dfrac{25}{13}-1=\dfrac{\mathbf{12}}{\mathbf{13}}$$

다른 풀이 $\tan\theta=t$라 하면 $\cos 2\theta=\dfrac{1-t^2}{1+t^2}$이므로

$$\cos 2\theta=\dfrac{1-\left(\dfrac{1}{5}\right)^2}{1+\left(\dfrac{1}{5}\right)^2}=\dfrac{12}{13}$$

달 $\dfrac{12}{13}$

029-❷ $\cos\theta-\sin\theta=\dfrac{\sqrt{10}}{5}$의 양변을 제곱하면

$$\cos^2\theta-2\sin\theta\cos\theta+\sin^2\theta=\dfrac{2}{5}$$

$$1-\sin 2\theta=\dfrac{2}{5}\qquad\therefore\ \sin 2\theta=\dfrac{3}{5}$$

이때 $0<\theta<\dfrac{\pi}{4}$에서 $0<2\theta<\dfrac{\pi}{2}$이므로

$$\cos 2\theta>0$$

즉, $\cos 2\theta=\sqrt{1-\sin^2 2\theta}=\sqrt{1-\left(\dfrac{3}{5}\right)^2}=\dfrac{4}{5}$ 이므로

$$\tan^2\theta=\dfrac{1-\cos 2\theta}{1+\cos 2\theta}=\dfrac{1-\dfrac{4}{5}}{1+\dfrac{4}{5}}=\dfrac{1}{9}$$

따라서 $p=9,\ q=1$이므로 $\qquad p+q=\mathbf{10}$ 　　**目** **10**

030-❶ 이차방정식 $x^2-\left(a^2-\dfrac{3}{16}\right)x+a^2-1=0$

의 두 근이 $\sin^2\dfrac{\theta}{2},\ \cos^2\dfrac{\theta}{2}$ 이므로 이차방정식의 근과

계수의 관계에 의하여

$$\sin^2\dfrac{\theta}{2}+\cos^2\dfrac{\theta}{2}=a^2-\dfrac{3}{16} \qquad \cdots\cdots\ \text{㉠}$$

$$\sin^2\dfrac{\theta}{2}\cos^2\dfrac{\theta}{2}=a^2-1 \qquad \cdots\cdots\ \text{㉡}$$

㉠에서 $\sin^2\dfrac{\theta}{2}+\cos^2\dfrac{\theta}{2}=1$이므로

$$a^2-\dfrac{3}{16}=1 \qquad \therefore\ a^2=\dfrac{19}{16}$$

$a^2=\dfrac{19}{16}$를 ㉡에 대입하면

$$\sin^2\dfrac{\theta}{2}\cos^2\dfrac{\theta}{2}=\dfrac{19}{16}-1$$

$$\dfrac{1-\cos\theta}{2}\cdot\dfrac{1+\cos\theta}{2}=\dfrac{3}{16}$$

$$1-\cos^2\theta=\dfrac{3}{4} \qquad \therefore\ \cos^2\theta=\dfrac{1}{4}$$

$$\therefore\ \sec^2\theta=\dfrac{1}{\cos^2\theta}=\mathbf{4}$$ 　　**目** **4**

031-❶ $g(x)=\sqrt{3}\sin x-\cos x$

$$=2\left(\dfrac{\sqrt{3}}{2}\sin x-\dfrac{1}{2}\cos x\right)$$

$$=2\left(\cos\dfrac{\pi}{6}\sin x-\sin\dfrac{\pi}{6}\cos x\right)$$

$$=2\sin\left(x-\dfrac{\pi}{6}\right)$$

이때 $0\le x\le\pi$에서 $-\dfrac{\pi}{6}\le x-\dfrac{\pi}{6}\le\dfrac{5}{6}\pi$이므로

$$-\dfrac{1}{2}\le\sin\left(x-\dfrac{\pi}{6}\right)\le 1$$

$$\therefore\ -1\le g(x)\le 2 \qquad \cdots\cdots\ \text{㉠}$$

$(f\circ g)(x)=\dfrac{1}{g(x)+2}$ 이므로 ㉠에 의하여

$$1\le g(x)+2\le 4,\ \dfrac{1}{4}\le\dfrac{1}{g(x)+2}\le 1$$

$$\therefore\ \dfrac{1}{4}\le(f\circ g)(x)\le 1$$

따라서 구하는 함수의 최댓값은 **1**이다. 　　**目** ②

032-❶ $\angle\mathrm{PAB}=\theta$로 놓으면 $\angle\mathrm{APB}=\dfrac{\pi}{2}$이므로

$$\overline{\mathrm{AP}}=10\cos\theta,\ \overline{\mathrm{BP}}=10\sin\theta$$

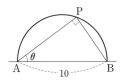

$$\therefore\ \sqrt{3}\,\overline{\mathrm{AP}}+\overline{\mathrm{BP}}=10\sqrt{3}\cos\theta+10\sin\theta$$

$$=20\left(\dfrac{\sqrt{3}}{2}\cos\theta+\dfrac{1}{2}\sin\theta\right)$$

$$=20\left(\sin\dfrac{\pi}{3}\cos\theta+\cos\dfrac{\pi}{3}\sin\theta\right)$$

$$=20\sin\left(\theta+\dfrac{\pi}{3}\right)$$

위의 식에서 $\sqrt{3}\,\overline{\mathrm{AP}}+\overline{\mathrm{BP}}$는 $\theta+\dfrac{\pi}{3}=\dfrac{\pi}{2}$, 즉 $\theta=\dfrac{\pi}{6}$ 일

때 최대가 되므로 점 P에서 선분 AB에 내린 수선의 발

을 H라 하면

$$\overline{\mathrm{PH}}=\overline{\mathrm{AP}}\sin\dfrac{\pi}{6}=10\cos\dfrac{\pi}{6}\cdot\sin\dfrac{\pi}{6}$$

$$=10\cdot\dfrac{\sqrt{3}}{2}\cdot\dfrac{1}{2}=\dfrac{5\sqrt{3}}{2}$$ 　　**目** $\dfrac{5\sqrt{3}}{2}$

033-❶ $f(g(x))=f(\sin 3x)=\tan(\sin 3x)$이

므로

$$\lim_{x \to 0} \frac{f(g(x))}{f(x)}$$

$$= \lim_{x \to 0} \frac{\tan(\sin 3x)}{\tan x}$$

$$= \lim_{x \to 0} \left\{ \frac{\tan(\sin 3x)}{\sin 3x} \cdot \frac{x}{\tan x} \cdot \frac{\sin 3x}{3x} \cdot 3 \right\}$$

$$= 1 \cdot 1 \cdot 1 \cdot 3 = \mathbf{3}$$

답 3

033-② $x \to 0$일 때, (분모) $\to 0$이고 극한값이 존재하므로 (분자) $\to 0$이다.

즉, $\lim_{x \to 0}(ax \sin x + b) = 0$이므로 $b = 0$

$b = 0$을 주어진 등식의 좌변에 대입하면

$$\lim_{x \to 0} \frac{ax \sin x + b}{\cos x - 1}$$

$$= \lim_{x \to 0} \frac{ax \sin x}{\cos x - 1}$$

$$= \lim_{x \to 0} \frac{ax \sin x (\cos x + 1)}{(\cos x - 1)(\cos x + 1)}$$

$$= \lim_{x \to 0} \frac{ax \sin x (\cos x + 1)}{-\sin^2 x}$$

$$= \lim_{x \to 0} \frac{-ax(\cos x + 1)}{\sin x}$$

$$= \lim_{x \to 0} \left\{ -1 \cdot \frac{x}{\sin x} \cdot a(\cos x + 1) \right\}$$

$$= -1 \cdot 1 \cdot 2a = -2a$$

즉, $-2a = 1$이므로 $a = -\dfrac{1}{2}$

$$\therefore a + b = -\frac{1}{2} + 0 = -\frac{1}{2}$$

답 $-\dfrac{1}{2}$

034-① 반원의 중심을 O'이라 하면

$$\angle AO'C = 2\angle ABC = 2\theta$$

$$\therefore l_1 = 1 \cdot 2\theta = 2\theta$$

삼각형의 세 변의 길이를 각각 a, b, c, 삼각형에 내접하는 원의 반지름의 길이를 r, 삼각형의 넓이를 S라 하면

$$S = \frac{1}{2}(a + b + c)r \quad \cdots\cdots \text{㉠}$$

이때 $\triangle ABC$에서 $\angle ACB = \dfrac{\pi}{2}$이므로

$$\triangle ABC = \frac{1}{2} \cdot \overline{AC} \cdot \overline{BC}$$

$$= \frac{1}{2} \cdot 2\sin\theta \cdot 2\cos\theta$$

$$= 2\sin\theta \cos\theta$$

$$= \frac{1}{2}(2 + 2\sin\theta + 2\cos\theta)r \ (\because \text{㉠})$$

즉, $(1 + \sin\theta + \cos\theta)r = 2\sin\theta\cos\theta$이므로

$$r = \frac{\sin 2\theta}{1 + \sin\theta + \cos\theta}$$

한편 $\square EODB$에서 $\angle EOD = \pi - \theta$이므로

$$l_2 = \frac{\sin 2\theta}{1 + \sin\theta + \cos\theta} \cdot (\pi - \theta) = \frac{\sin 2\theta(\pi - \theta)}{1 + \sin\theta + \cos\theta}$$

$$\therefore \lim_{\theta \to 0+} \frac{l_1}{l_2} = \lim_{\theta \to 0+} \frac{2\theta(1 + \sin\theta + \cos\theta)}{\sin 2\theta(\pi - \theta)}$$

$$= \lim_{\theta \to 0+} \left(\frac{2\theta}{\sin 2\theta} \cdot \frac{1 + \sin\theta + \cos\theta}{\pi - \theta} \right)$$

$$= 1 \cdot \frac{2}{\pi} = \frac{2}{\pi}$$

답 ④

035-① $\lim_{h \to 0} \dfrac{f(\pi + h) - f(\pi - h)}{h}$

$$= \lim_{h \to 0} \frac{f(\pi + h) - f(\pi) + f(\pi) - f(\pi - h)}{h}$$

$$= \lim_{h \to 0} \left\{ \frac{f(\pi + h) - f(\pi)}{h} - \frac{f(\pi - h) - f(\pi)}{-h} \cdot (-1) \right\}$$

$$= \lim_{h \to 0} \frac{f(\pi + h) - f(\pi)}{h} + \lim_{h \to 0} \frac{f(\pi - h) - f(\pi)}{-h}$$

$$= 2f'(\pi)$$

이때 $f(x) = x\cos x$이므로

$$f'(x) = (x)'\cos x + x(\cos x)'$$

$$= \cos x - x\sin x$$

$$\therefore 2f'(\pi) = 2(\cos\pi - \pi\sin\pi)$$

$$= 2 \cdot (-1) = \mathbf{-2}$$

답 -2

035-❷ $f(x)=\sin x-\cos x+x$에서

$f'(x)=\cos x+\sin x+1$

$\qquad =\sqrt{2}\left(\dfrac{1}{\sqrt{2}}\cos x+\dfrac{1}{\sqrt{2}}\sin x\right)+1$

$\qquad =\sqrt{2}\left(\sin\dfrac{\pi}{4}\cos x+\cos\dfrac{\pi}{4}\sin x\right)+1$

$\qquad =\sqrt{2}\sin\left(x+\dfrac{\pi}{4}\right)+1$

이때 $f'(\alpha)=\sqrt{2}+1$이므로

$\sqrt{2}\sin\left(\alpha+\dfrac{\pi}{4}\right)+1=\sqrt{2}+1 \quad \therefore \sin\left(\alpha+\dfrac{\pi}{4}\right)=1$

$0\le\alpha<2\pi$에서 $\dfrac{\pi}{4}\le\alpha+\dfrac{\pi}{4}<\dfrac{9}{4}\pi$이므로

$\alpha+\dfrac{\pi}{4}=\dfrac{\pi}{2} \qquad \therefore \alpha=\dfrac{\pi}{4}$ 　　　　**답** $\dfrac{\pi}{4}$

036-❶ 함수 $f(x)$가 $x=0$에서 미분가능하면

$x=0$에서 연속이므로

$\displaystyle\lim_{x\to 0}(ax+b)=f(0) \quad \therefore b=\sin 0-\cos 0=-1$

또 $f'(x)=\begin{cases}\cos x+\sin x & (0<x<1) \\ a & (-1<x<0)\end{cases}$ 이고 $f'(0)$

이 존재하므로

$\displaystyle\lim_{x\to 0+}(\cos x+\sin x)=\lim_{x\to 0-}a$

$\therefore a=\cos 0+\sin 0=1$

$\therefore ab=1\cdot(-1)=\mathbf{-1}$ 　　　　**답** -1

036-❷ 함수 $f(x)$가 $x=0$에서 미분가능하면

$x=0$에서 연속이므로

$\displaystyle\lim_{x\to 0-}(e^x\sin x+ax)=f(0),\ 0=\cos 0+b$

$\therefore b=-1$

또 $f'(x)=\begin{cases}-\sin x & (x>0) \\ e^x\sin x+e^x\cos x+a & (x<0)\end{cases}$ 이고

$f'(0)$이 존재하므로

$\displaystyle\lim_{x\to 0+}(-\sin x)=\lim_{x\to 0-}(e^x\sin x+e^x\cos x+a)$

$0=1+a \qquad \therefore a=-1$

$\therefore a+b=-1+(-1)=\mathbf{-2}$ 　　　　**답** -2

---

3. 여러 가지 미분법

유제　　　　　SUMMA CUM LAUDE

037-❶ $\dfrac{1}{3}$　　　**037-❷** $-\dfrac{1}{2}$

038-❶ -2　　　**038-❷** 4

039-❶ -4π　　　**039-❷** 5　　　**040-❶** 12

041-❶ 2　　　**041-❷** $-\dfrac{\sqrt{3e}}{2}$

042-❶ $\dfrac{dy}{dx}=(\sin x)^x(\ln\sin x+x\cot x)$

042-❷ 0

043-❶ -1　　　**044-❶** 18　　　**044-❷** 12

045-❶ 2　　　**045-❷** -1

046-❶ $\dfrac{1}{3}$　　　**046-❷** $-\dfrac{3}{2}$

047-❶ 8　　　**047-❷** 4

037-❶ 주어진 식을 간단히 하면

$\displaystyle\lim_{h\to 0}\dfrac{f(1+2h)-f(1-h)}{h}$

$=\displaystyle\lim_{h\to 0}\dfrac{\{f(1+2h)-f(1)\}-\{f(1-h)-f(1)\}}{h}$

$=\displaystyle\lim_{h\to 0}\dfrac{f(1+2h)-f(1)}{2h}\cdot 2+\lim_{h\to 0}\dfrac{f(1-h)-f(1)}{-h}$

$=2f'(1)+f'(1)=3f'(1)$

$f(x)=\dfrac{x^2}{3x^2-x+1}$ 에서

$f'(x)=\dfrac{2x(3x^2-x+1)-x^2(6x-1)}{(3x^2-x+1)^2}$

$\qquad =\dfrac{-x^2+2x}{(3x^2-x+1)^2}$

이므로 $f'(1)=\dfrac{-1+2}{(3-1+1)^2}=\dfrac{1}{9}$

$\therefore 3f'(1)=3\cdot\dfrac{1}{9}=\dfrac{\mathbf{1}}{\mathbf{3}}$ 　　　　**답** $\dfrac{1}{3}$

037-❷ $f(-2)=0$이므로

$\displaystyle\lim_{x\to -2}\dfrac{f(x)}{x+2}=\dfrac{f(x)-f(-2)}{x-(-2)}=f'(-2)$

$f(x)=\dfrac{e^{x+2}-1}{x}$ 에서

$$f'(x)=\dfrac{e^{x+2}\cdot x-(e^{x+2}-1)\cdot 1}{x^2}$$

$$=\dfrac{e^{x+2}(x-1)+1}{x^2}$$

이므로 $\quad f'(-2)=\dfrac{-3+1}{4}=-\dfrac{1}{2}$

다른 풀이 $\displaystyle\lim_{x\to-2}\dfrac{f(x)}{x+2}=\lim_{x\to-2}\dfrac{e^{x+2}-1}{x(x+2)}$ ...... ㉠

$x+2=t$로 놓으면 $x\to-2$일 때 $t\to 0$이므로 ㉠에서

$$\lim_{t\to 0}\dfrac{e^t-1}{(t-2)t}=\lim_{t\to 0}\dfrac{e^t-1}{t}\cdot\dfrac{1}{t-2}$$

$$=1\cdot\left(-\dfrac{1}{2}\right)=-\dfrac{1}{2} \qquad \text{답}\ -\dfrac{1}{2}$$

038-① $\quad g'(x)=-\dfrac{f(x)+xf'(x)}{\{1+xf(x)\}^2}$

$$\therefore\ g'(0)=-\dfrac{f(0)+0\cdot f'(0)}{\{1+0\cdot f(0)\}^2}$$

$$=-f(0)=\boldsymbol{-2} \qquad \text{답}\ -2$$

038-② $\quad g(x)=\dfrac{x-1}{f(x)}$ 에서

$$g'(x)=\dfrac{f(x)-(x-1)f'(x)}{\{f(x)\}^2}$$

$$\therefore\ g'(0)=\dfrac{f(0)+f'(0)}{\{f(0)\}^2}$$

$$=\dfrac{1+3}{1^2}=\boldsymbol{4} \qquad \text{답}\ 4$$

039-① $\quad \displaystyle\lim_{h\to 0}\dfrac{f(\pi+h)-f(\pi-h)}{h}$

$$=\lim_{h\to 0}\dfrac{\{f(\pi+h)-f(\pi)\}-\{f(\pi-h)-f(\pi)\}}{h}$$

$$=\lim_{h\to 0}\dfrac{f(\pi+h)-f(\pi)}{h}+\lim_{h\to 0}\dfrac{f(\pi-h)-f(\pi)}{-h}$$

$$=f'(\pi)+f'(\pi)=2f'(\pi)$$

이때 $f(x)=x^2\sec x$에서

$$f'(x)=2x\sec x+x^2\sec x\tan x$$

$$\therefore\ 2f'(\pi)=2(2\pi\sec\pi+\pi^2\sec\pi\tan\pi)$$

$$=2\cdot(-2\pi)=\boldsymbol{-4\pi} \qquad \text{답}\ -4\pi$$

039-② 함수 $f(x)$가 $x=0$에서 미분가능하면

$x=0$에서 연속이므로

$$\lim_{x\to 0-}f(x)=f(0)$$

즉 $\displaystyle\lim_{x\to 0-}\tan x=3+b$이므로 $\quad 3+b=0$

$$\therefore\ b=-3$$

또 $f'(x)=\begin{cases}3e^x-a & (x>0)\\ \sec^2 x & (x<0)\end{cases}$에서 $f'(0)$이 존재하므로

$$\lim_{x\to 0+}(3e^x-a)=\lim_{x\to 0-}\sec^2 x$$

$$3-a=1 \qquad \therefore\ a=2$$

$$\therefore\ a-b=2-(-3)=\boldsymbol{5} \qquad \text{답}\ 5$$

040-① $\quad h(x)=f(g(x))$로 놓으면 주어진 조건에서

$h(1)=f(g(1))=f(1)=2$이므로

$$\lim_{x\to 1}\dfrac{f(g(x))-2}{x-1}=\lim_{x\to 1}\dfrac{h(x)-h(1)}{x-1}$$

$$=h'(1)$$

$h'(x)=f'(g(x))g'(x)$이므로

$$h'(1)=f'(g(1))g'(1)$$

$$=f'(1)g'(1)$$

$$=3\cdot 4=\boldsymbol{12} \qquad \text{답}\ 12$$

041-① $\quad f'(x)=\dfrac{4e^{4x}(\sin 2x+1)-e^{4x}\cdot 2\cos 2x}{(\sin 2x+1)^2}$

$$=\dfrac{e^{4x}(4+4\sin 2x-2\cos 2x)}{(\sin 2x+1)^2}$$

$$\therefore\ f'(\pi)=\dfrac{e^{4\pi}(4+4\cdot 0-2\cdot 1)}{(0+1)^2}=2e^{4\pi}$$

한편 $f(\pi)=\dfrac{e^{4\pi}}{0+1}=e^{4\pi}$이므로

$$\frac{f'(\pi)}{f(\pi)}=\frac{2e^{4\pi}}{e^{4\pi}}=2 \qquad \text{답} \quad 2$$

041-2 $h(x)=f(g(x))$로 놓으면

$$h(x)=e^{\cos x}$$

$$\therefore h\left(\frac{\pi}{3}\right)=e^{\cos\frac{\pi}{3}}=e^{\frac{1}{2}}=\sqrt{e}$$

따라서

$$\lim_{x\to\frac{\pi}{3}}\frac{f(g(x))-\sqrt{e}}{x-\frac{\pi}{3}}=\lim_{x\to\frac{\pi}{3}}\frac{h(x)-h\left(\frac{\pi}{3}\right)}{x-\frac{\pi}{3}}$$

$$=h'\left(\frac{\pi}{3}\right)$$

이고 $h'(x)=(-\sin x)e^{\cos x}$이므로

$$h'\left(\frac{\pi}{3}\right)=\left(-\sin\frac{\pi}{3}\right)e^{\cos\frac{\pi}{3}}=\left(-\frac{\sqrt{3}}{2}\right)\cdot e^{\frac{1}{2}}$$

$$=-\frac{\sqrt{3e}}{2} \qquad \text{답} \quad -\frac{\sqrt{3e}}{2}$$

042-1 $0<x<\pi$에서 $\sin x>0$이므로 주어진 식
의 양변에 자연로그를 취하면

$$\ln y=\ln(\sin x)^x=x\cdot\ln\sin x$$

양변을 x에 대하여 미분하면

$$\frac{1}{y}\cdot\frac{dy}{dx}=\ln\sin x+x\cdot\frac{\cos x}{\sin x}$$

$$\therefore \boldsymbol{\frac{dy}{dx}}=y(\ln\sin x+x\cot x)$$

$$=(\boldsymbol{\sin x})^x(\boldsymbol{\ln\sin x+x\cot x})$$

$$\text{답} \quad \frac{dy}{dx}=(\sin x)^x(\ln\sin x+x\cot x)$$

042-2 $f(x)=\dfrac{x^4(x-1)^3}{(x-2)^2(x-3)}$ 의 양변의 절댓값
에 자연로그를 취하면

$$\ln|f(x)|$$

$$=4\ln|x|+3\ln|x-1|-2\ln|x-2|-\ln|x-3|$$

앞의 식의 양변을 x에 대하여 미분하면

$$\frac{f'(x)}{f(x)}=\frac{4}{x}+\frac{3}{x-1}-\frac{2}{x-2}-\frac{1}{x-3}$$

$$\therefore \lim_{x\to4}\frac{f'(x)}{f(x)}$$

$$=\lim_{x\to4}\left(\frac{4}{x}+\frac{3}{x-1}-\frac{2}{x-2}-\frac{1}{x-3}\right)$$

$$=1+1-1-1=\boldsymbol{0} \qquad \text{답} \quad 0$$

043-1 $f(x)=(1+\tan 2x)^{-\frac{1}{2}}$이므로

$$f'(x)=-\frac{1}{2}(1+\tan 2x)^{-\frac{3}{2}}\cdot(1+\tan 2x)'$$

$$=-\frac{1}{2}(1+\tan 2x)^{-\frac{3}{2}}\cdot 2\sec^2 2x$$

$$=-\frac{\sec^2 2x}{(1+\tan 2x)\sqrt{1+\tan 2x}}$$

따라서 $f'(x)=f(x)g(x)$이므로

$$g(x)=-\frac{\sec^2 2x}{1+\tan 2x}$$

$$\therefore g\left(\frac{\pi}{2}\right)=-\frac{\sec^2\pi}{1+\tan\pi}=-\frac{1}{1+0}=\boldsymbol{-1} \ \text{답} \ -1$$

044-1 $x=\dfrac{1}{3+t}$ 에서 $\dfrac{dx}{dt}=-\dfrac{1}{(3+t)^2}$

$y=\dfrac{1-t}{1+t}$ 에서

$$\frac{dy}{dt}=\frac{-(1+t)-(1-t)}{(1+t)^2}=-\frac{2}{(1+t)^2}$$

$$\therefore \frac{dy}{dx}=\frac{\dfrac{dy}{dt}}{\dfrac{dx}{dt}}=\frac{-\dfrac{2}{(1+t)^2}}{-\dfrac{1}{(3+t)^2}}=\frac{2(3+t)^2}{(1+t)^2}$$

$$\therefore \lim_{t\to0}\frac{dy}{dx}=\lim_{t\to0}\frac{2(3+t)^2}{(1+t)^2}=\boldsymbol{18} \qquad \text{답} \quad 18$$

044-2 $x=t^3$에서 $\dfrac{dx}{dt}=3t^2$

$y=3t^2+at-5a^2$에서 $\dfrac{dy}{dt}=6t+a$

$$\therefore \frac{dy}{dx} = \frac{\dfrac{dy}{dt}}{\dfrac{dx}{dt}} = \frac{6t+a}{3t^2} \; (t \neq 0)$$

$t=2$인 점에서의 접선의 기울기가 2이므로

$$\frac{6 \cdot 2 + a}{3 \cdot 2^2} = 2, \; 12 + a = 24$$

$$\therefore a = \mathbf{12} \qquad\qquad \boxed{\text{답}} \; 12$$

045-❶ $x^2 + ay^2 - 4xy + b = 0$의 양변을 x에 대하여 미분하면

$$2x + 2ay\frac{dy}{dx} - 4y - 4x\frac{dy}{dx} = 0$$

$$2(ay - 2x)\frac{dy}{dx} = 2(2y - x)$$

$$\therefore \frac{dy}{dx} = \frac{2y - x}{ay - 2x} \; (ay - 2x \neq 0)$$

이때 점 $(0, \, -1)$에서의 접선의 기울기가 2이므로

$$\frac{-2}{-a} = 2 \qquad \therefore a = 1$$

또 점 $(0, \, -1)$이 곡선 $x^2 + y^2 - 4xy + b = 0$ 위의 점이므로 $\quad 1 + b = 0 \qquad \therefore b = -1$

$$\therefore a - b = 1 - (-1) = \mathbf{2} \qquad \boxed{\text{답}} \; 2$$

045-❷ $x\cos y + y\cos x = \dfrac{\pi}{3}$의 양변을 x에 대하여 미분하면

$$\cos y - x\sin y \frac{dy}{dx} + \cos x \frac{dy}{dx} - y\sin x = 0$$

$$(\cos x - x\sin y)\frac{dy}{dx} = -\cos y + y\sin x$$

$$\therefore \frac{dy}{dx} = \frac{-\cos y + y\sin x}{\cos x - x\sin y} \; (\cos x - x\sin y \neq 0)$$

위의 식에 $x = \dfrac{\pi}{3}$, $y = \dfrac{\pi}{3}$를 대입하면

$$\frac{dy}{dx} = \frac{-\cos\dfrac{\pi}{3} + \dfrac{\pi}{3}\sin\dfrac{\pi}{3}}{\cos\dfrac{\pi}{3} - \dfrac{\pi}{3}\sin\dfrac{\pi}{3}} = -\frac{\dfrac{1}{2} - \dfrac{\pi}{3} \cdot \dfrac{\sqrt{3}}{2}}{\dfrac{1}{2} - \dfrac{\pi}{3} \cdot \dfrac{\sqrt{3}}{2}}$$

$$= \mathbf{-1} \qquad\qquad \boxed{\text{답}} \; -1$$

046-❶ $\displaystyle\lim_{x \to 1}\frac{g(x) - 2}{x - 1} = 3$에서 $x \to 1$일 때

(분모) $\to 0$이고 극한값이 존재하므로 (분자) $\to 0$이다.

즉 $\displaystyle\lim_{x \to 1}\{g(x) - 2\} = 0$이므로

$$g(1) = 2 \qquad \therefore f(2) = 1 \qquad \cdots\cdots \; \bigcirc$$

$$\lim_{x \to 1}\frac{g(x) - 2}{x - 1} = \lim_{x \to 1}\frac{g(x) - g(1)}{x - 1}$$

$$= g'(1) = 3$$

또 $y = f(x)$라 하면

$$f'(x) = \frac{dy}{dx} = \frac{1}{\dfrac{dx}{dy}} = \frac{1}{g'(y)}$$

이고 $\bigcirc$에서 $f(2) = 1$이므로

$$f'(2) = \frac{1}{g'(1)} = \frac{1}{3} \qquad\qquad \boxed{\text{답}} \; \frac{1}{3}$$

046-❷ $g(0) = a$라 하면 $f(a) = 0$이므로

$$\frac{1}{3}(e^{-a} - e^a) = 0, \; e^{-a} = e^a$$

$$\therefore a = 0$$

따라서 $g(0) = 0$이고 $f'(x) = \dfrac{1}{3}(-e^{-x} - e^x)$이므로

$$g'(0) = \frac{1}{f'(0)} = \frac{1}{\dfrac{1}{3}(-1 - 1)}$$

$$= -\frac{3}{2} \qquad\qquad \boxed{\text{답}} \; -\frac{3}{2}$$

047-❶ $f'(x) = 2\ln(2x - 1) \cdot \dfrac{2}{2x - 1}$

$$= \frac{4\ln(2x - 1)}{2x - 1}$$

이므로

$$f'(1) = 0$$

$$\therefore \lim_{x \to 1}\frac{f'(x)}{x - 1} = \lim_{x \to 1}\frac{f'(x) - f'(1)}{x - 1} = f''(1)$$

이때

$$f''(x) = \frac{4 \cdot \dfrac{2}{2x-1} \cdot (2x-1) - 4\ln(2x-1) \cdot 2}{(2x-1)^2}$$

$$= \frac{8 - 8\ln(2x-1)}{(2x-1)^2}$$

이므로 $f''(1) = 8$ 답 8

047-**2** $y = e^{-x}\cos x$에서

$y' = (-e^{-x})\cos x + e^{-x}(-\sin x)$

$\quad = -e^{-x}(\cos x + \sin x)$

$y'' = -(-e^{-x})(\cos x + \sin x)$

$\qquad\qquad\qquad - e^{-x}(-\sin x + \cos x)$

$\quad = 2e^{-x}\sin x$

$\therefore\ y'' + ay' + by$

$\quad = (2e^{-x}\sin x) - ae^{-x}(\cos x + \sin x) + be^{-x}\cos x$

$\quad = (2-a)e^{-x}\sin x + (b-a)e^{-x}\cos x$

$\quad = e^{-x}\{(2-a)\sin x + (b-a)\cos x\} = 0$

이때 $e^{-x} > 0$이므로

$2 - a = 0,\ b - a = 0 \quad \therefore\ a = 2,\ b = 2$

$\therefore\ a + b = \boldsymbol{4}$ 답 4

4. 도함수의 활용

유제

048-1 $y = 2x - 1$ **048-2** $4e$

049-1 $-\dfrac{1}{4}\ln 2$

050-1 $y = \dfrac{1}{2}x - \dfrac{1}{2}$

051-1 $-\dfrac{1}{2}$ **051-2** $\dfrac{e^2}{e^2+1}$

052-1 $\dfrac{1}{2}$ **052-2** 1 **053-1** ㄴ, ㄷ

054-1 $0 < a < \dfrac{1}{4}$ **054-2** $-\dfrac{10}{3}$

055-1 $-\dfrac{e^{-\frac{5}{4}\pi}}{\sqrt{2}\,(1 - e^{-2\pi})}$

056-1 $2e$ **056-2** $-2 < a < 2$

057-1 ㄴ **057-2** ㄱ, ㄴ, ㄷ

058-1 16

059-1 $a = 8, b = 4$ **059-2** $\dfrac{\sqrt{e}}{2}$

060-1 $3\sqrt{3}$ **061-1** $k \geq \dfrac{3\sqrt{e}}{2e}$

062-1 1 **062-2** $a \leq -1$

063-1 4π **063-2** $2e^2$

048-**1** $f(x) = \ln x + x$로 놓으면

$$f'(x) = \frac{1}{x} + 1$$

직선 $x + 2y + 4 = 0$, 즉 $y = -\dfrac{1}{2}x - 2$에 수직인 직선의 기울기는 2이다.

접점의 좌표를 $(a,\ \ln a + a)$라 하면 접선의 기울기는 2이므로

$$\frac{1}{a} + 1 = 2 \quad \therefore\ a = 1$$

따라서 접점의 좌표가 (1, 1)이므로 구하는 접선의 방정식은

$y - 1 = 2(x - 1)$

$\therefore\ \boldsymbol{y = 2x - 1}$ 답 $y = 2x - 1$

유제 - Ⅱ. 미분법 **069**

048-❷ $f(x)=2xe^x$으로 놓으면

$$f'(x)=2e^x+2xe^x=2e^x(x+1)$$

접점의 좌표를 $(a, 2ae^a)$이라 하면 이 점에서의

접선의 기울기가 $f'(a)=2e^a(a+1)$이므로

접선의 방정식은

$$y-2ae^a=2e^a(a+1)(x-a) \quad \cdots\cdots \text{㉠}$$

이 접선이 점 $(1, 0)$을 지나므로

$$0-2ae^a=2e^a(a+1)(1-a)$$

$$e^a(a^2-a-1)=0$$

$$\therefore a^2-a-1=0 \ (\because e^a>0)$$

이 이차방정식의 두 근을 α, β라 하면

근과 계수의 관계에 의하여

$$\alpha+\beta=1, \ \alpha\beta=-1$$

두 접선의 기울기는 $2e^\alpha(\alpha+1)$, $2e^\beta(\beta+1)$이므로

기울기의 곱은

$$2e^\alpha(\alpha+1)\cdot2e^\beta(\beta+1)$$

$$=4e^{\alpha+\beta}(\alpha\beta+\alpha+\beta+1)$$

$$=4e(-1+1+1)=\boldsymbol{4e}$$

📖 $4e$

049-❶ $f(x)=(kx+1)2^x$으로 놓으면

$$f'(x)=k\cdot2^x+(kx+1)2^x\ln2$$

$$=2^x(kx\ln2+\ln2+k)$$

접점의 좌표를 $(a, (ak+1)2^a)$이라 하면 이 점에서의

접선의 기울기는 $2^a(ak\ln2+\ln2+k)$이므로

접선의 방정식은

$$y-(ak+1)2^a=2^a(ak\ln2+\ln2+k)(x-a)$$

이 직선이 점 $(0, 0)$을 지나므로

$$-(ak+1)2^a=2^a(ak\ln2+\ln2+k)\cdot(-a)$$

$$ak+1=a^2k\ln2+a\ln2+ak \ (\because 2^a>0)$$

$$\therefore (k\ln2)a^2+(\ln2)a-1=0 \quad \cdots\cdots \text{㉠}$$

원점에서 곡선 $y=(kx+1)2^x$에 오직 하나의 접선을 그

을 수 있으려면 한 개의 접점이 존재해야 하므로 이차방정

식 ㉠이 중근을 가져야 한다. 즉 ㉠의 판별식을 D라 하면

$$D=(\ln2)^2+4k\ln2=\ln2(\ln2+4k)=0$$

ln2≠0이므로 $\quad \ln2+4k=0$

$$\therefore k=-\frac{1}{4}\ln2 \qquad\qquad \text{📖} \ -\frac{1}{4}\ln2$$

050-❶ $g(1)=k$라 하면 $f(k)=1$이므로

$$2k+\cos k=1 \qquad \therefore k=0$$

$$\therefore g'(1)=\frac{1}{f'(0)}$$

이때 $f'(x)=2-\sin x$이므로

$$f'(0)=2$$

$$\therefore g'(1)=\frac{1}{2}$$

따라서 곡선 $y=g(x)$ 위의 점 $(1, 0)$에서의

접선의 방정식은

$$y=\frac{1}{2}(x-1) \qquad \therefore \boldsymbol{y=\frac{1}{2}x-\frac{1}{2}}$$

다른 풀이 $y=2x+\cos x$라 하면 역함수는

$$x=2y+\cos y$$

양변을 y에 대하여 미분하면

$$\frac{dx}{dy}=2-\sin y$$

$$\therefore g'(x)=\frac{dy}{dx}=\frac{1}{\dfrac{dx}{dy}}=\frac{1}{2-\sin y}$$

$x=2y+\cos y$에서 $x=1$일 때 $y=0$이고,

$x=1$인 점에서의 접선의 기울기는

$$g'(1)=\frac{1}{2-\sin0}=\frac{1}{2}$$

따라서 구하는 접선은 점 $(1, 0)$을 지나고 기울기가 $\dfrac{1}{2}$

인 직선이므로

$$y=\frac{1}{2}(x-1) \qquad \therefore y=\frac{1}{2}x-\frac{1}{2}$$

📖 $y=\dfrac{1}{2}x-\dfrac{1}{2}$

051-❶ $\dfrac{dx}{dt}=\dfrac{e^t-e^{-t}}{3}$, $\dfrac{dy}{dt}=\dfrac{e^t+e^{-t}}{3}$이므로

$$\frac{dy}{dx} = \frac{\dfrac{dy}{dt}}{\dfrac{dx}{dt}} = \frac{\dfrac{e^t + e^{-t}}{3}}{\dfrac{e^t - e^{-t}}{3}} = \frac{e^t + e^{-t}}{e^t - e^{-t}} \ (t \neq 0)$$

$t = \ln 3$일 때,

$$x = \frac{e^{\ln 3} + e^{-\ln 3}}{3} = \frac{3 + \dfrac{1}{3}}{3} = \frac{10}{9},$$

$$y = \frac{e^{\ln 3} - e^{-\ln 3}}{3} = \frac{3 - \dfrac{1}{3}}{3} = \frac{8}{9},$$

$$\frac{dy}{dx} = \frac{e^{\ln 3} + e^{-\ln 3}}{e^{\ln 3} - e^{-\ln 3}} = \frac{\dfrac{10}{3}}{\dfrac{8}{3}} = \frac{5}{4}$$

이므로 접선의 방정식은 $\quad y - \dfrac{8}{9} = \dfrac{5}{4}\left(x - \dfrac{10}{9}\right)$

$$\therefore y = \frac{5}{4}x - \frac{1}{2}$$

이 직선이 점 $(0, a)$를 지나므로 $\quad a = -\dfrac{1}{2}$

답 $-\dfrac{1}{2}$

051-② $e^x - e^y - e + 1 = 0$의 양변을 x에 대하여 미분하면

$$e^x - e^y \frac{dy}{dx} = 0$$

$$\therefore \frac{dy}{dx} = \frac{e^x}{e^y} = e^{x-y}$$

점 $(1, 0)$에서의 접선의 기울기는 $\dfrac{dy}{dx} = e$이므로 접선의 방정식은 $\quad y = e(x-1)$

따라서 원점과 직선 $y = e(x-1)$, 즉 $ex - y - e = 0$ 사이의 거리는

$$d = \frac{|-e|}{\sqrt{e^2 + 1}} = \frac{e}{\sqrt{e^2 + 1}}$$

$$\therefore d^2 = \frac{e^2}{e^2 + 1}$$

답 $\dfrac{e^2}{e^2 + 1}$

052-① $f(x) = ax + \ln(x^2 + 4)$에서

$$f'(x) = a + \frac{2x}{x^2 + 4}$$

$$= \frac{ax^2 + 2x + 4a}{x^2 + 4} \quad \cdots\cdots \ \bigcirc$$

함수 $f(x)$가 구간 $(-\infty, \infty)$에서 증가하려면 모든 실수 x에 대하여 $f'(x) \geq 0$이어야 한다.

$\bigcirc$에서 $x^2 + 4 > 0$이므로 모든 실수 x에 대하여 $f'(x) \geq 0$이려면

$$ax^2 + 2x + 4a \geq 0$$

이어야 한다.

즉 $ax^2 + 2x + 4a = 0$의 판별식을 D라 하면 $a > 0$이고 $D \leq 0$이어야 하므로

$$\frac{D}{4} = 1 - 4a^2 \leq 0$$

$$4a^2 - 1 \geq 0, \ (2a+1)(2a-1) \geq 0$$

$$\therefore a \leq -\frac{1}{2} \ \text{또는} \ a \geq \frac{1}{2}$$

그런데 $a > 0$이므로 $\quad a \geq \dfrac{1}{2}$

따라서 a의 최솟값은 $\dfrac{1}{2}$이다. **답** $\dfrac{1}{2}$

052-② $f(x) = (1 + ax^2)e^x$에서

$$f'(x) = 2ax \cdot e^x + (1 + ax^2)e^x$$

$$= (ax^2 + 2ax + 1)e^x \quad \cdots\cdots \ \bigcirc$$

함수 $f(x)$가 실수 전체의 집합에서 증가하려면 모든 실수 x에 대하여 $f'(x) \geq 0$이어야 한다. $\bigcirc$에서 $e^x > 0$이므로 모든 실수 x에 대하여 $f'(x) \geq 0$이려면

$$ax^2 + 2ax + 1 \geq 0$$

이어야 한다.

(ⅰ) $a = 0$일 때

$1 \geq 0$이므로 $ax^2 + 2ax + 1 \geq 0$은 항상 성립한다.

(ⅱ) $a \neq 0$일 때

이차방정식 $ax^2 + 2ax + 1 = 0$의 판별식을 D라 하면 $a > 0$이고 $D \leq 0$이어야 하므로

$$\frac{D}{4}=a^2-a\leq 0$$

$$a(a-1)\leq 0 \qquad \therefore 0\leq a\leq 1$$

그런데 $a>0$이므로 $\qquad 0<a\leq 1$

따라서 a의 최댓값은 **1**이다.   답 1

053-① $f(x)=e^x-2\ln(x+2)$에서 $x>-2$이고

$$f'(x)=e^x-\frac{2}{x+2}$$

$f'(x)=0$에서 $\qquad e^x=\frac{2}{x+2} \qquad \cdots\cdots \text{㉠}$

방정식 ㉠의 해는 오른쪽 그림에서 두 곡선 $y=e^x$,

$y=\dfrac{2}{x+2}$의 교점의 x좌표와 같으므로 $x=0$이다.

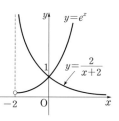

함수 $f(x)$의 증가와 감소를 표로 나타내면 다음과 같다.

x	(-2)	$\cdots$	0	$\cdots$
$f'(x)$		$-$	0	$+$
$f(x)$		$\searrow$	극소	$\nearrow$

ㄱ. 함수 $f(x)$는 극솟값만 갖는다. (거짓)

ㄴ. 함수 $f(x)$는 $x=0$에서 극솟값을 갖는다. (참)

ㄷ. 함수 $f(x)$의 극솟값은

$$f(0)=1-2\ln 2 \text{ (참)}$$

따라서 옳은 것은 ㄴ, ㄷ이다.   답 ㄴ, ㄷ

054-① $f(x)=\ln x+\dfrac{a}{x}-x$에서 $x>0$이고

$$f'(x)=\frac{1}{x}-\frac{a}{x^2}-1=\frac{-x^2+x-a}{x^2}$$

$f(x)$가 극댓값과 극솟값을 모두 가지려면 이차방정식 $-x^2+x-a=0$이 $x>0$에서 서로 다른 두 실근을 가져야 한다.

(ⅰ) 이차방정식 $-x^2+x-a=0$의 판별식을 D라 하면

$$D=1-4a>0 \qquad \therefore a<\frac{1}{4}$$

(ⅱ) (두 근의 합)$=1>0$

(ⅲ) (두 근의 곱)$=a>0$

(ⅰ), (ⅱ), (ⅲ)에서 $\qquad 0<a<\dfrac{1}{4}$ 답 $0<a<\dfrac{1}{4}$

054-② $f(x)=\dfrac{3x^2+2x-k}{e^x}$에서

$$f'(x)=\frac{(6x+2)e^x-(3x^2+2x-k)e^x}{e^{2x}}$$

$$=\frac{-3x^2+4x+k+2}{e^x}$$

이때 $e^x>0$이므로 $f(x)$가 극값을 갖지 않으려면 $-3x^2+4x+k+2\geq 0$이어야 한다.

즉 이차방정식 $-3x^2+4x+k+2=0$이 중근 또는 허근을 가져야 하므로 이 이차방정식의 판별식을 D라 하면

$$\frac{D}{4}=4-(-3)\cdot(k+2)\leq 0$$

$$\therefore k\leq -\frac{10}{3}$$

따라서 k의 최댓값은 $-\dfrac{\mathbf{10}}{\mathbf{3}}$이다.   답 $-\dfrac{10}{3}$

055-① $f(x)=e^{-x}\sin x$에서

$$f'(x)=-e^{-x}\sin x+e^{-x}\cos x=e^{-x}(\cos x-\sin x)$$

$$f''(x)=-e^{-x}(\cos x-\sin x)-e^{-x}(\sin x+\cos x)$$

$$=-2e^{-x}\cos x$$

$f'(x)=0$에서 $\qquad \cos x=\sin x (\because e^{-x}>0)$

$$\therefore x=\frac{\pi}{4}, \frac{5}{4}\pi, \frac{9}{4}\pi, \cdots$$

(ⅰ) $x=2k\pi+\dfrac{\pi}{4}$ $(k=0, 1, 2, \cdots)$일 때

$$f''\left(2k\pi+\frac{\pi}{4}\right)=-2e^{-\left(2k\pi+\frac{\pi}{4}\right)}\cos\left(2k\pi+\frac{\pi}{4}\right)$$

$$=-\sqrt{2}e^{-\left(2k\pi+\frac{\pi}{4}\right)}<0$$

(ii) $x=2k\pi+\dfrac{5}{4}\pi\ (k=0,\ 1,\ 2,\ \cdots)$일 때

$$f''\left(2k\pi+\dfrac{5}{4}\pi\right)=-2e^{-\left(2k\pi+\frac{5}{4}\pi\right)}\cos\left(2k\pi+\dfrac{5}{4}\pi\right)$$
$$=\sqrt{2}\,e^{-\left(2k\pi+\frac{5}{4}\pi\right)}>0$$

(i), (ii)에서 $f(x)$는 $x=2k\pi+\dfrac{5}{4}\pi\ (k=0,\ 1,\ 2,\ \cdots)$
에서 극솟값을 갖는다.

$f(x)=e^{-x}\sin x$에서 $x=2k\pi+\dfrac{5}{4}\pi\ (k=0,\ 1,\ 2,\ \cdots)$

일 때, $\sin x=-\dfrac{1}{\sqrt{2}}$로 일정하고 $y=e^{-x}$은 감소함수

이므로 $f(x)$의 극솟값은 $x=\dfrac{5}{4}\pi$일 때 가장 작고 x의

값이 커질수록 극솟값은 커진다.

$$\therefore y_1=f\left(\dfrac{5}{4}\pi\right)=-\dfrac{e^{-\frac{5}{4}\pi}}{\sqrt{2}}$$
$$y_2=f\left(\dfrac{13}{4}\pi\right)=-\dfrac{e^{-\frac{13}{4}\pi}}{\sqrt{2}}$$
$$y_3=f\left(\dfrac{21}{4}\pi\right)=-\dfrac{e^{-\frac{21}{4}\pi}}{\sqrt{2}}$$
$$\vdots$$
$$\therefore \sum_{n=1}^{\infty}y_n=\dfrac{-\dfrac{e^{-\frac{5}{4}\pi}}{\sqrt{2}}}{1-e^{-2\pi}}=-\dfrac{e^{-\frac{5}{4}\pi}}{\sqrt{2}\,(1-e^{-2\pi})}$$

$\blacksquare\ -\dfrac{e^{-\frac{5}{4}\pi}}{\sqrt{2}\,(1-e^{-2\pi})}$

056-❶ $f(x)=(\ln kx)^2$이라 하면 $x>0$이고

$$f'(x)=2\ln kx\cdot\dfrac{k}{kx}=\dfrac{2\ln kx}{x}$$
$$f''(x)=\dfrac{\dfrac{2k}{kx}\cdot x-2\ln kx}{x^2}=\dfrac{2(1-\ln kx)}{x^2}$$

$f''(x)=0$에서 $\quad\ln kx=1,\ kx=e$

$$\therefore x=\dfrac{e}{k}$$

$0<x<\dfrac{e}{k}$에서 $f''(x)>0$, $x>\dfrac{e}{k}$에서 $f''(x)<0$이다.

즉 $x=\dfrac{e}{k}$의 좌우에서 $f''(x)$의 부호가 바뀌므로 변곡

점의 좌표는 $\left(\dfrac{e}{k},\ 1\right)$이다.

이때 변곡점 $\left(\dfrac{e}{k},\ 1\right)$이 직선 $y=4x-1$ 위에 있으므로

$$1=\dfrac{4e}{k}-1,\ \dfrac{4e}{k}=2\qquad\therefore k=2e$$

$\blacksquare\ 2e$

056-❷ $f(x)=ax^2+4\sin x+x$에서

$f'(x)=2ax+4\cos x+1$

$f''(x)=2a-4\sin x$

주어진 함수의 그래프가 변곡점을 가지려면 방정식
$f''(x)=0$이 실근을 갖고, 실근의 좌우에서 $f''(x)$의 부
호가 바뀌어야 한다.

$f''(x)=0$에서

$2a-4\sin x=0\qquad\therefore 2\sin x=a$

이 방정식이 실근을 가지려면 곡선 $y=2\sin x$와 직선
$y=a$가 만나야 하므로 다음 그림에서

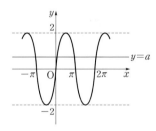

$-2\le a\le 2$

이때 $a=-2$이면

$f''(x)=-4(1+\sin x)\le 0$

$a=2$이면

$f''(x)=4(1-\sin x)\ge 0$

즉 $a=-2$ 또는 $a=2$이면 $f''(x)=0$을 만족시키는 x
의 값의 좌우에서 $f''(x)$의 부호가 바뀌지 않으므로 변곡
점이 존재하지 않는다.

$$\therefore -2<a<2\qquad\qquad\blacksquare\ -2<a<2$$

057-① $f(x)=x-\sqrt{1-x^2}$ 에서

$$f'(x)=1-\frac{-2x}{2\sqrt{1-x^2}}=1+\frac{x}{\sqrt{1-x^2}}$$

$$f''(x)=\frac{\sqrt{1-x^2}-x\cdot\dfrac{-2x}{2\sqrt{1-x^2}}}{1-x^2}$$

$$=\frac{1}{(1-x^2)\sqrt{1-x^2}}$$

$f'(x)=0$ 에서 $\sqrt{1-x^2}=-x$ ······ ㉠

$$2x^2=1 \qquad \therefore x=\pm\frac{1}{\sqrt{2}}$$

그런데 $x=\dfrac{1}{\sqrt{2}}$ 일 때, ㉠이 성립하지 않으므로

$$x=-\frac{1}{\sqrt{2}}$$

또한 $f''(x)>0 \ (\because -1<x<1)$

함수 $f(x)$의 증가와 감소, 오목과 볼록을 표로 나타내면 다음과 같다.

x	(-1)	$\cdots$	$-\dfrac{1}{\sqrt{2}}$	$\cdots$	(1)
$f'(x)$		$-$	0	$+$	
$f''(x)$		$+$	$+$	$+$	
$f(x)$		$\searrow$	$-\sqrt{2}$ (극소)	$\nearrow$	

따라서 주어진 함수의 그래프의 개형을 그리면 다음 그림과 같다.

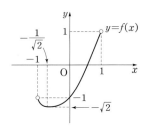

ㄱ. 방정식 $f(x)=0$은 하나의 실근을 갖는다. (거짓)

ㄴ. 함수 $f(x)$의 극솟값은 $-\sqrt{2}$이다. (참)

ㄷ. $-1<x<1$에서 $f''(x)>0$이므로 함수 $f(x)$는 변곡점을 갖지 않는다. (거짓)

따라서 옳은 것은 ㄴ이다.   **답** ㄴ

057-② $f(x)=x+\sin x$ 에서

$$f'(x)=1+\cos x, \ f''(x)=-\sin x$$

$f'(x)=0$ 에서 $\cos x=-1$

$\therefore x=\pi \ (\because 0\le x\le 2\pi)$

$f''(x)=0$ 에서 $\sin x=0$

$\therefore x=0$ 또는 $x=\pi$ 또는 $x=2\pi \ (\because 0\le x\le 2\pi)$

함수 $f(x)$의 증가와 감소, 오목과 볼록을 표로 나타내면 다음과 같다.

x	0	$\cdots$	π	$\cdots$	2π
$f'(x)$		$+$	0	$+$	
$f''(x)$	0	$-$	0	$+$	0
$f(x)$	0	$\nearrow$	π	$\nearrow$	2π

따라서 주어진 함수의 그래프의 개형을 그리면 다음 그림과 같다.

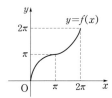

ㄱ. 점 (π, π)는 곡선 $y=f(x)$의 변곡점이다. (참)

ㄴ. 구간 $(0, \pi)$에서 $f''(x)<0$이므로 함수 $y=f(x)$의 그래프는 위로 볼록하다. (참)

ㄷ. $f(\pi)=f(0)+\pi f'(\theta)$에서

$$f'(\theta)=\frac{f(\pi)-f(0)}{\pi}=\frac{\pi}{\pi}=1$$

즉 $1+\cos\theta=1$이므로 $\cos\theta=0$

$\therefore \theta=\dfrac{\pi}{2}$ 또는 $\theta=\dfrac{3}{2}\pi \ (\because 0\le\theta\le 2\pi)$ (참)

ㄹ. 함수 $f(x)$의 극값은 존재하지 않는다. (거짓)

따라서 옳은 것은 ㄱ, ㄴ, ㄷ이다.   **답** ㄱ, ㄴ, ㄷ

058-❶

$$f(x)=-\frac{1}{2}(\ln x^2)^3+12\ln 5x-1$$

$$=-\frac{1}{2}(2\ln x)^3$$

$$+12(\ln 5+\ln x)-1$$

$\ln x=t$로 치환하면 $\frac{1}{e}\leq x\leq e^2$에서 $-1\leq t\leq 2$

주어진 함수를 t에 대한 함수 $g(t)$로 나타내면

$$g(t)=-\frac{1}{2}\cdot(2t)^3+12(\ln 5+t)-1$$

$$=-4t^3+12t+12\ln 5-1$$

$$\therefore g'(t)=-12t^2+12=-12(t+1)(t-1)$$

$g'(t)=0$에서 $t=-1$ 또는 $t=1$

함수 $g(t)$의 증가와 감소를 표로 나타내면 다음과 같다.

t	-1	$\cdots$	1	$\cdots$	2
$g'(t)$	0	$+$	0	$-$	
$g(t)$	$12\ln 5-9$	$\nearrow$	$12\ln 5+7$	$\searrow$	$12\ln 5-9$

따라서 함수 $g(t)$의 최댓값은

$$g(1)=12\ln 5+7$$

최솟값은

$$g(-1)=g(2)=12\ln 5-9$$

이므로 $M=12\ln 5+7$, $m=12\ln 5-9$

$$\therefore M-m=\mathbf{16}$$

답 16

059-❶

$$f(x)=\frac{ax+b}{x^2+2x+3}$$에서

$$f'(x)=\frac{a(x^2+2x+3)-(ax+b)(2x+2)}{(x^2+2x+3)^2}$$

$$=\frac{-ax^2-2bx+3a-2b}{(x^2+2x+3)^2}$$

$\lim\limits_{x\to-\infty}f(x)=0$, $\lim\limits_{x\to\infty}f(x)=0$이므로 미분가능한 함수 $f(x)$는 $x=1$에서 극대이면서 최대이다.

즉 $f'(1)=\dfrac{-a-2b+3a-2b}{36}=\dfrac{2a-4b}{36}=0$에서

$2a-4b=0$ $\therefore a=2b$ ...... ㉠

또 $f(1)=2$에서

$$\frac{a+b}{6}=2 \quad \therefore a+b=12 \quad ...... ㉡$$

㉠, ㉡을 연립하여 풀면 $\boldsymbol{a=8}$, $\boldsymbol{b=4}$

답 $a=8$, $b=4$

059-❷

$$f(x)=\frac{1}{8}x^2-\ln ax$$에서 $x>0$이고

$$f'(x)=\frac{1}{4}x-\frac{a}{ax}=\frac{x^2-4}{4x}=\frac{(x+2)(x-2)}{4x}$$

$f'(x)=0$에서 $x=2$ $(\because x>0)$

함수 $f(x)$의 증가와 감소를 표로 나타내면 다음과 같다.

x	(0)	$\cdots$	2	$\cdots$
$f'(x)$		$-$	0	$+$
$f(x)$		$\searrow$	$\frac{1}{2}-\ln 2a$	$\nearrow$

따라서 함수 $f(x)$는 $x=2$에서 최솟값을 가지므로

$$f(2)=\frac{1}{2}-\ln 2a=0, \ln 2a=\frac{1}{2}$$

$$\therefore a=\frac{\sqrt{e}}{2}$$

답 $\dfrac{\sqrt{e}}{2}$

060-❶ 오른쪽 그림과 같이 점 D에서 선분 AB에 내린 수선의 발을 E,

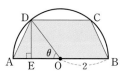

$\angle DOE=\theta\left(0<\theta<\dfrac{\pi}{2}\right)$라 하면

$$\overline{DE}=2\sin\theta, \overline{OE}=2\cos\theta,$$

$$\overline{CD}=2\overline{OE}=4\cos\theta$$

사다리꼴 ABCD의 넓이를 $S(\theta)$라 하면

$$S(\theta)=\frac{1}{2}\times(\overline{AB}+\overline{CD})\times\overline{DE}$$

$$=\frac{1}{2}\times(4+4\cos\theta)\times 2\sin\theta$$

$$=4(1+\cos\theta)\sin\theta$$

$$=4\sin\theta+4\cos\theta\sin\theta$$

$$\therefore S'(\theta)=4\cos\theta+4\{(-\sin\theta\sin\theta)+\cos\theta\cos\theta\}$$
$$=4(\cos\theta+\cos^2\theta-\sin^2\theta) \quad \rceil \sin^2\theta=1-\cos^2\theta$$
$$=4(2\cos^2\theta+\cos\theta-1)$$
$$=4(2\cos\theta-1)(\cos\theta+1)$$

$S'(\theta)=0$에서 $\cos\theta=\dfrac{1}{2}$ 또는 $\cos\theta=-1$

$$\therefore \theta=\frac{\pi}{3}\left(\because 0<\theta<\frac{\pi}{2}\right)$$

함수 $S(\theta)$의 증가와 감소를 표로 나타내면 다음과 같다.

θ	(0)	$\cdots$	$\dfrac{\pi}{3}$	$\cdots$	$\left(\dfrac{\pi}{2}\right)$
$S'(\theta)$		$+$	0	$-$	
$S(\theta)$		$\nearrow$	$3\sqrt{3}$	$\searrow$	

따라서 함수 $S(\theta)$는 $\theta=\dfrac{\pi}{3}$에서 극대이면서 최대이므로 사다리꼴 ABCD의 넓이의 최댓값은 $3\sqrt{3}$이다.

🔲 $3\sqrt{3}$

061-1 $e^{2x}-\dfrac{2}{\sqrt{e}}x-k=0$에서

$$e^{2x}-\frac{2}{\sqrt{e}}x=k$$

$f(x)=e^{2x}-\dfrac{2}{\sqrt{e}}x$로 놓으면

$$f'(x)=2e^{2x}-\frac{2}{\sqrt{e}}$$

$f'(x)=0$에서 $2e^{2x}=\dfrac{2}{\sqrt{e}}=2e^{-\frac{1}{2}}$

$$2x=-\frac{1}{2} \qquad \therefore x=-\frac{1}{4}$$

함수 $f(x)$의 증가와 감소를 표로 나타내면 다음과 같다.

x	$\cdots$	$-\dfrac{1}{4}$	$\cdots$
$f'(x)$	$-$	0	$+$
$f(x)$	$\searrow$	$\dfrac{3\sqrt{e}}{2e}$	$\nearrow$

이때 $\lim\limits_{x\to\infty}f(x)=\infty$, $\lim\limits_{x\to-\infty}f(x)=\infty$이므로 함수 $y=f(x)$의 그래프는 다음 그림과 같다.

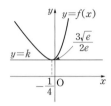

따라서 곡선과 직선이 만나려면

$$k\geq\frac{3\sqrt{e}}{2e}$$

다른 풀이 방정식 $e^{2x}-\dfrac{2}{\sqrt{e}}x-k=0$, 즉

$e^{2x}=\dfrac{2}{\sqrt{e}}x+k$가 실근을 가지려면 곡선 $y=e^{2x}$과 직선

$y=\dfrac{2}{\sqrt{e}}x+k$가 만나야 한다.

$f(x)=e^{2x}$, $g(x)=\dfrac{2}{\sqrt{e}}x+k$로 놓으면

$$f'(x)=2e^{2x}, \quad g'(x)=\frac{2}{\sqrt{e}}$$

접점의 x좌표를 t라 하면

$f'(t)=g'(t)$에서

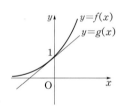

$$2e^{2t}=\frac{2}{\sqrt{e}}=2e^{-\frac{1}{2}}$$

$$2t=-\frac{1}{2} \qquad \therefore t=-\frac{1}{4}$$

이때 $f\left(-\dfrac{1}{4}\right)=\dfrac{1}{\sqrt{e}}$이므로 곡선과 직선이 만나려면

$g\left(-\dfrac{1}{4}\right)\geq\dfrac{1}{\sqrt{e}}$이어야 한다.

즉 $-\dfrac{1}{2\sqrt{e}}+k\geq\dfrac{1}{\sqrt{e}}$

$$\therefore k\geq\frac{3\sqrt{e}}{2e} \qquad\qquad 🔲 k\geq\frac{3\sqrt{e}}{2e}$$

062-1 $e^x>\dfrac{x^2}{4}+x+a$에서

$$4e^x-x^2-4x-4a>0$$

$f(x)=4e^x-x^2-4x-4a$로 놓으면

$\quad f'(x)=4e^x-2x-4$

$\quad f''(x)=4e^x-2=2(2e^x-1)$

$x>0$일 때 $2e^x-1>0$이므로 $\quad f''(x)>0$

$x>0$일 때 함수 $f'(x)$는 증가하고 $f'(0)=0$이므로

$\quad f'(x)>0$

또 $x>0$일 때 함수 $f(x)$는 증가하므로 $f(x)>0$이 성립하려면 $f(0)\geq0$이어야 한다.

즉 $4-4a\geq0$이므로 $\quad a\leq1$

따라서 a의 최댓값은 **1**이다.   🖪 1

062-② $x>0$일 때 $f(x)>g(x)$가 성립하려면

$x^2-a>\cos x$, 즉 $x^2-\cos x-a>0$이어야 한다.

$h(x)=x^2-\cos x-a$로 놓으면

$\quad h'(x)=2x+\sin x$

$\quad h''(x)=2+\cos x$

$x>0$일 때 $-1\leq\cos x\leq1$이므로 $\quad h''(x)>0$

$x>0$일 때 함수 $h'(x)$는 증가하고 $h'(0)=0$이므로

$\quad h'(x)>0$

또 $x>0$일 때 함수 $h(x)$는 증가하므로 $h(x)>0$이 성립하려면 $h(0)\geq0$이어야 한다.

즉 $-1-a\geq0$이므로 $\quad \boldsymbol{a\leq-1}$ 🖪 $a\leq-1$

063-①   점 P의 시각 t에서의 속도를 $v(t)$라 하면

$\quad v(t)=f'(t)=2\cos t-\cos 2t-1$

$\qquad\quad =2\cos t-(2\cos^2 t-1)-1$

$\qquad\quad =-2\cos^2 t+2\cos t$

$\qquad\quad =-2\left(\cos t-\dfrac{1}{2}\right)^2+\dfrac{1}{2}$

따라서 $0\leq t\leq2\pi$에서 속력 $|v(t)|$는 $\cos t=-1$, 즉 $t=\pi$일 때 최댓값 4를 가지므로

$\quad a=\pi,\ \beta=4$

$\quad \therefore\ \boldsymbol{\alpha\beta=4\pi}$ 🖪 4π

063-② $\dfrac{dx}{dt}=e^t\cos t-e^t\sin t,$

$\dfrac{dy}{dt}=e^t\sin t+e^t\cos t$

이므로 점 P의 시각 t에서의 속도는

$\quad (e^t\cos t-e^t\sin t,\ e^t\sin t+e^t\cos t)$

즉 점 P의 시각 t에서의 속력은

$\quad \sqrt{(e^t\cos t-e^t\sin t)^2+(e^t\sin t+e^t\cos t)^2}$

$\quad =\sqrt{2e^{2t}\cos^2 t+2e^{2t}\sin^2 t}$

$\quad =\sqrt{2e^{2t}(\cos^2 t+\sin^2 t)}=\sqrt{2}e^t$

이때 속력이 $\sqrt{2}e^2$이므로

$\quad \sqrt{2}e^t=\sqrt{2}e^2 \qquad \therefore\ t=2$

한편

$\quad \dfrac{d^2x}{dt^2}=e^t\cos t-e^t\sin t-e^t\sin t-e^t\cos t$

$\qquad\quad =-2e^t\sin t$

$\quad \dfrac{d^2y}{dt^2}=e^t\sin t+e^t\cos t+e^t\cos t-e^t\sin t$

$\qquad\quad =2e^t\cos t$

즉 점 P의 시각 t에서의 가속도는

$\quad (-2e^t\sin t,\ 2e^t\cos t)$

이므로 점 P의 시각 t에서의 가속도의 크기는

$\quad \sqrt{(-2e^t\sin t)^2+(2e^t\cos t)^2}=\sqrt{4e^{2t}}=2e^t$

따라서 $t=2$에서의 점 P의 가속도의 크기는 $\boldsymbol{2e^2}$이다.

🖪 $2e^2$

1. 부정적분

064-1 $F(x)=\dfrac{2}{3}x\sqrt{x}+x-\dfrac{1}{3}$ **064-2** $\dfrac{1}{2}$

064-3 $\dfrac{\sqrt{3}}{3}$

065-1 (1) $\ln|1-4\cos x|+C$ (2) $\dfrac{1}{2}\tan^2 x+C$

(3) $-\sin\left(\dfrac{1}{x}-1\right)+C$ (4) $\tan x+e^{\tan x}+C$

(5) $\cos x-\dfrac{2}{3}\cos^3 x+C$ (6) $\dfrac{1}{3}\sin^3 2x+C$

(7) $\sin x-\dfrac{2}{3}\sin^3 x+\dfrac{1}{5}\sin^5 x+C$

(8) $\ln|\sec x+\tan x|+C$

(9) $-\ln|\csc x+\cot x|+C$

066-1 $\ln 3$ **066-2** $\dfrac{1}{e^2}$

067-1 (1) $\dfrac{4}{3(x-1)^3}+\dfrac{5}{2(x-1)^2}+C$

(2) $\dfrac{2}{5}(x-1)^2\sqrt{x-1}+2(x-1)\sqrt{x-1}+C$

(3) $\ln\left|\dfrac{\sqrt{x+1}-1}{\sqrt{x+1}+1}\right|+C$

(4) $e^x+2\ln|e^x-1|-\dfrac{1}{e^x-1}+C$

(5) $2\ln|\ln x-1|-\dfrac{1}{\ln x-1}+C$

068-1 (1) $x^2\sin x+2x\cos x-2\sin x+C$

(2) $-\dfrac{1}{2}x^2 e^{-2x}-\dfrac{1}{2}xe^{-2x}-\dfrac{1}{4}e^{-2x}+C$

(3) $x(\ln x)^2-2x\ln x+2x+C$

(4) $\dfrac{1}{2}x^2(\ln x)^2-\dfrac{1}{2}x^2\ln x+\dfrac{1}{4}x^2+C$

069-1 (1) $-\dfrac{1}{5}e^{-x}(\sin 2x+2\cos 2x)+C$

(2) $\dfrac{1}{5}e^{2x}(2\cos x+\sin x)+C$

070-1 풀이 참조

064-1 $F(x)=\displaystyle\int\dfrac{x-1}{\sqrt{x}-1}dx$

$\qquad=\displaystyle\int\dfrac{(\sqrt{x}+1)(\sqrt{x}-1)}{\sqrt{x}-1}dx$

$\qquad=\displaystyle\int(\sqrt{x}+1)dx=\int(x^{\frac{1}{2}}+1)dx$

$\qquad=\dfrac{2}{3}x^{\frac{3}{2}}+x+C$

$\qquad=\dfrac{2}{3}x\sqrt{x}+x+C$

$F(1)=\dfrac{4}{3}$ 이므로

$\qquad\dfrac{2}{3}+1+C=\dfrac{4}{3}\qquad\therefore C=-\dfrac{1}{3}$

$\qquad\therefore F(x)=\dfrac{2}{3}x\sqrt{x}+x-\dfrac{1}{3}$

답 $F(x)=\dfrac{2}{3}x\sqrt{x}+x-\dfrac{1}{3}$

064-2 $f'(x)=\dfrac{1}{2}\sin x\cot x=\dfrac{1}{2}\sin x\cdot\dfrac{\cos x}{\sin x}$

$\qquad\qquad=\dfrac{1}{2}\cos x$

이므로 $f(x)=\displaystyle\int\dfrac{1}{2}\cos x\,dx=\dfrac{1}{2}\sin x+C$

함수 $y=f(x)$의 그래프가 원점을 지나므로

$\qquad\dfrac{1}{2}\cdot 0+C=0\qquad\therefore C=0$

따라서 $f(x)=\dfrac{1}{2}\sin x$ 이므로

$\qquad f\left(\dfrac{\pi}{2}\right)=\dfrac{1}{2}$ 답 $\dfrac{1}{2}$

064-3 $x>0$일 때

$\qquad f(x)=\displaystyle\int 2^x\ln 2\,dx=\dfrac{2^x}{\ln 2}\cdot\ln 2=2^x+C_1$

이때 $f(1)=2+C_1=2$이므로 $C_1=0$

$\qquad\therefore f(x)=2^x$

또한 $x<0$일 때

$$f(x)=\int k\sec^2x\,dx=k\tan x+C_2$$

이때 $f(x)$가 실수 전체의 집합에서 연속이면 $x=0$에서 연속이므로

$$f(0)=\lim_{x\to0+}2^x=\lim_{x\to0-}(k\tan x+C_2)$$

$$\therefore C_2=1$$

$$\therefore f(x)=k\tan x+1\ (x\le0)$$

$f\left(-\dfrac{\pi}{3}\right)=0$이므로

$$k\tan\left(-\frac{\pi}{3}\right)+1=-\sqrt{3}\,k+1=0$$

$$\therefore k=\frac{\sqrt{3}}{3}$$ 　　　　**답** $\dfrac{\sqrt{3}}{3}$

065-① (1) $\displaystyle\int\frac{4\sin x}{1-4\cos x}\,dx$에서

$(1-4\cos x)'=4\sin x$이므로

$$\int\frac{4\sin x}{1-4\cos x}\,dx=\int\frac{(1-4\cos x)'}{1-4\cos x}\,dx$$
$$=\ln|1-4\cos x|+C$$

(2) $\displaystyle\int\sec^2x\tan x\,dx$에서 $\tan x=t$로 놓으면

$\dfrac{dt}{dx}=\sec^2x$이므로

$$\int\sec^2x\tan x\,dx=\int\tan x\cdot\sec^2x\,dx$$
$$=\int t\,dt=\frac{1}{2}t^2+C$$
$$=\frac{1}{2}\tan^2x+C\quad\cdots\cdots\ \bigcirc$$

다른 풀이 $\displaystyle\int\sec^2x\tan x\,dx$에서 $\sec x=t$로 놓으

면 $\dfrac{dt}{dx}=\sec x\tan x$이므로

$$\int\sec^2x\tan x\,dx=\int\sec x\cdot\sec x\tan x\,dx$$
$$=\int t\,dt=\frac{1}{2}t^2+C$$
$$=\frac{1}{2}\sec^2x+C\quad\cdots\cdots\ \bigcirc$$

[참고] 풀이의 답과 다른 풀이의 답은 서로 다르지만, 삼각함수의 항등식을 이용하면 서로의 형태로 변형 가능하므로 같은 것이다. 이렇게 삼각함수에서는 피적분함수를 어떻게 변형하느냐에 따라 다른 형태의 부정적분을 얻게 될 수도 있다.

$1+\tan^2x=\sec^2x$를 이용하여 $\bigcirc$을 변형하면

$$\frac{1}{2}\tan^2x+C=\frac{1}{2}(\sec^2x-1)+C$$
$$=\frac{1}{2}\sec^2x-\frac{1}{2}+C$$
$$=\frac{1}{2}\sec^2x+C$$

따라서 $\bigcirc$, $\bigcirc$은 서로 같은 것임을 확인할 수 있다.

(3) $\displaystyle\int\frac{1}{x^2}\cos\left(\frac{1}{x}-1\right)dx$에서 $\dfrac{1}{x}-1=t$로 놓으면

$\dfrac{dt}{dx}=-\dfrac{1}{x^2}$이므로

$$\int\frac{1}{x^2}\cos\left(\frac{1}{x}-1\right)dx$$
$$=-\int\cos\left(\frac{1}{x}-1\right)\cdot\left(-\frac{1}{x^2}\right)dx$$
$$=-\int\cos t\,dt=-\sin t+C$$
$$=-\sin\left(\frac{1}{x}-1\right)+C$$

(4) $\displaystyle\int(1+e^{\tan x})\sec^2x\,dx$에서 $\tan x=t$로 놓으면

$\dfrac{dt}{dx}=\sec^2x$이므로

$$\int(1+e^{\tan x})\sec^2x\,dx=\int(1+e^t)\,dt$$
$$=t+e^t+C$$
$$=\tan x+e^{\tan x}+C$$

(5) $\displaystyle\int\sin x\cos2x\,dx=\int\sin x(2\cos^2x-1)\,dx$에서

$\cos x=t$로 놓으면 $\dfrac{dt}{dx}=-\sin x$이므로

$$\int\sin x(2\cos^2x-1)\,dx$$
$$=\int(1-2\cos^2x)\cdot(-\sin x)\,dx$$

$$= \int (1-2t^2)\,dt = t - \frac{2}{3}t^3 + C$$

$$= \cos x - \frac{2}{3}\cos^3 x + C$$

(6) $\displaystyle \int \sin 2x \sin 4x\,dx = \int \sin 2x \cdot 2\sin 2x \cos 2x\,dx$

$$= \int 2\sin^2 2x \cos 2x\,dx$$

에서 $\sin 2x = t$로 놓으면 $\dfrac{dt}{dx} = 2\cos 2x$이므로

$$\int 2\sin^2 2x \cos 2x\,dx = \int \sin^2 2x \cdot 2\cos 2x\,dx$$

$$= \int t^2\,dt = \frac{1}{3}t^3 + C$$

$$= \frac{1}{3}\sin^3 2x + C$$

(7) $\displaystyle \int \cos^5 x\,dx = \int \cos^4 x \cos x\,dx$

$$= \int (1-\sin^2 x)^2 \cos x\,dx$$

$$= \int (1-2\sin^2 x + \sin^4 x)\cos x\,dx$$

에서 $\sin x = t$로 놓으면 $\dfrac{dt}{dx} = \cos x$이므로

$$\int (1-2\sin^2 x + \sin^4 x)\cos x\,dx$$

$$= \int (1-2t^2+t^4)\,dt$$

$$= t - \frac{2}{3}t^3 + \frac{1}{5}t^5 + C$$

$$= \sin x - \frac{2}{3}\sin^3 x + \frac{1}{5}\sin^5 x + C$$

(8) 접근 방법이 지금까지와는 조금 다르므로 설명을 달리 하겠다. 다음과 같이 주어진 식을 변형하자.

$$\int \sec x\,dx = \int \sec x \cdot \frac{\sec x + \tan x}{\sec x + \tan x}\,dx$$

$$= \int \frac{\sec^2 x + \sec x \tan x}{\sec x + \tan x}\,dx$$

이때 $(\sec x + \tan x)' = \sec x \tan x + \sec^2 x$이므로 피적분함수는 $\dfrac{f'(x)}{f(x)}$ 꼴이다.

$$\therefore \int \sec x\,dx = \ln|\sec x + \tan x| + C$$

다른 풀이 $\displaystyle \int \sec x\,dx = \int \frac{1}{\cos x}\,dx$

$$= \int \frac{\cos x}{\cos^2 x}\,dx$$

$$= \int \frac{\cos x}{1-\sin^2 x}\,dx$$

에서 $\sin x = t$로 놓으면 $\dfrac{dt}{dx} = \cos x$이므로

$$\int \frac{\cos x}{1-\sin^2 x}\,dx$$

$$= -\int \frac{1}{\sin^2 x - 1} \cdot \cos x\,dx$$

$$= -\int \frac{1}{t^2-1}\,dt$$

$$= -\int \frac{1}{(t-1)(t+1)}\,dt$$

$$= -\frac{1}{2}\int \left(\frac{1}{t-1} - \frac{1}{t+1}\right)dt$$

$$= -\frac{1}{2}(\ln|t-1| - \ln|t+1|) + C$$

$$= \frac{1}{2}\ln\left|\frac{t+1}{t-1}\right| + C$$

$$= \frac{1}{2}\ln\left|\frac{\sin x+1}{\sin x-1}\right| + C$$

(9) $\displaystyle \int \csc x\,dx = \int \csc x \cdot \frac{\csc x + \cot x}{\csc x + \cot x}\,dx$

$$= \int \frac{\csc^2 x + \csc x \cot x}{\csc x + \cot x}\,dx$$

이때

$$(\csc x + \cot x)'$$

$$= -\csc x \cot x - \csc^2 x$$

$$= -(\csc x \cot x + \csc^2 x)$$

이므로 피적분함수는 $\dfrac{f'(x)}{f(x)}$ 꼴이다.

$$\therefore \int \csc x\,dx = -\ln|\csc x + \cot x| + C$$

다른 풀이 $\displaystyle \int \csc x\,dx = \int \frac{1}{\sin x}\,dx$

$$= \int \frac{\sin x}{\sin^2 x}\,dx$$

$$= \int \frac{\sin x}{1-\cos^2 x}\,dx$$

에서 $\cos x = t$로 놓으면 $\dfrac{dt}{dx} = -\sin x$이므로

$$\int \frac{\sin x}{1-\cos^2 x}\, dx$$

$$= \int \frac{1}{\cos^2 x - 1} \cdot (-\sin x)\, dx$$

$$= \int \frac{1}{t^2 - 1}\, dt$$

$$= \int \frac{1}{(t-1)(t+1)}\, dt$$

$$= \frac{1}{2} \int \left(\frac{1}{t-1} - \frac{1}{t+1} \right) dt$$

$$= \frac{1}{2} \left(\ln|t-1| - \ln|t+1| \right) + C$$

$$= \frac{1}{2} \ln \left| \frac{t-1}{t+1} \right| + C$$

$$= \frac{1}{2} \ln \left| \frac{\cos x - 1}{\cos x + 1} \right| + C$$

📘 (1) $\ln|1-4\cos x| + C$　(2) $\dfrac{1}{2}\tan^2 x + C$

(3) $-\sin\left(\dfrac{1}{x} - 1\right) + C$　(4) $\tan x + e^{\tan x} + C$

(5) $\cos x - \dfrac{2}{3}\cos^3 x + C$　(6) $\dfrac{1}{3}\sin^3 2x + C$

(7) $\sin x - \dfrac{2}{3}\sin^3 x + \dfrac{1}{5}\sin^5 x + C$

(8) $\ln|\sec x + \tan x| + C$

(9) $-\ln|\csc x + \cot x| + C$

066-❶　$f'(x) = \dfrac{4}{x^2 - 2x - 3}$ 이므로

$$f(x) = \int f'(x)\, dx = \int \frac{4}{x^2 - 2x - 3}\, dx$$

$$= \int \frac{4}{(x-3)(x+1)}\, dx$$

$$= \int \left(\frac{1}{x-3} - \frac{1}{x+1} \right) dx$$

$$= \ln|x-3| - \ln|x+1| + C$$

$$= \ln \left| \frac{x-3}{x+1} \right| + C$$

함수 $y = f(x)$의 그래프가 점 $(1, 0)$을 지나므로

$$f(1) = 0 \qquad \therefore C = 0$$

따라서 $f(x) = \ln \left| \dfrac{x-3}{x+1} \right|$ 이므로

$$a = f(-3) = \mathbf{\ln 3}$$

📘 $\ln 3$

066-❷　$F(x) = xf(x) - 4x\ln x$의 양변을 x에 대하여 미분하면

$$f(x) = f(x) + xf'(x) - 4\ln x - 4$$

$$xf'(x) = 4\ln x + 4 \qquad \therefore f'(x) = \frac{4\ln x + 4}{x}$$

$$\therefore f(x) = \int \frac{4\ln x + 4}{x}\, dx$$

$\ln x = t$로 놓으면 $\dfrac{dt}{dx} = \dfrac{1}{x}$이므로

$$f(x) = \int \frac{4\ln x + 4}{x}\, dx = \int (4t + 4)\, dt$$

$$= 2t^2 + 4t$$

$$= 2(\ln x)^2 + 4\ln x + C$$

$f\left(\dfrac{1}{e}\right) = 1$이므로

$$2 - 4 + C = 1 \qquad \therefore C = 3$$

따라서 $f(x) = 2(\ln x)^2 + 4\ln x + 3$이므로

$f(x) = 9$에서

$$2(\ln x)^2 + 4\ln x - 6 = 0, \ (\ln x + 3)(\ln x - 1) = 0$$

$$\ln x = -3 \ \text{또는} \ \ln x = 1$$

$$\therefore x = e^{-3} \ \text{또는} \ x = e$$

따라서 모든 x의 값의 곱은

$$e^{-3} \cdot e = e^{-2} = \mathbf{\frac{1}{e^2}}$$

다른 풀이　$f(x) = \int \dfrac{4\ln x + 4}{x}\, dx$에서 $\ln x + 1 = t$

로 놓으면 $\dfrac{dt}{dx} = \dfrac{1}{x}$이므로

$$f(x) = \int \frac{4\ln x + 4}{x}\, dx = 4\int t\, dt$$

$$= 2t^2 + C = 2(\ln x + 1)^2 + C$$

$f\left(\dfrac{1}{e}\right)=1$이므로　　$C=1$

따라서 $f(x)=2(\ln x+1)^2+1$이므로 $f(x)=9$에서

$2(\ln x+1)^2=8,\ (\ln x+1)^2=4$

$\ln x+1=\pm 2$

$\ln x=-3$ 또는 $\ln x=1$

$\therefore x=e^{-3}$ 또는 $x=e$

따라서 모든 x의 값의 곱은

$e^{-3}\cdot e=e^{-2}=\dfrac{1}{e^2}$　　　　답 $\dfrac{1}{e^2}$

067-1 (1) $\displaystyle\int\dfrac{1-5x}{(x-1)^4}\,dx$에서 $x-1=t$로 놓으면

$x=t+1$이고 $\dfrac{dx}{dt}=1$이므로

$\displaystyle\int\dfrac{1-5x}{(x-1)^4}\,dx$

$\displaystyle=\int\dfrac{1-5(t+1)}{t^4}\,dt$

$\displaystyle=\int\left(-\dfrac{4}{t^4}-\dfrac{5}{t^3}\right)dt$

$=-4\cdot\left(-\dfrac{1}{3t^3}\right)-5\cdot\left(-\dfrac{1}{2t^2}\right)+C$

$\boldsymbol{=\dfrac{4}{3(x-1)^3}+\dfrac{5}{2(x-1)^2}+C}$

(2) $\displaystyle\int(x+2)\sqrt{x-1}\,dx$에서 $\sqrt{x-1}=t$로 놓으면

$x=t^2+1$이고 $\dfrac{dx}{dt}=2t$이므로

$\displaystyle\int(x+2)\sqrt{x-1}\,dx$

$\displaystyle=\int(t^2+1+2)t\cdot 2t\,dt=\int(2t^4+6t^2)\,dt$

$=\dfrac{2}{5}t^5+2t^3+C$

$\boldsymbol{=\dfrac{2}{5}(x-1)^2\sqrt{x-1}+2(x-1)\sqrt{x-1}+C}$

다른 풀이 $\displaystyle\int(x+2)\sqrt{x-1}\,dx$에서 $x-1=t$로 놓

으면 $x=t+1$이고 $\dfrac{dx}{dt}=1$이므로

$\displaystyle\int(x+2)\sqrt{x-1}\,dx$

$\displaystyle=\int(t+1+2)\sqrt{t}\,dt$

$\displaystyle=\int\left(t^{\frac{3}{2}}+3t^{\frac{1}{2}}\right)dt$

$=\dfrac{2}{5}t^{\frac{5}{2}}+2t^{\frac{3}{2}}+C$

$=\dfrac{2}{5}(x-1)^2\sqrt{x-1}+2(x-1)\sqrt{x-1}+C$

(3) $\displaystyle\int\dfrac{1}{x\sqrt{x+1}}\,dx$에서 $\sqrt{x+1}=t$로 놓으면

$x=t^2-1$이고 $\dfrac{dx}{dt}=2t$이므로

$\displaystyle\int\dfrac{1}{x\sqrt{x+1}}\,dx$

$\displaystyle=\int\dfrac{1}{(t^2-1)t}\cdot 2t\,dt=\int\dfrac{2}{t^2-1}\,dt$

$\displaystyle=\int\dfrac{2}{(t-1)(t+1)}\,dt$

$\displaystyle=\int\left(\dfrac{1}{t-1}-\dfrac{1}{t+1}\right)dt$

$=\ln|t-1|-\ln|t+1|+C$

$=\ln|\sqrt{x+1}-1|-\ln|\sqrt{x+1}+1|+C$

$\boldsymbol{=\ln\left|\dfrac{\sqrt{x+1}-1}{\sqrt{x+1}+1}\right|+C}$

(4) $\displaystyle\int\dfrac{e^{3x}}{(e^x-1)^2}\,dx$에서 $e^x-1=t$로 놓으면

$e^x=t+1$이고 $\dfrac{dt}{dx}=e^x$이므로

$\displaystyle\int\dfrac{e^{3x}}{(e^x-1)^2}\,dx$

$\displaystyle=\int\dfrac{e^{2x}}{(e^x-1)^2}\cdot e^x\,dx$

$\displaystyle=\int\dfrac{(t+1)^2}{t^2}\,dt=\int\dfrac{t^2+2t+1}{t^2}\,dt$

$\displaystyle=\int\left(1+\dfrac{2}{t}+t^{-2}\right)dt=t+2\ln|t|-t^{-1}+C$

$=(e^x-1)+2\ln|e^x-1|-\dfrac{1}{e^x-1}+C$

$\boldsymbol{=e^x+2\ln|e^x-1|-\dfrac{1}{e^x-1}+C}$

(5) $\displaystyle\int \dfrac{2\ln x-1}{x(\ln x-1)^2}\,dx$에서 $\ln x-1=t$로 놓으면

$\ln x=t+1$이고 $\dfrac{dt}{dx}=\dfrac{1}{x}$이므로

$$\int \dfrac{2\ln x-1}{x(\ln x-1)^2}\,dx$$

$$=\int \dfrac{2\ln x-1}{(\ln x-1)^2}\cdot\dfrac{1}{x}\,dx$$

$$=\int \dfrac{2(t+1)-1}{t^2}\,dt$$

$$=\int\left(\dfrac{2}{t}+t^{-2}\right)dt$$

$$=2\ln|t|-t^{-1}+C$$

$$=\boldsymbol{2\ln|\ln x-1|-\dfrac{1}{\ln x-1}+C}$$

📋 (1) $\dfrac{4}{3(x-1)^3}+\dfrac{5}{2(x-1)^2}+C$

(2) $\dfrac{2}{5}(x-1)^2\sqrt{x-1}+2(x-1)\sqrt{x-1}+C$

(3) $\ln\left|\dfrac{\sqrt{x+1}-1}{\sqrt{x+1}+1}\right|+C$

(4) $e^x+2\ln|e^x-1|-\dfrac{1}{e^x-1}+C$

(5) $2\ln|\ln x-1|-\dfrac{1}{\ln x-1}+C$

068-1 (1) $u=x^2,\ v'=\cos x$라 하면

$$\therefore \int x^2\cos x\,dx=x^2\sin x-2\int x\sin x\,dx$$

$$\cdots\cdots\ \text{㉠}$$

이때 $\displaystyle\int x\sin x\,dx$가 곧바로 적분되지 않으므로 다시

부분적분법을 적용하자.

$u=x,\ v'=\sin x$라 하면

$$\therefore \int x\sin x\,dx=-x\cos x+\int\cos x\,dx$$

$$=-x\cos x+\sin x+C\ \cdots\cdots\ \text{㉡}$$

㉡을 ㉠에 대입하면

$$\int x^2\cos x\,dx$$

$$=x^2\sin x-2(-x\cos x+\sin x)+C$$

$$=\boldsymbol{x^2\sin x+2x\cos x-2\sin x+C}$$

(2) $u=x^2,\ v'=e^{-2x}$이라 하면

$$\therefore \int x^2 e^{-2x}\,dx=-\dfrac{1}{2}x^2 e^{-2x}+\int x e^{-2x}\,dx$$

$$\cdots\cdots\ \text{㉠}$$

이때 $\displaystyle\int x e^{-2x}\,dx$가 곧바로 적분되지 않으므로 다시 부

분적분법을 적용하자.

$u=x,\ v'=e^{-2x}$이라 하면

$$\therefore \int x e^{-2x}\,dx=-\dfrac{1}{2}x e^{-2x}+\int\dfrac{1}{2}e^{-2x}\,dx$$

$$=-\dfrac{1}{2}x e^{-2x}-\dfrac{1}{4}e^{-2x}+C$$

$$\cdots\cdots\ \text{㉡}$$

㉡을 ㉠에 대입하면

$$\int x^2 e^{-2x}\,dx$$

$$=-\dfrac{1}{2}x^2 e^{-2x}-\dfrac{1}{2}x e^{-2x}-\dfrac{1}{4}e^{-2x}+C$$

(3) $u=(\ln x)^2,\ v'=1$이라 하면

$$\therefore \int (\ln x)^2\,dx = x(\ln x)^2 - 2\int \ln x\,dx \quad \cdots\cdots \bigcirc$$

이때 $\int \ln x\,dx$가 곧바로 적분되지 않으므로 다시 부분적분법을 적용하자.

$u=\ln x,\ v'=1$이라 하면

$u=\ln x$	$v'=1$	$\rightarrow uv = x\ln x$
$u'=\dfrac{1}{x}$	$v=x$	$\rightarrow u'v = 1$

$$\therefore \int \ln x\,dx = x\ln x - \int dx$$
$$= x\ln x - x + C \quad \cdots\cdots \bigcirc$$

$\bigcirc$을 $\bigcirc$에 대입하면

$$\int (\ln x)^2\,dx = x(\ln x)^2 - 2(x\ln x - x) + C$$
$$= x(\ln x)^2 - 2x\ln x + 2x + C$$

(4) $u=(\ln x)^2,\ v'=x$라 하면

$u=(\ln x)^2$	$v'=x$	$\rightarrow uv = \dfrac{1}{2}x^2(\ln x)^2$
$u'=\dfrac{2\ln x}{x}$	$v=\dfrac{1}{2}x^2$	$\rightarrow u'v = x\ln x$

$$\therefore \int x(\ln x)^2\,dx = \frac{1}{2}x^2(\ln x)^2 - \int x\ln x\,dx$$
$$\cdots\cdots \bigcirc$$

이때 $\int x\ln x\,dx$가 곧바로 적분되지 않으므로 다시 부분적분법을 적용하자.

$u=\ln x,\ v'=x$라 하면

$u=\ln x$	$v'=x$	$\rightarrow uv = \dfrac{1}{2}x^2\ln x$
$u'=\dfrac{1}{x}$	$v=\dfrac{1}{2}x^2$	$\rightarrow u'v = \dfrac{1}{2}x$

$$\therefore \int x\ln x\,dx = \frac{1}{2}x^2\ln x - \int \frac{1}{2}x\,dx$$
$$= \frac{1}{2}x^2\ln x - \frac{1}{4}x^2 + C \quad \cdots\cdots \bigcirc$$

$\bigcirc$을 $\bigcirc$에 대입하면

$$\int x(\ln x)^2\,dx$$

$$= \frac{1}{2}x^2(\ln x)^2 - \left(\frac{1}{2}x^2\ln x - \frac{1}{4}x^2\right) + C$$
$$= \frac{1}{2}x^2(\ln x)^2 - \frac{1}{2}x^2\ln x + \frac{1}{4}x^2 + C$$

冒 (1) $x^2\sin x + 2x\cos x - 2\sin x + C$

$(2)\ -\dfrac{1}{2}x^2 e^{-2x} - \dfrac{1}{2}xe^{-2x} - \dfrac{1}{4}e^{-2x} + C$

$(3)\ x(\ln x)^2 - 2x\ln x + 2x + C$

$(4)\ \dfrac{1}{2}x^2(\ln x)^2 - \dfrac{1}{2}x^2\ln x + \dfrac{1}{4}x^2 + C$

069-**1** (1) $\int e^{-x}\sin 2x\,dx = I$라 하자.

$u=\sin 2x,\ v'=e^{-x}$이라 하면

$u=\sin 2x$	$v'=e^{-x}$	$\rightarrow uv = -e^{-x}\sin 2x$
$u'=2\cos 2x$	$v=-e^{-x}$	$\rightarrow u'v = -2e^{-x}\cos 2x$

$$\therefore I = -e^{-x}\sin 2x + 2\int e^{-x}\cos 2x\,dx \quad \cdots\cdots \bigcirc$$

$\int e^{-x}\cos 2x\,dx$에 다시 부분적분법을 적용하자.

$u=\cos 2x,\ v'=e^{-x}$이라 하면

$u=\cos 2x$	$v'=e^{-x}$	$\rightarrow uv = -e^{-x}\cos 2x$
$u'=-2\sin 2x$	$v=-e^{-x}$	$\rightarrow u'v = 2e^{-x}\sin 2x$

$$\therefore \int e^{-x}\cos 2x\,dx$$
$$= -e^{-x}\cos 2x - 2\int e^{-x}\sin 2x\,dx$$
$$= -e^{-x}\cos 2x - 2I \quad \cdots\cdots \bigcirc$$

$\bigcirc$을 $\bigcirc$에 대입하면

$$I = -e^{-x}\sin 2x + 2(-e^{-x}\cos 2x - 2I)$$
$$5I = -e^{-x}(\sin 2x + 2\cos 2x)$$
$$\therefore I = \int e^{-x}\sin 2x\,dx$$
$$= -\frac{1}{5}e^{-x}(\sin 2x + 2\cos 2x) + C$$

(2) $\int e^{2x}\cos x\,dx = I$라 하자.

$u=\cos x,\ v'=e^{2x}$이라 하면

$u=\cos x$	$v'=e^{2x}$		

$$\to uv=\frac{1}{2}e^{2x}\cos x$$

$u'=-\sin x$	$v=\frac{1}{2}e^{2x}$

$$\to u'v=-\frac{1}{2}e^{2x}\sin x$$

$$\therefore I=\frac{1}{2}e^{2x}\cos x+\frac{1}{2}\int e^{2x}\sin x\,dx \quad\cdots\cdots\ \text{㉠}$$

$\int e^{2x}\sin x\,dx$에 다시 부분적분법을 적용하자.

$u=\sin x,\ v'=e^{2x}$이라 하면

$u=\sin x$	$v'=e^{2x}$

$$\to uv=\frac{1}{2}e^{2x}\sin x$$

$u'=\cos x$	$v=\frac{1}{2}e^{2x}$

$$\to u'v=\frac{1}{2}e^{2x}\cos x$$

$$\therefore \int e^{2x}\sin x\,dx=\frac{1}{2}e^{2x}\sin x-\frac{1}{2}\int e^{2x}\cos x\,dx$$

$$=\frac{1}{2}e^{2x}\sin x-\frac{1}{2}I \quad\cdots\cdots\ \text{㉡}$$

㉡을 ㉠에 대입하면

$$I=\frac{1}{2}e^{2x}\cos x+\frac{1}{2}\left(\frac{1}{2}e^{2x}\sin x-\frac{1}{2}I\right)$$

$$5I=2e^{2x}\cos x+e^{2x}\sin x$$

$$\therefore I=\int e^{2x}\cos x\,dx$$

$$=\frac{1}{5}e^{2x}(2\cos x+\sin x)+C$$

답 $(1)\ -\dfrac{1}{5}e^{-x}(\sin 2x+2\cos 2x)+C$

$(2)\ \dfrac{1}{5}e^{2x}(2\cos x+\sin x)+C$

070-❶ $I_{n+2}=\displaystyle\int \sin^{n+2}x\,dx=\int \sin x\sin^{n+1}x\,dx$

에서 $u=\sin^{n+1}x,\ v'=\sin x$로 놓으면

$u=\sin^{n+1}x$	$v'=\sin x$
$u'=(n+1)\sin^{n}x\cos x$	$v=-\cos x$

$$\to uv=-\cos x\sin^{n+1}x$$

$$\to u'v=-(n+1)\sin^{n}x\cos^{2}x$$

$$\therefore I_{n+2}=-\cos x\sin^{n+1}x$$

$$+(n+1)\int \sin^{n}x\cos^{2}x\,dx$$

$$=-\cos x\sin^{n+1}x$$

$$+(n+1)\int \sin^{n}x(1-\sin^{2}x)\,dx$$

$$=-\cos x\sin^{n+1}x+(n+1)\int \sin^{n}x\,dx$$

$$-(n+1)\int \sin^{n+2}x\,dx$$

$$=-\cos x\sin^{n+1}x+(n+1)I_{n}-(n+1)I_{n+2}$$

이를 I_{n+2}에 대하여 정리하면

$$(n+2)I_{n+2}=-\cos x\sin^{n+1}x+(n+1)I_{n}$$

$$\therefore I_{n+2}=-\frac{\sin^{n+1}x\cos x}{n+2}+\frac{n+1}{n+2}I_{n} \quad\cdots\cdots\ \text{㉠}$$

한편

$$I_{1}=\int \sin x\,dx=-\cos x+C$$

$$I_{2}=\int \sin^{2}x\,dx=\int \frac{1-\cos 2x}{2}\,dx$$

$$=\frac{1}{2}x-\frac{1}{4}\sin 2x+C$$

이므로 ㉠을 이용하여 $I_{3},\ I_{4}$를 구하면

$$I_{3}=-\frac{\sin^{2}x\cos x}{3}+\frac{2}{3}I_{1}$$

$$=-\frac{\sin^{2}x\cos x}{3}-\frac{2}{3}\cos x+C$$

$$I_{4}=-\frac{\sin^{3}x\cos x}{4}+\frac{3}{4}I_{2}$$

$$=-\frac{\sin^{3}x\cos x}{4}+\frac{3}{4}\left(\frac{1}{2}x-\frac{1}{4}\sin 2x\right)+C$$

$$=-\frac{\sin^{3}x\cos x}{4}-\frac{3\sin 2x}{16}+\frac{3}{8}x+C$$

답 풀이 참조

2. 정적분

071-1 $-1\le x\le 0$일 때 $f(x)=e^{-2x}$,

$0\le x\le \pi$일 때 $f(x)=\sin x+\cos x$이므로

$\displaystyle \int_{-1}^{\pi} f(x)\,dx$

$\displaystyle =\int_{-1}^{0} f(x)\,dx+\int_{0}^{\pi} f(x)\,dx$

$\displaystyle =\int_{-1}^{0} e^{-2x}\,dx+\int_{0}^{\pi} (\sin x+\cos x)\,dx$

$\displaystyle =\left[-\dfrac{1}{2}e^{-2x}\right]_{-1}^{0}+\left[-\cos x+\sin x\right]_{0}^{\pi}$

$=\left\{-\dfrac{1}{2}-\left(-\dfrac{1}{2}e^2\right)\right\}$

$\qquad\qquad +\{(-\cos\pi+\sin\pi)-(-\cos 0+\sin 0)\}$

$=-\dfrac{1}{2}+\dfrac{1}{2}e^2+2$

$=\boldsymbol{\dfrac{1}{2}e^2+\dfrac{3}{2}}$ **답** $\dfrac{1}{2}e^2+\dfrac{3}{2}$

072-1   (1) $\dfrac{x-2}{x}=0$에서

$x-2=0$ $\therefore x=2$

즉 $\left|\dfrac{x-2}{x}\right|=\begin{cases} -\dfrac{x-2}{x} & (0<x\le 2) \\[2mm] \dfrac{x-2}{x} & (x<0 \text{ 또는 } x\ge 2)\end{cases}$

이므로

$\displaystyle \int_{1}^{4}\left|\dfrac{x-2}{x}\right|dx$

$\displaystyle =\int_{1}^{2}\left(-\dfrac{x-2}{x}\right)dx+\int_{2}^{4}\dfrac{x-2}{x}\,dx$

$\displaystyle =\int_{1}^{2}\left(\dfrac{2}{x}-1\right)dx+\int_{2}^{4}\left(1-\dfrac{2}{x}\right)dx$

$\displaystyle =\Big[2\ln|x|-x\Big]_{1}^{2}+\Big[x-2\ln|x|\Big]_{2}^{4}$

$=\{(2\ln 2-2)-(-1)\}$

$\qquad\qquad +\{(4-2\ln 4)-(2-2\ln 2)\}$

$=\boldsymbol{1}$

(2) $\sin x-\cos x=0$에서 $\sin x=\cos x$

$\therefore x=\dfrac{\pi}{4}\ \left(\because 0\le x\le \dfrac{\pi}{2}\right)$

즉

$|\sin x-\cos x|=\begin{cases} -\sin x+\cos x & \left(0\le x\le \dfrac{\pi}{4}\right) \\[2mm] \sin x-\cos x & \left(\dfrac{\pi}{4}\le x\le \dfrac{\pi}{2}\right)\end{cases}$

이므로

$\displaystyle \int_{0}^{\frac{\pi}{2}}|\sin x-\cos x|\,dx$

$\displaystyle =\int_{0}^{\frac{\pi}{4}}(-\sin x+\cos x)\,dx$

$\displaystyle \qquad\qquad +\int_{\frac{\pi}{4}}^{\frac{\pi}{2}}(\sin x-\cos x)\,dx$

$\displaystyle =\Big[\cos x+\sin x\Big]_{0}^{\frac{\pi}{4}}+\Big[-\cos x-\sin x\Big]_{\frac{\pi}{4}}^{\frac{\pi}{2}}$

$=\left\{\left(\dfrac{\sqrt{2}}{2}+\dfrac{\sqrt{2}}{2}\right)-1\right\}+\left\{-1-\left(-\dfrac{\sqrt{2}}{2}-\dfrac{\sqrt{2}}{2}\right)\right\}$

$=\boldsymbol{2\sqrt{2}-2}$ **답** (1) 1 (2) $2\sqrt{2}-2$

073-1   (1) $\displaystyle \int_{0}^{\frac{a}{2}}\dfrac{1}{\sqrt{a^2-x^2}}\,dx$에서

$x=a\sin\theta\left(-\dfrac{\pi}{2}\leq\theta\leq\dfrac{\pi}{2}\right)$로 놓으면

$\dfrac{dx}{d\theta}=a\cos\theta$이고

$\sqrt{a^2-x^2}=\sqrt{a^2-a^2\sin^2\theta}=\sqrt{a^2\cos^2\theta}$

$\qquad\qquad=a\cos\theta\left(\because-\dfrac{\pi}{2}\leq\theta\leq\dfrac{\pi}{2}\right)$

또 $x=0$일 때 $\theta=0$, $x=\dfrac{a}{2}$일 때 $\theta=\dfrac{\pi}{6}$이므로

$\displaystyle\int_0^{\frac{a}{2}}\dfrac{1}{\sqrt{a^2-x^2}}\,dx=\int_0^{\frac{\pi}{6}}\dfrac{1}{a\cos\theta}\cdot a\cos\theta\,d\theta$

$\qquad\qquad\qquad=\displaystyle\int_0^{\frac{\pi}{6}}d\theta=\Big[\,\theta\,\Big]_0^{\frac{\pi}{6}}$

$\qquad\qquad\qquad=\dfrac{\pi}{6}$

(2) $\displaystyle\int_{-a}^{a}\dfrac{1}{(x^2+a^2)^2}\,dx$에서

$x=a\tan\theta\left(-\dfrac{\pi}{2}<\theta<\dfrac{\pi}{2}\right)$로 놓으면

$\dfrac{dx}{d\theta}=a\sec^2\theta$이고

$(x^2+a^2)^2=(a^2\tan^2\theta+a^2)^2=(a^2\sec^2\theta)^2$

$\qquad\qquad=a^4\sec^4\theta\left(\because-\dfrac{\pi}{2}<\theta<\dfrac{\pi}{2}\right)$

또 $x=-a$일 때 $\theta=-\dfrac{\pi}{4}$, $x=a$일 때 $\theta=\dfrac{\pi}{4}$이므로

$\displaystyle\int_{-a}^{a}\dfrac{1}{(x^2+a^2)^2}\,dx$

$=\displaystyle\int_{-\frac{\pi}{4}}^{\frac{\pi}{4}}\dfrac{1}{a^4\sec^4\theta}\cdot a\sec^2\theta\,d\theta$

$=\dfrac{1}{a^3}\displaystyle\int_{-\frac{\pi}{4}}^{\frac{\pi}{4}}\dfrac{1}{\sec^2\theta}\,d\theta$

$=\dfrac{1}{a^3}\displaystyle\int_{-\frac{\pi}{4}}^{\frac{\pi}{4}}\cos^2\theta\,d\theta$

$=\dfrac{1}{a^3}\displaystyle\int_{-\frac{\pi}{4}}^{\frac{\pi}{4}}\dfrac{1+\cos2\theta}{2}\,d\theta$

$=\dfrac{1}{a^3}\Big[\dfrac{1}{2}\theta+\dfrac{1}{4}\sin2\theta\Big]_{-\frac{\pi}{4}}^{\frac{\pi}{4}}$

$=\dfrac{1}{a^3}\Big\{\dfrac{\pi}{8}+\dfrac{1}{4}-\Big(-\dfrac{\pi}{8}-\dfrac{1}{4}\Big)\Big\}$

$=\dfrac{\pi+2}{4a^3}$

(3) $\displaystyle\int_1^{\sqrt{3}}\dfrac{1}{\sqrt{(4-x^2)^3}}\,dx$에서

$x=2\sin\theta\left(-\dfrac{\pi}{2}\leq\theta\leq\dfrac{\pi}{2}\right)$로 놓으면

$\dfrac{dx}{d\theta}=2\cos\theta$이고

$\sqrt{4-x^2}=\sqrt{4-4\sin^2\theta}=\sqrt{4\cos^2\theta}$

$\qquad\qquad=2\cos\theta\left(\because-\dfrac{\pi}{2}\leq\theta\leq\dfrac{\pi}{2}\right)$

또 $x=1$일 때 $\theta=\dfrac{\pi}{6}$, $x=\sqrt{3}$일 때 $\theta=\dfrac{\pi}{3}$이므로

$\displaystyle\int_1^{\sqrt{3}}\dfrac{1}{\sqrt{(4-x^2)^3}}\,dx$

$=\displaystyle\int_{\frac{\pi}{6}}^{\frac{\pi}{3}}\dfrac{1}{(2\cos\theta)^3}\cdot2\cos\theta\,d\theta$

$=\displaystyle\int_{\frac{\pi}{6}}^{\frac{\pi}{3}}\dfrac{1}{4\cos^2\theta}\,d\theta$

$=\dfrac{1}{4}\displaystyle\int_{\frac{\pi}{6}}^{\frac{\pi}{3}}\sec^2\theta\,d\theta$

$=\dfrac{1}{4}\Big[\tan\theta\Big]_{\frac{\pi}{6}}^{\frac{\pi}{3}}=\dfrac{1}{4}\Big(\tan\dfrac{\pi}{3}-\tan\dfrac{\pi}{6}\Big)$

$=\dfrac{1}{4}\Big(\sqrt{3}-\dfrac{\sqrt{3}}{3}\Big)=\dfrac{\sqrt{3}}{6}$

(4) $\displaystyle\int_{\frac{\sqrt{2}}{2}}^{\frac{\sqrt{3}}{2}}\dfrac{1}{x^2\sqrt{1-x^2}}\,dx$에서

$x=\sin\theta\left(-\dfrac{\pi}{2}\leq\theta\leq\dfrac{\pi}{2}\right)$로 놓으면

$\dfrac{dx}{d\theta}=\cos\theta$이고

$\sqrt{1-x^2}=\cos\theta\left(\because-\dfrac{\pi}{2}\leq\theta\leq\dfrac{\pi}{2}\right)$

또 $x=\dfrac{\sqrt{2}}{2}$일 때 $\theta=\dfrac{\pi}{4}$, $x=\dfrac{\sqrt{3}}{2}$일 때 $\theta=\dfrac{\pi}{3}$이므로

$\displaystyle\int_{\frac{\sqrt{2}}{2}}^{\frac{\sqrt{3}}{2}}\dfrac{1}{x^2\sqrt{1-x^2}}\,dx$

$=\displaystyle\int_{\frac{\pi}{4}}^{\frac{\pi}{3}}\dfrac{1}{\sin^2\theta\cos\theta}\cdot\cos\theta\,d\theta$

$=\displaystyle\int_{\frac{\pi}{4}}^{\frac{\pi}{3}}\dfrac{1}{\sin^2\theta}\,d\theta=\int_{\frac{\pi}{4}}^{\frac{\pi}{3}}\csc^2\theta\,d\theta$

$=\Big[-\cot\theta\Big]_{\frac{\pi}{4}}^{\frac{\pi}{3}}=\Big(-\cot\dfrac{\pi}{3}+\cot\dfrac{\pi}{4}\Big)=1-\dfrac{\sqrt{3}}{3}$

답 (1) $\dfrac{\pi}{6}$　(2) $\dfrac{\pi+2}{4a^3}$　(3) $\dfrac{\sqrt{3}}{6}$　(4) $1-\dfrac{\sqrt{3}}{3}$

074-1　$\displaystyle\int_0^{\frac{\pi}{4}}\ln(1+\tan x)\,dx=I$라 하자.

$x=\dfrac{\pi}{4}-t$로 놓으면 $\dfrac{dx}{dt}=-1$이고

$x=0$일 때 $t=\dfrac{\pi}{4}$, $x=\dfrac{\pi}{4}$일 때 $t=0$이므로

$I=\displaystyle\int_{\frac{\pi}{4}}^{0}\ln\left\{1+\tan\left(\dfrac{\pi}{4}-t\right)\right\}\cdot(-1)\,dt$

$=\displaystyle\int_0^{\frac{\pi}{4}}\ln\left(1+\dfrac{1-\tan t}{1+\tan t}\right)dt$

$\left(\because\tan\left(\dfrac{\pi}{4}-t\right)=\dfrac{\tan\dfrac{\pi}{4}-\tan t}{1+\tan\dfrac{\pi}{4}\tan t}=\dfrac{1-\tan t}{1+\tan t}\right)$

$=\displaystyle\int_0^{\frac{\pi}{4}}\ln\dfrac{2}{1+\tan t}\,dt$

$=\displaystyle\int_0^{\frac{\pi}{4}}\ln 2\,dt-\int_0^{\frac{\pi}{4}}\ln(1+\tan t)\,dt$

$=\displaystyle\int_0^{\frac{\pi}{4}}\ln 2\,dt-I$

$2I=\ln 2\displaystyle\int_0^{\frac{\pi}{4}}dt=\ln 2\Big[\,t\,\Big]_0^{\frac{\pi}{4}}=\dfrac{\pi}{4}\ln 2$

$\therefore I=\displaystyle\int_0^{\frac{\pi}{4}}\ln(1+\tan x)\,dx=\dfrac{\pi}{8}\boldsymbol{\ln 2}$　답 $\dfrac{\pi}{8}\ln 2$

075-1　$I_{n+1}=\displaystyle\int_1^e(\ln x)^{n+1}dx$에서

$u=(\ln x)^{n+1}$, $v'=1$로 놓으면

$u=(\ln x)^{n+1}$	$v'=1$
$u'=(n+1)\cdot(\ln x)^n\cdot\dfrac{1}{x}$	$v=x$

$uv=x(\ln x)^{n+1}$

$u'v=(n+1)\cdot(\ln x)^n$

$\therefore I_{n+1}=\displaystyle\int_1^e(\ln x)^{n+1}dx$

$=\Big[\,x(\ln x)^{n+1}\,\Big]_1^e-\displaystyle\int_1^e(n+1)\cdot(\ln x)^n dx$

$=e-(n+1)\displaystyle\int_1^e(\ln x)^n dx$

$=e-(n+1)I_n$

$I_1=\displaystyle\int_1^e\ln x\,dx=\Big[\,x\ln x-x\,\Big]_1^e$

$=(e-e)-(-1)=1$

이므로 위의 등식을 이용하여 I_2, I_3의 값을 구하면

$\boldsymbol{I_2}=e-2I_1=\boldsymbol{e-2}$

$\boldsymbol{I_3}=e-3I_2=e-3(e-2)=\boldsymbol{-2e+6}$

답 풀이 참조

076-1　$g(x)=f(x)(\cos^2 x+x\sin x)$라 하면

$g(-x)=f(-x)\{\cos^2(-x)+(-x)\cdot\sin(-x)\}$

$=-f(x)(\cos^2 x+x\sin x)=-g(x)$

이므로 $f(x)(\cos^2 x+x\sin x)$는 홀함수이다.

또 $h(x)=f(x)\sin x$라 하면

$h(-x)=f(-x)\sin(-x)$

$=-f(x)\cdot(-\sin x)$

$=f(x)\sin x=h(x)$

이므로 $f(x)\sin x$는 짝함수이다.

$\therefore\displaystyle\int_{-2}^2 f(x)(\cos^2 x+x\sin x+2\sin x)\,dx$

$=\displaystyle\int_{-2}^2 f(x)(\cos^2 x+x\sin x)\,dx$

$\qquad\qquad\qquad+\displaystyle\int_{-2}^2 2f(x)\sin x\,dx$

$=0+2\displaystyle\int_0^2 f(x)\sin x\,dx$

$=4\displaystyle\int_0^2 f(x)\sin x\,dx=4\cdot 3=\boldsymbol{12}$　답 12

076-2　정적분의 성질에 의하여

$\displaystyle\int_2^{10}f(x)\,dx=\int_2^4 f(x)\,dx+\int_4^{10}f(x)\,dx$

$f(x+3)=f(x)$에서 $f(x)$는 주기가 3인 주기함수이므로

$$\int_2^4 f(x)dx=\int_{-1}^1 f(x)dx=\int_{-1}^1 \sqrt{x+1}\,dx$$
$$=\left[\frac{2}{3}(x+1)\sqrt{x+1}\right]_{-1}^1=\frac{4\sqrt{2}}{3}$$

또한

$$\int_{-5}^{-2} f(x)dx=\int_{-2}^1 f(x)dx=\int_1^4 f(x)dx$$
$$=\int_4^7 f(x)dx=\int_7^{10} f(x)dx$$
$$\therefore \int_4^{10} f(x)dx=\int_{-5}^1 f(x)dx=\frac{11\sqrt{2}}{3}$$
$$\therefore \int_2^{10} f(x)dx=\int_2^4 f(x)dx+\int_4^{10} f(x)dx$$
$$=\frac{4\sqrt{2}}{3}+\frac{11\sqrt{2}}{3}$$
$$=5\sqrt{2}$$

탑 $5\sqrt{2}$

077-1 $\displaystyle\int_0^1 f(t)dt=a$ (단, a는 상수) $\cdots\cdots$ ㉠

로 놓으면

$$f'(x)=\sqrt{x}+a$$

양변을 x에 대하여 적분하면

$$f(x)=\int(\sqrt{x}+a)dx=\frac{2}{3}x^{\frac{3}{2}}+ax+C$$

이때 $f(0)=0$이므로 $C=0$

$$\therefore f(x)=\frac{2}{3}x^{\frac{3}{2}}+ax$$

위 식을 ㉠의 좌변에 대입하면

$$\int_0^1\left(\frac{2}{3}t^{\frac{3}{2}}+at\right)dt=\left[\frac{4}{15}t^{\frac{5}{2}}+\frac{a}{2}t^2\right]_0^1$$
$$=\frac{4}{15}+\frac{a}{2}$$

즉 $\dfrac{4}{15}+\dfrac{a}{2}=a$이므로 $a=\dfrac{8}{15}$

$$\therefore f(x)=\frac{2}{3}x\sqrt{x}+\frac{8}{15}x$$

탑 $f(x)=\dfrac{2}{3}x\sqrt{x}+\dfrac{8}{15}x$

077-2 $\displaystyle\int_{-2}^0 g(t)dt=a$ (단, a는 상수) $\cdots\cdots$ ㉠

$\displaystyle\int_0^{\frac{\pi}{4}} f(t)dt=b$ (단, b는 상수) $\cdots\cdots$ ㉡

로 놓으면

$$f(x)=\sec^2 x+\frac{32a}{\pi^2}x,\ g(x)=x+b$$

$g(x)=x+b$를 ㉠의 좌변에 대입하면

$$\int_{-2}^0 (t+b)dt=\left[\frac{t^2}{2}+bt\right]_{-2}^0=-2+2b$$
$$\therefore -2+2b=a \qquad\cdots\cdots ㉢$$

$f(x)=\sec^2 x+\dfrac{32a}{\pi^2}x$를 ㉡의 좌변에 대입하면

$$\int_0^{\frac{\pi}{4}}\left(\sec^2 t+\frac{32a}{\pi^2}t\right)dt=\left[\tan t+\frac{16a}{\pi^2}t^2\right]_0^{\frac{\pi}{4}}=1+a$$
$$\therefore 1+a=b \qquad\cdots\cdots ㉣$$

㉢, ㉣을 연립하여 풀면

$$a=0,\ b=1$$
$$\therefore \boldsymbol{f(x)=\sec^2 x,\ g(x)=x+1}$$

탑 $f(x)=\sec^2 x,\ g(x)=x+1$

078-1 $\displaystyle f(x)=\tan x-x-\int_0^x f'(u)\tan^2 u\,du$
$\cdots\cdots$ ㉠

㉠의 양변을 x에 대하여 미분하면

$$f'(x)=\sec^2 x-1-f'(x)\tan^2 x$$
$$f'(x)(1+\tan^2 x)=\sec^2 x-1$$
$$f'(x)\sec^2 x=\tan^2 x$$
$$\therefore f'(x)=\sin^2 x$$
$$\therefore f(x)=\int \sin^2 x\,dx=\int\frac{1-\cos 2x}{2}dx$$
$$=\frac{1}{2}x-\frac{1}{4}\sin 2x+C \qquad\cdots\cdots ㉡$$

㉠의 양변에 $x=0$을 대입하면

$$f(0)=0 \qquad\cdots\cdots ㉢$$

㉡, ㉢에 의하여

$$f(0)=0+C=0 \qquad \therefore C=0$$
$$\therefore f(x)=\frac{1}{2}x-\frac{1}{4}\sin 2x$$

$$\therefore f\left(\frac{\pi}{4}\right)=\frac{\pi}{8}-\frac{1}{4}$$

답 $\dfrac{\pi}{8}-\dfrac{1}{4}$

$$\therefore f(\pi)=e^{-\pi}-2\sin 2\pi=e^{-\pi} \qquad \therefore b=\frac{1}{e^{\pi}}$$

$$\therefore ab=\frac{1}{e^{\pi+1}}$$

답 $\dfrac{1}{e^{\pi+1}}$

078-② $f(x)=\displaystyle\int_{1}^{x}(1-\ln t)\,dt$의 양변을 x에 대

하여 미분하면

$$f'(x)=1-\ln x$$

$f'(x)=0$에서 $\ln x=1$ $\therefore x=e$

$x>0$에서 함수 $f(x)$의 증가와 감소를 나타내는 표를 만

들면 다음과 같다.

x	(0)	$\cdots$	e	$\cdots$
$f'(x)$		$+$	0	$-$
$f(x)$		↗	극대	↘

따라서 함수 $f(x)$는 $x=e$일 때 극대이므로

$$f(e)=\int_{1}^{e}(1-\ln t)\,dt=\Big[\,2t-t\ln t\,\Big]_{1}^{e}$$

$$=(2e-e)-2=\boldsymbol{e-2}$$

답 극댓값 : $e-2$

079-① $\displaystyle\int_{0}^{x}(x-t)f(t)\,dt=ae^{-x+1}+\frac{1}{2}\sin 2x-1$

$$\cdots\cdots\ \unicode{x1D4F}$$

에서

$$x\int_{0}^{x}f(t)\,dt-\int_{0}^{x}tf(t)\,dt=ae^{-x+1}+\frac{1}{2}\sin 2x-1$$

위의 등식의 양변을 x에 대하여 미분하면

$$\int_{0}^{x}f(t)\,dt+xf(x)-xf(x)=-ae^{-x+1}+\cos 2x$$

$$\therefore \int_{0}^{x}f(t)\,dt=-ae^{-x+1}+\cos 2x$$

위의 등식의 양변을 x에 대하여 미분하면

$$f(x)=ae^{-x+1}-2\sin 2x$$

㉠의 양변에 $x=0$을 대입하면

$$0=ae-1 \qquad \therefore a=\frac{1}{e}$$

$$\therefore f(x)=e^{-x}-2\sin 2x$$

3. 정적분의 활용

080-$\boxed{1}$ 주어진 직사각형을 $\overline{AD}$의 중점을 원점으로 하는 좌표평면 위에 나타내면 다음 그림과 같다.
이때 포물선의 방정식은 $y=-4x^2$이다.

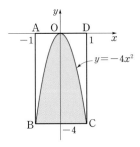

이때 도형의 대칭성에 의하여 도형 ODC의 넓이는 다음 그림에서 포물선 $y=4x^2$과 x축 및 직선 $x=1$로 둘러싸인 도형의 넓이와 같음을 알 수 있다.

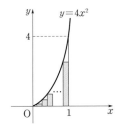

닫힌구간 $[0, 1]$을 n등분하여 앞의 그림과 같이 직사각형을 만들면 직사각형의 넓이의 합 T_n은

$$T_n=\frac{1}{n}\cdot4\left(\frac{1}{n}\right)^2+\frac{1}{n}\cdot4\left(\frac{2}{n}\right)^2+\cdots+\frac{1}{n}\cdot4\left(\frac{n-1}{n}\right)^2$$

$$=\frac{4}{n^3}\{1^2+2^2+\cdots+(n-1)^2\}$$

$$=\frac{4}{n^3}\cdot\frac{n(n-1)(2n-1)}{6}$$

$$=\frac{2}{3}\left(1-\frac{1}{n}\right)\left(2-\frac{1}{n}\right)$$

$$\therefore \lim_{n\to\infty}T_n=\lim_{n\to\infty}\frac{2}{3}\left(1-\frac{1}{n}\right)\left(2-\frac{1}{n}\right)=\frac{4}{3}$$

$$\therefore \text{(도형 ODC의 넓이)}=\frac{4}{3}$$

$$\therefore \text{(색칠한 부분의 넓이)}=8-2\cdot\frac{4}{3}=\mathbf{\frac{16}{3}}\quad\boxed{\text{답}}\ \ \frac{16}{3}$$

081-$\boxed{1}$ 원뿔대의 높이를 n등분하여 n개의 원기둥을 만들면 밑면인 원의 반지름의 길이는 위에서부터 차례로

$$2+\frac{4}{n},\ 2+\frac{8}{n},\ \cdots,\ 2+\frac{4n}{n}=6$$

이다.

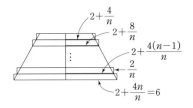

이때 높이는 모두 $\dfrac{2}{n}$이므로 잘린 단면을 아랫면으로 하는 n개의 원기둥의 부피의 합 V_n은

$$V_n=\pi\left(2+\frac{4}{n}\right)^2\frac{2}{n}+\pi\left(2+\frac{8}{n}\right)^2\frac{2}{n}$$

$$+\cdots+\pi\left(2+\frac{4n}{n}\right)^2\frac{2}{n}$$

$$=\frac{8\pi}{n^3}\{(n+2)^2+(n+4)^2+\cdots+(n+2n)^2\}$$

$$= \frac{8\pi}{n^3} \sum_{k=1}^{n} (n+2k)^2$$

$$= \frac{8\pi}{n^3} \sum_{k=1}^{n} (n^2+4nk+4k^2)$$

$$= \frac{8\pi}{n^3} \left\{ n^2 \cdot n + 4n \cdot \frac{n(n+1)}{2} \right.$$
$$\left. + 4 \cdot \frac{n(n+1)(2n+1)}{6} \right\}$$

$$= \frac{8\pi(13n^3+12n^2+2n)}{3n^3}$$

$$= \frac{8\pi}{3} \left(13 + \frac{12}{n} + \frac{2}{n^2} \right)$$

따라서 구하는 넓이를 V라 하면

$$V = \lim_{n \to \infty} V_n = \lim_{n \to \infty} \frac{8\pi}{3} \left(13 + \frac{12}{n} + \frac{2}{n^2} \right)$$

$$= \frac{\mathbf{104}}{\mathbf{3}} \pi \qquad \qquad \text{탑} \quad \frac{104}{3}\pi$$

082-❶ $\quad \lim_{n \to \infty} \left(\sum_{k=n+1}^{2n} \frac{\ln k}{n} - \ln n \right)$

$$= \lim_{n \to \infty} \frac{1}{n} \left\{ \sum_{k=1}^{n} \ln(n+k) - n \ln n \right\}$$

$$= \lim_{n \to \infty} \frac{1}{n} \left\{ \sum_{k=1}^{n} \ln(n+k) - \sum_{k=1}^{n} \ln n \right\}$$

$$= \lim_{n \to \infty} \sum_{k=1}^{n} \ln\left(1 + \frac{k}{n}\right) \cdot \frac{1}{n}$$

$1 + \dfrac{k}{n}$를 x로, $\dfrac{1}{n}$을 dx로 나타내면 적분 구간이 $[1, 2]$이므로

$$(\text{주어진 식}) = \int_1^2 \ln x \, dx$$

$$= \left[x \ln x - x \right]_1^2$$

$$= 2 \ln 2 - 1 \qquad \qquad \text{탑} \quad 2\ln 2 - 1$$

082-❷ $\quad \lim_{n \to \infty} \sum_{k=1}^{n} \left\{ f\left(\frac{k}{n}\right) - f\left(\frac{k-1}{n}\right) \right\} \frac{k}{n}$

$$= \lim_{n \to \infty} \left[\left\{ f\left(\frac{1}{n}\right) - f\left(\frac{0}{n}\right) \right\} \frac{1}{n} \right.$$
$$+ \left\{ f\left(\frac{2}{n}\right) - f\left(\frac{1}{n}\right) \right\} \frac{2}{n}$$
$$\left. + \cdots + \left\{ f\left(\frac{n}{n}\right) - f\left(\frac{n-1}{n}\right) \right\} \frac{n}{n} \right]$$

$$= \lim_{n \to \infty} \left\{ -f\left(\frac{0}{n}\right) \cdot \frac{1}{n} + f\left(\frac{n}{n}\right) \cdot \frac{n}{n} \right\}$$
$$- \lim_{n \to \infty} \left\{ f\left(\frac{1}{n}\right) \cdot \frac{1}{n} + f\left(\frac{2}{n}\right) \cdot \frac{1}{n} \right.$$
$$\left. + \cdots + f\left(\frac{n-1}{n}\right) \cdot \frac{1}{n} \right\}$$

$$= f(1) - \lim_{n \to \infty} \sum_{k=1}^{n-1} f\left(\frac{k}{n}\right) \cdot \frac{1}{n}$$

$\dfrac{k}{n}$를 x로, $\dfrac{1}{n}$을 dx로 나타내면 적분 구간은 $[0, 1]$이므로

$$(\text{주어진 식}) = -1 - \int_0^1 f(x) \, dx$$

$$= -1 - \int_0^1 (x^3 - 2) \, dx$$

$$= -1 - \left[\frac{1}{4} x^4 - 2x \right]_0^1$$

$$= -1 - \left(\frac{1}{4} - 2 \right) = \frac{\mathbf{3}}{\mathbf{4}} \qquad \text{탑} \quad \frac{3}{4}$$

083-❶ $\quad A_k\left(\dfrac{2k}{n}, 0\right)$이고, 직선 $x = \dfrac{2k}{n}$와 곡선

$y = x^2$이 만나는 점이 B_k이므로 $B_k\left(\dfrac{2k}{n}, \left(\dfrac{2k}{n}\right)^2\right)$이다.

$$\therefore \overline{A_k B_k} = \left(\frac{2k}{n}\right)^2$$

$$\therefore \lim_{n \to \infty} \frac{1}{n} \sum_{k=1}^{n} \overline{A_k B_k} = \lim_{n \to \infty} \frac{1}{n} \sum_{k=1}^{n} \left(\frac{2k}{n}\right)^2$$

$$= \lim_{n \to \infty} \sum_{k=1}^{n} \left(\frac{2k}{n}\right)^2 \cdot \frac{2}{n} \cdot \frac{1}{2}$$

$$= \frac{1}{2} \int_0^2 x^2 \, dx$$

$$= \frac{1}{2} \left[\frac{1}{3} x^3 \right]_0^2 = \frac{\mathbf{4}}{\mathbf{3}} \qquad \text{탑} \quad \frac{4}{3}$$

084-① $y=2\sqrt{x}$에서 $y'=\dfrac{1}{\sqrt{x}}$

접점의 좌표를 $(a, 2\sqrt{a})(a>0)$라 하면 이 점에서의 접

선의 기울기는 $\dfrac{1}{\sqrt{a}}$이므로 접선의 방정식은

$$y-2\sqrt{a}=\dfrac{1}{\sqrt{a}}(x-a) \qquad \therefore y=\dfrac{1}{\sqrt{a}}x+\sqrt{a}$$

이 직선이 점 $(0, 1)$을 지나므로

$$1=\sqrt{a} \qquad \therefore a=1$$

$$\therefore y=x+1$$

따라서 구하는 넓이를 S라
하면

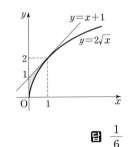

$$S=\int_0^1 (x+1-2\sqrt{x})\,dx$$

$$=\left[\dfrac{1}{2}x^2+x-\dfrac{4}{3}x^{\frac{3}{2}}\right]_0^1$$

$$=\dfrac{\mathbf{1}}{\mathbf{6}}$$

답 $\dfrac{1}{6}$

084-② $f(x)=ke^{\frac{1}{2}x}$, $g(x)=\dfrac{1}{2}ex$라 하면

$$f'(x)=\dfrac{k}{2}e^{\frac{1}{2}x}, g'(x)=\dfrac{1}{2}e$$

곡선 $y=f(x)$와 직선 $y=g(x)$의 접점의 x좌표를 t라
하면

$f(t)=g(t)$에서 $ke^{\frac{1}{2}t}=\dfrac{1}{2}et$ ……㉠

$f'(t)=g'(t)$에서 $\dfrac{k}{2}e^{\frac{1}{2}t}=\dfrac{1}{2}e$ ……㉡

㉠, ㉡을 연립하여 풀면

$$t=2, k=1$$

따라서 구하는 넓이를 S라 하면

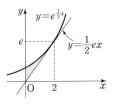

$$S=\int_0^2 \left(e^{\frac{1}{2}x}-\dfrac{1}{2}ex\right)dx$$

$$=\left[2e^{\frac{1}{2}x}-\dfrac{1}{4}ex^2\right]_0^2$$

$$=\mathbf{e-2}$$

답 $e-2$

085-① 곡선 $y=\dfrac{1}{x+1}$

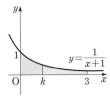

과 x축, y축 및 직선 $x=3$으
로 둘러싸인 도형의 넓이를
S_1이라 하면

$$S_1=\int_0^3 \dfrac{1}{x+1}\,dx=\left[\ln|x+1|\right]_0^3$$

$$=2\ln 2$$

곡선 $y=\dfrac{1}{x+1}$과 x축, y축 및 직선 $x=k$로 둘러싸인

도형의 넓이를 S_2라 하면

$$S_2=\int_0^k \dfrac{1}{x+1}\,dx=\left[\ln|x+1|\right]_0^k$$

$$=\ln(k+1)\ (\because k+1>0)$$

이때 $S_2=\dfrac{1}{2}S_1$이므로

$$\ln(k+1)=\ln 2$$

$$k+1=2 \qquad \therefore k=\mathbf{1}$$

답 1

085-② 두 곡선 $y=a\cos x$, $y=\sin x$의 교점의

x좌표를 $a\left(0<a<\dfrac{\pi}{2}\right)$라 하면

$$a\cos a=\sin a$$

즉, $\tan a=a$이고 $0<a<\dfrac{\pi}{2}$이므로

$$\sin a=\dfrac{a}{\sqrt{a^2+1}}, \cos a=\dfrac{1}{\sqrt{a^2+1}}\ (\because \text{[참고]})$$

……㉠

$0\leq x\leq \dfrac{\pi}{2}$에서 곡선

$y=a\cos x$와 x축, y축으로
둘러싸인 도형의 넓이를 S_1이
라 하면

$$S_1=\int_0^{\frac{\pi}{2}} a\cos x\,dx$$

$$=\left[a\sin x\right]_0^{\frac{\pi}{2}}=a$$

$0 \leq x \leq a$에서 두 곡선 $y = a\cos x$, $y = \sin x$와 y축으로 둘러싸인 도형의 넓이를 S_2라 하면

$$S_2 = \int_0^a (a\cos x - \sin x)\,dx$$

$$= \Big[a\sin x + \cos x \Big]_0^a$$

$$= a\sin a + \cos a - 1$$

$$= a \cdot \frac{a}{\sqrt{a^2+1}} + \frac{1}{\sqrt{a^2+1}} - 1 \,(\because \text{㉠})$$

$$= \sqrt{a^2+1} - 1$$

이때 $S_1 = 2S_2$이므로

$$a = 2(\sqrt{a^2+1}-1),\ a+2 = 2\sqrt{a^2+1}$$

양변을 제곱하여 정리하면

$$3a^2 - 4a = 0,\ a(3a-4) = 0$$

$$\therefore a = \frac{4}{3}\ (\because a > 0)$$

[참고] $\tan\theta = a \left(0 < \theta < \dfrac{\pi}{2} \right)$에서

$$\sec^2\theta = 1 + \tan^2\theta = 1 + a^2 \text{이므로}$$

$$\cos^2\theta = \frac{1}{1+a^2}$$

$$\therefore \cos\theta = \frac{1}{\sqrt{a^2+1}} \left(\because 0 < \theta < \frac{\pi}{2} \right)$$

또 $\sin^2\theta = 1 - \cos^2\theta = 1 - \dfrac{1}{1+a^2} = \dfrac{a^2}{1+a^2}$ 이므로

$$\sin\theta = \frac{a}{\sqrt{a^2+1}} \left(\because 0 < \theta < \frac{\pi}{2},\, a>0 \right) \qquad \text{답}\ \frac{4}{3}$$

086-❶ 두 곡선 $y = f(x)$, $y = g(x)$는 직선 $y = x$에 대하여 대칭이므로 오른쪽 그림과 같이 $\displaystyle\int_0^1 g(x)\,dx$의 값은 곡선 $y = f(x)$와 y축 및 직선 $y = 1$로 둘러싸인 도형의 넓이와 같다.

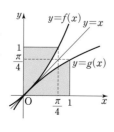

$$\therefore \int_0^1 g(x)\,dx = \frac{\pi}{4} \cdot 1 - \int_0^{\frac{\pi}{4}} f(x)\,dx$$

$$= \frac{\pi}{4} - \int_0^{\frac{\pi}{4}} \tan x\,dx$$

$$= \frac{\pi}{4} - \Big[-\ln|\cos x| \Big]_0^{\frac{\pi}{4}}$$

$$= \frac{\pi}{4} + \ln \frac{\sqrt{2}}{2}$$

$$= \frac{\pi}{4} - \ln\sqrt{2} \qquad \text{답}\ \frac{\pi}{4} - \ln\sqrt{2}$$

086-❷ 두 함수 $y = \ln(x+1)$과 $y = e^x - 1$은 서로 역함수 관계이고, 두 그래프는 원점에서 서로 접한다. 이 기하적 특징을 이용해 보자. 핵심은 두 정적분을 넓이로 이해하되 그 축을 다르게 보는 것이다.

두 곡선 $y = \ln(x+1)$, $x = e^y - 1$은 동일한 곡선이므로

$$\int_0^b (e^x - 1)\,dx = \int_0^b (e^y - 1)\,dy$$

임을 알 수 있다. 즉, 곡선 $y = \ln(x+1)$을 이용하여 두 정적분을 모두 표시할 수 있다.

$S_1 = \displaystyle\int_0^a \ln(x+1)\,dx$, $S_2 = \displaystyle\int_0^b (e^y - 1)\,dy$라 하자.

(i) $b > \ln(a+1)$인 경우

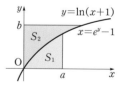

두 정적분의 값은 각각 그림에 표시된 두 영역의 넓이 S_1, S_2와 같으므로 명백히 $S_1 + S_2 > ab$임을 알 수 있다.

(ii) $b < \ln(a+1)$인 경우

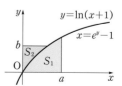

두 정적분의 값은 각각 그림에 표시된 두 영역의 넓이 S_1, S_2와 같으므로 명백히 $S_1+S_2 > ab$임을 알 수 있다.

(iii) $b=\ln(a+1)$인 경우

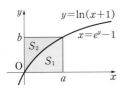

두 정적분의 값은 각각 그림에 표시된 두 영역의 넓이 S_1, S_2와 같으므로 명백히 $S_1+S_2=ab$임을 알 수 있다.

(i), (ii), (iii)에 의하여 주어진 부등식

$$\int_0^a \ln(x+1)\,dx+\int_0^b (e^x-1)\,dx \geq ab$$

가 성립함을 알 수 있다.　　　　　📖 풀이 참조

087-①　오른쪽 그림

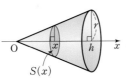

과 같이 원뿔의 꼭짓점 O를 원점, 꼭짓점에서 밑면에 내린 수선을 x축으로 정하고, x좌표가 x인 점을 지나고 x축에 수직인 평면으로 원뿔을 자른 단면의 넓이를 $S(x)$라 하자.

이때 단면과 밑면은 닮은 도형이고 닮음비가 $x:h$이므로 넓이의 비는 $x^2:h^2$이다. 즉,

$$S(x):\pi r^2 = x^2:h^2$$

$$\therefore S(x)=\frac{\pi r^2}{h^2}x^2$$

따라서 구하는 부피를 V라 하면

$$V=\int_0^h S(x)\,dx$$

$$=\int_0^h \frac{\pi r^2}{h^2}x^2\,dx$$

$$=\frac{\pi r^2}{h^2}\left[\frac{1}{3}x^3\right]_0^h$$

$$=\boldsymbol{\frac{1}{3}\pi r^2 h}$$

📖 $\dfrac{1}{3}\pi r^2 h$

088-①

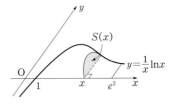

x축 위의 점 $(x,0)$ $(1\leq x\leq e^2)$을 지나고 x축에 수직인 평면으로 입체도형을 자른 단면의 넓이를 $S(x)$라 하면 $S(x)$는 반지름의 길이가 $\dfrac{1}{2}\cdot\dfrac{1}{x}\ln x$인 반원의 넓이이므로

$$S(x)=\frac{1}{2}\pi\left(\frac{1}{2x}\ln x\right)^2$$

$$=\frac{\pi}{8}\cdot\frac{(\ln x)^2}{x^2}$$

따라서 구하는 부피를 V라 하면

$$\int \frac{(\ln x)^2}{x^2}\,dx=-\frac{(\ln x)^2}{x}-\frac{2\ln x}{x}-\frac{2}{x}+C$$이므로

$$V=\frac{\pi}{8}\int_1^{e^2}\frac{(\ln x)^2}{x^2}\,dx$$

$$=\frac{\pi}{8}\left[-\frac{(\ln x)^2}{x}-\frac{2\ln x}{x}-\frac{2}{x}\right]_1^{e^2}$$

$$=\frac{\pi}{8}\left(-\frac{10}{e^2}+2\right)$$

$$=\frac{\pi}{4}\left(1-\frac{5}{e^2}\right)$$

다른 풀이　정적분의 부분적분법을 이용하면

$$V=\frac{\pi}{8}\int_1^{e^2}\frac{(\ln x)^2}{x^2}\,dx$$

$$=\frac{\pi}{8}\left\{\left[-\frac{(\ln x)^2}{x}\right]_1^{e^2}+2\int_1^{e^2}\frac{\ln x}{x^2}\,dx\right\}$$

$$=\frac{\pi}{8}\left[-\frac{4}{e^2}+2\left\{\left[-\frac{\ln x}{x}\right]_1^{e^2}+\int_1^{e^2}\frac{1}{x^2}\,dx\right\}\right]$$

$$=\frac{\pi}{8}\left[-\frac{4}{e^2}+2\left\{\left[-\frac{\ln x}{x}\right]_1^{e^2}+\left[-\frac{1}{x}\right]_1^{e^2}\right\}\right]$$

$$=\frac{\pi}{8}\left\{-\frac{4}{e^2}+2\left(-\frac{2}{e^2}-\frac{1}{e^2}+1\right)\right\}$$

$$=\frac{\pi}{8}\left(-\frac{10}{e^2}+2\right)=\frac{\pi}{4}\left(1-\frac{5}{e^2}\right)$$

📖 $\dfrac{\pi}{4}\left(1-\dfrac{5}{e^2}\right)$

089-① 입체도형을 점 $P(x, 0)$을 지나고 x축에 수직인 평면으로 자른 단면이 $\triangle PQR$이다. $\triangle PQR$는 밑변의 길이가 $(1-\sin x)$, 높이가 $\cos^2 x$인 직각삼각형이므로 $\triangle PQR$의 넓이를 $S(x)$라 하면

$$S(x) = \frac{1}{2}(1-\sin x)\cos^2 x$$

따라서 구하는 부피를 V라 하면

$$V = \int_0^{\frac{\pi}{2}} S(x)\,dx = \int_0^{\frac{\pi}{2}} \frac{1}{2}(1-\sin x)\cos^2 x\,dx$$

$$= \frac{1}{2}\int_0^{\frac{\pi}{2}} \cos^2 x\,dx - \frac{1}{2}\int_0^{\frac{\pi}{2}} \sin x \cos^2 x\,dx$$

$$= \frac{1}{2}\int_0^{\frac{\pi}{2}} \frac{1+\cos 2x}{2}\,dx - \frac{1}{2}\int_0^{\frac{\pi}{2}} \sin x \cos^2 x\,dx$$

$$= \frac{1}{4}\left[x + \frac{1}{2}\sin 2x\right]_0^{\frac{\pi}{2}} - \frac{1}{2}\left[-\frac{1}{3}\cos^3 x\right]_0^{\frac{\pi}{2}}$$

$$= \frac{\pi}{8} - \frac{1}{6}$$

답 $\dfrac{\pi}{8} - \dfrac{1}{6}$

090-① $v(t) = \sin\left(t - \dfrac{\pi}{6}\right) - \dfrac{1}{2}$ 의 그래프를 그리면 다음과 같다.

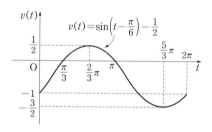

ㄱ. 시각 t에서의 점 P의 위치를 $x(t)$라 하면

$$x(t) = 0 + \int_0^t \left\{\sin\left(t - \frac{\pi}{6}\right) - \frac{1}{2}\right\}dt$$

$$= \left[-\cos\left(t - \frac{\pi}{6}\right) - \frac{1}{2}t\right]_0^t$$

$$= -\cos\left(t - \frac{\pi}{6}\right) - \frac{1}{2}t + \frac{\sqrt{3}}{2} \quad \cdots\cdots \text{㉠}$$

$$\therefore x(2\pi) = -\frac{\sqrt{3}}{2} - \pi + \frac{\sqrt{3}}{2} = -\pi$$

따라서 점 P는 원점으로부터 π만큼 떨어져 있다. (참)

ㄴ. 원점에서 가장 멀리 떨어져 있을 때의 위치를 알아보려면 방향이 바뀐 지점의 위치와 끝점의 위치를 비교하면 된다.

즉, $t = \dfrac{\pi}{3}$, $t = \pi$, $t = 2\pi$일 때의 위치를 비교하면 된다.

㉠에 $t = \dfrac{\pi}{3}$, $t = \pi$, $t = 2\pi$를 각각 대입하면

$$x\left(\frac{\pi}{3}\right) = -\frac{\pi}{6}, \ x(\pi) = \sqrt{3} - \frac{\pi}{2}, \ x(2\pi) = -\pi$$

따라서 $t = 2\pi$일 때, 원점에서 가장 멀리 떨어져 있다. (거짓)

ㄷ. $\displaystyle\int_0^\pi |v(t)|\,dt$

$$= \int_0^{\frac{\pi}{3}} \{-v(t)\}\,dt + \int_{\frac{\pi}{3}}^\pi v(t)\,dt$$

$$= -\left[x(t)\right]_0^{\frac{\pi}{3}} + \left[x(t)\right]_{\frac{\pi}{3}}^\pi$$

$$= -\left\{x\left(\frac{\pi}{3}\right) - x(0)\right\} + \left\{x(\pi) - x\left(\frac{\pi}{3}\right)\right\}$$

$$= -\left(-\frac{\pi}{6} - 0\right) + \left\{\sqrt{3} - \frac{\pi}{2} - \left(-\frac{\pi}{6}\right)\right\}$$

$$= \sqrt{3} - \frac{\pi}{6} \text{ (참)}$$

따라서 옳은 것은 ㄱ, ㄷ이다. **답** ㄱ, ㄷ

091-① $\dfrac{dx}{dt} = t - 1$, $\dfrac{dy}{dt} = 2\sqrt{t}$이므로 $t = 0$에서 $t = a$까지 점 P가 움직인 거리를 s라 하면

$$s = \int_0^a \sqrt{(t-1)^2 + (2\sqrt{t})^2}\,dt = \int_0^a \sqrt{t^2 + 2t + 1}\,dt$$

$$= \int_0^a \sqrt{(t+1)^2}\,dt = \int_0^a (t+1)\,dt$$

$$= \left[\frac{1}{2}t^2 + t\right]_0^a = \frac{1}{2}a^2 + a$$

$\dfrac{1}{2}a^2 + a = 4$에서 $a^2 + 2a - 8 = 0$

$(a+4)(a-2) = 0$ $\therefore a = 2 \ (\because a > 0)$ **답** 2

092-∎ $\dfrac{dx}{dt} = \cos(t^3 + 2t^2 + 3t + 4) \cdot (3t^2 + 4t + 3)$,

$\dfrac{dy}{dt} = -\sin(t^3 + 2t^2 + 3t + 4) \cdot (3t^2 + 4t + 3)$ 이므로

$t^3 + 2t^2 + 3t + 4 = k$ 로 놓으면

$$\sqrt{\left(\dfrac{dx}{dt}\right)^2 + \left(\dfrac{dy}{dt}\right)^2}$$

$$= |3t^2 + 4t + 3|\sqrt{\sin^2 k + \cos^2 k}$$

$$= |3t^2 + 4t + 3|$$

이때 모든 실수 t에 대하여

$$3t^2 + 4t + 3 = 3\left(t + \dfrac{2}{3}\right)^2 + \dfrac{5}{3} > 0$$

이므로

$$\sqrt{\left(\dfrac{dx}{dt}\right)^2 + \left(\dfrac{dy}{dt}\right)^2} = 3t^2 + 4t + 3$$

따라서 구하는 곡선의 길이를 l이라 하면

$$l = \int_0^5 \sqrt{\left(\dfrac{dx}{dt}\right)^2 + \left(\dfrac{dy}{dt}\right)^2}\, dt$$

$$= \int_0^5 (3t^2 + 4t + 3)\, dt$$

$$= \Big[t^3 + 2t^2 + 3t \Big]_0^5 = \mathbf{190}$$

답 190

I 수열의 극한

1. 수열의 극한

01　🄰 (1) 수렴, 극한값, 극한
　　　　(2) 발산, 진동
　　　　(3) $\alpha=\beta$
　　　　(4) ∞, 1, 0, 진동

02　(1) (반례) $a_n=b_n=(-1)^n$이면
$\displaystyle\lim_{n\to\infty} a_n b_n=1$이지만 $\displaystyle\lim_{n\to\infty} a_n$과 $\displaystyle\lim_{n\to\infty} b_n$의 값이 존재하지 않으므로 주어진 식은 성립하지 않는다. (거짓)

[참고] $\displaystyle\lim_{n\to\infty} a_n b_n=\lim_{n\to\infty} a_n\cdot\lim_{n\to\infty} b_n$이 성립하기 위해서는 두 수열 $\{a_n\}$, $\{b_n\}$이 수렴한다는 조건이 필요하다.

(2) $a_n+b_n=c_n$으로 놓으면
　　$b_n=c_n-a_n$
이때 수열 $\{c_n\}$, $\{a_n\}$이 모두 수렴하므로 수열 $\{b_n\}$도 수렴한다. (참)

(3) (반례) $a=0$인 경우 등비수열 $\{ar^{n-1}\}$은 r의 값에 관계없이 0으로 수렴하므로 극한값 0을 가진다. (거짓)

🄰 (1) 거짓　(2) 참　(3) 거짓

03　(1)(ⅰ) $\dfrac{\infty}{\infty}$ 꼴의 극한

분모의 최고차항으로 분모, 분자를 각각 나누어 구한다.
이때 극한의 유형은 다음과 같이 나누어진다.

① (분자의 차수)＝(분모의 차수)
　➡ 극한값은 $\dfrac{(\text{분자의 최고차항의 계수})}{(\text{분모의 최고차항의 계수})}$이다.

② (분자의 차수)＜(분모의 차수)
　➡ 극한값은 0이다.

③ (분자의 차수)＞(분모의 차수)
　➡ 발산한다. (극한값은 없다.)

(ⅱ) $\infty-\infty$ 꼴의 극한
① 다항식인 경우
　최고차항으로 묶어서 구한다.
② 근호가 있는 식인 경우
　근호가 있는 쪽을 유리화하면 $\infty-\infty$ 꼴이 제거되면서 $\dfrac{\infty}{\infty}$, $\dfrac{\infty}{(\text{상수})}$, $\dfrac{(\text{상수})}{\infty}$ 꼴 중의 하나로 바뀌므로 이를 이용해서 구한다.

(2) r^n을 포함한 수열의 극한은 r의 값의 범위에 따라 $\displaystyle\lim_{n\to\infty} r^n$의 값이 달라지므로 r의 값의 범위를
　$|r|<1$, $r=1$, $|r|>1$, $r=-1$
인 경우로 나누어 구한다.　🄰 풀이 참조

01

ㄱ. 수열 $\{-6n+10\}$은 4, -2, -8, -14, $\cdots$이므로 n이 한없이 커지면 수열 $\{-6n+10\}$은 음의 무한대로 발산한다.

ㄴ. 수열 $\left\{\dfrac{1}{\sqrt{n}}\right\}$은 1, $\dfrac{1}{\sqrt{2}}$, $\dfrac{1}{\sqrt{3}}$, $\dfrac{1}{\sqrt{4}}$, $\cdots$이므로

n이 한없이 커지면 수열 $\left\{\dfrac{1}{\sqrt{n}}\right\}$은 0에 수렴한다.

ㄷ. 수열 $\{\cos 2n\pi\}$는 1, 1, 1, 1, $\cdots$이므로

수열 $\{\cos 2n\pi\}$는 1에 수렴한다.

ㄹ. 수열 $\left\{\dfrac{(-1)^n}{n}\right\}$은 -1, $\dfrac{1}{2}$, $-\dfrac{1}{3}$, $\dfrac{1}{4}$, $\cdots$이므로

n이 한없이 커지면 수열 $\left\{\dfrac{(-1)^n}{n}\right\}$은 0에 수렴한다.

따라서 발산하는 것은 ㄱ뿐이다.   **답** ①

02

두 수열 $\{a_n\}$, $\{b_n\}$이 수렴하므로

$\lim\limits_{n\to\infty} a_n = \alpha$, $\lim\limits_{n\to\infty} b_n = \beta$ (α, β는 실수)라 하면

$\lim\limits_{n\to\infty}(3a_n + b_n) = 30$에서 $3\alpha + \beta = 30$ ······ ㉠

$\lim\limits_{n\to\infty}(2a_n - 3b_n) = 9$에서 $2\alpha - 3\beta = 9$ ······ ㉡

㉠, ㉡을 연립하여 풀면 $\alpha = 9$, $\beta = 3$

$\therefore \lim\limits_{n\to\infty}\dfrac{a_n}{b_n} = \dfrac{\lim\limits_{n\to\infty} a_n}{\lim\limits_{n\to\infty} b_n} = \dfrac{\alpha}{\beta} = \dfrac{9}{3} = 3$ **답** 3

03

$n \geq 2$일 때,

$a_n = S_n - S_{n-1}$

$= n^2 - n + 1 - \{(n-1)^2 - (n-1) + 1\}$

$= n^2 - n + 1 - (n^2 - 3n + 3)$

$= 2n - 2$

$\therefore \lim\limits_{n\to\infty}\dfrac{a_n}{n+1} = \lim\limits_{n\to\infty}\dfrac{2n-2}{n+1} = \lim\limits_{n\to\infty}\dfrac{2-\dfrac{2}{n}}{1+\dfrac{1}{n}} = 2$

답 ⑤

04

$\lim\limits_{n\to\infty}(\sqrt{an^2 + bn} - 3n)$

$= \lim\limits_{n\to\infty}\dfrac{(\sqrt{an^2 + bn} - 3n)(\sqrt{an^2 + bn} + 3n)}{\sqrt{an^2 + bn} + 3n}$

$= \lim\limits_{n\to\infty}\dfrac{(a-9)n^2 + bn}{\sqrt{an^2 + bn} + 3n}$

$= \lim\limits_{n\to\infty}\dfrac{(a-9)n + b}{\sqrt{a + \dfrac{b}{n}} + 3}$ ······ ㉠

㉠에서 $a - 9 \neq 0$이면 발산하므로

$a - 9 = 0$ $\therefore a = 9$ ······ ❶

$a = 9$를 ㉠에 대입하면

$\lim\limits_{n\to\infty}\dfrac{b}{\sqrt{9 + \dfrac{b}{n}} + 3} = \dfrac{b}{3+3} = \dfrac{b}{6}$

즉, $\dfrac{b}{6} = 1$이므로 $b = 6$ ······ ❷

$\therefore a + b = 15$ ······ ❸

채점 기준	배점
❶ a의 값 구하기	40 %
❷ b의 값 구하기	40 %
❸ $a+b$의 값 구하기	20 %

답 15

05

$\dfrac{2a_n + 1}{3a_n - 5} = b_n$으로 놓으면

$2a_n + 1 = b_n(3a_n - 5)$, $(2 - 3b_n)a_n = -5b_n - 1$

$\therefore a_n = \dfrac{-5b_n - 1}{2 - 3b_n}$

이때 $\lim\limits_{n\to\infty} b_n = 5$이므로

$\lim\limits_{n\to\infty} a_n = \lim\limits_{n\to\infty}\dfrac{-5b_n - 1}{2 - 3b_n} = \dfrac{-5\lim\limits_{n\to\infty} b_n - \lim\limits_{n\to\infty} 1}{\lim\limits_{n\to\infty} 2 - 3\lim\limits_{n\to\infty} b_n}$

$= \dfrac{-5 \cdot 5 - 1}{2 - 3 \cdot 5} = 2$ **답** 2

EXERCISES

06 $3n^4-1<2n^4 a_n<3n^4+2$의 각 변을 $2n^4$으로 나누면

$$\frac{3}{2}-\frac{1}{2n^4}<a_n<\frac{3}{2}+\frac{1}{n^4}$$

이때 $\lim\limits_{n\to\infty}\left(\frac{3}{2}-\frac{1}{2n^4}\right)=\frac{3}{2}$, $\lim\limits_{n\to\infty}\left(\frac{3}{2}+\frac{1}{n^4}\right)=\frac{3}{2}$ 이므로 수열의 극한의 대소 관계에 의하여

$$\lim_{n\to\infty}a_n=\frac{3}{2}$$

답 ④

07
$$\lim_{n\to\infty}\frac{2^{n+1}-3^{n-2}}{\sqrt{9^{n+1}+5^{n+2}}}=\lim_{n\to\infty}\frac{2\cdot 2^n-\dfrac{3^n}{9}}{\sqrt{9\cdot 9^n+25\cdot 5^n}}$$

$$=\lim_{n\to\infty}\frac{2\cdot\left(\dfrac{2}{3}\right)^n-\dfrac{1}{9}}{\sqrt{9+25\cdot\left(\dfrac{5}{9}\right)^n}}$$

$$=\frac{-\dfrac{1}{9}}{3}=-\frac{1}{27}$$

답 ③

08 등비수열 $\{(\log_2 k-3)^n\}$은 첫째항과 공비가 모두 $\log_2 k-3$이므로 이 수열이 수렴하려면

$-1<\log_2 k-3\le 1$, $2<\log_2 k\le 4$

$\log_2 2^2<\log_2 k\le\log_2 2^4$ $\therefore 4<k\le 16$

따라서 구하는 자연수 k의 개수는 **12**이다.

답 12

09 (i) $0<r<1$일 때, $\lim\limits_{n\to\infty}r^n=\lim\limits_{n\to\infty}r^{n+1}=0$이므로

$$\lim_{n\to\infty}\frac{r^{n+1}+r+2}{r^n+1}=r+2=\frac{7}{3}$$

$$\therefore r=\frac{1}{3}$$

(ii) $r=1$일 때, $\lim\limits_{n\to\infty}r^n=\lim\limits_{n\to\infty}r^{n+1}=1$이므로

$$\lim_{n\to\infty}\frac{r^{n+1}+r+2}{r^n+1}=2\ne\frac{7}{3}$$

즉, $r\ne 1$이다.

(iii) $r>1$일 때, $\lim\limits_{n\to\infty}r^n=\infty$이므로

$$\lim_{n\to\infty}\frac{r^{n+1}+r+2}{r^n+1}=\lim_{n\to\infty}\frac{r+\dfrac{r}{r^n}+\dfrac{2}{r^n}}{1+\dfrac{1}{r^n}}=r=\frac{7}{3}$$

(i), (ii), (iii)에 의하여 모든 r의 값의 합은

$$\frac{1}{3}+\frac{7}{3}=\frac{8}{3}$$

답 $\dfrac{8}{3}$

10 ㄱ. $f(1)=\lim\limits_{n\to\infty}\dfrac{1^{2n-1}+3}{2+1^{2n}}=\dfrac{4}{3}$

$f(-1)=\lim\limits_{n\to\infty}\dfrac{(-1)^{2n-1}+3}{2+(-1)^{2n}}=\dfrac{2}{3}$

$\therefore f(1)=2f(-1)$ (참)

ㄴ. $|x|<1$일 때, $\lim\limits_{n\to\infty}x^{2n}=\lim\limits_{n\to\infty}x^{2n-1}=0$이므로

$$f(x)=\lim_{n\to\infty}\frac{x^{2n-1}+3}{2+x^{2n}}=\frac{3}{2}\ (참)$$

ㄷ. $|x|>1$일 때, $\lim\limits_{n\to\infty}x^{2n}=\infty$이므로

$$f(x)=\lim_{n\to\infty}\frac{x^{2n-1}+3}{2+x^{2n}}$$

$$=\lim_{n\to\infty}\frac{\dfrac{1}{x}+\dfrac{3}{x^{2n}}}{\dfrac{2}{x^{2n}}+1}=\frac{1}{x}\ (참)$$

따라서 옳은 것은 ㄱ, ㄴ, ㄷ이다.

답 ⑤

01 6   **02** 2   **03** -3   **04** 4   **05** ④

06 $\dfrac{1}{2}$ **07** 9   **08** $\dfrac{3}{2}$ **09** $\dfrac{12}{5}$ L   **10** ④

01 수열 $\{a_n\}$의 첫째항을 a, 공차를 d_a라 하면

$$S_n = \frac{n\{2a+(n-1)d_a\}}{2}$$

또 수열 $\{b_n\}$의 첫째항을 b, 공차를 d_b라 하면

$$T_n = \frac{n\{2b+(n-1)d_b\}}{2}$$

$$\therefore \lim_{n\to\infty}\frac{S_n}{T_n} = \lim_{n\to\infty}\frac{\dfrac{n\{2a+(n-1)d_a\}}{2}}{\dfrac{n\{2b+(n-1)d_b\}}{2}}$$

$$= \lim_{n\to\infty}\frac{d_a n + 2a - d_a}{d_b n + 2b - d_b}$$

$$= \lim_{n\to\infty}\frac{d_a + \dfrac{2a-d_a}{n}}{d_b + \dfrac{2b-d_b}{n}}$$

$$= \frac{d_a}{d_b} = \frac{3}{5}$$

이때 $a_n = a+(n-1)d_a$, $b_n = b+(n-1)d_b$이므로

$$\lim_{n\to\infty}\frac{a_n}{b_n} = \lim_{n\to\infty}\frac{a+(n-1)d_a}{b+(n-1)d_b}$$

$$= \lim_{n\to\infty}\frac{d_a n + a - d_a}{d_b n + b - d_b}$$

$$= \lim_{n\to\infty}\frac{d_a + \dfrac{a-d_a}{n}}{d_b + \dfrac{b-d_b}{n}}$$

$$= \frac{d_a}{d_b} = \frac{3}{5}$$

$$\therefore 10\lim_{n\to\infty}\frac{a_n}{b_n} = 10\cdot\frac{3}{5} = \mathbf{6}$$ 　　답 **6**

02 ㈎에서 $n[x]^2 - n[x] + [x] - 1 = 0$이므로

$n[x]([x]-1) + ([x]-1) = 0$

$\therefore (n[x]+1)([x]-1) = 0$

이때 n이 2 이상의 자연수이고 $[x]$는 정수이므로 $n[x]+1 \ne 0$이다.

즉, $[x]-1 = 0$이므로　　$[x] = 1$

㈏의 식에 $[x] = 1$을 대입하면

$$\frac{1}{n^2} \le x-1 \le \frac{1}{n}, \quad 1+\frac{1}{n^2} \le x \le 1+\frac{1}{n}$$

$$\therefore \frac{n^2+1}{n^2} \le x \le \frac{n^2+n}{n^2} \qquad \cdots\cdots \text{㉠}$$

한편 ㈐에서 $n^2 x = (정수)$, 즉 $x = \dfrac{(정수)}{n^2}$이므로

㉠으로부터 실수 x의 값은

$$\frac{n^2+1}{n^2}, \ \frac{n^2+2}{n^2}, \ \cdots, \ \frac{n^2+n}{n^2}$$

따라서 실수 x의 값의 합 a_n은

$$a_n = \frac{n^2+1}{n^2} + \frac{n^2+2}{n^2} + \cdots + \frac{n^2+n}{n^2}$$

$$= \left(1+\frac{1}{n^2}\right) + \left(1+\frac{2}{n^2}\right) + \cdots + \left(1+\frac{n}{n^2}\right)$$

$$= n + \frac{1}{n^2}(1+2+\cdots+n)$$

$$= n + \frac{1}{n^2}\cdot\frac{n(n+1)}{2}$$

$$= n + \frac{1}{2} + \frac{1}{2n}$$

$$\therefore \lim_{n\to\infty}\frac{2a_n}{n} = \lim_{n\to\infty}\frac{2n+1+\dfrac{1}{n}}{n}$$

$$= \lim_{n\to\infty}\frac{2+\dfrac{1}{n}+\dfrac{1}{n^2}}{1} = 2$$ 　　답 **2**

03 $a_n - b_n = c_n$으로 놓으면　　$b_n = a_n - c_n$

이때 $\displaystyle\lim_{n\to\infty}a_n = \infty$, $\displaystyle\lim_{n\to\infty}c_n = 3$이므로

$$\lim_{n\to\infty}\frac{c_n}{a_n} = 0$$

$$\therefore \lim_{n\to\infty}\frac{a_n+2b_n}{a_n-2b_n}=\lim_{n\to\infty}\frac{a_n+2(a_n-c_n)}{a_n-2(a_n-c_n)}$$

$$=\lim_{n\to\infty}\frac{3a_n-2c_n}{-a_n+2c_n}$$

$$=\lim_{n\to\infty}\frac{3-2\cdot\dfrac{c_n}{a_n}}{-1+2\cdot\dfrac{c_n}{a_n}}=-3$$

다른 풀이 $\lim\limits_{n\to\infty}a_n=\infty$일 때,

$$\lim_{n\to\infty}(a_n-b_n)=\lim_{n\to\infty}a_n\Big(1-\frac{b_n}{a_n}\Big)=3$$이므로

$$\lim_{n\to\infty}\Big(1-\frac{b_n}{a_n}\Big)=0$$이어야 한다.

즉, $\lim\limits_{n\to\infty}\dfrac{b_n}{a_n}=1$이므로

$$\lim_{n\to\infty}\frac{a_n+2b_n}{a_n-2b_n}=\lim_{n\to\infty}\frac{1+2\cdot\dfrac{b_n}{a_n}}{1-2\cdot\dfrac{b_n}{a_n}}$$

$$=\frac{1+2\cdot1}{1-2\cdot1}=-3 \qquad \text{답} \ -3$$

04 $\triangle$QOA의 넓이가 $\triangle$POA의 넓이의 $\dfrac{n}{n+2}$일 때의 두 점 P, Q를 각각 $P_n(t_n,\,2)$, $Q_n(x_n,\,y_n)$이라 하면 $\triangle Q_nOA$와 $\triangle P_nOA$의 밑변은 $\overline{OA}$로 같으므로 두 삼각형의 넓이의 비는 높이의 비와 같다.

이때 $\triangle Q_nOA$, $\triangle P_nOA$의 높이는 각각 y_n, 2이므로

$$\frac{y_n}{2}=\frac{n}{n+2} \qquad \therefore y_n=\frac{2n}{n+2}$$

점 $Q_n(x_n,\,y_n)$은 직선 $y=\dfrac{1}{2}x$ 위의 점이므로

$$\frac{2n}{n+2}=\frac{1}{2}x_n \qquad \therefore x_n=\frac{4n}{n+2}$$

$$\therefore Q_n\Big(\frac{4n}{n+2},\,\frac{2n}{n+2}\Big)$$

한편 세 점 P_n, Q_n, A는 한 직선 위에 있으므로 직선 P_nA의 기울기와 직선 Q_nA의 기울기는 같다.

$$\frac{2-0}{t_n-2}=\frac{\dfrac{2n}{n+2}-0}{\dfrac{4n}{n+2}-2},\ \frac{2}{t_n-2}=\frac{\dfrac{2n}{n+2}}{\dfrac{2n-4}{n+2}}$$

$$\frac{2}{t_n-2}=\frac{n}{n-2},\ t_n-2=\frac{2(n-2)}{n}$$

$$\therefore t_n=4-\frac{4}{n}$$

$$\therefore \lim_{n\to\infty}t_n=\lim_{n\to\infty}\Big(4-\frac{4}{n}\Big)=4 \qquad \text{답} \ 4$$

05
$$\frac{1}{\sqrt{n}+\sqrt{n+1}}$$

$$=\frac{\sqrt{n+1}-\sqrt{n}}{(\sqrt{n+1}+\sqrt{n})(\sqrt{n+1}-\sqrt{n})}$$

$$=\sqrt{n+1}-\sqrt{n}$$

$$\frac{1}{\sqrt{n-1}+\sqrt{n}}=\frac{\sqrt{n}-\sqrt{n-1}}{(\sqrt{n}+\sqrt{n-1})(\sqrt{n}-\sqrt{n-1})}$$

$$=\sqrt{n}-\sqrt{n-1}$$

즉, $\sqrt{n+1}-\sqrt{n}\leq a_n\leq\sqrt{n}-\sqrt{n-1}$이므로

$$\sum_{k=1}^{n}(\sqrt{k+1}-\sqrt{k})\leq\sum_{k=1}^{n}a_k\leq\sum_{k=1}^{n}(\sqrt{k}-\sqrt{k-1})$$

$$\cdots\cdots \ \ \ominus$$

이 성립한다.

$\ominus$에서

$$\sum_{k=1}^{n}(\sqrt{k+1}-\sqrt{k})$$

$$=(\sqrt{2}-\sqrt{1})+(\sqrt{3}-\sqrt{2})+(\sqrt{4}-\sqrt{3})$$
$$+\cdots+(\sqrt{n}-\sqrt{n-1})+(\sqrt{n+1}-\sqrt{n})$$

$$=\sqrt{n+1}-1$$

$$\sum_{k=1}^{n}(\sqrt{k}-\sqrt{k-1})$$

$$=(\sqrt{1}-\sqrt{0})+(\sqrt{2}-\sqrt{1})+(\sqrt{3}-\sqrt{2})$$
$$+\cdots+(\sqrt{n-1}-\sqrt{n-2})+(\sqrt{n}-\sqrt{n-1})$$

$$=\sqrt{n}$$

이므로 $\quad \sqrt{n+1}-1\leq\sum_{k=1}^{n}a_k\leq\sqrt{n}$

이 부등식의 각 변을 $\sqrt{2n+2}$로 나누면

$$\frac{\sqrt{n+1}-1}{\sqrt{2n+2}}\leq\frac{\sum_{k=1}^{n}a_k}{\sqrt{2n+2}}\leq\frac{\sqrt{n}}{\sqrt{2n+2}}$$

이때

$$\lim_{n \to \infty} \frac{\sqrt{n+1}-1}{\sqrt{2n+2}} = \lim_{n \to \infty} \frac{\sqrt{1+\dfrac{1}{n}}-\dfrac{1}{\sqrt{n}}}{\sqrt{2+\dfrac{2}{n}}} = \frac{\sqrt{2}}{2},$$

$$\lim_{n \to \infty} \frac{\sqrt{n}}{\sqrt{2n+2}} = \lim_{n \to \infty} \frac{1}{\sqrt{2+\dfrac{2}{n}}} = \frac{\sqrt{2}}{2}$$

이므로 수열의 극한의 대소 관계에 의하여

$$\lim_{n \to \infty} \frac{\displaystyle\sum_{k=1}^{n} a_k}{\sqrt{2n+2}} = \frac{\sqrt{2}}{2}$$

답 ④

06 6^{n-1}을 소인수분해하면

$6^{n-1}=(2 \cdot 3)^{n-1}=2^{n-1} \cdot 3^{n-1}$이므로 6^{n-1}의 양의 약수의 합 $f(n)$은

$$f(n)=(1+2+2^2+\cdots+2^{n-1})(1+3+3^2+\cdots+3^{n-1})$$

$$=\frac{1 \cdot (2^n-1)}{2-1} \cdot \frac{1 \cdot (3^n-1)}{3-1}$$

$$=(2^n-1) \cdot \frac{3^n-1}{2}$$

$$=\frac{1}{2}(6^n-2^n-3^n+1)$$

$$\therefore \lim_{n \to \infty} \frac{f(n)}{6^n} = \lim_{n \to \infty} \frac{6^n-2^n-3^n+1}{2 \cdot 6^n}$$

$$= \lim_{n \to \infty} \frac{1-\left(\dfrac{1}{3}\right)^n-\left(\dfrac{1}{2}\right)^n+\dfrac{1}{6^n}}{2} = \frac{1}{2}$$

[참고] 자연수 n에 대하여 $n=p_1^{a_1}p_2^{a_2}p_3^{a_3}\cdots p_k^{a_k}$ (단, p_1, p_2, p_3, $\cdots$, p_k는 서로 다른 소수, a_1, a_2, a_3, $\cdots$, a_k는 자연수)으로 소인수분해될 때

(1) (n의 양의 약수의 개수)

$\quad=(a_1+1)(a_2+1)(a_3+1)\cdots(a_k+1)$

(2) (n의 양의 약수의 합)

$\quad=(1+p_1+p_1^2+\cdots+p_1^{a_1})(1+p_2+p_2^2+\cdots+p_2^{a_2})$

$\quad(1+p_3+p_3^2+\cdots+p_3^{a_3})$

$\quad\quad\quad\quad\cdots(1+p_k+p_k^2+\cdots+p_k^{a_k})$

답 $\dfrac{1}{2}$

07 (i) $|r|<5$일 때, $\lim\limits_{n \to \infty}\left(\dfrac{r}{5}\right)^n=0$이므로

$$\lim_{n \to \infty} \frac{r^n-5^n}{r^n+5^n} = \lim_{n \to \infty} \frac{\left(\dfrac{r}{5}\right)^n-1}{\left(\dfrac{r}{5}\right)^n+1} = -1 \quad \cdots\cdots ❶$$

(ii) $r=5$일 때,

$$\lim_{n \to \infty} \frac{r^n-5^n}{r^n+5^n} = \lim_{n \to \infty} \frac{5^n-5^n}{5^n+5^n} = 0 \quad \cdots\cdots ❷$$

(iii) $|r|>5$일 때, $\lim\limits_{n \to \infty}\left(\dfrac{5}{r}\right)^n=0$이므로

$$\lim_{n \to \infty} \frac{r^n-5^n}{r^n+5^n} = \lim_{n \to \infty} \frac{1-\left(\dfrac{5}{r}\right)^n}{1+\left(\dfrac{5}{r}\right)^n} = 1 \quad \cdots\cdots ❸$$

(i), (ii), (iii)에 의하여 $\lim\limits_{n \to \infty} \dfrac{r^n-5^n}{r^n+5^n}=-1$을 만족시키는 r의 값의 범위는 $|r|<5$, 즉 $-5<r<5$이므로 정수 r의 개수는 **9**이다. $\quad\cdots\cdots ❹$

채점 기준	배점
❶ $|r|<5$일 때, 수열의 극한값 구하기	25 %
❷ $r=5$일 때, 수열의 극한값 구하기	25 %
❸ $|r|>5$일 때, 수열의 극한값 구하기	25 %
❹ 정수 r의 개수 구하기	25 %

답 9

08 x의 값의 범위에 따라 함수 $f(x)$를 구해 보자.

(i) $|x|<1$일 때, $\lim\limits_{n \to \infty} x^{2n}=\lim\limits_{n \to \infty} x^{2n+1}=0$이므로

$$f(x)=\lim_{n \to \infty} \frac{x^{2n+1}}{1+x^{2n}}=0$$

(ii) $x=1$일 때, $\lim\limits_{n \to \infty} x^{2n}=\lim\limits_{n \to \infty} x^{2n+1}=1$이므로

$$f(x)=\lim_{n \to \infty} \frac{x^{2n+1}}{1+x^{2n}}=\frac{1}{2}$$

(iii) $|x|>1$일 때, $\lim\limits_{n \to \infty} x^{2n}=\infty$이므로

$$f(x)=\lim_{n \to \infty} \frac{x^{2n+1}}{1+x^{2n}}=\lim_{n \to \infty} \frac{x}{\dfrac{1}{x^{2n}}+1}=x$$

(ⅳ) $x=-1$일 때, $\displaystyle\lim_{n\to\infty}x^{2n}=1$, $\displaystyle\lim_{n\to\infty}x^{2n+1}=-1$이므로

$$f(x)=\lim_{n\to\infty}\frac{x^{2n+1}}{1+x^{2n}}=-\frac{1}{2}$$

(ⅰ)~(ⅳ)에 의하여 $y=f(x)$, $y=g(x)$의 그래프가 서로 다른 네 점에서 만나려면 다음 그림과 같이 이차함수 $y=g(x)=2x^2-a$의 그래프가 점 $\left(1,\ \dfrac{1}{2}\right)$을 지나야 한다.

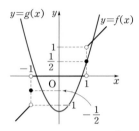

즉, $g(1)=2-a=\dfrac{1}{2}$이어야 하므로 $a=\dfrac{3}{2}$

답 $\dfrac{3}{2}$

09 n회 시행 후 A통에 들어 있는 물의 양을 a_nL, B통에 들어 있는 물의 양을 b_nL라 하면 1회의 시행을 더 했을 때, 두 통 A, B에 들어 있는 물의 양은 다음과 같다.

	A통에 들어 있는 물의 양	B통에 들어 있는 물의 양
n회 시행 후	a_nL	b_nL
A통에 들어 있는 물의 $\dfrac{1}{4}$을 B통으로 옮긴 후	$\dfrac{3}{4}a_n$L	$\left(\dfrac{1}{4}a_n+b_n\right)$L
B통에 들어 있는 물의 $\dfrac{1}{2}$을 A통으로 옮긴 후	$\dfrac{3}{4}a_n+\dfrac{1}{2}\left(\dfrac{1}{4}a_n+b_n\right)$ $=\dfrac{7}{8}a_n+\dfrac{1}{2}b_n$(L)	$\dfrac{1}{2}\left(\dfrac{1}{4}a_n+b_n\right)$ $=\dfrac{1}{8}a_n$ $+\dfrac{1}{2}b_n$(L)

따라서 $(n+1)$회 시행 후 두 통 A, B에 들어 있는 물의 양 a_{n+1}L, b_{n+1}L에 대하여 다음 식이 성립한다.

$$a_{n+1}=\frac{7}{8}a_n+\frac{1}{2}b_n \qquad \cdots\cdots ㉠$$

$$b_{n+1}=\frac{1}{8}a_n+\frac{1}{2}b_n \qquad \cdots\cdots ㉡$$

이때 ㉠+㉡을 하면 $a_{n+1}+b_{n+1}=a_n+b_n$이므로

$$a_n+b_n=a_{n-1}+b_{n-1}=\cdots=a_1+b_1=1+2=3$$

$$\therefore\ b_n=3-a_n \qquad \cdots\cdots ㉢$$

㉢을 ㉠에 대입하면

$$a_{n+1}=\frac{7}{8}a_n+\frac{1}{2}(3-a_n)=\frac{3}{8}a_n+\frac{3}{2}$$

$a_{n+1}-\alpha=\dfrac{3}{8}(a_n-\alpha)$로 놓으면

$$a_{n+1}=\frac{3}{8}a_n+\frac{5}{8}\alpha$$

이때 $\dfrac{5}{8}\alpha=\dfrac{3}{2}$이므로 $\alpha=\dfrac{12}{5}$

$$\therefore\ a_{n+1}-\frac{12}{5}=\frac{3}{8}\left(a_n-\frac{12}{5}\right)$$

즉, 수열 $\left\{a_n-\dfrac{12}{5}\right\}$는 첫째항이

$a_1-\dfrac{12}{5}=1-\dfrac{12}{5}=-\dfrac{7}{5}$, 공비가 $\dfrac{3}{8}$인 등비수열이므로

$$a_n-\frac{12}{5}=-\frac{7}{5}\cdot\left(\frac{3}{8}\right)^{n-1}$$

$$\therefore\ a_n=-\frac{7}{5}\cdot\left(\frac{3}{8}\right)^{n-1}+\frac{12}{5}$$

$$\therefore\ \lim_{n\to\infty}a_n=\lim_{n\to\infty}\left\{-\frac{7}{5}\cdot\left(\frac{3}{8}\right)^{n-1}+\frac{12}{5}\right\}=\frac{12}{5}$$

따라서 A통에 들어 있는 물의 양은 $\dfrac{12}{5}$L에 한없이 가까워진다.

다른 풀이 $a_{n+1}=\dfrac{3}{8}a_n+\dfrac{3}{2}$에서 $-1<\dfrac{3}{8}<1$이므로 수열 $\{a_n\}$은 수렴한다.

$\displaystyle\lim_{n\to\infty}a_{n+1}=\lim_{n\to\infty}\left(\dfrac{3}{8}a_n+\dfrac{3}{2}\right)$이므로

$$\lim_{n\to\infty}a_{n+1}=\frac{3}{8}\lim_{n\to\infty}a_n+\frac{3}{2} \qquad \cdots\cdots ㉣$$

이때 $\displaystyle\lim_{n\to\infty}a_n=\beta$ (β는 상수)로 놓으면 $\displaystyle\lim_{n\to\infty}a_{n+1}=\beta$이므로 ㉣에 의하여

$$\beta=\frac{3}{8}\beta+\frac{3}{2} \qquad \therefore \beta=\frac{12}{5}$$

답 $\dfrac{12}{5}$ L

10 다음 그림과 같이 $a_1=1$에서 출발하여 구한 값 $a_2,\ a_3,\ \cdots$이 모두 양수, 즉 $a_n>0$이므로

$$f(a_n)=-\frac{1}{2}a_n$$

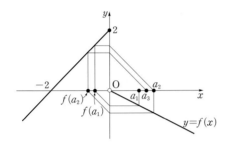

이때 $-\dfrac{1}{2}a_n<0$이므로

$$f(f(a_n))=f\left(-\frac{1}{2}a_n\right)=-\frac{1}{2}a_n+2$$

$$\therefore a_{n+1}=-\frac{1}{2}a_n+2$$

$a_{n+1}-\alpha=-\dfrac{1}{2}(a_n-\alpha)$로 놓으면

$$a_{n+1}=-\frac{1}{2}a_n+\frac{3}{2}\alpha$$

이때 $\dfrac{3}{2}\alpha=2$이므로 $\alpha=\dfrac{4}{3}$

$$\therefore a_{n+1}-\frac{4}{3}=-\frac{1}{2}\left(a_n-\frac{4}{3}\right)$$

즉, 수열 $\left\{a_n-\dfrac{4}{3}\right\}$는 첫째항이

$a_1-\dfrac{4}{3}=1-\dfrac{4}{3}=-\dfrac{1}{3}$, 공비가 $-\dfrac{1}{2}$인 등비수열이므로

$$a_n-\frac{4}{3}=-\frac{1}{3}\cdot\left(-\frac{1}{2}\right)^{n-1}$$

$$\therefore a_n=-\frac{1}{3}\cdot\left(-\frac{1}{2}\right)^{n-1}+\frac{4}{3}$$

$$\therefore \lim_{n\to\infty}a_n=\lim_{n\to\infty}\left\{-\frac{1}{3}\cdot\left(-\frac{1}{2}\right)^{n-1}+\frac{4}{3}\right\}=\frac{4}{3}$$

다른 풀이 $a_{n+1}=-\dfrac{1}{2}a_n+2$에서 $-1<-\dfrac{1}{2}<1$이므로 수열 $\{a_n\}$은 수렴한다.

$\displaystyle\lim_{n\to\infty}a_{n+1}=\lim_{n\to\infty}\left(-\frac{1}{2}a_n+2\right)$이므로

$$\lim_{n\to\infty}a_{n+1}=-\frac{1}{2}\lim_{n\to\infty}a_n+2 \qquad \cdots\cdots \text{㉠}$$

이때 $\displaystyle\lim_{n\to\infty}a_n=\alpha\ (\alpha$는 상수$)$로 놓으면 $\displaystyle\lim_{n\to\infty}a_{n+1}=\alpha$이므로 ㉠에 의하여

$$\alpha=-\frac{1}{2}\alpha+2 \qquad \therefore \alpha=\frac{4}{3}$$

답 ④

EXERCISES

2. 급수

Review Quiz SUMMA CUM LAUDE 본문 086쪽

01 (1) 급수, $\sum\limits_{n=1}^{\infty} a_n$ (2) 부분합, 급수의 합

(3) 0, 발산 (4) 등비급수

02 (1) 거짓 (2) 거짓 **03** 풀이 참조

---

01 답 (1) 급수, $\sum\limits_{n=1}^{\infty} a_n$

(2) 부분합, 급수의 합

(3) 0, 발산

(4) 등비급수

02 (1) (반례) $a_n = \dfrac{1}{n}$ 이면 $\lim\limits_{n \to \infty} a_n = 0$ 이지만

$\sum\limits_{n=1}^{\infty} a_n = 1 + \dfrac{1}{2} + \dfrac{1}{3} + \dfrac{1}{4} + \cdots$ 은 발산한다. (거짓)

(2) 등비급수 $\sum\limits_{n=1}^{\infty} ar^{n-1}$ 에서

(ⅰ) $a=0$ 인 경우

급수의 모든 항이 0이므로 0에 수렴한다.

(ⅱ) $a \neq 0$, $|r| < 1$ 인 경우

$\lim\limits_{n \to \infty} r^n = 0$ 이므로

$\sum\limits_{n=1}^{\infty} ar^{n-1} = \lim\limits_{n \to \infty} \sum\limits_{k=1}^{n} ar^{k-1} = \lim\limits_{n \to \infty} \dfrac{a(1-r^n)}{1-r}$

$= \dfrac{a}{1-r}$

에 수렴한다.

(ⅲ) $a \neq 0$, $|r| \geq 1$ 인 경우

$\lim\limits_{n \to \infty} ar^{n-1} \neq 0$ 이므로 급수와 수열의 극한 사이의 관계에 의하여 발산한다.

따라서 등비급수 $\sum\limits_{n=1}^{\infty} ar^{n-1}$ 의 수렴 조건은

$a=0$ 또는 $-1 < r < 1$ 이다. (거짓)

답 (1) 거짓 (2) 거짓

03 (1) $\sum\limits_{n=1}^{\infty} a_n b_n = a_1 b_1 + a_2 b_2 + a_3 b_3 + \cdots$ 이고

$\sum\limits_{n=1}^{\infty} a_n \cdot \sum\limits_{n=1}^{\infty} b_n$

$= (a_1 + a_2 + a_3 + \cdots)(b_1 + b_2 + b_3 + \cdots)$

$= (a_1 b_1 + a_1 b_2 + a_1 b_3 + \cdots)$

$\qquad + (a_2 b_1 + a_2 b_2 + a_2 b_3 + \cdots)$

$\qquad + (a_3 b_1 + a_3 b_2 + a_3 b_3 + \cdots)$

이므로 $\sum\limits_{n=1}^{\infty} a_n b_n \neq \sum\limits_{n=1}^{\infty} a_n \cdot \sum\limits_{n=1}^{\infty} b_n$ 이다.

(2) 순환소수는 공비가 $\dfrac{1}{10^n}$ (n은 자연수)인 등비급수로 볼 수 있다.

예를 들어 순환소수 $0.\dot{a}\dot{b}$ 는

$0.\dot{a}\dot{b} = 0.ababab\cdots$

$\qquad = 0.ab + 0.00ab + 0.0000ab + \cdots$

$\qquad = \dfrac{ab}{100} + \dfrac{ab}{100^2} + \dfrac{ab}{100^3} + \cdots$

이므로 $0.\dot{a}\dot{b}$ 는 첫째항이 $\dfrac{ab}{100}$ 이고 공비가 $\dfrac{1}{100}$ 인 등비급수의 합과 같다.

따라서 $0.\dot{a}\dot{b} = \dfrac{\dfrac{ab}{100}}{1 - \dfrac{1}{100}} = \dfrac{ab}{99}$ 로 나타낼 수 있다.

답 풀이 참조

01 $\dfrac{3}{2}$ **02** $\dfrac{1}{2}$ **03** $\dfrac{1}{6}$ **04** -4

05 $\dfrac{2}{15}$ **06** 768   **07** ④   **08** $\dfrac{2}{11}$

09 $\dfrac{720}{7}\pi$ **10** $\left(\dfrac{9}{13},\ \dfrac{6}{13}\right)$

---

01 n행에 있는 수를 나열하면

$\dfrac{1}{3^{n-1}}$, $\dfrac{1}{3^{n-2}}$, $\cdots$, $\dfrac{1}{3}$, 1이므로 S_n은

$$S_n = \dfrac{1}{3^{n-1}} + \dfrac{1}{3^{n-2}} + \cdots + \dfrac{1}{3} + 1$$

$$= \dfrac{1-\left(\dfrac{1}{3}\right)^n}{1-\dfrac{1}{3}} = \dfrac{3}{2}\left\{1-\left(\dfrac{1}{3}\right)^n\right\}$$

$$\therefore \lim_{n\to\infty} S_n = \lim_{n\to\infty}\dfrac{3}{2}\left\{1-\left(\dfrac{1}{3}\right)^n\right\} = \dfrac{3}{2} \qquad \boxminus \quad \dfrac{3}{2}$$

02 등차수열 $\left\{\dfrac{1}{a_n}\right\}$ 의 첫째항이 1, 공차가 2이므로

$$\dfrac{1}{a_n} = 1 + (n-1)\cdot 2 = 2n-1 \qquad \therefore a_n = \dfrac{1}{2n-1}$$

$$\therefore \sum_{n=1}^{\infty} a_n a_{n+1}$$

$$= \sum_{n=1}^{\infty} \dfrac{1}{2n-1}\cdot\dfrac{1}{2n+1}$$

$$= \sum_{n=1}^{\infty} \dfrac{1}{2}\left(\dfrac{1}{2n-1}-\dfrac{1}{2n+1}\right)$$

$$= \lim_{n\to\infty}\sum_{k=1}^{n}\dfrac{1}{2}\left(\dfrac{1}{2k-1}-\dfrac{1}{2k+1}\right)$$

$$= \lim_{n\to\infty}\dfrac{1}{2}\left\{\left(\dfrac{1}{1}-\dfrac{1}{3}\right)+\left(\dfrac{1}{3}-\dfrac{1}{5}\right)+\left(\dfrac{1}{5}-\dfrac{1}{7}\right)\right.$$

$$\left. +\cdots+\left(\dfrac{1}{2n-1}-\dfrac{1}{2n+1}\right)\right\}$$

$$= \lim_{n\to\infty}\dfrac{1}{2}\left(1-\dfrac{1}{2n+1}\right) = \dfrac{1}{2} \qquad \boxminus \quad \dfrac{1}{2}$$

03 $\displaystyle\sum_{n=1}^{\infty}\left(3-\dfrac{a_n}{7^n}\right)$이 2에 수렴하므로

$$\lim_{n\to\infty}\left(3-\dfrac{a_n}{7^n}\right) = 0$$

이때 $3-\dfrac{a_n}{7^n} = b_n$으로 놓으면 $\displaystyle\lim_{n\to\infty} b_n = 0$이고

$\dfrac{a_n}{7^n} = 3 - b_n$이므로

$$\lim_{n\to\infty}\dfrac{a_n}{7^n} = \lim_{n\to\infty}(3-b_n) = 3-0 = 3$$

$$\therefore \lim_{n\to\infty}\dfrac{7^n}{2a_n-5} = \lim_{n\to\infty}\dfrac{1}{2\cdot\dfrac{a_n}{7^n}-\dfrac{5}{7^n}}$$

$$= \dfrac{1}{2\cdot 3-0} = \dfrac{1}{6} \qquad \boxminus \quad \dfrac{1}{6}$$

04 $3a_n - 2b_n = c_n$으로 놓으면

$$b_n = \dfrac{3}{2}a_n - \dfrac{1}{2}c_n$$

이때 $\displaystyle\sum_{n=1}^{\infty} a_n = -3$, $\displaystyle\sum_{n=1}^{\infty} c_n = -1$이므로

$$\sum_{n=1}^{\infty} b_n = \sum_{n=1}^{\infty}\left(\dfrac{3}{2}a_n - \dfrac{1}{2}c_n\right) = \dfrac{3}{2}\sum_{n=1}^{\infty}a_n - \dfrac{1}{2}\sum_{n=1}^{\infty}c_n$$

$$= \dfrac{3}{2}\cdot(-3) - \dfrac{1}{2}\cdot(-1) = -4 \qquad \boxminus \quad -4$$

05

$$\dfrac{1+(-1)}{4} + \dfrac{1+(-1)^2}{4^2} + \dfrac{1+(-1)^3}{4^3} + \cdots$$

$$= \sum_{n=1}^{\infty}\dfrac{1+(-1)^n}{4^n}$$

$$= \sum_{n=1}^{\infty}\left\{\left(\dfrac{1}{4}\right)^n + \left(-\dfrac{1}{4}\right)^n\right\}$$

$$= \sum_{n=1}^{\infty}\left(\dfrac{1}{4}\right)^n + \sum_{n=1}^{\infty}\left(-\dfrac{1}{4}\right)^n$$

$$= \dfrac{\dfrac{1}{4}}{1-\dfrac{1}{4}} + \dfrac{-\dfrac{1}{4}}{1-\left(-\dfrac{1}{4}\right)}$$

$$= \dfrac{1}{3} - \dfrac{1}{5} = \dfrac{2}{15}$$

다른 풀이

$$\frac{1+(-1)}{4}+\frac{1+(-1)^2}{4^2}+\frac{1+(-1)^3}{4^3}$$
$$+\frac{1+(-1)^4}{4^4}+\cdots$$

$$=0+\frac{2}{4^2}+0+\frac{2}{4^4}+\cdots$$

$$=\sum_{n=1}^{\infty}2\cdot\left(\frac{1}{16}\right)^n$$

$$=\frac{\dfrac{1}{8}}{1-\dfrac{1}{16}}=\frac{2}{15}$$

目 $\dfrac{2}{15}$

06 등비수열 $\{a_n\}$의 첫째항을 a, 공비를 r라 하면

$$a_2=ar=12 \quad\cdots\cdots\ \text{㉠}$$

$\displaystyle\sum_{n=1}^{\infty}a_n=\dfrac{a}{1-r}=-16$에서

$$a=16r-16 \quad\cdots\cdots\ \text{㉡}$$

㉡을 ㉠에 대입하면

$$(16r-16)r=12,\ 16r^2-16r-12=0$$
$$4r^2-4r-3=0,\ (2r+1)(2r-3)=0$$
$$\therefore r=-\frac{1}{2}\ (\because -1<r<1) \quad\cdots\cdots\ ❶$$

$r=-\dfrac{1}{2}$ 을 ㉡에 대입하면 $\quad a=-24 \quad\cdots\cdots\ ❷$

따라서 $a_n=-24\cdot\left(-\dfrac{1}{2}\right)^{n-1}$이므로

$$a_n{}^2=(-24)^2\cdot\left\{\left(-\frac{1}{2}\right)^2\right\}^{n-1}=576\cdot\left(\frac{1}{4}\right)^{n-1}$$

$$\therefore \sum_{n=1}^{\infty}a_n{}^2=\frac{576}{1-\dfrac{1}{4}}=\mathbf{768} \quad\cdots\cdots\ ❸$$

채점 기준	배점
❶ 등비수열 $\{a_n\}$의 공비 구하기	40 %
❷ 등비수열 $\{a_n\}$의 첫째항 구하기	20 %
❸ 급수 $\displaystyle\sum_{n=1}^{\infty}a_n{}^2$의 합 구하기	40 %

目 768

07 $\displaystyle\sum_{n=1}^{\infty}r^n$이 수렴하므로 $\quad -1<r<1$

① $\displaystyle\sum_{n=1}^{\infty}(-r)^n$의 공비는 $-r$이고 $-1<-r<1$이므로 $\displaystyle\sum_{n=1}^{\infty}(-r)^n$은 항상 수렴한다.

② $\displaystyle\sum_{n=1}^{\infty}\left(\frac{1}{3}\right)^n r^n=\sum_{n=1}^{\infty}\left(\frac{1}{3}r\right)^n$의 공비는 $\dfrac{1}{3}r$이고 $-\dfrac{1}{3}<\dfrac{1}{3}r<\dfrac{1}{3}$이므로 $\displaystyle\sum_{n=1}^{\infty}\left(\frac{1}{3}\right)^n r^n$은 항상 수렴한다.

③ $\displaystyle\sum_{n=1}^{\infty}\left(\frac{r-1}{2}\right)^n$의 공비는 $\dfrac{r-1}{2}$이고 $-1<\dfrac{r-1}{2}<0$ 이므로 $\displaystyle\sum_{n=1}^{\infty}\left(\frac{r-1}{2}\right)^n$은 항상 수렴한다.

④ $\displaystyle\sum_{n=1}^{\infty}\left(\frac{r}{2}-1\right)^n$의 공비는 $\dfrac{r}{2}-1$이고 $-\dfrac{3}{2}<\dfrac{r}{2}-1<-\dfrac{1}{2}$이므로 $\displaystyle\sum_{n=1}^{\infty}\left(\frac{r}{2}-1\right)^n$은 항상 수렴한다고 할 수 없다.

⑤ $\displaystyle\sum_{n=1}^{\infty}r^{2n}$의 공비는 r^2이고 $0\le r^2<1$이므로 $\displaystyle\sum_{n=1}^{\infty}r^{2n}$은 항상 수렴한다.

따라서 항상 수렴한다고 할 수 없는 것은 ④이다. 目 ④

08 등비수열 $\{a_n\}$의 공비가 $0.\dot{6}=\dfrac{6}{9}=\dfrac{2}{3}$이므로

$$\sum_{n=1}^{\infty}a_n=\frac{a_1}{1-\dfrac{2}{3}}=0.\dot{5}\dot{4}$$

이때 $0.\dot{5}\dot{4}=\dfrac{54}{99}=\dfrac{6}{11}$ 이므로

$$\frac{a_1}{1-\dfrac{2}{3}}=\frac{6}{11},\ 3a_1=\frac{6}{11}$$

$$\therefore a_1=\frac{\mathbf{2}}{\mathbf{11}}$$

目 $\dfrac{2}{11}$

09 S_1은 지름의 길이가 각각 6, 18인 두 반원의 넓이의 합이므로

$$S_1=\frac{1}{2}\cdot\pi\cdot3^2+\frac{1}{2}\cdot\pi\cdot9^2=45\pi$$

주어진 과정을 한 번 진행할 때마다 새로 만들어지는 두 반원의 지름의 길이는 각각 $\dfrac{3}{4}$ 배가 되므로 두 반원의 넓이의 합은 $\left(\dfrac{3}{4}\right)^2 = \dfrac{9}{16}$ (배)가 된다.

$$\therefore\ S_1 + S_2 + S_3 + \cdots$$

$$= 45\pi + 45\pi \cdot \dfrac{9}{16} + 45\pi \cdot \left(\dfrac{9}{16}\right)^2 + \cdots$$

$$= \dfrac{45\pi}{1 - \dfrac{9}{16}} = \dfrac{\mathbf{720}}{\mathbf{7}}\pi \qquad \text{답}\ \dfrac{\mathbf{720}}{\mathbf{7}}\pi$$

10 점 P_n이 한없이 가까워지는 점의 좌표를 $(a,\ b)$라 하면

$$a = \overline{OP_1} - \overline{P_2P_3} + \overline{P_4P_5} - \overline{P_6P_7} + \cdots$$

$$= 1 - \left(\dfrac{2}{3}\right)^2 + \left(\dfrac{2}{3}\right)^4 - \left(\dfrac{2}{3}\right)^6 + \cdots$$

$$= \dfrac{1}{1 - \left(-\dfrac{4}{9}\right)} = \dfrac{9}{13}$$

$$b = \overline{P_1P_2} - \overline{P_3P_4} + \overline{P_5P_6} - \overline{P_7P_8} + \cdots$$

$$= \dfrac{2}{3} - \left(\dfrac{2}{3}\right)^3 + \left(\dfrac{2}{3}\right)^5 - \left(\dfrac{2}{3}\right)^7 + \cdots$$

$$= \dfrac{\dfrac{2}{3}}{1 - \left(-\dfrac{4}{9}\right)} = \dfrac{6}{13}$$

따라서 점 P_n이 한없이 가까워지는 점의 좌표는 $\left(\dfrac{\mathbf{9}}{\mathbf{13}},\ \dfrac{\mathbf{6}}{\mathbf{13}}\right)$이다. 　답 $\left(\dfrac{9}{13},\ \dfrac{6}{13}\right)$

01 $\displaystyle\sum_{n=1}^{\infty} \dfrac{3^{2^{n-1}}}{1 - 3^{2^n}}$

$$= \sum_{n=1}^{\infty} \dfrac{3^{2^n} + 1 - 1}{1 - 3^{2^n}}$$

$$= \sum_{n=1}^{\infty} \left(\dfrac{1 + 3^{2^{n-1}}}{1 - 3^{2^n}} - \dfrac{1}{1 - 3^{2^n}}\right)$$

$$= \sum_{n=1}^{\infty} \left\{\dfrac{1 + 3^{2^{n-1}}}{(1 - 3^{2^{n-1}})(1 + 3^{2^{n-1}})} - \dfrac{1}{1 - 3^{2^n}}\right\}$$

$$= \sum_{n=1}^{\infty} \left(\dfrac{1}{1 - 3^{2^{n-1}}} - \dfrac{1}{1 - 3^{2^n}}\right)$$

$$= \lim_{n\to\infty} \sum_{k=1}^{n} \left(\dfrac{1}{1 - 3^{2^{k-1}}} - \dfrac{1}{1 - 3^{2^k}}\right)$$

$$= \lim_{n\to\infty} \left\{\left(\dfrac{1}{1 - 3} - \dfrac{1}{1 - 3^2}\right) + \left(\dfrac{1}{1 - 3^2} - \dfrac{1}{1 - 3^{2^2}}\right)\right.$$

$$\left. + \cdots + \left(\dfrac{1}{1 - 3^{2^{n-1}}} - \dfrac{1}{1 - 3^{2^n}}\right)\right\}$$

$$= \lim_{n\to\infty} \left(-\dfrac{1}{2} - \dfrac{1}{1 - 3^{2^n}}\right) = -\dfrac{\mathbf{1}}{\mathbf{2}} \qquad \text{답}\ ③$$

02 S_k는 가로의 길이가 $\dfrac{1}{2n}$ 이고 세로의 길이가 $f\left(\dfrac{k}{2n}\right) - f\left(\dfrac{k-1}{2n}\right)$인 직사각형의 넓이이므로

$$S_k = \dfrac{1}{2n}\left\{f\left(\dfrac{k}{2n}\right) - f\left(\dfrac{k-1}{2n}\right)\right\}$$

$$= \dfrac{1}{2n}\left\{\left(\dfrac{k}{2n}\right)^2 - \left(\dfrac{k-1}{2n}\right)^2\right\}$$

$$= \dfrac{1}{2n} \cdot \dfrac{2k-1}{4n^2}$$

$$= \dfrac{2k-1}{8n^3}$$

$$\therefore A(n) = \sum_{k=1}^{n} (S_{2k} - S_{2k-1})$$

$$= \sum_{k=1}^{n} \left(\frac{4k-1}{8n^3} - \frac{4k-3}{8n^3} \right)$$

$$= \frac{1}{8n^3} \sum_{k=1}^{n} 2 = \frac{1}{8n^3} \cdot 2n = \frac{1}{4n^2}$$

$$\therefore \lim_{n \to \infty} n^2 A(n) = \lim_{n \to \infty} n^2 \cdot \frac{1}{4n^2} = \boxed{\dfrac{1}{4}} \qquad \text{🅐} \quad \frac{1}{4}$$

03 $\sum\limits_{n=1}^{\infty} (a_n - 2)$가 6에 수렴하므로

$$\lim_{n \to \infty} (a_n - 2) = 0$$

이때 $a_n - 2 = b_n$으로 놓으면 $\lim\limits_{n \to \infty} b_n = 0$이고 $a_n = b_n + 2$

이므로

$$\lim_{n \to \infty} a_n = \lim_{n \to \infty} (b_n + 2) = 0 + 2 = 2 \qquad \cdots\cdots ❶$$

또 $S_n = \sum\limits_{k=1}^{n} a_k$이므로

$$\sum_{k=1}^{n} (a_k - 2) = \sum_{k=1}^{n} a_k - 2n = S_n - 2n$$

$$\therefore \lim_{n \to \infty} (S_n - 2n) = \lim_{n \to \infty} \sum_{k=1}^{n} (a_k - 2)$$

$$= \sum_{n=1}^{\infty} (a_n - 2) = 6 \qquad \cdots\cdots ❷$$

$$\therefore \lim_{n \to \infty} (3a_n + S_n - 2n) = 3 \lim_{n \to \infty} a_n + \lim_{n \to \infty} (S_n - 2n)$$

$$= 3 \cdot 2 + 6 = \mathbf{12} \qquad \cdots\cdots ❸$$

채점 기준	배점
❶ $\lim\limits_{n \to \infty} a_n$의 값 구하기	30 %
❷ $\lim\limits_{n \to \infty} (S_n - 2n)$의 값 구하기	50 %
❸ $\lim\limits_{n \to \infty} (3a_n + S_n - 2n)$의 값 구하기	20 %

🅐 12

04 $1 + 2 + 2^2 + \cdots + 2^{n-1} < a_n < 2^n$에서

$$\frac{2^n - 1}{2 - 1} < a_n < 2^n \qquad \therefore 1 - \frac{1}{2^n} < \frac{a_n}{2^n} < 1$$

이때 $\lim\limits_{n \to \infty} \left(1 - \dfrac{1}{2^n} \right) = 1$, $\lim\limits_{n \to \infty} 1 = 1$이므로 수열의 극한의

대소 관계에 의하여

$$\lim_{n \to \infty} \frac{a_n}{2^n} = 1 \qquad \cdots\cdots ㉠$$

또 $\dfrac{3n-1}{n+1} < \sum\limits_{k=1}^{n} b_k < \dfrac{3n+1}{n}$에서

$\lim\limits_{n \to \infty} \dfrac{3n-1}{n+1} = 3$, $\lim\limits_{n \to \infty} \dfrac{3n+1}{n} = 3$이므로 수열의 극한

의 대소 관계에 의하여

$$\lim_{n \to \infty} \sum_{k=1}^{n} b_k = 3$$

이때 $\lim\limits_{n \to \infty} \sum\limits_{k=1}^{n} b_k = \sum\limits_{n=1}^{\infty} b_n = 3$이므로

$$\lim_{n \to \infty} b_n = 0 \qquad \cdots\cdots ㉡$$

$$\therefore \lim_{n \to \infty} \frac{8^n - 1}{4^{n-1} a_n + 8^{n+1} b_n} = \lim_{n \to \infty} \frac{1 - \dfrac{1}{8^n}}{\dfrac{1}{4} \cdot \dfrac{a_n}{2^n} + 8 \cdot b_n}$$

$$= \frac{1 - 0}{\dfrac{1}{4} \cdot 1 + 8 \cdot 0} \quad (\because ㉠, ㉡)$$

$$= \mathbf{4} \qquad \text{🅐} \quad ③$$

05 제n항까지의 부분합 S_n은

$$S_n = a + a \cdot \frac{1}{\sqrt{2}} + a \cdot \left(\frac{1}{\sqrt{2}} \right)^2 + \cdots + a \cdot \left(\frac{1}{\sqrt{2}} \right)^{n-1}$$

이므로

$$S - S_n = a \cdot \left(\frac{1}{\sqrt{2}} \right)^n + a \cdot \left(\frac{1}{\sqrt{2}} \right)^{n+1} + \cdots$$

$$= \frac{a}{(\sqrt{2})^n} \left\{ 1 + \frac{1}{\sqrt{2}} + \left(\frac{1}{\sqrt{2}} \right)^2 + \cdots \right\}$$

$$= \frac{a}{(\sqrt{2})^n} \cdot \frac{1}{1 - \dfrac{1}{\sqrt{2}}}$$

$$= \frac{\sqrt{10} - \sqrt{5}}{(\sqrt{2})^n} \cdot \frac{\sqrt{2}}{\sqrt{2} - 1} \quad (\because a = \sqrt{10} - \sqrt{5})$$

$$= \frac{\sqrt{10}}{(\sqrt{2})^n}$$

이때 $\dfrac{\sqrt{10}}{(\sqrt{2})^n}$이 $\dfrac{1}{10^5}$보다 작으므로

$$\frac{\sqrt{10}}{(\sqrt{2})^n} < \frac{1}{10^5}, \quad \frac{10}{2^n} < \frac{1}{10^{10}}$$

$$\therefore 2^n > 10^{11}$$

양변에 상용로그를 취하면

$$\log 2^n > \log 10^{11}, \quad n\log 2 > 11$$

$$\therefore n > \frac{11}{\log 2} = \frac{11}{0.3010} = 36.54\cdots$$

따라서 자연수 n의 최솟값은 **37**이다.   탑 **37**

06 $n=1$일 때,

$$a_2 = a_1{}^2 + c_1 b_1 = \left(\frac{1}{3}\right)^2$$

$$b_2 = b_1 a_1 + d_1 b_1 = \frac{1}{2}\cdot\frac{1}{3} + \frac{1}{2}$$

$$c_2 = a_1 c_1 + c_1 d_1 = 0$$

$$d_2 = b_1 c_1 + d_1{}^2 = 1$$

$n=2$일 때,

$$a_3 = a_1 a_2 + c_1 b_2 = \left(\frac{1}{3}\right)^3$$

$$b_3 = b_1 a_2 + d_1 b_2 = \frac{1}{2}\cdot\left(\frac{1}{3}\right)^2 + \frac{1}{2}\cdot\frac{1}{3} + \frac{1}{2}$$

$$c_3 = a_1 c_2 + c_1 d_2 = 0$$

$$d_3 = b_1 c_2 + d_1 d_2 = 1$$

$$\vdots$$

$$a_n = \left(\frac{1}{3}\right)^n$$

$$b_n = \frac{1}{2}\cdot\left(\frac{1}{3}\right)^{n-1} + \frac{1}{2}\cdot\left(\frac{1}{3}\right)^{n-2} + \cdots + \frac{1}{2}$$

$$= \frac{\frac{1}{2}\left\{1 - \left(\frac{1}{3}\right)^n\right\}}{1 - \frac{1}{3}} = \frac{3}{4}\left\{1 - \left(\frac{1}{3}\right)^n\right\}$$

$$c_n = 0$$

$$d_n = 1$$

ㄱ. $\displaystyle\sum_{n=1}^{\infty} a_n = \sum_{n=1}^{\infty}\left(\frac{1}{3}\right)^n = \dfrac{\frac{1}{3}}{1 - \frac{1}{3}} = \frac{1}{2}$ (참)

ㄴ. $\displaystyle\lim_{n\to\infty} b_n = \lim_{n\to\infty}\frac{3}{4}\left\{1 - \left(\frac{1}{3}\right)^n\right\} = \frac{3}{4}$

ㄱ에 의하여 $\displaystyle\sum_{n=1}^{\infty} a_n = \frac{1}{2}$이므로

$$\frac{3}{2}\sum_{n=1}^{\infty} a_n = \frac{3}{2}\cdot\frac{1}{2} = \frac{3}{4}$$

$$\therefore \lim_{n\to\infty} b_n = \frac{3}{2}\sum_{n=1}^{\infty} a_n \text{ (참)}$$

ㄷ. $\displaystyle\sum_{k=1}^{n} b_k = \sum_{k=1}^{n}\frac{3}{4}\left\{1 - \left(\frac{1}{3}\right)^k\right\}$

$$= \sum_{k=1}^{n}\frac{3}{4} - \sum_{k=1}^{n}\frac{3}{4}\cdot\left(\frac{1}{3}\right)^k$$

$$= \frac{3}{4}n - \frac{\frac{1}{4}\left\{1 - \left(\frac{1}{3}\right)^n\right\}}{1 - \frac{1}{3}}$$

$$= \frac{3}{4}n - \frac{3}{8}\left\{1 - \left(\frac{1}{3}\right)^n\right\}$$

이고, $\displaystyle\sum_{k=1}^{n} d_k = \sum_{k=1}^{n} 1 = n$이므로

$$\lim_{n\to\infty}\left(\sum_{k=1}^{n} b_k - \frac{3}{4}\sum_{k=1}^{n} d_k\right)$$

$$= \lim_{n\to\infty}\left[\frac{3}{4}n - \frac{3}{8}\left\{1 - \left(\frac{1}{3}\right)^n\right\} - \frac{3}{4}n\right]$$

$$= \lim_{n\to\infty}\left[-\frac{3}{8}\left\{1 - \left(\frac{1}{3}\right)^n\right\}\right]$$

$$= -\frac{3}{8} \text{ (거짓)}$$

따라서 옳은 것은 ㄱ, ㄴ이다.   탑 ②

07 $\displaystyle\sum_{n=1}^{\infty} r^n$이 수렴하므로 $-1 < r < 1$

또 $\displaystyle\sum_{n=1}^{\infty} r^n$의 첫째항과 공비가 모두 r이므로

$$\sum_{n=1}^{\infty} r^n = \frac{r}{1-r} = \frac{-(1-r)+1}{1-r} = -1 + \frac{1}{1-r}$$

이때 $-1 < -r < 1$에서 $0 < 1-r < 2$이므로

$$\frac{1}{1-r} > \frac{1}{2}$$

$$\therefore -1 + \frac{1}{1-r} > -1 + \frac{1}{2} = -\frac{1}{2}$$

따라서 등비급수 $\displaystyle\sum_{n=1}^{\infty} r^n$의 합이 될 수 없는 것은 ① -1이다.   탑 ①

08 수열 $\{a_n\}$의 각 항을 분수로 나타내어 보면

$$a_1=0.\dot{1}=\frac{1}{9},\ a_2=0.\dot{1}\dot{0}=\frac{10}{99},\ \cdots,$$

$$a_n=0.\underbrace{\dot{1}00\cdots0\dot{0}}_{n개}=\frac{10^{n-1}}{\underbrace{99\cdots99}_{n개}}=\frac{10^{n-1}}{10^n-1}$$

이므로

$$\frac{1}{a_n}=\frac{10^n-1}{10^{n-1}},\ \frac{1}{a_{n+1}}=\frac{10^{n+1}-1}{10^n}$$

$$\therefore\ \frac{1}{a_{n+1}}-\frac{1}{a_n}=\frac{10^{n+1}-1}{10^n}-\frac{10^n-1}{10^{n-1}}$$

$$=10-\left(\frac{1}{10}\right)^n-10+\left(\frac{1}{10}\right)^{n-1}$$

$$=-\frac{1}{10}\cdot\left(\frac{1}{10}\right)^{n-1}+\left(\frac{1}{10}\right)^{n-1}$$

$$=\frac{9}{10}\cdot\left(\frac{1}{10}\right)^{n-1}$$

$$\therefore\ \sum_{n=1}^{\infty}\left(\frac{1}{a_{n+1}}-\frac{1}{a_n}\right)=\sum_{n=1}^{\infty}\frac{9}{10}\cdot\left(\frac{1}{10}\right)^{n-1}$$

$$=\frac{\frac{9}{10}}{1-\frac{1}{10}}=\mathbf{1} \qquad \text{달 } 1$$

09 주어진 정삼각형을 $\triangle ABC$, 원 O_1의 반지름의 길이를 r_1이라 하고, 오른쪽 아래로 그려지는 원들을 차례로 O_2, O_3, O_4, $\cdots$, 중심을 차례로 O_2, O_3, O_4, $\cdots$, 반지름의 길이를 차례로 r_2, r_3, r_4, $\cdots$라 하자. 또 점 O_1에서 $\triangle ABC$의 밑변에 수선을 그었을 때 만나는 점을 P, 점 O_2에서 선분 O_1P에 수선을 그었을 때 만나는 점을 H라 하자.

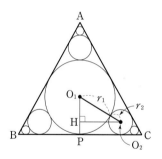

이때 $\triangle O_1O_2H$에서 $\angle O_1O_2H=30°$이므로

$$\frac{\overline{O_1H}}{\overline{O_1O_2}}=\sin30° \text{에서} \qquad \frac{r_1-r_2}{r_1+r_2}=\frac{1}{2}$$

$$2r_1-2r_2=r_1+r_2 \qquad \therefore\ r_2=\frac{1}{3}r_1$$

즉, 각 원의 반지름의 길이는

$$r_3=\frac{1}{3}r_2=\left(\frac{1}{3}\right)^2r_1,\ \cdots,\ r_n=\left(\frac{1}{3}\right)^{n-1}r_1$$

이므로 원 O_n의 넓이를 S_n이라 하면

$$S_n=\pi\cdot\left\{\left(\frac{1}{3}\right)^{n-1}r_1\right\}^2=\left(\frac{1}{3}\right)^{2(n-1)}\pi r_1^2$$

따라서 모든 원의 넓이의 합을 S라 하면

$$S=S_1+3\sum_{n=2}^{\infty}S_n$$

$$=\pi r_1^2+3\pi r_1^2\left\{\left(\frac{1}{3}\right)^2+\left(\frac{1}{3}\right)^4+\left(\frac{1}{3}\right)^6+\cdots\right\}$$

$$=\pi r_1^2+3\pi r_1^2\cdot\frac{\frac{1}{9}}{1-\frac{1}{9}}$$

$$=\frac{11}{8}\pi r_1^2$$

한편 $\triangle ABC$는 한 변의 길이가 1인 정삼각형이므로

$$r_1=\frac{\sqrt{3}}{2}\cdot\frac{1}{3}=\frac{\sqrt{3}}{6}$$

$$\therefore\ S=\frac{11}{8}\pi\cdot\left(\frac{\sqrt{3}}{6}\right)^2=\mathbf{\frac{11}{96}\pi} \qquad \text{답 } \frac{11}{96}\pi$$

10 $\overline{A_{n+1}B_{n+1}}=a_n\ (n=1,2,3,\cdots)$이라 하면 두 삼각형 A_1B_1O와 B_2A_2O는 닮음이므로

$$\overline{A_1B_1}:\overline{B_2A_2}=\overline{OB_1}:\overline{OA_2}$$

이때 $\overline{OB_1}=\overline{A_1B_1}\tan60°=2\sqrt{3}$, $\overline{OA_1}=\frac{\overline{A_1B_1}}{\sin30°}=4$ 이므로

$$2:a_1=2\sqrt{3}:(4-a_1),\ 2\sqrt{3}a_1=2(4-a_1)$$

$$(2\sqrt{3}+2)a_1=8$$

$$\therefore\ a_1=\frac{8(2\sqrt{3}-2)}{(2\sqrt{3}+2)(2\sqrt{3}-2)}=2(\sqrt{3}-1)$$

또 두 삼각형 B_2A_2O와 A_3B_3O는 닮음이므로

$$\overline{B_2A_2} : \overline{A_3B_3} = \overline{OA_2} : \overline{OB_3}$$

$$a_1 : a_2 = a_1\sqrt{3} : (2a_1 - a_2), \ a_2\sqrt{3} = 2a_1 - a_2$$

$$(\sqrt{3}+1)a_2 = 4(\sqrt{3}-1) \ (\because a_1 = 2(\sqrt{3}-1))$$

$$\therefore a_2 = \frac{4(\sqrt{3}-1)^2}{(\sqrt{3}+1)(\sqrt{3}-1)} = 2(\sqrt{3}-1)^2$$

이와 같은 방법으로 계속 계산하면

$$a_n = 2(\sqrt{3}-1)^n$$

$$\therefore \overline{A_1A_2} + \overline{A_2B_2} + \overline{B_2B_3} + \overline{B_3A_3} + \overline{A_3A_4} + \overline{A_4B_4} + \cdots$$

$$= 2\sum_{n=1}^{\infty} a_n = 2\sum_{n=1}^{\infty} 2(\sqrt{3}-1)^n$$

$$= 2 \cdot \frac{2(\sqrt{3}-1)}{1-(\sqrt{3}-1)} = \frac{4(\sqrt{3}-1)}{2-\sqrt{3}}$$

$$= \frac{4(\sqrt{3}-1)(2+\sqrt{3})}{(2-\sqrt{3})(2+\sqrt{3})} = \mathbf{4(1+\sqrt{3})}$$

답 ⑤

Chapter Ⅰ Exercises SUMMA CUM LAUDE 본문 092~097쪽

01 $\dfrac{1+\sqrt{5}}{2}$	02 $2\sqrt{3}$	03 15	04 12
05 ④	06 ②	07 ③	08 π 09 ④
10 $\dfrac{1}{8}$	11 ⑤	12 $\dfrac{1}{3}$	13 14 14 ⑤
15 35	16 ㄱ, ㄷ	17 ②	18 $\dfrac{64}{15}$
19 ①	20 ②		

01 **[전략]** 수열 $\{a_n\}$에서 a_{n+1}과 a_n 사이의 관계식을 구한 후 $\lim\limits_{n\to\infty} a_n = \lim\limits_{n\to\infty} a_{n+1}$임을 이용한다.

주어진 수열 $\{a_n\}$에서

$$a_1 = \sqrt{1+\sqrt{2}}, \ a_2 = \sqrt{1+\sqrt{1+\sqrt{2}}} = \sqrt{1+a_1},$$

$$a_3 = \sqrt{1+\sqrt{1+\sqrt{1+\sqrt{2}}}} = \sqrt{1+a_2}, \ \cdots$$

$$\therefore a_{n+1} = \sqrt{1+a_n} \quad \cdots\cdots \ \bigcirc$$

이때 수열 $\{a_n\}$이 수렴하므로

$\lim\limits_{n\to\infty} a_n = \lim\limits_{n\to\infty} a_{n+1} = \alpha \ (\alpha$는 상수$)$라 하면 $\bigcirc$에 의하여

$$\alpha = \sqrt{1+\alpha}, \ \alpha^2 = 1+\alpha$$

$$\alpha^2 - \alpha - 1 = 0 \quad \therefore \alpha = \frac{1+\sqrt{5}}{2} \ (\because \alpha > 0)$$

답 $\dfrac{1+\sqrt{5}}{2}$

02 **[전략]** $\lim\limits_{n\to\infty} \dfrac{\sqrt{16n^2-3n+5}}{an^2+12n-1} = b$에서 $b \neq 0$임을 이용하여 a의 값을 구한다.

$a \neq 0$이면 $\lim\limits_{n\to\infty} \dfrac{\sqrt{16n^2-3n+5}}{an^2+12n-1} = 0 = b$이므로

$$a = 0$$

$$\lim_{n\to\infty} \frac{\sqrt{16n^2-3n+5}}{an^2+12n-1} = \lim_{n\to\infty} \frac{\sqrt{16n^2-3n+5}}{12n-1}$$

$$= \lim_{n\to\infty} \frac{\sqrt{16-\dfrac{3}{n}+\dfrac{5}{n^2}}}{12-\dfrac{1}{n}}$$

$$= \frac{4}{12} = \frac{1}{3}$$

EXERCISES – Ⅰ. 수열의 극한 113

$$\therefore b=\frac{1}{3}$$

$$\therefore \lim_{n \to \infty} \frac{an^2+2n-7}{\sqrt{bn^2-4n}} = \lim_{n \to \infty} \frac{2n-7}{\sqrt{\frac{1}{3}n^2-4n}}$$

$$= \lim_{n \to \infty} \frac{2-\frac{7}{n}}{\sqrt{\frac{1}{3}-\frac{4}{n}}}$$

$$=2\sqrt{3} \qquad \qquad \boxed{\text{답}} \ 2\sqrt{3}$$

03 [전략] $a_n+b_n=4n$, $a_nb_n=3n-2$임을 이용하여 a_n, b_n을 두 근으로 하는 t에 대한 이차방정식을 세운다.

조건 (가), (나)에서 $a_n+b_n=4n$, $a_nb_n=3n-2$이므로 a_n, b_n을 두 근으로 하는 t에 대한 이차방정식을 세우면 $t^2-4nt+3n-2=0$이다.

$$t=2n\pm\sqrt{(2n)^2-(3n-2)}$$
$$=2n\pm\sqrt{4n^2-3n+2}$$

이고, 조건 (다)에서 $a_n<b_n$이므로

$$a_n=2n-\sqrt{4n^2-3n+2}$$

따라서 구하는 극한값은

$$20\lim_{n \to \infty}a_n$$
$$=20\lim_{n \to \infty}(2n-\sqrt{4n^2-3n+2})$$
$$=20\lim_{n \to \infty}\frac{(2n-\sqrt{4n^2-3n+2})(2n+\sqrt{4n^2-3n+2})}{2n+\sqrt{4n^2-3n+2}}$$
$$=20\lim_{n \to \infty}\frac{3n-2}{2n+\sqrt{4n^2-3n+2}}$$
$$=20\lim_{n \to \infty}\frac{3-\frac{2}{n}}{2+\sqrt{4-\frac{3}{n}+\frac{2}{n^2}}}$$
$$=20 \cdot \frac{3}{4}=15 \qquad \qquad \boxed{\text{답}} \ 15$$

04 [전략] 점 $P_n(\alpha_n, \beta_n)$에서 x축, y축에 각각 수선을 그은 후 주어진 조건을 그림에 나타내어 본다.

점 $P_n(\alpha_n, \beta_n)$에서 x축, y축에 각각 수선을 그으면 다음 그림과 같다.

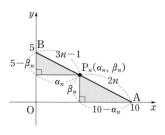

이때 색칠한 두 삼각형은 닮음이므로

$$(3n-1):2n=\alpha_n:(10-\alpha_n) \qquad \cdots\cdots \ \bigcirc$$
$$(3n-1):2n=(5-\beta_n):\beta_n \qquad \cdots\cdots \ \bigcirc\bigcirc$$

이 성립한다.

$\bigcirc$에서 $\quad 2n\alpha_n=30n-3n\alpha_n-10+\alpha_n$

$$(5n-1)\alpha_n=30n-10 \qquad \therefore \ \alpha_n=\frac{30n-10}{5n-1}$$

$\bigcirc\bigcirc$에서 $\quad 10n-2n\beta_n=3n\beta_n-\beta_n$

$$(5n-1)\beta_n=10n \qquad \therefore \ \beta_n=\frac{10n}{5n-1}$$

이때 $\displaystyle\lim_{n \to \infty}\alpha_n=\lim_{n \to \infty}\frac{30n-10}{5n-1}=\lim_{n \to \infty}\frac{30-\frac{10}{n}}{5-\frac{1}{n}}=6$,

$$\lim_{n \to \infty}\beta_n=\lim_{n \to \infty}\frac{10n}{5n-1}=\lim_{n \to \infty}\frac{10}{5-\frac{1}{n}}=2$$이므로

$$\lim_{n \to \infty}\alpha_n\beta_n=\lim_{n \to \infty}\alpha_n \cdot \lim_{n \to \infty}\beta_n=6 \cdot 2=12 \qquad \boxed{\text{답}} \ 12$$

05 [전략] $a_n=S_n-S_{n-1}(n \ge 2)$임을 이용하여 a_n을 구한다.

$S_n=2^n+3^n$이므로

$$a_n=S_n-S_{n-1}$$
$$=2^n+3^n-(2^{n-1}+3^{n-1})$$
$$=2^{n-1}+2 \cdot 3^{n-1} \ (n \ge 2)$$

$$\therefore \lim_{n \to \infty}\frac{a_n}{S_n}=\lim_{n \to \infty}\frac{2^{n-1}+2 \cdot 3^{n-1}}{2^n+3^n}$$

$$=\lim_{n \to \infty}\frac{\frac{1}{2} \cdot \left(\frac{2}{3}\right)^n+\frac{2}{3}}{\left(\frac{2}{3}\right)^n+1}$$

$$=\frac{2}{3} \qquad \qquad \boxed{\text{답}} \ ④$$

06 [전략] $a_{n+1}=\dfrac{a_n}{2-a_n}$ 의 양변에 역수를 취하여 a_n을 구한다.

$a_{n+1}=\dfrac{a_n}{2-a_n}$ 의 양변에 역수를 취하면

$$\frac{1}{a_{n+1}}=\frac{2}{a_n}-1$$

$\dfrac{1}{a_n}=b_n$이라 하면　　$b_{n+1}=2b_n-1$

$b_{n+1}-\alpha=2(b_n-\alpha)$로 놓으면　　$b_{n+1}=2b_n-\alpha$

이때 $-1=-\alpha$이므로　　$\alpha=1$

$$\therefore b_{n+1}-1=2(b_n-1)$$

즉, 수열 $\{b_n-1\}$은 첫째항이

$b_1-1=\dfrac{1}{a_1}-1=3-1=2$, 공비가 2인 등비수열이므로

$$b_n-1=2\cdot 2^{n-1}　　\therefore b_n=2^n+1$$

따라서 $a_n=\dfrac{1}{2^n+1}$, $a_{n+1}=\dfrac{1}{2^{n+1}+1}$ 이므로

$$\lim_{n\to\infty}\frac{a_{n+1}}{a_n}=\lim_{n\to\infty}\frac{2^n+1}{2^{n+1}+1}=\lim_{n\to\infty}\frac{1+\left(\frac{1}{2}\right)^n}{2+\left(\frac{1}{2}\right)^n}=\mathbf{\frac{1}{2}}$$

[참고] $\displaystyle\lim_{n\to\infty}a_{n+1}=\lim_{n\to\infty}a_n$을 떠올려 $\displaystyle\lim_{n\to\infty}\frac{a_{n+1}}{a_n}=1$로 답하지 않도록 주의하자.

만약 수열 $\{a_n\}$이 0이 아닌 값에 수렴하는 수열이었다면 $\displaystyle\lim_{n\to\infty}\frac{a_{n+1}}{a_n}=1$이 성립하지만 수열 $\{a_n\}$이 0이 아닌 값에 수렴하는지, 아닌지 분명하지 않은 경우에는 위와 같이 일반항을 구한 후 극한을 구해야 한다.　　🔲 ②

07 [전략] $a_{n+1}=a_n{}^x$의 양변에 밑이 3인 로그를 취하여 a_n을 구한 후 ㄱ, ㄴ, ㄷ을 확인한다.

$a_{n+1}=a_n{}^x$의 양변에 밑이 3인 로그를 취하면

$$\log_3 a_{n+1}=x\log_3 a_n$$

$\log_3 a_n=b_n$이라 하면　　$b_{n+1}=xb_n$

즉, 수열 $\{b_n\}$은 첫째항이 $b_1=\log_3 a_1=\log_3 3=1$, 공비가 x인 등비수열이므로

$b_n=x^{n-1}$에서　　$\log_3 a_n=x^{n-1}$

$$\therefore a_n=3^{x^{n-1}}$$

ㄱ. $x=\dfrac{1}{2}$일 때, $\displaystyle\lim_{n\to\infty}x^{n-1}=\lim_{n\to\infty}\left(\frac{1}{2}\right)^{n-1}=0$이므로

　　$\displaystyle\lim_{n\to\infty}a_n=3^0=1$ (참)

ㄴ. $x=-\dfrac{1}{2}$일 때, $\displaystyle\lim_{n\to\infty}x^{n-1}=\lim_{n\to\infty}\left(-\frac{1}{2}\right)^{n-1}=0$이 므로　$\displaystyle\lim_{n\to\infty}a_n=3^0=1$ (거짓)

ㄷ. $x\leq -1$ 또는 $x>1$일 때, 수열 $\{x^{n-1}\}$은 발산하므로 수열 $\{a_n\}$도 발산한다. (참)

따라서 옳은 것은 ㄱ, ㄷ이다.　　🔲 ③

08 [전략] 점 A_n에서 시계 반대 방향으로 점 B_n에 이르는 호와 점 B_n에서 시계 반대 방향으로 점 A_n에 이르는 호의 중심각의 크기를 각각 a_n, b_n으로 놓고, a_{n+1}, b_{n+1}을 a_n, b_n에 대한 식으로 나타낸다.

점 A_n에서 시계 반대 방향으로 점 B_n에 이르는 호의 중심각의 크기를 a_n, 점 B_n에서 시계 반대 방향으로 점 A_n에 이르는 호의 중심각의 크기를 b_n이라 하자.

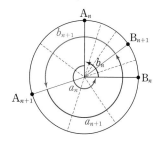

이때 n의 값에 관계없이

$$a_n+b_n=2\pi \qquad\qquad \cdots\cdots ㉠$$

또 위의 그림에서

$$a_{n+1}=\frac{3}{5}a_n+\frac{2}{5}b_n \qquad\qquad \cdots\cdots ㉡$$

$$b_{n+1}=\frac{2}{5}a_n+\frac{3}{5}b_n \qquad\qquad \cdots\cdots ㉢$$

ⓒ-ⓓ을 하면

$$a_{n+1} - b_{n+1} = \frac{1}{5}(a_n - b_n)$$

이므로 수열 $\{a_n - b_n\}$은 첫째항이 $a_1 - b_1$, 공비가 $\frac{1}{5}$인 등비수열이다.

$$\therefore a_n - b_n = (a_1 - b_1) \cdot \left(\frac{1}{5}\right)^{n-1}$$

$$= \pi \cdot \left(\frac{1}{5}\right)^{n-1} \left(\because a_1 = \frac{3}{2}\pi, \; b_1 = \frac{\pi}{2}\right)$$

$$\cdots\cdots ⓔ$$

ⓐ+ⓔ을 하면

$$2a_n = 2\pi + \pi \cdot \left(\frac{1}{5}\right)^{n-1} \qquad \therefore a_n = \pi + \frac{\pi}{2} \cdot \left(\frac{1}{5}\right)^{n-1}$$

이때 원의 반지름의 길이가 1이므로 l_n은

$$l_n = 1 \cdot a_n = a_n$$

$$\therefore \lim_{n \to \infty} l_n = \lim_{n \to \infty} a_n$$

$$= \lim_{n \to \infty} \left\{ \pi + \frac{\pi}{2} \cdot \left(\frac{1}{5}\right)^{n-1} \right\} = \pi \qquad \text{답} \; \pi$$

09 [전략] 급수의 제n항까지의 부분합을 S_n으로 놓고,

$\lim\limits_{n \to \infty} S_{2n-1}$과 $\lim\limits_{n \to \infty} S_{2n}$의 값을 비교한다.

급수의 제n항까지의 부분합을 S_n이라 하면

ㄱ. $S_{2n-1} = 1 + (-1+1) + (-1+1)$

$$+ \cdots + (-1+1) = 1$$

$S_{2n} = (1-1) + (1-1) + \cdots + (1-1) = 0$

$$\therefore \lim_{n \to \infty} S_{2n-1} = 1, \; \lim_{n \to \infty} S_{2n} = 0$$

즉, $\lim\limits_{n \to \infty} S_{2n-1} \neq \lim\limits_{n \to \infty} S_{2n}$이므로 주어진 급수는 발산한다.

ㄴ. $S_n = 1 - 0 - 0 - 0 - \cdots - 0 = 1$이므로 $\lim\limits_{n \to \infty} S_n = 1$

즉, 주어진 급수는 1에 수렴한다.

ㄷ. $S_{2n-1} = 1 - \frac{1}{3} + \frac{1}{3} - \frac{1}{5} + \frac{1}{5}$

$$- \cdots - \frac{1}{2n-1} + \frac{1}{2n-1} = 1$$

$$S_{2n} = 1 - \frac{1}{3} + \frac{1}{3} - \frac{1}{5} + \frac{1}{5}$$

$$- \cdots + \frac{1}{2n-1} - \frac{1}{2n+1}$$

$$= 1 - \frac{1}{2n+1}$$

$$\therefore \lim_{n \to \infty} S_{2n-1} = 1,$$

$$\lim_{n \to \infty} S_{2n} = \lim_{n \to \infty} \left(1 - \frac{1}{2n+1}\right) = 1$$

즉, 주어진 급수는 1에 수렴한다.

따라서 수렴하는 것은 ㄴ, ㄷ이다.

[참고] 항의 부호가 교대로 바뀌는 급수의 합은 홀수 번째 항까지의 부분합 S_{2n-1}과 짝수 번째 항까지의 부분합 S_{2n}의 극한값을 구한 다음

(1) $\lim\limits_{n \to \infty} S_{2n-1} = \lim\limits_{n \to \infty} S_{2n} = \alpha$ (α는 상수)이면

$$\Rightarrow \lim_{n \to \infty} S_n = \alpha \text{에 수렴}$$

(2) $\lim\limits_{n \to \infty} S_{2n-1} \neq \lim\limits_{n \to \infty} S_{2n}$이면

$$\Rightarrow \lim_{n \to \infty} S_n \text{은 발산} \qquad \text{답} \; ④$$

10 [전략] $\frac{1}{a_n} - \frac{1}{a_{n-1}} = 6(n^2 + n)$의 n에 2, 3, $\cdots$, n을 차례로 대입한 후 변끼리 더하여 a_n을 구한다.

$\frac{1}{a_n} - \frac{1}{a_{n-1}} = 6(n^2 + n)$의 n에 2, 3, $\cdots$, n을 차례로 대입하여 변끼리 더하면

$$\frac{1}{a_2} - \frac{1}{a_1} = 6 \cdot (2^2 + 2)$$

$$\frac{1}{a_3} - \frac{1}{a_2} = 6 \cdot (3^2 + 3)$$

$$\vdots$$

$$+\;) \;\; \frac{1}{a_n} - \frac{1}{a_{n-1}} = 6(n^2 + n)$$

$$\overline{\frac{1}{a_n} - \frac{1}{a_1} = \sum_{k=2}^{n} 6(k^2 + k)} \qquad \cdots\cdots ⓐ$$

㉠의 우변을 정리하면

$$\sum_{k=2}^{n} 6(k^2+k)$$

$$= \sum_{k=1}^{n} 6(k^2+k) - 6 \cdot (1^2+1)$$

$$= 6\left\{ \frac{n(n+1)(2n+1)}{6} + \frac{n(n+1)}{2} \right\} - 12$$

$$= n(n+1)(2n+1) + 3n(n+1) - 12$$

$$= 2n(n+1)(n+2) - 12$$

이때 $a_1 = \dfrac{1}{12}$ 이므로 ㉠에 의하여

$$\frac{1}{a_n} - 12 = 2n(n+1)(n+2) - 12$$

$$\therefore a_n = \frac{1}{2n(n+1)(n+2)} \quad (n=1, 2, 3, \cdots)$$

$$\therefore \sum_{n=1}^{\infty} a_n$$

$$= \sum_{n=1}^{\infty} \frac{1}{2n(n+1)(n+2)}$$

$$= \lim_{n \to \infty} \sum_{k=1}^{n} \frac{1}{2k(k+1)(k+2)}$$

$$= \lim_{n \to \infty} \sum_{k=1}^{n} \frac{1}{4} \left\{ \frac{1}{k(k+1)} - \frac{1}{(k+1)(k+2)} \right\}$$

$$= \lim_{n \to \infty} \frac{1}{4} \left[\left(\frac{1}{1 \cdot 2} - \frac{1}{2 \cdot 3} \right) + \left(\frac{1}{2 \cdot 3} - \frac{1}{3 \cdot 4} \right) \right.$$

$$\left. + \cdots + \left\{ \frac{1}{n(n+1)} - \frac{1}{(n+1)(n+2)} \right\} \right]$$

$$= \lim_{n \to \infty} \frac{1}{4} \left\{ \frac{1}{2} - \frac{1}{(n+1)(n+2)} \right\}$$

$$= \frac{1}{4} \cdot \frac{1}{2} = \frac{1}{8}$$

답 $\dfrac{1}{8}$

11 [전략] 급수 $\sum\limits_{n=1}^{\infty} a_n$ 이 수렴하면 $\lim\limits_{n \to \infty} a_n = 0$ 임을 이용한다.

$\sum\limits_{n=1}^{\infty} \left(na_n - \dfrac{n^2+1}{2n+1} \right)$ 이 3에 수렴하므로

$$\lim_{n \to \infty} \left(na_n - \frac{n^2+1}{2n+1} \right) = 0$$

$b_n = na_n - \dfrac{n^2+1}{2n+1}$ 로 놓으면 $\lim\limits_{n \to \infty} b_n = 0$ 이고

$a_n = \dfrac{b_n}{n} + \dfrac{n^2+1}{2n^2+n}$ 이므로

$$\lim_{n \to \infty} a_n = \lim_{n \to \infty} \left(\frac{b_n}{n} + \frac{n^2+1}{2n^2+n} \right)$$

$$= \lim_{n \to \infty} \frac{b_n}{n} + \lim_{n \to \infty} \frac{1 + \dfrac{1}{n^2}}{2 + \dfrac{1}{n}}$$

$$= 0 + \frac{1}{2} = \frac{1}{2} \quad (\because \lim_{n \to \infty} b_n = 0)$$

$$\therefore \lim_{n \to \infty} (a_n^2 + 2a_n + 2)$$

$$= \lim_{n \to \infty} a_n \cdot \lim_{n \to \infty} a_n + 2 \lim_{n \to \infty} a_n + \lim_{n \to \infty} 2$$

$$= \left(\frac{1}{2} \right)^2 + 2 \cdot \frac{1}{2} + 2 = \frac{\mathbf{13}}{\mathbf{4}}$$

답 ⑤

12 [전략] $\overline{AB} = c$, $\overline{AC} = b$로 놓고, 점 A를 원점 O로 생각하여 직각삼각형 ABC를 좌표평면 위에 나타낸 후 점 P_k의 x좌표, y좌표를 각각 b, c, k, n에 대한 식으로 표현한다.

$\overline{AB} = c$, $\overline{AC} = b$로 놓고, 점 A를 원점 O로 생각하여 직각삼각형 ABC를 좌표평면 위에 나타내면 다음 그림과 같다.

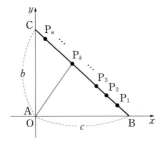

이때 점 P_k의 좌표 (x_k, y_k)는

$$\begin{cases} x_k = c - \dfrac{k}{n+1} \cdot c \\ y_k = \dfrac{k}{n+1} \cdot b \end{cases}$$

이므로

$$\overline{\mathrm{AP}_k}^2 = x_k^2 + y_k^2$$

$$= c^2 \left(1 - \frac{k}{n+1}\right)^2 + b^2 \cdot \left(\frac{k}{n+1}\right)^2$$

$$= c^2 \left\{ 1 - \frac{2k}{n+1} + \frac{k^2}{(n+1)^2} \right\} + b^2 \cdot \frac{k^2}{(n+1)^2}$$

$$= (b^2 + c^2) \cdot \frac{k^2}{(n+1)^2} + c^2 - \frac{2k}{n+1} \cdot c^2$$

$$= \frac{k^2}{(n+1)^2} + c^2 - \frac{2k}{n+1} \cdot c^2 \ (\because b^2 + c^2 = 1)$$

$$\therefore \lim_{n \to \infty} \frac{1}{n} \sum_{k=1}^{n} \overline{\mathrm{AP}_k}^2$$

$$= \lim_{n \to \infty} \frac{1}{n} \sum_{k=1}^{n} \left\{ \frac{k^2}{(n+1)^2} + c^2 - \frac{2k}{n+1} \cdot c^2 \right\}$$

$$= \lim_{n \to \infty} \frac{1}{n} \left\{ \frac{1}{(n+1)^2} \sum_{k=1}^{n} k^2 + c^2 n - \frac{2c^2}{n+1} \sum_{k=1}^{n} k \right\}$$

$$= \lim_{n \to \infty} \frac{1}{n} \left\{ \frac{1}{(n+1)^2} \cdot \frac{n(n+1)(2n+1)}{6} \right.$$
$$\left. + c^2 n - \frac{2c^2}{n+1} \cdot \frac{n(n+1)}{2} \right\}$$

$$= \lim_{n \to \infty} \frac{1}{n} \cdot \frac{n(2n+1)}{6(n+1)}$$

$$= \lim_{n \to \infty} \frac{2n+1}{6n+6} = \boldsymbol{\frac{1}{3}}$$
답 $\frac{1}{3}$

---

13 [전략] 먼저 $g\left(\frac{2}{3}\right)$, $f\left(\frac{2}{3}\right)$의 값을 구한 다음 $f\left(g\left(\frac{2}{3}\right)\right)$, $g\left(f\left(\frac{2}{3}\right)\right)$의 값을 구한다.

두 함수 $f(x)$, $g(x)$에 대하여

$$g\left(\frac{2}{3}\right) = \sum_{n=1}^{\infty} \left(\frac{2}{3}\right)^n = \frac{\frac{2}{3}}{1 - \frac{2}{3}} = 2,$$

$$f\left(\frac{2}{3}\right) = \lim_{n \to \infty} \frac{\left(\frac{2}{3}\right)^{n+1} - 1}{\left(\frac{2}{3}\right)^{n-1} + 2} = -\frac{1}{2}$$

이므로

$$f\left(g\left(\frac{2}{3}\right)\right) = f(2) = \lim_{n \to \infty} \frac{2^{n+1} - 1}{2^{n-1} + 2}$$

$$= \lim_{n \to \infty} \frac{4 - \frac{1}{2^{n-1}}}{1 + \frac{2}{2^{n-1}}} = 4,$$

$$g\left(f\left(\frac{2}{3}\right)\right) = g\left(-\frac{1}{2}\right) = \sum_{n=1}^{\infty} \left(-\frac{1}{2}\right)^n$$

$$= \frac{-\frac{1}{2}}{1 - \left(-\frac{1}{2}\right)} = -\frac{1}{3}$$

$$\therefore f\left(g\left(\frac{2}{3}\right)\right) + g\left(f\left(\frac{2}{3}\right)\right) = 4 + \left(-\frac{1}{3}\right) = \frac{11}{3}$$

따라서 $p = 3$, $q = 11$이므로 $p + q = \boldsymbol{14}$ 답 14

---

14 [전략] $S_n = a_1 + 2a_2 + 2^2 a_3 + \cdots + 2^{n-1} a_n = 10 - 5n$으로 놓은 후 $S_n - S_{n-1}$을 이용하여 a_n을 구한다.

$$S_n = a_1 + 2a_2 + 2^2 a_3 + \cdots + 2^{n-1} a_n = 10 - 5n,$$
$$S_{n-1} = a_1 + 2a_2 + 2^2 a_3 + \cdots + 2^{n-2} a_{n-1} = 15 - 5n$$

이라 하면

$$S_n - S_{n-1} = 2^{n-1} a_n = -5$$

$$\therefore a_n = -5 \cdot \left(\frac{1}{2}\right)^{n-1} \ (n \ge 2)$$

$$\therefore \sum_{n=1}^{\infty} a_n = a_1 + \sum_{n=2}^{\infty} \left\{ -5 \cdot \left(\frac{1}{2}\right)^{n-1} \right\}$$

$$= S_1 + \frac{-\frac{5}{2}}{1 - \frac{1}{2}}$$

$$= 5 - 5 = \boldsymbol{0} \ (\because S_1 = 10 - 5 = 5)$$ 답 ⑤

---

15 [전략] $\sum_{n=1}^{\infty} \frac{a_n}{2^n} = \frac{a_1}{2} + \frac{a_2}{2^2} + \frac{a_3}{2^3} + \cdots = \frac{4}{7}$ 의 양변에 2를 곱해 가며 a_1, a_2, a_3, $\cdots$의 값을 구해 본다.

수열 $\{a_n\}$의 각 항은 0 또는 1이므로

$\sum_{n=1}^{\infty} \frac{a_n}{2^n} = \frac{a_1}{2} + \frac{a_2}{2^2} + \frac{a_3}{2^3} + \cdots = \frac{4}{7}$ 의 양변에 2를 곱하면

$$a_1 + \frac{a_2}{2} + \frac{a_3}{2^2} + \cdots = \frac{8}{7} = 1 + \frac{1}{7} \qquad \therefore a_1 = 1$$

$\dfrac{a_2}{2}+\dfrac{a_3}{2^2}+\dfrac{a_4}{2^3}+\cdots=\dfrac{1}{7}$ 의 양변에 2를 곱하면

$\quad a_2+\dfrac{a_3}{2}+\dfrac{a_4}{2^2}+\cdots=\dfrac{2}{7}\qquad \therefore a_2=0$

$\dfrac{a_3}{2}+\dfrac{a_4}{2^2}+\dfrac{a_5}{2^3}+\cdots=\dfrac{2}{7}$ 의 양변에 2를 곱하면

$\quad a_3+\dfrac{a_4}{2}+\dfrac{a_5}{2^2}+\cdots=\dfrac{4}{7}\qquad \therefore a_3=0$

한편 $\dfrac{a_4}{2}+\dfrac{a_5}{2^2}+\dfrac{a_6}{2^3}+\cdots=\dfrac{4}{7}$ 로 위의 과정이 다시 반복되므로

$\quad a_4=1,\ a_5=0,\ a_6=0,\ \cdots$

즉, 수열 $\{a_n\}$은 1, 0, 0이 반복하여 나타난다.

$$\therefore \sum_{n=1}^{\infty}\dfrac{a_n}{3^n}=\dfrac{1}{3}+\dfrac{1}{3^4}+\dfrac{1}{3^7}+\cdots$$

$$=\dfrac{1}{3}+\dfrac{1}{3}\cdot\dfrac{1}{27}+\dfrac{1}{3}\cdot\left(\dfrac{1}{27}\right)^2+\cdots$$

$$=\dfrac{\dfrac{1}{3}}{1-\dfrac{1}{27}}=\dfrac{9}{26}$$

따라서 $p=26,\ q=9$이므로 $\qquad p+q=\mathbf{35}$ 　　🔲 35

---

16 [전략] 두 등비수열 $\{a_n\}$, $\{b_n\}$의 첫째항을 각각 a, b, 공비를 각각 r_1, r_2로 놓고, 등비수열과 등비급수의 수렴 조건을 이용한다.

두 등비수열 $\{a_n\}$, $\{b_n\}$의 첫째항을 각각 a, b, 공비를 각각 r_1, r_2라 하자.

ㄱ. 두 등비수열 $\{a_n\}$, $\{b_n\}$이 모두 수렴하므로

$\quad -1<r_1\le 1,\ -1<r_2\le 1$

$\quad \therefore -1<r_1r_2\le 1\quad \cdots\cdots\ ㉠$

수열 $\{a_nb_n\}$에서 $a_nb_n=ab\,(r_1r_2)^{n-1}$이므로 이 수열은 첫째항이 ab, 공비가 r_1r_2인 등비수열이다.

이때 ㉠에서 $-1<r_1r_2\le 1$이므로 수열 $\{a_nb_n\}$은 수렴한다. (참)

ㄴ. (반례) $a_n=b_n=1$이면

$\quad \displaystyle\sum_{n=1}^{\infty}a_nb_n=\sum_{n=1}^{\infty}1=\infty$ (발산)이지만

$\displaystyle\lim_{n\to\infty}a_n=\lim_{n\to\infty}b_n=1$이므로 두 등비수열 $\{a_n\}$, $\{b_n\}$은 모두 수렴한다. (거짓)

ㄷ. 두 등비급수 $\displaystyle\sum_{n=1}^{\infty}a_n$, $\displaystyle\sum_{n=1}^{\infty}b_n$이 모두 수렴하므로

$\quad -1<r_1<1,\ -1<r_2<1$

$\quad \therefore -1<r_1r_2<1\quad \cdots\cdots\ ㉡$

급수 $\displaystyle\sum_{n=1}^{\infty}a_nb_n$에서 $a_nb_n=ab\,(r_1r_2)^{n-1}$이므로 이 급수는 첫째항이 ab, 공비가 r_1r_2인 등비급수이다.

이때 ㉡에서 $-1<r_1r_2<1$이므로 급수 $\displaystyle\sum_{n=1}^{\infty}a_nb_n$은 수렴한다. (참)

따라서 옳은 것은 ㄱ, ㄷ이다. 　　🔲 ㄱ, ㄷ

---

17 [전략] $a_nb_n-a_{n+1}b_{n+1}=0$을 이용하여 두 등비수열 $\{a_n\}$, $\{b_n\}$의 공비 사이의 관계를 알아본다.

두 등비수열 $\{a_n\}$, $\{b_n\}$의 공비를 각각 r_1, r_2라 하면

$\quad a_n=a_1r_1^{\,n-1},\ b_n=b_1r_2^{\,n-1}$

이때 $a_{n+1}b_{n+1}=a_nb_n$이므로

$\quad a_1b_1(r_1r_2)^n=a_1b_1(r_1r_2)^{n-1}$

$\quad \therefore r_1r_2=1\quad \cdots\cdots\ ㉠$

한편 수열 $\{a_n\}$은 모든 항이 양수이고 발산하므로

$\quad r_1>1\qquad \therefore 0<r_2<1\ (\because\ ㉠)$

$\quad \therefore \displaystyle\sum_{n=1}^{\infty}b_n=\dfrac{b_1}{1-r_2}=\dfrac{b_1}{1-\dfrac{1}{r_1}}\ (\because\ ㉠)$

$\qquad =\dfrac{r_1b_1}{r_1-1}=\dfrac{a_1r_1b_1}{a_1r_1-a_1}=\dfrac{\boldsymbol{a_2b_1}}{\boldsymbol{a_2-a_1}}$ 　🔲 ②

---

18 [전략] 두 등비급수 $\displaystyle\sum_{n=1}^{\infty}a_n$, $\displaystyle\sum_{n=1}^{\infty}b_n$의 제$n$항을 각각 $a_n=r_1^{\,n-1}$, $b_n=r_2^{\,n-1}$으로 놓고, 주어진 두 식을 이용하여 r_1, r_2의 값을 구한다.

첫째항이 1인 두 등비급수 $\displaystyle\sum_{n=1}^{\infty}a_n$, $\displaystyle\sum_{n=1}^{\infty}b_n$의 제$n$항을 각각 $a_n=r_1^{\,n-1}$, $b_n=r_2^{\,n-1}$이라 하면 두 등비급수가 수렴하므로

$$-1 < r_1 < 1, \quad -1 < r_2 < 1$$

$$\therefore -1 < r_1 r_2 < 1$$

이때 $\sum\limits_{n=1}^{\infty} a_n b_n = \dfrac{4}{5}$ 이므로

$$\sum_{n=1}^{\infty} (r_1 r_2)^{n-1} = \frac{1}{1 - r_1 r_2} = \frac{4}{5}$$

$$4(1 - r_1 r_2) = 5 \qquad \therefore r_1 r_2 = -\frac{1}{4} \qquad \cdots\cdots \ \ㄱ$$

또 $\sum\limits_{n=1}^{\infty} (a_n + b_n) = \dfrac{8}{3}$ 이므로

$$\sum_{n=1}^{\infty} a_n + \sum_{n=1}^{\infty} b_n = \frac{1}{1 - r_1} + \frac{1}{1 - r_2}$$

$$= \frac{2 - r_1 - r_2}{1 + r_1 r_2 - r_1 - r_2}$$

$$= \frac{2 - (r_1 + r_2)}{\dfrac{3}{4} - (r_1 + r_2)} = \frac{8}{3} \ (\because \ ㄱ)$$

$$6 - 3(r_1 + r_2) = 6 - 8(r_1 + r_2)$$

$$\therefore r_1 + r_2 = 0 \qquad\qquad \cdots\cdots \ ㄴ$$

ㄱ, ㄴ을 연립하여 풀면

$$r_1 = -\frac{1}{2}, \ r_2 = \frac{1}{2} \ \text{또는} \ r_1 = \frac{1}{2}, \ r_2 = -\frac{1}{2}$$

$$\therefore \sum_{n=1}^{\infty} (a_n + b_n)^2$$

$$= \sum_{n=1}^{\infty} \left\{ \left(-\frac{1}{2}\right)^{n-1} + \left(\frac{1}{2}\right)^{n-1} \right\}^2$$

$$= \sum_{n=1}^{\infty} \left\{ 2 \cdot \left(\frac{1}{4}\right)^{n-1} + 2 \cdot \left(-\frac{1}{2}\right)^{n-1} \cdot \left(\frac{1}{2}\right)^{n-1} \right\}$$

$$= 2 \sum_{n=1}^{\infty} \left\{ \left(\frac{1}{4}\right)^{n-1} + \left(-\frac{1}{4}\right)^{n-1} \right\}$$

$$= 2 \cdot \left(\frac{1}{1 - \dfrac{1}{4}} + \frac{1}{1 - \left(-\dfrac{1}{4}\right)} \right)$$

$$= 2 \cdot \left(\frac{4}{3} + \frac{4}{5} \right) = \mathbf{\frac{64}{15}} \qquad \text{답} \ \ \frac{64}{15}$$

19 [전략] 먼저 p가 수렴할 때, 공비 x의 값의 범위를 구하고, p를 x에 대한 식으로 나타낸다.

p가 수렴할 때, 공비 x의 값의 범위는 $-1 < x < 1$이고,

$$p = 1 + x + x^2 + x^3 + \cdots = \frac{1}{1 - x} \qquad \cdots\cdots \ ㄱ$$

y가 수렴할 때, 공비 $\dfrac{1}{p}$의 값의 범위는

$-1 < \dfrac{1}{p} < 0$ 또는 $0 < \dfrac{1}{p} < 1$이고,

$$y = \frac{1}{1 - \dfrac{1}{p}} = \frac{1}{1 - (1 - x)} = \frac{1}{x} \ (\because \ ㄱ)$$

이때 $-1 < \dfrac{1}{p} < 0$ 또는 $0 < \dfrac{1}{p} < 1$에서

$$-1 < 1 - x < 0 \ \text{또는} \ 0 < 1 - x < 1$$

$$\therefore 1 < x < 2 \ \text{또는} \ 0 < x < 1$$

즉, p와 y가 모두 수렴하기 위한 x의 값의 범위는 $0 < x < 1$이다.

따라서 $y = \dfrac{1}{x}$, $0 < x < 1$을 만족시키는 점 (x, y)의 자취를 좌표평면 위에 나타내면 ①과 같다. 　　　　 답　①

20 [전략] $(n-1)$번째 그려진 원 중 한 개를 C_n, n번째 그려진 원 중 한 개를 C_{n+1}로 놓고, 두 원의 넓이의 비를 구해 본다.

다음 그림과 같이 $(n-1)$번째 그려진 원 중 한 개를 C_n, 원 C_n의 내부에 그려진 원 중 한 개를 C_{n+1}이라 하고, 원 C_n, C_{n+1}의 반지름의 길이를 각각 r_n, r_{n+1}이라 하자.

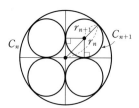

이때 $r_n - r_{n+1} = \sqrt{2}\, r_{n+1}$이므로 　　　 $(\sqrt{2} + 1) r_{n+1} = r_n$

$$r_{n+1} = \frac{1}{\sqrt{2} + 1} r_n = (\sqrt{2} - 1) r_n$$

$$\therefore r_{n+1}^2 = (3 - 2\sqrt{2}) r_n^2$$

즉, 원 C_n의 넓이를 S_n이라 하면 수열 $\{S_n\}$은 공비가 $3-2\sqrt{2}$인 등비수열을 이룬다.

따라서 만들어지는 원의 개수는 4, 4^2, $\cdots$이므로 모든 원의 넓이의 합은

$$\pi+\pi\cdot4(3-2\sqrt{2})+\pi\cdot4^2(3-2\sqrt{2})^2+\cdots$$

$$=\frac{\pi}{1-4(3-2\sqrt{2})}\ (\because\ -1<4(3-2\sqrt{2})<1)$$

$$=\frac{\pi}{8\sqrt{2}-11}=\frac{8\sqrt{2}+11}{7}\pi$$

답 ②

[APPLICATION]　**01** (1) 발산　(2) 수렴, 2　(3) 수렴, 1

(4) 수렴, 3　(5) 수렴, $\begin{cases} 1 & (a>-2) \\ -2 & (a=-2) \end{cases}$

01　(1) 함수 $y=2x+1$과 $y=x$의 그래프를 그려 보면 수열 $\{a_n\}$이 양의 무한대로 발산함을 알 수 있다.

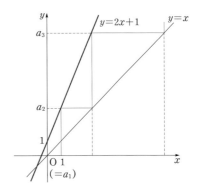

$$\therefore\ \lim_{n\to\infty}a_n=\infty\ \textbf{(발산)}$$

(2) 함수 $y=\dfrac{1}{2}x+1$과 $y=x$의 그래프를 그려 보면 수열 $\{a_n\}$이 두 그래프의 교점의 x좌표인 2로 수렴함을 알 수 있다.

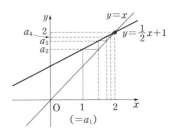

$$\therefore\ \lim_{n\to\infty}a_n=\textbf{2(수렴)}$$

(3) 함수 $y=\dfrac{2x}{x+1}=2-\dfrac{2}{x+1}$와 $y=x$의 그래프를 그려 보면 수열 $\{a_n\}$이 두 그래프의 교점의 x좌표인 1로 수렴함을 알 수 있다.

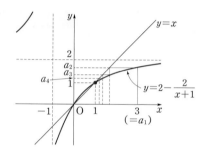

$$\therefore \lim_{n\to\infty} a_n = 1 (수렴)$$

(4) 함수 $y=\sqrt{3+2x}$ 와 $y=x$ 의 그래프를 그려 보면 수열 $\{a_n\}$ 이 두 그래프의 교점의 x좌표인 3으로 수렴함을 알 수 있다.

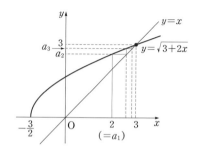

$$\therefore \lim_{n\to\infty} a_n = 3 (수렴)$$

(5) 함수 $y=3-\dfrac{10}{x+4}$ 과 $y=x$ 의 그래프를 그려 보면 다음과 같다.

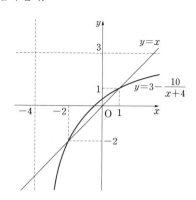

$x \geq -2$ 인 범위에서 두 그래프의 교점이 $(-2, -2)$ 와 $(1, 1)$ 로 2개 생기므로 a 의 값의 범위를 다음과 같이 나누어 보자.

(i) $a=-2$ 일 때

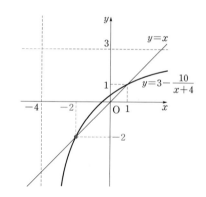

시행을 아무리 반복하더라도 점 $(-2, -2)$ 에 고정되어 있으므로 $\lim\limits_{n\to\infty} a_n = -2$

(ii) $-2 < a < 1$ 일 때

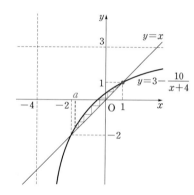

시행을 계속 반복할 경우 점 $(1, 1)$ 에 가까워짐을 알 수 있으므로 $\lim\limits_{n\to\infty} a_n = 1$

(iii) $a=1$ 일 때

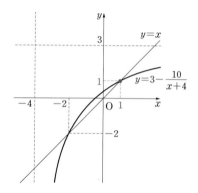

시행을 아무리 반복하더라도 점 $(1, 1)$에 고정되어

있으므로　　　$\lim_{n\to\infty} a_n = 1$

(iv) $a > 1$일 때

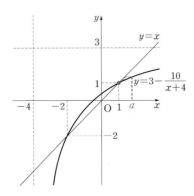

시행을 계속 반복할 경우 점 $(1, 1)$에 가까워짐을 알

수 있으므로　　　$\lim_{n\to\infty} a_n = 1$

(i)~(iv)에 의하여

$$\lim_{n\to\infty} a_n = \begin{cases} 1 & (a > -2) \\ -2 & (a = -2) \end{cases} \text{(수렴)}$$

답 (1) 발산　(2) 수렴, 2　(3) 수렴, 1

(4) 수렴, 3　(5) 수렴, $\begin{cases} 1 & (a > -2) \\ -2 & (a = -2) \end{cases}$

Ⅱ 미분법

1. 지수함수와 로그함수의 미분

01　답 (1) e, x

(2) 자연로그, $\ln x$

(3) 1, 1, $\dfrac{1}{\ln a}$, $\ln a$

(4) e^x, $a^x \ln a$, $\dfrac{1}{x}$, $\dfrac{1}{x\ln a}$

02　(1)

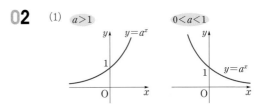

위의 그래프로부터 지수함수 $y = a^x$ $(a > 0,\ a \neq 1)$이

모든 실수에서 연속임은 쉽게 알 수 있고 모든 실수에

서 연속인 함수의 극한은 반드시 존재한다. (참)

(2) $\lim_{x\to 0}(1+x)^{\frac{1}{x}} = e$이므로 수렴하는 수는 무리수이다.

(거짓)

(3) $y = \ln x = \log_e x \Longleftrightarrow x = e^y$

$x = e^y$에서 x와 y를 바꾸면 $y = e^x$이므로 $y = \ln x$와

$y = e^x$은 서로 역함수 관계에 있다. (참)

답 (1) 참　(2) 거짓　(3) 참

03　(1) $\lim_{x\to 0}(1+x)^{\frac{1}{x}} = e$에서 $\dfrac{1}{x} = t$로 놓으면

$x \to 0+$일 때 $t \to \infty$이므로

EXERCISES

$$\lim_{t \to \infty}\left(1+\frac{1}{t}\right)^t=e,\ \text{즉}\ \lim_{x \to \infty}\left(1+\frac{1}{x}\right)^x=e$$

(2) (i) $x>0$인 경우

$\frac{n}{x}=t$로 놓으면 $n \to \infty$일 때 $t \to \infty$이므로

$$\lim_{n \to \infty}\left(1+\frac{x}{n}\right)^n=\lim_{t \to \infty}\left(1+\frac{1}{t}\right)^{xt}$$
$$=\lim_{t \to \infty}\left\{\left(1+\frac{1}{t}\right)^t\right\}^x$$
$$=e^x$$

(ii) $x=0$인 경우

$$\lim_{n \to \infty}\left(1+\frac{x}{n}\right)^n=\lim_{n \to \infty}1^n=1=e^0$$

(iii) $x<0$인 경우

$-\frac{n}{x}=t$로 놓으면 $t>0$이고

$n \to \infty$일 때 $t \to \infty$이므로

$$\lim_{n \to \infty}\left(1+\frac{x}{n}\right)^n=\lim_{t \to \infty}\left(1-\frac{1}{t}\right)^{-xt}$$
$$=\lim_{t \to \infty}\left\{\left(1-\frac{1}{t}\right)^{-t}\right\}^x$$
$$=e^x$$

(i), (ii), (iii)에 의하여 주어진 식은 임의의 실수 x에 대하여 성립한다.

(3) 로그함수 $y=\ln x$에서 도함수의 정의에 의하여

$$y'=\lim_{h \to 0}\frac{\ln(x+h)-\ln x}{h}=\lim_{h \to 0}\frac{1}{h}\ln\frac{x+h}{x}$$
$$=\lim_{h \to 0}\frac{1}{x}\cdot\frac{x}{h}\ln\left(1+\frac{h}{x}\right)$$
$$=\frac{1}{x}\lim_{h \to 0}\ln\left(1+\frac{h}{x}\right)^{\frac{x}{h}}$$

여기서 $\frac{h}{x}=t$로 놓으면 $h \to 0$일 때 $t \to 0$이므로

$$\frac{1}{x}\lim_{h \to 0}\ln\left(1+\frac{h}{x}\right)^{\frac{x}{h}}=\frac{1}{x}\lim_{t \to 0}\ln(1+t)^{\frac{1}{t}}$$
$$=\frac{1}{x}\ln e=\frac{1}{x}$$

따라서 $y=\ln x$의 도함수는 $y'=\frac{1}{x}$이다.

답 풀이 참조

01 (1) 16 (2) 3   **02** ②   **03** ①   **04** $\ln 3$

05 1   **06** ④   **07** $3\ln 5$ **08** $a=2, b=108$

09 ③   **10** e^3

01 (1) $\lim_{x \to \infty}(4^x-3^x)^{\frac{2}{x}}=\lim_{x \to \infty}\left[4^x\left\{1-\left(\frac{3}{4}\right)^x\right\}\right]^{\frac{2}{x}}$

$$=\lim_{x \to \infty}(4^x)^{\frac{2}{x}}\left\{1-\left(\frac{3}{4}\right)^x\right\}^{\frac{2}{x}}$$
$$=4^2\cdot 1=\mathbf{16}$$

(2) $\lim_{x \to \infty}\{\log_2(4+8x^2)-2\log_2 x\}$

$$=\lim_{x \to \infty}\{\log_2(4+8x^2)-\log_2 x^2\}$$
$$=\lim_{x \to \infty}\log_2\frac{4+8x^2}{x^2}$$
$$=\log_2\lim_{x \to \infty}\frac{4+8x^2}{x^2}$$
$$=\log_2 8=\log_2 2^3=\mathbf{3}$$

답 (1) 16   (2) 3

02 $\frac{1}{2}\left(1+\frac{1}{n}\right)\left(1+\frac{1}{n+1}\right)\left(1+\frac{1}{n+2}\right)$

$$\cdots\cdots\left(1+\frac{1}{2n}\right)$$
$$=\frac{1}{2}\cdot\frac{n+1}{n}\cdot\frac{n+2}{n+1}\cdot\frac{n+3}{n+2}\cdots\cdots\frac{2n+1}{2n}$$
$$=\frac{1}{2}\cdot\frac{2n+1}{n}=\frac{2n+1}{2n}$$

$\therefore \lim_{n \to \infty}\left\{\frac{1}{2}\left(1+\frac{1}{n}\right)\left(1+\frac{1}{n+1}\right)\left(1+\frac{1}{n+2}\right)\right.$

$$\left.\cdots\cdots\left(1+\frac{1}{2n}\right)\right\}^n$$
$$=\lim_{n \to \infty}\left(\frac{2n+1}{2n}\right)^n=\lim_{n \to \infty}\left(1+\frac{1}{2n}\right)^n$$
$$=\lim_{n \to \infty}\left\{\left(1+\frac{1}{2n}\right)^{2n}\right\}^{\frac{1}{2}}$$
$$=e^{\frac{1}{2}}=\sqrt{e}$$

답 ②

03

$$\lim_{x \to 0}\left\{\left(1-\frac{x}{2}\right)(1-2x)\right\}^{\frac{3}{x}}$$

$$=\lim_{x \to 0}\left(1-\frac{x}{2}\right)^{\frac{3}{x}}\cdot(1-2x)^{\frac{3}{x}}$$

$$=\lim_{x \to 0}\left(1-\frac{x}{2}\right)^{\frac{3}{x}}\cdot\lim_{x \to 0}(1-2x)^{\frac{3}{x}}$$

$$=\lim_{x \to 0}\left\{\left(1-\frac{x}{2}\right)^{-\frac{2}{x}}\right\}^{-\frac{3}{2}}\cdot\lim_{x \to 0}\left\{(1-2x)^{-\frac{1}{2x}}\right\}^{-6}$$

$$=e^{-\frac{3}{2}}\cdot e^{-6}=e^{-\frac{15}{2}}$$

$$\therefore a=-\frac{15}{2}$$

답 ①

04

$\dfrac{1}{n}=t$로 놓으면 $n \to \infty$일 때 $t \to 0$이므로

$$\lim_{n \to \infty}n(\sqrt[n]{3}-1)=\lim_{n \to \infty}\frac{3^{\frac{1}{n}}-1}{\frac{1}{n}}=\lim_{t \to 0}\frac{3^t-1}{t}=\ln 3$$

답 $\ln 3$

05

$$\lim_{x \to 0}\frac{f(x)}{\ln(1+4x)}$$

$$=\lim_{x \to 0}\frac{f(x)}{e^x-1}\cdot\frac{e^x-1}{x}\cdot\frac{4x}{\ln(1+4x)}\cdot\frac{1}{4}$$

$$=4\cdot 1\cdot 1\cdot\frac{1}{4}=1$$

답 1

06 함수 $f(x)$가 $x=0$에서 연속이므로

$\lim_{x \to 0}f(x)=f(0)$이다. 즉

$$\lim_{x \to 0}\frac{a^x-2^x}{\ln(x+1)}=\lim_{x \to 0}\frac{(a^x-1)-(2^x-1)}{\ln(x+1)}$$

$$=\lim_{x \to 0}\frac{\dfrac{a^x-1}{x}-\dfrac{2^x-1}{x}}{\dfrac{\ln(x+1)}{x}}$$

$$=\ln a-\ln 2$$

$$=\ln\frac{a}{2}=2$$

$$\therefore a=2e^2$$

답 ④

07 $x \to 0$일 때 (분자)$\to 0$이고 0이 아닌 극한값이 존재하므로 (분모)$\to 0$이다.

즉 $\lim_{x \to 0}\{\log_5(1+x)+a\}=0$이므로 $\quad a=0$

...... ❶

$a=0$을 주어진 식에 대입하면

$$b=\lim_{x \to 0}\frac{x^2+3x}{\log_5(1+x)}=\lim_{x \to 0}\frac{x}{\log_5(1+x)}\cdot(x+3)$$

$$=\ln 5\cdot 3=3\ln 5$$

...... ❷

$$\therefore b-a=3\ln 5$$

...... ❸

채점 기준	배점
❶ a의 값 구하기	30 %
❷ b의 값 구하기	50 %
❸ $b-a$의 값 구하기	20 %

답 $3\ln 5$

08 $x \to 1$일 때 (분모)$\to 0$이고 극한값이 존재하므로 (분자)$\to 0$이다.

즉 $\lim_{x \to 1}\{f(x)-5\}=0$이므로 $\quad f(1)=5$

$f(x)=a^x+3^x$에서 $\quad f(1)=a+3=5$

$$\therefore a=2$$

$$\therefore f(x)=2^x+3^x$$

한편 $\lim_{x \to 1}\dfrac{f(x)-5}{x-1}=\lim_{x \to 1}\dfrac{f(x)-f(1)}{x-1}=f'(1)$이고

$f'(x)=2^x\ln 2+3^x\ln 3$이므로

$$f'(1)=2\ln 2+3\ln 3=\ln 2^2\cdot 3^3=\ln 108$$

$$\therefore b=108$$

답 $a=2,\ b=108$

09

$$\lim_{h \to 0}\frac{f(e+h)-f(e-h)}{h}$$

$$=\lim_{h \to 0}\frac{f(e+h)-f(e)-\{f(e-h)-f(e)\}}{h}$$

$$=\lim_{h \to 0}\frac{f(e+h)-f(e)}{h}$$

$$\quad+\lim_{h \to 0}\frac{f(e-h)-f(e)}{-h}$$

$$=f'(e)+f'(e)=2f'(e)$$

$f(x)=3x^2\ln x$에서

$$f'(x)=6x\ln x+3x^2\cdot\frac{1}{x}=6x\ln x+3x$$

이므로 $\quad f'(e)=6e+3e=9e$

$$\therefore 2f'(e)=2\cdot 9e=\boldsymbol{18e}$$

답 ③

10 $f(x)$가 모든 실수 x에서 미분가능하면 $x=1$에서 미분가능하다.

$f(x)$가 $x=1$에서 미분가능하면 $x=1$에서 연속이므로

$$\lim_{x\to 1+}\ln ax=f(1)$$

$$\therefore \ln a=b+2 \quad \cdots\cdots \ \text{㉠}$$

또 $f'(x)=\begin{cases} \dfrac{1}{x} & (x>1) \\[2mm] be^{x-1} & (x<1) \end{cases}$ 에서 $f'(1)$이 존재하므로

$$\lim_{x\to 1+}\frac{1}{x}=\lim_{x\to 1-}be^{x-1} \quad \therefore 1=b$$

$b=1$을 ㉠에 대입하면

$$\ln a=1+2=3 \quad \therefore a=e^3$$

$$\therefore ab=e^3\cdot 1=\boldsymbol{e^3}$$

답 e^3

EXERCISES Ⓑ SUMMA CUM LAUDE 본문 132~134쪽

01 ④   **02** ④   **03** ⑤   **04** ①   **05** ④

06 ①   **07** ④   **08** ①   **09** ②

10 $1-\left(\dfrac{1}{2}\right)^{10}$

---

01 $\lim\limits_{x\to\infty}f(x)=\infty$, $\lim\limits_{x\to\infty}g(x)=\infty$일 때

(i) $\lim\limits_{x\to\infty}\dfrac{g(x)}{f(x)}=0$이면

$$\lim_{x\to\infty}\frac{e^{g(x)}}{e^{f(x)}}=\lim_{x\to\infty}e^{g(x)-f(x)}$$

$$=\lim_{x\to\infty}e^{f(x)\left\{\frac{g(x)}{f(x)}-1\right\}}$$

$$=\lim_{x\to\infty}e^{-f(x)}=0$$

(ii) $\lim\limits_{x\to\infty}\dfrac{g(x)}{f(x)}=1$이면

$$\lim_{x\to\infty}\frac{\ln g(x)}{\ln f(x)}=\lim_{x\to\infty}\frac{\ln f(x)+\ln\dfrac{g(x)}{f(x)}}{\ln f(x)}$$

$$=\lim_{x\to\infty}\left(1+\ln\frac{g(x)}{f(x)}\cdot\frac{1}{\ln f(x)}\right)$$

$$=1+0\cdot 0=1$$

$$\left(\because \lim_{x\to\infty}\ln\frac{g(x)}{f(x)}=0,\ \lim_{x\to\infty}\frac{1}{\ln f(x)}=0\right)$$

답 ④

02 $x+1=t$로 놓으면 $x\to -1$일 때 $t\to 0$이므로

$$\lim_{x\to -1}\left\{(2+x)^{\frac{3}{x+1}}+\frac{e^{4(x+1)}-1}{x+1}\right\}$$

$$=\lim_{t\to 0}\left\{(1+t)^{\frac{3}{t}}+\frac{e^{4t}-1}{t}\right\}$$

$$=\lim_{t\to 0}\left[\{(1+t)^{\frac{1}{t}}\}^3+\frac{e^{4t}-1}{4t}\cdot 4\right]$$

$$=e^3+4$$

답 ④

03 $x\ln S_n$

$$=x\ln\left(1+\frac{1}{x}\right)\left(1+\frac{2}{x}\right)\cdots\left(1+\frac{n}{x}\right)$$

$$=x\left\{\ln\left(1+\frac{1}{x}\right)+\ln\left(1+\frac{2}{x}\right)\right.$$

$$\left.+\cdots+\ln\left(1+\frac{n}{x}\right)\right\}$$

$$=\frac{\ln\left(1+\frac{1}{x}\right)}{\frac{1}{x}}+\frac{\ln\left(1+\frac{2}{x}\right)}{\frac{2}{x}}\cdot 2$$

$$+\cdots+\frac{\ln\left(1+\frac{n}{x}\right)}{\frac{n}{x}}\cdot n$$

$$\therefore A_n=\lim_{x\to\infty}x\ln S_n=1+2+\cdots+n$$

$$=\frac{n(n+1)}{2}$$

$$\therefore \sum_{n=1}^{\infty}\frac{1}{A_n}=\lim_{n\to\infty}\sum_{k=1}^{n}\frac{2}{k(k+1)}$$

$$=\lim_{n\to\infty}\sum_{k=1}^{n}2\left(\frac{1}{k}-\frac{1}{k+1}\right)$$

$$=2\lim_{n\to\infty}\left\{\left(1-\frac{1}{2}\right)+\left(\frac{1}{2}-\frac{1}{3}\right)\right.$$

$$\left.+\cdots+\left(\frac{1}{n}-\frac{1}{n+1}\right)\right\}$$

$$=2\lim_{n\to\infty}\left(1-\frac{1}{n+1}\right)=2$$

답 ⑤

04 ㄱ. $f(x)=x^3$이므로

$$\lim_{x\to 0}\frac{e^{f(x)}-1}{\sqrt{x}}=\lim_{x\to 0}\frac{e^{x^3}-1}{x^3}\cdot x^2\sqrt{x}=0 \text{ (참)}$$

ㄴ. $\displaystyle\lim_{x\to 0}\frac{e^x-1}{f(x)}=\lim_{x\to 0}\frac{e^x-1}{x}\cdot\frac{x}{f(x)}=1$이므로

$$\lim_{x\to 0}\frac{x}{f(x)}=1$$

$$\therefore \lim_{x\to 0}\frac{(e^x)^2-1}{\{f(x)\}^2}=\lim_{x\to 0}\frac{(e^x-1)(e^x+1)}{\{f(x)\}^2}$$

$$=\lim_{x\to 0}\frac{e^x-1}{f(x)}\cdot\frac{x}{f(x)}\cdot\frac{e^x+1}{x}$$

이때 $\displaystyle\lim_{x\to 0+}\frac{e^x+1}{x}=\infty$, $\displaystyle\lim_{x\to 0-}\frac{e^x+1}{x}=-\infty$이므

로 주어진 식의 극한값은 존재하지 않는다. (거짓)

ㄷ. (반례) $f(x)=|x|$일 때,

$$\lim_{x\to 0}f(x)=\lim_{x\to 0}|x|=0$$이지만

$$\lim_{x\to 0+}\frac{e^{|x|}-1}{x}=\lim_{x\to 0+}\frac{e^{|x|}-1}{|x|}\cdot\frac{|x|}{x}=1$$

$$\lim_{x\to 0-}\frac{e^{|x|}-1}{x}=\lim_{x\to 0-}\frac{e^{|x|}-1}{|x|}\cdot\frac{|x|}{x}=-1$$

따라서 $\displaystyle\lim_{x\to 0}\frac{e^{f(x)}-1}{x}$의 값은 존재하지 않는다. (거짓)

따라서 옳은 것은 ㄱ이다. **답** ①

05 $e^{\frac{x}{n^2-1}}-1=t$로 놓으면 $e^{\frac{x}{n^2-1}}=1+t$에서

$$\frac{x}{n^2-1}=\ln(1+t)$$

$$\therefore x=(n^2-1)\ln(1+t)$$

$x\to 0$일 때 $t\to 0$이므로

$$f(n)=\lim_{t\to 0}\frac{2t}{(n^2-1)\ln(1+t)}$$

$$=\lim_{t\to 0}\frac{2}{n^2-1}\cdot\frac{t}{\ln(1+t)}$$

$$=\frac{2}{n^2-1}$$

ㄱ. $f(2)=\frac{2}{2^2-1}=\frac{2}{3}$ (거짓)

ㄴ. $\displaystyle\lim_{n\to\infty}n^2 f(n)=\lim_{n\to\infty}\frac{2n^2}{n^2-1}=2$ (참)

ㄷ. $\displaystyle\sum_{n=2}^{\infty}f(n)$

$$=\sum_{n=2}^{\infty}\frac{2}{n^2-1}$$

$$=\lim_{n\to\infty}\sum_{k=2}^{n}\frac{2}{(k-1)(k+1)}$$

$$=\lim_{n\to\infty}\sum_{k=2}^{n}\left(\frac{1}{k-1}-\frac{1}{k+1}\right)$$

$$= \lim_{n \to \infty} \left\{ \left(\frac{1}{1} - \frac{1}{3} \right) + \left(\frac{1}{2} - \frac{1}{4} \right) + \left(\frac{1}{3} - \frac{1}{5} \right) \right.$$
$$\left. + \cdots + \left(\frac{1}{n-2} - \frac{1}{n} \right) + \left(\frac{1}{n-1} - \frac{1}{n+1} \right) \right\}$$
$$= \lim_{n \to \infty} \left(1 + \frac{1}{2} - \frac{1}{n} - \frac{1}{n+1} \right) = \frac{3}{2} \ (참)$$

따라서 옳은 것은 ㄴ, ㄷ이다. 　　　　　📋 ④

06 $y = e^{3x}$에서 로그의 정의에 의하여

$3x = \ln y$

$\therefore x = \frac{1}{3} \ln y$

x와 y를 서로 바꾸면 $y = \frac{1}{3} \ln x$이므로

$g(x) = \frac{1}{3} \ln x$

이때 $f(g(x)) = x$이므로

$$\lim_{x \to 0+} \frac{g(33x+1) - f(2x) + 1}{f(g(5x))}$$

$$= \lim_{x \to 0+} \frac{\frac{1}{3} \ln(33x+1) - e^{6x} + 1}{5x}$$

$$= \lim_{x \to 0+} \left\{ \frac{\ln(33x+1)}{15x} - \frac{e^{6x} - 1}{5x} \right\}$$

$$= \lim_{x \to 0+} \left\{ \frac{\ln(33x+1)}{33x} \cdot \frac{33}{15} - \frac{e^{6x} - 1}{6x} \cdot \frac{6}{5} \right\}$$

$$= 1 \cdot \frac{33}{15} - 1 \cdot \frac{6}{5} = 1 \qquad 📋 ①$$

07 두 점 C, D의 좌표는 각각

C$(t, \ln(t+1))$, D$(2t, \ln(2t+1))$

삼각형 OAC의 넓이는

$$S(t) = \frac{1}{2} t \ln(t+1)$$

사다리꼴 ABDC의 넓이는

$$T(t) = \frac{1}{2} t \{\ln(t+1) + \ln(2t+1)\}$$

$$\therefore \lim_{t \to 0} \frac{T(t)}{S(t)} = \lim_{t \to 0} \frac{\frac{1}{2} t \{\ln(t+1) + \ln(2t+1)\}}{\frac{1}{2} t \ln(t+1)}$$

$$= \lim_{t \to 0} \frac{\ln(t+1) + \ln(2t+1)}{\ln(t+1)}$$

$$= 1 + \lim_{t \to 0} \frac{\ln(2t+1)}{\ln(t+1)}$$

$$= 1 + 2 = 3 \qquad 📋 ④$$

08 $x = \frac{1}{t}$로 놓으면 $x \to \infty$일 때 $t \to 0$이므로

$$\lim_{x \to \infty} x^a \ln \left(b + \frac{c}{x^2} \right) = \lim_{t \to 0} \frac{\ln(b + ct^2)}{t^a} = 2$$
$$\cdots\cdots ㉠$$

$t \to 0$일 때 (분모) $\to 0$이고 극한값이 존재하므로
(분자) $\to 0$이다.

즉 $\lim_{t \to 0} \{\ln(b + ct^2)\} = 0$이므로

$\ln b = 0$ 　　$\therefore b = 1$

$b = 1$을 ㉠에 대입하면

$$\lim_{t \to 0} \frac{\ln(1 + ct^2)}{t^a} = \lim_{t \to 0} \frac{\ln(1 + ct^2)}{ct^2} \cdot \frac{ct^2}{t^a}$$

$$= \lim_{t \to 0} \frac{ct^2}{t^a} = \lim_{t \to 0} ct^{2-a} = 2$$

이때 $\lim_{t \to 0} ct^{2-a} = 2$와 같이 0이 아닌 극한값이 존재하므로

$c = 2$, $t^{2-a} = 1$이어야 한다.

$\therefore a = 2$, $c = 2$

$\therefore a + b + c = 2 + 1 + 2 = 5 \qquad 📋 ①$

09 이차항의 계수가 1인 이차함수 $f(x)$를

$f(x) = x^2 + ax + b$ (a, b는 상수)로 놓자.

함수 $g(x)$가 $x = 0$에서 불연속이므로 함수 $f(x)g(x)$
가 구간 $(-1, \infty)$에서 연속이려면 $x = 0$에서도 연속이
어야 한다.

즉 $\lim_{x \to 0} f(x)g(x) = f(0)g(0)$이어야 하므로

$$\lim_{x \to 0} \frac{x^2 + ax + b}{\ln(x+1)} = 8b \qquad \cdots\cdots \ \text{㉠}$$

㉠에서 $x \to 0$일 때 극한값이 존재하고 (분모) $\to 0$이므로 (분자) $\to 0$이어야 한다.

즉 $\lim_{x \to 0} (x^2 + ax + b) = 0$이므로 $\quad b = 0$

$b = 0$을 ㉠에 대입하면

$$\lim_{x \to 0} \frac{x^2 + ax}{\ln(x+1)} = \lim_{x \to 0} \frac{x(x+a)}{\ln(x+1)}$$

$$= \lim_{x \to 0} \frac{x+a}{\dfrac{\ln(x+1)}{x}}$$

$$= \frac{\displaystyle\lim_{x \to 0}(x+a)}{\displaystyle\lim_{x \to 0}\frac{\ln(x+1)}{x}} = \frac{a}{1} = a = 0$$

따라서 $f(x) = x^2$이므로 $\quad f(3) = 3^2 = \mathbf{9}$ 　　**답** ②

10 함수 $f(x) = e^{\frac{x}{2}} = (\sqrt{e})^x$에 대하여 함수 $f^{(1)}(x),\ f^{(2)}(x),\ \cdots,\ f^{(10)}(x)$를 차례로 구해 보자.

$$f^{(1)}(x) = \{(\sqrt{e})^x\}' = (\sqrt{e})^x \ln\sqrt{e} = \frac{1}{2}(\sqrt{e})^x$$

$$f^{(2)}(x) = \left\{\frac{1}{2}(\sqrt{e})^x\right\}' = \frac{1}{2}\{(\sqrt{e})^x\}'$$

$$= \left(\frac{1}{2}\right)^2 (\sqrt{e})^x$$

$$f^{(3)}(x) = \left\{\left(\frac{1}{2}\right)^2 (\sqrt{e})^x\right\}' = \left(\frac{1}{2}\right)^2 \{(\sqrt{e})^x\}'$$

$$= \left(\frac{1}{2}\right)^3 (\sqrt{e})^x$$

$$\vdots$$

$$f^{(10)}(x) = \left\{\left(\frac{1}{2}\right)^9 (\sqrt{e})^x\right\}' = \left(\frac{1}{2}\right)^9 \{(\sqrt{e})^x\}'$$

$$= \left(\frac{1}{2}\right)^{10} (\sqrt{e})^x$$

$$\therefore f^{(n)}(x) = \left(\frac{1}{2}\right)^n (\sqrt{e})^x \qquad \cdots\cdots \ ❶$$

$f^{(n)}(0) = \left(\dfrac{1}{2}\right)^n (\sqrt{e})^0 = \left(\dfrac{1}{2}\right)^n$이므로

$$\sum_{k=1}^{10} f^{(k)}(0) = \sum_{k=1}^{10} \left(\frac{1}{2}\right)^k = \frac{\dfrac{1}{2}\left\{1 - \left(\dfrac{1}{2}\right)^{10}\right\}}{1 - \dfrac{1}{2}}$$

$$= 1 - \left(\frac{1}{2}\right)^{10} \qquad \cdots\cdots \ ❷$$

채점 기준	배점
❶ $f^{(n)}(x)$ 구하기	50 %
❷ $\displaystyle\sum_{k=1}^{10} f^{(k)}(0)$의 값 구하기	50 %

답 $1 - \left(\dfrac{1}{2}\right)^{10}$

2. 삼각함수의 미분

01　**답** (1) $\sec^2\theta$, $\csc^2\theta$

(2) $\cos\alpha\sin\beta$, $\cos\alpha\cos\beta$,

$1+\tan\alpha\tan\beta$

(3) $\sqrt{a^2+b^2}$, $\dfrac{a}{\sqrt{a^2+b^2}}$, $\dfrac{b}{\sqrt{a^2+b^2}}$

(4) 1, 1

02　(1) $\cos\theta=\dfrac{n}{m}$ (m, n은 서로소인 정수, $m\neq 0$)

이라 하면

$$\cos 2\theta=2\cos^2\theta-1=\frac{2n^2}{m^2}-1$$

도 유리수이다. (참)

(2) $0<\theta<\dfrac{\pi}{2}$에서 $\tan\theta>0$이므로

$\tan\theta=\dfrac{n}{m}$ (m, n은 서로소인 자연수)라 하면

$$\cos^2\theta=\frac{1}{\sec^2\theta}=\frac{1}{1+\tan^2\theta}$$

$$=\frac{1}{1+\dfrac{n^2}{m^2}}=\frac{m^2}{m^2+n^2}$$

$$\therefore \cos\theta=\frac{m}{\sqrt{m^2+n^2}}\ \left(\because 0<\theta<\frac{\pi}{2}\right)\ \ \cdots\cdots \bigcirc$$

또 $\sin^2\theta=1-\cos^2\theta=1-\dfrac{m^2}{m^2+n^2}=\dfrac{n^2}{m^2+n^2}$이

므로

$$\sin\theta=\frac{n}{\sqrt{m^2+n^2}}\ \left(\because 0<\theta<\frac{\pi}{2}\right)\ \ \cdots\cdots \bigcirc$$

$$\therefore \sin 2\theta=2\sin\theta\cos\theta$$

$$=2\cdot\frac{n}{\sqrt{m^2+n^2}}\cdot\frac{m}{\sqrt{m^2+n^2}}\ (\because \bigcirc, \bigcirc)$$

$$=\frac{2mn}{m^2+n^2}$$

따라서 $\sin 2\theta$는 유리수이다. (참)

(3) 사인함수와 코사인함수의 각이 다른 경우 둘 중 하나의 각을 삼각함수의 공식을 이용하여 다른 각과 같게 만들어 줄 수 있는 경우에만 합성이 가능하고, 그렇지 않으면 합성이 불가능하다. (거짓)

답 (1) 참　(2) 참　(3) 거짓

03　(1) $\tan 3A=\tan(A+2A)$

$$=\frac{\tan A+\tan 2A}{1-\tan A\tan 2A}$$

$$=\frac{\tan A+\dfrac{2\tan A}{1-\tan^2 A}}{1-\tan A\cdot\dfrac{2\tan A}{1-\tan^2 A}}$$

$$=\frac{3\tan A-\tan^3 A}{1-3\tan^2 A}$$

(2) $f'(x)=\cos x$, $f''(x)=-\sin x$, $f^{(3)}(x)=-\cos x$,

$f^{(4)}(x)=\sin x$, $f^{(5)}(x)=\cos x$, $\cdots$

이므로 함수 $f(x)$의 n계도함수는 다음과 같다.

$$f^{(n)}(x)=\begin{cases}\cos x & (n=4k+1일 \text{ 때})\\ -\sin x & (n=4k+2일 \text{ 때})\\ -\cos x & (n=4k+3일 \text{ 때})\\ \sin x & (n=4k+4일 \text{ 때})\end{cases}$$

(단, k는 음이 아닌 정수)

또 $g'(x)=-\sin x$, $g''(x)=-\cos x$,

$g^{(3)}(x)=\sin x$, $g^{(4)}(x)=\cos x$,

$g^{(5)}(x)=-\sin x$, $\cdots$

이므로 함수 $g(x)$의 n계도함수는 다음과 같다.

$$g^{(n)}(x)=\begin{cases}-\sin x & (n=4k+1\text{일 때})\\ -\cos x & (n=4k+2\text{일 때})\\ \sin x & (n=4k+3\text{일 때})\\ \cos x & (n=4k+4\text{일 때})\end{cases}$$

(단, k는 음이 아닌 정수)

답 풀이 참조

EXERCISES A

SUMMA CUM LAUDE 본문 173～175쪽

01 4 **02** ⑤ **03** $\frac{2\sqrt{6}+1}{6}$ **04** ③

05 $\frac{\pi}{4}$ **06** ③ **07** $-\frac{\sqrt{6}}{4}$ **08** ㄱ, ㄴ, ㄷ

09 ④ **10** 3 **11** ④ **12** ⑤ **13** 0

14 8 **15** $-\frac{2}{3}$

01 θ가 제4사분면의 각이고 $\sin\theta=-\frac{2}{\sqrt{5}}$이므로 오른쪽 그림과 같이 원점을 중심으로 하고 반지름의 길이가 $\sqrt{5}$인 원을 그리면 각 θ의 동경과 이 원이 만나는 점 P의 좌표는 $(1,\ -2)$

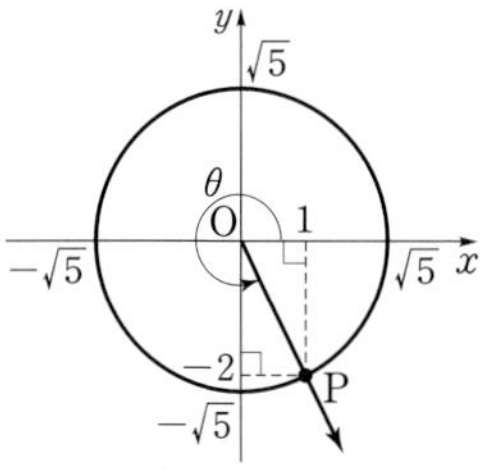

따라서 $\sec\theta=\sqrt{5}$, $\cot\theta=-\frac{1}{2}$이므로

$$\sqrt{5}\sec\theta+2\cot\theta=\sqrt{5}\cdot\sqrt{5}+2\cdot\left(-\frac{1}{2}\right)$$
$$=5-1=\mathbf{4}$$

답 4

02 $\sqrt{\cos^2\theta}\sqrt{1+\tan^2\theta}+\sqrt{1-\cos^2\theta}\sqrt{1+\cot^2\theta}$
$=\sqrt{\cos^2\theta}\sqrt{\sec^2\theta}+\sqrt{\sin^2\theta}\sqrt{\csc^2\theta}$

이때 θ가 제2사분면의 각이므로

$\cos\theta<0$, $\sec\theta<0$, $\sin\theta>0$, $\csc\theta>0$

$\therefore$ (주어진 식)$=(-\cos\theta)\cdot(-\sec\theta)+\sin\theta\cdot\csc\theta$
$=1+1=\mathbf{2}$

답 ⑤

03 $\cos\left(\frac{\pi}{2}-\theta\right)=\frac{1}{3}$에서 $\sin\theta=\frac{1}{3}$

이때 $0<\theta<\frac{\pi}{2}$에서 $\cos\theta>0$이므로

$$\cos\theta=\sqrt{1-\sin^2\theta}=\sqrt{1-\left(\frac{1}{3}\right)^2}=\frac{2\sqrt{2}}{3}$$

$$\therefore \cos\left(\theta+\frac{\pi}{6}\right)+\sin\theta$$

$$=\left(\cos\theta\cos\frac{\pi}{6}-\sin\theta\sin\frac{\pi}{6}\right)+\sin\theta$$

$$=\left(\frac{2\sqrt{2}}{3}\cdot\frac{\sqrt{3}}{2}-\frac{1}{3}\cdot\frac{1}{2}\right)+\frac{1}{3}$$

$$=\frac{\sqrt{6}}{3}-\frac{1}{6}+\frac{1}{3}=\frac{2\sqrt{6}+1}{6}$$　　답 $\dfrac{2\sqrt{6}+1}{6}$

04　$\tan 15°=\tan(60°-45°)$

$$=\frac{\tan 60°-\tan 45°}{1+\tan 60°\tan 45°}=\frac{\sqrt{3}-1}{1+\sqrt{3}}$$

$$=\frac{(\sqrt{3}-1)^2}{(\sqrt{3}+1)(\sqrt{3}-1)}=2-\sqrt{3}$$

이때 $\overline{AB}=x$, $\overline{BC}=\overline{CP}=\overline{CD}=y$라 하면

$\tan 15°=\dfrac{y}{x+y}$이므로　　$2-\sqrt{3}=\dfrac{y}{x+y}$

$(2-\sqrt{3})(x+y)=y$, $(2-\sqrt{3})x=(\sqrt{3}-1)y$

$$\therefore y=\frac{(2-\sqrt{3})(\sqrt{3}+1)}{(\sqrt{3}-1)(\sqrt{3}+1)}x=\frac{-1+\sqrt{3}}{2}x$$

따라서 $\overline{AD}=x+2y=x+2\cdot\dfrac{-1+\sqrt{3}}{2}x=\sqrt{3}x$이므로

$\overline{AD}^2:\overline{AB}^2=(\sqrt{3}x)^2:x^2=\mathbf{3:1}$　　답 ③

05　두 직선 $y=2x-2$, $y=\dfrac{1}{3}x+1$이 x축의 양의

방향과 이루는 각의 크기를 각각 α, β라 하면

$$\tan\alpha=2,\ \tan\beta=\frac{1}{3}$$

두 직선이 이루는 예각의 크기를 θ라 하면 오른쪽 그림에서 $\theta=\alpha-\beta$이므로

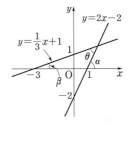

$\tan\theta=\tan(\alpha-\beta)$

$$=\frac{\tan\alpha-\tan\beta}{1+\tan\alpha\tan\beta}$$

$$=\frac{2-\dfrac{1}{3}}{1+2\cdot\dfrac{1}{3}}=1$$

이때 θ는 예각이므로　　$\theta=\dfrac{\pi}{4}$　　답 $\dfrac{\pi}{4}$

06　직각삼각형 P_1OQ_1의 넓이는 $\dfrac{1}{4}$이므로

$$\frac{1}{2}\cdot\overline{OP_1}\cdot\overline{P_1Q_1}=\frac{1}{2}\cdot 1\cdot\overline{P_1Q_1}=\frac{1}{4}$$

$$\therefore \overline{P_1Q_1}=\frac{1}{2}$$

이때 $\angle P_1OQ_1=\theta$라 하면

$$\tan\theta=\frac{\overline{P_1Q_1}}{\overline{OP_1}}=\frac{1}{2}$$

$$\therefore \tan(\angle P_2OQ_2)=\tan\left(\frac{\pi}{4}+\theta\right)$$

$$=\frac{\tan\dfrac{\pi}{4}+\tan\theta}{1-\tan\dfrac{\pi}{4}\tan\theta}$$

$$=\frac{1+\dfrac{1}{2}}{1-1\cdot\dfrac{1}{2}}=3$$

직각삼각형 P_2OQ_2에서

$$\overline{P_2Q_2}=\overline{OP_2}\tan\left(\frac{\pi}{4}+\theta\right)=1\cdot 3=3$$

따라서 삼각형 P_2OQ_2의 넓이는

$$\frac{1}{2}\cdot\overline{OP_2}\cdot\overline{P_2Q_2}=\frac{1}{2}\cdot 1\cdot 3=\frac{3}{2}$$　　답 ③

07　$\tan\theta=\sqrt{15}$이므로

$\sec^2\theta=1+\tan^2\theta=1+(\sqrt{15})^2=16$

$$\therefore \cos^2\theta=\frac{1}{\sec^2\theta}=\frac{1}{16}$$

이때 $\pi<\theta<\dfrac{3}{2}\pi$에서 $\cos\theta<0$이므로

$$\cos\theta=-\frac{1}{4}$$

$$\therefore \cos^2\frac{\theta}{2}=\frac{1+\cos\theta}{2}=\frac{1+\left(-\dfrac{1}{4}\right)}{2}=\frac{3}{8}$$

$\pi < \theta < \dfrac{3}{2}\pi$에서 $\dfrac{\pi}{2} < \dfrac{\theta}{2} < \dfrac{3}{4}\pi$이므로

$\cos\dfrac{\theta}{2} < 0$

$\therefore \cos\dfrac{\theta}{2} = -\dfrac{\sqrt{3}}{2\sqrt{2}} = -\dfrac{\sqrt{6}}{4}$ 　　답 $-\dfrac{\sqrt{6}}{4}$

08 $f(x) = \sqrt{3}\sin\dfrac{x}{2} + \cos\dfrac{x}{2}$

$\qquad = 2\left(\dfrac{\sqrt{3}}{2}\sin\dfrac{x}{2} + \dfrac{1}{2}\cos\dfrac{x}{2}\right)$

$\qquad = 2\left(\cos\dfrac{\pi}{6}\sin\dfrac{x}{2} + \sin\dfrac{\pi}{6}\cos\dfrac{x}{2}\right)$

$\qquad = 2\sin\left(\dfrac{x}{2} + \dfrac{\pi}{6}\right) = 2\sin\dfrac{1}{2}\left(x + \dfrac{\pi}{3}\right)$

ㄱ. $\dfrac{2\pi}{\frac{1}{2}} = 4\pi$이므로 함수 $f(x)$의 주기는 4π이다. (참)

ㄴ. 최댓값과 최솟값의 곱은 $2\cdot(-2) = -4$이다. (참)

ㄷ. $y = f\left(x - \dfrac{\pi}{3}\right) = 2\sin\dfrac{x}{2}$이므로 이 함수의 그래프는

　원점에 대하여 대칭이다. (참)

따라서 옳은 것은 ㄱ, ㄴ, ㄷ이다. 　　답 ㄱ, ㄴ, ㄷ

09 $\sin x + \cos x$

$\qquad = \sqrt{2}\left(\dfrac{1}{\sqrt{2}}\sin x + \dfrac{1}{\sqrt{2}}\cos x\right)$

$\qquad = \sqrt{2}\left(\cos\dfrac{\pi}{4}\sin x + \sin\dfrac{\pi}{4}\cos x\right)$

$\qquad = \sqrt{2}\sin\left(x + \dfrac{\pi}{4}\right)$

이때 $0 \le x \le \pi$에서 $\dfrac{\pi}{4} \le x + \dfrac{\pi}{4} \le \dfrac{5}{4}\pi$이므로

$-\dfrac{1}{\sqrt{2}} \le \sin\left(x + \dfrac{\pi}{4}\right) \le 1$

$\therefore -1 \le \sqrt{2}\sin\left(x + \dfrac{\pi}{4}\right) \le \sqrt{2}$

$t = \sin x + \cos x$로 놓으면 $-1 \le t \le \sqrt{2}$이고

$t^2 = (\sin x + \cos x)^2 = 1 + 2\sin x\cos x$이므로

$\quad 2\sin x\cos x = t^2 - 1$

$\quad \therefore f(x) = \sin x + \cos x - 2\sin x\cos x$

$\qquad\qquad = t - (t^2 - 1) = -t^2 + t + 1$

$\qquad\qquad = -\left(t - \dfrac{1}{2}\right)^2 + \dfrac{5}{4} \ (-1 \le t \le \sqrt{2})$

따라서 $t = \dfrac{1}{2}$일 때 최댓값 $\dfrac{5}{4}$, $t = -1$일 때 최솟값

-1을 가지므로 함수 $f(x)$의 최댓값과 최솟값의 합은

$\dfrac{5}{4} + (-1) = \dfrac{1}{4}$ 　　답 ④

10 $x \to 0$일 때, (분모)$\to 0$이고 극한값이 존재하

므로 (분자)$\to 0$이다.

즉, $\lim\limits_{x\to 0}(e^{2x} - a) = 0$이므로

$\quad 1 - a = 0 \quad \therefore a = 1$ 　　…… ❶

$a = 1$을 주어진 등식의 좌변에 대입하면

$\quad \lim\limits_{x\to 0}\dfrac{e^{2x} - a}{\sin x} = \lim\limits_{x\to 0}\dfrac{e^{2x} - 1}{\sin x}$

$\qquad\qquad\qquad = \lim\limits_{x\to 0}\left(\dfrac{e^{2x} - 1}{2x}\cdot\dfrac{x}{\sin x}\cdot 2\right)$

$\qquad\qquad\qquad = 1\cdot 1\cdot 2 = 2$

$\quad \therefore b = 2$ 　　…… ❷

$\quad \therefore a + b = 1 + 2 = 3$ 　　…… ❸

채점 기준	배점
❶ a의 값 구하기	40 %
❷ b의 값 구하기	40 %
❸ $a+b$의 값 구하기	20 %

답 3

11 $\sum\limits_{k=1}^{10}\lim\limits_{x\to 0}\dfrac{e^{kx} - e^{5x}}{\sin 5x}$

$\quad = \sum\limits_{k=1}^{10}\lim\limits_{x\to 0}\dfrac{e^{kx} - 1 + 1 - e^{5x}}{\sin 5x}$

$$= \sum_{k=1}^{10} \lim_{x \to 0} \left\{ \left(\frac{e^{kx}-1}{5x} - \frac{e^{5x}-1}{5x} \right) \cdot \frac{5x}{\sin 5x} \right\}$$

$$= \sum_{k=1}^{10} \lim_{x \to 0} \left\{ \left(\frac{e^{kx}-1}{kx} \cdot \frac{k}{5} - \frac{e^{5x}-1}{5x} \right) \cdot \frac{5x}{\sin 5x} \right\}$$

$$= \sum_{k=1}^{10} \left\{ \left(1 \cdot \frac{k}{5} - 1 \right) \cdot 1 \right\} = \sum_{k=1}^{10} \left(\frac{k}{5} - 1 \right)$$

$$= \frac{1}{5} \cdot \frac{10 \cdot 11}{2} - 10 = 1 \qquad \qquad \text{답} \ ④$$

12 함수 $f(x)$가 $x=0$에서 연속이므로

$$\lim_{x \to 0} \frac{g(x)-1}{\sin x} = \lim_{x \to 0} \left\{ \frac{g(x)-1}{x} \cdot \frac{x}{\sin x} \right\}$$

$$= \lim_{x \to 0} \frac{g(x)-1}{x} = 2 \qquad \cdots\cdots ㉠$$

㉠에서 $x \to 0$일 때, (분모) $\to 0$이고 극한값이 존재하므로 (분자) $\to 0$이다.

즉, $\lim\limits_{x \to 0} \{g(x)-1\}=0$이므로

$$\lim_{x \to 0} g(x) = 1 \qquad \qquad \cdots\cdots ㉡$$

이때 ①~⑤ 중에서 ㉡을 만족시키는 것은 ④, ⑤이다.

④, ⑤가 ㉠을 만족시키는지 확인해 보면

④ $\lim\limits_{x \to 0} \dfrac{e^x-1}{x} = 1 \neq 2$

⑤ $\lim\limits_{x \to 0} \dfrac{e^x+\tan x-1}{x} = \lim\limits_{x \to 0} \left(\dfrac{e^x-1}{x} + \dfrac{\tan x}{x} \right) = 2$

따라서 $g(x)$가 될 수 있는 것은 ⑤ $e^x + \tan x$이다.

$$\text{답} \ ⑤$$

13 $f(x) = \lim\limits_{h \to x} \dfrac{h \sin x - x \sin h}{h-x}$

$$= \lim_{h \to x} \frac{h \sin x - x \sin h + x \sin x - x \sin x}{h-x}$$

$$= \lim_{h \to x} \frac{(h-x)\sin x - x(\sin h - \sin x)}{h-x}$$

$$= \lim_{h \to x} \left(\sin x - x \cdot \frac{\sin h - \sin x}{h-x} \right)$$

$$= \sin x - x(\sin x)'$$

$$= \sin x - x \cos x$$

이므로

$$f'(x) = \cos x - \cos x - x(-\sin x)$$

$$= x \sin x$$

$$\therefore f'(\pi) = 0 \qquad \qquad \text{답} \ 0$$

14 $f(x) = \cos^2 x - 2\cos x$이므로

$$f'(x) = -\sin x \cos x$$
$$\qquad\qquad + \cos x(-\sin x) - 2(-\sin x)$$
$$= -2\sin x \cos x + 2\sin x$$
$$= 2\sin x(1-\cos x)$$

이때 $f'(x) = k \sin^3 \dfrac{x}{2} \cos \dfrac{x}{2}$이므로

$$k = \frac{f'(x)}{\sin^3 \dfrac{x}{2} \cos \dfrac{x}{2}} = \frac{2\sin x(1-\cos x)}{\sin^3 \dfrac{x}{2} \cos \dfrac{x}{2}}$$

$$= \frac{2\sin x(1-\cos x)}{\sin \dfrac{x}{2} \cos \dfrac{x}{2} \sin^2 \dfrac{x}{2}} = \frac{2\sin x(1-\cos x)}{\dfrac{1}{2}\sin x \sin^2 \dfrac{x}{2}}$$

$$= \frac{4(1-\cos x)}{\sin^2 \dfrac{x}{2}} = \frac{4(1-\cos x)}{\dfrac{1-\cos x}{2}} = 8 \qquad \text{답} \ 8$$

15 함수 $f(x)$가 $x=0$에서 미분가능하면 $x=0$에서 연속이므로

$$\lim_{x \to 0-} (\sin x + b) = f(0) \qquad \therefore b = 3a \qquad \cdots\cdots ㉠$$

또 $f'(x) = \begin{cases} 3ae^x & (x>0) \\ \cos x & (x<0) \end{cases}$ 이고 $f'(0)$이 존재하므로

$$\lim_{x \to 0+} 3ae^x = \lim_{x \to 0-} \cos x, \ 3a = 1$$

$$\therefore a = \frac{1}{3}$$

$a = \dfrac{1}{3}$ 을 ㉠에 대입하면 $b=1$

$$\therefore a - b = \frac{1}{3} - 1 = -\frac{2}{3} \qquad \qquad \text{답} \ -\frac{2}{3}$$

01 ④	02 $10\sqrt{2}$ m	03 $\dfrac{2}{3}\pi$	04 ②
05 ⑤	06 804	07 $\dfrac{2}{3}$	08 ③ 09 ③
10 ④			

01

이차방정식 $x^2-2ax+a-2=0$의 두 근이 $\csc\theta$, $\sec\theta$이므로 이차방정식의 근과 계수의 관계에 의하여

$$\csc\theta+\sec\theta=2a,\ \csc\theta\sec\theta=a-2$$

$\csc\theta+\sec\theta=2a$에서 $\dfrac{1}{\sin\theta}+\dfrac{1}{\cos\theta}=2a$

$$\therefore \dfrac{\sin\theta+\cos\theta}{\sin\theta\cos\theta}=2a \qquad \cdots\cdots \text{㉠}$$

$\csc\theta\sec\theta=a-2$에서 $\dfrac{1}{\sin\theta}\cdot\dfrac{1}{\cos\theta}=a-2$

$$\therefore \sin\theta\cos\theta=\dfrac{1}{a-2} \qquad \cdots\cdots \text{㉡}$$

㉡을 ㉠에 대입하면

$$(a-2)(\sin\theta+\cos\theta)=2a$$

$$\therefore \sin\theta+\cos\theta=\dfrac{2a}{a-2}$$

위의 식의 양변을 제곱하면

$$1+2\sin\theta\cos\theta=\dfrac{4a^2}{(a-2)^2} \qquad \cdots\cdots \text{㉢}$$

㉡을 ㉢에 대입하면

$$1+\dfrac{2}{a-2}=\dfrac{4a^2}{(a-2)^2},\ (a-2)^2+2(a-2)=4a^2$$

$$a^2-2a=4a^2,\ a(3a+2)=0$$

$$\therefore a=-\dfrac{2}{3}\ (\because a\neq0) \qquad \text{답 ④}$$

02

오른쪽 그림과 같이 $\angle BPH=\alpha$, $\angle APH=\beta$, $\overline{PH}=a$ m라 하면

$$\tan\alpha=\dfrac{20}{a},\ \tan\beta=\dfrac{10}{a}$$

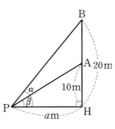

$$\therefore \tan(\angle APB)$$

$$=\tan(\alpha-\beta)$$

$$=\dfrac{\tan\alpha-\tan\beta}{1+\tan\alpha\tan\beta}$$

$$=\dfrac{\dfrac{20}{a}-\dfrac{10}{a}}{1+\dfrac{20}{a}\cdot\dfrac{10}{a}}=\dfrac{\dfrac{10}{a}}{\dfrac{a^2+200}{a^2}}$$

$$=\dfrac{1}{\dfrac{a^2+200}{10a}}=\dfrac{1}{\dfrac{a}{10}+\dfrac{20}{a}}$$

$\dfrac{a}{10}>0,\ \dfrac{20}{a}>0$이므로 산술평균과 기하평균의 관계에 의하여

$$\dfrac{a}{10}+\dfrac{20}{a}\geq2\sqrt{\dfrac{a}{10}\cdot\dfrac{20}{a}}=2\sqrt{2}\text{이므로}$$

$$\dfrac{1}{\dfrac{a}{10}+\dfrac{20}{a}}\leq\dfrac{1}{2\sqrt{2}}$$

이때 등호는 $\dfrac{a}{10}=\dfrac{20}{a}$, 즉 $a=10\sqrt{2}$일 때 성립하므로 $\angle APB$의 크기가 최대가 되는 지점 P는 지점 H로부터 **$10\sqrt{2}$ m** 떨어져 있다.

[다른 풀이]

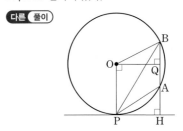

$\angle APB$의 크기가 최대가 되는 때는 두 점 A, B를 지나는 원 O가 지면과 접하는 점이 P일 때이므로

$$\overline{BQ}=5\text{ m},\ \overline{OB}=\overline{QH}=15\text{ m}$$

$$\therefore \overline{PH}=\overline{OQ}=\sqrt{15^2-5^2}=\sqrt{200}=10\sqrt{2}\ (\text{m})$$

$$\text{답 } 10\sqrt{2}\text{ m}$$

03

$g\left(\dfrac{13}{14}\right)=\alpha,\ g\left(\dfrac{11}{14}\right)=\beta$라 하면

EXERCISES

$\sin\alpha=\dfrac{13}{14}$, $\sin\beta=\dfrac{11}{14}$ 이고 $0<\alpha<\dfrac{\pi}{2}$, $0<\beta<\dfrac{\pi}{2}$

이므로

$$\cos\alpha=\sqrt{1-\sin^2\alpha}=\sqrt{1-\left(\frac{13}{14}\right)^2}=\frac{3\sqrt{3}}{14}$$

$$\cos\beta=\sqrt{1-\sin^2\beta}=\sqrt{1-\left(\frac{11}{14}\right)^2}=\frac{5\sqrt{3}}{14}$$

$$\therefore\ \sin(\alpha+\beta)=\sin\alpha\cos\beta+\cos\alpha\sin\beta$$
$$=\frac{13}{14}\cdot\frac{5\sqrt{3}}{14}+\frac{3\sqrt{3}}{14}\cdot\frac{11}{14}=\frac{\sqrt{3}}{2}$$

이때 $0<\alpha+\beta<\pi$이므로

$$\alpha+\beta=\frac{\pi}{3}\ \text{또는}\ \alpha+\beta=\frac{2}{3}\pi$$

그런데 $\sin\dfrac{\pi}{4}=\dfrac{\sqrt{2}}{2}<\dfrac{13}{14}$이므로 $\dfrac{\pi}{4}<\alpha<\dfrac{\pi}{2}$이고,

$\sin\dfrac{\pi}{4}=\dfrac{\sqrt{2}}{2}<\dfrac{11}{14}$이므로 $\dfrac{\pi}{4}<\beta<\dfrac{\pi}{2}$이다.

따라서 $\dfrac{\pi}{2}<\alpha+\beta<\pi$이므로 $\quad\alpha+\beta=\dfrac{2}{3}\pi$

$$\therefore\ g\left(\frac{13}{14}\right)+g\left(\frac{11}{14}\right)=\alpha+\beta=\frac{2}{3}\pi \qquad \text{달} \ \boldsymbol{\dfrac{2}{3}\pi}$$

04 주어진 조건을 그림으로 나타내면 다음과 같다.

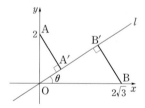

두 직각삼각형 OAA′과 OBB′에 대하여

$$\overline{\text{OA}'}=\overline{\text{OA}}\cos\left(\frac{\pi}{2}-\theta\right)=2\sin\theta$$

$$\overline{\text{OB}'}=\overline{\text{OB}}\cos\theta=2\sqrt{3}\cos\theta$$

$$\therefore\ \overline{\text{OA}'}+\overline{\text{OB}'}=2\sin\theta+2\sqrt{3}\cos\theta$$
$$=4\left(\frac{1}{2}\sin\theta+\frac{\sqrt{3}}{2}\cos\theta\right)$$
$$=4\left(\cos\frac{\pi}{3}\sin\theta+\sin\frac{\pi}{3}\cos\theta\right)$$
$$=4\sin\left(\theta+\frac{\pi}{3}\right)$$

이때 $0<\theta<\dfrac{\pi}{2}$에서 $\dfrac{\pi}{3}<\theta+\dfrac{\pi}{3}<\dfrac{5}{6}\pi$이므로

$$\frac{1}{2}<\sin\left(\theta+\frac{\pi}{3}\right)\le 1$$

$$\therefore\ 2<4\sin\left(\theta+\frac{\pi}{3}\right)\le 4$$

따라서 $\overline{\text{OA}'}+\overline{\text{OB}'}$은 $\sin\left(\theta+\dfrac{\pi}{3}\right)=1$일 때 최대가 되

고, 그때의 θ의 값은

$$\theta+\frac{\pi}{3}=\frac{\pi}{2}\text{에서} \qquad \boldsymbol{\theta=\dfrac{\pi}{6}} \qquad \text{달} \ ②$$

05 $$p^2+q^2=(\cos x-\cos y)^2+(\sin x-\sin y)^2$$
$$=2-2\cos x\cos y-2\sin x\sin y$$
$$=2-2\cos(x-y)$$
$$=2-2\cos\frac{3}{2}\pi\ (\because\ (x,y)\in B)$$
$$=2$$

즉, 집합 C의 점 $(p,\ q)$의 자취는 중심이 원점이고 반지

름의 길이가 $\sqrt{2}$인 원이다.

이때 $p=\cos x-\cos y$를 변형하면

$$p=\cos x-\cos y$$
$$=\cos x-\cos\left(x-\frac{3}{2}\pi\right)(\because\ (x,y)\in B)$$
$$=\cos x-\cos\left(\frac{3}{2}\pi-x\right)$$
$$=\cos x+\sin x$$
$$=\sqrt{2}\left(\frac{1}{\sqrt{2}}\cos x+\frac{1}{\sqrt{2}}\sin x\right)$$
$$=\sqrt{2}\left(\sin\frac{\pi}{4}\cos x+\cos\frac{\pi}{4}\sin x\right)$$
$$=\sqrt{2}\sin\left(x+\frac{\pi}{4}\right)$$

이고 $(x,\ y)\in A$이므로 $\pi\le x\le 2\pi$에서

$\dfrac{5}{4}\pi\le x+\dfrac{\pi}{4}\le\dfrac{9}{4}\pi$이므로 $p=\sqrt{2}\sin\left(x+\dfrac{\pi}{4}\right)$의 그

래프는 다음 그림과 같다.

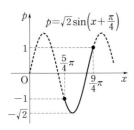

$$p=\sqrt{2}\sin\left(x+\frac{\pi}{4}\right)$$

또 $q=\sin x-\sin y$를 변형하면

$q=\sin x-\sin y$

$=\sin x-\sin\left(x-\frac{3}{2}\pi\right)(\because (x, y)\in B)$

$=\sin x+\sin\left(\frac{3}{2}\pi-x\right)$

$=\sin x-\cos x$

$=\sqrt{2}\left(\frac{1}{\sqrt{2}}\sin x-\frac{1}{\sqrt{2}}\cos x\right)$

$=\sqrt{2}\left(\cos\frac{\pi}{4}\sin x-\sin\frac{\pi}{4}\cos x\right)$

$=\sqrt{2}\sin\left(x-\frac{\pi}{4}\right)$

이고 $(x, y)\in A$이므로 $\pi\le x\le 2\pi$에서
$\frac{3}{4}\pi\le x-\frac{\pi}{4}\le\frac{7}{4}\pi$이므로 $q=\sqrt{2}\sin\left(x-\frac{\pi}{4}\right)$의 그래프는 다음과 같다.

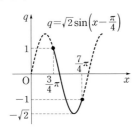

$$q=\sqrt{2}\sin\left(x-\frac{\pi}{4}\right)$$

따라서 집합 C가 나타내는 도형, 즉 점 (p, q)의 자취는 다음 그림과 같이 원 $p^2+q^2=2$의 일부이다.

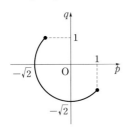

답 ⑤

---

06 $f(n)$의 분모, 분자를 각각 x로 나누어 변형하면

$f(n)$

$=\lim_{x\to 0}\dfrac{\dfrac{2010x}{x}}{\dfrac{\sin x}{x}+\dfrac{\sin 2x}{x}+\dfrac{\sin 3x}{x}+\cdots+\dfrac{\sin nx}{x}}$

$=\lim_{x\to 0}\dfrac{2010}{\dfrac{\sin x}{x}+\dfrac{\sin 2x}{2x}\cdot 2+\dfrac{\sin 3x}{3x}\cdot 3+\cdots+\dfrac{\sin nx}{nx}\cdot n}$

$=\dfrac{2010}{1+2+3+\cdots+n}=\dfrac{2010}{\dfrac{n(n+1)}{2}}$

$=\dfrac{4020}{n(n+1)}=4020\left(\dfrac{1}{n}-\dfrac{1}{n+1}\right)$ ‧‧‧‧‧‧ ❶

$\therefore \lim_{n\to\infty}\dfrac{1}{5}\sum_{k=1}^{n}f(k)$

$=\lim_{n\to\infty}\dfrac{1}{5}\sum_{k=1}^{n}4020\left(\dfrac{1}{k}-\dfrac{1}{k+1}\right)$

$=804\lim_{n\to\infty}\Big\{\left(1-\dfrac{1}{2}\right)+\left(\dfrac{1}{2}-\dfrac{1}{3}\right)+\left(\dfrac{1}{3}-\dfrac{1}{4}\right)$

$\qquad\qquad\qquad\qquad +\cdots+\left(\dfrac{1}{n}-\dfrac{1}{n+1}\right)\Big\}$

$=804\lim_{n\to\infty}\left(1-\dfrac{1}{n+1}\right)=\mathbf{804}$ ‧‧‧‧‧‧ ❷

채점 기준	배점
❶ $f(n)$을 n에 대한 식으로 나타내기	50 %
❷ $\lim_{n\to\infty}\dfrac{1}{5}\sum_{k=1}^{n}f(k)$의 값 구하기	50 %

답 804

---

07 $\sin x-\sqrt{3}\cos x$

$=2\left(\dfrac{1}{2}\sin x-\dfrac{\sqrt{3}}{2}\cos x\right)$

$=2\left(\cos\dfrac{\pi}{3}\sin x-\sin\dfrac{\pi}{3}\cos x\right)$

$=2\sin\left(x-\dfrac{\pi}{3}\right)$

이므로

$$\lim_{x \to \frac{\pi}{3}} f(x) = \lim_{x \to \frac{\pi}{3}} \frac{\sin x - \sqrt{3}\cos x}{3x - \pi}$$

$$= \lim_{x \to \frac{\pi}{3}} \frac{2\sin\left(x - \frac{\pi}{3}\right)}{3\left(x - \frac{\pi}{3}\right)}$$

이때 $x - \dfrac{\pi}{3} = t$로 놓으면 $x \to \dfrac{\pi}{3}$일 때 $t \to 0$이므로

$$\lim_{x \to \frac{\pi}{3}} \frac{2\sin\left(x - \frac{\pi}{3}\right)}{3\left(x - \frac{\pi}{3}\right)} = \lim_{t \to 0} \frac{2\sin t}{3t}$$

$$= \lim_{t \to 0} \left(\frac{\sin t}{t} \cdot \frac{2}{3} \right)$$

$$= 1 \cdot \frac{2}{3} = \frac{2}{3} \qquad \blacksquare \ \frac{2}{3}$$

08 중심각의 크기가 θ, 반지름의 길이가 r인 부채꼴의 호의 길이 l은 $l = r\theta$이므로 $\qquad l_1 = r\theta$
삼각형 OAB에 내접하는 원의 반지름의 길이를 R라 하면 $l_2 = 2\pi R$이다.
이때 R를 r와 θ에 대한 식으로 나타내기 위해 삼각형 OAB의 넓이를 이용해 보자.
점 O에서 $\overline{\text{AB}}$에 내린 수선의 발을 H라 하면

$$\overline{\text{OH}} = r\cos\frac{\theta}{2}$$

$$\overline{\text{BH}} = r\sin\frac{\theta}{2}$$

$$\therefore \overline{\text{AB}} = 2\overline{\text{BH}}$$

$$= 2r\sin\frac{\theta}{2}$$

한편 $\dfrac{1}{2} \cdot \overline{\text{AB}} \cdot \overline{\text{OH}} = \dfrac{1}{2}(\overline{\text{OA}} + \overline{\text{AB}} + \overline{\text{OB}})R$이므로

$$\frac{1}{2} \cdot 2r\sin\frac{\theta}{2} \cdot r\cos\frac{\theta}{2} = \frac{1}{2}\left(r + 2r\sin\frac{\theta}{2} + r\right)R$$

$$\frac{1}{2}r^2 \cdot 2\sin\frac{\theta}{2}\cos\frac{\theta}{2} = \frac{1}{2}\left(2r + 2r\sin\frac{\theta}{2}\right)R$$

$$\frac{1}{2}r^2\sin\theta = r\left(1 + \sin\frac{\theta}{2}\right)R$$

$$r\sin\theta = 2R\left(1 + \sin\frac{\theta}{2}\right) \qquad \therefore R = \frac{r\sin\theta}{2\left(1 + \sin\frac{\theta}{2}\right)}$$

따라서 $l_2 = 2\pi R = \dfrac{\pi r\sin\theta}{1 + \sin\frac{\theta}{2}}$이므로

$$\lim_{\theta \to 0+} \frac{l_2}{l_1} = \lim_{\theta \to 0+} \frac{\frac{\pi r\sin\theta}{1 + \sin\frac{\theta}{2}}}{r\theta}$$

$$= \lim_{\theta \to 0+} \frac{\pi\sin\theta}{\theta\left(1 + \sin\frac{\theta}{2}\right)}$$

$$= \lim_{\theta \to 0+} \left(\pi \cdot \frac{\sin\theta}{\theta} \cdot \frac{1}{1 + \sin\frac{\theta}{2}} \right)$$

$$= \pi \cdot 1 \cdot 1 = \pi \qquad \blacksquare \ ③$$

09 $a \to 0$일 때, $\theta(a) \to 0$이므로 주어진 극한을 다음과 같이 변형해 보자.

$$\lim_{a \to 0} \frac{\theta(a)}{\overline{\text{PQ}}} = \lim_{a \to 0} \left\{ \frac{\theta(a)}{\sin\theta(a)} \cdot \frac{\sin\theta(a)}{\overline{\text{PQ}}} \right\}$$

$$= \lim_{a \to 0} \frac{\theta(a)}{\sin\theta(a)} \cdot \lim_{a \to 0} \frac{\sin\theta(a)}{\overline{\text{PQ}}}$$

$$= \lim_{a \to 0} \frac{\sin\theta(a)}{\overline{\text{PQ}}}$$

위와 같이 변형하면 $\sin\theta(a)$를 구하는 것이 $\theta(a)$를 구하는 것보다 쉬우므로 극한값을 구하기가 쉬워진다.
이때 $f(x) = e^x$의 그래프 위의 두 점 P, Q의 좌표는 각각 $(0, 1)$, (a, e^a)이고, 점 Q에서 y축에 내린 수선의 발을 H라 하면

$$\sin\theta(a) = \frac{\overline{\text{HQ}}}{\overline{\text{OQ}}} = \frac{|a|}{\sqrt{a^2 + e^{2a}}}, \ \overline{\text{PQ}} = \sqrt{a^2 + (e^a - 1)^2}$$

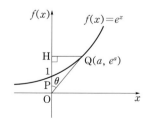

$$\therefore \lim_{a \to 0} \frac{\theta(a)}{\overline{PQ}}$$

$$= \lim_{a \to 0} \frac{\sin\theta(a)}{\overline{PQ}}$$

$$= \lim_{a \to 0} \frac{\dfrac{|a|}{\sqrt{a^2+e^{2a}}}}{\sqrt{a^2+(e^a-1)^2}}$$

$$= \lim_{a \to 0} \left\{ \frac{1}{\sqrt{a^2+(e^a-1)^2}} \cdot \frac{|a|}{\sqrt{a^2+e^{2a}}} \right\}$$

$$= \lim_{a \to 0} \left\{ \sqrt{\frac{a^2}{a^2+(e^a-1)^2}} \cdot \frac{1}{\sqrt{a^2+e^{2a}}} \right\}$$

$$= \lim_{a \to 0} \left\{ \sqrt{\frac{1}{1+\left(\dfrac{e^a-1}{a}\right)^2}} \cdot \frac{1}{\sqrt{a^2+e^{2a}}} \right\}$$

$$= \sqrt{\frac{1}{1+1}} \cdot 1 = \frac{\sqrt{2}}{2}$$

답 ③

---

10 $\displaystyle \lim_{x \to 0} \frac{f(\tan 2x) - f(\sin 3x)}{x}$

$$= \lim_{x \to 0} \frac{f(\tan 2x) - f(0) + f(0) - f(\sin 3x)}{x}$$

$$= \lim_{x \to 0} \left\{ \frac{f(\tan 2x) - f(0)}{\tan 2x} \cdot \frac{\tan 2x}{2x} \cdot 2 \right.$$

$$\left. - \frac{f(\sin 3x) - f(0)}{\sin 3x} \cdot \frac{\sin 3x}{3x} \cdot 3 \right\}$$

$$= 2 \lim_{x \to 0} \frac{f(\tan 2x) - f(0)}{\tan 2x}$$

$$- 3 \lim_{x \to 0} \frac{f(\sin 3x) - f(0)}{\sin 3x} \quad \cdots\cdots \text{㉠}$$

$\tan 2x = t$로 놓으면 $x \to 0$일 때 $t \to 0$이고

$\sin 3x = s$로 놓으면 $x \to 0$일 때 $s \to 0$이므로

$$\text{㉠} = 2 \lim_{t \to 0} \frac{f(t) - f(0)}{t} - 3 \lim_{s \to 0} \frac{f(s) - f(0)}{s}$$

$$= 2f'(0) - 3f'(0) = -f'(0)$$

이때 $f(x) = \sin^2 x - \sin x$이므로

$$f'(x) = \cos x \sin x + \sin x \cos x - \cos x$$

$$= 2\sin x \cos x - \cos x$$

$$\therefore -f'(0) = -(2\sin 0 \cos 0 - \cos 0) = 1$$

답 ④

---

3. 여러 가지 미분법

01   **답** (1) $\dfrac{f'(x)g(x) - f(x)g'(x)}{\{g(x)\}^2}$

(2) $f'(g(x))g'(x)$

(3) $g'(t)$

(4) $f'(y)$

02   (1) 합성함수의 미분법에 의하여

$$\frac{d}{dx}f(ax+b) = f'(ax+b) \cdot (ax+b)'$$

$$= f'(ax+b) \cdot a$$

$$= af'(ax+b) \text{ (거짓)}$$

(2) $y' = (\ln x)' = \dfrac{1}{x}$, $y'' = \left(\dfrac{1}{x}\right)' = -\dfrac{1}{x^2}$ 이므로

로그함수의 이계도함수는 분수함수가 된다. (거짓)

답 (1) 거짓   (2) 거짓

03   (1) 양함수는 $y = x+1$, $y = x^2 + 2x + 3$과 같이 하나의 변수 y가 다른 한 변수 x에 대한 식으로 직접적으로 제시되는 함수이다. 보통 $y = f(x)$꼴의 함수를 말한다.

음함수는 $x^2 + y^2 - 1 = 0$, $x^2 + xy = 0$과 같이 x에 대한 함수 y가 두 변수 x, y의 항을 모두 좌변으로 이항한 $f(x, y) = 0$ 꼴의 함수를 말한다.

(2) $f^{-1}(x) = g(x)$이므로 $f(g(x)) = x$이다.

$f(g(x)) = x$의 양변을 x에 대하여 미분하면

$$f'(g(x))g'(x) = 1$$

$$\therefore f'(g(x)) = \frac{1}{g'(x)} \qquad \cdots\cdots \,\text{㉠}$$

또 점 $(a,\,b)$가 곡선 $y=f(x)$ 위의 점이므로

$$b=f(a),\ \text{즉}\ g(b)=a$$

㉠에 $x=b$를 대입하면

$$f'(g(b)) = \frac{1}{g'(b)} \iff f'(a) = \frac{1}{g'(b)}$$

답 풀이 참조

01 ①	**02** 1	**03** ②	**04** ③	**05** ③
06 $\dfrac{1}{2}$	**07** 28	**08** ②	**09** ③	**10** 1

01
$$\lim_{h\to 0} \frac{f(2+2h)-f(2-7h)}{h}$$
$$=\lim_{h\to 0} \frac{f(2+2h)-f(2)+f(2)-f(2-7h)}{h}$$
$$=\lim_{h\to 0} \frac{f(2+2h)-f(2)}{2h}\cdot 2$$
$$\qquad\qquad + \lim_{h\to 0} \frac{f(2-7h)-f(2)}{-7h}\cdot 7$$
$$=2f'(2)+7f'(2)=9f'(2)$$

이고 $f(x)=\dfrac{2}{x^2-1}$ 에서

$$f'(x)=\frac{-2\cdot 2x}{(x^2-1)^2}=\frac{-4x}{(x^2-1)^2}$$

따라서 $f'(2)=\dfrac{-4\cdot 2}{(2^2-1)^2}=-\dfrac{8}{9}$ 이므로

$$9f'(2)=9\cdot\left(-\frac{8}{9}\right)=-8 \qquad\qquad \text{답} \ ①$$

02 $f(x)=\dfrac{\sec x}{\tan x+1}$ 에서

$$f'(x)=\frac{\sec x\tan x(\tan x+1)-\sec x\cdot\sec^2 x}{(\tan x+1)^2}$$
$$=\frac{\sec x(\tan^2 x+\tan x-\sec^2 x)}{(\tan x+1)^2}$$
$$=\frac{\sec x(\tan x-1)}{(\tan x+1)^2}$$

따라서 구하는 기울기는

$$f'(\pi)=\frac{\sec\pi(\tan\pi-1)}{(\tan\pi+1)^2}=1 \qquad\qquad \text{답} \ 1$$

03 $f(g(x))=xe^x$에 $g(x)=x^3+1$을 대입하면
$$f(x^3+1)=xe^x$$

위 식의 양변을 x에 대하여 미분하면

$$3x^2 f'(x^3+1) = e^x + xe^x = (x+1)e^x$$

$$\therefore f'(x^3+1) = \frac{(x+1)e^x}{3x^2} \qquad \cdots\cdots \text{㉠}$$

이때 $x^3+1=28$을 만족시키는 x의 값을 구하면

$$x^3-27=0, \ (x-3)(x^2+3x+9)=0$$

$$\therefore x=3$$

즉 $f'(28)$의 값은 ㉠에 $x=3$을 대입한 값과 같다.

$$\therefore f'(28) = \frac{4}{27}e^3 \qquad\qquad \text{답} \ ②$$

04 $f(1)=1$이므로

$$\lim_{x\to 1} \frac{f(x)-1}{x^3-1} = \lim_{x\to 1} \frac{f(x)-f(1)}{x-1} \cdot \frac{1}{x^2+x+1}$$

$$= \frac{1}{3}f'(1)$$

$f(x)=x^2(\ln x+1)$에서

$$f'(x) = 2x(\ln x+1) + x^2 \cdot \frac{1}{x}$$

$$= x(2\ln x+3)$$

$$\therefore \frac{1}{3}f'(1) = \frac{1}{3}(2\ln 1+3) = \mathbf{1} \qquad \text{답} \ ③$$

05 $f(x) = \dfrac{(x-1)^3}{x^2(x+1)}$의 양변의 절댓값에 자연로그를 취하면

$$\ln|f(x)| = 3\ln|x-1| - 2\ln|x| - \ln|x+1|$$

위의 식의 양변을 x에 대하여 미분하면

$$\frac{f'(x)}{f(x)} = \frac{3}{x-1} - \frac{2}{x} - \frac{1}{x+1}$$

$$\therefore f'(x) = f(x)\left(\frac{3}{x-1} - \frac{2}{x} - \frac{1}{x+1} \right)$$

$$\therefore f'(3) = f(3)\left(\frac{3}{2} - \frac{2}{3} - \frac{1}{4} \right)$$

$$= \frac{8}{36} \cdot \frac{7}{12} = \frac{7}{54} \qquad \text{답} \ ③$$

06 $\dfrac{dx}{dt} = 2t+4t^3+6t^5+\cdots+2nt^{2n-1}$,

$\dfrac{dy}{dt} = 1+2t+3t^2+\cdots+nt^{n-1}$이므로

$$\lim_{t\to 1} \frac{dy}{dx} = \lim_{t\to 1} \frac{\dfrac{dy}{dt}}{\dfrac{dx}{dt}}$$

$$= \lim_{t\to 1} \frac{1+2t+3t^2+\cdots+nt^{n-1}}{2t+4t^3+6t^5+\cdots+2nt^{2n-1}}$$

$$= \frac{1+2+3+\cdots+n}{2+4+6+\cdots+2n}$$

$$= \frac{1+2+3+\cdots+n}{2(1+2+3+\cdots+n)} = \frac{1}{2} \qquad \text{답} \ \frac{1}{2}$$

07 점 $(1, 1)$이 곡선 $x^3+axy-3y^2+b=0$ 위의 점이므로

$$1+a-3+b=0$$

$$\therefore a+b=2 \qquad \cdots\cdots \text{㉠} \qquad\qquad \cdots\cdots ❶$$

$x^3+axy-3y^2+b=0$의 양변을 x에 대하여 미분하면

$$3x^2+ay+ax\frac{dy}{dx} - 6y\frac{dy}{dx} = 0$$

$$(ax-6y)\frac{dy}{dx} = -(3x^2+ay)$$

$$\therefore \frac{dy}{dx} = -\frac{3x^2+ay}{ax-6y} \qquad\qquad \cdots\cdots ❷$$

점 $(1, 1)$에서의 $\dfrac{dy}{dx}$의 값이 -2이므로

$$-\frac{3+a}{a-6} = -2, \ 3+a=2a-12$$

$$\therefore a=15$$

$a=15$를 ㉠에 대입하면 $\quad b=-13 \qquad \cdots\cdots ❸$

$$\therefore a-b = 15-(-13) = \mathbf{28} \qquad\qquad \cdots\cdots ❹$$

채점 기준	배점
❶ a, b의 관계식 구하기	20 %
❷ $\dfrac{dy}{dx}$ 구하기	40 %
❸ a, b의 값 구하기	30 %
❹ $a-b$의 값 구하기	10 %

답 28

08 역함수의 정의에 의하여

$f(g(x))=x$이므로　　$2g(x)-\dfrac{1}{x}=g(x)$

　$\therefore\ g(x)=\dfrac{1}{x}$

따라서 $g'(x)=-\dfrac{1}{x^2}$ 이고 $g\left(\dfrac{1}{3}\right)=3$이므로

　$f(3)=\dfrac{1}{3}$

　$\therefore\ f'(3)=\dfrac{1}{g'\left(\dfrac{1}{3}\right)}=-\dfrac{1}{9}$　　　**답** ②

09　$f(x)=xe^{ax+b}$에서

　$f'(x)=e^{ax+b}+axe^{ax+b}$

　　　$=e^{ax+b}(1+ax)$

　$f''(x)=ae^{ax+b}(1+ax)+e^{ax+b}\cdot a$

　　　$=ae^{ax+b}(2+ax)$

$f'(0)=4$에서　　$e^{b}=4$

　$\therefore\ b=\ln 4$

$f''(0)=4$에서　　$2ae^{\ln 4}=4$

　$\therefore\ a=\dfrac{1}{2}$

　$\therefore\ ab=\dfrac{1}{2}\ln 4=\mathbf{\ln 2}$　　　**답** ③

10　조건 (나)에서 $x\to 1$일 때, 극한값이 존재하고, (분모) $\to 0$이므로 (분자) $\to 0$이어야 한다. 즉

　$\displaystyle\lim_{x\to 1}\{f'(f(x))-1\}=0$

　$\therefore\ f'(f(1))=1$　　……㉠

조건 (나)의 식에 ㉠을 적용하면

　$\displaystyle\lim_{x\to 1}\dfrac{f'(f(x))-1}{x-1}$

　$=\displaystyle\lim_{x\to 1}\dfrac{f'(f(x))-f'(f(1))}{x-1}$

　$=\displaystyle\lim_{x\to 1}\dfrac{f'(f(x))-f'(f(1))}{f(x)-f(1)}\cdot\dfrac{f(x)-f(1)}{x-1}$

$=f''(f(1))\cdot f'(1)$

$=f''(2)\cdot 3\ (\because\ 조건\ (가))$

$=3$

$\therefore\ f''(2)=\mathbf{1}$　　　**답** 1

01 $\dfrac{n+1}{2}$ **02** ④   **03** ③   **04** 5   **05** 50

06 $\dfrac{1}{6}$ **07** $\dfrac{224}{15}$ **08** 1   **09** $2e^2$ **10** ②

---

01 $f(x)=\ln\dfrac{e^x+e^{2x}+e^{3x}+\cdots+e^{nx}}{n}$ 으로 놓으면

$f(0)=\ln 1=0$ 이므로

$$\lim_{x\to 0}\frac{1}{x}\ln\frac{e^x+e^{2x}+e^{3x}+\cdots+e^{nx}}{n}$$

$$=\lim_{x\to 0}\frac{f(x)}{x}=\lim_{x\to 0}\frac{f(x)-f(0)}{x}=f'(0)$$

$f'(x)=\dfrac{e^x+2e^{2x}+3e^{3x}+\cdots+ne^{nx}}{e^x+e^{2x}+e^{3x}+\cdots+e^{nx}}$ 이므로

$$f'(0)=\frac{1+2+\cdots+n}{n}=\frac{\dfrac{n(n+1)}{2}}{n}$$

$$=\frac{n+1}{2}\qquad\qquad \text{답}\ \dfrac{n+1}{2}$$

---

02 $h(t)=t\times\{f(t)-g(t)\}$ 에서

$h'(t)=\{f(t)-g(t)\}+t\times\{f'(t)-g'(t)\}$

$\therefore\ h'(5)=\{f(5)-g(5)\}+5\{f'(5)-g'(5)\}$

곡선 $y=x^3+2x^2-15x+5$ 와 직선 $y=5$ 가 만나는 점의

x좌표는 $x^3+2x^2-15x+5=5$ 에서

$x(x^2+2x-15)=0,\ x(x+5)(x-3)=0$

$\therefore\ x=-5$ 또는 $x=0$ 또는 $x=3$

$\therefore\ f(5)=3,\ g(5)=-5$

이때 $F(x)=x^3+2x^2-15x+5$ 로 놓으면

$F(f(t))=t$

위의 식의 양변을 t에 대하여 미분하면

$F'(f(t))f'(t)=1$

이므로 $f'(t)=\dfrac{1}{F'(f(t))}$

$F'(x)=3x^2+4x-15$ 이므로

$$f'(5)=\frac{1}{F'(f(5))}=\frac{1}{F'(3)}=\frac{1}{24}$$

마찬가지로 $F(g(t))=t$ 에서

$$g'(5)=\frac{1}{F'(g(5))}=\frac{1}{F'(-5)}=\frac{1}{40}$$

$$\therefore\ h'(5)=\{3-(-5)\}+5\left(\frac{1}{24}-\frac{1}{40}\right)$$

$$=8+\frac{1}{12}=\frac{97}{12}\qquad\qquad \text{답}\ ④$$

---

03   주어진 식을 변형하면

$$\lim_{x\to 0}\frac{f(1-\cos x)-f(0)}{x^2}$$

$$=\lim_{x\to 0}\frac{f(1-\cos x)-f(0)}{(1-\cos x)-0}\cdot\frac{1-\cos x}{x^2}$$

$1-\cos x=t$ 라 하면 $x\to 0$ 일 때 $t\to 0$ 이므로

위의 식은

$$\lim_{t\to 0}\frac{f(t)-f(0)}{t-0}\cdot\lim_{x\to 0}\frac{1-\cos x}{x^2}$$

$$=f'(0)\lim_{x\to 0}\frac{(1-\cos x)(1+\cos x)}{x^2(1+\cos x)}$$

$$=f'(0)\lim_{x\to 0}\frac{1-\cos^2 x}{x^2(1+\cos x)}$$

$$=f'(0)\lim_{x\to 0}\left(\frac{\sin x}{x}\right)^2\cdot\frac{1}{1+\cos x}$$

$$=f'(0)\cdot\frac{1}{2}$$

$$=\frac{1}{2}f'(0)$$

한편 $f(x)=\ln(e^{4x}+1)$ 에서

$$f'(x)=\frac{4e^{4x}}{e^{4x}+1}$$

이므로 $f'(0)=\dfrac{4}{1+1}=2$

따라서 구하는 식의 값은

$$\frac{1}{2}f'(0)=\frac{1}{2}\cdot 2=1\qquad\qquad \text{답}\ ③$$

---

04 $\dfrac{x}{4-x}=e^{5(t-3)}$ 의 양변에 자연로그를 취하면

$$\ln\frac{x}{4-x}=5(t-3)$$

$$\ln x-\ln(4-x)=5t-15$$

$$\therefore t=\frac{1}{5}\ln x-\frac{1}{5}\ln(4-x)+3$$

위 식의 양변을 x에 대하여 미분하면

$$\frac{dt}{dx}=\frac{1}{5x}+\frac{1}{5(4-x)}=\frac{4}{5x(4-x)}$$

$$\therefore \frac{dx}{dt}=\frac{5}{4}x(4-x) \quad\cdots\cdots\ \bigcirc$$

$\dfrac{x}{4-x}=e^{5(t-3)}$에 $t=3$을 대입하면

$$\frac{x}{4-x}=1,\ x=4-x \quad \therefore x=2$$

$x=2$를 $\bigcirc$에 대입하면

$$\frac{dx}{dt}=\frac{5}{4}\cdot 2\cdot 2=5$$

따라서 반응이 시작된 지 3초 후의 $\dfrac{dx}{dt}$ 의 값은 **5**이다.

다른 풀이 $\dfrac{x}{4-x}=e^{5(t-3)}$에서

$$x=(4-x)e^{5(t-3)},\ x\{1+e^{5(t-3)}\}=4e^{5(t-3)}$$

$$\therefore x=\frac{4e^{5(t-3)}}{1+e^{5(t-3)}}=4-\frac{4}{1+e^{5(t-3)}}$$

$$\therefore \frac{dx}{dt}=\frac{4\cdot 5e^{5(t-3)}}{\{1+e^{5(t-3)}\}^2}$$

이때 $t=3$을 대입하면

$$\frac{dx}{dt}=\frac{20}{(1+1)^2}=5$$

답 5

05 $x=\dfrac{t}{1+t},\ y=\dfrac{t^2}{1+t}$에서

$$\frac{dx}{dt}=\frac{1\cdot(1+t)-t\cdot 1}{(1+t)^2}=\frac{1}{(1+t)^2}$$

$$\frac{dy}{dt}=\frac{2t\cdot(1+t)-t^2\cdot 1}{(1+t)^2}=\frac{t(t+2)}{(1+t)^2}$$

$$\therefore F(t)=\frac{dy}{dx}=\frac{\dfrac{dy}{dt}}{\dfrac{dx}{dt}}=\frac{\dfrac{t(t+2)}{(1+t)^2}}{\dfrac{1}{(1+t)^2}}=t(t+2)$$

$$\therefore \sum_{t=1}^{20}\frac{F(t)}{5t}=\frac{1}{5}\sum_{t=1}^{20}(t+2)$$

$$=\frac{1}{5}\left(\frac{20\cdot 21}{2}+40\right)=\mathbf{50}$$

답 50

06 $\displaystyle\lim_{x\to 2}\frac{g(x^2)-2}{x^3-8}=2$에서 $x\to 2$일 때

(분모) $\to 0$이고 극한값이 존재하므로 (분자) $\to 0$이다.

$$\therefore g(4)=2$$

즉 $\displaystyle\lim_{x\to 2}\frac{g(x^2)-2}{x^3-8}$

$$=\lim_{x\to 2}\frac{g(x^2)-g(4)}{x^3-8}$$

$$=\lim_{x\to 2}\frac{g(x^2)-g(4)}{x^2-4}\cdot\frac{x+2}{x^2+2x+4}=2$$

이므로 $\dfrac{1}{3}g'(4)=2 \quad \therefore g'(4)=6$

한편 $g(4)=2$에서 $f(2)=4$이므로

$$f'(2)=\frac{1}{g'(4)}=\frac{1}{6}$$

답 $\dfrac{1}{6}$

07 $h(x)=\dfrac{f(x)}{g(x)}$에서

$$h'(x)=\frac{f'(x)g(x)-f(x)g'(x)}{\{g(x)\}^2}$$

이때 $h'(1)$의 값을 구하려면

$f(1),\ f'(1),\ g(1),\ g'(1)$의 값을 구해야 한다.

$f(x)=2x^3+x^2+7x-9$에서

$$f'(x)=6x^2+2x+7$$

이므로

$$f(1)=1,\ f'(1)=15$$

한편 $f(x)$와 $g(x)$가 역함수 관계이므로

$f(1)=1$에서 $g(1)=1$

또한 역함수의 미분법에 의하여

$f'(1)=\dfrac{1}{g'(1)}$ 이므로 $g'(1)=\dfrac{1}{15}$

$$\therefore\ h'(1)=\frac{f'(1)g(1)-f(1)g'(1)}{\{g(1)\}^2}$$

$$=\frac{15-\dfrac{1}{15}}{1}$$

$$=\boldsymbol{\frac{224}{15}} \qquad\qquad \text{답}\ \ \frac{224}{15}$$

08 $f(x)=e^{ax}\sin bx$에서

$$f'(x)=ae^{ax}\sin bx+e^{ax}\cdot b\cos bx$$
$$=e^{ax}(a\sin bx+b\cos bx)$$
$$f''(x)=ae^{ax}(a\sin bx+b\cos bx)$$
$$\qquad\qquad +e^{ax}(ab\cos bx-b^2\sin bx)$$
$$=e^{ax}(a^2\sin bx+2ab\cos bx-b^2\sin bx)$$

$$\therefore\ f''(x)+f'(x)+f(x)$$
$$=e^{ax}(a^2\sin bx+2ab\cos bx-b^2\sin bx)$$
$$\qquad +e^{ax}(a\sin bx+b\cos bx)+e^{ax}\sin bx$$
$$=e^{ax}\{(a^2-b^2+a+1)\sin bx+(2a+1)b\cos bx\}$$

모든 실수 x에 대하여 $f''(x)+f'(x)+f(x)=0$을 만족
시키려면 $a^2-b^2+a+1=0$, $2a+1=0$이어야 한다.

$2a+1=0$에서 $\quad a=-\dfrac{1}{2}$

$a=-\dfrac{1}{2}$을 $a^2-b^2+a+1=0$에 대입하면

$$\dfrac{1}{4}-b^2-\dfrac{1}{2}+1=0 \qquad \therefore\ b^2=\dfrac{3}{4}$$

$$\therefore\ a^2+b^2=\dfrac{1}{4}+\dfrac{3}{4}=\boldsymbol{1} \qquad\qquad \text{답}\ \ 1$$

09 $f(x+y)=e^y f(x)+e^x f(y)$에 $x=y=0$을 대입
하면

$$f(0)=f(0)+f(0) \qquad \therefore f(0)=0 \qquad \cdots\cdots \text{❶}$$

또한 $f'(0)=2$이므로 미분계수의 정의에 의하여

$$f'(0)=\lim_{h\to 0}\frac{f(0+h)-f(0)}{h}=\lim_{h\to 0}\frac{f(h)}{h}=2$$

$$f'(x)=\lim_{h\to 0}\frac{f(x+h)-f(x)}{h}$$
$$=\lim_{h\to 0}\frac{e^h f(x)+e^x f(h)-f(x)}{h}$$
$$=\lim_{h\to 0}\left\{f(x)\cdot\frac{e^h-1}{h}+e^x\cdot\frac{f(h)}{h}\right\}$$
$$=f(x)+2e^x \qquad\qquad \cdots\cdots \text{❷}$$

따라서 $f'(x)-f(x)=2e^x$이므로 양변을 x에 대하여
미분하면

$$f''(x)-f'(x)=2e^x$$

$$\therefore f''(2)-f'(2)=\boldsymbol{2e^2} \qquad\qquad \cdots\cdots \text{❸}$$

채점 기준	배점
❶ $f(0)=0$임을 알기	20 %
❷ 미분계수의 정의를 이용하여 $f(x)$와 $f'(x)$ 사이의 관계식 구하기	40 %
❸ $f''(2)-f'(2)$의 값 구하기	40 %

답 $2e^2$

10 ㄱ. $f(x)$는 연속함수이므로 $f(-1)=-1$,

$f(0)=1$에서 $f(a)=\dfrac{1}{2}$인 a가 구간 $(-1,\ 0)$에 존

재하며, $f(0)=1$, $f(1)=0$에서 $f(a)=\dfrac{1}{2}$인 a가

구간 $(0,\ 1)$에 존재한다.

따라서 구간 $(-1,\ 1)$에 $f(a)=\dfrac{1}{2}$인 a가 두 개 이

상 존재한다. (참)

ㄴ. $\dfrac{f(1)-f(0)}{1-0}=-1$이므로 평균값 정리에 의하여 구

간 $(0,\ 1)$에 $f'(b)=-1$을 만족시키는 실수 b가 적

어도 하나 존재한다.

따라서 $f'(b)=-1$을 만족시키는 실수 b가 구간

$(-1,\ 1)$에 적어도 하나 존재한다. (참)

ㄷ. (반례) $f(x)$가 이차함수라 할 때,

$f(x)=ax^2+bx+c$로 놓고

$f(-1)=-1$, $f(0)=1$, $f(1)=0$을 대입하여

함수 $f(x)$를 구하면

$$f(x) = -\frac{3}{2}x^2 + \frac{1}{2}x + 1$$

이때 $f''(x) = -3$이므로 $f''(c) = 0$을 만족시키는 실수 c는 존재하지 않는다. (거짓)

따라서 옳은 것은 ㄱ, ㄴ이다.　　　　　**답** ②

4. 도함수의 활용

Review Quiz　　SUMMA CUM LAUDE　　본문 269쪽

01 (1) $f'(x) \geq 0$　(2) $f'(a) = 0$　(3) 볼록　(4) 변곡점
(5) $\sqrt{\{f'(t)\}^2 + \{g'(t)\}^2}$, $(f''(t), g''(t))$

02 (1) 참　(2) 거짓　　**03** 풀이 참조

01　**답** (1) $f'(x) \geq 0$

(2) $f'(a) = 0$

(3) 볼록

(4) 변곡점

(5) $\sqrt{\{f'(t)\}^2 + \{g'(t)\}^2}$, $(f''(t), g''(t))$

02　(1) 미분가능한 함수 $f(x)$가 구간 (a, b) 안의 c에 대하여 $x = c$에서 최댓값 또는 최솟값을 가지면 $f(x)$는 $x = c$에서 극대 또는 극소이다.

따라서 $f'(c) = 0$이므로 곡선 $y = f(x)$ 위의 점 $(c, f(c))$에서의 접선의 기울기는 0이다. (참)

(2) $f''(a) = 0$이면서 $x = a$의 좌우에서 $f''(x)$의 부호가 바뀌어야 점 $(a, f(a))$가 변곡점이 된다.

즉 $f''(a) = 0$일지라도 $x = a$의 좌우에서 $f''(x)$의 부호가 바뀌지 않으면 변곡점이 되지 않는다. (거짓)

답 (1) 참　(2) 거짓

03　(1) 삼차함수 $y = f(x)$가 $x = a$, $x = b$에서 극값을 가지면 $x = a$, $x = b$에서 $f'(x) = 0$이다.

$f(x)$가 삼차함수이면 $f'(x)$는 이차함수이므로

$$f'(x) = c(x - a)(x - b) \text{ (단, } c\text{는 이차항의 계수)}$$

이고

$$f''(x) = c(x - a) + c(x - b) = c(2x - a - b)$$

따라서 $f''(x) = 0$을 만족시키는 x의 값은

$$x = \frac{a + b}{2} \text{이다.}$$

(2) $f(x) = x^4 + 1$의 경우, $x = 0$에서 극솟값을 갖는다.

하지만 $f'(x)=4x^3$, $f''(x)=12x^2$에서 $f'(0)=0$, $f''(0)=0$이므로 주어진 명제의 역은 성립하지 않는다. 🔲 풀이 참조

EXERCISES 𝒜   SUMMA CUM LAUDE   본문 270∼272쪽

01 8	**02** e	**03** ①	**04** $k\geq0$	**05** ③
06 -1	**07** $\dfrac{\pi}{6}$	**08** 3	**09** $3e$	
10 ㄱ, ㄴ	**11** 최댓값 : $\dfrac{5}{2}$, 최솟값 : 2		**12** $a<2$	
13 $k\leq1$	**14** $10\sqrt{2}$	**15** 4		

01 $\sqrt{x}+2\sqrt{y}=4$의 양변을 x에 대하여 미분하면

$$\frac{1}{2\sqrt{x}}+2\cdot\frac{1}{2\sqrt{y}}\frac{dy}{dx}=0$$

$$\therefore \frac{dy}{dx}=-\frac{\sqrt{y}}{2\sqrt{x}}$$

점 $(4,\,1)$에서의 접선의 기울기는

$$\frac{dy}{dx}=-\frac{1}{4}$$

이므로 접선의 방정식은

$$y-1=-\frac{1}{4}(x-4)$$

$$\therefore y=-\frac{1}{4}x+2$$

따라서 $\mathrm{A}(8,\,0)$, $\mathrm{B}(0,\,2)$이므로

$$\triangle\mathrm{OAB}=\frac{1}{2}\cdot8\cdot2=8 \qquad\qquad \text{🔲 } 8$$

02 $f(x)=\ln x$로 놓으면 $f'(x)=\dfrac{1}{x}$

곡선 $y=f(x)$ 위의 점 $(a,\,\ln a)$에서의 접선의 기울기는

$f'(a)=\dfrac{1}{a}$ 이므로 접선의 방정식은

$$y-\ln a=\frac{1}{a}(x-a)$$

$$\therefore y=\frac{1}{a}x-1+\ln a \quad\cdots\cdots\,\text{㉠} \qquad \cdots\cdots\,❶$$

원 $x^2+y^2=1$은 중심이 $(0,\,0)$이고 반지름의 길이가 1인 원이므로 직선이 원 $x^2+y^2=1$의 넓이를 이등분하려면 점 $(0,\,0)$을 지나야 한다. $\cdots\cdots$ ❷

따라서 ㉠에 $x=0$, $y=0$을 대입하면

$$0=-1+\ln a \quad \therefore a=\boldsymbol{e} \qquad \cdots\cdots \text{❸}$$

채점 기준	배점
❶ 접선의 방정식 구하기	50 %
❷ 접선이 원의 넓이를 이등분하는 조건 알기	30 %
❸ a의 값 구하기	20 %

답 e

03 $f(x)=2\sqrt{x-2}$로 놓으면

$$f'(x)=2\cdot\frac{1}{2\sqrt{x-2}}=\frac{1}{\sqrt{x-2}}$$

직선 $x-2y+3=0$을 x축의 방향으로 $-m$만큼, y축의 방향으로 $-n$만큼 평행이동한 직선의 방정식은

$$(x+m)-2(y+n)+3=0$$

$$\therefore y=\frac{1}{2}x+\frac{m-2n+3}{2} \qquad \cdots\cdots ㉠$$

그런데 직선 ㉠이 곡선 $y=f(x)$에 접하므로 접점의 x좌표를 a라 하면 $x=a$에서 곡선 $y=f(x)$의 접선의 기울기와 직선 ㉠의 기울기가 서로 같아야 한다. 즉

$$\frac{1}{\sqrt{a-2}}=\frac{1}{2},\ a-2=4$$

$$\therefore a=6$$

따라서 접점의 좌표가 $(6,\ 4)$이므로 $x=6$, $y=4$를 ㉠에 대입하면

$$4=\frac{1}{2}\cdot 6+\frac{m-2n+3}{2}$$

$$\therefore m-2n=\boldsymbol{-1} \qquad \text{답} ①$$

04 $f(x)=e^{2x}-2ex^2+kx$에서

$$f'(x)=2e^{2x}-4ex+k$$

함수 $f(x)$가 실수 전체의 집합에서 증가하려면 모든 실수 x에 대하여 $f'(x)\geq 0$이어야 하므로

$$2e^{2x}-4ex+k\geq 0$$

$$\therefore 2e^{2x}\geq 4ex-k \qquad \cdots\cdots ㉠$$

$g(x)=2e^{2x}$, $h(x)=4ex-k$로 놓으면

$$g'(x)=4e^{2x}$$

직선 $y=h(x)$와 평행하면서 곡선 $y=g(x)$에 접하는 직선의 기울기는 $4e$이므로 $4e^{2x}=4e$에서

$$x=\frac{1}{2}$$

즉 접점이 $\left(\dfrac{1}{2},\ 2e\right)$이므로 접선의 방정식은

$$y-2e=4e\left(x-\frac{1}{2}\right)$$

$$\therefore y=4ex$$

이때 모든 실수 x에 대하여 ㉠이 성립하려면 오른쪽 그림과 같이 직선 $y=h(x)$가 직선 $y=4ex$와 일치하거나 직선 $y=4ex$보다 아래쪽에 있어야 하므로

$$-k\leq 0$$

$$\therefore \boldsymbol{k\geq 0} \qquad \text{답} k\geq 0$$

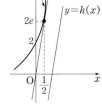

05 $f(x)=e^x-ax$에서 $f'(x)=e^x-a$

$f'(x)=0$에서 $e^x=a$

$$\therefore x=\ln a$$

함수 $f(x)$의 증가와 감소를 표로 나타내면 다음과 같다.

x	$\cdots$	$\ln a$	$\cdots$
$f'(x)$	$-$	0	$+$
$f(x)$	$\searrow$	$a-a\ln a$	$\nearrow$

즉 함수 $f(x)$는 극솟값 $a-a\ln a$를 가지므로

$$a-a\ln a=-a,\ 2a=a\ln a$$

$$2=\ln a\ (\because a>0)$$

$$\therefore a=\boldsymbol{e^2} \qquad \text{답} ③$$

06 $f(x)=\dfrac{a}{\pi}\sin \pi x+bx+c$에서

$$f'(x)=a\cos \pi x+b$$

$x=2$에서 극값을 가지므로 $\quad f'(2)=0$

$\quad \therefore a+b=0 \qquad \cdots\cdots \bigcirc$

또 $\displaystyle\lim_{x\to -1}\dfrac{f(x)}{x^2-1}=\dfrac{1}{2}$에서 $x\to -1$일 때 (분모)$\to 0$이

고 극한값이 존재하므로 (분자)$\to 0$이다.

즉 $f(-1)=0$이므로

$\quad -b+c=0 \qquad \cdots\cdots \bigcirc$

또한

$\displaystyle\lim_{x\to -1}\dfrac{f(x)}{x^2-1}$

$\displaystyle =\lim_{x\to -1}\dfrac{f(x)-f(-1)}{x-(-1)}\cdot\dfrac{1}{x-1}$

$=-\dfrac{1}{2}f'(-1)=\dfrac{1}{2}$

이므로 $\quad f'(-1)=-1$

$\quad \therefore -a+b=-1 \qquad \cdots\cdots \bigcirc$

$\bigcirc$, $\bigcirc$, $\bigcirc$을 연립하여 풀면

$a=\dfrac{1}{2}$, $b=-\dfrac{1}{2}$, $c=-\dfrac{1}{2}$

$\therefore a+b+2c=\dfrac{1}{2}+\left(-\dfrac{1}{2}\right)+2\cdot\left(-\dfrac{1}{2}\right)=\mathbf{-1}$

답 -1

07 $f(x)=\sin^2 3x+2$에서

$f'(x)=2\sin 3x\cdot\cos 3x\cdot 3$

$\qquad =6\sin 3x\cos 3x$

$\qquad =3\sin 6x$

$f'(x)=0$에서 $\quad x=\dfrac{\pi}{6}$, $\dfrac{2\pi}{6}$, $\dfrac{3\pi}{6}$, $\cdots$

구간 $(0,\ a)$에서 $f(x)$가 극값을 갖지 않으려면

구간 $(0,\ a)$에 $x=\dfrac{\pi}{6}$가 포함되지 않아야 하므로

a의 최댓값은 $\dfrac{\pi}{6}$이다. **답** $\dfrac{\pi}{6}$

08 $f(x)=ax^3+(4a-1)x^2-bx+c$에서

곡선 $y=f(x)$의 y절편이 1이므로 $\quad c=1$

$\quad \therefore f(x)=ax^3+(4a-1)x^2-bx+1$

곡선 $y=f(x)$가 점 $(1,\ 4)$를 지나므로

$\quad a+(4a-1)-b+1=4$

$\quad \therefore 5a-b=4 \qquad \cdots\cdots \bigcirc$

한편 변곡점의 x좌표가 -1이므로

$f'(x)=3ax^2+2(4a-1)x-b$,

$f''(x)=6ax+2(4a-1)$에서

$\quad f''(-1)=-6a+2(4a-1)=0$

$\quad 2a-2=0 \quad \therefore a=1$

$a=1$을 $\bigcirc$에 대입하면 $\quad b=1$

$\quad \therefore a+b+c=1+1+1=\mathbf{3}$ **답** 3

09 $f(x)=\dfrac{a+x^3}{e^x}$에서

$f'(x)=\dfrac{3x^2\cdot e^x-(a+x^3)e^x}{e^{2x}}=\dfrac{3x^2-a-x^3}{e^x}$

$f''(x)=\dfrac{(6x-3x^2)e^x-(3x^2-a-x^3)e^x}{e^{2x}}$

$\qquad =\dfrac{6x-6x^2+x^3+a}{e^x}$

이때 $f''(2)=0$이므로

$\quad \dfrac{12-24+8+a}{e^2}=0$, $\dfrac{-4+a}{e^2}=0$

$\quad -4+a=0 \quad \therefore a=4$

$\quad \therefore f'(x)=\dfrac{3x^2-4-x^3}{e^x}$

$\qquad\qquad =-\dfrac{(x+1)(x-2)^2}{e^x}$

$f'(x)=0$에서 $\quad x=-1$ 또는 $x=2$

x	$\cdots$	-1	$\cdots$	2	$\cdots$
$f'(x)$	$+$	0	$-$	0	$-$
$f(x)$	$\nearrow$	$3e$	$\searrow$	$\dfrac{12}{e^2}$ (변곡점)	$\searrow$

$\displaystyle\lim_{x\to\infty}\dfrac{4+x^3}{e^x}=0$, $\displaystyle\lim_{x\to-\infty}\dfrac{4+x^3}{e^x}=-\infty$이므로

함수 $y=f(x)$의 그래프의 개형은 다음 그림과 같다.

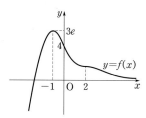

따라서 함수 $f(x)$는 $x=-1$일 때 최댓값 $3e$를 갖는다.

답 $3e$

10 ㄱ. 구간 (c, d)에서 $f''(x)>0$이므로 곡선 $y=f(x)$는 이 구간에서 아래로 볼록하다. (참)

ㄴ. $f'(b)=f'(0)=f'(e)=0$이고 $x=b$, $x=0$의 좌우에서 $f'(x)$의 부호가 바뀌지만 $x=e$의 좌우에서는 $f'(x)$의 부호가 바뀌지 않는다.

따라서 구간 $[a, f]$에서 함수 $f(x)$는 $x=b$, $x=0$에서 극값을 갖는다. 즉 구간 $[a, f]$에서 함수 $f(x)$는 2개의 극값을 갖는다. (참)

ㄷ. $f''(c)=f''(d)=f''(e)=0$이고 $x=c$, $x=d$, $x=e$의 좌우에서 곡선 $y=f'(x)$의 접선의 기울기인 $f''(x)$의 부호가 바뀌므로 구간 $[a, f]$에서 곡선 $y=f(x)$는 $x=c$, $x=d$, $x=e$에서 변곡점을 갖는다.

따라서 구간 $[a, f]$에서 곡선 $y=f(x)$의 변곡점은 3개이다. (거짓)

이상에서 옳은 것은 ㄱ, ㄴ이다.

답 ㄱ, ㄴ

11 $f(x)=2^{\sin x}+2^{-\sin x}$에서

$$f'(x)=2^{\sin x}\cdot\ln 2\cdot\cos x+2^{-\sin x}\cdot\ln 2\cdot(-\cos x)$$
$$=\ln 2\cdot\cos x(2^{\sin x}-2^{-\sin x})$$
$$=\ln 2\cdot\cos x\cdot 2^{-\sin x}(2^{2\sin x}-1)$$

이때 $\ln 2>0$, $2^{-\sin x}>0$이므로

$f'(x)=0$에서 $\cos x=0$ 또는 $2\sin x=0$

$\therefore$ $x=-\dfrac{\pi}{2}$ 또는 $x=0$ 또는 $x=\dfrac{\pi}{2}$

$(\because -\pi \le x \le \pi)$

함수 $f(x)$의 증가와 감소를 표로 나타내면 다음과 같다.

x	$-\pi$	$\cdots$	$-\dfrac{\pi}{2}$	$\cdots$	0	$\cdots$	$\dfrac{\pi}{2}$	$\cdots$	π
$f'(x)$		$+$	0	$-$	0	$+$	0	$-$	
$f(x)$	2	↗	$\dfrac{5}{2}$	↘	2	↗	$\dfrac{5}{2}$	↘	2

따라서 함수 $y=f(x)$의 그래프의 개형은 오른쪽 그림과 같으므로 **최댓값**은 $\dfrac{5}{2}$, **최솟값**은 **2**이다.

답 최댓값 : $\dfrac{5}{2}$, 최솟값 : 2

12 $3^{3x}-2\cdot 3^{2x+1}+3^{x+2}=2^a$에서

$$(3^x)^3-6\cdot(3^x)^2+9\cdot 3^x=2^a$$

이므로 $3^x=t\,(t>0)$로 치환하면

$$t^3-6t^2+9t=2^a$$

$f(t)=t^3-6t^2+9t\,(t>0)$로 놓으면

$$f'(t)=3t^2-12t+9=3(t-1)(t-3)$$

$f'(t)=0$에서 $t=1$ 또는 $t=3$

t	(0)	$\cdots$	1	$\cdots$	3	$\cdots$
$f'(t)$		$+$	0	$-$	0	$+$
$f(t)$		↗	4	↘	0	↗

따라서 함수 $y=f(t)$의 그래프의 개형은 다음 그림과 같다.

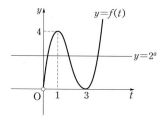

방정식 $t^3-6t^2+9t=2^a$이 서로 다른 세 실근을 가지려면

곡선 $y=f(t)$와 직선 $y=2^a$이 세 점에서 만나야 하므로
$$0<2^a<4$$
$$\therefore \ a<2 \qquad\qquad \text{답} \ \boldsymbol{a<2}$$

13 $\cos x>k-2x$에서 $\qquad \cos x+2x>k$

$f(x)=\cos x+2x$로 놓으면
$$f'(x)=-\sin x+2$$
$x>0$인 모든 실수 x에 대하여 $f'(x)=2-\sin x>0$이므로 $f(x)$는 증가함수이다.

따라서 $f(0)=1$이므로 부등식이 성립하는 k의 값의 범위는

$$\boldsymbol{k\leq 1} \qquad\qquad \text{답} \ k\leq 1$$

14 점 P의 시각 t에서의 위치 $x=f(t)$가
$f(t)=k\sin 2t+2\cos 2t$이므로 속도를 $v(t)$, 가속도를 $a(t)$라 하면
$$v(t)=2k\cos 2t-4\sin 2t$$
$$a(t)=-4k\sin 2t-8\cos 2t$$

$t=\dfrac{3}{8}\pi$에서의 점 P의 속도는
$$v\left(\frac{3}{8}\pi\right)=2k\cos\frac{3}{4}\pi-4\sin\frac{3}{4}\pi$$
$$=-\sqrt{2}\,k-2\sqrt{2}$$

즉 $-\sqrt{2}\,k-2\sqrt{2}=\sqrt{2}$이므로
$$-\sqrt{2}\,k=3\sqrt{2} \qquad \therefore \ k=-3$$

따라서 $t=\dfrac{3}{8}\pi$에서의 점 P의 가속도는
$$a\left(\frac{3}{8}\pi\right)=12\sin\frac{3}{4}\pi-8\cos\frac{3}{4}\pi$$
$$=6\sqrt{2}+4\sqrt{2}=\boldsymbol{10\sqrt{2}} \qquad \text{답} \ 10\sqrt{2}$$

15 $\dfrac{dx}{dt}=\dfrac{1}{t}-2t$, $\dfrac{dy}{dt}=2\sqrt{2}$이므로 점 P의 시각 t에서의 속도는

$$\left(\frac{1}{t}-2t,\ 2\sqrt{2}\right)$$

점 P의 시각 t에서의 속력은
$$\sqrt{\left(\frac{1}{t}-2t\right)^2+(2\sqrt{2})^2}=\sqrt{\left(\frac{1}{t}+2t\right)^2}$$
$$=\frac{1}{t}+2t \ (\because t>0)$$

이때 $t>0$이므로 산술평균과 기하평균의 관계에 의하여
$$\frac{1}{t}+2t\geq 2\sqrt{\frac{1}{t}\cdot 2t}=2\sqrt{2}$$
$$\left(\text{단, 등호는 } \frac{1}{t}=2t, \text{ 즉 } t=\frac{1}{\sqrt{2}} \text{ 일 때 성립}\right)$$

즉 점 P의 속력이 최소가 되는 시각은 $t=\dfrac{1}{\sqrt{2}}$ 이다.

한편 $\dfrac{d^2x}{dt^2}=-\dfrac{1}{t^2}-2$, $\dfrac{d^2y}{dt^2}=0$이므로 점 P의 시각 t에서의 가속도는
$$\left(-\frac{1}{t^2}-2,\ 0\right)$$

따라서 $t=\dfrac{1}{\sqrt{2}}$에서의 점 P의 가속도는
$$(-4,\ 0)$$
이므로 구하는 가속도의 크기는
$$\sqrt{(-4)^2+0^2}=\boldsymbol{4} \qquad\qquad \text{답} \ 4$$

01 ①　　**02** ④　　**03** ④　　**04** ②　　**05** $\dfrac{2}{e}$

06 ①　　**07** ④　　**08** ㄴ, ㄷ　　**09** $\dfrac{1}{8}$

10 $\dfrac{1}{2}e$

01　$\theta=\dfrac{\pi}{6}$ 일 때

$$x=\dfrac{\sqrt{3}}{2}+\dfrac{\pi}{6}\cdot\dfrac{1}{2}=\dfrac{\sqrt{3}}{2}+\dfrac{\pi}{12},$$

$$y=\dfrac{1}{2}-\dfrac{\pi}{6}\cdot\dfrac{\sqrt{3}}{2}=\dfrac{1}{2}-\dfrac{\sqrt{3}}{12}\pi$$

이므로 접점 P의 좌표는

$\left(\dfrac{\sqrt{3}}{2}+\dfrac{\pi}{12},\ \dfrac{1}{2}-\dfrac{\sqrt{3}}{12}\pi\right)$이다.

$x=\cos\theta+\theta\sin\theta$에서

$$\dfrac{dx}{d\theta}=-\sin\theta+\sin\theta+\theta\cos\theta=\theta\cos\theta$$

$y=\sin\theta-\theta\cos\theta$에서

$$\dfrac{dy}{d\theta}=\cos\theta-\cos\theta+\theta\sin\theta=\theta\sin\theta$$

$$\therefore\ \dfrac{dy}{dx}=\dfrac{\dfrac{dy}{d\theta}}{\dfrac{dx}{d\theta}}=\dfrac{\theta\sin\theta}{\theta\cos\theta}=\tan\theta$$

$\theta=\dfrac{\pi}{6}$ 일 때의 접선의 기울기는 $\tan\dfrac{\pi}{6}=\dfrac{1}{\sqrt{3}}$ 이므로

접선 l에 수직인 직선의 기울기는 $-\sqrt{3}$이다.

즉 점 P를 지나고 접선 l에 수직인 직선의 방정식은

$$y-\left(\dfrac{1}{2}-\dfrac{\sqrt{3}}{12}\pi\right)=-\sqrt{3}\left\{x-\left(\dfrac{\sqrt{3}}{2}+\dfrac{\pi}{12}\right)\right\}$$

$$\therefore\ y=-\sqrt{3}\,x+2\quad\cdots\cdots\ ㉠$$

직선 ㉠이 원 $x^2+y^2=r^2$에 접하므로 반지름의 길이 r는
원의 중심 $(0,\ 0)$에서 직선 ㉠에 이르는 거리와 같다.

$$\therefore\ r=\dfrac{|-2|}{\sqrt{(\sqrt{3}\,)^2+1^2}}=1$$

답 ①

02　$y=f(x)$의 그래프가
오른쪽 그림과 같으므로 직선
$y=x+t$가 점 $(2,\ 4+k)$를
지날 때 t의 값은

$$4+k=2+t$$

$$\therefore\ t=k+2$$

따라서 함수 $g(t)$가 $t=a$에서 불연속인 a의 값이 한 개
이려면

$$g(t)=\begin{cases}2\ (t\le k+2)\\1\ (t>k+2)\end{cases}$$

이어야 하므로 직선 $y=x+t$가 두 곡선 $y=x^2+k$,
$y=\ln(x-2)$에 동시에 접해야 한다.

$y=\ln(x-2)$에서 $y'=\dfrac{1}{x-2}$ 이므로

$$\dfrac{1}{x-2}=1\quad\therefore\ x=3$$

따라서 곡선 $y=\ln(x-2)$와 직선 $y=x+t$의 접점의
좌표는 $(3,\ 0)$이므로　$t=-3$

즉 곡선 $y=x^2+k$와 직선 $y=x-3$이 접해야 하므로

$$x^2+k=x-3,\ \text{즉}\ x^2-x+k+3=0$$

이 중근을 가져야 한다.

이 이차방정식의 판별식을 D라 하면

$$D=(-1)^2-4(k+3)=0,\ -4k-11=0$$

$$\therefore\ k=-\dfrac{11}{4}$$

답 ④

03　$f'(x)=\cos x+1,\ f''(x)=-\sin x$

$$g'(x)=f'(f(x))f'(x)$$
$$=\{\cos(\sin x+x)+1\}(\cos x+1)$$
$$g''(x)=f''(f(x))(f'(x))^2+f'(f(x))f''(x)$$
$$=-\sin(\sin x+x)(\cos x+1)^2$$
$$+\{\cos(\sin x+x)+1\}(-\sin x)$$

ㄱ. $g'(x)=\{\cos(\sin x+x)+1\}(\cos x+1)$에서
　$\cos(\sin x+x)+1\ge0$이고 $\cos x+1\ge0$이므로 실
　수 전체에서 $g'(x)\ge0$이다.

따라서 함수 $g(x)$는 실수 전체에서 증가한다. (거짓)

ㄴ. $0<x<\pi$에서 $0<\sin x+x<\pi$이므로

$\quad\sin(\sin x+x)>0$

$\quad g''(x)=-\sin(\sin x+x)(\cos x+1)^2$

$\qquad\qquad\quad-\sin x\{\cos(\sin x+x)+1\}\leq 0$

따라서 $0<x<\pi$에서 $g(x)$의 그래프는 위로 볼록하다. (참)

ㄷ. $g((n-1)\pi)=\sin f((n-1)\pi)+f((n-1)\pi)$

$\qquad\qquad\quad=(n-1)\pi$,

$\quad g(n\pi)=\sin f(n\pi)+f(n\pi)=n\pi$

이므로 $\dfrac{g(n\pi)-g((n-1)\pi)}{n\pi-(n-1)\pi}=\dfrac{\pi}{\pi}=1$이고 함수

$g(x)$는 미분가능하므로 평균값 정리에 의하여

$g'(x)=1$인 x가 $(n-1)\pi<x<n\pi$에서 적어도 하나 존재한다. (참)

따라서 옳은 것은 ㄴ, ㄷ이다.　　　　**답** ④

04　$a<b$인 임의의 실수 a, b에 대하여

$f(b)\geq f'(a)(b-a)+f(a)$

$f(b)-f(a)\geq f'(a)(b-a)$

$\therefore\ \dfrac{f(b)-f(a)}{b-a}\geq f'(a)$　　……㉠

한편 함수 $f(x)$가 미분가능한 함수이므로 평균값 정리에 의하여

$\dfrac{f(b)-f(a)}{b-a}=f'(c)$　　……㉡

인 c가 구간 (a, b)에 존재한다.

㉠, ㉡에서　　$f'(c)\geq f'(a)$

함수 $y=f(x)$의 정의역의 원소 $x=a$를 기준으로 생각했을 때, a보다 큰 어떤 수 b를 잡더라도 a와 b 사이에 $a<c<b$인 c가 있어서 $f'(c)\geq f'(a)$를 만족시키는 경우는 $y=f'(x)$가 증가함수일 때이다.

즉 모든 실수 x에 대하여 $f''(x)\geq 0$이다.

따라서 함수 $y=f(x)$의 그래프는 아래로 볼록한 모양이므로 가장 적당한 것은 ②이다.　　**답** ②

05

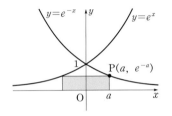

제1 사분면에 있는 직사각형의 꼭짓점의 좌표를

$\mathrm{P}(a, e^{-a})$

이라 하고, 직사각형의 넓이를 $S(a)$라 하면

$S(a)=2ae^{-a}$　　……❶

$S'(a)=2e^{-a}+2a(-e^{-a})=-2(a-1)e^{-a}$

$S'(a)=0$에서　　$a=1\ (\because\ e^{-a}>0)$　　……❷

함수 $S(a)$의 증가와 감소를 표로 나타내면 다음과 같다.

a	(0)	$\cdots$	1	$\cdots$
$S'(a)$		$+$	0	$-$
$S(a)$		↗	$\dfrac{2}{e}$	↘

따라서 $S(a)$는 $a=1$일 때 극대이면서 최대이므로 직사각형의 넓이의 최댓값은

$S(1)=\dfrac{2}{e}$　　……❸

채점 기준	배점
❶ 직사각형의 넓이 $S(a)$ 구하기	20 %
❷ $S'(a)=0$을 만족시키는 a의 값 구하기	30 %
❸ 직사각형의 넓이의 최댓값 구하기	50 %

답 $\dfrac{2}{e}$

06　$f(x)=e^x+\dfrac{1}{x}$에서

$f'(x)=e^x-\dfrac{1}{x^2}$, $f''(x)=e^x+\dfrac{2}{x^3}$

ㄱ. 함수 $f(x)=e^x+\dfrac{1}{x}$이 $x=a$에서 극값을 가지므로

$f'(a)=e^a-\dfrac{1}{a^2}=0$

$$\therefore e^a = \frac{1}{a^2} \text{ (참)}$$

ㄴ. 모든 양의 실수 x에 대하여

$$f''(x) = e^x + \frac{2}{x^3} > 0$$

이므로 곡선 $y = f(x)$의 변곡점은 존재하지 않는다.

(거짓)

ㄷ. $f'(a) = 0$이고 모든 양의 실수 x에 대하여 $f''(x) > 0$

이므로 함수 $f(x)$는 $x = a$에서 극소이면서 최소이

므로 $f(x)$는 $x = a$에서 최솟값을 갖는다. (거짓)

따라서 옳은 것은 ㄱ이다. **답** ①

07 $f(x)$가 역함수를 가지려면 $f(x)$는 일대일대응

이어야 하므로 $f'(x) \geq 0$ 또는 $f'(x) \leq 0$이어야 한다.

이때 $\lim_{x \to \infty} f(x) = \infty$이므로 $f(x)$는 증가함수이다.

즉 실수 전체의 집합에서 $f'(x) \geq 0$이어야 한다.

$f(x) = e^{x+1}\{x^2 + (n-2)x - n + 3\} + ax$에서

$$f'(x) = e^{x+1}\{x^2 + (n-2)x - n + 3\}$$
$$+ e^{x+1}(2x + n - 2) + a$$
$$= e^{x+1}(x^2 + nx + 1) + a$$

따라서 $e^{x+1}(x^2 + nx + 1) + a \geq 0$, 즉

$e^{x+1}(x^2 + nx + 1) \geq -a$가 성립해야 한다.

$h(x) = e^{x+1}(x^2 + nx + 1)$이라 하면

$$h'(x) = e^{x+1}(x^2 + nx + 1) + e^{x+1}(2x + n)$$
$$= e^{x+1}\{x^2 + (n+2)x + n + 1\}$$
$$= e^{x+1}(x + n + 1)(x + 1)$$

$h'(x) = 0$에서

$x = -n - 1$ 또는 $x = -1$

x	$\cdots$	$-n-1$	$\cdots$	-1	$\cdots$
$h'(x)$	$+$	0	$-$	0	$+$
$h(x)$	↗	$\dfrac{n+2}{e^n}$	↘	$2-n$	↗

이때 $\lim_{x \to \infty} h(x) = \infty$,

$\lim_{x \to -\infty} h(x) = 0$이므로 함수

$y = h(x)$의 그래프는 오른쪽

그림과 같다.

따라서 $h(x)$의 최솟값은

$h(-1) = 2 - n$이므로 $h(x) \geq -a$가 성립하려면

$2 - n \geq -a$ $\therefore a \geq n - 2$

즉 $g(n) = n - 2$이므로 $1 \leq g(n) \leq 8$에서

$1 \leq n - 2 \leq 8$ $\therefore 3 \leq n \leq 10$

따라서 자연수 n의 값의 합은

$$3 + 4 + 5 + \cdots + 10 = \frac{8(3+10)}{2} = 52$$ **답** ④

08 ㄱ. $f(x) = \dfrac{x - \dfrac{1}{2}}{(x^2 - 2x + 2)^2}$에서

$f'(x)$

$$= \frac{(x^2-2x+2)^2 - 2\left(x - \dfrac{1}{2}\right)(x^2-2x+2)(2x-2)}{(x^2-2x+2)^4}$$

$$= \frac{-3x^2 + 4x}{(x^2 - 2x + 2)^3}$$

$f'(x) = 0$에서 $-3x^2 + 4x = 0$

$-3x\left(x - \dfrac{4}{3}\right) = 0$ $\therefore x = 0$ 또는 $x = \dfrac{4}{3}$

$f(x)$의 증가와 감소를 표로 나타내면 다음과 같다.

x	$\cdots$	0	$\cdots$	$\dfrac{4}{3}$	$\cdots$
$f'(x)$	$-$	0	$+$	0	$-$
$f(x)$	↘	$-\dfrac{1}{8}$	↗	$\dfrac{27}{40}$	↘

이때 $\lim_{x \to \infty} f(x) = 0$, $\lim_{x \to -\infty} f(x) = 0$이고 $x = \dfrac{4}{3}$에서

$f(x)$는 극댓값을 가지므로 $f(x)$의 최댓값은

$$f\left(\frac{4}{3}\right) = \frac{27}{40} \text{ (거짓)}$$

ㄴ. 곡선 $y=f(x)$ 위의 점 $\left(1,\ \dfrac{1}{2}\right)$에서의 접선의 기울

기는 $f'(1)=1$이므로 접선의 방정식은

$$y-\frac{1}{2}=1\cdot(x-1) \qquad \therefore y=x-\frac{1}{2}$$

즉 직선 $2x-2y-1=0$과 원점 사이의 거리는

$$\frac{|-1|}{\sqrt{2^2+(-2)^2}}=\frac{\sqrt{2}}{4} \ (참)$$

ㄷ. 함수 $f(x)$의 그래프의 개형을 그리면 다음 그림과 같다.

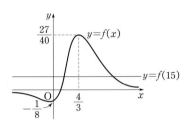

$0<f(15)<\dfrac{27}{40}$이므로 두 함수 $y=f(x)$와

$y=f(15)$의 그래프의 교점은 2개이다.

즉 방정식 $f(x)=f(15)$의 서로 다른 실근의 개수는 2이다. (참)

따라서 옳은 것은 ㄴ, ㄷ이다. **圓** ㄴ, ㄷ

09 점 Q는 점 P에서 x축에 내린 수선의 발이므로 점 Q의 x좌표는 점 P의 x좌표와 같고, 점 Q의 y좌표는 0이다.

즉 점 P의 좌표가 $(x,\ y)$일 때, 점 Q의 좌표는 $(x,\ 0)$

이고, $\dfrac{dx}{dt}=1$이다.

점 P의 출발점이 점 $(1,\ 4)$이므로 t초 후의 점 Q의 좌표는 $(1+t,\ 0)$, 점 P의 좌표는 $\left(1+t,\ \dfrac{4}{1+t}\right)$이다.

$$\frac{dx}{dt}=1,\ \frac{dy}{dt}=-\frac{4}{(1+t)^2}$$

$$\frac{d^2x}{dt^2}=0,\ \frac{d^2y}{dt^2}=\frac{8}{(1+t)^3}$$

이므로 점 P의 t초 후의 속도는 $\left(1,\ -\dfrac{4}{(1+t)^2}\right)$

이고, 가속도는 $\left(0,\ \dfrac{8}{(1+t)^3}\right)$이다.

점 P가 점 $(4,\ 1)$을 지나는 순간은 $t=3$일 때로 이때의 가속도의 크기는

$$\sqrt{0^2+\left(\frac{1}{8}\right)^2}=\frac{1}{8} \qquad\qquad \textbf{圓}\ \frac{1}{8}$$

10 시각 t에서의 두 점 P, Q의 속도는 각각

$$f'(t)=3e^t,\ g'(t)=6at$$

이므로 $f'(t)=g'(t)$에서

$$3e^t=6at \qquad \therefore e^t=2at \qquad \cdots\cdots \ ㉠$$

$t>0$에서 두 점 P, Q의 속도가 같아지는 순간이 한 번뿐이려면 ㉠이 오직 하나의 실근을 가져야 하므로 두 함수 $y=e^t$, $y=2at$의 그래프가 오른쪽 그림과 같이 접해야 한다.

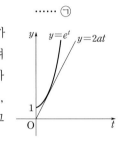

$F(t)=e^t$, $G(t)=2at$라 하면

$$F'(t)=e^t,\ G'(t)=2a$$

접점의 t좌표를 k라 하면

$F(k)=G(k)$에서 $\qquad e^k=2ak \qquad \cdots\cdots \ ㉡$

$F'(k)=G'(k)$에서 $\qquad e^k=2a \qquad \cdots\cdots \ ㉢$

㉡을 ㉢에 대입하면 $\qquad 2ak=2a$

$$\therefore k=1 \ (\because a\neq0)$$

$k=1$을 ㉢에 대입하면 $\qquad 2a=e$

$$\therefore a=\frac{1}{2}e \qquad\qquad\qquad\qquad \textbf{圓}\ \frac{1}{2}e$$

01 ㄴ   **02** ③   **03** ③   **04** 499500

05 337   **06** ②   **07** ⑤   **08** ①

09 $a=-\dfrac{e}{\pi}$, $b=-e$ **10** $\dfrac{3e}{2}$ **11** ④

12 15   **13** $\dfrac{9}{2}e$ **14** $\dfrac{1}{2}$ **15** ⑤

16 $y=-x+4+\dfrac{\pi}{2}$ **17** e **18** $4e$

19 27   **20** ⑤   **21** ②   **22** ⑤

01 [전략] 지수함수와 로그함수의 극한을 이용하여 극한을 조사한다.

ㄱ. $\dfrac{1}{x}=t$로 놓으면 $x \to -\infty$일 때 $t \to 0-$이므로

$$\lim_{x\to-\infty}\frac{1}{1-2^{\frac{1}{x}}}=\lim_{t\to0-}\frac{1}{1-2^{t}}=\infty$$

ㄴ. $\displaystyle\lim_{x\to0+}\frac{1}{x}=\infty$이므로 $\displaystyle\lim_{x\to0+}3^{\frac{1}{x}}=\infty$

$\displaystyle\lim_{x\to0-}\frac{1}{x}=-\infty$이므로 $\displaystyle\lim_{x\to0-}3^{\frac{1}{x}}=0$

이때 $\displaystyle\lim_{x\to0+}\frac{x}{1+3^{\frac{1}{x}}}=0$, $\displaystyle\lim_{x\to0-}\frac{x}{1+3^{\frac{1}{x}}}=0$이므로

$$\lim_{x\to0}\frac{x}{1+3^{\frac{1}{x}}}=0$$

ㄷ. $x \to 1+$일 때, $\log_5 x \to 0+$이므로

$$\lim_{x\to1+}\frac{x}{\log_5 x}=\infty$$

따라서 극한값이 존재하는 것은 ㄴ이다.   **답** ㄴ

02 [전략] 주어진 식을 변형한 후 $\displaystyle\lim_{x\to0+}\ln x=-\infty$임을 이용하여 극한값을 구한다.

$$\lim_{x\to0+}\frac{\ln\left(\dfrac{2}{x}+4\right)}{\ln\left(\dfrac{4}{x}+2\right)}=\lim_{x\to0+}\frac{\ln\left(\dfrac{2+4x}{x}\right)}{\ln\left(\dfrac{4+2x}{x}\right)}$$

$$=\lim_{x\to0+}\frac{\ln(2+4x)-\ln x}{\ln(4+2x)-\ln x}$$

$$=\lim_{x\to0+}\frac{\dfrac{\ln(2+4x)}{\ln x}-1}{\dfrac{\ln(4+2x)}{\ln x}-1}$$

$$=\frac{0-1}{0-1}\ \left(\because \lim_{x\to0+}\ln x=-\infty\right)$$

$$=1$$ **답** ③

03 [전략] $\displaystyle\lim_{x\to a}\frac{f(x)-f(a)}{x-a}=f'(a)$를 이용할 수 있도록 주어진 식을 변형한다.

$f(x)=x^2(\ln x+1)$에서 $f(1)=1$이므로

$$\lim_{x\to1}\frac{f(x)-1}{x^3-1}=\lim_{x\to1}\frac{f(x)-f(1)}{(x-1)(x^2+x+1)}$$

$$=\lim_{x\to1}\frac{f(x)-f(1)}{x-1}\cdot\frac{1}{x^2+x+1}$$

$$=\frac{1}{3}f'(1)$$

이때

$$f'(x)=2x(\ln x+1)+x^2\cdot\frac{1}{x}=2x\ln x+3x$$

이므로

$f'(1)=3$

$$\therefore \frac{1}{3}f'(1)=\frac{1}{3}\cdot3=1$$ **답** ③

04 [전략] $f(x)=e^x+e^{2x}+e^{3x}+\cdots+e^{999x}-999$로 놓고 $\displaystyle\lim_{x\to a}\frac{f(x)-f(a)}{x-a}=f'(a)$를 이용할 수 있도록 주어진 식을 변형한다.

$f(x)=e^x+e^{2x}+e^{3x}+\cdots+e^{999x}-999$로 놓으면

$f(0)=1\times999-999=0$이므로

$$\lim_{x\to0}\frac{1}{x}(e^x+e^{2x}+e^{3x}+\cdots+e^{999x}-999)$$

$$=\lim_{x\to0}\frac{f(x)}{x}$$

$$=\lim_{x\to0}\frac{f(x)-f(0)}{x-0}=f'(0)$$

$f'(x)=e^x+2e^{2x}+3e^{3x}+\cdots+999e^{999x}$이므로

$$f'(0)=1+2+3+\cdots+999$$
$$=\frac{999\cdot1000}{2}=\mathbf{499500}$$

답 499500

$$\therefore\frac{m+2}{6}=\frac{2020+2}{6}=337$$

답 337

---

05 [전략] $\csc^2x=1+\cot^2x$, $\sec^2x=1+\tan^2x$와 산술평균과 기하평균의 관계를 이용하여 $f(x)$의 최솟값을 구한다.

$\csc^2x=1+\cot^2x$, $\sec^2x=1+\tan^2x$와 산술평균과 기하평균의 관계를 이용하면

$f(x)$

$$=\sqrt{\left(\frac{2019}{2}\csc x\right)^2+\left(\frac{2021}{2}\sec x\right)^2}$$

$$=\sqrt{\left(\frac{2019}{2}\right)^2(1+\cot^2x)+\left(\frac{2021}{2}\right)^2(1+\tan^2x)}$$

$$=\sqrt{\left(\frac{2019}{2}\right)^2+\left(\frac{2021}{2}\right)^2+\left(\frac{2019}{2}\right)^2\cot^2x+\left(\frac{2021}{2}\right)^2\tan^2x}$$

$$\geq\sqrt{\left(\frac{2019}{2}\right)^2+\left(\frac{2021}{2}\right)^2+2\sqrt{\left(\frac{2019}{2}\right)^2\cot^2x\cdot\left(\frac{2021}{2}\right)^2\tan^2x}}$$

$$=\sqrt{\left(\frac{2019}{2}\right)^2+\left(\frac{2021}{2}\right)^2+2\left(\frac{2019}{2}\right)\left(\frac{2021}{2}\right)}$$

$$=\sqrt{\left(\frac{2019}{2}+\frac{2021}{2}\right)^2}=2020$$

따라서 $f(x)$의 최솟값은 2020이므로

$$m=2020$$

$$\therefore\frac{m+2}{6}=\frac{2020+2}{6}=\mathbf{337}$$

다른 풀이 코시-슈바르츠 부등식을 이용하면

$$\left\{\left(\frac{2019}{2}\csc x\right)^2+\left(\frac{2021}{2}\sec x\right)^2\right\}$$
$$\cdot(\sin^2x+\cos^2x)\geq\left(\frac{2019}{2}+\frac{2021}{2}\right)^2=2020^2$$

이므로

$$f(x)\geq\sqrt{2020^2}=2020$$

따라서 $f(x)$의 최솟값은 2020이므로 $\quad m=2020$

---

06 [전략] 부채꼴 OAB의 넓이와 부채꼴 OCD의 넓이를 각각 θ에 대한 삼각함수로 나타낸다.

$\overline{OB}=x$라 하면

$$\overline{OC}=x-2,\ \overline{OP}=x-1$$

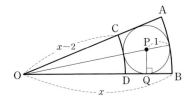

부채꼴 OAB의 넓이는

$$\frac{1}{2}x^2\cdot2\theta=x^2\theta$$

부채꼴 OCD의 넓이는

$$\frac{1}{2}(x-2)^2\cdot2\theta=(x-2)^2\theta$$

색칠한 부분의 넓이는

$$S(\theta)=x^2\theta-(x-2)^2\theta-\pi$$
$$=4(x-1)\theta-\pi$$

$\triangle$OPQ에서 $\quad\overline{OP}\sin\theta=\overline{PQ}=1$

$$\therefore\overline{OP}=x-1=\frac{1}{\sin\theta}$$

$$\therefore S(\theta)=4\cdot\frac{\theta}{\sin\theta}-\pi$$

$$\therefore\lim_{\theta\to0}S(\theta)=\mathbf{4-\pi}\left(\because\lim_{\theta\to0}\frac{\theta}{\sin\theta}=1\right)$$

답 ②

---

07 [전략] $f(m)$과 $g(m)$을 각각 θ에 대한 삼각함수로 나타낸다.

$\angle$POA$=\theta$라 하면

$$f(m)=\frac{1}{2}r^2\theta$$

이때 점 P의 좌표는 $(r\cos\theta,\ r\sin\theta)$이므로 직선 BP의 방정식은

$$y-0=\frac{r\sin\theta}{r\cos\theta+r}(x+r)$$

$$\therefore y=\frac{\sin\theta}{\cos\theta+1}(x+r)$$

위의 식에 $x=0$을 대입하면 $\quad y=\frac{r\sin\theta}{\cos\theta+1}$

$$\therefore \mathrm{Q}\Big(0,\ \frac{r\sin\theta}{\cos\theta+1}\Big)$$

$$\therefore g(m)=\frac{1}{2}\cdot\frac{r\sin\theta}{\cos\theta+1}\cdot r\cos\theta$$

$$=\frac{1}{2}r^2\cdot\frac{\sin\theta\cos\theta}{\cos\theta+1}$$

$m\longrightarrow0+$일 때, $\theta\longrightarrow0+$이므로

$$\lim_{m\to0+}\frac{f(m)}{g(m)}=\lim_{\theta\to0+}\frac{\dfrac{1}{2}r^2\theta}{\dfrac{1}{2}r^2\cdot\dfrac{\sin\theta\cos\theta}{\cos\theta+1}}$$

$$=\lim_{\theta\to0+}\Big(\frac{\theta}{\sin\theta}\cdot\frac{\cos\theta+1}{\cos\theta}\Big)$$

$$=2$$

답 ⑤

08 [전략] 주어진 함수를 미분한 후 삼각함수의 합성을 이용하여 a의 값을 구한다.

$f(x)=\sin x-\sqrt{3}\cos x$에서

$$f'(x)=\cos x+\sqrt{3}\sin x=2\sin\Big(x+\frac{\pi}{6}\Big)$$

$f'(a)=\sqrt{2}$에서

$$2\sin\Big(a+\frac{\pi}{6}\Big)=\sqrt{2}$$

$$\therefore \sin\Big(a+\frac{\pi}{6}\Big)=\frac{\sqrt{2}}{2}$$

이때 $0\le a\le\dfrac{\pi}{2}$에서 $\dfrac{\pi}{6}\le a+\dfrac{\pi}{6}\le\dfrac{2}{3}\pi$이므로

$$a+\frac{\pi}{6}=\frac{\pi}{4}\qquad \therefore a=\frac{\pi}{12}$$

답 ①

09 [전략] 함수 $f(x)$가 $x=a$에서 미분가능하면
⇨ $x=a$에서 연속이고 미분계수 $f'(a)$가 존재한다.

$f(x)$가 $x=1$에서 미분가능하면 $x=1$에서 연속이므로

$$\lim_{x\to1+}f(x)=f(1)$$

$$a\sin\pi-b=e$$

$$\therefore b=-e$$

또 $f'(x)=\begin{cases}e^x & (x<1)\\ a\pi\cos\pi x & (x>1)\end{cases}$ 이고 $f'(1)$이 존재하므로

$$\lim_{x\to1-}f'(x)=\lim_{x\to1+}f'(x)$$

$$e=a\pi\cos\pi,\ e=-a\pi$$

$$\therefore a=-\frac{e}{\pi}$$

답 $a=-\dfrac{e}{\pi},\ b=-e$

10 [전략] 함수 $f^{-1}(g(x))$를 구한 다음 $f^{-1}(g(x))$의 도함수를 구한다.

$f(x)=\ln x$에서 $\quad f^{-1}(x)=e^x$

$g(x)=x\sqrt{x}$이므로

$$(f^{-1}\circ g)(x)=f^{-1}(g(x))=e^{x\sqrt{x}}$$

$$\therefore (f^{-1}\circ g)'(x)=(e^{x\sqrt{x}})'=\frac{3\sqrt{x}e^{x\sqrt{x}}}{2}$$

따라서 $(f^{-1}\circ g)(x)$의 $x=1$에서의 미분계수는

$$(f^{-1}\circ g)'(1)=\frac{3e}{2}$$

답 $\dfrac{3e}{2}$

11 [전략] $h(x)=(g\circ f)(x)=g(f(x))$에서 $h'(x)=g'(f(x))f'(x)$임을 이용하여 $g'(1)$의 값을 구한다.

$h(x)=(g\circ f)(x)=g(f(x))$에서

$$h'(x)=g'(f(x))f'(x)$$

이때 $h'(0)=21$이므로

$$21=g'(f(0))f'(0)=g'(1)f'(0)\ (\because f(0)=1)$$

$$\therefore g'(1)=\frac{21}{f'(0)}\qquad \cdots\cdots \bigcirc$$

한편 $f(x)=(x+1)^{\frac{3}{2}}$에서 $f'(x)=\dfrac{3}{2}(x+1)^{\frac{1}{2}}$이므로

$$f'(0)=\frac{3}{2}(0+1)^{\frac{1}{2}}=\frac{3}{2}$$

이를 ㉠에 대입하면 $g'(1)=\dfrac{21}{\dfrac{3}{2}}=\mathbf{14}$ **답** ④

12 [전략] 함수 $f(x)$의 역함수가 $g(x)$이고 $g(b)=a$이면

$$g'(b)=\frac{1}{f'(a)}\ (\text{단},\ f'(a)\neq 0)$$

$h(x)=f(2x)$라 하면 주어진 조건에서 $f(2)=1$, $f'(2)=1$이므로

$\quad h(1)=f(2)=1$ $\cdots\cdots$ ㉠

또한 $h'(x)=2f'(2x)$에서

$\quad h'(1)=2f'(2)=2$ $\cdots\cdots$ ㉡

$h^{-1}(x)=g(x)$에서

$g(1)=a$, 즉 $h(a)=1$이므로

$\quad a=1\ (\because\ ㉠)$

한편 역함수의 미분법에 의하여

$$b=g'(1)=\frac{1}{h'(g(1))}=\frac{1}{h'(1)}=\frac{1}{2}\ (\because\ ㉡)$$

$\quad \therefore\ 10(a+b)=10\cdot\left(1+\dfrac{1}{2}\right)=\mathbf{15}$ **답** 15

13 [전략] 점 $(2,\ e)$에서의 접선의 방정식
$y-e=f'(2)(x-2)$를 구한 다음, 접선의 x절편과 y절편을 구한다.

$f(x)=e^{3-x}$이라 하면

$\quad f'(x)=-e^{3-x}$

점 $(2,\ e)$에서의 접선의 기울기가 $f'(2)=-e$이므로
접선의 방정식은

$\quad y-e=-e(x-2)$ $\quad\therefore\ y=-ex+3e$

접선의 x절편과 y절편이 각각 3, $3e$이므로 구하는 도형의 넓이는

$$\frac{1}{2}\cdot 3\cdot 3e=\frac{\mathbf{9}}{\mathbf{2}}\boldsymbol{e}$$ **답** $\dfrac{9}{2}e$

14 [전략] $x=e$인 점에서의 곡선 $y=f(x)$와 $y=g(x)$의 접선이 서로 수직이면 $\Rightarrow f'(e)g'(e)=-1$

$g(x)=2f(x)\ln x^2$에서

$$g'(x)=2f'(x)\ln x^2+2f(x)\cdot\frac{2x}{x^2}$$
$$=2f'(x)\ln x^2+\frac{4f(x)}{x}$$

이므로 곡선 $y=g(x)$ 위의 점 $(e,\ -4e)$에서의 접선의 기울기는

$$g'(e)=2f'(e)\ln e^2+\frac{4f(e)}{e}$$
$$=4f'(e)+\frac{4(-e)}{e}=4f'(e)-4$$

$x=e$인 점에서의 곡선 $y=f(x)$와 $y=g(x)$의 접선이 서로 수직이므로

$\quad f'(e)g'(e)=-1$

위 식에 $g'(e)=4f'(e)-4$를 대입하면

$\quad f'(e)\{4f'(e)-4\}=-1$

$\quad 4\{f'(e)\}^2-4f'(e)+1=0,\ \{2f'(e)-1\}^2=0$

$\quad\therefore\ f'(e)=\dfrac{\mathbf{1}}{\mathbf{2}}$ **답** $\dfrac{1}{2}$

15 [전략] 매개변수로 나타낸 함수의 미분법을 이용하여 $\dfrac{dy}{dx}$를 구한 후 접선의 방정식을 구한다.

$x=t^2\cos t$에서 $\quad\dfrac{dx}{dt}=2t\cos t-t^2\sin t$

$y=e^t\sin t$에서 $\quad\dfrac{dy}{dt}=e^t\sin t+e^t\cos t$

$$\therefore\ \frac{dy}{dx}=\frac{\dfrac{dy}{dt}}{\dfrac{dx}{dt}}=\frac{e^t\sin t+e^t\cos t}{2t\cos t-t^2\sin t}$$

$t=\pi$일 때, 접선의 기울기는

$$\frac{e^\pi\sin\pi+e^\pi\cos\pi}{2\pi\cos\pi-\pi^2\sin\pi}=\frac{e^\pi}{2\pi}$$

이고 곡선 위의 점의 좌표는

$\quad(\pi^2\cos\pi,\ e^\pi\sin\pi)$, 즉 $(-\pi^2,\ 0)$

이므로 구하는 접선의 방정식은

$$y=\frac{e^\pi}{2\pi}(x+\pi^2)=\frac{e^\pi}{2\pi}x+\frac{1}{2}\pi e^\pi$$

따라서 이 접선이 y축과 만나는 점의 좌표는

$$\left(0,\ \frac{1}{2}\pi e^{\pi}\right)$$

$$\therefore k=\frac{1}{2}\pi e^{\pi} \qquad\qquad \text{답 ⑤}$$

16 [전략] 함수 $f(x)$의 역함수 $g(x)$의 미분계수를 구할 때에는 $f'(x)$의 미분계수를 이용한다.

$f(x)=\sin^2 x+\cos x+3$에서

$$f'(x)=2\sin x\cos x-\sin x=\sin 2x-\sin x$$

점 $\left(\dfrac{\pi}{2},\ 4\right)$에서의 접선의 기울기가

$$f'\left(\frac{\pi}{2}\right)=\sin\pi-\sin\frac{\pi}{2}=-1$$

이므로 $\quad g'(4)=\dfrac{1}{f'\left(\dfrac{\pi}{2}\right)}=-1$

따라서 구하는 접선의 방정식은

$$y-\frac{\pi}{2}=-(x-4)$$

$$\therefore y=-x+4+\frac{\pi}{2} \qquad \text{답 } y=-x+4+\frac{\pi}{2}$$

17 [전략] 도함수를 이용하여 $f'(x)=0$을 만족시키는 x의 값을 찾은 후 $f(x)$의 증가와 감소를 표로 나타내어 a의 값을 구한다.

$f(x)=\dfrac{1}{2}x^2-a\ln x\ (a>0)$에서

$$f'(x)=x-\frac{a}{x}=\frac{x^2-a}{x}$$

$f'(x)=0$에서 $\quad \dfrac{x^2-a}{x}=0$

$$x^2=a \qquad \therefore x=\sqrt{a}\ (\because x>0)$$

함수 $f(x)$의 증가와 감소를 표로 나타내면 다음과 같다.

x	(0)	$\cdots$	$\sqrt{a}$	$\cdots$
$f'(x)$		$-$	0	$+$
$f(x)$		$\searrow$	극소	$\nearrow$

함수 $f(x)$는 $x=\sqrt{a}$에서 극솟값 0을 가지므로

$$f(\sqrt{a})=\frac{1}{2}a-\frac{1}{2}a\ln a=0$$

$$\frac{1}{2}a(1-\ln a)=0,\ 1-\ln a=0\ (\because a>0)$$

$$\ln a=1 \qquad \therefore a=e \qquad\qquad \text{답 } e$$

18 [전략] 이계도함수를 갖는 함수 $f(x)$에서 $f''(a)=0$이고 $x=a$의 좌우에서 $f''(x)$의 부호가 바뀌면 점 $(a,\ f(a))$는 곡선 $y=f(x)$의 변곡점이다.

$f(x)=\left(\ln\dfrac{1}{ax}\right)^2=(-\ln ax)^2=(\ln ax)^2$으로 놓으면

$$f'(x)=2(\ln ax)\cdot\frac{1}{ax}\cdot a=\frac{2\ln ax}{x}$$

$$f''(x)=2\cdot\frac{\dfrac{a}{ax}\cdot x-\ln ax}{x^2}=\frac{2(1-\ln ax)}{x^2}$$

$f''(x)=0$에서

$$\ln ax=1,\ ax=e \qquad \therefore x=\frac{e}{a}$$

이때 $f''(x)$의 부호를 조사하면

$x<\dfrac{e}{a}$에서 $\ln ax<1$, 즉 $1-\ln ax>0$

$$\therefore f''(x)>0$$

$x>\dfrac{e}{a}$에서 $\ln ax>1$, 즉 $1-\ln ax<0$

$$\therefore f''(x)<0$$

따라서 $x=\dfrac{e}{a}$의 좌우에서 $f''(x)$의 부호가 바뀌므로 변곡점의 좌표는

$$\left(\frac{e}{a},\ 1\right)\left(\because f\left(\frac{e}{a}\right)=(\ln e)^2=1\right)$$

이고 이 변곡점이 직선 $y=4x$ 위에 있으므로

$$4\cdot\frac{e}{a}=1 \qquad \therefore a=4e \qquad\qquad \text{답 } 4e$$

19 [전략] $\overline{\mathrm{AP}}$, $\overline{\mathrm{QR}}$의 교점을 H, $\angle\mathrm{ARQ}=\theta$라 하고 여러 가지 선분의 길이를 θ에 대한 삼각함수로 나타낸다.

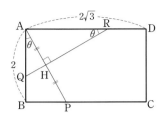

선분 AP와 선분 QR의 교점을 H, $\angle ARQ=\theta$라 하면
$\angle HAQ=\angle ARQ=\theta$이므로

직각삼각형 ABP에서

$$\overline{AP}=\frac{\overline{AB}}{\cos\theta}=\frac{2}{\cos\theta},\ \overline{AH}=\frac{1}{2}\overline{AP}=\frac{1}{\cos\theta}$$

직각삼각형 AHQ에서

$$\overline{AQ}=\frac{\overline{AH}}{\cos\theta}=\frac{1}{\cos^2\theta}$$

직각삼각형 RAQ에서

$$\overline{QR}=\frac{\overline{AQ}}{\sin\theta}=\frac{1}{\sin\theta\cos^2\theta}=\frac{1}{\sin\theta-\sin^3\theta}$$

이때 $\sin\theta=t$로 놓으면

$$\overline{QR}=\frac{1}{t-t^3}\left(0<t<\frac{\sqrt3}{2}\right)$$

$f(t)=t-t^3\left(0<t<\frac{\sqrt3}{2}\right)$으로 놓으면 $f(t)$가 최대일
때, 선분 QR의 길이는 최소가 된다.

$f'(t)=1-3t^2$이므로 $f'(t)=0$에서

$$3t^2=1\qquad\therefore t=\frac{1}{\sqrt3}\left(\because 0<t<\frac{\sqrt3}{2}\right)$$

함수 $f(t)$의 증가와 감소를 표로 나타내면 다음과 같다.

t	(0)	$\cdots$	$\dfrac{1}{\sqrt3}$	$\cdots$	$\left(\dfrac{\sqrt3}{2}\right)$
$f'(t)$		$+$	0	$-$	
$f(t)$		↗	극대	↘	

즉 $f(t)$는 $t=\dfrac{1}{\sqrt3}$일 때 극대이면서 최대이다.

따라서 선분 QR의 길이의 최솟값은

$$k=\frac{1}{f\left(\frac{1}{\sqrt3}\right)}=\frac{1}{\frac{1}{\sqrt3}-\left(\frac{1}{\sqrt3}\right)^3}=\frac{3\sqrt3}{2}$$

$$\therefore 4k^2=4\cdot\left(\frac{3\sqrt3}{2}\right)^2=27 \qquad\qquad \text{달}\ 27$

20 [전략] ㄴ. 함수 $f'(x)$는 연속이므로 구간 $\left(\dfrac{\pi}{4},\dfrac{\pi}{3}\right)$의 양
끝점에서의 부호를 알아본다.

ㄷ. 방정식 $2x\cos x=1$, 즉 $\cos x=\dfrac{1}{2x}$의 실근의 개수
는 곡선 $y=\cos x$와 곡선 $y=\dfrac{1}{2x}$의 교점의 개수와
같다.

$f(x)=2x\cos x\,(0\le x\le\pi)$에 대하여
$$f'(x)=2\cos x-2x\sin x\,(0<x<\pi)$$

ㄱ. $f'(a)=0$이면 $\qquad 2\cos a-2a\sin a=0$
이때 위의 식을 만족시키는 $a\,(0<a<\pi)$에 대하여
$a\sin a\ne0$이므로 $\cos a\ne0$이다.
따라서 등식의 양변을 $2a\cos a$로 나누면
$$\frac{1}{a}-\tan a=0\qquad\therefore \tan a=\frac{1}{a}\ (\text{참})$$

ㄴ. 함수 $f'(x)$는 $0<x<\pi$에서 연속이고
$$f'\left(\frac{\pi}{4}\right)=2\cdot\frac{\sqrt2}{2}-\frac{\pi}{2}\cdot\frac{\sqrt2}{2}=\sqrt2\left(1-\frac{\pi}{4}\right)>0$$
$$f'\left(\frac{\pi}{3}\right)=2\cdot\frac{1}{2}-\frac{2}{3}\pi\cdot\frac{\sqrt3}{2}=1-\frac{\pi}{\sqrt3}<0$$
이므로 사잇값의 정리에 의하여 $f'(a)=0$인 실수 a
가 구간 $\left(\dfrac{\pi}{4},\dfrac{\pi}{3}\right)$에 존재한다.
이때 $x=a$의 좌우에서 $f'(x)$의 부호가 양$(+)$에서
음$(-)$으로 변하므로 $f(a)$는 극댓값이다. (참)

ㄷ. 방정식 $f(x)=1\Longleftrightarrow 2x\cos x=1\Longleftrightarrow \cos x=\dfrac{1}{2x}$
의 실근의 개수는 곡선 $y=\cos x$와 곡선 $y=\dfrac{1}{2x}$의
교점의 개수와 같다.

$x=\dfrac{\pi}{3}$일 때,

$y=\cos x$에서 $\qquad y=\cos\dfrac{\pi}{3}=\dfrac{1}{2}$

$y=\dfrac{1}{2x}$에서 $\qquad y=\dfrac{1}{2}\cdot\dfrac{3}{\pi}<\dfrac{1}{2}$

따라서 오른쪽 그림과 같이 두 곡선은 구간 $\left[0, \dfrac{\pi}{2}\right]$ 에서 서로 다른 두 점에서 만난다.

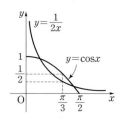

즉 구간 $\left[0, \dfrac{\pi}{2}\right]$ 에서

방정식 $f(x)=1$의 서로 다른 실근의 개수는 2이다.

(참)

이상에서 옳은 것은 ㄱ, ㄴ, ㄷ이다.　　　　　답 ⑤

21 [전략] 구간 $(a,\,b)$에서 부등식 $f(x)\leq g(x)$가 성립하려면 ⇨ 구간 $(a,\,b)$에서 $y=g(x)$의 그래프가 $y=f(x)$의 그래프보다 항상 위쪽에 있어야 한다.

$f(x)\leq g(x)$에서

$2\sin^2 x+4\cos x+k\leq 2\cos^2 x+1$

$2\sin^2 x-2\cos^2 x+4\cos x\leq 1-k$

$1-\cos 2x-(\cos 2x+1)+4\cos x\leq 1-k$

$-2\cos 2x+4\cos x\leq 1-k$

$\therefore \dfrac{\cos 2x}{2}-\cos x\geq \dfrac{k-1}{4}$

$h(x)=\dfrac{\cos 2x}{2}-\cos x$라 하면

$h'(x)=-\sin 2x+\sin x$

$\qquad =\sin x(-2\cos x+1)$

$h'(x)=0$에서

$\sin x=0$ 또는 $-2\cos x+1=0$

$\therefore x=\dfrac{\pi}{3}\ (\because 0<x<\pi)$

함수 $h(x)$의 증가와 감소를 표로 나타내면 다음과 같다.

x	(0)	$\cdots$	$\dfrac{\pi}{3}$	$\cdots$	(π)
$h'(x)$		$-$	0	$+$	
$h(x)$		$\searrow$	$-\dfrac{3}{4}$	$\nearrow$	

함수 $h(x)$는 $x=\dfrac{\pi}{3}$에서 극소이면서 최소이므로

$h(x)\geq \dfrac{k-1}{4}$이 성립하려면

$\quad \dfrac{k-1}{4}\leq -\dfrac{3}{4}\qquad \therefore k\leq -2$

따라서 k의 최댓값은 -2이다.　　　　　답 ②

22 [전략] 두 점 P, Q가 서로 반대 방향으로 움직일 때
⇨ $v_{\mathrm{P}}v_{\mathrm{Q}}<0$

수직선 위를 움직이는 두 점 P, Q의 시각 t에서의 속도를 각각 v_{P}, v_{Q}라 하면

$x_{\mathrm{P}}=\ln(t^2-3t+4)$에서　$v_{\mathrm{P}}=\dfrac{dx_{\mathrm{P}}}{dt}=\dfrac{2t-3}{t^2-3t+4}$

$x_{\mathrm{Q}}=t^2-kt$에서　$v_{\mathrm{Q}}=\dfrac{dx_{\mathrm{Q}}}{dt}=2t-k$

두 점 P, Q가 서로 반대 방향으로 움직일 때는

$v_{\mathrm{P}}v_{\mathrm{Q}}<0$이 성립하므로

$\quad v_{\mathrm{P}}v_{\mathrm{Q}}=\dfrac{(2t-3)(2t-k)}{t^2-3t+4}<0$

$\quad \therefore (2t-3)(2t-k)<0\ (\because t^2-3t+4>0)$

위 부등식의 해가 $\dfrac{3}{2}<t<2$이므로

$\quad \dfrac{k}{2}=2\qquad \therefore k=4$　　　　　답 ⑤

[APPLICATION] 01 (1) 2 (2) $-\dfrac{2}{e}$ (3) ∞

01   (1) $x \longrightarrow 1$일 때 분자, 분모가 모두 0이므로

로피탈의 정리를 사용하면

$$\lim_{x \to 1} \frac{x^8-1}{x^4-1} = \lim_{x \to 1} \frac{8x^7}{4x^3} = \frac{8}{4} = 2$$

(2) $x \longrightarrow 1$일 때 분자, 분모가 모두 0이므로 로피탈의 정

리를 사용하면

$$\lim_{x \to 1} \frac{(x^2-1)\cos \pi x}{e^x - e}$$

$$= \lim_{x \to 1} \frac{2x\cos \pi x - (x^2-1)\pi \sin \pi x}{e^x}$$

$$= -\frac{2}{e}$$

(3) $x \longrightarrow \infty$일 때 분자, 분모가 모두 ∞이므로 로피탈의

정리를 사용하면

$$\lim_{x \to \infty} \frac{e^x}{x^3-1} = \lim_{x \to \infty} \frac{e^x}{3x^2}$$

$$= \lim_{x \to \infty} \frac{e^x}{6x} = \lim_{x \to \infty} \frac{e^x}{6} = \infty$$

답 (1) 2 (2) $-\dfrac{2}{e}$ (3) ∞

[APPLICATION] 01 (1) $e^x = \sum\limits_{n=0}^{\infty} \dfrac{x^n}{n!}$

(2) $x\sin x = \sum\limits_{n=0}^{\infty} (-1)^n \dfrac{x^{2n+2}}{(2n+1)!}$ 02 $-\dfrac{1}{2}$

01   (1) $e^x = 1 + x + \dfrac{x^2}{2!} + \dfrac{x^3}{3!} + \dfrac{x^4}{4!} + \cdots$

$$= \sum_{n=0}^{\infty} \frac{x^n}{n!}$$

(2) $x\sin x = x\left(x - \dfrac{x^3}{3!} + \dfrac{x^5}{5!} - \dfrac{x^7}{7!} + \cdots\right)$

$$= x^2 - \frac{x^4}{3!} + \frac{x^6}{5!} - \frac{x^8}{7!} + \cdots$$

$$= \sum_{n=0}^{\infty} (-1)^n \frac{x^{2n+2}}{(2n+1)!}$$

답 (1) $e^x = \sum\limits_{n=0}^{\infty} \dfrac{x^n}{n!}$

(2) $x\sin x = \sum\limits_{n=0}^{\infty} (-1)^n \dfrac{x^{2n+2}}{(2n+1)!}$

02    $\cos x = 1 - \dfrac{x^2}{2!} + \dfrac{x^4}{4!} - \dfrac{x^6}{6!} + \dfrac{x^8}{8!} - \cdots$

이므로

$$\frac{\cos x - 1}{x^2} = -\frac{1}{2!} + \frac{x^2}{4!} - \frac{x^4}{6!} + \frac{x^6}{8!} - \cdots$$

양변에 극한을 취하면

$$\lim_{x \to 0} \frac{\cos x - 1}{x^2}$$

$$= \lim_{x \to 0} \left(-\frac{1}{2!} + \frac{x^2}{4!} - \frac{x^4}{6!} + \frac{x^6}{8!} - \cdots \right)$$

$$= -\frac{1}{2}$$

답 $-\dfrac{1}{2}$

EXERCISES

III 적분법

1. 부정적분

Review Quiz SUMMA CUM LAUDE   본문 326쪽

01 (1)① $-\cos x+C$ ② $\sin x+C$

③ $-\ln|\cos x|+C$ ④ $\ln|\sin x|+C$

⑤ $\ln|\sec x+\tan x|+C$

⑥ $-\ln|\csc x+\cot x|+C$

(2) 치환적분법 (3) 부분적분법

02 (1) 거짓 (2) 거짓   **03** 풀이 참조

---

01 🅰 (1)① $-\cos x+C$ ② $\sin x+C$

③ $-\ln|\cos x|+C$

④ $\ln|\sin x|+C$

⑤ $\ln|\sec x+\tan x|+C$

⑥ $-\ln|\csc x+\cot x|+C$

(2) 치환적분법

(3) 부분적분법

02 (1) n이 -1이 아닌 임의의 실수일 때만

$$\int x^n dx=\frac{1}{n+1}x^{n+1}+C$$

가 된다. $n=-1$이면

$$\int x^{-1}dx=\ln|x|+C$$

이다. (거짓)

(2) $\dfrac{x+2}{x^2(x+1)}=\dfrac{A}{x^2}+\dfrac{B}{x}+\dfrac{C}{x+1}$ (A, B, C는 상수)

로 놓아야 한다.

$\dfrac{x+2}{x^2(x+1)}=\dfrac{(B+C)x^2+(A+B)x+A}{x^2(x+1)}$ 이므로

$B+C=0$, $A+B=1$, $A=2$

위의 세 식을 연립하여 풀면

$A=2$, $B=-1$, $C=1$

$$\therefore \int \frac{x+2}{x^2(x+1)}dx$$

$$=\int\left(\frac{2}{x^2}-\frac{1}{x}+\frac{1}{x+1}\right)dx$$

$$=-\frac{2}{x}-\ln|x|+\ln|x+1|+C$$

$$=\ln\left|\frac{x+1}{x}\right|-\frac{2}{x}+C \ (거짓)$$

🅰 (1) 거짓 (2) 거짓

03 (1) (ⅰ) $\sin x=t$로 놓으면 $\dfrac{dt}{dx}=\cos x$이므로

$$\int\cos x\sin x\,dx=\int\sin x\cdot\cos x\,dx$$

$$=\int t\,dt=\frac{1}{2}t^2+C$$

$$=\frac{1}{2}\sin^2 x+C \qquad \cdots\cdots ㉠$$

(ⅱ) $\cos x=t$로 놓으면 $\dfrac{dt}{dx}=-\sin x$이므로

$$\int\cos x\sin x\,dx=-\int\cos x\cdot(-\sin x)dx$$

$$=-\int t\,dt=-\frac{1}{2}t^2+C$$

$$=-\frac{1}{2}\cos^2 x+C \qquad \cdots\cdots ㉡$$

㉠, ㉡을 비교해 보면 같은 피적분함수에 대한 부정적분이 서로 완전히 달라 보인다.

하지만 $\sin^2 x+\cos^2 x=1$을 이용하여 ㉠을 변형해 보면

$$\frac{1}{2}\sin^2 x+C=\frac{1}{2}(1-\cos^2 x)+C$$

$$=-\frac{1}{2}\cos^2 x+\frac{1}{2}+C$$

$$=-\frac{1}{2}\cos^2 x+C$$

따라서 둘의 결과는 서로 같은 것임을 확인할 수 있다.

(2) 부분적분법의 우변에 있는 $\int u'v\,dx$가 간단해지도록 u, v'을 선택하면 된다. 일반적으로 미분하여 간단해지는 것을 u로 놓고, 적분하기 쉬운 것을 v'으로 놓으면 $\int u'v\,dx$가 간단해진다. 다음 표에서 왼쪽으로 갈수록 u로 놓기 좋은 함수이고, 오른쪽으로 갈수록 v'으로 놓기 좋은 함수이다.

$$\longleftarrow u \qquad\qquad\qquad v' \longrightarrow$$

로그함수	다항함수	삼각함수	지수함수

답 풀이 참조

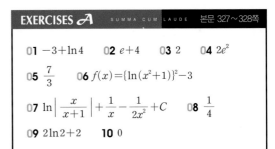

본문 327~328쪽

01 $-3+\ln 4$ **02** $e+4$ **03** 2 **04** $2e^2$

05 $\dfrac{7}{3}$ **06** $f(x)=\{\ln(x^2+1)\}^2-3$

07 $\ln\left|\dfrac{x}{x+1}\right|+\dfrac{1}{x}-\dfrac{1}{2x^2}+C$ **08** $\dfrac{1}{4}$

09 $2\ln 2+2$ **10** 0

01 $\displaystyle\lim_{h\to 0}\dfrac{f(x+h)-f(x)}{h}=f'(x)$이므로

$$f'(x)=\dfrac{(\sqrt{x}-1)^2}{x}=\dfrac{x-2\sqrt{x}+1}{x}$$

$$=1-\dfrac{2}{\sqrt{x}}+\dfrac{1}{x}$$

$$\therefore f(x)=\int\left(1-\dfrac{2}{\sqrt{x}}+\dfrac{1}{x}\right)dx$$

$$=x-4\sqrt{x}+\ln|x|+C$$

$f(1)=-2$이므로

$$1-4+C=-2 \qquad \therefore C=1$$

따라서 $f(x)=x-4\sqrt{x}+\ln|x|+1$이므로

$$f(4)=4-8+\ln 4+1=\boldsymbol{-3+\ln 4} \qquad \text{답} \ -3+\ln 4$$

02 곡선 $y=f(x)$ 위의 임의의 점 $(x,\,y)$에서의 접선의 기울기가 e^x+3x^2+1에 정비례하므로

$$f'(x)=k(e^x+3x^2+1) \ (\text{단, }k\text{는 상수})$$

로 놓을 수 있다.

한편 $g(x)=-x^2+2x+3$으로 놓으면 두 곡선 $y=f(x)$, $y=g(x)$가 $x=0$인 점에서 공통인 접선을 가지므로

$$f'(0)=g'(0),\ f(0)=g(0)$$

이어야 한다.

$g'(x)=-2x+2$이므로 $f'(0)=g'(0)$에서

$$k(1+1)=2 \qquad \therefore k=1$$

이때

$$f(x)=\int(e^x+3x^2+1)dx=e^x+x^3+x+C$$

EXERCISES

이므로 $f(0)=g(0)$에서

$\quad 1+C=3 \qquad \therefore C=2$

따라서 $f(x)=e^x+x^3+x+2$이므로

$\quad f(1)=\boldsymbol{e+4}$ 　　　　　　　　　　　　 🔲 $e+4$

03 $f(x)=xf'(x)-x\cos x+\sin x+1$의 양변을 x에 대하여 미분하면

$\quad f'(x)=f'(x)+xf''(x)-\cos x+x\sin x+\cos x$

$\quad xf''(x)=-x\sin x$

$\quad \therefore f''(x)=-\sin x$

$\quad \therefore f'(x)=\int f''(x)\,dx=\int(-\sin x)\,dx$

$\qquad\qquad =\cos x+C_1$

이때 $f'(0)=1$이므로

$\quad 1+C_1=1 \qquad \therefore C_1=0$

$\quad \therefore f'(x)=\cos x$ 　　　　　　　　 ······ ❶

$\quad \therefore f(x)=\int f'(x)\,dx=\int \cos x\,dx=\sin x+C_2$

이때 $f(0)=1$이므로 　　　 $C_2=1$

$\quad \therefore f(x)=\sin x+1$ 　　　　　　 ······ ❷

$\quad \therefore f\!\left(\dfrac{\pi}{2}\right)=\sin\dfrac{\pi}{2}+1=\boldsymbol{2}$ 　 ······ ❸

채점 기준	배점
❶ $f'(x)$ 구하기	50 %
❷ $f(x)$ 구하기	30 %
❸ $f\!\left(\dfrac{\pi}{2}\right)$의 값 구하기	20 %

🔲 2

04 $f(x)=\displaystyle\int \dfrac{e^{\sqrt{x}}}{\sqrt{x}}\,dx$에서 $\sqrt{x}=t$로 놓으면

$\dfrac{dt}{dx}=\dfrac{1}{2\sqrt{x}}$이므로

$\quad f(x)=\displaystyle\int \dfrac{e^{\sqrt{x}}}{\sqrt{x}}\,dx=2\int e^{\sqrt{x}}\cdot\dfrac{1}{2\sqrt{x}}\,dx=2\int e^t\,dt$

$\qquad\quad =2e^t+C=2e^{\sqrt{x}}+C$

이때 $f(0)=2$이므로

$\quad 2+C=2 \qquad \therefore C=0$

따라서 $f(x)=2e^{\sqrt{x}}$이므로 　　　 $f(4)=\boldsymbol{2e^2}$ 　 🔲 $2e^2$

05 $f'(x)=(1+\sin x)^2\cos x$이므로

$\quad f(x)=\displaystyle\int(1+\sin x)^2\cos x\,dx$

$1+\sin x=t$로 놓으면 $\dfrac{dt}{dx}=\cos x$이므로

$\quad f(x)=\displaystyle\int(1+\sin x)^2\cos x\,dx=\int t^2\,dt$

$\qquad\quad =\dfrac{1}{3}t^3+C=\dfrac{1}{3}(1+\sin x)^3+C$

이때 $f(0)=0$이므로

$\quad \dfrac{1}{3}+C=0 \qquad \therefore C=-\dfrac{1}{3}$

$\quad \therefore f(x)=\dfrac{1}{3}(1+\sin x)^3-\dfrac{1}{3}$

한편 $f'(x)=(1+\sin x)^2\cos x$이므로 $f'(x)=0$에서

$\quad \sin x=-1$ 또는 $\cos x=0$

$\quad \therefore x=\dfrac{\pi}{2}$ 또는 $x=\dfrac{3}{2}\pi\ (\because 0\le x\le 2\pi)$

함수 $f(x)$의 증가와 감소를 나타내는 표를 만들면 다음과 같다.

x	0	$\cdots$	$\dfrac{\pi}{2}$	$\cdots$	$\dfrac{3}{2}\pi$	$\cdots$	2π
$f'(x)$		$+$	0	$-$	0	$+$	
$f(x)$	0	↗	$\dfrac{7}{3}$	↘	$-\dfrac{1}{3}$	↗	0

따라서 함수 $f(x)$는 $x=\dfrac{\pi}{2}$에서 최댓값 $\dfrac{7}{3}$을 갖는다.

[참고] $0\le x\le 2\pi$에서 $-1\le \sin x\le 1$이므로 함수

$f(x)=\dfrac{1}{3}(1+\sin x)^3-\dfrac{1}{3}$은 증가와 감소를 나타내는

표를 구하지 않아도 $\sin x=1$일 때 최댓값 $\dfrac{7}{3}$임을 쉽게 알 수 있다. 　　　　　　　　　　　　　　 🔲 $\dfrac{7}{3}$

06 $(x^2+1)f'(x)=4x\ln(x^2+1)$ 에서

$f'(x)=\dfrac{4x\ln(x^2+1)}{x^2+1}$ 이므로

$f(x)=\displaystyle\int\dfrac{4x\ln(x^2+1)}{x^2+1}\,dx$

$\ln(x^2+1)=t$ 로 놓으면 $\dfrac{dt}{dx}=\dfrac{2x}{x^2+1}$ 이므로

$f(x)=\displaystyle\int\dfrac{4x\ln(x^2+1)}{x^2+1}\,dx=\int 2t\,dt$

$\qquad=t^2+C=\{\ln(x^2+1)\}^2+C$

$f(0)=-3$ 이므로 $\qquad C=-3$

$\therefore \boldsymbol{f(x)=\{\ln(x^2+1)\}^2-3}$

$\qquad\qquad\qquad$ 🔲 $f(x)=\{\ln(x^2+1)\}^2-3$

07 $\dfrac{1}{x^3(x+1)}=\dfrac{A}{x}+\dfrac{B}{x^2}+\dfrac{C}{x^3}+\dfrac{D}{x+1}$ $(A, B$

C, D 는 상수)로 놓으면

$\dfrac{1}{x^3(x+1)}$

$=\dfrac{Ax^2(x+1)+Bx(x+1)+C(x+1)+Dx^3}{x^3(x+1)}$

$=\dfrac{(A+D)x^3+(A+B)x^2+(B+C)x+C}{x^3(x+1)}$

이므로

$\quad A+D=0,\ A+B=0,\ B+C=0,\ C=1$

위의 네 식을 연립하여 풀면

$\quad A=1,\ B=-1,\ C=1,\ D=-1$

$\therefore \displaystyle\int\dfrac{1}{x^3(x+1)}\,dx$

$\quad=\displaystyle\int\left(\dfrac{1}{x}-\dfrac{1}{x^2}+\dfrac{1}{x^3}-\dfrac{1}{x+1}\right)dx$

$\quad=\ln|x|+\dfrac{1}{x}-\dfrac{1}{2x^2}-\ln|x+1|+C$

$\quad=\boldsymbol{\ln\left|\dfrac{x}{x+1}\right|+\dfrac{1}{x}-\dfrac{1}{2x^2}+C}$

$\qquad\qquad$ 🔲 $\ln\left|\dfrac{x}{x+1}\right|+\dfrac{1}{x}-\dfrac{1}{2x^2}+C$

08 $f'(x)=xe^{2x}$ 이므로

$f(x)=\displaystyle\int xe^{2x}\,dx$

$u=x,\ v'=e^{2x}$ 으로 놓으면

$u=x$	$v'=e^{2x}$	$uv=\dfrac{1}{2}xe^{2x}$
$u'=1$	$v=\dfrac{1}{2}e^{2x}$	$u'v=\dfrac{1}{2}e^{2x}$

$\therefore f(x)=\displaystyle\int xe^{2x}\,dx=\dfrac{1}{2}xe^{2x}-\dfrac{1}{2}\int e^{2x}\,dx$

$\qquad=\dfrac{1}{2}xe^{2x}-\dfrac{1}{4}e^{2x}+C$

곡선 $y=f(x)$ 가 원점을 지나므로

$f(0)=-\dfrac{1}{4}+C=0 \qquad \therefore C=\dfrac{1}{4}$

따라서 $f(x)=\dfrac{1}{2}xe^{2x}-\dfrac{1}{4}e^{2x}+\dfrac{1}{4}$ 이므로

$f\left(\dfrac{1}{2}\right)=\dfrac{1}{4}e-\dfrac{1}{4}e+\dfrac{1}{4}=\boldsymbol{\dfrac{1}{4}}$ $\qquad$ 🔲 $\dfrac{1}{4}$

09 $f'(x)=\ln(x+1)$ 이므로

$f(x)=\displaystyle\int\ln(x+1)\,dx$

$u=\ln(x+1),\ v'=1$ 로 놓으면

$u=\ln(x+1)$	$v'=1$	$uv=x\ln(x+1)$
$u'=\dfrac{1}{x+1}$	$v=x$	$u'v=\dfrac{x}{x+1}$

$\therefore f(x)=\displaystyle\int\ln(x+1)\,dx$

$\qquad=x\ln(x+1)-\displaystyle\int\dfrac{x}{x+1}\,dx$

$\qquad=x\ln(x+1)-\displaystyle\int\left(1-\dfrac{1}{x+1}\right)dx$

$\qquad=x\ln(x+1)-x+\ln(x+1)+C$

$\qquad=(x+1)\ln(x+1)-x+C$

$f(0)=3$ 이므로 $\qquad C=3$

따라서 $f(x)=(x+1)\ln(x+1)-x+3$이므로

$\quad f(1)=\mathbf{2\ln 2+2}$ 🔖 $2\ln 2+2$

10 $F(x)=xf(x)+x^2\cos x$ …… ㉠

$F(\pi)=\pi$이므로

$\quad \pi=\pi f(\pi)+\pi^2\cos\pi$

$\quad \therefore f(\pi)=\pi+1$

㉠의 양변을 x에 대하여 미분하면

$\quad f(x)=f(x)+xf'(x)+2x\cos x-x^2\sin x$

$\quad xf'(x)=x^2\sin x-2x\cos x$

$\quad \therefore f'(x)=x\sin x-2\cos x$

$\quad \therefore f(x)=\int(x\sin x-2\cos x)\,dx$

$\qquad\quad =\int x\sin x\,dx-2\sin x$

$\int x\sin x\,dx$에서 $u=x$, $v'=\sin x$로 놓으면

$u=x$	$v'=\sin x$	$uv=-x\cos x$
$u'=1$	$v=-\cos x$	$u'v=-\cos x$

$\quad \therefore f(x)=\int x\sin x\,dx-2\sin x$

$\qquad\quad =-x\cos x+\int \cos x\,dx-2\sin x$

$\qquad\quad =-x\cos x+\sin x-2\sin x+C$

$\qquad\quad =-x\cos x-\sin x+C$

$f(\pi)=\pi+1$이므로

$\quad \pi+C=\pi+1 \quad \therefore C=1$

$\quad \therefore f(x)=-x\cos x-\sin x+1$

$\quad \therefore f\left(\dfrac{\pi}{2}\right)=\mathbf{0}$ 🔖 0

본문 329~330쪽

EXERCISES 𝓑   SUMMA CUM LAUDE

01 $\dfrac{1}{2}-\dfrac{\sqrt{2}}{2}$	02 5	03 $\dfrac{\pi}{4}$	04 $e^{6\pi}$
05 16	06 ④	07 2	08 $2e^2$	09 $\dfrac{7}{2}\pi$

10 풀이 참조

01 $f(x)+xf'(x)=\dfrac{1}{x\sqrt{x}}-\dfrac{2}{x^2}$에서

$\quad \{xf(x)\}'=\dfrac{1}{x\sqrt{x}}-\dfrac{2}{x^2}$

$\quad \therefore xf(x)=\int\left(\dfrac{1}{x\sqrt{x}}-\dfrac{2}{x^2}\right)dx$

$\qquad\qquad =-\dfrac{2}{\sqrt{x}}+\dfrac{2}{x}+C$

이때 $f(1)=0$이므로 $C=0$

따라서 $xf(x)=-\dfrac{2}{\sqrt{x}}+\dfrac{2}{x}$이므로

$\quad f(x)=-\dfrac{2}{x\sqrt{x}}+\dfrac{2}{x^2}$

$\quad \therefore f(2)=\dfrac{1}{2}-\dfrac{\sqrt{2}}{2}$ 🔖 $\dfrac{1}{2}-\dfrac{\sqrt{2}}{2}$

02 $g(x)=e^{-x}f(x)$의 양변을 x에 대하여 미분하면

$\quad g'(x)=-e^{-x}f(x)+e^{-x}f'(x)$

이때 $f'(x)=f(x)+e^x\cos x$이므로

$\quad g'(x)=-e^{-x}f(x)+e^{-x}f'(x)$

$\qquad\quad =-e^{-x}f(x)+e^{-x}\{f(x)+e^x\cos x\}$

$\qquad\quad =\cos x$

$\quad \therefore g(x)=\int \cos x\,dx=\sin x+C$

$f(0)=1$이므로 $g(x)=e^{-x}f(x)$에 $x=0$을 대입하면

$\quad g(0)=1$

$g(x)=\sin x+C$에서 $C=1$

따라서 $g(x)=\sin x+1$이므로

$\quad g(\pi)+g(3\pi)+g(5\pi)+g(7\pi)+g(9\pi)$

$\quad =1+1+1+1+1=\mathbf{5}$ 🔖 5

03 $x>0$일 때

$$f(x)=\int \cos^2 x\,dx$$

$$=\int \frac{1+\cos 2x}{2}\,dx$$

$$=\frac{1}{2}x+\frac{1}{4}\sin 2x+C_1$$

이때 $f(\pi)=1$이므로

$$\frac{\pi}{2}+C_1=1 \qquad \therefore C_1=1-\frac{\pi}{2}$$

$$\therefore f(x)=\frac{1}{2}x+\frac{1}{4}\sin 2x+1-\frac{\pi}{2}$$

또한 $x<0$일 때

$$f(x)=\int k\sin x\,dx=-k\cos x+C_2$$

$$\therefore f(x)=\begin{cases}\dfrac{1}{2}x+\dfrac{1}{4}\sin 2x+1-\dfrac{\pi}{2} & (x>0)\\[2mm] -k\cos x+C_2 & (x<0)\end{cases}$$

이때 $f(x)$가 실수 전체의 집합에서 연속이면 $x=0$에서 연속이므로

$$f(0)=\lim_{x\to 0+}f(x)=\lim_{x\to 0-}f(x)$$

가 성립해야 한다. 즉

$$\lim_{x\to 0+}f(x)=1-\frac{\pi}{2},\ \lim_{x\to 0-}f(x)=-k+C_2$$

에서 $1-\dfrac{\pi}{2}=-k+C_2$

$$\therefore C_2=k+1-\frac{\pi}{2}$$

$$\therefore f(x)=-k\cos x+k+1-\frac{\pi}{2}\ (x<0)$$

$f(-\pi)=1$이므로

$$2k+1-\frac{\pi}{2}=1 \qquad \therefore k=\frac{\pi}{4} \qquad \text{답}\ \frac{\pi}{4}$$

04 $f(x)=\displaystyle\int \frac{1}{x}\cos(\ln x)\,dx$에서

$\ln x=t$로 놓으면 $\dfrac{dt}{dx}=\dfrac{1}{x}$이므로

$$f(x)=\int \frac{1}{x}\cos(\ln x)\,dx=\int \cos t\,dt$$

$$=\sin t+C=\sin(\ln x)+C$$

$f(e^\pi)=0$이므로 $C=0$

$$\therefore f(x)=\sin(\ln x)$$

이때 $x>1$에서 $\ln x$는 양수이므로

방정식 $f(x)=0$, 즉 $\sin(\ln x)=0$에서

$$\ln x=n\pi\ (n=1,\,2,\,3,\,\cdots)$$

$$\therefore x=e^{n\pi}$$

따라서 $a_n=e^{n\pi}$이므로

$$a_1a_2a_3=e^\pi\cdot e^{2\pi}\cdot e^{3\pi}=e^{6\pi} \qquad \text{답}\ e^{6\pi}$$

05 $\displaystyle\int \frac{x^4}{(x-1)^2}\,dx$에서 $x-1=t$로 놓으면

$\dfrac{dt}{dx}=1$이므로

$$\int \frac{x^4}{(x-1)^2}\,dx$$

$$=\int \frac{(t+1)^4}{t^2}\,dt$$

$$=\int \frac{t^4+4t^3+6t^2+4t+1}{t^2}\,dt$$

$$=\int\left(t^2+4t+6+\frac{4}{t}+\frac{1}{t^2}\right)dt$$

$$=\frac{1}{3}t^3+2t^2+6t+4\ln|t|-\frac{1}{t}+C$$

$$=\frac{1}{3}(x-1)^3+2(x-1)^2+6(x-1)$$

$$\qquad\qquad +4\ln|x-1|-\frac{1}{x-1}+C$$

$$\therefore F(x)=\frac{1}{3}(x-1)^3+2(x-1)^2+6(x-1)$$

$$\qquad\qquad +4\ln|x-1|-\frac{1}{x-1}+3$$

따라서 $a=\dfrac{1}{3}$, $b=2$, $c=6$, $d=4$, $e=1$이므로

$$abcde=\frac{1}{3}\cdot 2\cdot 6\cdot 4\cdot 1=16 \qquad \text{답}\ 16$$

06 $f(x)=\displaystyle\int\frac{1}{e^{2x}+1}\,dx=\int\frac{e^{-2x}}{1+e^{-2x}}\,dx$에서

$(1+e^{-2x})'=-2e^{-2x}$이므로

$$f(x)=\int\frac{e^{-2x}}{1+e^{-2x}}\,dx=-\frac{1}{2}\int\frac{(1+e^{-2x})'}{1+e^{-2x}}\,dx$$

$$=-\frac{1}{2}\ln(1+e^{-2x})+C\ (\because\ 1+e^{-2x}>0)$$

이때 $f(0)=0$이므로

$$-\frac{1}{2}\ln 2+C=0\qquad\therefore C=\frac{1}{2}\ln 2$$

$$\therefore f(x)=-\frac{1}{2}\ln(1+e^{-2x})+\frac{1}{2}\ln 2$$

$$\therefore f(\ln 2)=-\frac{1}{2}\ln\frac{5}{4}+\frac{1}{2}\ln 2=\mathbf{\frac{1}{2}\ln\frac{8}{5}}$$

다른 풀이 $f(x)=\displaystyle\int\frac{1}{e^{2x}+1}\,dx$에서 $e^{2x}+1=t$로 놓

으면 $e^{2x}=t-1$이고 $\dfrac{dt}{dx}=2e^{2x}$이므로

$$f(x)=\int\frac{1}{e^{2x}+1}\,dx=\int\frac{1}{e^{2x}+1}\cdot\frac{1}{2e^{2x}}\cdot2e^{2x}\,dx$$

$$=\int\frac{1}{t}\cdot\frac{1}{2(t-1)}\,dt=\frac{1}{2}\int\left(\frac{1}{t-1}-\frac{1}{t}\right)dt$$

$$=\frac{1}{2}(\ln|t-1|-\ln|t|)+C$$

$$=\frac{1}{2}\{\ln e^{2x}-\ln(e^{2x}+1)\}+C\ (\because\ e^{2x}>0)$$

$$=x-\frac{1}{2}\ln(e^{2x}+1)+C$$

이때 $f(0)=0$이므로

$$0-\frac{1}{2}\ln(1+1)+C=0\qquad\therefore C=\frac{1}{2}\ln 2$$

$$\therefore f(x)=x-\frac{1}{2}\ln(e^{2x}+1)+\frac{1}{2}\ln 2$$

$$\therefore f(\ln 2)=\ln 2-\frac{1}{2}\ln 5+\frac{1}{2}\ln 2=\frac{1}{2}\ln\frac{8}{5}$$

답 ④

07 $f(a+b)=f(a)f(b)$에 $a=0$, $b=0$을 대입하면

$f(0)=f(0)f(0)$, $f(0)\{f(0)-1\}=0$

$\therefore f(0)=1\ (\because\ f(x)>0)\quad\cdots\cdots\ \bigcirc$

함수 $f(x)$가 미분가능하므로 도함수의 정의에 의하여

$$f'(x)=\lim_{h\to 0}\frac{f(x+h)-f(x)}{h}$$

$$=\lim_{h\to 0}\frac{f(x)f(h)-f(x)}{h}\ (\because\ 조건)$$

$$=\lim_{h\to 0}\frac{f(x)\{f(h)-1\}}{h}$$

$$=f(x)\lim_{h\to 0}\frac{f(0+h)-f(0)}{h}\ (\because\ \bigcirc)$$

$$=f(x)f'(0)$$

$$=f(x)\ (\because\ f'(0)=1)$$

즉 $\dfrac{f'(x)}{f(x)}=1$이므로

$$\int\frac{f'(x)}{f(x)}\,dx=\int dx$$

$$\ln f(x)=x+C\ (\because\ f(x)>0)$$

$f(0)=1$이므로 $\quad C=0$

따라서 $\ln f(x)=x$이므로 $\quad f(x)=e^x$

$$\therefore f(\ln 2)=e^{\ln 2}=\mathbf{2}$$

[참고] $f'(x)=f(x)$이므로 $f(x)$는 미분해도 자기 자신

인 함수 e^x임을 알 수 있다. **답** 2

08 $f(x)=\displaystyle\int f'(x)\,dx=\int e^{\sqrt{x}}\,dx$에서 $\sqrt{x}=t$로 놓

으면 $x=t^2$에서 $\dfrac{dx}{dt}=2t$이므로

$$f(x)=\int e^{\sqrt{x}}\,dx=2\int te^t\,dt$$

$\displaystyle\int te^t\,dt$에서 $u=t$, $v'=e^t$으로 놓으면

$u=t$	$v'=e^t$	$\longrightarrow uv=te^t$
$u'=1$	$v=e^t$	$\longrightarrow u'v=e^t$

$$\therefore \int te^t\,dt=te^t-\int e^t\,dt=te^t-e^t+C$$

$$\therefore f(x)=2(te^t-e^t+C)=2(\sqrt{x}e^{\sqrt{x}}-e^{\sqrt{x}}+C)$$

$$=2\sqrt{x}e^{\sqrt{x}}-2e^{\sqrt{x}}+C\quad\cdots\cdots\ \bullet$$

$f(1)=0$이므로

$2e-2e+C=0 \qquad \therefore C=0$

$\therefore f(x)=2\sqrt{x}e^{\sqrt{x}}-2e^{\sqrt{x}}$ ...... ❷

$\therefore f(4)=\boldsymbol{2e^2}$ ...... ❸

채점 기준	배점
❶ 부정적분 구하기	50 %
❷ $f(x)$ 구하기	30 %
❸ $f(4)$의 값 구하기	20 %

답 $2e^2$

09 $I=\displaystyle\int e^x\sin x\,dx$라 하자.

$u=\sin x$, $v'=e^x$으로 놓으면

$$\begin{array}{l} u=\sin x \quad v'=e^x \longrightarrow uv=e^x\sin x \\ u'=\cos x \quad v=e^x \longrightarrow u'v=e^x\cos x \end{array}$$

$\therefore I=e^x\sin x-\displaystyle\int e^x\cos x\,dx$ ...... ㉠

$\displaystyle\int e^x\cos x\,dx$에 다시 부분적분법을 적용하자.

$u=\cos x$, $v'=e^x$으로 놓으면

$$\begin{array}{l} u=\cos x \quad v'=e^x \longrightarrow uv=e^x\cos x \\ u'=-\sin x \quad v=e^x \longrightarrow u'v=-e^x\sin x \end{array}$$

$\therefore \displaystyle\int e^x\cos x\,dx=e^x\cos x+\int e^x\sin x\,dx$ ...... ㉡

㉡을 ㉠에 대입하면

$I=e^x\sin x-e^x\cos x-I$

$2I=e^x(\sin x-\cos x)$

$\therefore I=\displaystyle\int e^x\sin x\,dx=\dfrac{1}{2}e^x(\sin x-\cos x)+C$

따라서 주어진 방정식은

$\dfrac{1}{2}e^x(\sin x-\cos x)+C=-\dfrac{1}{2}e^x$

이다.

이때 $x=0$이 한 근이므로

$-\dfrac{1}{2}+C=-\dfrac{1}{2} \qquad \therefore C=0$

즉 주어진 방정식은

$\dfrac{1}{2}e^x(\sin x-\cos x)=-\dfrac{1}{2}e^x$

$\therefore \cos x-\sin x=1\ (\because e^x\neq 0)$

삼각함수의 합성을 이용하면

$\sqrt{2}\sin\left(x+\dfrac{3}{4}\pi\right)=1$

$\therefore \sin\left(x+\dfrac{3}{4}\pi\right)=\dfrac{\sqrt{2}}{2}$

위 식을 만족시키는 양수 해를 작은 것부터 나열하면

$\dfrac{3}{2}\pi,\ 2\pi,\ \dfrac{7}{2}\pi,\ \cdots$

이므로 구하는 값은 $\dfrac{7}{2}\pi$이다. **답** $\dfrac{7}{2}\pi$

10 $I_{n+1}=\displaystyle\int x^{n+1}e^{2x}\,dx$에서 $u=x^{n+1}$, $v'=e^{2x}$으로 놓으면

$$\begin{array}{l} u=x^{n+1} \quad v'=e^{2x} \longrightarrow uv=\dfrac{1}{2}x^{n+1}e^{2x} \\ u'=(n+1)x^n \quad v=\dfrac{1}{2}e^{2x} \longrightarrow u'v=\dfrac{n+1}{2}x^n e^{2x} \end{array}$$

$\therefore I_{n+1}=\displaystyle\int x^{n+1}e^{2x}\,dx$

$=\dfrac{1}{2}x^{n+1}e^{2x}-\dfrac{n+1}{2}\displaystyle\int x^n e^{2x}\,dx$

$=\dfrac{1}{2}x^{n+1}e^{2x}-\dfrac{n+1}{2}I_n$ ...... ㉠

한편 $I_1=\displaystyle\int xe^{2x}\,dx$에서 $u=x$, $v'=e^{2x}$으로 놓으면

$$\begin{array}{l} u=x \quad v'=e^{2x} \longrightarrow uv=\dfrac{1}{2}xe^{2x} \\ u'=1 \quad v=\dfrac{1}{2}e^{2x} \longrightarrow u'v=\dfrac{1}{2}e^{2x} \end{array}$$

$\therefore I_1=\displaystyle\int xe^{2x}\,dx=\dfrac{1}{2}xe^{2x}-\dfrac{1}{2}\displaystyle\int e^{2x}\,dx$

$=\dfrac{1}{2}xe^{2x}-\dfrac{1}{4}e^{2x}+C$

⊙을 이용하여 I_2, I_3을 구하면

$$I_2 = \frac{1}{2}x^2 e^{2x} - I_1$$

$$= \frac{1}{2}x^2 e^{2x} - \frac{1}{2}x e^{2x} + \frac{1}{4}e^{2x} + C$$

$$I_3 = \frac{1}{2}x^3 e^{2x} - \frac{3}{2}I_2$$

$$= \frac{1}{2}x^3 e^{2x} - \frac{3}{4}x^2 e^{2x} + \frac{3}{4}x e^{2x} - \frac{3}{8}e^{2x} + C$$

답 풀이 참조

2. 정적분

Review Quiz SUMMA CUM LAUDE 본문 362쪽

01 (1) $\int_a^b f(x)\,dx$ (2) $f(x)g(x)$, $f'(x)g(x)$

(3) 홀함수, 0 **02** (1) 거짓 (2) 거짓 **03** 풀이 참조

01 **답** (1) $\int_a^b f(x)\,dx$

(2) $f(x)g(x)$, $f'(x)g(x)$

(3) 홀함수, 0

02 (1) 얼핏 $\int_{-2}^1 \frac{1}{x^4}\,dx = \left[-\frac{1}{3} \cdot \frac{1}{x^3} \right]_{-2}^1 = -\frac{3}{8}$ 으로 계산할 수 있다. 그러나 피적분함수 $\frac{1}{x^4}$ 이 $x=0$에서 정의되지 않으므로 구간 $[-2, 1]$에서 연속이 아니다. 따라서 정적분의 정의를 이용할 수 없다. (거짓)

(2) $\int_{-\frac{\pi}{2}}^{\frac{\pi}{4}} |\sin x|\,dx$

$$= \int_{-\frac{\pi}{2}}^0 (-\sin x)\,dx + \int_0^{\frac{\pi}{4}} \sin x\,dx$$

$$= \Big[\cos x \Big]_{-\frac{\pi}{2}}^0 + \Big[-\cos x \Big]_0^{\frac{\pi}{4}}$$

$$= 1 + \left(-\frac{\sqrt{2}}{2} + 1 \right) = 2 - \frac{\sqrt{2}}{2}$$

$\int_{-\frac{\pi}{2}}^{\frac{\pi}{4}} \sin x\,dx = \Big[-\cos x \Big]_{-\frac{\pi}{2}}^{\frac{\pi}{4}} = -\frac{\sqrt{2}}{2}$ 이므로

$$\left| \int_{-\frac{\pi}{2}}^{\frac{\pi}{4}} \sin x\,dx \right| = \left| -\frac{\sqrt{2}}{2} \right| = \frac{\sqrt{2}}{2}$$

$$\therefore \left| \int_{-\frac{\pi}{2}}^{\frac{\pi}{4}} \sin x\,dx \right| < \int_{-\frac{\pi}{2}}^{\frac{\pi}{4}} |\sin x|\,dx \text{ (거짓)}$$

[참고] 일반적으로 구간 $[a, b]$에서 연속인 함수 $f(x)$에 대하여 $\int_a^b |f(x)|\,dx$는 항상 0 이상인 함수 $|f(x)|$를 정적분하는 것이고, $\left| \int_a^b f(x)\,dx \right|$는 먼저 정적분을 한 후 그 정적분의 값의 절댓값이므로 일반적으로

172 정답 및 해설

$$\left|\int_a^b f(x)\,dx\right| \le \int_a^b |f(x)|\,dx \text{이다.}$$

冒 (1) 거짓 (2) 거짓

03 (1) $\displaystyle\int_{-a}^{a} f(x)\,dx = \int_{-a}^{0} f(x)\,dx + \int_{0}^{a} f(x)\,dx$

$\cdots\cdots$ ㉠

이때 $\displaystyle\int_{-a}^{0} f(x)\,dx$에서 $x=-t$로 놓으면

$\dfrac{dx}{dt}=-1$이고

$x=-a$일 때 $t=a$, $x=0$일 때 $t=0$이므로

$$\int_{-a}^{0} f(x)\,dx = \int_{a}^{0} f(-t)\cdot(-1)\,dt$$

$$= \int_{0}^{a} f(-t)\,dt$$

$$= \int_{0}^{a} f(t)\,dt$$

$$= \int_{0}^{a} f(x)\,dx \qquad \cdots\cdots ㉡$$

㉡을 ㉠에 대입하면

$$\int_{-a}^{a} f(x)\,dx = \int_{0}^{a} f(x)\,dx + \int_{0}^{a} f(x)\,dx$$

$$= 2\int_{0}^{a} f(x)\,dx$$

(2) 주어진 세 식을 계산하면 다음과 같다.

$$\frac{d}{dx}\int_{a}^{x} f(t)\,dt = f(x)$$

(정적분으로 나타내어진 함수의 미분)

$$\frac{d}{dx}\int_{a}^{b} f(t)\,dt = 0 \left(\int_{a}^{b} f(t)\,dt \text{는 상수이다.}\right)$$

$$\int_{a}^{b} \frac{d}{dx} f(x)\,dx = f(b)-f(a) \text{ (정적분의 정의)}$$

冒 풀이 참조

01 (1) $\dfrac{52}{3} - 6\ln 3$ (2) $2\ln 2$

    (3) $e - \dfrac{1}{e} + \dfrac{8}{3\ln 3}$ (4) 1

02 $-\dfrac{2}{3}$ **03** ②   **04** $2-\dfrac{2}{e}$ **05** $2-\dfrac{5}{e}$

06 ㄱ, ㄹ   **07** 72   **08** $-\dfrac{1}{4}$

09 $\ln(e+1)-2$ **10** 4

01 (1) $\displaystyle\int_{1}^{9}\left(\sqrt{x}-\frac{3}{x}\right)dx = \int_{1}^{9}\left(x^{\frac{1}{2}}-\frac{3}{x}\right)dx$

$$= \left[\frac{2}{3}x^{\frac{3}{2}}-3\ln|x|\right]_{1}^{9}$$

$$= \left(\frac{2}{3}\cdot 27 - 3\ln 9\right) - \frac{2}{3}$$

$$= \frac{52}{3} - 6\ln 3$$

(2) $\displaystyle\int_{0}^{e}\frac{2}{x+e}\,dx = \left[2\ln|x+e|\right]_{0}^{e}$

$$= 2\ln 2e - 2\ln e = \mathbf{2\ln 2}$$

(3) $\displaystyle\int_{-1}^{0}(e^x+3^x)\,dx + \int_{0}^{1}(e^x+3^x)\,dx$

$$= \int_{-1}^{1}(e^x+3^x)\,dx = \left[e^x+\frac{3^x}{\ln 3}\right]_{-1}^{1}$$

$$= \left(e+\frac{3}{\ln 3}\right) - \left(\frac{1}{e}+\frac{1}{3\ln 3}\right)$$

$$= e - \frac{1}{e} + \frac{8}{3\ln 3}$$

(4) $\displaystyle\int_{0}^{\frac{\pi}{4}}\tan^2 x\,dx + \int_{0}^{\frac{\pi}{4}}dx$

$$= \int_{0}^{\frac{\pi}{4}}(\tan^2 x+1)\,dx$$

$$= \int_{0}^{\frac{\pi}{4}}\sec^2 x\,dx = \left[\tan x\right]_{0}^{\frac{\pi}{4}} = \mathbf{1}$$

冒 (1) $\dfrac{52}{3} - 6\ln 3$ (2) $2\ln 2$

   (3) $e - \dfrac{1}{e} + \dfrac{8}{3\ln 3}$ (4) 1

EXERCISES

02 $\cos x = t$로 놓으면 $\dfrac{dt}{dx} = -\sin x$이고

$x = \dfrac{\pi}{2}$일 때 $t=0$, $x=\pi$일 때 $t=-1$이므로

$\displaystyle\int_{\frac{\pi}{2}}^{\pi} (\cos^2 x + 2\cos x)\sin x\, dx$

$= \displaystyle\int_{0}^{-1} (t^2 + 2t)\cdot(-1)\, dt = \int_{-1}^{0} (t^2 + 2t)\, dt$

$= \left[\dfrac{1}{3}t^3 + t^2\right]_{-1}^{0} = -\left(-\dfrac{1}{3}+1\right) = -\dfrac{2}{3}$ 답 $-\dfrac{2}{3}$

---

03 $\displaystyle\int_{1}^{a} \dfrac{\sqrt{\ln x}}{x}\, dx$에서 $\ln x = t$로 놓으면 $\dfrac{dt}{dx} = \dfrac{1}{x}$

이고 $x=1$일 때 $t=0$, $x=a$일 때 $t=\ln a$이므로

$f(a) = \displaystyle\int_{1}^{a} \dfrac{\sqrt{\ln x}}{x}\, dx = \int_{0}^{\ln a} \sqrt{t}\, dt$

$= \left[\dfrac{2}{3}t^{\frac{3}{2}}\right]_{0}^{\ln a} = \dfrac{2}{3}(\ln a)^{\frac{3}{2}}$

$\therefore f(a^4) = \dfrac{2}{3}(\ln a^4)^{\frac{3}{2}} = \dfrac{2}{3}(4\ln a)^{\frac{3}{2}}$

$= 4^{\frac{3}{2}}\left\{\dfrac{2}{3}(\ln a)^{\frac{3}{2}}\right\} = 8f(a)$ 답 ②

---

04 $|x|e^x = \begin{cases} -xe^x & (x \le 0) \\ xe^x & (x \ge 0) \end{cases}$ 이고

$u = x$, $v' = e^x$으로 놓으면

$u=x$	$v'=e^x$	$\to$	$uv = xe^x$
$u'=1$	$v=e^x$	$\to$	$u'v = e^x$

$\therefore \displaystyle\int_{-1}^{1} |x|e^x dx = \int_{-1}^{0}(-xe^x)\, dx + \int_{0}^{1} xe^x dx$

$= -\displaystyle\int_{-1}^{0} xe^x dx + \int_{0}^{1} xe^x dx$

$= -\left(\left[xe^x\right]_{-1}^{0} - \displaystyle\int_{-1}^{0} e^x dx\right)$

$\qquad + \left(\left[xe^x\right]_{0}^{1} - \displaystyle\int_{0}^{1} e^x dx\right)$

$= -\left(\dfrac{1}{e} - \left[e^x\right]_{-1}^{0}\right) + \left(e - \left[e^x\right]_{0}^{1}\right)$

$= -\dfrac{1}{e} + \left(1 - \dfrac{1}{e}\right) + e - (e-1)$

$= 2 - \dfrac{2}{e}$ 답 $2 - \dfrac{2}{e}$

---

05 $\displaystyle\int_{e^2}^{4} f(x)\, dx - \int_{e}^{4} f(x)\, dx + \int_{1}^{e^2} f(x)\, dx$

$= \displaystyle\int_{1}^{e^2} f(x)\, dx + \int_{e^2}^{4} f(x)\, dx + \int_{4}^{e} f(x)\, dx$

$= \displaystyle\int_{1}^{e} f(x)\, dx$

$= \displaystyle\int_{1}^{e} \dfrac{(\ln x)^2}{x^2}\, dx$

이때 $u = (\ln x)^2$, $v' = \dfrac{1}{x^2}$로 놓으면

$u=(\ln x)^2$	$v'=\dfrac{1}{x^2}$	$\to$	$uv = -\dfrac{(\ln x)^2}{x}$
$u'=\dfrac{2}{x}\ln x$	$v=-\dfrac{1}{x}$	$\to$	$u'v = -\dfrac{2}{x^2}\ln x$

$\therefore \displaystyle\int_{1}^{e} \dfrac{(\ln x)^2}{x^2}\, dx$

$= \left[-\dfrac{(\ln x)^2}{x}\right]_{1}^{e} - \displaystyle\int_{1}^{e}\left(-\dfrac{2}{x^2}\ln x\right) dx$

$= \left[-\dfrac{(\ln x)^2}{x}\right]_{1}^{e} + 2\displaystyle\int_{1}^{e} \dfrac{\ln x}{x^2}\, dx$ ······ ㉠

$\displaystyle\int_{1}^{e} \dfrac{\ln x}{x^2}\, dx$에서 $u = \ln x$, $v' = \dfrac{1}{x^2}$로 놓으면

$u=\ln x$	$v'=\dfrac{1}{x^2}$	$\to$	$uv = -\dfrac{\ln x}{x}$
$u'=\dfrac{1}{x}$	$v=-\dfrac{1}{x}$	$\to$	$u'v = -\dfrac{1}{x^2}$

$\therefore \displaystyle\int_{1}^{e} \dfrac{\ln x}{x^2}\, dx = \left[-\dfrac{\ln x}{x}\right]_{1}^{e} - \displaystyle\int_{1}^{e}\left(-\dfrac{1}{x^2}\right) dx$

$= -\dfrac{1}{e} - \left[\dfrac{1}{x}\right]_{1}^{e}$

$= -\dfrac{1}{e} - \dfrac{1}{e} + 1$

$= -\dfrac{2}{e} + 1$ ······ ㉡

ㄴ을 ㄱ에 대입하면

$$\int_1^e \frac{(\ln x)^2}{x^2}\,dx = \left[-\frac{(\ln x)^2}{x}\right]_1^e + 2\left(-\frac{2}{e}+1\right)$$

$$= -\frac{1}{e} - \frac{4}{e} + 2$$

$$= 2 - \frac{5}{e} \qquad\qquad \boxed{\text{답}}\ 2 - \frac{5}{e}$$

06 ㄱ. $\sin f(-x) = \sin\{-f(x)\} = -\sin f(x)$이
므로 $\sin f(x)$는 홀함수이다.

$$\therefore \int_{-\frac{\pi}{2}}^{\frac{\pi}{2}} \sin f(x)\,dx = 0$$

ㄴ. $\cos f(-x) = \cos\{-f(x)\} = \cos f(x)$이므로
$\cos f(x)$는 짝함수이다.

$$\therefore \int_{-\frac{\pi}{2}}^{\frac{\pi}{2}} \cos f(x)\,dx \neq 0$$

ㄷ. $f(-x)\tan(-x) = -f(x)\cdot(-\tan x)$
$$= f(x)\tan x$$
이므로 $f(x)\tan x$는 짝함수이다.

$$\therefore \int_{-\frac{\pi}{4}}^{\frac{\pi}{4}} f(x)\tan x\,dx \neq 0$$

ㄹ. $f(-x)\cos(-x) = -f(x)\cos x$이므로
$f(x)\cos x$는 홀함수이다.

$$\therefore \int_{-\frac{\pi}{2}}^{\frac{\pi}{2}} f(x)\cos x\,dx = 0$$

따라서 정적분의 값이 항상 0인 것은 ㄱ, ㄹ이다.

$$\boxed{\text{답}}\ \text{ㄱ, ㄹ}$$

07 조건 (나)의 $\int_{-\frac{1}{2}}^{\frac{1}{2}} f(2x+1)\,dx = 4$에서

$2x+1 = t$로 놓으면 $\dfrac{dt}{dx} = 2$이고 $x = -\dfrac{1}{2}$일 때 $t = 0$,

$x = \dfrac{1}{2}$일 때 $t = 2$이므로

$$\int_{-\frac{1}{2}}^{\frac{1}{2}} f(2x+1)\,dx = \int_0^2 f(t)\cdot\frac{1}{2}\,dt = \frac{1}{2}\int_0^2 f(x)\,dx$$

즉 $\dfrac{1}{2}\displaystyle\int_0^2 f(x)\,dx = 4$이므로

$$\int_0^2 f(x)\,dx = 8 \qquad \cdots\cdots ㉠ \qquad\qquad \cdots\cdots ❶$$

조건 (나)의 $\displaystyle\int_{\frac{1}{2}}^1 f(4x)\,dx = 3$에서 $4x = t$로 놓으면

$\dfrac{dt}{dx} = 4$이고 $x = \dfrac{1}{2}$일 때 $t = 2$, $x = 1$일 때 $t = 4$이므로

$$\int_{\frac{1}{2}}^1 f(4x)\,dx = \int_2^4 f(t)\cdot\frac{1}{4}\,dt = \frac{1}{4}\int_2^4 f(x)\,dx$$

즉 $\dfrac{1}{4}\displaystyle\int_2^4 f(x)\,dx = 3$이므로

$$\int_2^4 f(x)\,dx = 12 \qquad \cdots\cdots ㉡ \qquad\qquad \cdots\cdots ❷$$

한편 조건 (가)에서 $f(x+4) = f(x)$이므로 ㉠, ㉡에 의
하여

$$\int_6^{20} f(x)\,dx$$

$$= \int_2^{16} f(x)\,dx$$

$$= \int_2^4 f(x)\,dx + \int_4^8 f(x)\,dx$$

$$\qquad\qquad + \int_8^{12} f(x)\,dx + \int_{12}^{16} f(x)\,dx$$

$$= \int_2^4 f(x)\,dx + 3\int_0^4 f(x)\,dx$$

$$= \int_2^4 f(x)\,dx + 3\left\{\int_0^2 f(x)\,dx + \int_2^4 f(x)\,dx\right\}$$

$$= 12 + 3\cdot(8+12) = 72 \qquad\qquad \cdots\cdots ❸$$

채점 기준	배점
❶ $\displaystyle\int_0^2 f(x)\,dx$의 값 구하기	40 %
❷ $\displaystyle\int_2^4 f(x)\,dx$의 값 구하기	40 %
❸ $\displaystyle\int_6^{20} f(x)\,dx$의 값 구하기	20 %

$$\boxed{\text{답}}\ 72$$

08 $\displaystyle\int_0^{\frac{\pi}{2}} f(t)\cos t\,dt = k\ (k\text{는 상수}) \qquad \cdots\cdots ㉠$

로 놓으면 $\quad f(x) = \sin x + 3k$

이것을 ㉠의 좌변에 대입하면

$$\int_0^{\frac{\pi}{2}} (\sin t + 3k) \cos t \, dt$$

이때 $\sin t = \theta$로 놓으면 $\dfrac{d\theta}{dt} = \cos t$이고

$t=0$일 때 $\theta=0$, $t=\dfrac{\pi}{2}$일 때 $\theta=1$이므로

$$\int_0^{\frac{\pi}{2}} (\sin t + 3k) \cos t \, dt$$

$$= \int_0^1 (\theta + 3k) \, d\theta = \left[\frac{1}{2}\theta^2 + 3k\theta \right]_0^1$$

$$= \frac{1}{2} + 3k$$

즉 $\dfrac{1}{2} + 3k = k$이므로 $\qquad k = -\dfrac{1}{4}$

$$\therefore f(x) = \sin x - \frac{3}{4}$$

$$\therefore f\left(\frac{\pi}{6}\right) = \sin\frac{\pi}{6} - \frac{3}{4} = -\frac{1}{4} \qquad \text{달} \ -\frac{1}{4}$$

09 주어진 등식의 양변을 x에 대하여 미분하면

$$f'(x) = -\frac{1}{x} + xf'(x), \ f'(x)(x-1) = \frac{1}{x}$$

$$\therefore f'(x) = \frac{1}{x(x-1)} \ (\because x-1 \neq 0)$$

$$\therefore f(x) = \int \frac{1}{x(x-1)} \, dx = \int \left(\frac{1}{x-1} - \frac{1}{x}\right) dx$$

$$= \ln(x-1) - \ln x + C \ (\because x \geq e) \ \cdots\cdots ㉠$$

주어진 등식의 양변에 $x=e$를 대입하면

$$f(e) = -\ln e + 0 = -1 \qquad\qquad \cdots\cdots ㉡$$

㉠, ㉡에 의하여

$$f(e) = \ln(e-1) - 1 + C = -1$$

$$\therefore C = -\ln(e-1)$$

따라서 $f(x) = \ln(x-1) - \ln x - \ln(e-1)$ 이므로

$$f(e^2) = \ln(e^2-1) - 2 - \ln(e-1)$$

$$= \ln\frac{e^2-1}{e-1} - 2$$

$$= \ln(e+1) - 2 \qquad \text{달} \ \ln(e+1) - 2$$

10 $f(t) = t\cos\pi t$로 놓고, $f(t)$의 한 부정적분을 $F(t)$라 하면

$$\lim_{x\to 2} \frac{6}{x^2-x-2} \int_2^x t\cos\pi t \, dt$$

$$= \lim_{x\to 2} \frac{6}{(x+1)(x-2)} \Big[F(t) \Big]_2^x$$

$$= \lim_{x\to 2} \frac{6\{F(x) - F(2)\}}{(x+1)(x-2)}$$

$$= \lim_{x\to 2} \frac{6}{x+1} \cdot \frac{F(x) - F(2)}{x-2}$$

$$= \frac{6}{2+1} \cdot F'(2) = 2f(2)$$

$$= 2 \cdot 2\cos 2\pi = 4 \qquad\qquad \text{달} \ 4$$

01 8   **02** 0   **03** $\dfrac{1}{2}$ **04** $\dfrac{\sqrt{3}}{12}\pi+\dfrac{\sqrt{3}}{6}$

05 e^2+1 **06** 4039   **07** 1   **08** 17

09 ④   **10** ①

01 $-\pi\leq x<3\pi$에서의 함수 $f(x)$의 식을 구하면

$$f(x)=\begin{cases} x+\pi & (-\pi\leq x<0) \\ x & (0\leq x<\pi) \\ x-\pi & (\pi\leq x<2\pi) \\ x-2\pi & (2\pi\leq x<3\pi) \end{cases}$$

$g(x)=\sin x$이므로

$$(g\circ f)(x)=\begin{cases} \sin(x+\pi) & (-\pi\leq x<0) \\ \sin x & (0\leq x<\pi) \\ \sin(x-\pi) & (\pi\leq x<2\pi) \\ \sin(x-2\pi) & (2\pi\leq x<3\pi) \end{cases}$$

$$=\begin{cases} -\sin x & (-\pi\leq x<0) \\ \sin x & (0\leq x<\pi) \\ -\sin x & (\pi\leq x<2\pi) \\ \sin x & (2\pi\leq x<3\pi) \end{cases}$$

이때 $\sin x$는 주기가 2π인 주기함수이므로

$$\int_{-\pi}^{3\pi}(g\circ f)(x)\,dx$$

$$=\int_{-\pi}^{0}(-\sin x)\,dx+\int_{0}^{\pi}\sin x\,dx$$

$$\qquad +\int_{\pi}^{2\pi}(-\sin x)\,dx+\int_{2\pi}^{3\pi}\sin x\,dx$$

$$=-\int_{-\pi}^{0}\sin x\,dx+\int_{0}^{\pi}\sin x\,dx$$

$$\qquad -\int_{-\pi}^{0}\sin x\,dx+\int_{0}^{\pi}\sin x\,dx$$

$$=-2\int_{-\pi}^{0}\sin x\,dx+2\int_{0}^{\pi}\sin x\,dx$$

$$=-2\Big[-\cos x\Big]_{-\pi}^{0}+2\Big[-\cos x\Big]_{0}^{\pi}$$

$$=-2\cdot(-2)+2\cdot 2$$

$$=8$$

답 8

02   함수 $f(x)$는 구간 $[2,\ 4]$에서 증가하고, 구간 $[4,\ 6]$에서 감소한다. 즉

$2\leq x\leq 4$일 때 $f'(x)\geq 0$,

$4\leq x\leq 6$일 때 $f'(x)\leq 0$

이다.

$$\therefore \int_{2}^{6}|f'(x)|\sin f(x)\,dx$$

$$=\int_{2}^{4}|f'(x)|\sin f(x)\,dx$$

$$\qquad\qquad +\int_{4}^{6}|f'(x)|\sin f(x)\,dx$$

$$=\int_{2}^{4}f'(x)\sin f(x)\,dx$$

$$\qquad\qquad +\int_{4}^{6}\{-f'(x)\}\sin f(x)\,dx$$

이때 $f(x)=t$로 놓으면 $\dfrac{dt}{dx}=f'(x)$이고

$x=2$일 때 $t=\dfrac{\pi}{2}$, $x=4$일 때 $t=\dfrac{4}{3}\pi$,

$x=6$일 때 $t=\pi$이므로

$$\int_{2}^{4}f'(x)\sin f(x)\,dx+\int_{4}^{6}\{-f'(x)\}\sin f(x)\,dx$$

$$=\int_{2}^{4}f'(x)\sin f(x)\,dx-\int_{4}^{6}f'(x)\sin f(x)\,dx$$

$$=\int_{\frac{\pi}{2}}^{\frac{4}{3}\pi}\sin t\,dt-\int_{\frac{4}{3}\pi}^{\pi}\sin t\,dt$$

$$=\Big[-\cos t\Big]_{\frac{\pi}{2}}^{\frac{4}{3}\pi}-\Big[-\cos t\Big]_{\frac{4}{3}\pi}^{\pi}$$

$$=\Big(-\cos\frac{4}{3}\pi+\cos\frac{\pi}{2}\Big)-\Big(-\cos\pi+\cos\frac{4}{3}\pi\Big)$$

$$=\frac{1}{2}-\Big(1-\frac{1}{2}\Big)=\mathbf{0}$$

답 0

03 $1-\sin x=t$로 놓으면 $\sin x=1-t$,

$\dfrac{dt}{dx}=-\cos x$이고

$x=0$일 때 $t=1$, $x=\dfrac{\pi}{2}$일 때 $t=0$이므로

$$a_n = \int_0^{\frac{\pi}{2}} \sin x \cos x (1-\sin x)^n dx$$

$$= -\int_1^0 (1-t)t^n dt$$

$$= \int_0^1 (t^n - t^{n+1}) dt$$

$$= \left[\frac{1}{n+1} t^{n+1} - \frac{1}{n+2} t^{n+2} \right]_0^1$$

$$= \frac{1}{n+1} - \frac{1}{n+2} \qquad \cdots\cdots ❶$$

$$\therefore \sum_{n=1}^{\infty} a_n = \lim_{n \to \infty} \sum_{k=1}^{n} \left(\frac{1}{k+1} - \frac{1}{k+2} \right)$$

$$= \lim_{n \to \infty} \left\{ \left(\frac{1}{2} - \frac{1}{3} \right) + \left(\frac{1}{3} - \frac{1}{4} \right) \right.$$

$$\left. + \cdots + \left(\frac{1}{n+1} - \frac{1}{n+2} \right) \right\}$$

$$= \lim_{n \to \infty} \left(\frac{1}{2} - \frac{1}{n+2} \right) = \frac{1}{2} \qquad \cdots\cdots ❷$$

채점 기준	배점
❶ a_n을 간단히 나타내기	70 %
❷ $\sum\limits_{n=1}^{\infty} a_n$의 값 구하기	30 %

🄳 $\dfrac{1}{2}$

04 $f(x) = \dfrac{1}{9x^4 + 6x^2 + 1}$ 이라 하면

$$f(-x) = \frac{1}{9(-x)^4 + 6(-x)^2 + 1}$$

$$= \frac{1}{9x^4 + 6x^2 + 1} = f(x)$$

따라서 $f(x)$는 짝함수이므로 주어진 식을 변형하면

$$\int_{-\frac{\sqrt{3}}{3}}^{\frac{\sqrt{3}}{3}} \frac{1}{9x^4 + 6x^2 + 1} dx = 2 \int_0^{\frac{\sqrt{3}}{3}} \frac{1}{(3x^2+1)^2} dx$$

이때 $x = \dfrac{\sqrt{3}}{3} \tan\theta \left(-\dfrac{\pi}{2} < \theta < \dfrac{\pi}{2} \right)$로 놓으면

$$\frac{dx}{d\theta} = \frac{\sqrt{3}}{3} \sec^2\theta$$이고

$x=0$일 때 $\theta = 0$, $x = \dfrac{\sqrt{3}}{3}$일 때 $\theta = \dfrac{\pi}{4}$이므로

$$2\int_0^{\frac{\sqrt{3}}{3}} \frac{1}{(3x^2+1)^2} dx$$

$$= 2\int_0^{\frac{\pi}{4}} \frac{1}{(\tan^2\theta + 1)^2} \cdot \frac{\sqrt{3}}{3} \sec^2\theta \, d\theta$$

$$= \frac{2\sqrt{3}}{3} \int_0^{\frac{\pi}{4}} \frac{\sec^2\theta}{(\sec^2\theta)^2} d\theta$$

$$= \frac{2\sqrt{3}}{3} \int_0^{\frac{\pi}{4}} \frac{1}{\sec^2\theta} d\theta$$

$$= \frac{2\sqrt{3}}{3} \int_0^{\frac{\pi}{4}} \cos^2\theta \, d\theta$$

$$= \frac{2\sqrt{3}}{3} \int_0^{\frac{\pi}{4}} \frac{1 + \cos 2\theta}{2} d\theta$$

$$= \frac{2\sqrt{3}}{3} \left[\frac{1}{2}\theta + \frac{1}{4} \sin 2\theta \right]_0^{\frac{\pi}{4}}$$

$$= \frac{2\sqrt{3}}{3} \left(\frac{\pi}{8} + \frac{1}{4} \right)$$

$$= \frac{\sqrt{3}}{12} \pi + \frac{\sqrt{3}}{6} \qquad 🄳 \ \frac{\sqrt{3}}{12}\pi + \frac{\sqrt{3}}{6}$$

05 $f(x) = t$로 놓으면 $\dfrac{dt}{dx} = f'(x)$이고

$x=0$일 때 $t = f(0) = 0$, $x=1$일 때 $t = f(1) = 2$이므로

$$\int_0^1 f(x)f'(x)e^{f(x)} dx = \int_0^2 te^t dt$$

이때 $u = t$, $v' = e^t$으로 놓으면

$u=t$	$v'=e^t$	$uv = te^t$
$u'=1$	$v=e^t$	$u'v = e^t$

$$\therefore \int_0^2 te^t dt = \left[te^t \right]_0^2 - \int_0^2 e^t dt$$

$$= 2e^2 - \left[e^t \right]_0^2$$

$$= 2e^2 - (e^2 - 1)$$

$$= e^2 + 1 \qquad 🄳 \ e^2 + 1$$

06 $a_k = \int_{(k-1)\pi}^{k\pi} kx \cos x \, dx = k \int_{(k-1)\pi}^{k\pi} x \cos x \, dx$라 하자.

$\int_{(k-1)\pi}^{k\pi} x\cos x\,dx$에서 $u=x,\ v'=\cos x$로 놓으면

$u=x$	$v'=\cos x$	$uv=x\sin x$
$u'=1$	$v=\sin x$	$u'v=\sin x$

$$\therefore a_k = k\int_{(k-1)\pi}^{k\pi} x\cos x\,dx$$

$$= k\left\{\left[x\sin x\right]_{(k-1)\pi}^{k\pi} - \int_{(k-1)\pi}^{k\pi}\sin x\,dx\right\}$$

$$= k\left[\cos x\right]_{(k-1)\pi}^{k\pi}$$

$$= 2k\cdot(-1)^k$$

$S_n = \dfrac{1}{2}\sum_{k=1}^{n} a_k$라 하면

$$S_1 = \frac{1}{2}a_1 = -1,$$

$$S_2 = \frac{1}{2}(a_1+a_2) = -1+2 = 1,$$

$$S_3 = \frac{1}{2}(a_1+a_2+a_3) = -1+2-3 = -2,$$

$$S_4 = \frac{1}{2}(a_1+a_2+a_3+a_4) = -1+2-3+4 = 2,$$

$$\vdots$$

이므로 $\qquad S_n = \begin{cases} S_{2m-1}=-m \\ S_{2m}=m \end{cases}$ (m은 자연수)

$S_n = -2020$을 만족시키는 자연수 n은 홀수이므로

$$n=2m-1,\ S_{2m-1}=-2020$$

$$\therefore m=2020,\ n=\mathbf{4039}$$

탑 4039

07 $\displaystyle\int_{\pi}^{2\pi}\frac{\sin^2 x}{x^2}\,dx$에서

$u=\sin^2 x,\ v'=\dfrac{1}{x^2}$로 놓으면

$u=\sin^2 x$	$v'=\dfrac{1}{x^2}$	$uv=-\dfrac{\sin^2 x}{x}$
$u'=2\sin x\cos x$ $=\sin 2x$	$v=-\dfrac{1}{x}$	$u'v=-\dfrac{\sin 2x}{x}$

$$\therefore \int_{\pi}^{2\pi}\frac{\sin^2 x}{x^2}\,dx = \left[-\frac{\sin^2 x}{x}\right]_{\pi}^{2\pi} + \int_{\pi}^{2\pi}\frac{\sin 2x}{x}\,dx$$

$$= \int_{\pi}^{2\pi}\frac{\sin 2x}{x}\,dx$$

이때 $\displaystyle\int_{\pi}^{2\pi}\frac{\sin 2x}{x}\,dx$에서 $2x=t$로 놓으면 $\dfrac{dt}{dx}=2$이고

$x=\pi$이면 $t=2\pi$, $x=2\pi$이면 $t=4\pi$이므로

$$\int_{\pi}^{2\pi}\frac{\sin 2x}{x}\,dx = \int_{2\pi}^{4\pi}\frac{2\sin t}{t}\cdot\frac{1}{2}\,dt$$

$$= \int_{2\pi}^{4\pi}\frac{\sin t}{t}\,dt$$

$$= \int_{2\pi}^{4\pi}\frac{\sin x}{x}\,dx = A$$

$$\therefore k=\mathbf{1}$$

탑 1

08 $g(e^x)=\begin{cases} f(x) & (0\le x<1) \\ g(e^{x-1})+5 & (1\le x\le 2) \end{cases}$ 에서

$e^x=t$로 놓으면 $x=\ln t,\ e^{x-1}=\dfrac{e^x}{e}=\dfrac{t}{e}$이므로

$$g(t)=\begin{cases} f(\ln t) & (1\le t<e) \\ g\left(\dfrac{t}{e}\right)+5 & (e\le t\le e^2) \end{cases}$$

$$\therefore \int_{1}^{e^2} g(x)\,dx = \int_{1}^{e} g(x)\,dx + \int_{e}^{e^2} g(x)\,dx$$

$$= \int_{1}^{e} f(\ln x)\,dx + \int_{e}^{e^2}\left\{g\left(\frac{x}{e}\right)+5\right\}dx$$

$$= \int_{1}^{e} f(\ln x)\,dx + \int_{e}^{e^2} g\left(\frac{x}{e}\right)dx$$

$$\qquad\qquad + \int_{e}^{e^2} 5\,dx \quad\cdots\cdots\ \text{㉠}$$

이때 $\displaystyle\int_{e}^{e^2} g\left(\frac{x}{e}\right)dx$에서 $\dfrac{x}{e}=s$로 놓으면 $\dfrac{ds}{dx}=\dfrac{1}{e}$이고

$x=e$일 때 $s=1$, $x=e^2$일 때 $s=e$이므로

$$\int_{e}^{e^2} g\left(\frac{x}{e}\right)dx = \int_{1}^{e} g(s)\cdot e\,ds = e\int_{1}^{e} g(s)\,ds$$

$$= e\int_{1}^{e} f(\ln s)\,ds$$

$$= e\int_{1}^{e} f(\ln x)\,dx \quad\cdots\cdots\ \text{㉡}$$

㉠, ㉡에 의하여

$$\int_1^{e^2} g(x)dx$$

$$=\int_1^e f(\ln x)dx + e\int_1^e f(\ln x)dx + \int_e^{e^2} 5dx$$

$$=(e+1)\int_1^e f(\ln x)dx + \Big[5x\Big]_e^{e^2}$$

$$=(e+1)\int_1^e f(\ln x)dx + 5(e^2-e)$$

$\int_1^{e^2} g(x)dx = 6e^2+4$이므로

$$(e+1)\int_1^e f(\ln x)dx + 5(e^2-e)=6e^2+4$$

$$(e+1)\int_1^e f(\ln x)dx = e^2+5e+4=(e+1)(e+4)$$

$$\therefore \int_1^e f(\ln x)dx = e+4$$

따라서 $a=1$, $b=4$이므로

$$a^2+b^2=1+16=\mathbf{17}$$ 　　　　 📋 17

09 　조건 (나)에서

$$\cos x\int_0^x f(t)dt = \sin x\int_x^{\frac{\pi}{2}} f(t)dt$$

$$\Longleftrightarrow \cos x\int_0^x f(t)dt = -\sin x\int_{\frac{\pi}{2}}^x f(t)dt$$

의 양변을 x에 대하여 미분하면

$$-\sin x\int_0^x f(t)dt + \cos x\cdot f(x)$$

$$=-\cos x\int_{\frac{\pi}{2}}^x f(t)dt - \sin x\cdot f(x)$$

위의 식에 $x=\dfrac{\pi}{4}$를 대입하면

$$-\frac{\sqrt{2}}{2}\int_0^{\frac{\pi}{4}} f(t)dt + \frac{\sqrt{2}}{2}f\Big(\frac{\pi}{4}\Big)$$

$$=-\frac{\sqrt{2}}{2}\int_{\frac{\pi}{2}}^{\frac{\pi}{4}} f(t)dt - \frac{\sqrt{2}}{2}f\Big(\frac{\pi}{4}\Big)$$

양변을 $\dfrac{\sqrt{2}}{2}$로 나누고 정리하면

$$2f\Big(\frac{\pi}{4}\Big)=\int_0^{\frac{\pi}{4}} f(t)dt - \int_{\frac{\pi}{2}}^{\frac{\pi}{4}} f(t)dt$$

$$=\int_0^{\frac{\pi}{4}} f(t)dt + \int_{\frac{\pi}{4}}^{\frac{\pi}{2}} f(t)dt$$

$$=\int_0^{\frac{\pi}{2}} f(t)dt = 1 \ (\because 조건 ㈎)$$

$$\therefore f\Big(\frac{\pi}{4}\Big)=1\cdot\frac{1}{2}=\frac{1}{2}$$ 　　 📋 ④

10 　연속함수 $y=f(x)$의 그래프가 원점에 대하여 대칭이므로 $f(0)=0$, $f(1)=1$, $f(-1)=-1$임을 알 수 있다.

$f(x)=\dfrac{\pi}{2}\displaystyle\int_1^{x+1} f(t)dt$의 양변을 x에 대하여 미분하면

$$f'(x)=\frac{\pi}{2}f(x+1)$$

$$\therefore f(x+1)=\frac{2}{\pi}f'(x)$$

$$\therefore \pi^2\int_0^1 xf(x+1)dx = \pi^2\int_0^1 x\cdot\frac{2}{\pi}f'(x)dx$$

$$=2\pi\int_0^1 xf'(x)dx$$

$$=2\pi\Big\{\Big[xf(x)\Big]_0^1 - \int_0^1 f(x)dx\Big\}$$

$$=2\pi\Big\{f(1)-\int_0^1 f(x)dx\Big\}$$

$$=2\pi-2\pi\int_0^1 f(x)dx$$

한편 $f(x)=\dfrac{\pi}{2}\displaystyle\int_1^{x+1} f(t)dt$의 양변에 $x=-1$을 대입 하면

$$f(-1)=\frac{\pi}{2}\int_1^0 f(t)dt$$

$$=-\frac{\pi}{2}\int_0^1 f(t)dt=-1$$

$$\therefore \int_0^1 f(t)dt=\frac{2}{\pi}$$

$$\therefore \pi^2\int_0^1 xf(x+1)dx = 2\pi-2\pi\int_0^1 f(x)dx$$

$$=2\pi-2\pi\cdot\frac{2}{\pi}$$

$$=2(\pi-2)$$ 　　 📋 ①

3. 정적분의 활용

01   冟 (1) 구분구적법

(2) $\int_a^b f(x)\,dx$

(3) $\int_c^d |g(y)|\,dy$

(4) $\int_a^b S(x)\,dx$

(5) $\int_a^b \sqrt{1+\{f'(x)\}^2}\,dx$

02   (1) 두 입체도형 A, B의 부피를 각각 V_A, V_B라 하면

$$V_A = \int_0^2 S(x)\,dx, \quad V_B = \int_0^2 S(2-x)\,dx$$

이때 V_B의 식에서 $2-x=t$로 놓으면 $\dfrac{dt}{dx}=-1$이고
$x=0$일 때 $t=2$, $x=2$일 때 $t=0$이므로

$$V_B = \int_2^0 S(t)\cdot(-1)\,dt$$

$$= \int_0^2 S(t)\,dt = \int_0^2 S(x)\,dx = V_A$$

즉, $V_A = V_B$이다. (참)

(2) 점 $P(x,\ y)$의 시각 t에서의 위치가 $x=\cos t$,
$y=\sin t$일 경우, 즉 곡선이 $x^2+y^2=1$일 경우 $t=0$
에서 $t=3\pi$까지 점 P가 움직인 거리는 3π이지만 점
P가 그리는 곡선의 길이는 2π이다. (거짓)

冟 (1) 참   (2) 거짓

03   (1) 어떤 입체도형의 단면을 모두 포개어 쌓으면
그 입체도형을 얻을 수 있다고 볼 때, $S(x)$는 단면적
이고 $\int_a^b$는 $S(x)$를 모두 더하라는 뜻으로 $\sum$와 비슷
하게 생각할 수 있다. 즉, 단면적 $S(x)$를 $x=a$에서
$x=b$까지 모든 x에 대해 더하면 입체도형의 부피와
같아진다.

여기서 '모두 더한다'는 것이 차곡차곡 쌓여 축적되는
것을 의미하므로 일반적인 더하기와 조금 다르다는 것
에 주의하자.

(2) 반지름의 길이가 1인 구의 부피가 $\dfrac{4}{3}\pi$임을 이미 알고
있다. 그런데 구의 한 지름 l을 포함하는 한 평면 α에
대하여 l을 포함하고 α와 이루는 각이 $x\,(0\le x \le \pi)$
인 평면으로 구를 자른 단면은 모두 반지름의 길이가 1
인 원이므로 그 넓이 $S(x)$는 π이다. 이때

$$\int_0^\pi S(x)\,dx = \int_0^\pi \pi\,dx = \Big[\pi x\Big]_0^\pi = \pi^2 \ne \frac{4}{3}\pi$$

이므로 이 방향으로 자르면 올바른 답을 구할 수 없다.

冟 풀이 참조

01 $\dfrac{5}{6}$ **02** $\dfrac{3}{47}$ **03** 2   **04** e **05** 1

06 $\dfrac{\sqrt{3}}{8}\pi^2+\sqrt{3}\pi-4\sqrt{3}$ **07** ①

08 $\dfrac{3}{4}e^2-\dfrac{1}{4}$ **09** $\dfrac{\sqrt{3}}{2}$ **10** $16+\ln 2$

11 π **12** $\dfrac{2}{9}\pi$ **13** $\dfrac{1}{\pi}$ **14** e^2 **15** 8

01

$$\lim_{n\to\infty}\frac{(1^2+2^2+\cdots+n^2)(1^3+2^3+\cdots+n^3)}{(1^4+2^4+\cdots+n^4)(1+2+\cdots+n)}$$

$$=\frac{\displaystyle\lim_{n\to\infty}\sum_{k=1}^{n}\left(\frac{k}{n}\right)^2\frac{1}{n}\cdot\lim_{n\to\infty}\sum_{k=1}^{n}\left(\frac{k}{n}\right)^3\frac{1}{n}}{\displaystyle\lim_{n\to\infty}\sum_{k=1}^{n}\left(\frac{k}{n}\right)^4\frac{1}{n}\cdot\lim_{n\to\infty}\sum_{k=1}^{n}\left(\frac{k}{n}\right)\frac{1}{n}}$$

$$=\frac{\displaystyle\int_0^1 x^2\,dx\cdot\int_0^1 x^3\,dx}{\displaystyle\int_0^1 x^4\,dx\cdot\int_0^1 x\,dx}$$

$$=\frac{\left[\dfrac{1}{3}x^3\right]_0^1\cdot\left[\dfrac{1}{4}x^4\right]_0^1}{\left[\dfrac{1}{5}x^5\right]_0^1\cdot\left[\dfrac{1}{2}x^2\right]_0^1}$$

$$=\frac{\dfrac{1}{3}\cdot\dfrac{1}{4}}{\dfrac{1}{5}\cdot\dfrac{1}{2}}=\frac{5}{6}$$

답 $\dfrac{5}{6}$

02

$$\lim_{n\to\infty}\sum_{k=1}^{n}f\left(2+\frac{3k}{n}\right)\cdot\frac{4a}{n}$$

$$=\lim_{n\to\infty}\sum_{k=1}^{n}f\left(2+\frac{3k}{n}\right)\cdot\frac{3}{n}\cdot\frac{4a}{3}$$

$$=\frac{4a}{3}\int_2^5 f(x)\,dx=12$$

이때 $f(x)=3x^2+2x+\dfrac{10}{x^2}$ 이므로

$$\frac{4a}{3}\int_2^5\left(3x^2+2x+\frac{10}{x^2}\right)dx=12$$

$$\frac{4a}{3}\left[x^3+x^2-\frac{10}{x}\right]_2^5=12$$

$$\frac{4a}{3}\{(125+25-2)-(8+4-5)\}=12$$

$$\frac{4a}{3}\cdot 141=12$$

$$\therefore a=\frac{3}{47}$$

답 $\dfrac{3}{47}$

03

$$\lim_{n\to\infty}\sum_{k=1}^{n}\left\{f\left(\frac{3k}{n}\right)-f\left(\frac{3k-3}{n}\right)\right\}\frac{k}{n}$$

$$=\lim_{n\to\infty}\left[\left\{f\left(\frac{3}{n}\right)-f\left(\frac{0}{n}\right)\right\}\frac{1}{n}\right.$$

$$+\left\{f\left(\frac{6}{n}\right)-f\left(\frac{3}{n}\right)\right\}\frac{2}{n}$$

$$\left.+\cdots+\left\{f\left(\frac{3n}{n}\right)-f\left(\frac{3n-3}{n}\right)\right\}\frac{n}{n}\right]$$

$$=\lim_{n\to\infty}\left[\left\{-\frac{1}{n}f(0)-\frac{1}{n}f\left(\frac{3}{n}\right)\right.\right.$$

$$\left.\left.-\cdots-\frac{1}{n}f\left(\frac{3n-3}{n}\right)\right\}+f(3)\right]$$

$$=f(3)-\lim_{n\to\infty}\frac{1}{n}\sum_{k=0}^{n-1}f\left(\frac{3k}{n}\right)$$

$$=f(3)-\frac{1}{3}\lim_{n\to\infty}\sum_{k=0}^{n-1}f\left(\frac{3k}{n}\right)\frac{3}{n}$$

$$=f(3)-\frac{1}{3}\int_0^3 f(x)\,dx$$

$$=4-\frac{1}{3}\cdot 6=2$$

답 2

04 주어진 조건에 의하여 곡선 $y=\ln x$, $\overline{\mathrm{QS}}$, $\overline{\mathrm{PS}}$로 둘러싸인 도형의 넓이는 $\triangle\mathrm{PRS}$의 넓이의 2배이므로

$$\int_1^k \ln x\,dx=2\cdot\frac{1}{2}(k-e)\ln k$$

$$\left[x\ln x-x\right]_1^k=(k-e)\ln k$$

$$k\ln k-k+1=k\ln k-e\ln k,\ k-e\ln k=1$$

$$\ln e^k-\ln k^e=1,\ \ln\frac{e^k}{k^e}=1$$

$$\therefore \frac{e^k}{k^e}=e$$

답 e

05 구간 $[n, n+1]$에서 $y > 0$이므로

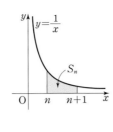

$$S_n = \int_n^{n+1} \frac{1}{x}\,dx$$

$$= \Big[\ln|x|\Big]_n^{n+1}$$

$$= \ln(n+1) - \ln n$$

$$= \ln\frac{n+1}{n}$$

$$\therefore \lim_{n\to\infty} nS_n = \lim_{n\to\infty} n\ln\frac{n+1}{n}$$

$$= \lim_{n\to\infty}\ln\left(1+\frac{1}{n}\right)^n$$

$$= \ln e = \mathbf{1}$$

답 1

06 곡선 $y = \sqrt{6}\cos\dfrac{x}{4}\ (0 \le x \le 2\pi)$와 직선 $y = \sqrt{3}$의 교점의 x좌표를 구하면

$\sqrt{6}\cos\dfrac{x}{4} = \sqrt{3}$에서

$$\cos\frac{x}{4} = \frac{1}{\sqrt{2}},\ \frac{x}{4} = \frac{\pi}{4}\ (\because\ 0 \le x \le 2\pi)$$

$$\therefore x = \pi$$

또한 $y' = -\dfrac{\sqrt{6}}{4}\sin\dfrac{x}{4}$이므로 $x = \pi$에서의 접선의 기울기는 $-\dfrac{\sqrt{6}}{4}\sin\dfrac{\pi}{4} = -\dfrac{\sqrt{3}}{4}$

따라서 접선의 방정식은

$$y - \sqrt{3} = -\frac{\sqrt{3}}{4}(x - \pi)$$

$$\therefore y = -\frac{\sqrt{3}}{4}x + \frac{\sqrt{3}}{4}\pi + \sqrt{3}$$

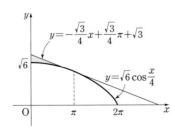

따라서 구하는 넓이를 S라 하면

$$S = \int_0^\pi \left\{\left(-\frac{\sqrt{3}}{4}x + \frac{\sqrt{3}}{4}\pi + \sqrt{3}\right) - \sqrt{6}\cos\frac{x}{4}\right\}dx$$

$$= \left[-\frac{\sqrt{3}}{8}x^2 + \frac{\sqrt{3}}{4}\pi x + \sqrt{3}x - 4\sqrt{6}\sin\frac{x}{4}\right]_0^\pi$$

$$= \frac{\sqrt{3}}{8}\pi^2 + \sqrt{3}\pi - 4\sqrt{3}$$

답 $\dfrac{\sqrt{3}}{8}\pi^2 + \sqrt{3}\pi - 4\sqrt{3}$

07 A의 넓이와 B의 넓이가 같으므로

$$\int_0^1 \{(-2x + a) - e^{2x}\}\,dx = 0\ (\because\ \textbf{[참고]})$$

$$\left[-x^2 + ax - \frac{1}{2}e^{2x}\right]_0^1 = 0,\ -1 + a - \frac{1}{2}e^2 + \frac{1}{2} = 0$$

$$\therefore a = \frac{1}{2}e^2 + \frac{1}{2} = \frac{e^2 + 1}{2}$$

[참고] 곡선 $y = e^{2x}$과 직선 $y = -2x + a$의 교점의 x좌표를 α라 하면

$$(A\text{의 넓이}) = (B\text{의 넓이})$$

이므로 식으로 나타내면

$$\int_0^\alpha \{(-2x + a) - e^{2x}\}\,dx = \int_\alpha^1 \{e^{2x} - (-2x + a)\}\,dx$$

$$\int_0^\alpha \{(-2x + a) - e^{2x}\}\,dx$$
$$\qquad\qquad - \int_\alpha^1 \{e^{2x} - (-2x + a)\}\,dx = 0$$

$$\int_0^\alpha \{(-2x + a) - e^{2x}\}\,dx$$
$$\qquad\qquad + \int_\alpha^1 \{(-2x + a) - e^{2x}\}\,dx = 0$$

$$\therefore \int_0^1 \{(-2x + a) - e^{2x}\}\,dx = 0$$

답 ①

08 곡선 $y = f(x),\ y = g(x)$는 직선 $y = x$에 대하여 대칭이고, $f(e) = e$이므로 곡선 $y = g(x)$는 다음 그림과 같다.

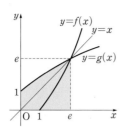

이때 구하는 도형의 넓이는 곡선 $y=f(x)$와 x축, y축 및 직선 $y=e$로 둘러싸인 도형의 넓이와 같다.

따라서 구하는 도형의 넓이를 S라 하면

$$S=e^2-\int_1^e x\ln x\,dx$$

$$=e^2-\left(\left[\frac{1}{2}x^2\ln x\right]_1^e-\int_1^e \frac{1}{2}x\,dx\right)$$

$$=e^2-\left(\left[\frac{1}{2}x^2\ln x\right]_1^e-\left[\frac{1}{4}x^2\right]_1^e\right)$$

$$=e^2-\left\{\frac{1}{2}e^2-\left(\frac{1}{4}e^2-\frac{1}{4}\right)\right\}$$

$$=\frac{3}{4}e^2-\frac{1}{4}$$

답 $\dfrac{3}{4}e^2-\dfrac{1}{4}$

09 주어진 반원의 중심을 원점, 주어진 수직선을 x축으로 하면 주어진 반원의 방정식은 $y=\sqrt{1-x^2}$이다.

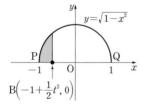

$F(x)=\int \sqrt{1-x^2}\,dx$라 하면

$$S(t)=\int_{-1}^{-1+\frac{1}{2}t^2}\sqrt{1-x^2}\,dx$$

$$=F\left(-1+\frac{1}{2}t^2\right)-F(-1)$$

이므로

$$S'(t)=F'\left(-1+\frac{1}{2}t^2\right)\cdot\left(-1+\frac{1}{2}t^2\right)'$$

$$=t\sqrt{1-\left(-1+\frac{1}{2}t^2\right)^2}$$

$$\therefore S'(1)=\sqrt{1-\left(-1+\frac{1}{2}\right)^2}=\frac{\sqrt{3}}{2}$$

답 $\dfrac{\sqrt{3}}{2}$

10 물의 깊이가 t일 때의 수면의 넓이를 $S(t)$라 하면 물의 깊이가 x일 때의 물의 부피는

$$\int_0^x S(t)\,dt=\frac{1}{4}e^{4x}+\frac{1}{2}x^2-\frac{1}{4}$$

양변을 x에 대하여 미분하면

$$S(x)=e^{4x}+x$$

따라서 물의 깊이가 $\ln 2$일 때의 수면의 넓이는

$$S(\ln 2)=e^{4\ln 2}+\ln 2=\mathbf{16+\ln 2}$$

답 $16+\ln 2$

11 원의 중심을 C라 하고 점 C에서 선분 PQ에 내린 수선의 발을 H라 하면 $\overline{CH}=1$이고 점 H는 선분 PQ의 중점이므로 $\overline{PH}=\tan x$이다.

따라서 원의 반지름의 길이는

$$\sqrt{1+\tan^2 x}=\sec x$$

원의 넓이를 $S(x)$라 하면

$$S(x)=\pi\sec^2 x$$

따라서 구하는 부피를 V라 하면

$$V=\int_0^{\frac{\pi}{4}}S(x)\,dx=\int_0^{\frac{\pi}{4}}\pi\sec^2 x\,dx$$

$$=\pi\left[\tan x\right]_0^{\frac{\pi}{4}}=\boldsymbol{\pi}$$

답 π

12 반구의 밑면의 중심을 원점, 밑면의 지름을 x축으로 놓고 x축 위의 점 $(x,\ 0)$ $(-1\le x\le 1)$을 지나면서 x축에 수직인 평면으로 자른 단면을 생각하자. 이는 반지름의 길이가 $\sqrt{1-x^2}$이고 중심각이 $60°$인 부채꼴이므로 이때의 넓이를 $S(x)$라 하면

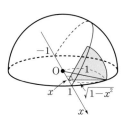

$$S(x) = \frac{1}{6}\pi(\sqrt{1-x^2})^2 = \frac{1}{6}\pi(1-x^2)$$

따라서 두 입체도형 중 작은 것의 부피를 V라 하면

$$V = \int_{-1}^{1} S(x)\,dx = 2\int_{0}^{1} S(x)\,dx$$

$$= 2\int_{0}^{1} \frac{\pi}{6}(1-x^2)\,dx$$

$$= \frac{\pi}{3}\left[x - \frac{1}{3}x^3 \right]_{0}^{1} = \frac{2}{9}\pi$$

답 $\dfrac{2}{9}\pi$

13 1초 후의 점 P의 위치는

$$\int_{0}^{1} \sin\pi t\,dt = \left[-\frac{1}{\pi}\cos\pi t \right]_{0}^{1} = \frac{2}{\pi} \qquad \cdots\cdots ❶$$

1초 후의 점 Q의 위치는

$$\int_{0}^{1}\left(\frac{1}{\pi} - \cos 2\pi t \right)dt = \left[\frac{1}{\pi}t - \frac{1}{2\pi}\sin 2\pi t \right]_{0}^{1} = \frac{1}{\pi}$$

$$\cdots\cdots ❷$$

따라서 두 점 사이의 거리는

$$\frac{2}{\pi} - \frac{1}{\pi} = \frac{1}{\pi} \qquad \cdots\cdots ❸$$

채점 기준	배점
❶ 1초 후의 점 P의 위치 구하기	40 %
❷ 1초 후의 점 Q의 위치 구하기	40 %
❸ 두 점 사이의 거리 구하기	20 %

답 $\dfrac{1}{\pi}$

14 $\dfrac{dx}{dt} = e^{2t} - a$, $\dfrac{dy}{dt} = 2\sqrt{a}\,e^{t}$이므로

$t=0$에서 $t=1$까지 점 P가 움직인 거리를 s라 하면

$$s = \int_{0}^{1} \sqrt{(e^{2t}-a)^2 + (2\sqrt{a}\,e^{t})^2}\,dt$$

$$= \int_{0}^{1} \sqrt{(e^{2t}+a)^2}\,dt$$

$$= \int_{0}^{1} (e^{2t}+a)\,dt \ (\because a > 0)$$

$$= \left[\frac{1}{2}e^{2t} + at \right]_{0}^{1}$$

$$= \frac{1}{2}e^{2} + a - \frac{1}{2}$$

한편 $s = \dfrac{1}{2}(3e^2 - 1)$이므로

$$\frac{1}{2}e^2 + a - \frac{1}{2} = \frac{1}{2}(3e^2 - 1)$$

$$\therefore a = e^2$$

답 e^2

15 $\dfrac{dx}{dt} = 2 - \dfrac{1}{t^2}$, $\dfrac{dy}{dt} = \dfrac{2\sqrt{2}}{t}$

이므로 구하는 곡선의 길이를 l이라 하면

$$l = \int_{\frac{1}{3}}^{3} \sqrt{\left(2 - \frac{1}{t^2}\right)^2 + \left(\frac{2\sqrt{2}}{t}\right)^2}\,dt$$

$$= \int_{\frac{1}{3}}^{3} \sqrt{\left(2 + \frac{1}{t^2}\right)^2}\,dt = \int_{\frac{1}{3}}^{3}\left(2 + \frac{1}{t^2}\right)dt$$

$$= \left[2t - \frac{1}{t} \right]_{\frac{1}{3}}^{3} = 8$$

답 8

01 $\dfrac{1}{4}$ 02 $\dfrac{18}{\pi}$ 03 ①   04 ④   05 48

06 ④   07 144π 08 $\dfrac{1}{16}\pi^2 - \dfrac{1}{4}\pi + 1$

09 2   10 $f(x) = 2e^{\frac{x}{\sqrt{2}}} + \dfrac{e^{-\frac{x}{\sqrt{2}}}}{4} + \dfrac{3}{4}$

01

$$\lim_{n \to \infty} \sum_{k=1}^{n} \frac{k}{n^2} f\left(1 + \frac{k}{n}\right)$$

$$= \lim_{n \to \infty} \sum_{k=1}^{n} \frac{k}{n} f\left(1 + \frac{k}{n}\right)\frac{1}{n} \qquad \begin{matrix} 1 + \frac{k}{n} = x \text{에서} \\ \frac{k}{n} = x - 1 \end{matrix}$$

$$= \int_1^2 (x-1)f(x)\,dx$$

$$\therefore \int_1^2 (x-1)\ln x\,dx$$

$$= \left[\left(\frac{1}{2}x^2 - x\right)\ln x\right]_1^2 - \int_1^2 \left(\frac{1}{2}x^2 - x\right)\frac{1}{x}\,dx$$

$$= 0 - \int_1^2 \left(\frac{1}{2}x - 1\right)dx$$

$$= -\left[\frac{1}{4}x^2 - x\right]_1^2 = \frac{1}{4}$$

       目 $\dfrac{1}{4}$

02 $\angle \text{AOP}_k = \dfrac{\pi}{2} \cdot \dfrac{k}{n} = \dfrac{k\pi}{2n}$ 이므로

$$\angle \text{BOQ}_k = \frac{\pi}{2} - \frac{k\pi}{2n}, \ \angle \text{OBQ}_k = \frac{k\pi}{2n}$$

삼각형 OQ_kB는 $\angle \text{OQ}_k\text{B} = \dfrac{\pi}{2}$ 인 직각삼각형이므로

$$\overline{\text{OQ}_k} = \overline{\text{BO}}\sin(\angle \text{OBQ}_k) = 6\sin\frac{k\pi}{2n}$$

$$\overline{\text{BQ}_k} = \overline{\text{BO}}\cos(\angle \text{OBQ}_k) = 6\cos\frac{k\pi}{2n}$$

$$\therefore S_k = \frac{1}{2}\,\overline{\text{OQ}_k} \cdot \overline{\text{BQ}_k} = \frac{1}{2} \cdot 6\sin\frac{k\pi}{2n} \cdot 6\cos\frac{k\pi}{2n}$$

$$= 18\sin\frac{k\pi}{2n}\cos\frac{k\pi}{2n}$$

$$\therefore \lim_{n \to \infty} \frac{1}{n}\sum_{k=1}^{n-1} S_k = \lim_{n \to \infty} \frac{1}{n}\sum_{k=1}^{n-1} 18\sin\frac{k\pi}{2n}\cos\frac{k\pi}{2n}$$

$$= \int_0^1 18\sin\frac{\pi}{2}x\cos\frac{\pi}{2}x\,dx$$

$$= \int_0^1 18 \cdot \frac{1}{2}\sin\pi x\,dx$$

$$= 9\int_0^1 \sin\pi x\,dx$$

$$= \frac{9}{\pi}\left[-\cos\pi x\right]_0^1 = \frac{18}{\pi} \qquad 目 \ \frac{18}{\pi}$$

03 $\log_b x = \dfrac{\ln x}{\ln b}$ 이므로

$$\beta = \int_p^q \log_b x\,dx = \frac{1}{\ln b}\int_p^q \ln x\,dx$$

$$= \frac{1}{\ln b}\left(\left[x\ln x\right]_p^q - \int_p^q dx\right)$$

$$= \frac{1}{\ln b}\left\{(q\ln q - p\ln p) - \left[x\right]_p^q\right\}$$

$$= \frac{1}{\ln b}\{(q\ln q - p\ln p) - (q - p)\} \quad\cdots\cdots ⊙$$

또 $\log_a x = \dfrac{\ln x}{\ln a}$ 이므로

$$\alpha + \beta = \int_p^q \log_a x\,dx = \frac{1}{\ln a}\int_p^q \ln x\,dx$$

$$= \frac{1}{\ln a}\left(\left[x\ln x\right]_p^q - \int_p^q dx\right)$$

$$= \frac{1}{\ln a}\left\{(q\ln q - p\ln p) - \left[x\right]_p^q\right\}$$

$$= \frac{1}{\ln a}\{(q\ln q - p\ln p) - (q - p)\} \quad\cdots\cdots ○$$

$○ \div ⊙$을 하면

$$\frac{\alpha + \beta}{\beta} = \frac{\ln b}{\ln a}, \ \frac{\alpha}{\beta} + 1 = \log_a b$$

$$\therefore \frac{\alpha}{\beta} = \log_a b - 1 \qquad\qquad 目 \ ①$$

04 $1 \le x \le 6$에서 $f(x) \ge 0$, $g(x) \ge 0$이고, 함수 $f(x)$의 그래프가 함수 $g(x)$의 그래프보다 아래쪽에 있으므로 이를 바탕으로 주어진 식을 그래프와 x축 사이의 넓이의 합으로 생각하면

$\int_0^a f(x)dx + \int_a^8 g(x)dx$의 값이 최소가 되게 하는 a의 값은 명백히 6이 된다.

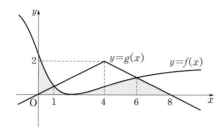

따라서 구하는 최솟값은

$$\int_0^6 f(x)dx + \int_6^8 g(x)dx$$

$$= \int_0^6 \left(\frac{5}{2} - \frac{10x}{x^2+4} \right)dx + \int_6^8 \frac{4-|x-4|}{2}dx$$

$$= \int_0^6 \left(\frac{5}{2} - 5 \cdot \frac{2x}{x^2+4} \right)dx + \frac{1}{2} \cdot 2 \cdot 1$$
$$\underset{\qquad\quad g(6)=1}{}$$

$$= \left[\frac{5}{2}x - 5\ln(x^2+4) \right]_0^6 + 1$$

$$= 15 - 5\ln 40 + 5\ln 4 + 1 = \mathbf{16 - 5\ln 10}$$

[참고] $h(a) = \int_0^a f(x)dx + \int_a^8 g(x)dx$

$$= \int_0^a f(x)dx + \int_0^8 g(x)dx - \int_0^a g(x)dx$$

$$= \int_0^8 g(x)dx + \int_0^a f(x)dx - \int_0^a g(x)dx$$

$$= 8 + \int_0^a \{f(x) - g(x)\}dx$$

여기서 $\int_0^a \{f(x)-g(x)\}dx$의 값은 $a\,(0<a<8)$의 값에 따른 두 함수 $f(x)$, $g(x)$의 그래프 사이의 넓이를 나타낸다.

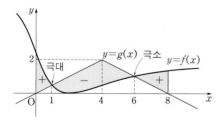

위의 그래프로부터 $\int_0^a \{f(x)-g(x)\}dx$의 값의 변화를

살펴보면

a가 0에서 1로 커질 때, 정적분의 값은 점점 증가한다.

a가 1에서 6으로 커질 때, 정적분의 값은 점점 감소한다.

a가 6에서 8로 커질 때, 정적분의 값은 점점 증가한다.

이로부터 $\int_0^a \{f(x) - g(x)\}dx$의 값은 $x=6$일 때 극소이면서 최소이므로 구하는 최솟값은

$$h(6) = 8 + \int_0^6 \{f(x) - g(x)\}dx \qquad \boxed{\text{답}} \ \text{④}$$

05 주어진 함수 $h(x)$의 도함수는

$$h'(x) = f(x) - g(x)$$

이므로 함수의 그래프로부터

$0<x<6$일 때, $f(x) - g(x) > 0$

$6<x<10$일 때, $f(x) - g(x) < 0$

따라서 함수 $y=f(x)$와 그 역함수 $y=g(x)$의 그래프는 다음 그림과 같다.

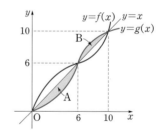

이때

$$\int_0^6 \{f(t) - g(t)\}dt = h(6) = 12$$

이므로 영역 A의 넓이는 $\frac{12}{2} = 6$이고,

$$\int_6^{10} \{g(t) - f(t)\}dt = -h(10) + h(6)$$

$$= -4 + 12 = 8$$

이므로 영역 B의 넓이는 $\frac{8}{2} = 4$이다.

$$\therefore \int_0^{10} g(t)dt = \int_0^{10} g(x)dx$$

$$= \frac{1}{2} \cdot 10 \cdot 10 - 6 + 4 = \mathbf{48} \qquad \boxed{\text{답}} \ 48$$

06 $\overline{\text{PH}} = \begin{cases} e^{-x} & (x<0) \\ \sqrt{\ln(x+1)+1} & (x\geq 0) \end{cases}$

이므로 x축에 수직인 단면(정사각형)의 넓이를 $S(x)$라 하면

$$S(x) = \begin{cases} e^{-2x} & (x<0) \\ \ln(x+1)+1 & (x\geq 0) \end{cases}$$

따라서 구하는 입체도형의 부피를 V라 하면

$$V = \int_{-\ln 2}^{e-1} S(x)\,dx$$
$$= \int_{-\ln 2}^{0} e^{-2x}\,dx + \int_{0}^{e-1} \{\ln(x+1)+1\}\,dx$$
$$= -\frac{1}{2}\Big[e^{-2x}\Big]_{-\ln 2}^{0} + \Big[(x+1)\ln(x+1)\Big]_{0}^{e-1}$$
$$= e + \frac{3}{2}$$

답 ④

07 $\overline{\text{CA}} = 10$이므로 $\overline{\text{AB}}$를 지름으로 하는 원의 반지름의 길이는

$$\sqrt{10^2 - 8^2} = 6$$

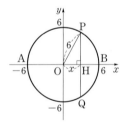

위의 그림과 같이 단면인 원의 중심을 원점, 지름 AB를 x축으로 놓고, $\overline{\text{AB}}$와 $\overline{\text{PQ}}$의 교점을 H, $\overline{\text{OH}} = x$라 하면

$$\overline{\text{PH}} = \sqrt{\overline{\text{OP}}^2 - \overline{\text{OH}}^2} = \sqrt{36 - x^2} \qquad \cdots\cdots ❶$$

$\overline{\text{PQ}}$를 지름으로 하는 반원의 넓이를 $S(x)$라 하면

$$S(x) = \frac{\pi}{2}\overline{\text{PH}}^2 = \frac{\pi}{2}(36 - x^2) \qquad \cdots\cdots ❷$$

따라서 구하는 부피는

$$\int_{-6}^{6} S(x)\,dx = \int_{-6}^{6} \frac{\pi}{2}(36 - x^2)\,dx$$
$$= \pi \int_{0}^{6}(36 - x^2)\,dx$$
$$= \pi\Big[36x - \frac{1}{3}x^3\Big]_{0}^{6} = 144\pi \qquad \cdots\cdots ❸$$

채점 기준	배점
❶ 반원의 반지름의 길이를 식으로 나타내기	40 %
❷ 반원의 넓이를 식으로 나타내기	20 %
❸ 입체도형의 부피 구하기	40 %

답 144π

08 $\triangle\text{ABC} = \frac{1}{2}\cdot 1\cdot 1\cdot \sin x = \frac{1}{2}\sin x$

점 B에서 $\overline{\text{AC}}$에 내린 수선의 발을 H라 하면 $\triangle\text{ABC}$는 이등변삼각형이므로

$$\overline{\text{AC}} = 2\overline{\text{AH}} = 2\sin\frac{x}{2}$$

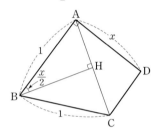

또한 $\angle\text{BAC} = \frac{\pi}{2} - \frac{x}{2}$이므로

$$\angle\text{DAC} = \frac{\pi}{2} - \left(\frac{\pi}{2} - \frac{x}{2}\right) = \frac{x}{2}$$

$$\therefore \triangle\text{DAC} = \frac{1}{2}\cdot x\cdot 2\sin\frac{x}{2}\cdot\sin\frac{x}{2}$$
$$= x\sin^2\frac{x}{2}$$
$$= \frac{1}{2}x(1-\cos x)$$

따라서 $\square\text{ABCD}$의 넓이를 $S(x)$라 하면

$$S(x) = \triangle\text{ABC} + \triangle\text{DAC}$$
$$= \frac{1}{2}\sin x + \frac{1}{2}x(1-\cos x)$$
$$= \frac{1}{2}(x + \sin x - x\cos x)$$

따라서 구하는 부피를 V라 하면

$$V = \int_{0}^{\frac{\pi}{2}} S(x)\,dx$$
$$= \frac{1}{2}\int_{0}^{\frac{\pi}{2}}(x + \sin x - x\cos x)\,dx$$

$$= \frac{1}{2}\left[\frac{x^2}{2}-\cos x\right]_0^{\frac{\pi}{2}} - \frac{1}{2}\left[x\sin x\right]_0^{\frac{\pi}{2}}$$

$$+\frac{1}{2}\int_0^{\frac{\pi}{2}}\sin x\,dx$$

$$=\frac{1}{2}\left[\frac{x^2}{2}-2\cos x-x\sin x\right]_0^{\frac{\pi}{2}}$$

$$=\frac{1}{16}\pi^2-\frac{1}{4}\pi+1 \qquad \text{🗒} \quad \frac{1}{16}\pi^2-\frac{1}{4}\pi+1$$

09 점 P는 매초 2의 속력으로 움직이므로 시각 t에서 직선 OP가 y축의 양의 방향과 이루는 각의 크기는 $2t$이다.

즉, 직선 OP가 x축의 양의 방향과 이루는 각의 크기가 $\frac{\pi}{2}-2t$이므로

$$\text{P}\left(\cos\left(\frac{\pi}{2}-2t\right),\,\sin\left(\frac{\pi}{2}-2t\right)\right)$$

$$\therefore \text{P}(\sin 2t,\,\cos 2t)$$

또한 점 P의 이동거리가 $2t$이므로 점 Q의 좌표를 (x,y)라 하면

$$x=\sin 2t+2t,\ y=\cos 2t$$

따라서 $\dfrac{dx}{dt}=2\cos 2t+2,\ \dfrac{dy}{dt}=-2\sin 2t$이므로

$t=0$에서 $t=\dfrac{\pi}{6}$까지 점 Q가 움직인 거리를 s라 하면

$$s=\int_0^{\frac{\pi}{6}}\sqrt{(2\cos 2t+2)^2+(-2\sin 2t)^2}\,dt$$

$$=\int_0^{\frac{\pi}{6}}\sqrt{8+8\cos 2t}\,dt=\int_0^{\frac{\pi}{6}}\sqrt{16\cos^2 t}\,dt$$

$$=\int_0^{\frac{\pi}{6}}4\cos t\,dt=\left[4\sin t\right]_0^{\frac{\pi}{6}}$$

$$=2 \qquad\qquad \text{🗒} \quad 2$$

10 $\displaystyle\int_0^a\sqrt{1+\{f'(x)\}^2}\,dx=2e^{\frac{a}{\sqrt{2}}}-\dfrac{e^{-\frac{a}{\sqrt{2}}}}{4}-\dfrac{7}{4}$이므로 양변을 a에 대하여 미분하면

$$\sqrt{1+\{f'(a)\}^2}=\sqrt{2}e^{\frac{a}{\sqrt{2}}}+\dfrac{e^{-\frac{a}{\sqrt{2}}}}{4\sqrt{2}}$$

$$1+\{f'(a)\}^2=2e^{\sqrt{2}a}+\dfrac{1}{2}+\dfrac{e^{-\sqrt{2}a}}{32}$$

$$\{f'(a)\}^2=\left(\sqrt{2}e^{\frac{a}{\sqrt{2}}}-\dfrac{e^{-\frac{a}{\sqrt{2}}}}{4\sqrt{2}}\right)^2$$

$$f'(a)=\sqrt{2}e^{\frac{a}{\sqrt{2}}}-\dfrac{e^{-\frac{a}{\sqrt{2}}}}{4\sqrt{2}} \ (\because a>0)$$

$$f(a)=2e^{\frac{a}{\sqrt{2}}}+\dfrac{e^{-\frac{a}{\sqrt{2}}}}{4}+C$$

$$f(x)=2e^{\frac{x}{\sqrt{2}}}+\dfrac{e^{-\frac{x}{\sqrt{2}}}}{4}+C$$

곡선 $y=f(x)$가 점 $(0,3)$을 지나므로

$$3=2+\dfrac{1}{4}+C \qquad \therefore C=\dfrac{3}{4}$$

$$\therefore f(x)=2e^{\frac{x}{\sqrt{2}}}+\dfrac{e^{-\frac{x}{\sqrt{2}}}}{4}+\dfrac{3}{4}$$

$$\text{🗒} \quad f(x)=2e^{\frac{x}{\sqrt{2}}}+\dfrac{e^{-\frac{x}{\sqrt{2}}}}{4}+\dfrac{3}{4}$$

01 4039　　02 $\ln(18+e^3)$　　03 5　　04 8

05 $-\dfrac{1}{4}\ln 2$　　06 $\sin 1-\cos 1+1$　　07 ③

08 $\sqrt{2}-\dfrac{2\sqrt{3}}{3}$　　09 -3　　10 135　　11 15

12 $\dfrac{1}{2}-\dfrac{\pi}{2}-\dfrac{\sin 2}{4}$　　13 ④　　14 ⑤

15 ②　　16 $\dfrac{\pi}{2}$　　17 $\dfrac{3}{8}e-1$　　18 $\sqrt[3]{3}$

19 $\dfrac{\sqrt{3}(\pi+2)}{8}$　　20 ⑤　　21 64

22 $1+\dfrac{1}{2}\ln\dfrac{3}{2}$

01 [전략] $\sin 2x=2\sin x\cos x$를 이용하여 피적분함수를 변형시키면 적분을 쉽게 할 수 있다.

$\sin 2x=2\sin x\cos x$이므로

$$f_n(x)=\int \sin^n x\sin 2x\,dx$$

$$=\int \sin^n x(2\sin x\cos x)\,dx$$

$$=2\int \sin^{n+1}x\cos x\,dx$$

$\sin x=t$로 놓으면 $\dfrac{dt}{dx}=\cos x$이므로

$$f_n(x)=2\int t^{n+1}dt=\frac{2}{n+2}t^{n+2}+C$$

$$=\frac{2}{n+2}\sin^{n+2}x+C$$

$x=0$을 대입하면

$$f_n(0)=0+C=0 \qquad \therefore C=0$$

$$\therefore f_n(x)=\frac{2}{n+2}\sin^{n+2}x$$

$f_n\left(\dfrac{\pi}{2}\right)=\dfrac{2}{n+2}$이므로

$$\frac{2}{n+2}<\frac{1}{2020},\ n+2>4040$$

$$\therefore n>4038$$

따라서 조건을 만족시키는 자연수 n의 최솟값은 **4039**이다.

답 4039

02 [전략] 주어진 식의 좌변을 $f'(x)e^{f(x)}$ 꼴로 나타낸 후 양변에 부정적분을 취한다.

$f(x)+\ln f'(x)=\ln 6$에서

$$f(x)=\ln 6-\ln f'(x),\ f(x)=\ln\frac{6}{f'(x)}$$

$$e^{f(x)}=\frac{6}{f'(x)},\ f'(x)e^{f(x)}=6$$

양변에 부정적분을 취하면

$$\int f'(x)e^{f(x)}\,dx=\int 6\,dx$$

$$\therefore e^{f(x)}=6x+C$$

$x=0$을 대입하면

$$e^3=0+C \qquad \therefore C=e^3$$

$$\therefore e^{f(x)}=6x+e^3$$

따라서 $f(x)=\ln(6x+e^3)$이므로

$$f(3)=\boldsymbol{\ln(18+e^3)}$$

답 $\ln(18+e^3)$

03 [전략] ❶ 조건 ㈎에 주어진 두 식을 변끼리 더하고 뺀다.

❷ $\displaystyle\int\frac{h'(x)}{h(x)}\,dx=\ln|h(x)|+C$를 이용할 수 있도록 주어진 식을 변형한다.

조건 ㈏에서 $f(x)>|g(x)|$이고 $|g(x)|\geq 0$이므로

$$f(x)>0,\ f(x)-g(x)>0,\ f(x)+g(x)>0$$

조건 ㈎의 두 식을 변끼리 더하면

$$xf'(x)-g(x)+f(x)-xg'(x)=0$$

$$x\{f'(x)-g'(x)\}=-f(x)+g(x)$$

$$\frac{f'(x)-g'(x)}{f(x)-g(x)}=-\frac{1}{x}$$

$x>0$, $f(x)-g(x)>0$이므로 양변에 부정적분을 취하면

$$\int\frac{f'(x)-g'(x)}{f(x)-g(x)}\,dx=-\int\frac{1}{x}\,dx$$

$$\therefore \ln\{f(x)-g(x)\}=-\ln x+C$$

조건 ㈐에서 $f(1)=3$, $g(1)=2$이므로

$$0=0+C \qquad \therefore C=0$$

$$\therefore f(x)-g(x)=\frac{1}{x} \qquad \cdots\cdots \ominus$$

또한 조건 ㈎의 두 식을 변끼리 빼면

$$xf'(x) - g(x) - f(x) + xg'(x) = 0$$

$$x\{f'(x) + g'(x)\} = f(x) + g(x)$$

$$\frac{f'(x) + g'(x)}{f(x) + g(x)} = \frac{1}{x}$$

$x > 0$, $f(x) + g(x) > 0$이므로 양변에 부정적분을 취하면

$$\int \frac{f'(x) + g'(x)}{f(x) + g(x)}\, dx = \int \frac{1}{x}\, dx$$

$$\therefore \ln\{f(x) + g(x)\} = \ln x + C'$$

조건 ㈐에서 $f(1) = 3$, $g(1) = 2$이므로

$$\ln 5 = 0 + C' \qquad \therefore C' = \ln 5$$

$$\therefore f(x) + g(x) = 5x \qquad \cdots\cdots ㉡$$

㉠, ㉡과 산술평균과 기하평균의 관계를 이용하여
$\{f(x)\}^2 + \{g(x)\}^2$의 최솟값을 구하면

$$\{f(x)\}^2 + \{g(x)\}^2$$

$$= \frac{1}{2}[\{f(x) - g(x)\}^2 + \{f(x) + g(x)\}^2]$$

$$= \frac{1}{2}\left(\frac{1}{x^2} + 25x^2\right)$$

$$\geq \frac{1}{2} \cdot 2\sqrt{\frac{1}{x^2} \cdot 25x^2}$$

$$= 5 \left(\text{단, 등호는 } x = \frac{\sqrt{5}}{5} \text{ 일 때 성립}\right) \qquad \text{답 } 5$$

---

04 [전략] 주어진 성질을 이용하여 식을 변형한 후 분모를 통분한다.

주어진 성질을 이용하면 다음과 같이 정적분의 값을 구할 수 있다.

$$\int_{-2}^{2} \frac{3x^2}{3^x + 1}\, dx = \int_{0}^{2} \left\{ \frac{3x^2}{3^x + 1} + \frac{3 \cdot (-x)^2}{3^{-x} + 1} \right\} dx$$

$$= \int_{0}^{2} \left\{ \frac{3x^2}{3^x + 1} + \frac{3x^2 \cdot 3^x}{(3^{-x} + 1) \cdot 3^x} \right\} dx$$

$$= \int_{0}^{2} \left(\frac{3x^2}{3^x + 1} + \frac{3x^2 \cdot 3^x}{1 + 3^x} \right) dx$$

$$= \int_{0}^{2} \frac{3x^2(3^x + 1)}{3^x + 1}\, dx$$

$$= \int_{0}^{2} 3x^2\, dx$$

$$= \left[x^3 \right]_{0}^{2} = 8 \qquad \text{답 } 8$$

---

05 [전략] 주어진 정적분을 계산하여 수열의 일반항을 정리한 후 극한값이 존재할 조건을 생각해 본다.

수열의 일반항을 정리하면

$$a_n = \int_{1}^{n} \left(\frac{ax}{x^2 + 1} - \frac{1}{2x} \right) dx$$

$$= \int_{1}^{n} \frac{ax}{x^2 + 1}\, dx - \int_{1}^{n} \frac{1}{2x}\, dx$$

$$= \left[\frac{a}{2} \ln(x^2 + 1) \right]_{1}^{n} - \left[\frac{1}{2} \ln x \right]_{1}^{n}$$

$$= \frac{a}{2} \ln \frac{n^2 + 1}{2} - \frac{1}{2} \ln n$$

$$= \frac{1}{2} \ln \left\{ \frac{1}{n} \left(\frac{n^2 + 1}{2} \right)^a \right\}$$

$\ln x$에서 $\lim\limits_{x \to 0} \ln x = -\infty$, $\lim\limits_{x \to \infty} \ln x = \infty$이므로

$n \to \infty$일 때 수열 $\{a_n\}$이 수렴하기 위해서는 자연로그 안의 값

$$\frac{1}{n} \left(\frac{n^2 + 1}{2} \right)^a$$

이 0이 아닌 일정한 값으로 수렴해야 한다.

(i) $a > \dfrac{1}{2}$일 때,

$\lim\limits_{n \to \infty} \dfrac{1}{n} \left(\dfrac{n^2 + 1}{2} \right)^a$에서 분자 $(n^2 + 1)^a$의 차수가 분모의 차수 1보다 크므로 무한대로 발산하게 된다.
따라서 수열 $\{a_n\}$은 수렴하지 않는다.

(ii) $0 < a < \dfrac{1}{2}$일 때,

$\lim\limits_{n \to \infty} \dfrac{1}{n} \left(\dfrac{n^2 + 1}{2} \right)^a$에서 분자 $(n^2 + 1)^a$의 차수가 분모의 차수 1보다 작으므로 0으로 수렴하게 된다.
즉, a_n의 자연로그 안의 값이 0으로 수렴하므로 수열 $\{a_n\}$은 수렴하지 않는다.

(iii) $a=\dfrac{1}{2}$ 일 때,

$$\lim_{n\to\infty}\dfrac{1}{n}\left(\dfrac{n^2+1}{2}\right)^a=\lim_{n\to\infty}\dfrac{1}{n}\left(\dfrac{n^2+1}{2}\right)^{\frac{1}{2}}$$
$$=\lim_{n\to\infty}\sqrt{\dfrac{n^2+1}{2n^2}}$$
$$=\dfrac{1}{\sqrt{2}}$$

따라서 수열 $\{a_n\}$은 수렴하고

$$\lim_{n\to\infty}a_n=\dfrac{1}{2}\ln\dfrac{1}{\sqrt{2}}=-\dfrac{1}{4}\ln 2$$

(i), (ii), (iii)에 의하여 $\lim_{n\to\infty}a_n$이 존재할 때의 극한값은

$-\dfrac{1}{4}\ln 2$이다.　　　　　　　　　🔳 $-\dfrac{1}{4}\ln 2$

06 [전략] 적분 구간을 나눈 후 $-x=t$로 놓고 치환적분법을 이용한다.

$$\int_{-1}^{1}f(x)\,dx=\int_{-1}^{0}f(x)\,dx+\int_{0}^{1}f(x)\,dx \quad\cdots\cdots ㉠$$

$-x=t$로 놓으면 $\dfrac{dt}{dx}=-1$이고, $x=-1$일 때 $t=1$, $x=0$일 때 $t=0$이므로

$$\int_{-1}^{0}f(x)\,dx=\int_{1}^{0}f(-t)\cdot(-1)dt$$
$$=\int_{0}^{1}f(-t)dt=\int_{0}^{1}f(-x)dx \quad\cdots\cdots ㉡$$

㉡을 ㉠에 대입하면

$$\int_{-1}^{1}f(x)\,dx=\int_{0}^{1}f(-x)\,dx+\int_{0}^{1}f(x)\,dx$$
$$=\int_{0}^{1}\{f(-x)+f(x)\}\,dx$$
$$=\int_{0}^{1}(x\sin x+1)\,dx$$
$$=\Big[-x\cos x\Big]_{0}^{1}+\int_{0}^{1}\cos x\,dx+\int_{0}^{1}dx$$
$$=\Big[-x\cos x\Big]_{0}^{1}+\Big[\sin x\Big]_{0}^{1}+\Big[x\Big]_{0}^{1}$$
$$=\sin 1-\cos 1+1$$

🔳 $\sin 1-\cos 1+1$

07 [전략] $\tan x=t$로 치환하여 주어진 정적분의 값을 계산해 본다.

ㄱ. $a_1+a_3=\displaystyle\int_{0}^{\frac{\pi}{4}}\tan x\,dx+\int_{0}^{\frac{\pi}{4}}\tan^3 x\,dx$
$$=\int_{0}^{\frac{\pi}{4}}\tan x(1+\tan^2 x)\,dx$$
$$=\int_{0}^{\frac{\pi}{4}}\tan x\sec^2 x\,dx$$

$\tan x=t$로 놓으면 $\dfrac{dt}{dx}=\sec^2 x$이고

$x=0$이면 $t=0$, $x=\dfrac{\pi}{4}$이면 $t=1$이므로

$$\int_{0}^{\frac{\pi}{4}}\tan x\sec^2 x\,dx=\int_{0}^{1}t\,dt$$
$$=\Big[\dfrac{1}{2}t^2\Big]_{0}^{1}$$
$$=\dfrac{1}{2}$$

이다. (참)

ㄴ. ㄱ과 같은 방법으로 하면

$$a_2+a_4=\int_{0}^{\frac{\pi}{4}}\tan^2 x\,dx+\int_{0}^{\frac{\pi}{4}}\tan^4 x\,dx$$
$$=\int_{0}^{\frac{\pi}{4}}\tan^2 x\sec^2 x\,dx$$
$$=\int_{0}^{1}t^2\,dt$$
$$=\Big[\dfrac{1}{3}t^3\Big]_{0}^{1}$$
$$=\dfrac{1}{3}$$

따라서 $a_1+a_2+a_3+a_4=\dfrac{1}{2}+\dfrac{1}{3}$이다. (참)

ㄷ. ㄱ, ㄴ과 같은 방법으로 하면

$$a_{4k+1}+a_{4k+2}+a_{4k+3}+a_{4k+4}$$
$$=(a_{4k+1}+a_{4k+3})+(a_{4k+2}+a_{4k+4})$$
$$=\int_{0}^{1}t^{4k+1}dt+\int_{0}^{1}t^{4k+2}dt$$
$$=\Big[\dfrac{1}{4k+2}t^{4k+2}\Big]_{0}^{1}+\Big[\dfrac{1}{4k+3}t^{4k+3}\Big]_{0}^{1}$$
$$=\dfrac{1}{4k+2}+\dfrac{1}{4k+3}\ (k=0,\ 1,\ 2,\ \cdots)$$

이므로

$$\sum_{k=1}^{100} a_k = \sum_{k=0}^{24} \left(a_{4k+1} + a_{4k+2} + a_{4k+3} + a_{4k+4} \right)$$

$$= \sum_{k=0}^{24} \left(\frac{1}{4k+2} + \frac{1}{4k+3} \right)$$

$$= \frac{1}{2} + \frac{1}{3} + \frac{1}{6} + \frac{1}{7} + \cdots + \frac{1}{98} + \frac{1}{99}$$

이다. (거짓)

따라서 옳은 것은 ㄱ, ㄴ이다.　　　　　**답** ③

08 [전략] $x = \tan\theta \left(-\dfrac{\pi}{2} < \theta < \dfrac{\pi}{2} \right)$로 치환한 후
$\tan^2\theta + 1 = \sec^2\theta$임을 이용한다.

$x = \tan\theta \left(-\dfrac{\pi}{2} < \theta < \dfrac{\pi}{2} \right)$로 놓으면 $\dfrac{dx}{d\theta} = \sec^2\theta$이

고 $x=1$일 때 $\theta = \dfrac{\pi}{4}$, $x = \sqrt{3}$일 때 $\theta = \dfrac{\pi}{3}$ 이므로

$$\int_1^{\sqrt{3}} \frac{1}{x^2 \sqrt{1+x^2}} \, dx$$

$$= \int_{\frac{\pi}{4}}^{\frac{\pi}{3}} \frac{1}{\tan^2\theta \sqrt{1+\tan^2\theta}} \cdot \sec^2\theta \, d\theta$$

$$= \int_{\frac{\pi}{4}}^{\frac{\pi}{3}} \frac{\sec^2\theta}{\tan^2\theta \sqrt{\sec^2\theta}} \, d\theta = \int_{\frac{\pi}{4}}^{\frac{\pi}{3}} \frac{\sec\theta}{\tan^2\theta} \, d\theta$$

$$= \int_{\frac{\pi}{4}}^{\frac{\pi}{3}} \frac{1}{\cos\theta} \cdot \frac{\cos^2\theta}{\sin^2\theta} \, d\theta = \int_{\frac{\pi}{4}}^{\frac{\pi}{3}} \frac{\cos\theta}{\sin^2\theta} \, d\theta$$

$\sin\theta = t$로 놓으면 $\dfrac{dt}{d\theta} = \cos\theta$이고 $\theta = \dfrac{\pi}{4}$ 일 때

$t = \dfrac{\sqrt{2}}{2}$, $\theta = \dfrac{\pi}{3}$ 일 때 $t = \dfrac{\sqrt{3}}{2}$ 이므로

$$\int_{\frac{\pi}{4}}^{\frac{\pi}{3}} \frac{\cos\theta}{\sin^2\theta} \, d\theta = \int_{\frac{\sqrt{2}}{2}}^{\frac{\sqrt{3}}{2}} \frac{1}{t^2} \, dt = \left[-\frac{1}{t} \right]_{\frac{\sqrt{2}}{2}}^{\frac{\sqrt{3}}{2}}$$

$$= \sqrt{2} - \frac{2\sqrt{3}}{3}　　　　\text{답 } \sqrt{2} - \frac{2\sqrt{3}}{3}$$

09 [전략] 부분적분법을 두 번 적용하여 식을 간단히 나타낸다.

$\displaystyle\int_0^1 (1-x)^2 f''(x) \, dx$에서 $u = (1-x)^2$, $v' = f''(x)$로
놓으면

$u = (1-x)^2$	$v' = f''(x)$	$\rightarrow uv = (1-x)^2 f'(x)$
$u' = -2(1-x)$	$v = f'(x)$	$\rightarrow u'v = -2(1-x)f'(x)$

$$\therefore \int_0^1 (1-x)^2 f''(x) \, dx$$

$$= \left[(1-x)^2 f'(x) \right]_0^1 + 2\int_0^1 (1-x) f'(x) \, dx$$

$$= -f'(0) + 2\int_0^1 (1-x) f'(x) \, dx \quad \cdots\cdots \text{㉠}$$

$\displaystyle\int_0^1 (1-x) f'(x) \, dx$에서 $u = 1-x$, $v' = f'(x)$로 놓
으면

$u = 1-x$	$v' = f'(x)$	$\rightarrow uv = (1-x)f(x)$
$u' = -1$	$v = f(x)$	$\rightarrow u'v = -f(x)$

$$\therefore \int_0^1 (1-x) f'(x) \, dx$$

$$= \left[(1-x)f(x) \right]_0^1 + \int_0^1 f(x) \, dx$$

$$= -f(0) + \int_0^1 f(x) \, dx \quad \cdots\cdots \text{㉡}$$

㉡을 ㉠에 대입하면

$$\int_0^1 (1-x)^2 f''(x) \, dx$$

$$= -f'(0) - 2f(0) + 2\int_0^1 f(x) \, dx$$

$$= -3 + 2\int_0^1 f(x) \, dx \ (\because f(0) = f'(0) = 1)$$

이때 $f(x) + f(1-x) = 0$이므로 $f(x)$의 그래프는 점
$\left(\dfrac{1}{2}, 0 \right)$에 대하여 대칭이다. 즉,

$$\int_0^{\frac{1}{2}} f(x) \, dx + \int_{\frac{1}{2}}^1 f(x) \, dx = 0$$이므로

$$\int_0^1 f(x) \, dx = 0$$

$$\therefore \int_0^1 (1-x)^2 f''(x) \, dx$$

$$= -3 + 2\int_0^1 f(x) \, dx$$

$$= -3 + 0 = -3 \qquad\qquad \text{답 } -3$$

10 [전략] $\sqrt{x}=t$로 치환한 후 주어진 조건에 맞는 적분법을 이용한다.

$\displaystyle\int_1^{36}\dfrac{\{f(\sqrt{x})\}^2}{2\sqrt{x}}\,dx$에서 $\sqrt{x}=t$로 놓으면

$\dfrac{dt}{dx}=\dfrac{1}{2\sqrt{x}}$이고 $x=1$일 때 $t=1$, $x=36$일 때 $t=6$

이므로

$$\int_1^{36}\dfrac{\{f(\sqrt{x})\}^2}{2\sqrt{x}}\,dx=\int_1^6\{f(t)\}^2\,dt=15$$

한편 $\displaystyle\int_1^6 xf(x)f'(x)\,dx$에서 $u=x$, $v'=f(x)f'(x)$로 놓으면

$u=x$	$v'=f(x)f'(x)$	$uv=\dfrac{1}{2}x\{f(x)\}^2$
$u'=1$	$v=\dfrac{1}{2}\{f(x)\}^2$	$u'v=\dfrac{1}{2}\{f(x)\}^2$

$\therefore \displaystyle\int_1^6 xf(x)f'(x)\,dx$

$=\left[\dfrac{1}{2}x\{f(x)\}^2\right]_1^6-\dfrac{1}{2}\displaystyle\int_1^6\{f(x)\}^2\,dx$

$=3\{f(6)\}^2-\dfrac{1}{2}\{f(1)\}^2-\dfrac{1}{2}\cdot 15$

$=3\cdot 7^2-\dfrac{1}{2}\cdot 3^2-\dfrac{15}{2}=\mathbf{135}$　　　**답** 135

11 [전략] 조건 (나)의 정적분을 치환적분법을 이용하여 변형해 본다.

$\displaystyle\int_1^2 f(2x)\,dx=1$에서 $2x=t$로 놓으면 $\dfrac{dt}{dx}=2$이고

$x=1$일 때 $t=2$, $x=2$일 때 $t=4$이므로

$\displaystyle\int_1^2 f(2x)\,dx=\dfrac{1}{2}\int_1^2 f(2x)\cdot 2\,dx$

$\qquad\qquad\qquad =\dfrac{1}{2}\displaystyle\int_2^4 f(t)\,dt$

즉, $\dfrac{1}{2}\displaystyle\int_2^4 f(x)\,dx=1$이므로

$$\int_2^4 f(x)\,dx=2\qquad\cdots\cdots ㉠$$

또 $\displaystyle\int_1^{\frac{5}{4}} f(4x)\,dx=\dfrac{3}{4}$에서 $4x=s$로 놓으면 $\dfrac{ds}{dx}=4$이

고 $x=1$일 때 $s=4$, $x=\dfrac{5}{4}$일 때 $s=5$이므로

$\displaystyle\int_1^{\frac{5}{4}} f(4x)\,dx=\dfrac{1}{4}\int_1^{\frac{5}{4}} f(4x)\cdot 4\,dx$

$\qquad\qquad\qquad =\dfrac{1}{4}\displaystyle\int_4^5 f(s)\,ds$

즉, $\dfrac{1}{4}\displaystyle\int_4^5 f(x)\,dx=\dfrac{3}{4}$이므로

$$\int_4^5 f(x)\,dx=3\qquad\cdots\cdots ㉡$$

한편 $f(x+3)=f(x)$이므로 ㉠, ㉡에 의하여

$\displaystyle\int_{2011}^{2020} f(x)\,dx=\int_{2008}^{2017} f(x)\,dx=\cdots=\int_1^{10} f(x)\,dx$

$=3\displaystyle\int_1^4 f(x)\,dx$

$=3\left\{\displaystyle\int_1^2 f(x)\,dx+\int_2^4 f(x)\,dx\right\}$

$=3\left\{\displaystyle\int_4^5 f(x)\,dx+\int_2^4 f(x)\,dx\right\}$

$=3\cdot(3+2)=\mathbf{15}$　　　**답** 15

12 [전략] $(x\sin x)'=\sin x+x\cos x$이므로 부분적분법을 이용한다.

$f(x)=\displaystyle\int_1^x \dfrac{\sin t}{t}\,dt$의

양변에 $x=1$을 대입하면　$f(1)=0$

양변을 x에 대하여 미분하면　$f'(x)=\dfrac{\sin x}{x}$

$\displaystyle\int_1^{\pi} f(x)(\sin x+x\cos x)\,dx$에서

$\sin x+x\cos x=(x\sin x)'$이므로

$u=f(x)$, $v'=\sin x+x\cos x$로 놓으면

$u=f(x)$	$v'=\sin x+x\cos x$	$uv=xf(x)\sin x$
$u'=f'(x)$ $=\dfrac{\sin x}{x}$	$v=x\sin x$	$u'v=\sin^2 x$

$$\therefore \int_1^\pi f(x)(\sin x + x\cos x)\,dx$$

$$= \Big[xf(x)\sin x \Big]_1^\pi - \int_1^\pi \sin^2 x\,dx$$

$$= \{\pi f(\pi)\sin\pi - f(1)\sin 1\} - \int_1^\pi \frac{1-\cos 2x}{2}\,dx$$

$$= 0 - \Big[\frac{1}{2}x - \frac{\sin 2x}{4} \Big]_1^\pi$$

$$= -\frac{\pi}{2} - \Big(-\frac{1}{2} + \frac{\sin 2}{4} \Big)$$

$$= \boldsymbol{\frac{1}{2} - \frac{\pi}{2} - \frac{\sin 2}{4}} \qquad \text{답} \quad \frac{1}{2} - \frac{\pi}{2} - \frac{\sin 2}{4}$$

13 [전략] $f^{-1}(0)=b$로 놓으면 $(f^{-1})'(0)=\dfrac{1}{f'(b)}$ 이다.

$f(x)$의 도함수와 이계도함수는

$$f'(x) = 2 + \sin(x^2),\ f''(x) = 2x\cos(x^2)$$

이때 $f''(a) = \sqrt{3}\,a$이므로

$$2a\cos(a^2) = \sqrt{3}\,a,\ \cos(a^2) = \frac{\sqrt{3}}{2}$$

$$\therefore a^2 = \frac{\pi}{6} \left(\because 0 < a^2 < \frac{\pi}{2} \right)$$

$$\therefore f'(a) = 2 + \sin(a^2) = 2 + \sin\frac{\pi}{6} = \frac{5}{2}$$

한편 $f^{-1}(0)=b$로 놓으면 $f(b)=0$이므로

$$f(b) = \int_a^b \{2 + \sin(t^2)\}\,dt = 0$$

인데, $b \neq a$이면 $2 + \sin(t^2) > 0$이므로 항상

$$f(b) = \int_a^b \{2 + \sin(t^2)\}\,dt > 0$$

따라서 $b=a$이므로 $f^{-1}(0)=a$이다.

$$\therefore (f^{-1})'(0) = \frac{1}{f'(b)} = \frac{1}{f'(a)} = \frac{2}{5} \qquad \text{답} \quad ④$$

14 [전략] 정적분과 급수의 합 사이의 관계를 이용한다.

$$S_k = f\Big(\frac{k}{2n}\Big)\Big(\frac{k}{2n} - \frac{k-1}{2n}\Big) = f\Big(\frac{k}{2n}\Big)\frac{1}{2n}$$

ㄱ. $\displaystyle\lim_{n\to\infty}\sum_{k=1}^n S_k = \lim_{n\to\infty}\sum_{k=1}^n f\Big(\frac{k}{2n}\Big)\frac{1}{2n}$

$$= \int_0^{\frac{1}{2}} f(x)\,dx$$

$$= \int_0^{\frac{1}{2}} x^2\,dx \ (\text{참})$$

ㄴ. $\displaystyle\sum_{k=1}^n (S_{2k} - S_{2k-1})$

$$= \sum_{k=1}^n \Big\{ f\Big(\frac{2k}{2n}\Big)\frac{1}{2n} - f\Big(\frac{2k-1}{2n}\Big)\frac{1}{2n} \Big\}$$

$$= \frac{1}{2n} \sum_{k=1}^n \Big\{ \Big(\frac{2k}{2n}\Big)^2 - \Big(\frac{2k-1}{2n}\Big)^2 \Big\}$$

$$= \frac{1}{8n^3} \sum_{k=1}^n (4k-1)$$

$$= \frac{1}{8n^3} \Big\{ 4 \cdot \frac{n(n+1)}{2} - n \Big\}$$

$$= \frac{2n+1}{8n^2}$$

$$\therefore \lim_{n\to\infty} \sum_{k=1}^n (S_{2k} - S_{2k-1}) = \lim_{n\to\infty} \frac{2n+1}{8n^2} = 0 \ (\text{참})$$

ㄷ. $\displaystyle\lim_{n\to\infty}\sum_{k=1}^n (S_{2k} - S_{2k-1}) = 0$이고 $\displaystyle\lim_{n\to\infty}\sum_{k=1}^n S_{2k}$와

$\displaystyle\lim_{n\to\infty}\sum_{k=1}^n S_{2k-1}$이 각각 수렴함은 분명하므로

$$\lim_{n\to\infty}\sum_{k=1}^n S_{2k} = \lim_{n\to\infty}\sum_{k=1}^n S_{2k-1}$$

이고,

$$\lim_{n\to\infty}\sum_{k=1}^n S_{2k} + \lim_{n\to\infty}\sum_{k=1}^n S_{2k-1} = \lim_{n\to\infty}\sum_{k=1}^{2n} S_k = \int_0^1 x^2\,dx$$

이므로

$$\lim_{n\to\infty}\sum_{k=1}^n S_{2k} = \frac{1}{2}\int_0^1 x^2\,dx \ (\text{참})$$

따라서 ㄱ, ㄴ, ㄷ 모두 옳다.

다른 풀이 ㄷ. $\displaystyle\lim_{n\to\infty}\sum_{k=1}^n S_{2k} = \lim_{n\to\infty}\sum_{k=1}^n \Big\{ f\Big(\frac{2k}{2n}\Big)\frac{1}{2n} \Big\}$

$$= \lim_{n\to\infty}\sum_{k=1}^n \Big\{ \Big(\frac{k}{n}\Big)^2 \frac{1}{2n} \Big\}$$

$$= \frac{1}{2} \lim_{n\to\infty}\sum_{k=1}^n \Big(\frac{k}{n}\Big)^2 \frac{1}{n}$$

$$= \frac{1}{2}\int_0^1 x^2\,dx \ (\text{참})$$

답 ⑤

15 [전략] 주어진 정적분의 식을 역함수의 성질과 넓이를 이용하여 생각해 본다.

$f(0)=0$, $f(1)=1$이고 $f'(x)>0$, $f''(x)>0$이므로 연속함수 $y=f(x)$의 그래프는 구간 $[0,\ 1]$에서 그림과 같이 아래로 볼록하면서 증가한다. 또 역함수 $y=f^{-1}(x)$의 그래프는 함수 $y=f(x)$의 그래프를 직선 $y=x$에 대하여 대칭이동한 것이다.

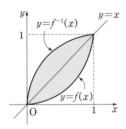

이때 $\displaystyle\int_0^1\{f^{-1}(x)-f(x)\}dx$는 위 그림에서 색칠한 부분의 넓이를 나타내고, 이는 직선 $y=x$와 함수 $y=f(x)$의 그래프로 둘러싸인 도형의 넓이의 2배와 같다.

이를 이용하여 주어진 정적분을 급수의 형태로 표시하면 다음과 같다.

$$\int_0^1\{f^{-1}(x)-f(x)\}dx$$
$$=2\int_0^1\{x-f(x)\}dx$$
$$=2\lim_{n\to\infty}\sum_{k=1}^{n}\left\{\frac{k}{n}-f\left(\frac{k}{n}\right)\right\}\frac{1}{n}$$
$$=\lim_{n\to\infty}\sum_{k=1}^{n}\left\{\frac{k}{n}-f\left(\frac{k}{n}\right)\right\}\frac{2}{n}$$

답 ②

---

16 [전략] $\displaystyle\lim_{n\to\infty}a_n$을 급수의 합으로 나타낸 후 정적분을 이용하여 그 값을 구한다.

지름 l을 n등분하는 k번째 현의 길이를 $l_k\ (k=1,\ 2,\ \cdots,\ n-1)$라 하면 다음 그림에서 직각삼각형의 성질로부터

$$\left(\frac{l_k}{2}\right)^2=\frac{2k}{n}\cdot\left(2-\frac{2k}{n}\right)$$

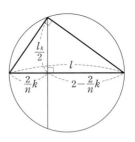

따라서 $l_k=2\sqrt{\dfrac{2k}{n}\left(2-\dfrac{2k}{n}\right)}$이므로

$$a_n=\frac{1}{n-1}\sum_{k=1}^{n-1}l_k$$
$$=\frac{1}{n-1}\sum_{k=1}^{n-1}2\sqrt{\frac{2k}{n}\left(2-\frac{2k}{n}\right)}$$
$$\therefore \lim_{n\to\infty}a_n=\lim_{n\to\infty}\frac{1}{n-1}\sum_{k=1}^{n-1}2\sqrt{\frac{2k}{n}\left(2-\frac{2k}{n}\right)}$$
$$=\lim_{n\to\infty}\frac{n}{n-1}\cdot\frac{2}{n}\sum_{k=1}^{n}\sqrt{\frac{2k}{n}\left(2-\frac{2k}{n}\right)}$$
$$=\lim_{n\to\infty}\frac{2}{n}\cdot\sum_{k=1}^{n}\sqrt{\frac{2k}{n}\left(2-\frac{2k}{n}\right)}$$

$\dfrac{2k}{n}$를 x로, $\dfrac{2}{n}$를 dx로 나타내면 적분 구간은 $[0,\ 2]$이므로

$$\lim_{n\to\infty}a_n=\int_0^2\sqrt{x(2-x)}dx=\int_0^2\sqrt{1-(1-x)^2}dx$$

이때 $1-x=\sin\theta$로 놓으면 $\dfrac{dx}{d\theta}=-\cos\theta$이고

$x=0$일 때 $\theta=\dfrac{\pi}{2}$, $x=2$일 때 $\theta=-\dfrac{\pi}{2}$이므로

$$\lim_{n\to\infty}a_n=\int_{\frac{\pi}{2}}^{-\frac{\pi}{2}}\sqrt{1-\sin^2\theta}\cdot(-\cos\theta)d\theta$$
$$=\int_{\frac{\pi}{2}}^{-\frac{\pi}{2}}\sqrt{\cos^2\theta}\cdot(-\cos\theta)d\theta$$
$$=\int_{-\frac{\pi}{2}}^{\frac{\pi}{2}}\cos^2\theta\,d\theta$$
$$=\int_{-\frac{\pi}{2}}^{\frac{\pi}{2}}\frac{1+\cos2\theta}{2}d\theta$$
$$=\left[\frac{\theta}{2}+\frac{\sin2\theta}{4}\right]_{-\frac{\pi}{2}}^{\frac{\pi}{2}}$$
$$=\frac{\pi}{4}+\frac{\pi}{4}=\frac{\pi}{2}$$

답 $\dfrac{\pi}{2}$

17 [전략] 두 곡선에 동시에 접하는 직선의 방정식을 구하고, 그래프를 그려 주어진 도형의 넓이를 구한다.

$y=\ln x$에서 $y'=\dfrac{1}{x}$이므로 이 곡선 위의 점

$(p,\ \ln p)\,(p>0)$에서의 접선의 기울기는 $\dfrac{1}{p}$이고 접선

의 방정식은

$$y-\ln p=\dfrac{1}{p}(x-p)$$

$$\therefore y=\dfrac{1}{p}x+\ln p-1$$

또 $y=2\ln x$에서 $y'=\dfrac{2}{x}$이므로 이 곡선 위의 점

$(q,\ 2\ln q)\,(q>0)$에서의 접선의 기울기는 $\dfrac{2}{q}$이고 접

선의 방정식은

$$y-2\ln q=\dfrac{2}{q}(x-q)$$

$$\therefore y=\dfrac{2}{q}x+2\ln q-2$$

두 접선이 일치하므로

$$\dfrac{1}{p}=\dfrac{2}{q},\ \ln p-1=2\ln q-2$$

$$q=2p,\ \ln\dfrac{q^2}{p}=1$$

$$q=2p,\ q^2=ep$$

$$\therefore p=\dfrac{e}{4},\ q=\dfrac{e}{2}\ (\because p>0,\ q>0)$$

$p,\ q$의 값을 접선의 방정식에 대입하여 접선의 방정식을 구하면

$$y=\dfrac{4}{e}x-\ln 4$$

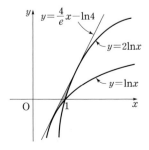

구하는 넓이를 S라 하면

$$S=\int_{\frac{e}{4}}^{1}\left(\dfrac{4}{e}x-\ln 4-\ln x\right)dx$$

$$+\int_{1}^{\frac{e}{2}}\left(\dfrac{4}{e}x-\ln 4-2\ln x\right)dx$$

$$=\int_{\frac{e}{4}}^{\frac{e}{2}}\left(\dfrac{4}{e}x-\ln 4-\ln x\right)dx-\int_{1}^{\frac{e}{2}}\ln x\,dx$$

$$=\left[\dfrac{2}{e}x^2-x\ln 4-x\ln x+x\right]_{\frac{e}{4}}^{\frac{e}{2}}-\left[x\ln x-x\right]_{1}^{\frac{e}{2}}$$

$$=\left(\dfrac{3}{8}e-\dfrac{e}{2}\ln 2\right)-\left(1-\dfrac{e}{2}\ln 2\right)$$

$$=\dfrac{3}{8}e-1 \qquad\qquad \blacksquare \ \ \dfrac{3}{8}e-1$$

---

18 [전략] 곡선 $y=\dfrac{3}{x}$과 직선 $y=kx$의 교점의 좌표를

$\left(a,\ \dfrac{3}{a}\right)$으로 놓고 A 또는 B를 a에 대한 식으로 나타낸다.

곡선 $y=\dfrac{3}{x}$과 두 직선 $y=3x$, $y=\dfrac{1}{3}x$로 둘러싸인 도형의 넓이는

$$\dfrac{1}{2}\cdot 1\cdot 3+\int_{1}^{3}\dfrac{3}{x}\,dx-\dfrac{1}{2}\cdot 3\cdot 1$$

$$=\int_{1}^{3}\dfrac{3}{x}\,dx=\left[3\ln|x|\right]_{1}^{3}=3\ln 3$$

이때 $A:B=1:2$이므로

$$A=\dfrac{1}{3}\cdot 3\ln 3=\ln 3$$

직선 $y=kx\,(1<k<3)$와 곡선 $y=\dfrac{3}{x}$의 교점을

$\mathrm{P}\left(a,\ \dfrac{3}{a}\right)$으로 놓으면

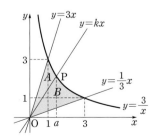

$$A=\frac{1}{2}\cdot 1\cdot 3+\int_1^a \frac{3}{x}\,dx-\frac{1}{2}\cdot a\cdot \frac{3}{a}$$

$$=\frac{3}{2}+\Big[3\ln|x|\Big]_1^a-\frac{3}{2}=3\ln a$$

즉, $3\ln a=\ln 3$이므로 $\quad \ln a=\ln \sqrt[3]{3}$ $\quad \therefore a=\sqrt[3]{3}$

따라서 점 P의 좌표는 $\left(\sqrt[3]{3},\ \dfrac{3}{\sqrt[3]{3}}\right)$, 즉 $(\sqrt[3]{3},\ \sqrt[3]{9})$이고

직선 $y=kx$가 점 P를 지나므로

$$3^{\frac{2}{3}}=k\cdot 3^{\frac{1}{3}} \quad \therefore k=3^{\frac{1}{3}}=\sqrt[3]{3}$$

답 $\sqrt[3]{3}$

---

19 [전략] 선분 PQ를 한 변으로 하는 정삼각형의 넓이를 x에 대한 식으로 나타낸다.

선분 PQ를 한 변으로 하는 정삼각형의 넓이를 $S(x)$라 하면

$$S(x)=\frac{\sqrt{3}}{4}\{\sqrt{x(x^2+1)\sin(x^2)}\}^2$$

$$=\frac{\sqrt{3}}{4}x(x^2+1)\sin(x^2)$$

이므로 구하는 입체도형의 부피를 V라 하면

$$V=\int_0^{\sqrt{\pi}}\frac{\sqrt{3}}{4}x(x^2+1)\sin(x^2)\,dx$$

$x^2=t$로 놓으면 $\dfrac{dt}{dx}=2x$이고 $x=0$일 때 $t=0$, $x=\sqrt{\pi}$

일 때 $t=\pi$이므로

$$V=\frac{\sqrt{3}}{8}\int_0^{\pi}(t+1)\sin t\,dt$$

$u=t+1$, $v'=\sin t$로 놓으면

$u=t+1$	$v'=\sin t$	$\to uv=-(t+1)\cos t$
$u'=1$	$v=-\cos t$	$\to u'v=-\cos t$

$$\therefore V=\frac{\sqrt{3}}{8}\Big[-(t+1)\cos t\Big]_0^{\pi}$$

$$-\frac{\sqrt{3}}{8}\int_0^{\pi}(-\cos t)\,dt$$

$$=\frac{\sqrt{3}}{8}\Big[-(t+1)\cos t\Big]_0^{\pi}+\frac{\sqrt{3}}{8}\Big[\sin t\Big]_0^{\pi}$$

$$=\frac{\sqrt{3}(\pi+2)}{8}$$

답 $\dfrac{\sqrt{3}(\pi+2)}{8}$

---

20 [전략] 반구의 중심을 원점, 반구의 중심을 지나고 수면에 수직인 직선을 x축으로 놓는다.

다음 그림과 같이 반구의 중심을 원점, 반구의 중심을 지나고 수면에 수직인 직선을 x축으로 놓자.

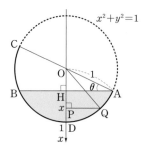

ㄱ. 그릇의 모양이 반구이므로 처음 물에 대한 수면의 높이는 지면에서 반구의 중심까지의 거리이다.

즉, $\overline{\mathrm{OD}}=1$이다.

위의 그림에서 $H(\theta)=\overline{\mathrm{OD}}-\overline{\mathrm{OH}}$이고, $\overline{\mathrm{OH}}=\sin\theta$

이므로 $\quad H(\theta)=1-\sin\theta$ (참)

ㄴ. 수면의 반지름의 길이는 $\overline{\mathrm{AH}}=\cos\theta$이므로 수면의 넓이 $S(\theta)$는 $S(\theta)=\pi\cos^2\theta$이다. (참)

ㄷ. 반구의 중심에서 x만큼 떨어지고 $\overline{\mathrm{OD}}$에 수직인 평면과 반구가 만나서 생기는 원의 넓이를 $D(x)$라 하자.

위의 그림에서 이 원의 반지름의 길이는 $\overline{\mathrm{PQ}}$이고

$\overline{\mathrm{OQ}}=1$, $\overline{\mathrm{OP}}=x$이므로 $\quad \overline{\mathrm{PQ}}=\sqrt{1-x^2}$

$$\therefore D(x)=\pi(1-x^2)\ (\sin\theta\le x\le 1)$$

따라서 물의 부피 $V(\theta)$는

$$V(\theta)=\int_{\sin\theta}^1 D(x)\,dx$$

$$=\int_{\sin\theta}^1 \pi(1-x^2)\,dx$$

$$=\pi\Big[x-\frac{1}{3}x^3\Big]_{\sin\theta}^1$$

$$=\pi\Big(\frac{2}{3}-\sin\theta+\frac{1}{3}\sin^3\theta\Big)$$

$$\therefore \frac{d}{d\theta}V(\theta)=\pi(-\cos\theta+\sin^2\theta\cos\theta)$$

$$=-\pi\cos\theta(1-\sin^2\theta)$$

$$=-\pi\cos^3\theta$$

$$=-S(\theta)\cos\theta \text{ (참)}$$

따라서 ㄱ, ㄴ, ㄷ 모두 옳다.　　　　　**답** ⑤

21 [전략] 점 P가 움직인 거리는 $\int_0^{2\pi} \sqrt{\left(\dfrac{dx}{dt}\right)^2 + \left(\dfrac{dy}{dt}\right)^2}\, dt$이다.

$\dfrac{dx}{dt} = -4\sin t + 4\cos t,\ \dfrac{dy}{dt} = -2\sin 2t$

이므로 점 P가 $t=0$에서 $t=2\pi$까지 움직인 거리는

$$\int_0^{2\pi} \sqrt{\left(\frac{dx}{dt}\right)^2 + \left(\frac{dy}{dt}\right)^2}\, dt$$

$$= \int_0^{2\pi} \sqrt{\{4(-\sin t + \cos t)\}^2 + (-2\sin 2t)^2}\, dt$$

$$= \int_0^{2\pi} \sqrt{16(1-\sin 2t) + 4\sin^2 2t}\, dt$$

$$= 2\int_0^{2\pi} \sqrt{4(1-\sin 2t) + \sin^2 2t}\, dt$$

$$= 2\int_0^{2\pi} \sqrt{(2-\sin 2t)^2}\, dt$$

$$= 2\int_0^{2\pi} (2-\sin 2t)\, dt \quad (\because\ 2-\sin 2t > 0)$$

$$= 2\left[2t + \frac{1}{2}\cos 2t \right]_0^{2\pi} = 2 \cdot 4\pi = 8\pi$$

따라서 $a\pi = 8\pi$이므로　　$a = 8$

$\therefore a^2 = 64$　　　　　　　　　　**답** 64

22 [전략] 곡선 $y = f(x)\,(a \le x \le b)$의 길이는
$\int_a^b \sqrt{1 + \{f'(x)\}^2}\, dx$이다.

구하는 곡선의 길이를 l이라 하면

$$l = \int_{\sqrt{3}}^{2\sqrt{2}} \sqrt{1 + \left(\frac{dy}{dx}\right)^2}\, dx$$

$$= \int_{\sqrt{3}}^{2\sqrt{2}} \sqrt{1 + \frac{1}{x^2}}\, dx$$

$$= \int_{\sqrt{3}}^{2\sqrt{2}} \frac{1}{x}\sqrt{x^2 + 1}\, dx$$

$u = \sqrt{x^2 + 1}$로 놓으면 $u^2 = x^2 + 1$에서 $x\,dx = u\,du$이고,
$x = \sqrt{3}$이면 $u = 2$, $x = 2\sqrt{2}$이면 $u = 3$이다.

따라서 곡선의 길이 l은

$$l = \int_{\sqrt{3}}^{2\sqrt{2}} \frac{1}{x}\sqrt{x^2 + 1}\, dx$$

$$= \int_{\sqrt{3}}^{2\sqrt{2}} \frac{1}{x^2}\sqrt{x^2 + 1} \cdot x\, dx$$

$$= \int_2^3 \frac{u^2}{u^2 - 1}\, du$$

$$= \int_2^3 \left\{ 1 + \frac{1}{(u-1)(u+1)} \right\} du$$

$$= \int_2^3 \left(1 + \frac{1}{2} \cdot \frac{1}{u-1} - \frac{1}{2} \cdot \frac{1}{u+1} \right) du$$

$$= \left[u + \frac{1}{2}\ln(u-1) - \frac{1}{2}\ln(u+1) \right]_2^3$$

$$= \left[u + \frac{1}{2}\ln\frac{u-1}{u+1} \right]_2^3$$

$$= 3 + \frac{1}{2}\ln\frac{1}{2} - \left(2 + \frac{1}{2}\ln\frac{1}{3} \right)$$

$$= 1 + \frac{1}{2}\ln\frac{3}{2} \qquad \text{**답** } 1 + \frac{1}{2}\ln\frac{3}{2}$$

[APPLICATION] $\textbf{01}\ x\ln x - x + C,\ 2e^3$

$\textbf{02}$ (1) $\pi\left(1-\dfrac{\pi}{4}\right)$ (2) $\dfrac{\pi}{2}(e^2-1)$

$\textbf{03}$ (1) $\dfrac{4}{3}\pi a^3$ (2) $\dfrac{4}{3}\pi a^3$

$\textbf{01}$ 함수 $y=\ln x$에 대하여 $x=e^y$을 이용하면

$$\int \ln x\,dx = x\ln x - \int e^y\,dy$$

$$= x\ln x - e^y + C = \boldsymbol{x\ln x - x + C}$$

한편 $y=\ln x$에서 $x=e$일 때 $y=1$, $x=e^3$일 때 $y=3$
이므로

$$\int_e^{e^3} \ln x\,dx = \Big[x\ln x\Big]_e^{e^3} - \int_1^3 e^y\,dy$$

$$= 3e^3 - e - \Big[e^y\Big]_1^3$$

$$= 3e^3 - e - (e^3 - e) = \boldsymbol{2e^3}$$

🔲 $x\ln x - x + C,\ 2e^3$

$\textbf{02}$ (1) 구하는 부피를 V라 하면

$$V = \pi\int_0^{\frac{\pi}{4}} \tan^2 x\,dx$$

$$= \pi\int_0^{\frac{\pi}{4}} (\sec^2 x - 1)\,dx$$

$$= \pi\Big[\tan x - x\Big]_0^{\frac{\pi}{4}}$$

$$= \boldsymbol{\pi\left(1-\dfrac{\pi}{4}\right)}$$

(2) $y=\ln x$에서 $x=e^y$

따라서 구하는 부피를 V라 하면

$$V = \pi\int_0^1 (e^y)^2\,dy$$

$$= \pi\Big[\dfrac{1}{2}e^{2y}\Big]_0^1 = \boldsymbol{\dfrac{\pi}{2}(e^2-1)}$$

🔲 (1) $\pi\left(1-\dfrac{\pi}{4}\right)$ (2) $\dfrac{\pi}{2}(e^2-1)$

$\textbf{03}$ (1) 와셔의 방법을
이용해 보자. 반지름의
길이가 a인 구는 반원
$y=\sqrt{a^2-x^2}$을 x축을 회
전축으로 하여 회전시킬
때 생기는 회전체로 볼
수 있다.

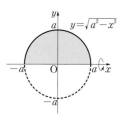

$$\therefore V = \pi\int_{-a}^{a} y^2\,dx = \pi\int_{-a}^{a} (a^2-x^2)\,dx$$

$$= \pi\Big[a^2 x - \dfrac{1}{3}x^3\Big]_{-a}^{a} = \boldsymbol{\dfrac{4}{3}\pi a^3}$$

(2) 원주각의 방법을 이용해 보
자. 반지름의 길이가 a인 구
의 부피는 사분원
$y=f(x)$
  $=\sqrt{a^2-x^2}\ (0\le x\le a)$
을 y축을 회전축으로 하여
회전시킬 때 생기는 회전체의 부피의 2배이다.

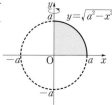

$$\therefore V = 2\int_0^a 2\pi x\,f(x)\,dx = 4\pi\int_0^a x\sqrt{a^2-x^2}\,dx$$

$$= -2\pi\int_{a^2}^0 \sqrt{t}\,dt \quad\longleftarrow\ a^2-x^2=t\text{로 치환하면}$$

$$\qquad\qquad\qquad\qquad \dfrac{dt}{dx}=-2x$$

$$= -2\pi\Big[\dfrac{2}{3}t\sqrt{t}\Big]_{a^2}^0 \quad x=0\text{일 때 } t=a^2$$

$$\qquad\qquad\qquad\qquad x=a\text{일 때 } t=0$$

$$= \boldsymbol{\dfrac{4}{3}\pi a^3}$$

🔲 (1) $\dfrac{4}{3}\pi a^3$ (2) $\dfrac{4}{3}\pi a^3$

01 $x\geq 1$에서 연속함수 $f(x)=\dfrac{1}{\sqrt{x}}$ 은 감소하고

$f(x)>0$이므로 적분판정법을 이용할 수 있다. 이때

$$\int_1^\infty f(x)dx=\lim_{t\to\infty}\int_1^t \frac{1}{\sqrt{x}}dx$$
$$=\lim_{t\to\infty}\Big[\,2\sqrt{x}\,\Big]_1^t$$
$$=\lim_{t\to\infty}(2\sqrt{t}-2)=\infty$$

따라서 주어진 급수 $\displaystyle\sum_{n=1}^\infty \frac{1}{\sqrt{n}}$ 은 **발산**한다.   **답** 발산

02 $f(x)=xe^{-x}$이라 하면

구간 $[1,\,\infty)$에서 $f(x)>0$이고, $f'(x)=e^{-x}(1-x)$이

므로 $x\geq 1$일 때 $f(x)$는 감소한다.

즉, 적분판정법을 이용할 수 있다. 이때

$$\int_1^\infty xe^{-x}dx=\lim_{t\to\infty}\int_1^t xe^{-x}dx$$
$$=\lim_{t\to\infty}\Big[\,-e^{-x}(x+1)\,\Big]_1^t$$
$$=\lim_{t\to\infty}\Big(-\frac{t+1}{e^t}+\frac{2}{e}\Big)=\frac{2}{e}$$

따라서 주어진 급수 $\displaystyle\sum_{n=1}^\infty ne^{-n}$은 **수렴**한다.   **답** 수렴

03   (1) 주어진 미분방정식의 두 변수 x와 t를 양변으

로 분리하면

$$\frac{1}{x}dx=-k\,dt$$

양변에 부정적분을 취하면

$$\int\frac{1}{x}dx=-\int k\,dt$$

$$\therefore\ \ln x=-kt+C$$

$t=0$일 때 $x=x_0$이므로 $C=\ln x_0$

따라서 $\ln x=-kt+\ln x_0$이므로

$$x=e^{-kt+\ln x_0}\qquad \therefore\ \boldsymbol{x=x_0e^{-kt}}$$

(2) $x(t)=\dfrac{x_0}{2}$ 인 t를 구하면 된다.

즉, t에 대한 방정식 $x_0e^{-kt}=\dfrac{x_0}{2}$ 을 풀면 된다.

$x_0e^{-kt}=\dfrac{x_0}{2}$ 에서 $e^{-kt}=\dfrac{1}{2}$

$-kt=\ln\dfrac{1}{2}$ $\therefore\ t=\dfrac{\ln 2}{k}$

따라서 반감기는 $\dfrac{\boldsymbol{\ln 2}}{\boldsymbol{k}}$ 이다.

답 (1) $x=x_0e^{-kt}$ (2) $\dfrac{\ln 2}{k}$

EXERCISES

자세한 해설은 www.erumenb.com ➡ 학습자료실 ➡ 교재자료실
에서 다운받아 보실 수 있습니다.

01 수열의 극한 SUMMA CUM LAUDE 본문 440쪽

1. ⑤ 2. $\dfrac{2}{3}$ 3. ④ 4. ③ 5. ④

6. 6 7. ① 8. ④ 9. 2 10. ⑤

11. $\dfrac{1}{3}$

02 급수 SUMMA CUM LAUDE 본문 442쪽

1. ② 2. ① 3. 2 4. $\displaystyle\sum_{n=1}^{\infty} a_n > \dfrac{1}{2}$ 5. ①

6. ② 7. $\dfrac{15}{4}$ 8. ① 9. ② 10. $\dfrac{3}{2}$

11. ② 12. $24(2+\sqrt{3})$

03 지수함수와 로그함수의 미분 SUMMA CUM LAUDE 본문 444쪽

1. ④ 2. ① 3. ③ 4. ④ 5. ③

6. ⑤ 7. ③ 8. ⑤ 9. ⑤ 10. ②

11. 750 12. ⑤

04 삼각함수의 미분 SUMMA CUM LAUDE 본문 446쪽

1. ③ 2. ⑤ 3. $\dfrac{7}{24}$ 4. ④ 5. $-\dfrac{2\sqrt{3}}{3}\pi$

6. 2 7. $\dfrac{5}{2}\pi$ 8. 3 9. $-\dfrac{2+\sqrt{53}}{2}$

10. ① 11. ① 12. $\dfrac{20}{7}$ 13. -1

05 여러 가지 미분법 SUMMA CUM LAUDE 본문 448쪽

1. ③ 2. 2 3. ① 4. 3 5. ⑤ 6. 4

7. 5 8. ③ 9. ③ 10. $48e^3$ 11. $\dfrac{\pi}{2}$

12. ②

06 도함수의 활용 SUMMA CUM LAUDE 본문 450쪽

1. ① 2. ③ 3. ② 4. ② 5. ⑤

6. ④ 7. ③ 8. 189 9. ② 10. ⑤

11. ⑤ 12. 1 13. ②

14. $a<-4$ 또는 $a>0$ 15. $-\sqrt{3}$

16. $-\dfrac{2\sqrt{5}}{5}$ 17. 1 18. ③ 19. ㄴ, ㄷ

20. ④ 21. ② 22. ②

07 부정적분 SUMMA CUM LAUDE 본문 454쪽

1. (1) $\dfrac{1}{2}x^2 - \ln|x| - \dfrac{2}{\sqrt{x}} + C$ (2) $x + \tan x + C$

(3) $e^x + x + C$

2. ② 3. $\dfrac{16}{3} + \dfrac{5\sqrt{2}}{3}$ 4. $1 + 12\ln 2$

5. -2 6. $f(x)=(x+1)e^x$ 7. $\dfrac{\pi}{2}$ 8. 8

9. $-\dfrac{1}{2}$ 10. $\dfrac{1}{2}\ln 3$ 11. ④ 12. $1-2e^\pi$

1. e^2 2. $2-\dfrac{2\sqrt{3}}{3}$ 3. $\dfrac{\pi}{9}$ 4. $\dfrac{1}{4}(e^2-3)$

5. ④   6. ③   7. ④   8. ④   9. $e+4$

10. 27   11. ①   12. 5

1. $e-1$ 2. $2+\dfrac{\sqrt{3}}{2}$ 3. 2   4. $e-1$

5. $\dfrac{17}{6}$ 6. $\sqrt{5}\pi$ 7. 3   8. ③   9. e^2-1

10. 96   11. $\dfrac{8}{15}$ 12. 12

기출문제로 1등급 도전하기

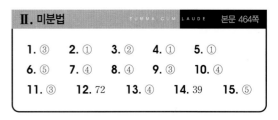

1. 35   2. ①   3. ②   4. ②   5. ⑤

6. ④   7. 33   8. ③   9. ⑤   10. ②

11. 19   12. 16   13. ①   14. ②   15. ④

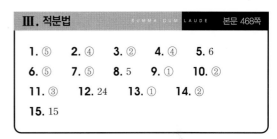

1. ③   2. ①   3. ②   4. ①   5. ①

6. ⑤   7. ④   8. ④   9. ③   10. ④

11. ③   12. 72   13. ④   14. 39   15. ⑤

1. ⑤   2. ④   3. ②   4. ④   5. 6

6. ⑤   7. ⑤   8. 5   9. ①   10. ②

11. ③   12. 24   13. ①   14. ②

15. 15

튼튼한 **개념**! 흔들리지 않는 **실력**!

숨마쿰라우데 미적분

'제대로' 공부를 해야 공부가 더 쉬워집니다!

"공부하는 사람은 언제나 생각이 명징하고 흐트러짐이 없어야 한다. 그러자면 우선 눈앞에 펼쳐진 어지러운 자료를 하나로 묶어 종합하는 과정이 필요하다. 비슷한 것끼리 갈래로 묶고 교통정리를 하고 나면 정보간의 우열이 드러난다. 그래서 중요한 것을 가려내고 중요하지 않은 것을 추려내는데 이 과정이 바로 '종핵(綜核)'이다." 이는 다산 정약용이 주장한 공부법입니다. 제대로 공부하는 과정은 종핵처럼 복잡한 것을 단순하게 만드는 과정입니다. 공부를 쉽게 하는 방법은 복잡한 내용들 사이의 관계를 잘 이해하여 간단히 정리해 나가는 것입니다. 이를 위해서는 무엇보다도 먼저 내용을 제대로 알아야 합니다. 숨마쿰라우데는 전체를 보는 안목을 기르고, 부분을 명쾌하게 파악할 수 있도록 친절하게 설명하였습니다. 보다 쉽게 공부하는 길에 숨마쿰라우데가 여러분들과 함께 하겠습니다.

학습자 수준에 맞도록 공부하는 단계별 구성!

공부에 매진하는 학생들은 모두가 눈앞에 놓인 목표가 있습니다. 예를 들면, '과목의 개념 학습을 확실히 하여 기초를 다지고 싶다', '학교 내신 시험을 잘 보고 싶다', '대학별 논·구술 시험에 대비하고 싶다' 등등…!! 숨마쿰라우데는 이런 각각의 학생들이 원하는 학습 목표에 따른 선택적 학습이 가능합니다. 첫째, 개념 학습 단계에서는 그 어떤 교재보다도 확실하고 자세하게 개념을 설명하고 있습니다. 둘째, 문제 풀이 단계에서는 개념 확인 문제를 비롯하여 내신형과 수능형 문제, 서술형 문제를 실어 수준별 학습이 가능하도록 하였습니다. 셋째, 심화 학습 단계에서는 교과에 대한 보다 심층적인 내용과 대학별 논·구술 예상 문제를 실어 깊이 있는 사고가 가능하도록 하였습니다. 이러한 숨마쿰라우데의 단계별 구성으로 학생들은 자신의 학습 목표에 맞는 부분을 찾아 공부할 수 있습니다. 모든 학습의 기본은 개념의 확실한 이해입니다. 공부하기 쉬운 숨마쿰라우데로 흔들리지 않는 학습의 중심을 잡으세요.

학습 교재의 새로운 신화! 이룸이앤비가 만듭니다!

숨마쿰라우데® 시리즈

내신·수능 1등급으로 안내하는
숨마쿰라우데만의 **3단계 학습 시스템!!**

1단계 개념 학습
누구나 쉽게 이해할 수 있는
상세한 개념 설명

2단계 문제 학습
내신·수능에 반드시 출제되는
최적의 문제 유형

3단계 심화 학습
내용의 심화·확장을 위한
교과서 심화 학습

〈국어〉	〈영어〉	〈수학〉	〈한국사〉
고전 시가	영어 입문 MANUAL	고등 수학 (상)/(하)	한국사
어휘력 강화	WORD MANUAL	수학 I	
독서 강화[인문·사회]	어법 MANUAL	수학 II	
독서 강화[과학·기술]	구문 독해 MANUAL	미적분	
신경향 비문학 워크북	독해 MANUAL	확률과 통계	
	수능 2000 WORD MANUAL		

본 시리즈가 최고의 개념 기본서인 이유!

첫째, 완벽한 개념 이해를 통해 흔들리지 않는 실력을 쌓을 수 있게 합니다.
숨마쿰라우데만의 자세하고 완벽한 설명은 어느 교재도 따라올 수 없습니다.

둘째, 교과 연계나 개념 확장 등을 통한 입체 학습으로 생각하는 힘을 갖게 합니다.
내신, 서술형 평가는 물론 수능, 논·구술까지 공부할 수 있도록 교과 연계 심화 학습을 제공합니다.

셋째, 엄선된 문제들로 개념 확인은 물론 응용력, 문제 해결력 등을 기를 수 있게 합니다.
단순한 지식을 묻는 문제가 아닌, 개념을 완벽하게 습득하였는지 점검할 수 있도록 엄선된 문제들로 구성하였습니다.

넷째, 선배들의 노하우나 조언 등을 통해 자신만의 학습법을 찾게 합니다.
선배들이 들려주는 문제 접근법, 주의, 조언 등을 통해 개념이나 문제들을 완벽하게 숙지할 수 있게 합니다.

> **상위권 선호도 1위의 명성은 중위권에서 상위권으로 성적 향상을 경험한 학생들에 의해 만들어진 영예입니다.**

숨마쿰라우데 라이트 수학
문제유형 기본서

개념잡기 – 유형마스터 – 다양한 문제풀이로 완성하는
3단계 수학학습 시스템

「라이트 수학」한 권으로 입맛에 맞는 공부를 해 보세요~!

1. 개념만 쭈욱 공부하고 싶을 때
핵심개념 PART만 모아서 공부해 보세요. 개념을 숙지하는 데 좋습니다!

2. 기출유형을 쭈욱 확인하고 싶을 때
대표유형 PART만 모아서 공부해 보세요. 유형을 파악하고 연습하는 데 좋습니다!

3. 학습 후 자기진단을 하고 싶을 때
REVIEW PART만 모아서 공부해 보세요. 내용을 이해하고 있는지 확인하는 데 좋습니다!

4. 시험대비와 함께 실력을 한 단계 높이고 싶을 때
연습문제 PART만 모아서 공부해 보세요. 실력도 다지고 시험대비 하기에 좋습니다!

ERUM BOOKS 이룸이앤비 책에는 진한 감동이 있습니다

중등 교재

◉ 숨마주니어 **중학 국어 어휘력** 시리즈
중학 국어 교과서(9종)에 실린 중학생이 꼭 알아야 할 필수 어휘서
- 1 / 2 / 3 (전 3권)

◉ 숨마주니어 **중학 국어 비문학 독해 연습** 시리즈
모든 공부의 기본! 글 읽기 능력 향상 및 내신·수능까지 준비하는 비문학 독해 워크북
- 1 / 2 / 3 (전 3권)

◉ 숨마주니어 **중학 국어 문법 연습** 시리즈
중학 국어 주요 교과서 종합! 중학생이 꼭 알아야 할 필수 문법서
- 1 기본 / 2 심화 (전 2권)

◉ 숨마주니어 **WORD MANUAL** 시리즈
주요 중학 영어 교과서의 주요 어휘 총 2,200단어 수록
어휘와 독해를 한번에 공부하는 중학 영어휘 기본서
- 1 / 2 / 3 (전 3권)

◉ 숨마주니어 **중학 영문법 MANUAL 119** 시리즈
중학 영어 마스터를 위한 핵심 문법 포인트 119개를 담은 단계별 문법 교재
- 1 / 2 / 3 (전 3권)

◉ 숨마주니어 **중학 영어 문장 해석 연습** 시리즈
문장 단위의 해석 연습으로 중학 영어 독해의 기본기를 완성하는 해석 훈련 워크북
- 1 / 2 / 3 (전 3권)

◉ 숨마주니어 **중학 영어 문법 연습** 시리즈
필수 문법을 쓰면서 마스터하는 문법 훈련 워크북
- 1 / 2 / 3 (전 3권)

◉ 숨마쿰라우데 **중학수학 개념기본서** 시리즈
개념 이해가 쉽도록 묻고 답하는 형식으로 설명한 개념기본서
- 중1 상 / 하
- 중2 상 / 하
- 중3 상 / 하 (전 6권)

◉ 숨마쿰라우데 **중학수학 실전문제집** 시리즈
기출문제로 개념 잡고 내신 대비하는 실전문제집
- 중1 상 / 하
- 중2 상 / 하
- 중3 상 / 하 (전 6권)

◉ 숨마쿰라우데 **스타트업** 중학수학 시리즈
한 개념씩 쉬운 문제로 매일매일 꾸준히 공부하는 연산 문제집
- 중1 상 / 하
- 중2 상 / 하
- 중3 상 / 하 (전 6권)

고등 교재

내신·수능 대비를 위한 국어 고득점 전략서!
◉ 숨마쿰라우데 **국어 기본서·문제집** 시리즈
자기 주도 학습으로 국어 공부가 쉬워진다!
- 고전 시가
- 어휘력 강화
- 독서 강화 [인문·사회]
- 독서 강화 [과학·기술]
- 신경향 비문학 워크북

쉽고 상세하게 설명한 수학 개념기본서의 결정판!
◉ 숨마쿰라우데 **수학 기본서** 시리즈
기본 개념이 튼튼하면 어떠한 시험도 두렵지 않다!
- 고등 수학 (상) / (하) / 수학I / 수학II / 미적분 / 확률과 통계

한 개념씩 매일매일 공부하는 반복 학습서!
◉ 숨마쿰라우데 **스타트업** 고등수학 시리즈
개념을 쉽게 이해하고 반복 학습으로 수학의 자신감을 갖는다.
- 고등 수학 (상) / (하)

유형으로 수학을 정복하는 수학 문제유형 기본서!
◉ 숨마쿰라우데 **라이트수학** 시리즈
수학의 핵심 개념과 대표문제들을 유형으로 나누어 체계적으로 공부한다.
- 고등 수학 (상) / (하) / 수학I / 수학II / 미적분 / 확률과 통계
  (적용 교육과정에 따라 계속 출간 예정)

변화된 수능 절대 평가에 맞춘 영어 학습 기본서!
◉ 숨마쿰라우데 **영어 MANUAL** 시리즈
영어의 기초를 알면 1등급이 보인다!
- 수능 2000 WORD MANUAL / WORD MANUAL
- 구문 독해 MANUAL / 어법 MANUAL
- 영어 입문 MANUAL / 독해 MANUAL

쉽고 상세하게 설명한 한국사 개념기본서의 결정판!
◉ 숨마쿰라우데 **한국사**
내신·수능·수행평가(서술형) 대비를 한 권으로!

1등급을 향한 수능 입문서
◉ 굿비 시리즈
수능을 향한 첫걸음! 고교 새내기를 위한 좋은 시작, 좋은 기초!

국어▶ 독서 입문 / 문학 입문
영어▶ 영어 듣기 / 영어 독해
수학▶ 고등 수학(상) / (하) / 수학I / 수학II / 미적분 / 확률과 통계
한국사

THINK MORE ABOUT YOUR FUTURE!